정통 이탈리아 요리의 정수

Marcella Hazan

Essentials of Classic Italian Cooking

정통 이탈리아 요리의 정수

마르첼라 하잔 지음 | 박혜인 옮김

마티

나의 학생들에게

이 책의 많은 부분이 그들 덕에 형태를 갖추었다. 그들의 질문을 통해 나는 답을 구했다. 그들이 모호함을 발견한 곳에서 나는 분명함을 끌어내려 했다. 그들이 어렵다고 여긴 것을 단순하게 하려 했다. 그들의 경험과 관점이 곧 내 것이 되었다. 처음 뉴욕의 아파트에서, 이후 볼로냐, 마지막 베네치아까지 사반세기 가까이 내 주방에서 함께 해준 이들에게 애정과 감사를 담아 이 책을 바친다.

일러두기

1. 이 책은 마르첼라 하잔(Marcella Hazan)의 *Essentials of Classic Italian Cooking* (New York: Alfred A. Knopf, 1992)을 완역한 것이다. 이 판본은 하잔의 이탈리아 요리책 최종본으로, 1973년에 나온 *The Classic Italian Cook Book*과 1976년에 출간된 *More Classic Italian Cooking*을 합하고 전면 개정한 것이다.

2. 컵 계량은 미국 단위를 따랐다. 이 책에서 말하는 1컵(cup)은 240밀리리터(ml)이다. 시판 중인 거의 모든 계량컵에는 미국식 컵 단위 눈금이 있다.

3. 이 밖의 미국식 계량은 미터법으로 환산해 표기했다. 파운드와 온스는 그램으로, 인치와 야드는 센티미터로, 갤런과 쿼터는 리터로 옮겼다. 온도 단위 화씨는 섭씨로 옮겼다.

4. 외래어 표기는 기본적으로 국립국어원 외래어표기법을 따랐다. 관례로 굳어진 표현은 예외를 두었다(예: 포카차 → 포카치아).

차 례

서문

『정통 이탈리아 요리책』(*The Classic Italian Cook Book*)과 『더 많은 정통 이탈리아 요리』(*More Classic Italian Cooking*)를 접한 사람이라면 저 레시피들이 여기, 한 권의 책으로 묶인 데 대해 의문을 품을지도 모르겠다. 나 스스로 나의 첫 책 두 권이 언젠가 하나로 재탄생할 거라고 결코 상상해본 일이 없다. 또 한편으로, 이 책들이 이탈리아 요리의 친숙한 참고서로 그렇게 많은 사람에게, 또 그렇게 많은 영어권 국가에 퍼져나가게 되리라고 누군들 예상했겠는가?

나와 내 편집자 주디스 존스가 작업하며 1권과 2권이라 이름 붙였던 책들은 증쇄를 거듭하였고, 우리는 이 책들을 다시 살펴보고 다듬기에 시의적절한 때라고 여겼다. 더 이상 활용되지 않는 몇 가지 권장 사항을 삭제하고, 그 대신 구하기 쉬워진 새로운 여러 재료들과 사람들의 바뀐 식습관에 맞추어 레시피를 추가했다. 이 일은 처음엔 대수롭지 않은 대청소 정도로 보였는데 어느덧 3년이 지났다. 거의 모든 레시피가 완전히 다시 쓰였으며 많은 레시피가 새로운 것이라 할 만큼 상당 부분 수정되었다.

『정통 이탈리아 요리책』을 집필한 지 20년이 되었고, 『더 많은 정통 이탈리아 요리』가 출판되고 14년이 흘러서도, 나는 수업에서, 그리고 남편이나 친구들을 위해 요리할 때 두 권의 책을 바탕으로 삼는다. 그리고 어쩌면 내가 항상 자각하고 있지 않았더라도 요리는 꾸준히 진화를 거듭했을 것이다. 더 단순화하는 방향으로 움직이고, 주된 풍미가 더 뚜렷하게 드러나고, 조리 시 기름에 대한 의존도를 점차 줄여나가는 쪽으로 말이다. 이 책을 위해 레시피를 하나하나 체계적으로 검토하기 시작하면서, 나는 스스로 무엇이 그 요리를 만들어내는지에 초점을 맞춰 각각의 레시피를 좀 더 날카롭게 다시 써야겠다고 느꼈다. 때로는 더 쉬운 이해를 위해 전체 과정에 한두 가지 단계만을 더했고, 이따금 요리하고 가르치며 지난 몇 년간 얻은 자각과 경험을 반영해 레시피를 완전히 재구성하기도 했다.

작업을 돌이켜보면서, 나는 더 이상 얻을 것이 없어 보이면 이탈리아 요리의 전통적인 원칙을 고수하지 않았고, 아주 정확히 꽉 짜인 설명이 아니라면 좋은 결과물을 얻는 과정을 가늠할 수 없는 레시피는 피하려 했다. 어떤 범주에도 속하지 않는 레시피 몇 개는 삭제했다. 반면, 최근 몇 년간 요리하면서 발견한, 미출간된 최고의 레시피이자, 여기에 포함되기를 부르짖었던 숨겨둔 맛을 40가지 이상 실었다. 이런 레시피들이 전채, 수프, 파스타, 리소토, 다양한 종류의 디저트로 이 책 전체에 걸쳐 퍼져 있음을 알게 될 것이다.

특히 발효 반죽에 대한 설명을 다시 쓰는 데 매우 집중했다. 개선된 빵 반죽, 새로운 포카치아와 피자 반죽을 제시했고, 이탈리아에서 가장 훌륭한 지역인 풀리아주의 특별한 빵 중 하나인 올리브 빵을 완전히 새롭게 등장시켰다.

오늘날 전자레인지는 아주 흔한 도구가 되었고 나는 그것을 이용하는 방법을 여기에 포함시키려고 애썼지만, 유감스럽게도 전자레인지로 요리하기를 선호하는 사람이라면 다른 책을 찾아봐야 할 것 같다. 끊임없는 시도에도 불구하고 내가 이탈리아 요리에서 추구하는 만족스러운 질감, 맛의 생동감, 통합된 풍미를 전자레인지는 만들어내지 못했다. 전자레인지가 오븐의 주요 장점을 가지고 있고, 많은 양을 익힐 때 시간을 급격히 줄여주는 것은 사실이다. 나는 요리하는 행위, 요리가 풍기는 냄새, 요리하면서 나는 소리, 눈으로 확인할 수 있는 불 위에서의 과정을 진심으로 신뢰한다. 전자레인지는 익히고 자르는 행위에 깊숙이 뿌리내려 있는 감정적이고 육체적인 기쁨을 요리로부터 분리한다. 버튼을 누르기만 하면 되는 마법 같은 전자레인지의 신속하고 깔끔한 기능은 이런 상실을 보상하지 못한다.

전면 수정할 여지가 있어 보였던 초반에서 점점 『정통 이탈리아 요리책』과 『더 많은 정통 이탈리아 요리』의 내용을 한 권의 책으로 만드는 것이 합리적인 방향임이 분명해졌다. 그 과정에서 새로운 「파스타」 장의 장점이 선명하게 드러났다. 앞선 책 두 권에서 파스타 소스와 파스타 요리에 관한 가장 자세한 레시피를 모아 포괄적인 하나의 장으로 통합함으로써, 가정에서 직접 만드는 파스타를 완벽히 재구성하여 설명한다. 가정에서 전통적인 볼로냐 방식으로 직접 파스타를 만드는 것이 얼마나 쉽고 빠른지, 또 시판되는 그 어떤 생면 파스타보다 손수 만든 것이 얼마나 더 맛있는지 더 많은 요리사들이 알게 되길 바란다. 마찬가지로 수프, 리소토, 생선, 채소를 다룬 장도 앞선 책 두 권보다 더욱 완전하고 많은 정보를 담아내도록 그 폭을 넓혔다.

「이탈리아 요리의 토대」라는 제목의 완전히 새로운 장도 추가되었는데, 이탈리아 음식에 관한 작은 백과사전이라 할 만하다. 조리 기술과 이탈리아 주방에서 사용하는 허브와 치즈에 관한 정보를 밀도 있게 싣고, 아주 유용한 기본 소스 몇 가지를 만드는 법, 그리고 발사믹 식초, 보타르가, 엑스트라버진 올리브유, 포르치니 버섯, 라디키오, 송로버섯, 건조 파스타, 여러 품종의 쌀 등을 고르고 사용하는 법에 대해 이야기한다.

이 책에서 수정되고 새롭게 추가된 레시피는 모두 참신함이 아니라 맛의 추구라는 같은 길을 간다. 그 맛은 사람들에게 놀라움을 주려고 만들어진 맛이 아니라, 안심시키려는 맛이다. 그것은 문화적인 기억, 대대로 이어져온 이탈리아 요리사들, 각 세대가 다음 세대를 위해 집처럼 마음 놓이는 식사를 마련하는 데서 비롯된다. 즉석에서 받아들일 수 있고, 매번 손으로 새롭게 직감할 수 있는 것이 요리의 패턴이다. 그 형태가 문화적인 삶의 근본적인 속성인 친숙함에 바탕을 두고 진화하면서 편안함을 가져다준다면, 우리는 그 패턴을 지속적으로 받아들일 수 있을 것이다.

『정통 이탈리아 요리의 정수』가 초보자부터 요리에 일가를 이룬 이에 이르기까지, 이해하기 쉽고 포괄적인 안내를 원하는 모든 단계의 요리사들에게 제품, 기술, 그리고 완성된 요리로 이끌어주는 주방의 안내서이자 기본 매뉴얼이 되기를 바란다. 그들이 이 안내서를 이루고 있는, 세월이 흘러도 변치 않을 이탈리아 요리에 다다를 수 있도록 말이다.

1991년 11월 베네치아에서

마르첼라 하잔

들어가며

이탈리아 요리 이해하기

이탈리아 사람에게 이탈리아 요리에 관해 물으면, 그가 어느 지역 출신인지에 따라 볼로냐, 베네치아, 로마, 밀라노, 또는 토스카나, 피에몬테, 시칠리아, 나폴리 요리에 관한 대화를 나눌 수 있을 것이다. 그러나 '이탈리아' 요리를 단일한 요리법으로 설명할 길은 없다. 이탈리아 요리라 할 때 '이탈리아'는 지금의 이탈리아보다 훨씬 역사가 긴 지역을 말한다. 1861년까지 군주의 지배를 받은 이 지역들은 대개 서로가 적이었고, 공유하는 문화적 전통이 아주 적었다. 공통의 언어는커녕—2차 세계대전 이후에야 인구 대부분이 일상 언어로 이탈리아어를 쓰기 시작했다—요리 방식도 완전히 달랐다.

요리에서 해산물의 비중이 큰 베네치아와 나폴리의 요리법을 예로 들어보자. 베네치아 사람과 나폴리 사람이 각자 고향 사투리로 대화한들 서로 이해할 수 없듯이 요리도 마찬가지다. 어떤 요리는 손재주만으로 만들어지지 않는다. 베네치아의 절제된 레퍼토리는 나폴리의 식탁 위에서 특별하며, 나폴리의 강렬하고 격정적인 맛은 베네치아 사람에겐 이국적으로 느껴진다.

720km나 떨어져 있는 베네치아와 나폴리의 차이는 고작 100km 떨어진 볼로냐와 피렌체에 비하면 아무것도 아니다. 에밀리아-로마냐주의 중심지 볼로냐와 토스카나주의 중심지 피렌체라는 두 도시의 경계를 건너는 순간, 동전의 양면처럼 요리 방식의 모든 면이 뒤집힌다. 볼로냐 주방의 풍요로움은 값비싼 재료를 풍성하고 아낌없이 쓰는 요리, 즉 받아들일 수 있는 모든 질감과 풍미의 대비를 끊임없이 탐험하는 완전히 바로크적인 것에서 비롯된다. 반면에 영리하고 조심스러운 피렌체 요리는 모든 것을 신중하게 계산하며, 있는 그대로에 바탕을 두고 본질에 집중함으로써 단순한 조화를 이룬다.

볼로냐는 송아지고기의 속을 육즙이 풍부한 파르마 햄으로 채운 후 겉은 숙성된 파르메산을 입혀 버터에 튀기듯 익히고, 얇게 저민 흰 송로버섯으로 호화롭게 감싼다. 피렌체는 호방한 크기의 티본 스테이크에 올리브유의 향과 간 후추 외에는 아무것도 더하지 않고 숯이 타오르는 장작불 위에서 재빨리 구워낸다. 승

자는 양쪽 모두다.

지역에 따라 음식의 특성이 이렇게까지 달라지는 것은 이탈리아가 뚜렷이 다른 두 지형, 바로 산과 바다로 나뉘기 때문이다.

이탈리아는 지중해와 아드리아해에 단단히 발을 딛고 있는 긴 장화처럼 생긴 반도다. 그러면서 유럽 대륙에서 가장 높은 산맥인 알프스의 사슬에 매달려 있는 땅이다. 아드리아해 서쪽에 위치한 베네치아에서 롬바르디아주를 거쳐 피에몬테주에 이르기까지 이탈리아의 주요 평지가 알프스 기슭을 따라 펼쳐진다. 낙농업이 발달한 이들 지역에서는 요리 기름으로 버터를 쓰고, 리소토의 재료인 쌀과 폴렌타의 재료인 옥수수가 많이 난다. 북부가 산업화된 후 남부 출신 노동자들이 북부로 유입되고 나서야 스파게티와 기타 공장제 파스타가 밀라노와 토리노의 식탁에 등장했다.

평야는 서쪽을 따라 이어지다가 이탈리아의 거대 산맥인 아펜니노에 가로막혀 지중해 해변에 다다르지 못하고 끊어진다. 아펜니노산맥은 짐승의 척추처럼 북에서 남으로 길게 뻗어 있고, 가운데는 척박한 석산이 솟아 있다. 꼭대기와 산등성이 사이사이를 잇는 현대식 도로가 나기까지 셀 수 없이 많은 계곡이 지상낙원으로 남아 있었고, 사람과 문화, 요리법은 완전히 고립돼 있었다.

비교적 작은 나라에서 나타나는 놀랄 만치 변화무쌍한 여러 기후대 역시 이탈리아 음식의 다양성에 기여해왔다. 강한 바람을 맞는 알프스 발치의 평야 지대에 위치한 피에몬테주의 주도 토리노는 겨울이 덴마크 코펜하겐보다 혹독하지만 이탈리아를 통틀어 가장 생동감 있는 요리를 선보인다. 서쪽으로 약 145km만 가면 나오는 해안 지역은 아펜니노산맥의 경사면에 둘러싸여 부드러운 지중해 바람에 흠뻑 적셔지는 리구리아 지역은 피한지라는 말(리구리아의 영어식 표기 리비에라[Riviera]는 추위를 피해 휴양하는 곳이라는 뜻이기도 하다 — 옮긴이) 그대로 온화한 날씨를 누린다. 화초류가 무성하고, 올리브밭이 광대하며, 목초지마다 향긋한 허브가 자라나 요리에 풍부하게 쓰인다. 이곳이 페스토의 탄생지인 것은 우연이 아니다.

리구리아 해안을 감싸는 아펜니노산맥의 동쪽에는 이탈리아에서 제일가는 미식의 고장 에밀리아-로마냐주가 있다. 주도인 볼로냐는 기념물이나 예술가, 영웅적인 역사가 아닌 음식 이름을 딴 유일한 도시일 것이다.

에밀리아-로마냐주에는 산지와 평지가 거의 균등하게 분포해 있다. 에밀리아-로마냐주의 평야는 유달리 비옥한데, 아펜니노산맥의 물줄기가 바다로 내달리면서 쏟아낸 충적토 덕분이다. 이탈리아 최고의 밀 생산지로, 볼로냐의 축복받은 수제 파스타가 바로 이 밀로 만들어진다. 마찬가지로 이탈리아 최고의 우유로 만든 치즈인 파르미자노 레자노(parmigiano-reggiano)가 여기서 생산되며, 그 이름은 에밀리아 지역의 도시 파르마와 레조에서 딴 것이다. 치즈를 만들고 남은 유청은 돼지 먹이로 쓰이고, 이 돼지의 넓적다리로 만든 파르마 프로슈토와 고기는 세계에서 알아주는 제품이다.

북부 이탈리아가 에밀리아-로마냐의 남쪽 경계에서 끝나면, 토스카나주를 포함하는 중부 이탈리아가 시작된다. 토스카나 아래로, 아펜니노산맥뿐 아니라 산맥에서 뻗어 나온 구릉지가 해안을 따라 남하하기 때문에 이탈리아의 중앙부는 사실상 산악 지대다. 이 때문에 요리에 두 가지 큰 변화가 생긴다. 첫째, 산기슭에서는 소를 사육하지 않고 올리브나무를 키우기 때문에 요리 기름으로 버터보다 올리브유가 흔히 쓰인다. 둘째, 에밀리아-로마냐의 들판에서 멀어질수록 연질 밀가루와 달걀로 만든 가정식 파스타가 남쪽에서 생산하는 공장제 경질 밀과 달걀 없이 만든 마카로니에 자리를 내어준다.

하지만 우리가 아무리 훑어본다 해도 위대한 이탈리아 요리의 기원을 특정하기는 어려울 것 같다. 그것은 북부에도, 중부에도, 남부에도, 섬에도 존재하지 않는다. 볼로냐, 피렌체에도 없고, 베네치아나 제노바, 로마, 나폴리, 팔레르모에도 없다. 그것은 어디에나 있다.

이탈리아 요리는 창조된 것이 아니거니와 셰프의 요리처럼 '창조적'이라고 말할 수도 없다. 그것은 기억된 역사에 걸쳐 있는 요리이다. 또한 이탈리아 반도와 섬들, 그 안의 아주 작은 마을, 농장, 대도시의 가정에서 기술과 육감(intuition)이 전수되며 진화한 요리이자 집집의 부엌에서 시작된 요리이다. 물론 귀족의 부엌, 상인의 부엌, 농부의 부엌이 달랐고 여전히 다르지만, 사뭇 다른 생활환경에서도 모두가 생생하게 공유하는 한 가지가 있다. 음식은 단순하든 정교하든 그 집만의 방식대로 만들어진다는 것이다. 이탈리아식 오트 퀴진(haute cuisine) 같은 것은 존재하지 않는데, 이탈리아 요리에는 높고 낮음이 없기 때문이다. 모든 길은 집으로, 그리고 '가정식'(la cucina di casa)으로 통한다. 이 경구만이 이탈리아 요리를 설명할 수 있다.

이탈리아 요리의 토대

맛이 탄생하는 곳

이탈리아 요리에서 풍미는 밑바닥에서부터 올라온다. 풍미는 덮여 있는 것이 아니라 밑바탕에 있다. 파스타 소스, 리소토, 수프, 프리카세, 스튜 또는 채소 요리에서 풍미의 토대는 주요 재료들을 뒷받침하고, 끌어올리며, 두드러지게 한다. 많은 이탈리아 요리의 구조에서 핵심인 이 건축적 원칙을 이해하는 것, 그리고 이를 적용하게 하는 세 가지 핵심 기술과 친숙해지는 과정은 이탈리아의 맛 전체를 파악하기 위한 긴 여정으로 내딛는 첫걸음이다. 그 기술은 바로 바투토, 소프리토, 인사포리레이다.

바투토 *BATTUTO*

이 명칭은 '때리다'라는 뜻의 동사 바테르(battere)에서 나왔는데, 도마 위에서 칼로 '내리쳐서' 여러 재료를 잘게 다져 만든 것을 말한다. 바투토의 구성은 돼지기름, 파슬리, 양파를 매우 잘게 다져 섞은 것으로 한때 거의 변함이 없었다. 요리에 따라 여기에 마늘, 셀러리나 당근이 들어갈 수도 있다. 현대에 와서는 돼지기름을 올리브유나 버터로 대체하기도 하지만, 여전히 많은 지역에서 더 깊은 풍미를 내기 위해 돼지기름을 사용한다. 어떻게 만들든 바투토는 사실상 모든 파스타 소스, 리소토나 수프, 그리고 수많은 고기와 채소 요리의 기본이다.

소프리토 *SOFFRITTO*

바투토를 냄비나 팬에서 기름에 살짝 튀겨 양파가 투명해지고 마늘이 옅은 갈색이 될 때, 바투토는 소프리토가 된다. 이는 반드시 주재료를 넣기 전에 이루어지는 과정이다. 많은 사람들이 바투토에 들어가는 모든 재료를 한꺼번에 기름에 볶으면서 소프리토를 거치지만, 양파와 마늘은 각각 따로 넣는 조심스러움이 필요하다. 양파를 먼저 살짝 기름에 볶다가, 양파가 투명해지면 마늘을 넣고, 마늘의 색이 변하면 남은 바투토의 재료를 넣어야 한다. 이렇게 하는 이유는 두 가지다. 하나, 바투토를 넣기 전에 양파를 먼저 볶으면 더 깊은 풍미를 낼 수 있다. 둘, 양파가 마늘보다 볶는 데 시간이 더 오래 걸린다. 두 가지를 동시에 넣으면, 양파가 투명해질 때 마늘은 이미 색이 너무 짙어지고 만다. 바투토 과정에서 판체타를 사용한다면 양파와 판체타를 함께 넣고 판체타에서 나오는 지방을 이용해 조리함으로써, 요리에 필요한 다른 기름을 덜 넣어도 된다.

설령 모든 과정이 성공적으로 이루어진다 할지라도 소프리토가 불완전하면 요리의 풍미는 손상되고 만다. 양파가 흐물흐물하게 익거나 완벽하게 볶아지지 않으면 소스나 리소토, 채소는 맛이 살아나지 못한 빈약한 상태에 머무르고 말 것이다. 만일 마늘을 짙은 색이 될 때까지 과하게 조리하면 다른 모든 풍미가 그 맛에 가려질 것이다.

참고 언제나 그런 것은 아니지만 바투토는 대개 소프리토가 된다. 때로는 요리에 함께 쓸 다른 재료와 어떻게 조합하냐에 따라, 이탈리아어로 표현하자면 날것 상태인 크루도(crudo)에 머물기도 한다. 이는 강한 풍미를 조금 덜 내기 위한 한 가지 방법이다. 예를 들어 어린 양고기 로스트에서, 고기는 크루도 상태인 바투토(battuto a crudo)와 처음부터 함께 조리한다. 또 다른 예인 페스토는 크루도 상태인 바투토 그 자체다. 전통적으로는 칼날로 다지기보다 절구로 찧어서 만들었기 때문에 통상 그렇게 인식되지는 않지만 말이다. 그렇지만 많은 이탈리아 요리사들은 소량의 바투토를 '적은 양의 페스토'라는 의미의 페스티노(pestino)라고 칭한다.

인사포리레 *INSAPORIRE*

소프리토 다음 과정은 인사포리레로, '맛을 주다'라는 뜻이다. 이것은 주로 채소에 적용되는 과정이다. 이탈리아 요리에서는 채소가 대부분의 첫 번째 코스(파스타, 수프, 리소토)와 프리카세, 스튜에 쓰이는 아주 중요한 재료이고, 때론 채소 자체로 코스 요리에서 중심이 되기도 한다는 사실을 떠올려보라. 그러나 이 과정은 또한 미트 소스나 미트 로프(meat loaf)를 만들 경우, 다진 고기에 적용되기도 한다. 또는 리소토를 만드는 준비 단계로서 소프리토에서 살짝 구워지는 쌀에도 적용된다. 이 과정이 무엇인지 알게 되면 수많은 레시피에 이 과정이 포함되어 있다는 것도 알아챌 것이다.

인사포리레가 요하는 기술이 있다. 소프리토한 바탕에 채소나 다른 주재료를 넣고, 특히 다진 양파처럼 바탕 재료의 풍미가 그 재료의 겉면에 완전히 입혀지도록 아주 센 불 위에서 힘차게 볶는 것이다. 음식의 맛이 만족스럽지 못할 때, 그 이유를 추적해보면 종종 요리사가 이탈리아 방식을 어설프게 흉내는 냈지만 이 과정에 충실하지 못했기 때문이다. 실패한 이유는 강한 화력에서 충분히 시간을 들이지 않았거나, 이 과정을 통째로 건너뛰어서다.

버터와 기름으로 볶기 *Sautéing with butter and oil*

소프리토에서 지방을 더할 때 때로 올리브유만 쓰기도 하지만, 올리브유 특유의 풍미가 도드라지는 것을 원치 않는다면 버터와 향이 없는 식물성기름을 함께 사용하기도 한다. 두 가지를 섞음으로써 더 높은 온도에서 볶을 때 버터를 태우지 않고 녹일 수 있다.

구성 요소

안초비 *Acciughe*

이탈리아 요리에 사용되는 모든 재료를 통틀어 안초비보다 진한 풍미를 내는 것은 없다. 안초비는 어떤 역할도 소화해내는 풍미를 가지고 있다. 다진 안초비는 구이에서 나오는 육즙에 녹아 고기 맛에 깊이를 더하는 반면, 그 자체의 특성은 버린다. 파스타 소스에 넣거나 녹인 모차렐라에 곁들일 때처럼 전면에 내세우면, 안초비의 강렬한 매력은 우리의 혀 속 세포를 절대적으로 지배한다. 안초비는 피에몬테 지역에서 생채소를 찍어 먹는 바냐카우다(bagna caôda)와 삶은 고기나 생선을 곁들이는 톡 쏘는 녹색 소스인 다양한 살사 베르데(salsa verde)의 필수 재료다.

안초비를 고르고 손질하는 법 ❁ 살이 많은 안초비일수록 더 풍부하고 깊은 맛을 낸다. 가장 살이 많은 안초비는 소금에 절여져 큰 금속 용기에 담겨 있으며, 무게에 따라 판매한다. 대부분의 경우 115g짜리가 한 번에 사기에 적합한 양이다.

- 안초비를 통째로 흐르는 찬물에 헹군다. 안초비를 저장했던 소금을 최대한 씻어낸다.
- 안초비를 한 번에 한 마리씩 손질한다. 꼬리를 잡고, 칼을 이용해 조심스럽게 비늘을 모두 긁어낸다. 비늘을 벗기고 나면 등 쪽 지느러미와 지느러미에 붙어 있는 작은 뼈를 함께 제거한다.
- 엄지손톱을 꼬리 반대쪽의 벌어진 끝부분에 밀어 넣고, 뼈에 가깝게 붙여 꼬리까지 쭉 따라서 가른다. 손으로 등뼈를 떼어내고, 뼈가 발린 살코기를 두 토막으로 쪼갠다. 살코기 토막을 손가락 끝으로 살살 문질러 남아 있

는 잔뼈들을 제거한다.

❁ 흐르는 찬물에 헹구고 키친타월로 가볍게 톡톡 두드려 물기를 완전히 제거한다. 깊이가 얕은 접시에 손질한 살코기 토막을 놓는다. 살코기 토막이 한 겹으로 접시를 가득 채우면, 안초비가 잠기도록 엑스트라버진 올리브유를 충분히 붓는다. 접시에 손질한 안초비를 놓으면서 한 층이 쌓일 때마다 올리브유를 붓는다. 맨 위층은 올리브유로 완전히 덮여야 한다.

❁ 2~3시간 안에 쓰지 않는다면 접시를 덮어 냉장고에 넣는다. 뚜껑이 없으면 주방용 랩으로 덮는다. 이 안초비는 10일에서 2주까지 저장할 수 있지만, 일주일 안에 쓰는 것이 가장 좋다. 이 방식으로 손질해둔 안초비는 전채로 먹기에 아주 좋을 뿐만 아니라, 바삭하게 구워서 자른 빵에 버터를 두껍게 바르고 올려 먹으면 훌륭한 간식이 된다.

참고 ❁ 앞에서 설명한 소금에 통째로 절인 안초비를 구할 수 없다면, 살코기만 미리 손질된 것을 사야 한다. 살이 통통하게 오른 것을 눈으로 보고 고르도록 유리병에 든 제품을 택한다. 가격을 할인하는 안초비에 유혹되지 마라. 정말로 좋은 안초비는 결코 저렴하지 않다. 가격이 싼 경우, 안초비라고 불러서는 안 될 정도로 파삭파삭하고 소금기에 쩐 아주 끔찍한 상태일 수 있다.

만일 통조림을 사용한다면, 남은 안초비를 그 안에 보관해서는 안 된다. 남은 것은 꺼내 동그랗게 말아 작은 병이나 깊이가 있는 작은 접시에 넣고, 공기에 노출되지 않도록 엑스트라버진 올리브유를 충분히 부어 냉장 보관한다.

짜서 쓰는 안초비 페이스트는 사용하지 않는다. 맛이 너무 강하고 짜며, 안초비를 쓰는 근본적인 이유인 특유의 매력적인 향이 거의 없다.

안초비로 요리하기 ❁ 대부분의 경우에 안초비는 잘게 다진다. 그래야 쉽게 녹고, 다른 재료에 그 풍미가 스며든다. 너무 뜨거운 기름에 다진 안초비를 넣어서는 안 되는데, 녹지 않고 튀겨지면서 딱딱해지고, 맛은 써지기 때문이다. 안초비를 넣은 후에는 팬을 화기에서 떼었다가, 전체적으로 저어서 안초비를 페이스트 상태로 잘게 부순 다음에 다시 가열한다. 가능하면 옆에 물을 끓이는 다른 냄비를 두고, 안초비를 넣은 팬을 그 위로 가져가 안초비가 녹을 때까지 저어가며 중탕하는 방법도 있다.

발사믹 식초 *Aceto Balsamico*

수백 년간 볼로냐 북부에 한정된, 모데나 지역 특산품인 발사믹 식초는 백포도의 달콤한 과즙만 응축시켜서 만든다. 전통적인 방식의 발사믹 식초는 다양한 수종으로 만든 나무통에 옮겨 수십 년간 숙성시킨다.

감별하는 법 ❀ 밝은 빛에 비추어 보았을 때 색은 깊고 진한 갈색을 띠어야 한다. 와인잔에 넣고 돌렸을 때 유리잔 안쪽 면을 타고 시럽처럼 흘러내리는 농도이되, 얼룩지거나 너무 묽어서는 안 된다. 향은 강렬하면서도 산뜻하게 퍼져야 한다. 한 모금 홀짝 마셨을 때 단맛과 신맛이 조화롭게 느껴져야 하며, 맛이 묵직하면서도 혀에 부드럽게 퍼지되 너무 달거나 톡 쏘아서는 안 된다. 결코 값이 저렴하지 않고, 무척 귀해서 향수병보다 훨씬 더 큰 용기에는 담지 못한다. 라벨에는 완전한 공식 명칭이 다음과 같이 적혀 있다. '아체토 발사미코 트라디치오날레 디 모데나'(Aceto Balsamico Tradizionale di Modena). 발사믹 식초라 불리는 다른 모든 제품은 일상적인 판매를 위해 설탕이나 캐러멜로 맛을 낸 와인 식초로, 전통적인 발사믹 식초와 비교할 것이 못 된다.

사용하는 법 ❀ 진짜 발사믹 식초는 아주 소량을 쓴다. 샐러드에서 보통 식초는 절대 발사믹 식초를 대체할 수 없다. 올리브유와 순수 와인 식초로 만든 기본 드레싱에 몇 방울 넣는 것으로도 충분하다. 발사믹 식초는 조리 시 가장 마지막 단계나 요리를 거의 마쳐갈 때에 넣어야 한다. 그래야 완성된 요리에 발사믹 식초의 향이 온전히 담길 수 있다. 신선한 딸기를 잘라서 내기 직전에 발사믹 식초로 살짝만 버무려도 놀라운 맛을 낸다. 하지만 발사믹 식초가 때로 '창조적'이라고 묘사되는 요리에 상투적으로 쓰이고 있다는 사실은 유감스럽다. 한때 토마토와 마늘이 이탈리아식 스파게티 전문점에서 버릇처럼 등장했듯이 말이다. 발사믹 식초를 무분별하게 사용해서는 안 된다. 발사믹 식초의 풍미가 선사하는 놀라움과 강렬함이 자주 반복되면 오히려 지겨워질 테니 말이다.

바질 *Basilico*

바질에 관해 반드시 알아야 할 점은 덜 익힐수록 맛이 좋고, 향은 날것일 때 가장 좋다는 것이다. 그래서 파스타를 소스로 버무려 완성한 다음에 바질을 넣는 것이다. 같은 관점에서 가장 응축된 맛을 지닌 바질 소스인 페스토는 언제나 날것으로 상온에서 쓰며 절대 데우지 않는다. 가끔 수프나 스튜, 또는 다른 요리에 넣어 바질을 익혀버리는 경우가 있는데, 바질의 생생하고 풍부한 향이 다른 재료의 향과 뒤죽박죽 섞여 사라지고 만다. 넣는 시점이 의심스럽거나 즉흥적으로 하는 경우라면, 바질은 그저 먹기 직전 가장 마지막 순간에 넣으면 된다.

사용하는 법 ◎ 가장 신선한 바질만을 사용하고 검게 변했거나 시들시들한 잎은 사용하지 않는다. 당신이 바질을 키우고 있다면, 바질이 너무 많은 햇볕을 쬐기 전인 이른 아침에 그날 필요한 양만 따서 써라. 바질을 요리에 쓰기 직전에, 흐르는 찬물에 재빨리 헹구거나 물에 적신 천으로 잎을 닦아준다. 레시피에서 가늘고 잘게 썰라고 하지 않는 한, 바질을 칼로 썰지 않는 것이 최선이다. 바질잎을 요리에 통째로 넣고 싶지 않다면 손으로 찢는 것이 칼로 써는 것보다 낫다. 말린 바질이나 가루로 된 것은 절대 쓰지 않는다. 많은 사람들이 바질을 얼려놓거나 저장해놓는다. 나는 신선한 바질을 쓰는 게 좋다고 생각하고, 신선한 것을 쓸 수 없다면 제철이 올 때까지 기다린다.

월계수잎 *Alloro*

월계수잎은 이탈리아 주방에서 가장 다용도로 쓰이는 허브다. 파스타 소스를 만들 때 쓰기도 하고, 올리브유에 절인 염소치즈나 말린 무화과처럼 서로 다른 방식으로 보존된 음식에 향을 더해주기도 한다. 고기를 양념에 재울 때 넣기도 하는데, 월계수잎이야말로 바비큐에 가장 이상적인 허브다. 생선 꼬치 요리에, 또는 송아지 간 요리 위에, 또는 불에 넣었을 때조차 제 역할을 한다. 그중에서도 레드와인에 졸인 배나 삶은 밤에 월계수잎을 넣는 것만큼 기분 좋은 조합은 없을 것이다.

고르는 법 ◎ 월계수잎은 예쁘게 마르고 또 영구적으로 저장할 수 있다. 조각난 것이나 가루 형태가 아닌, 잎 모양이 온전한 것을 구매해야 한다. 유리병에 넣어 단단히 밀폐한 다음 시원한 찬장에 두고 보관한다. 말린 것이건 신선한 것이건, 물에 적신 천으로 가볍게 닦아서 사용한다.

참고 ◎ 정원이나 테라스 또는 발코니가 있다면 성장이 빠르고 강인한 다년생 작물인 월계수를 직접 키워도 된다. 잎을 거의 무한정으로 주방에 공급해줄 것이다. 단, 당신이 사는 곳의 겨울이 길고 혹독하다면 봄이 될 때까지 실내에 둔다.

콩 *Fagioli*

콩류는 이탈리아 전역에 걸쳐 광범위하게 쓰인다. 그러나 토스카나, 아브루초, 움브리아, 그리고 라치오 같은 중부 지역만큼 콩에 애착을 갖고 대하는 지역은 없으리라. 토스카나에서는 카넬리니빈, 또는 흰강낭콩을 선호한다. 병아리콩과 잠두(누에콩)는 아브루초주와 라치오주를 장악했다. 움브리아주는 렌틸콩을 찬양한다. 북부에서는 일부 지역만이 중부에 비견될 정도로 콩을 사랑한다. 이탈리아 북쪽 끝 모퉁이에 있는 베네치아 같은 곳 말이다. 그곳에서는 고전적인 콩 수프를 파스타 에 파졸리(pasta e fagioli)처럼 가장 순수한 방식으로 만들어 먹는다. 베네치아에서 사용하는 콩은 분홍색과 흰색이 섞인 대리석 무늬의 크랜베리빈 또는 스코치빈으로, 라몬에서는 이를 아주 귀하게 여긴다. 이 콩은 날것일 때 알록달록하고, 익히면 어두운 붉은색이 된다.

몇몇 콩은 1년 중 아주 짧은 기간만 생으로 쓸 수 있다. 이탈리아를 벗어나면 콩깍지에 싸인 신선한 상태 그대로를 거의 찾아볼 수 없다. 그런 지역에서는 통조림에 든 콩이나 마른 콩을 사용한다. 마른 콩을 훨씬 선호하는데, 통조림 콩보다 경제적이기 때문이다. 마른 콩을 알맞게 익히면 맛도 있고 갈았을 때 적절한 농도도 얻을 수 있다. 이는 통조림에 든 걸쭉한 콩으로는 만들어낼 수 없다.

마른 콩 익히기 ◎ 아래는 모든 종류의 마른 콩을 미리 익혀야 할 경우에 적합한 방법이다. 흰카넬리니빈, 그레이트 노던빈, 붉은색이나 흰색 강낭콩, 크랜베리빈, 병아리콩, 잠두 등에 알맞다. 렌틸콩은 미리 익힐 필요가 없다.

- 레시피에서 요구하는 양만큼 콩을 볼에 넣고 그 위로 최소 7.5cm 이상 차오르도록 물을 충분히 붓는다. 방해받지 않도록 주방 한구석에 놓고 밤새 불린다.
- 콩을 다 불렸으면, 찬물에 헹구고 콩과 물을 냄비에 붓는다. 이때 냄비는 물이 콩 위로 7.5cm 이상 차오를 수 있을 정도로 커야 한다. 냄비 뚜껑을 덮고 중불에 올린다. 물이 끓으면, 불의 세기를 약하게 조절해 뭉근하게 끓인다. 콩이 부드러워지되 으깨지지 않도록 45분에서 1시간 정도 익힌다. 소금은 콩이 거의 다 익었을 때 넣는다. 그래야 익히는 동안 콩의 표면이 마르거나 터지지 않는다. 중간중간 맛을 봐 콩이 익은 상태를 판단한다. 콩은 사용할 때까지 삶은 물에 넣어둔다. 필요한 경우 하루나 이틀 전에 미리 익혀 보관해둘 수 있는데, 항상 삶은 물 안에 넣어두어야 한다.

보타르가 *Bottarga*

얇은 입술 숭어(thinlip mullet) 암컷의 알을 그 막이 손상되지 않게 그대로 꺼내 소금에 절이고, 가볍게 압착하여 씻은 다음, 햇볕에 건조한 것을 보타르가라고 한다. 길고 납작한 물방울 모양으로 길이는 대개 10~18cm이고, 어두운 호박 빛깔로 보통 한 쌍을 이루고 있다. 옛날에는 항상 밀랍에 싸서 보관했지만, 요사이는 투명한 비닐로 진공 포장한 것이 더 많다. 최고급 보타르가는 사르데냐 서쪽 해안가의 염분이 섞인 호수 카브라스에서 잡힌 숭어(이탈리아어로 무지네[muggine])로 만든 것이다.

좋은 보타르가는 섬세한 매운맛과 짠맛이 나며, 입 안을 즐겁게 자극한다. 막을 벗겨낸 뒤에 종잇장처럼 얇게 썰어 초록색 채소 샐러드에 올려 먹거나, 삶은 카넬리니빈과 먹거나, 버터를 발라 구운 빵에 얇게 썬 오이를 얹고 그 위에 올려 먹는다. 보타르가는 절대 익히지 않는다.

보타르가의 또 다른 종류는 참치알로 만든 것이다. 크기는 훨씬 더 크고, 어둡고 붉은 갈색이며 기다란 벽돌처럼 생겼다. 숭어 보타르가보다 더 건조된 상태로 톡 쏘는 맛을 내며, 거칠고 강한 풍미가 느껴진다. 값은 훨씬 싸지만, 썩 바람직한 대안은 아니다. 참치 보타르가는 지중해 동쪽 해안에 위치한 나라들에서 흔히 볼 수 있다.

빵가루 *Pan Grattato*

이탈리아 요리에서는 일절 가미를 하지 않은 맛있는 묵은 빵으로 빵가루를 만든다. 바싹 마른 상태여야 나중에 재료와의 접착력이 생긴다. 특히 파스타에 가볍게 버무리는 용도로 넣을 때처럼 말이다. 빵을 곱게 갈아서 제과용 시트 위에 펼쳐 놓고 190°C로 예열한 오븐에서 15분간 굽거나, 스킬렛(무쇠로 만든 낮은 냄비나 프라이팬 — 옮긴이)에서 가볍게 굽는다.

육수 *Brodo*

이탈리아 요리에서 육수는 리소토, 수프, 그리고 고기나 채소로 찜을 만들 때 쓰인다. 고기와 뼈, 채소의 풍미가 농축되지만, 그 재료들의 맛이 너무 강해서는 안 된다. 이것은 프랑스 요리에서 쓰는 용어인 '스톡'이 아니다. 그보다 가벼운 무게감과 부드러운 목소리를 지닌 육수는 그 자체에 주의를 끌지 않게 하면서 요리의 맛을 더 끌어올린다.

이탈리아식 육수는 주재료인 고기에, 무게감을 살짝 주기 위해 약간의 뼈를 더해서 만든다. 나는 육수를 만들 때 항상 골수가 든 뼈를 넣으려고 한다. 골수는 그 자체로도 맛있는 전채다. 그릴에 구운 빵에 올려 54쪽 호스래디시 소스를 곁들인다.

최고의 육수는 410쪽 볼리토 미스토(Bollito Misto) 레시피를 그대로 따르면 만들 수 있다. 육수를 보충해야 할 때마다 볼리토 미스토를 만들기가 귀찮을 수도 있지만, 요리를 자주 한다면 뼈에서 발라낸 고기나 송아지, 소, 닭을 손질하고 남은 부위 등을 육수용으로 모아 얼려놓을 수 있다. 고기 조각에서 떨어져 나온 맛있는 부스러기를 속재료나 고기 소스용으로 다지기 전에, 또는 소나 송아지 스튜에 넣기 전에 여기저기에서 가져오는 것이다. 어린 양고기나 돼지고기는 쓰지 않는다. 육수를 내기엔 풍미가 너무 강하다. 닭 내장 및 뼈에서는 불쾌하고 거슬리는 맛이 날 수 있으므로 아주 조금만 쓴다. 육수를 만들 준비가 되었다면, 온전한 신선한 소 양지나 목심 부위를 더해 맛을 한층 끌어올린다.

집에서 만드는 기본 고기육수

소금
당근 1개, 껍질을 벗긴다
양파 중간 크기 1개, 껍질을 벗긴다
셀러리 1대 또는 2대
붉은색 또는 노란색 파프리카 ¼~½개, 속심과 씨를 제거한다
감자 작은 것 1개, 껍질을 벗긴다
토마토 신선하고 잘 익은 것으로 1개, 또는 이탈리아산 플럼토마토 통조림 1통, 건더기만 준비
소고기, 송아지고기, 닭고기(다른 고기가 부족할 경우) 2.25kg, 뼈의 무게가 0.9kg을 넘지 않을 것

1. 모든 재료를 육수용 냄비에 넣고, 재료 위 5cm 높이로 물을 충분히 붓는다. 뚜껑을 비스듬하게 걸쳐서 닫고 중불에 올려 끓인다. 물이 끓기 시작하면 바로 불의 세기를 낮춰 아주 약하게 끓게 한다.
2. 표면에 뜨는 거품을 걷어낸다. 처음에는 거품이 많이 생기지만 점차 그 양이 줄어든다. 3시간 동안 꾸준히 뭉근하게 끓인다.
3. 키친타월을 깐 큰 스테인리스 거름망으로 육수를 걸러낸 후 도자기 볼이나 플라스틱 볼에 붓고, 걸러낸 육수가 완전히 식을 때까지 덮지 않은 채 그대로 둔다.
4. 식으면 표면에 뜬 기름이 하얗게 굳을 때까지 몇 시간에서 하룻밤 정도 냉장고에 넣어둔다. 기름을 떠서 버린다.

5. 육수를 만든 지 3일 안에 요리에 쓴다면 볼에 담아 냉장 보관한다. 3일 이상 보관하려면 아래 설명을 따라 냉동한다.

육수를 보관하는 법 ✿ 육수를 안심하고 냉장 보관할 수 있는 기간은 만든 날로부터 최대 3일이다. 만일 빠른 시일 내에 육수를 사용할지 확신할 수 없다면, 냉동하는 것이 가장 좋다. 언제든 꺼내 쓸 수 있도록 육수를 얼려놓으면 얼마나 편리한지 모른다. 가장 실용적인 방법은 얼음 틀에 얼리는 것으로, 육수가 얼자마자 비닐백으로 옮기고 공기를 뺀다. 얼린 육수를 비닐백 몇 개에 나누어 담아두면, 육수를 써야 할 때 필요한 만큼 비닐백에서 꺼내기만 하면 된다.

케이퍼 *Capperi*

케이퍼는 지중해 연안의 방대한 지역에 걸쳐 있는 거대한 암벽과 바위로 된 산비탈에 거미 다리 같은 가지를 뻗은 식물의 꽃이다. 봉오리가 단단하게 닫혀 있을 때 재빨리 채취한다. 케이퍼는 특히 시칠리아 요리에 풍부하게 사용되지만, 케이퍼 없는 이탈리아 주방은 상상하기 어렵다. 많은 전통 요리에서 중요한 자리를 차지하며, 파스타, 고기, 생선을 위한 소스나 속재료에 쓰인다. 너무 강하지 않으면서 생동감 있고 톡 쏘는 맛을 지닌 케이퍼는 즉흥적이면서도 무겁지 않은 이탈리아 요리의 특징을 잘 살려주는 양념 중 하나다.

살펴볼 것 ✿ 한때 나는 프로방스산 아주 작은 케이퍼인 농파레유 품종을 가장 선호했다. 그것대로 만족스러웠지만, 지금은 시칠리아 연안의 섬에서 나는 더 큰 케이퍼와 사르데냐에서 나는 보다 더 큰 케이퍼를 쓴다. 풍미가 더 풍성하고 향도 잘 퍼지기 때문이다. 케이퍼 중에서도 특히 프로방스에서 나는 것은 대개 식초에 절인다. 그렇게 하면 상태가 오래 유지되고, 개봉 후에도 냉장 보관하면 무기한 보관할 수 있다. 문제는 식초로 인해 케이퍼의 맛이 필요 이상으로 시큼해진다는 것이다. 남부 지역에서는 케이퍼를 소금에 절여 맛이 좀 더 낫다. 다른 나라 시장에서도 구할 수 있고, 그중에서도 좋은 이탈리아 식료품점에 가면 꼭 있다. 소금에 절인 케이퍼의 단점은 쓰기 전에 반드시 10~15분 물에 담가두었다가 물을 갈아가며 여러 번 헹궈야 한다는 것이다. 그렇게 하지 않으면 너무 짜다. 식초에 절인 것만큼 케이퍼를 오래 저장할 수는 없는데, 소금이 수분을 계속 흡수하면서 케이퍼가 흐물흐물해지고 결국 상하기 때문이다. 케이퍼의 보존 상태는 소금의 색으로 알 수 있다. 신선한 것은 맑은 흰색이다. 누렇게 변했다면 상한 것이다.

폰티나 *Fontina*

발레 다오스타는 프랑스와 스위스에 인접한 이탈리아의 알프스 지역이다. 폰티나는 이 지역의 산 목초지에서 방목한 소의 비살균한 젖으로 만든다. 이탈리아 안팎으로 유사품이 많지만, 발레 다오스타의 폰티나만이 단맛, 그리고 차별화된 견과류 맛을 내는 최상의 치즈이다. 이 치즈는 피에몬테식 퐁뒤처럼 녹이거나, 아스파라거스 그라탱 위에 올리거나, 또는 기름에 지진 송아지 스칼로피네 위에 얇게 썬 프로슈토를 올리고 그 위를 감싸기에 알맞다. 버터처럼 고소한 맛은 유사품과 달리 섬세하고 특별하다. 요리에 치즈의 풍미를 교묘하게 내고 싶을 때 사용하기 딱 알맞다.

마늘 *Aglio*

'이탈리아 음식은 마늘이다'라고 한다면 아주 정확하진 않지만, 또 완전히 틀린 것도 아니다. 아마도 세간의 통념일 텐데, 마늘을 멀리하는 이탈리아 사람도 있고 가정과 식당에서 여러 요리에 마늘을 사용하지 않기도 한다. 그럼에도 마늘을 쓰지 않는 레시피를 찾기란 힘들다. 구운 닭, 조개, 또는 그릴에 구운 버섯이나 페스토, 수많은 스튜와 프리카세, 파스타 소스에 마늘이 없으면 어떻겠는가?

이탈리아 요리를 위해 마늘을 준비할 때는 항상 껍질을 벗겨야 한다. 일단 껍질을 벗겨, 통으로 쓰거나, 으깨거나 얇게 썰거나 다져서 사용한다. 사용하는 양은 마늘의 존재를 얼마나 또렷하게 할 것인지에 따라 다르다. 한 쪽을 통으로 쓸 때 가장 부드러운 향을 내고, 잘게 썰 때 가장 강한 향을 풍긴다. 마늘 다지기에 넣고 눌러 짜는 방법을 가장 납득하기 어렵다. 축축해진 조직에서 아린 맛이 나고, 제대로 기름에 볶아지지도 않는다.

마늘을 색이 변하지 않을 정도로 기름에 짧게 볶은 다음에, 얇게 썬 마늘을 토마토 소스 안에서 익힐 때처럼 다른 재료에서 나온 즙으로 뭉근하게 익히면 마늘 향을 미미하게 감지될 정도로 낼 수 있다. 이런 맛과 향이 대체로 바람직하다. 때때로 더 강한 마늘 맛이 어울리기도 하지만, 맛있는 이탈리아 요리에서 강하게 톡 쏘거나 쓴맛이 나는 경우는 없다. 마늘을 볶고 있을 때는 절대 눈을 떼서는 안 되며 짙은 갈색으로 변하게 두어서도 안 된다. 불쾌한 냄새와 맛이 날 수 있다. 요리의 균형 잡힌 풍미를 위해 특별히 강렬한 마늘향이 필요한 경우에만, 마늘을 호두껍데기 정도의 옅은 갈색이 될 때까지 익힌다. 하지만 대부분의 요리에서 마늘에 허용된 가장 짙은 색은 옅은 황금색이다.

고르고 저장하는 법 ❀ 마늘은 1년 내내 구할 수 있지만, 갓 수확한 봄이 최고다. 어리고 신선할 때 부드럽고 촉촉하며 껍질은 연하고 깨끗한 흰색이다. 이때 맛은 꽤 달아 양 조절이 힘들 수 있다. 수확 뒤에 자라버린 오래된 마늘은 수분이 빠지고 단맛을 잃어 톡 쏘는 맛이 생기고, 껍질이 얇아지면서 바스러진다. 알맹이는 쭈글쭈글해지면서 바랜 아이보리처럼 누래진다. 여전히 요리하기에는 좋지만, 양을 줄여서 써야 하고 신선한 것을 조리할 때보다 더 옅게 익혀야 한다. 마늘 알맹이를 쪼개 녹색으로 변한 부분을 제거하는 요리사도 있다. 나는 그럴 필요는 없다고 생각하지만, 알맹이 바깥으로 튀어나온 초록색 싹은 잘라낸다.

마늘은 통으로 무게와 크기에 따라 고른다. 비슷한 크기일 때는 손에 들었을 때 묵직할수록 더 신선할 가능성이 높고, 마늘통이 크면 알이 더 커서 마르는 데 더 오래 걸린다. 통으로 된 마늘만 사용하고, 이미 잘게 썰린 마늘이나 마늘향이 가미된 기름, 마늘가루는 쓰지 않는다. 이런 모든 제품은 이탈리아 요리에 적합하지 않다.

마늘은 쓰기 직전까지 껍질째 보관한다. 쓰기 전에 너무 미리 잘게 썰어두지 마라. 마늘은 냉장고가 아니라 공기가 잘 통하는 헐거운 뚜껑으로 닫는 항아리에 넣어 저장한다. 구멍이 뚫린 마늘용 항아리가 있는데 꽤 유용하다. 마늘을 묶어서 부엌에 매달아놓으면 보기에는 썩 좋지만, 마늘이 너무 빨리 말라버리고 몇 개는 빈 껍질만 남을 것이다.

마조람 *Maggiorana*

향이 풍부한 리구리아의 요리와 가장 밀접한 허브다. 파스타 소스, 짭짤한 파이, 속을 채운 채소 요리, 그리고—아마 가장 훌륭할—해산물 샐러드인 인살라타 디 마레(insalata di mare)에 들어간다. 사람을 매혹하는 향긋함과 꽃향기 같은 풍미는 마조람을 말리는 순간 거의 사라지고 만다. 가능하면 매번 신선한 것을 구하고, 그럴 수 없다면 얼려두고 쓴다.

모르타델라 *Mortadella*

모방은 아첨의 가장 진실한 형태라지만, 모르타델라의 경우는 오히려 특징을 파괴하는 것에 가깝다. 스스로를 모르타델라, 또는 그것이 생겨난 도시 이름인 볼로냐로 부르는 제품들은 아마도 소시지 장인이 가장 훌륭하게 구현했을 장점을 완전히 흩트려버린다.

모르타델라라는 이름은 로마인이 소시지 껍질에 채워 넣을 고기를 으깨느라 썼던 모르타르(mortar)에서 유래했을 것이다. 또는 그 명칭이 은매화 열매(myrtle berries)—이탈리아어로는 미르토(mirto)—에서 기원했다는 설이 있다. 한때 매화 열매는 속재료를 섞을 때 향을 내기 위해 쓰였다. 모르타델라를 이루는 살코기(엄선한 돼지 어깨살과 목살)와 전통적인 방식에 따라 돼지의 턱살과 다른 부위를 섞어 부드럽게 간다. 그러고 나서 이 간 고기를 1cm 크기로 깍둑썰기한 돼지 등의 지방과 여러 향신료 및 조미료(만드는 사람마다 다르다)를 섞은 것과 함께 박아 넣어 껍질 속을 채운다. 모르타델라를 만드는 모든 과정이 다 중요하지만 속을 채운 다음이 탁월한 제품의 특징인 질감과 향을 좌우한다. 모르타델라는 특별한 익힘 과정을 거친 뒤에야 비로소 완성된다. 80~90°C로 온도가 유지되는 공간에 매달아 증기로 익히는데, 최장 20시간이 걸린다.

모르타델라는 450g의 아주 작은 것부터 90kg 또는 그 이상, 그리고 지름이 38cm나 되는 거대한 것까지 크기가 매우 다양하다. 특수한 소 내장을 써야만 하는 후자가 가장 귀한데, 익히는 데 오래 걸릴뿐더러 섬세하고 뛰어난 풍미를 내기 때문이다. 잘라보면, 크고 질 좋은 볼로냐 모르타델라의 복숭아빛 고기에서 향이 솟아오를 텐데, 아마 돼지고기 제품 가운데 가장 매혹적일 것이다.

모르타델라의 쓰임 ❀ 볼로냐 요리에서 다진 모르타델라는 토르텔리니의 속재료로, 그리고 미트 로프 같은 다진 고기 요리에서 농후한 풍미를 내는 데 쓰인다. 프리토 미스토나 따뜻한 전채의 일부로, 막대형으로 썰어 빵가루를 입힌 다음 튀겨내기도 한다. 또한 두껍게 썰어 차가운 고기 전채 모둠으로 차려 낸다. 볼로냐 식탁에서는 모르타델라를 1cm 크기로 깍둑썰기해 놓은 접시를 종종 볼 수 있다. 모르긴 해도 모르타델라가 국가에 기여하는 최고의 봉사는 아침밥을 안 먹고 가는 학생들을 살아 있게 만든다는 것이다. 책가방 안에 넉넉하게 채워진 얇게 썬 모르타델라는 아침과 점심 사이의 활력을 책임진다.

물소젖 모차렐라 *Mozzarella di Bufala*

한때 모든 모차렐라는 물소젖으로 만든 디 부팔라(di bufala)였다. 물소는 주도가 나폴리인 남부 지역 캄파니아의 목초지에 방목되어 자란다. 물소젖은 일반 우유보다 훨씬 더 크림 같고, 물소젖으로 만든 치즈는 벨벳같이 부드러운 질감에 기분 좋은 향이 난다. 다른 모차렐라와 달리 분명한 풍미가 있고 달며, 동시에 섬세한 감칠맛이 난다.

나폴리에서는 피자를 만들 때 항상 모차렐라 디 부팔라를 쓴다. 시판용 피자에 쓰기에는 너무 비싼 재료지만, 집에서 직접 만들 때 써보면 피자의 맛을 엄청나게 끌어올려줄 것이다. 파르미자나 디 멜란차네(parmigiana di melanzane) 같은 요리도 말이다. 게다가 잘 고른 모차렐라가 있으면, 얇게 썬 모차렐라와 잘 익은 토마토, 바질로 이루어진 카프레제 샐러드도 만들어볼 수 있다.

너트메그 *Noce Moscata*

이탈리아에서 다른 중동 향신료를 포함해 너트메그를 쓸 수 있게 해준 데 대해 감사해야 할 곳은 베네치아지만, 그것이 가장 깊숙이 뿌리내린 데는 볼로냐 요리다. 너트메그는 볼로냐식 미트 소스와 그것으로 속을 채운 홈메이드 파스타에 없어서는 안 될 재료다. 또 시금치 리코타 소스, 짭짤한 채소 파이, 몇몇 디저트에 이르기까지 어디에든 들어간다. 한 가지 반드시 주의해야 할 점은, 너무 많이 갈아 넣을 경우 특유의 사향과 비슷한 풍미가 강렬한 쓴맛에 가려진다는 점이다.

통너트메그를 그대로 유리병에 넣어 밀폐한 다음 부엌 찬장에 두고 쓰도록 한다. 필요할 때마다 너트메그를 작고 휘어진 전용 강판에 갈아 쓰는 것이 가장 쉽지만, 미세한 구멍이 있는 강판이라면 어떤 것이든 쓸 수 있다.

엑스트라버진 올리브유 *Olio d'Oliva Extra Vergine*

시중에 파는 모든 등급의 올리브유 중에 조리 시 찾아야 할 것은 오직 '엑스트라버진'뿐이다. '버진' 올리브유가 되기 위해서는 반드시 냉압착되어야 하고, 오로지 올리브를 씨까지 통으로 기계로 으깨 생산되며, 화학적 용매나 다른 압착 기술은 전적으로 배제된다. 여러 다른 '버진'의 등급은 기름이 산도를 얼마나 포함하고 있느냐에 따라 결정된다. 가장 높은 등급인 '엑스트라버진'은 산도가 1퍼센트 혹은 그 미만이다. 산도가 4퍼센트를 넘으면 올리브유의 산도를 그 이하로 낮추지 않는 이상 '버진'이라는 명칭을 달 수 없다. 이런 올리브유는 1991년까지 '퓨어'라는 명칭으로 판매되었는데, 기술적으로는 정확하나 올리브유의 가장 낮은 판매 등급을 지칭하기에 적합하지 않은 것 같다.

엑스트라버진 올리브유 고르기 ❁ 이탈리아의 올리브유는 다양한 향과 풍미를 내는데, 대표 격인 제품을 선택할 수 있다면 자신만의 요리 스타일을 최고로 끌어올려주는 오일을 고르는 관점을 가질 수 있다. 가르다 호수의 베네토주 쪽과 베로나 북쪽 구릉지에서 생산되는 올리브유는 아마 이탈리아에서 가장 훌륭하고 질이 높을 것이다. 달콤한 향, 고소함으로 요리에 섬세한 변화를 준다. 리구리아에서 나는 올리브유의 풍미는 좀 더 내향적이지만, 더 걸쭉하고 점성이 느껴진다. 이탈리아 중부의 토스카나와 움브리아에서 나는 올리브유는 과일향이 스미는데, 특히 토스카나의 올리브유는 매콤하고 자극적이다. 더 먼 남쪽에서 생산된 올리브유는 지중해 허브향—사과 같으며 달콤함에 가까운 뚜렷한 과일향을 풍기는 로즈마리, 오레가노, 타임—이 난다. 어떤 요리에 딱 맞는 올리브유를 정하는 유일한 방법은 가능한 한 많이 시도해보는 것이다. 올리브유의 특성이 어떻든 간에 기대하는 맛의 질은 생생함, 신선함, 그리고 가벼움을 주는 느낌이다. 지방 맛이 나고 흙냄새나 묵은내가 나면서 끈적임이 느껴지는 올리브유는 피한다.

올리브유 보관하기 ❀ 올리브유는 공기와 빛, 열에 민감해 변질되기 쉽다. 이탈리아 농림부에서는 병입된 지 1년 반 안에 쓸 것을 권고한다. 원래 용기를 개봉하지 않았다면 훨씬 더 오래 보관할 수 있고, 서늘하고 어두운 찬장이나 와인 저장고에 둔다면 조금 더 오래 상태를 유지할 수 있다. 한번 열면 4~6주 안에 가능한 한 빨리 써야 한다. 병은 단단히 닫아서 보관한다. 빨리 쓸 게 아니라면 주둥이가 달린 철재 기름통에 담지 마라. 입구가 열려 있는 병에 기름이 담겨 있다면, 사용하기 전에 냄새를 맡아보고 냄새와 맛이 역하면 버린다. 무엇을 요리하든 풍미를 망쳐버릴 수 있다.

올리브유로 요리하기 ❀ 때로 가장 최상급의 올리브유를 샐러드에 쓰고, 낮은 등급은 조리에 쓰라는 충고가 나온다. 이런 충고는 치명적인 모순을 안고 있다. 선택한 올리브유의 풍미는 상추잎만큼이나 파스타 소스와 채소 요리에도 민감하다. 시금치나 버섯, 또는 토마토 소스를 조리할 때 훌륭한 올리브유를 한번 써보면, 굳이 다른 선택을 하지 않게 될 것이다.

맛을 최우선으로 고려한다면, 샐러드만큼이나 익히는 요리에서도 가장 좋은 풍미를 가진 올리브유를 아낌없이 써라. 비용 같은 현실적인 요인이 우선이라면, 요리에 올리브유를 쓰는 빈도를 줄이고 식물성기름으로 대체하라. 그러나 빈도가 줄더라도 올리브유를 쓴다면, 형편이 되는 한에서 가장 좋은 오일을 사용하라.

올리브 *Olive*

이탈리아 요리에서 가장 흔히 쓰이는 올리브는 윤기가 돌고 둥글며 검은 것으로 이탈리아에서는 그레케(greche)라고 부르는 그리스 올리브다. 이 올리브를 다른 비슷한 그리스 올리브 품종인 가늘고 길며 끝이 뾰족한 자주색의 칼라마타(kalamata)와 혼동해서는 안 되는데, 칼라마타의 풍미는 이탈리아 요리와 어울리지 않는다.

가급적 요리 맨 마지막에 올리브를 넣는다. 소스, 프리카세, 스튜 또는 무엇을 만들든 거의 완성되었을 때 말이다. 올리브를 오래 조리하면 쓴맛이 두드러진다.

오레가노 *Origano*

식물학적으로 보자면, 오레가노는 마조람과 가장 가깝지만 그것의 요란한 향은 남쪽의 피자나 피자에 쓰는 소스 같은 요리에 더 깊이 관련되어 있다. 가지나 콩을 곁들인 몇몇 샐러드와도 아주 훌륭한 조합을 이루는데, 그릴에 구운 황새치에 곁들이는 시칠리아 소스인 살모릴리오(salmoriglio)와 특히 더 잘 어울린다. 마조람과 달리 오레가노는 말려도 완벽하다.

판체타 *Pancetta*

이탈리아어로 배꼽을 뜻하는 판차(pancia)에서 유래한 판체타는 베이컨의 특별한 이탈리아식 버전이다. 가장 흔한 형태는 판체타 아로톨라타(pancetta arrotolata)로 알려진 것으로, 롤케이크처럼 말아 살라미 모양으로 묶은 것이다. 판체타 아로톨라타를 만들기 위해서는, 처음에 껍질을 벗겨낸 다음 고기에 소금, 간 검은 후추, 그리고 다른 향신료를 골라 입히는데, 만드는 사람에 따라 너트메그, 시나몬, 정향 또는 으깬 주니퍼 베리(juniper berry, 작고 둥근 푸른빛 알갱이의 열매 향신료로 달콤하면서 쌉쌀하고 약간 얼얼한 맛이 난다. 말린 알갱이를 으깨어 사용하는 경우가 많으며 육류, 가금류, 생선 요리, 술과 음료, 디저트 등에 다양하게 쓰인다 — 옮긴이)를 쓰기도 한다. 훈연하지 않기 때문에 베이컨보다 더 촉촉하다. 절인 지 2주가 되면 단단히 말아 묶은 뒤, 원래 껍질 또는 더 일반적으로는 인공적으로 만든 포장지로 싼다. 이 시점에서 프로슈토처럼 먹을 수도 있다. 프로슈토보다는 더 부드럽고 훨씬 덜 짜다. 하지만 더 중요한 것은 조리에서의 쓰임인데, 감칠맛 있는 단맛과 훈연하지 않은 풍미를 완벽히 대체할 만한 것은 어디에도 없다. 일부 이탈리아인들은 껍질을 제거하지 않고 비슷하게 절인 납작한 버전의 판체타인 판체타 스테사(pancetta stesa)를 쓴다. 판체타는 이탈리아 북동부 — 베네토, 프리울리, 알토 아디제 — 를 제외하고는 절대 훈연하지 않는다. 이들 지역에서는 북아메리카의 넓적한 베이컨와 유사한 납작하고 평평하며 훈연한 베이컨을 선호하는데, 그것은 오스트리아 점령 100년이 남긴 유산이다.

파르미자노 레자노 *Parmigiano-Reggiano*

파스타 위에 갈아서 올리는 공통적인 쓰임을 가진 거의 모든 치즈에는 '파르메산'이라는 명칭이 붙지만, 진정한 파르메산의 특성—풍부하고 깊은 맛, 그리고 열에 녹아서 함께 들어간 재료와 분리되지 않음—을 가진 치즈 파르미자노 레자노에 필적할 만한 상대는 없다. 이 책에서 언급하는 파르메산은 오직 아래 설명에 부합하는 파르미자노 레자노만을 지칭한다.

무엇이 파르미자노 레자노인가? 이 명칭은 법에 의해 엄격하게 보호받는다. 정확히 지정된 영역 내에서 자란 소의 탈지유를 부분적으로 사용해 생산된—700년 동안 변하지 않은 과정을 통해—유일한 치즈로, 그 지역은 주로 에밀리아-로마냐에 위치한 파르마와 레조 에밀리아에 해당한다. 완전히 자연적인 과정—우유에 레닛을 제외하고는 아무것도 첨가하지 않고, 18개월이라는 긴 숙성 기간을 거치며, 생산 지역의 목초지에 특별한 식물군과 미생물이 서식한다—모두가 파르미자노 레자노의 맛에 기여하며, 요리에서의 역할과 특성은 다른 어떤 치즈도 흉내 낼 수 없다.

구입하고 저장하는 법 선택의 여지가 있다면, 미리 잘라놓은 조각은 구입하지 말고 휠에서 잘라달라고 요청한다. 치즈의 특성을 보존하기 위해서는 마르는 것을 방지해야만 한다. 치즈를 자를수록 더 많은 수분을 잃게 돼, 톡 쏘는 맛을 내며 잘게 부스러지기 시작한다. 같은 이유로 갈아놓은 어떤 파르메산도 구입해서는 안 되며, 써야 할 때 직접 갈아서 쓴다.

구입하려는 치즈를 유심히 관찰한다. 수분을 머금고, 흰색의 마른 무늬 없이 옅은 호박색이 고르게 퍼져 있어야 한다. 특히 껍질 옆을 확인한다. 하얗게 변하기 시작했다면 치즈가 잘못 저장되어 건조해지고 있다는 신호다. 가장자리 옆 테두리에 하얀 분이 넓게 퍼져 있다면 그 치즈는 더 이상 최적의 상태가 아니다. 눈에 보이는 결함이 없어도 시식 후 구입하라. 입 속에서 부드럽게 녹아야 하고, 고소하면서도 부드러운 짠맛이 느껴지되 강하거나 날카롭거나 톡 쏘아서는 절대 안 된다.

모든 조건에 부합하는 파르미자노 레자노를 발견하면 적당한 양을 구입하자. 2~3주간 사용할 양보다 더 많으면 둘로 나누고 아주 크다면 그 이상으로 나눈다. 각 조각에는 가장자리 부분이 반드시 붙어 있어야 한다. 처음에 유산지로 단단히 감싼 뒤,

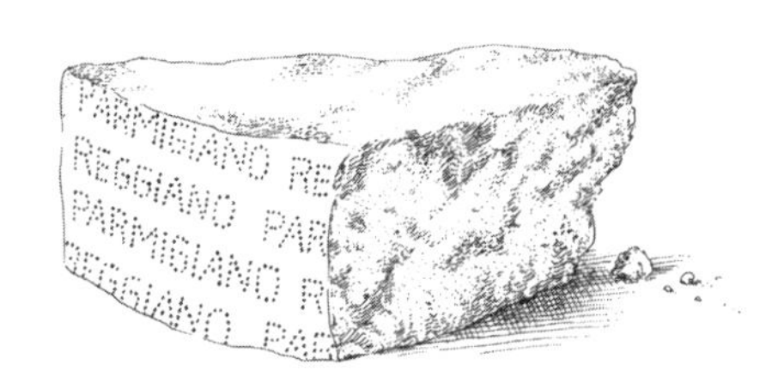

튼튼한 쿠킹호일로 한 번 더 싼다. 호일 밖으로 튀어나오는 부분이 없게 한다. 냉장고 맨 아래쪽 서랍에 넣어 보관한다.

치즈를 오랫동안 넣어둔다면 한 번씩 상태를 확인한다. 색이 원래의 호박 빛깔을 잃고 분이 생기기 시작하면 치즈클로스 한 조각을 물에 적셔 축축한 정도로만 비틀어 짠 다음, 접어서 치즈를 감싼다. 그 위를 호일로 싸고 하루에서 이틀 정도 냉장고에 넣어둔다. 그 후에 파르메산 싼 것을 벗기고 치즈클로스는 버린 뒤 다시 유산지와 쿠킹호일로 감싸 냉장고에 도로 넣는다.

참고 ❀ 우유로 만든 파르미자노 레자노는 보통 다음과 같은 요리를 더 조화롭게 만드는데, 올리브유보다는 버터가 바탕이 되는 파스타 소스에서 특히 그렇다. 해산물이 들어가는 파스타나 리소토에 갈아 넣는 것은 드문데, 이탈리아에서 해산물은 거의 언제나 올리브유로 조리하기 때문이다. 모든 규칙이 그러하듯, 이 역시 하나의 가이드라인일 뿐 강요하는 것은 아니다. 눈에 띄는 예외 중 하나가 파르메산과 올리브유를 모두 사용해야 하는 페스토다.

이탈리안 파슬리 *Prezzemolo*

이탈리안 파슬리는 잎이 꼬불거리기보다는 평평한 품종이다. 이탈리아 사람들은 항상 마주치곤 하는 사람을 두고 “그는 마치 파슬리 같다”고 표현하곤 한다. 파슬리는 이탈리아 요리의 기본이 되는 허브다. 거의 모든 곳에 들어가고, 잘게 썬 파슬리를 다른 재료와 함께 볶는 것으로 시작하지 않는 파스타 소스, 수프, 고기 요리는 드물다. 많은 경우 파슬리는 익히지 않은 상태로 완성된 요리 위에 뿌려지는데, 신선한 파슬리 향이 풍기지 않는 요리는 미완성인 것처럼 보인다.

잎이 꼬불꼬불한 파슬리는 만족스러운 대안이 아니다. 파슬리를 아예 넣지 않는 것보다는 나을지라도 말이다. 이탈리안 파슬리를 구하기 어렵다면, 발견했을 때 넉넉하게 구입해 그중 일부를 냉동한다. 체르노빌 원자력 발전소 폭발 사고로 이탈리아가 방사능에 노출되어 한동안 잎채소나 허브를 쓸 수 없었을 때, 나는 얼려두었던 파슬리로 요리했다. 신선한 것과 똑같을 순 없었지만 쓸 만했다. 정말 다행이었다.

참고 ❀ 고수(coriander)를 이탈리아 파슬리와 혼동해서 구입하지 마라. 파슬리잎은 뾰족한 반면 고수잎은 끝이 둥글다. 동양과 멕시코 요리와 꽤 잘 어울리는 고수의 향이 이탈리아식 문맥에서는 미각에 충돌을 일으킨다.

파스타 *Pasta*

이탈리아 파스타의 모양은 셀 수 없이 다양하지만, 이탈리아 요리에는 기본적으로 두 부류가 쓰인다. 공장에서 만들어진 밀가루와 물로 만든 건조 파스타, 그리고 가정에서 달걀과 밀가루로 만든 소위 '신선한' 파스타다. 공장에서 만든 파스타보다 직접 만든 파스타를 선호할 최소한의 판단 근거도 없다. 그렇게 생각하는 사람은 이탈리아 요리의 보고에서 가장 맛있는 일부를 스스로 거부하는 것이다. 한 파스타가 다른 것보다 더 나은 것이 아니며, 그들은 단지 다를 뿐이다. 그것들이 만들어진 방식, 질감과 밀도, 그 자체의 모양, 가장 어울리는 소스가 각자 다르다. 그것들은 거의 호환될 수 없지만, 절대적으로 질이 좋다면 완벽하게 동등하다.

공장제 마카로니 파스타 ෴ 모든 파스타 형태 중 가장 친숙한 것인 스파게티는 푸실리, 펜네, 콘킬리에, 리가토니, 그리고 다른 몇 가지와 함께 이 카테고리에 속한다. 공장제 파스타 반죽은 세몰리나 — 황금빛 노란색 경질 밀가루 — 와 물로 만들어지며, 구멍 뚫린 금형에 반죽을 압출해 모양을 잡는다. 모양이 잡힌 파스타는 반드시 완전히 건조되어야 포장할 수 있다. 마지막 결과물에 결정적으로 중요한 물과 밀가루의 질을 제외하면, 여러 일반적인 제품들 중에서 특별히 질 좋은 공장제 파스타로 구분될 수 있는 요인은 그것이 생산되는 속도다. 훌륭한 공장제 파스타는 천천히 만들어진다. 반죽은 시간을 들여 치댄다. 이후 미끄럽고 속도가 빠른 테플론으로 코팅된 관이 아닌 동으로 된 타공관을 통해 천천히 압출한다. 그 뒤에 대개 자연스러운 속도로 건조된다. 이와 같은 파스타는 생산량이 적을 수밖에 없다. 이는 이탈리아에서 몇 안 되는 파스타 장인에 의해서만 만들어지며, 유명 브랜드의 대량 생산품보다 더 비싸다.

질 좋은 공장제 파스타는 표면이 약간 거칠고, 불기 마련인 조리 과정에서 단단함을 유지하도록 특별히 조밀한 조직을 갖추고 있어야 한다. 대체로 해산물 소스와 다양한 종류의 가벼운 채소 소스 같은 올리브유가 들어간 소스에는 직접 만든 '신선한' 파스타보다 더 잘 어울린다. 그리고 몇 가지 레시피가 증명하듯, 버터가 바탕이 되는 몇몇 소스도 공장제 파스타와 궁합이 좋다.

직접 만든 파스타 ෴ 이탈리아 사람은 집에서 파스타 반죽을 다루는 대단히 흥미로운 방법을 알고 있다. 아풀리아에서는 엄지손가락으로 꼬집어서 오레키에테를 만들고, 리구리아에서는 손바닥으로 밀어서 트로피에를 만들며, 시칠리아에서는 뜨개바늘에 꼬아 감아서 푸실리를 만든다. 그리고 다른 것들도 많다. 그러나 이탈리아에서 가장 뛰어난 가정식 파스타를 즐기는 곳은 이견 없이 탈리아텔레와 탈리올리니가 탄생한 에밀리아-로마냐로, 카펠리 단젤로(천사의 머리카락), 카펠레티, 토르텔리니, 토르텔리, 토르텔로니, 그리고 라자냐로도 유명하다.

볼로냐식으로 직접 만드는 파스타의 기본 반죽은 달걀과 연질 밀가루로 구성된다. 유일하게 쓰이는 다른 재료는 시금치나 근대로, 초록색 파스타를 만들기 위해 넣는다. 소금도, 올리브유도, 물도 전혀 첨가되지 않는다. 반죽에 소금을 넣지 않는 것은 소스에 들어가기 때문이다. 올리브유는 반죽을 미끈거리게 만들어 질감을 나쁘게 하고, 물은 진득거리게 한다.

에밀리아-로마냐의 가정 주방에서는 길고 폭이 좁은 단단한 나무 밀대를 이용해 손으로 반죽을 투명하게 비칠 정도로 얇게 민다. 여자아이들은 예닐곱 살부터 손으로 반죽을 밀어보곤 한다. 지금은 많은 이들이 어머니의 기술을 배우지 않고 자라지만, 제면기로 비슷한 결과물을 만들어낸다. 밀대와 제면기를 이용한 자세한 반죽 방법을 138~160쪽에 설명해두었다.

맛있는 홈메이드 파스타는 맛있는 공장제 파스타만큼 쫄깃하지는 않다. 섬세한 밀도를 가지고 있어 입 안에서 가벼움과 탄력을 느낄 수 있다. 소스를 흠뻑 빨아들이는 성질이 있는데, 버터와 크림이 바탕이 되는 소스에서 특히 그렇다.

검은 후추 *Pepe Nero*

요리에 갈거나 부순 후추를 넣어야 한다면, 유일하게 쓸 수 있는 것은 검은색 통후추 열매다. 흰후추는 같은 열매지만, 후추 특유의 매력을 만들어내는 향과 생생함이 담긴 껍질을 벗겨낸 것이다. 흰후추는 실제보다 맛이 더 강하게 느껴지는데, 검은색 후추가 가진 풍부한 향을 잃어버렸기 때문이다. 한번 갈면 향이 빠르게 날아가므로 이 책에서 꾸준히 언급한 대로 필요할 때만 갈아야 한다. 내가 사용하는 검은 후추 품종은 탈라세리(Tellicherry)로, 생생하고 풍부한 향미가 매력적이다.

말린 포르치니 버섯 *Funghi Porcini Secchi*

야생 그물버섯(wild boletus edulis mushrooms)의 일종인 포르치니는 신선할 때도 유용하지만, 말린 것 역시 대체재가 아닌 독립된 재료로 여겨야 한다. 수분을 말리면 포르치니가 가진 사향과 흙냄새가 신선한 상태는 결코 흉내 낼 수 없을 정도로 응축된다. 리소토, 라자냐, 파스타 소스, 몇 가지 채소의 속재료, 가금류, 또는 오징어와 같이 쓰면 말린 포르치니의 강한 향이 더 풍부해진다.

구입하는 법 ❀ 말린 포르치니는 대개 작고 투명한 포장지에 담겨 판매되는데, 일반적으로 30g이 조금 못 되며, 4~6인분의 파스타 소스와 리소토를 만들기에 충분하다. 무기한으로 상태가 유지되는데, 밀폐용기에 넣어 냉장 보관하면 특히 그렇다. 그러므로 충분히 사두면 떠오른 순간 바로 쓸 수 있다. 풍미가 좋은 말린 포르치니는 대개 크림색이다. 크기가 크고 색이 옅은 것을 고르고, 없다면 적어도 전부 부서져 있거나 잘게 조각난 갈색빛 도는 검은색, 짙은색 버섯은 피한다. 말린 곰보버섯(morel), 꾀꼬리버섯(chanterelle), 또는 표고버섯은 그 자체로선 아주 맛있지만 포르치니의 풍미와는 조금도 같지 않으므로 만족스러운 대안이 아니다.

참고 ❀ 이탈리아를 여행한다면, 특히 가을이나 봄에 여행하며 식품을 구입한다면, 질 좋은 말린 포르치니 한 봉지만큼 이득인 것은 없다. 말린 포르치니 반입은 합법이고 밀폐용기에 담아 냉장 보관하면 원하는 기간만큼 상태를 유지할 수 있다.

조리 시 손질하는 법 ❀ 말린 버섯으로 요리하기 전에 아래 과정을 따라 원상태로 불려야 한다.

- 말린 포르치니 22~30g: 약간 따뜻한 물 2컵에 버섯을 넣어 최대 30분간 불린다.
- 손으로 버섯을 건져내 물기를 최대한 짜내는데, 이 물이 버섯을 담가둔 통으로 떨어지게 한다. 깨끗한 물을 몇 번 갈아가며 불린 버섯을 헹군다. 흙찌꺼기가 묻은 부분을 깨끗하게 긁어낸다. 키친타월로 가볍게 두드려 물기를 제거한다. 레시피에서 지시한 대로 버섯을 잘게 썰거나 통째로 둔다.
- 버섯을 불렸던 물을 버리지 않는데, 포르치니의 풍미가 진하게 남아 있기 때문이다. 체에 키친타월을 깔고 물을 걸러 볼이나 뾰족한 입이 달린 컵에 모은다. 레시피에서 지시하는 대로 쓰기 위해 한편에 둔다.

프로슈토 *Prosciutto*

프로슈토는 돼지 뒷다리살 또는 넓적다리를 소금에 절여 공기 중에 건조한 것이다. 소금이 고기에 있는 여분의 수분을 빼주는 과정을 이탈리아어로 프로슈가레(prosciugare)라고 하는데 여기서 프로슈토라는 이름이 나왔다. 진짜 프로슈토는 절대 훈연하지 않는다. 넓적다리의 크기와 몇몇 다른 이유로 건조 과정은 몇 주에서 1년 또는 그 이상 걸리기도 한다. 천천히, 자연스럽게, 온전히 공기 중에서 그대로 건조시키는 과정은 섬세하고 복합적인 향과 단맛을 지닌 차별화된 질 좋은 프로슈토를 만들어낸다. 파르마 햄이라고 하는 것은 최소 10개월 동안 숙성되고, 특별히 크기가 큰 것은 1년 반까지 숙성하기도 한다.

프로슈토 얇게 썰기 ❀ 솜씨 좋게 저장된 프로슈토는 단맛과 감칠맛, 단단함과 촉촉함이 균형 잡혀 있다. 균형을 유지하기 위해서는 얇게 썬 조각이 건조시설에 들어갈 때 지니고 있던 지방과 살코기 비율이 그대로 유지되어야 한다. 프로슈토에서 지방을 벗겨내는 것은 신중하게 이루어낸 풍미와 질감의 균형을 무너트리고, 단맛보다 짠맛이, 촉촉함보다는 건조함이 드러나게 한다.

얇게 썬 프로슈토는 가능한 한 빨리 판매되어야 하는데, 한번 자르면 그것의 매혹적인 향이 빠른 속도로 손실되기 때문이다. 긴 시간 보관해야 한다면 얇게 썬 각 장 또는 얇은 조각들을 한 겹으로 놓고 유산지나 주방용 랩으로 덮은 뒤, 전체를 쿠킹호일로 단단히 싼다. 가급적 24시간 내에 쓸 계획을 세우고, 차려 내기 최소 1시간 전에 냉장고에서 꺼내두어야 한다.

프로슈토로 요리하기 ❀ 프로슈토는 다른 햄에 비해 파스타 소스와 채소 및 고기 요리에 더 진한 맛을 선사한다. 또한 짠맛도 주는데, 프로슈토로 요리할 때는 소금을 아주 신중하게 써야 한다. 때로는 필요하지 않기도 하다. 얇게 썬 프로슈토를 차려 낼 때 적용되는 것이 프로슈토로 요리할 때도 마찬가지다. 단맛이 나는 촉촉한 지방은 절대 제거하지 마라.

라디키오 *Radicchio*

미국 샐러드 용어에 라디키오라는 단어로 등록되어 있는, 아삭하고 밝은 붉은색의 채소는 거대한 치커리 가족의 일부로, 그 많은 구성원 중에는 벨기에 엔다이브, 에스카롤, 그리고 민들레처럼 길고 이가 듬성듬성 빠진 듯한 잎을 가진 쓴맛의 조리용 녹색 채소 카탈로냐(catalogna) 또는 카탈로니아가 있다. 비슷한 단단하고 둥글며 색이 화려한 송이를 가지고 있으며, 어렴풋이 양배추처럼 생긴, 이탈리아에서는 라디키오 로쏘 디 베로나(radicchio rosso di Verona) 또는 로사 디 키오자(rosa di Chioggia)로 알려진 채소는 베네토 지역에서 나는 붉은 라디키오의 몇 가지 품종 중 하나다. 또 다른 닮은꼴 품종은 반점이 분홍빛 대리석처럼 박힌, 잎이 성긴 것으로 라디키오 디 카스텔프랑코(radicchio di Castelfranco)라 부른다. 위의 두 품종 모두 보통 생으로 샐러드에 넣어 먹는다. 익히면서 끌어올려지는 치커리의 쓴맛을 아는 사람은 수프, 소스에 넣거나 브레이징한 채소 요리로 만들기도 한다. 세 번째 라디키오는 생김새가 꽤 다른데, 약간 길고 끝이 뾰족하며 반점이 있는 붉은색 잎이 성글게 모여 있는 로메인 상추를 닮았다. 라디키오 디 트레비소(radicchio di Treviso) 또는 바리에가토 디 트레비소(variegato di Treviso)로 알려져 있다. 앞선 두 가지보다 늦게 자라 보통 11월에 다 자란다. 익혔을 때 쓴맛이 덜하므로 샐러드로 인기가 있지만, 리소토, 파스타 소스에 넣거나 그 자체로 올리브유를 넉넉히 뿌려 그릴이나 오븐에 구워서 먹으면 맛있다. 다른 버전은 공통적으로 타르디보 디 트레비소(tardivo di Treviso)로 알려진, '늦게 자라는' 트레비소 라디키오로, 11월 말에서 1월까지가 제철이다. 그것의 긴 잎은 성글게 펴져 있고 폭이 아주 좁아 잎이라기보다는 가느다란 줄기처럼 보이며, 뾰족한 끝이 안쪽으로 말려 있다. 줄기처럼 생긴 맥은 눈부시게 새하얀데 가장자리는 짙은 자주색이라 마치 뿌리에서부터 타올라 솟아오르는 불꽃 같다. 굉장히 아름다운 채소다. 타르디보 디 트레비소는 라디키오 중에서 가장 단맛이 강하고 매우 귀해—값이 천정부지로 매겨지며—신중하게 사용된다. 고급스럽고 맛있는 샐러드나 앞에서 설명한 대로 라디키오 디 트레비소처럼 조리하는 것이 최고다.

참고 ❀ 어떤 트레비소 품종도 구할 수 없다면, 트레비소를 써야 하는 레시피에서는 벨기에 엔다이브가 만족스러운 대안이 될 수 있다.

베네치아 라디키오의 매혹적인 붉은 빛깔은 햇빛을 차단해 길러 만들어진다. 자연스럽게 자라도록 내버려두면 라디키오는 갈색 반점 투성이로 초록색을 띠면서 아주 써진다. 하지만 성장하는 도중에 흙이나 지푸라기, 마른 잎, 또는 검은색 비닐로 살짝 덮어 빛을 차단해주면 잎의 밝은 부분은 흰색이 되고, 짙은 부분은 붉은색으로 변한다.

라디키오 구입하기 ❀ 라디키오는 연말에 가장 달고, 여름에 가장 쓰다. 가끔 시장에 보이는 덜 자라 송이가 작은 것은 따뜻한 날씨에서 크는 라디키오로, 톡 쏘는 떫은맛이 날 것이다.

참고 ❀ 선명한 붉은 잎을 통째로 샐러드에 넣으면 보일지는 몰라도, 송이를 반으로 쪼갠 뒤 사선으로 가늘게 채썰면 라디키오 맛을 더 달게 낼 수 있다. 키오자에서 라디키오를 재배하는 농부에게 배운 비법이다. 잎이 시작되는 바로 아래쪽, 부드러운 뿌리 윗부분이 아주 맛있으므로 제거하지 않는다.

라디키에토 *Radicchietto*

어떤 것은 야생에서 자라고, 어떤 것은 재배되기도 하는 다양한 종류의 작은 초록색 라디키오를 이탈리아에서는 샐러드에 넣어 먹는다. 재배되는 것 중 가장 대중적인 것은 라디키에토로, 잎이 마셰(mâche, 이탈리아어로는 돌체타[dolcetta] 또는 갈리넬라[gallinella])를 약간 닮았지만 더 가늘고 길다. 최고의 라디키에토는 베네치아 석호에 있는 섬의 경작지에서 소금기 있는 해풍을 맞으며 재배된 것이다.

쌀 *Riso*

적확한 쌀 품종을 고르는 것은 이탈리아 북부의 주방에서 가장 훌륭한 리소토를 만들기 위한 첫 단계다. 좋은 리소토 쌀의 낟알은 본질적으로 상충하는 두 가지를 달성할 수 있어야 한다. 부분적으로는 녹아 들러붙어 리소토 특유의 부드러운 질감을 내야 하고, 동시에 씹었을 때 단단함도 느껴져야 한다.

이탈리아에서 생산되는 좋은 리소토용 쌀 품종으로는 대표적으로 세 가지를 꼽을 수 있는데, 아르보리오(Arborio), 비알로네 나노(Vialone Nano), 카르나롤리(Carnaroli)다. 아르보리오와 비알로네 나노는 서로 상반되는 특성을 지녔다.

아르보리오 ❀ 낟알이 크고 통통하며 아밀로펙틴이 많아 요리 시 전분이 잘 녹아들어 끈기 있는 리소토를 만든다. 빽빽한 타입의 리소토를 만들기 좋은 쌀로 롬바르디아, 피에몬테, 에밀리아-로마냐 지역에서 샤프란 리소토, 파르메산 흰 송로버섯 리소토, 또는 고기 소스와 함께 많이 쓴다.

비알로네 나노 ❀ 낟알이 작고 뭉툭하며, 전분과 아밀로스를 더 많이 함유된 품종으로 조리 시 쉽게 물러지지 않는다. 그러나 비알로네 나노에 아밀로펙틴이 또한 충분히 들어 있어 리소토용 품종으로 적합하다. 베네치아에서 거의 예외 없이 선택하는 품종으로, 이곳에서는 리소토의 질감을 흩뜨리더라도—베네치아에서는 알론다(all'onda) 또는 물결치기라 부른다—사람들이 확실히 씹는 맛이 느껴지는 낟알을 더 선호한다.

카르나롤리 ❁ 1945년 밀라노의 농부가 비알로네와 일본 쌀 품종을 교배해 개발한 새로운 종이다. 아르보리오나 비알로네 나노에 비해 생산량이 훨씬 적으며 더 비싸지만, 의심의 여지없이 셋 중 가장 우수하다. 쌀알이 익으면서 맛있게 녹아드는 부드러운 전분에 둘러싸여 있지만, 다른 리소토용 쌀보다는 더 단단한 전분이 들어 있어 익혔을 때 단단한 정도도 매우 만족스럽다.

리코타 *Ricotta*

리코타라는 단어는 문자 그대로 '다시 조리한'(recooked) 것을 뜻하고, 그 이름대로 이 치즈는 다른 치즈를 만들 때 나오는 유청, 즉 물 같은 잔여물로 다시 만든다. 결과물은 우유처럼 하얗고, 아주 부드러우며, 몽글몽글하고, 순한 맛이 난다. 이것은 주방에서 가장 무궁무진한 재료다. 카나페에 스프레드로 발라도 되고, 볶은 근대나 시금치와 섞어 고기를 넣지 않는 라비올리와 토르텔리의 속으로 쓸 수도 있다. 다시 근대 또는 시금치와 섞어 초록색 뇨키를 만들 수도 있고, 파스타 소스에 일부 넣어도 된다. 맛이 놀랍도록 경쾌한 디저트인 리코타 프리터 반죽을 만드는 데 필수 재료이기도 하다. 이런 디저트로는 리코타 케이크는 물론이고, 셀 수 없을 정도로 수많은 종류가 있다.

리코타 로마나 ❁ 로마의 발상지인 라치오에서 만드는 전형적인 리코타다. 원래는 양젖 치즈인 페코리노를 만들고 남은 유청을 활용해 만든다. 일부는 여전히 이 방식으로 만들어지지만, 요즘에는 라치오에서든 어디에서든 거의 모든 리코타가 전유 또는 탈지유로 만들어진다. 이는 확실히 전통적인 것보다 맛이 더 진하지만, 리코타는 원래 맛이 진한 치즈는 아니다. 치즈를 만들면서 나오는 궁핍한 부산물에서 탄생한 것으로 성긴 질감과 살짝 시큼한 풍미에 의존한다. 바로 이 특성이 리코타 치즈와 리코타 치즈를 이용한 요리를 매력적으로 만든다.

리코타 살라타 ❁ 보존을 위해 소금을 가미한 리코타다. 오랫동안 상태를 유지해야 하기 때문에 신선한 리코타만큼 수분이 많지 않다. 공기 중에서 건조시키거나 오븐에서 수분을 날려 톡 쏘는 맛이 나는 갈아 쓰는 치즈로 만드는데, 로마노(romano)의 풍미를 연상시킨다.

리코타 구입하기 ❁ 다른 종류의 질 좋은 치즈가 모여 있는 곳에서 리코타를 구입해야 한다. 치즈 코너가 특화된 가게나 식품매장, 또는 훌륭한 이탈리아 식품점 같은 곳에서 말이다. 이런 곳에서는 틀에서 꺼낸 것처럼 보이는 리코타를 조각으로 자르거나 퍼서 판다. 대개는 슈퍼마켓에서 플라스틱 원통에 포장된 채로 파는 것보다 더 신선하고 물기가 적다. 리코타로 빵이나 과자류를 만든다면 이는 반드시 고려해야 할 사항이다.

참고 ❁ 플라스틱 원통에 담긴 리코타밖에 구할 수 없고, 그것으로 빵이나 케이크를 구우려 한다면 아래에 설명한 방법이 반죽을 눅눅하게 만들어버릴 여분의 물기를 대부분 제거하는 데 도움을 줄 것이다.

❁ 리코타를 스킬렛에 넣고 아주 약한 불에 올린다. 리코타에서 물이 흘러 나오면 팬에서 따라내 버리고 리코타를 치즈클로스로 감싸 아래에 볼이나 깊이가 있는 그릇을 받쳐 매달아둔다. 리코타에서 더 이상 물이 떨어지지 않으면 사용해도 좋다.

로마노 치즈 *Pecorino Romano*

이탈리아어로 양(羊)을 페코라(pecora)라고 하며, 로마노(roamno)처럼 양젖으로 만든 모든 치즈를 페코리노(pecorino)라 한다. 중세시대에 양은 소보다 먼저 사육되었고, 최초의 치즈 역시 양젖으로 만들어졌다. 로마노는 수많은 페코리노 치즈 중 하나다. 농장에서 갓 만든 치즈처럼 부드럽고 신선한 것도 있고, 숙성한 지 몇 주 안 된 부드러운 것에서 1년 반 이상 되어 잘게 부스러지면서 쏘는 맛이 나는 것까지 치즈의 숙성 단계를 특징적으로 보여주는 것도 있다. 가장 감동적인 풍미와 밀도를 가진 테이블치즈는 시에나 남쪽의 발 도르치아에서 생산된 4개월 숙성된 페코리노일 것이다. 올리브유 몇 방울과 거칠게 간 검은 후추를 뿌려 차려낸다.

한편 로마노는 꽤 날카롭고 톡 쏘기 때문에 입맛이 독특한 사람만 테이블치즈로 내는 것에 만족할 것이다. 로마노는 치즈 강판으로 갈아서 톡 쏘는 맛이 장점이 될 수 있는 파스타 소스에만 제한적으로 사용한다. 아마트리차나 소스에는 없어서는 안 되며, 페스토에는 소량을 페르메산 치즈와 합해 넣어야 하며, 종종 브로콜리, 라피니(rapini, '브로콜리 라베'라고도 하며, 생김새 때문에 브로콜리니와 혼동되기도 하지만, 잎이 많고 꽃눈이 달려 있으며 순무과에 속한다. 겨자처럼 살짝 쏘면서 쓴맛이 난다 — 옮긴이), 콜리플라워와 올리브유를 넣어 만드는 마카로니 또는 다른 공장제 파스타용 소스에 쓰기도 한다.

로마노가 쓰이는 대부분의 경우에, 쓸 수만 있다면 더 나은 선택은 다른 양젖으로 만든 치즈인 피오레 사르도(fiore sardo)다. 이것은 사르데냐에서 생산하는 페코리노로 12개월 또는 그 이상 숙성시킨다. 피오레는 로마노의 톡 쏘는 맛은 온전히 나면서도 쓴맛은 전혀 없다.

로즈마리 *Rosmarino*

로즈마리는 파슬리 다음으로 이탈리아에서 가장 흔히 쓰이는 허브다. 무딘 식욕을 돋우는 향은 보통 구이 요리와 잘 어울린다. 이탈리아 요리에서 로즈마리 줄기는 로스트 치킨이나 토끼구이의 풍미를 완벽하게 돋우는 데 필수적이다. 팬에 구운 감자, 강한 향을 가진 몇몇 파스타 소스, 프리타타, 그리고 다양한 빵들, 특히 포카치아 같은 납작한 빵에 넣어도 아주 좋다.

로즈마리 사용하기 ❀ 될 수 있으면, 신선한 로즈마리로만 요리한다. 정원이나 테라스가 있다면 직접 길러라. 햇볕이 잘 드는 벽을 등지고 특히 잘 자라며, 1년에 두 번 아름다운 청보라빛 꽃을 피운다. 어떤 품종은 분홍이나 흰색 꽃을 피우기도 한다. 주방에서 쓰려면 어리고 더 향이 강한 가지 끝을 꺾어낸다.

신선한 로즈마리를 구할 수 없다면, 통째로 말린 잎을 써라. 그럭저럭 괜찮지만 완전히 만족스럽지는 않은 대안이다. 가루로 만든 로즈마리는 피한다.

세이지 *Salvia*

세이지는 고대에 약재로 쓰인 허브로, 르네상스 이후로는 쭉 이탈리아 주방에서 선호하는 허브 중 하나였다. 대부분의 수렵조류 요리와 떼어놓을 수 없으며, 수렵조류 요리의 조리 과정을 본 뜬 '날아간 새'라는 뜻의 우첼리 스카파티(uccelli scappati), 그리고 송아지고기나 돼지고기를 베이컨으로 말아 기름에 튀기듯 익히는 요리에도 필수적이다. 종종 콩과 곁들이기도 하는데, 토스카나의 파졸리 알루첼레토(fagioli all'uccelletto), 마늘과 토마토를 곁들인 카넬리니빈, 또는 북이탈리아 요리인 크랜베리빈을 넣은 리소티(risotti)나 쌀, 콩과 양배추를 넣은 수프 등이다. 그저 신선한 세이지잎을 버터에 볶아 만든 파스타 또는 뇨키 소스는 가장 묘한 매력을 가진 소스 중 하나일 것이다.

세이지 사용하기 ❀ 가능한 한 신선한 것으로 써야 한다. 이탈리아에서 늘 그렇게 하는 것처럼 말이다. 로즈마리 사용법과 마찬가지로, 통째로 건조한 잎은 쓸 만하고, 가루로 된 세이지는 피한다.

세이지는 극도로 춥거나 습한 곳이 아니면 잘 자라고, 다 자라면 봄에서 가을까지 잎을 충분히 돋아내 주방에서 넉넉히 쓸 수 있다. 아름다운 자주색 꽃을 피우지만, 꽃이 핀 가지 끝을 쳐내 잎이 더 무성해지게 하길 권한다.

참고 ❁ 말린 로즈마리나 말린 세이지를 쓸 때, 로즈마리는 잘게 썰고 세이지는 부스러트려 향을 낸다. 신선한 것의 절반 정도에 해당하는 양을 쓴다.

토마토 *Pomodori*

토마토의 품질에 있어 특히 중요한 것은 가지에 달린 상태에서 잘 익어야 한다는 것이다. 그렇지 않으면 요리에서 신맛을 낸다. 정말로 신선하고 잘 익었다면, 토마토는 다양한 요리에 농후함, 과일 같은 단맛, 입 안 가득한 풍미를 준다. 신선한 토마토의 맛은 통조림에 담긴 것보다 더 싱그럽고 덜 물린다. 그러나 가까운 농장에서 토마토를 공급받을 수 있는 여름 내 6~8주간을 제외하면, 북미 시장에는 여전히 요리에 쓸 완전히 잘 익은 신선한 토마토가 없다. 맛있고 신선한 토마토를 구하기 힘들다면, 수분이 많고 맛이 부족한 것으로 요리하기보다 믿을 만한 통조림을 쓰는 게 최선이다.

신선한 토마토에서 살펴볼 것 ❁ 선택의 여지가 있다면, 요리용 토마토로는 좁고 긴 플럼(plum) 품종이 가장 알맞다. 다른 품종에 비해 씨가 적고 과육은 더 단단하며 즙도 덜 흘러나온다. 끓이면 수분이 덜 나오기 때문에 더 빨리 익고, 다양한 이탈리아식 소스의 특징인 신선하고 깔끔한 맛을 낸다. 플럼토마토가 없다면 동일한 기준에 부합하는 것을 선택한다. 크기가 크거나 작은 것, 매끄러우면서 둥글거나 주름진 것은 문제가 되지 않는다. 밀도 있는 과육과 익은 정도를 통해 냄비 안에서 토마토 주스가 아닌 토마토 소스를 만들 수 있는지를 판단해야 한다.

이탈리아에서는 플럼뿐 아니라 다른 토마토 품종도 소스용으로 사용한다. 로마의 주름이 깊이 파이고 작고 등근 카살리니(casalini)나 지름 5cm에 매끄럽고 둥그런 시칠리아산 토마토, 캄파니아에서 생산되는 방울토마토보다 약간 더 큰 포모도리니 나폴레타니(pomodorini napoletani)가 그렇다. 끝물이면, 뒤의 두 품종은 줄기에서 가지째로 수확해 집 안의 서늘한 곳에 매달아둔다. 이렇게 해야 겨우내 소스에 쓸 잘 익은 토마토를 보관할 수 있다. 다른 지역에서도 이 방식을 쓰지 못할 이유는 없으리라. 한 가지 중요한 것은 줄기에 단단히 매달려 떨어지지 않는 품종이어야 한다. 토마토 주변으로 공기가 잘 통하고 곰팡이가 날 수 있는 접촉면이 생기지 않도록 표면이 어디에도 닿지 않아야 하기 때문이다.

통조림 토마토에서 살펴야 할 것 ◎ 통조림 토마토를 구입할 때, 이탈리아에서 수입된 산 마르차노(san marzano, 플럼토마토의 일종) 품종으로 만든 껍질 벗긴 토마토홀 통조림을 찾아야 한다. 가능하면 다른 것은 쓰지 마라. 가게에서 이 통조림을 취급하지 않는다면 껍질을 벗긴 다른 토마토홀 통조림을 시도해보는데, 다음 조건을 만족시키는 브랜드를 찾을 때까지 한 번에 하나씩만 구입한다. 조각난 것이나 소스로 된 통조림은 안 된다. 약간의 즙과 과육이 단단한 토마토말고는 아무것도 없어야 한다. 익히면 풍미가 깊어져야 하고, 과일처럼 질이 만족스러우면서도 너무 물리게 달면 안 된다.

송로버섯 *Tartufi*

이탈리아는 프랑스만큼이나 매우 훌륭한 검은 송로버섯을 생산한다. 그러나 이탈리아 사람들은 프랑스만큼 송로버섯에 지나칠 정도의 관심을 보이지는 않는다. 우리를 정신 못 차리게 만들고, 우리의 재정에 상당한 비중을 차지하는 것은 흰 송로버섯이다. 이것은 다른 어떤 나라에서도 거의 나지 않거니와 있다손 치더라도 이탈리아 품종의 특징을 지닌 것은 없다. 검은 송로버섯에 비해 흰 송로버섯이 가진 우월함, (무게당 가격만 보아도) 사실상 다른 모든 음식을 뛰어넘는 그 우월함은 전적으로 그것이 지닌 향 덕분이다. 혹자는 흙을 뚫고 나온 마늘향과 독한 와인에서 훅 끼치는 알싸한 냄새가 뒤섞인 향이라고 묘사한다. 그러나 말로는 흰 송로버섯이 가진 힘을 전할 수 없으며, 그 자극은 요리를 통해서만 분명하게 전달할 수 있다. 사실, 가장 절제된 조리 과정만이 뛰어난 흰 송로버섯의 향에 적합한 포장지다.

송로버섯이란? ◎ 땅속에서 자라는 버섯으로, 어떻게 생겨나는지 아직 정확히 알려지지 않았으며, 떡갈나무, 포플러나무, 헤이즐넛나무, 그리고 일부 소나무과 근처에서 자란다. 흰 송로버섯은 이탈리아 북부와 중부 지역인 피에몬테, 로마냐, 마르케, 토스카나에서 발견된다. 가장 향이 강하고 값이 비싼 것은 피에몬테 품종으로 알바 마을 부근의 언덕에서 난다. 그곳의 경사지는 이탈리아에서 가장 위엄 있는 레드 와인인 바롤로와 바르바레스코를 만드는 포도의 산지이기도 하다. 알바라는 이름이 붙은 송로버섯 대부분이 실제로는 마르케에서 난 것으로, 장이 서는 아쿠알라그나는 스스로를 송로버섯의 도시라고 홍보한다.

흰 송로버섯은 이른 여름부터 나기 시작해 9월 말이면 다 자라고, 1월 중반까지 제철이다. 늦여름과 초가을 동안 엄청난 양의 비가 쏟아져야 최상의 송로버섯이 되는데, 이런 날씨는 포도 수확을 대단히 어렵게 한다. 흔히 '타르투포 부오노, 비노 카티보'(tartufo buono, vino cattivo), 즉 '좋은 송로버섯, 가엾은 와인'이라고들 한다.

채취자들은 송로버섯이 발견될 만한 장소를 끝까지 비밀에 부친다. 그들을 돕는 개가 그 보물을 찾아내는데, 뛰어난 후각을 가진 잘 훈련된 개는 거의 값을 매길 수 없을 정도이며 극단적으로 어려운 상황이 아니라면 절대 팔지 않는다. 냄새가 뚜렷해지는 밤은 사냥하기 가장 좋은 때다. 가을이면 송로버섯이 나는 어두운 숲에서 반딧불이 한 무리가 떨고 있는 게 보이곤 한다. 바로 송로버섯 채취자들의 손전등 불빛이다.

송로버섯 구입하기 ❀ 신선한 흰 송로버섯은 스폰지 같은 무늬가 없고 아주 단단하며, 피할 수 없을 정도로 강한 향이 난다. 송로버섯은 사용하려는 당일에 구입해야 한다. 땅에서 파헤쳐져 나온 그 순간부터 송로버섯이 가진 귀한 향이 급속도로 옅어지기 시작하기 때문이다. 송로버섯을 밤새, 또는 더 오래 보관해야 할 이유가 있다면 신문지 몇 겹으로 단단히 싸서 쿠킹호일로 덮어씌우고 서늘한 곳에 둔다. 가급적 냉장고에는 넣지 마라. 송로버섯을 보관하는 가장 좋은 방법은 쌀이 담긴 항아리 안에 박아두는 것이다. 송로버섯은 확실히 쌀을 더 낫게 만들지만, 쌀이 송로버섯에 얼마나 도움이 되는지는 불확실하다. 쌀은 불필요한 수분을 흡수해 송로버섯을 보존하지만, 아주 멋진 향도 빼앗아가기 때문이다.

유리병이나 통조림에 저장된 송로버섯을 사용할 수도 있다. 유리병에 담긴 것은 송로버섯이 어떤 상태인지 확인할 수 있다는 장점이 있다. 바로 채취한 신선한 것만큼 절대 향이 강할 수는 없어도, 꽤 질 좋은 것을 만날 수 있다. 유리병이나 튜브에 포장된 흰 송로버섯 조각으로 만든 페이스트도 있다. 나는 항상 튜브에 든 것이 더 낫다고 생각한다. 파스타 소스에 쓰거나 송아지 스칼로피네에 뿌린다. 버터 바른 토스트 위에 발라도 땅콩버터보다 훨씬 더 맛있다.

깨끗하게 손질하는 법 ❀ 미국에 수입된 송로버섯은 이미 세척된 상태지만, 이탈리아에서 송로버섯을 산다면 여전히 먼지로 덮여 있을 것이다. 반드시 조심스럽게 뻣뻣한 붓으로 털어내고 아주 깊이 박힌 흙은 과도로 살살 파낸다. 물기를 거의 짜낸 젖은 천으로 문질러 닦아 마무리한다. 절대 물에 헹구면 안 된다.

사용하는 법 ❀ 신선한 것이든 저장된 것이든, 흰 송로버섯은 작은 만돌린처럼 생긴 도구로 종이처럼 얇게 썰어서 쓴다. 이런 도구가 없다면 감자칼을 써도 된다. 얇게 저민 송로버섯은 재력이 허락하는 한 아낌없이 여기저기에 쓸 수 있다. 버터와 파르메산을 넣고 버무린 직접 만든 페투치네 위에, 마찬가지로 버터와 파르메산으로 만든 리소토 위에, 버터에 볶은 송아지 스칼로피네 위에, 전통 피에몬테식 폰티나 치즈 퐁뒤에, 또는 달걀프라이나 스크램블 에그 위에도 뿌릴 수 있다. 일반적으로 송로버섯은 익히지 않고 사용한다. 송로버섯을 더 맛있게 하는 레시피란 없다는 원칙에서다. 그러나 예외는 있으니, 송로버섯을 파르미자노 레자노 치즈 조각과 함께 구웠을 때, 특히 치즈와 송로버섯, 얇게 썬 감자를 겹겹이 쌓고 사이사이에 버터를 조금씩 끼워 넣고 만든 토르티노(tortino)나 그라탱에서 그 풍미가 믿기 어려울 정도로 폭발한다.

참치 *Tonno*

이탈리아의 해변을 따라 늘어선 어획량이 풍부한 도시의 사람들은 값싸고 신선한 참치를 구입해, 식초와 월계수잎을 넣은 물에 끓여 건져낸 다음, 커다란 유리병 안에 질 좋은 올리브유를 넣고 담가두곤 했다. 가장 맛있는 것 중 하나였다. 그런대로 괜찮은 통조림 참치가 흔해지면서 직접 만드는 수고를 하는 요리사는 거의 없다.

올리브유에 저장한 질 좋은 이탈리아 참치 통조림은 소스에 넣으면 맛있는데, 파스타 소스와 고기 소스 모두 그렇다. 그리고 샐러드에 넣어도 맛있으며 특히 콩류와 잘 어울린다. 이 통조림은 슈퍼마켓 매대에서 아주 흔히 볼 수 있었는데, 지금은 물에 담겨 포장된 더 저렴한 제품에 의해 밀려났다. 이런 것들은 이탈리아 요리에 전혀 쓸모가 없다. 특히 가벼운 살코기 참치로 불리는 것은 아무런 맛도 나지 않는다.

통조림 참치 구입하기 ❀ 이탈리아 요리에서는 오로지 올리브유에 담겨 포장된 참치만 맛을 낼 수 있다. 이것을 구입하는 가장 좋은 방법은 커다란 통조림에서 덜어낸 것을 사는 것이다. 즙이 더 많고, 더 감칠맛 있으며, 덜 비싸다. 몇몇 이탈리아 식재료 판매상들이 무게로 판매한다. 대안은 올리브유에 담긴 더 작고 개별 포장된 수입 통조림을 구입하는 것이다.

송아지 스칼로피네 *Scaloppine di Vitello*

이탈리아 요리를 통틀어 가장 대중적인 것 중 몇몇은 송아지 스칼로피네로 만든다. 문제는 스칼로피네를 만들기 위해 송아지고기를 어떻게 얇게 썰고 펴는지를 정확히 알고 있는 정육업자가 극히 드물다는 것이다. 심지어 이탈리아에서도 나는 고기를 덩어리째 집으로 가져와 직접 손질하는 것을 선호했다. 인정하건대, 그것은 배우기 가장 까다로운 기술 중 하나다. 인내심, 투지, 손을 잘 놀리는 능력이 필요하다. 하지만 이 기술을 익히기만 하면 당신은 아마도 그 어디에서 먹어본 것보다 더 맛있는 스칼로피네를 집에서 맛보게 될 것이다.

첫 번째 요건은 그저 질 좋은 송아지고기만이 아니라 정확히 자른 부위다. 우둔살에서 한 덩어리로 잘라낸 고기가 필요한데, 친분이 있는 정육업자에게서 그 부위를 구할 수 있다면 이미 절반은 성공한 셈이다.

얇게 썰기 ◎ 집에서 반드시 해야 할 일은 결 반대로 고기를 얇게 썰기다. 고기에 있는 근섬유 다발은 하나 위에 다른 하나가 겹쳐져 촘촘한 선으로 된 패턴을 이룬다. 이 패턴이 고기의 결이다. 고기를 자른 면을 가까이에서 보면 근육이 서로 쌓여서 만들어낸 평행한 줄을 쉽게 볼 수 있다. 우둔 부위를 알맞게 잘랐다면 반드시 보일 것이다. 마치 통나무를 톱질하듯, 칼날로 근육 층을 정확히 가로질러 잘라야 한다. 그것이 올바른 방법의 핵심이다. 만일 스칼로피네를 결을 가로지르지 않고 길이에 따라 자른다면, 얼마나 완벽해 보이느냐에 상관없이 조리 중에 말리고, 쪼그라들며, 질겨질 것이다.

두드려 펴기 ◎ 썰었다면, 빠르고 고르게 익도록 스칼로피네를 평평하고 얇게 두드려 펴야 한다. 두드려 펴기는 당혹스러운 표현이다. 계속 쳐대면서 세게 두드리는 동작, 정확히 하지 말아야 할 동작을 연상시키기 때문이다. 고기 망치로 스칼로피네에 대고 세게 내리치기만 한다면, 고기는 망치와 도마 사이에서 찢어지거나 구멍이 나 으깨져버릴 것이다. 우리가 원하는 것은 고기를 바깥으로 늘려서 얇고 고르게 만드는 것이다. 고기 망치를 얇게 썬 고기와 평평하게 만나도록 내리쳐야 한다. 망치 가

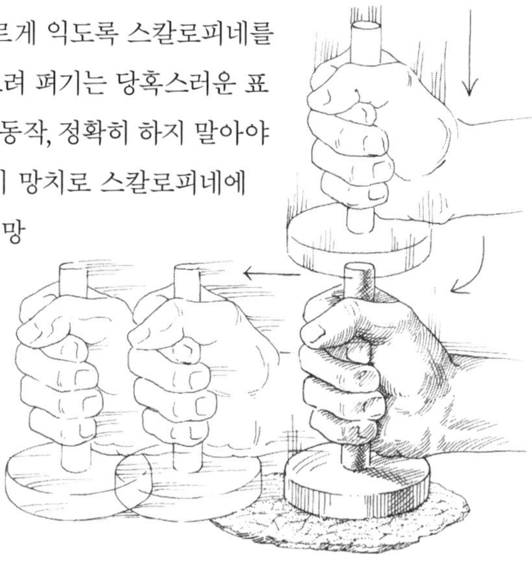

장자리와 만나지 않도록 한다. 고기와 닿자마자 연속적인 동작으로 가운데에서 바깥쪽으로 미끄러트린다. 얇게 썬 고기가 전체적으로 고루 얇따랗게 될 때까지 모든 방향으로 늘어나도록 이 동작을 반복한다.

물 *Acqua*

물은 이탈리아 요리에서 가장 귀중한 재료인 동시에 가장 눈에 띄지 않는 재료이며, 전면에 나서지 않기 때문에 그것의 가치는 대단히 크다. 물이 주는 것은 시간이다. 미트 소스가 마르거나 너무 졸아들지 않게 하면서 충분히 오래 익히는 시간, 뚜껑을 비스듬하게 닫은 채 버너 위에서 고기를 굽는 훌륭한 이탈리아식 테크닉을 통해 구이가 완성되어가는 시간, 스튜나 프리카세 또는 졸인 채소의 풍미와 부드러움을 충분히 살리는 시간. 물은 와인이나 육수처럼 풍미의 균형이 지나치게 기울어지지 않도록 하면서 냄비 바닥에 있는 맛의 입자를 모아준다. 물은 역할을 다하고 증발해, 흔적을 남기지 않고 사라진다. 당신의 고기와 채소, 소스가 그 자체의 맛을 솔직히 드러내게 하면서 말이다.

베샤멜과 마요네즈

베샤멜 소스
Salsa Balsamella

베샤멜은 버터, 밀가루, 우유로 만든 흰색 소스로, 많은 이탈리아 요리에서 재료들을 한데 결합시켜주는 역할을 한다. 고기와 치즈, 채소가 수분을 많이 머금은 채 뭉쳐 있는, 라자냐, 채소 그라탱, 다양한 파스티초와 팀발로 같은 요리에서 말이다.

부드럽고 농후한 크림 같은 베샤멜은 이탈리아 요리 목록에서 가장 유용한 준비물 중 하나이며, 세 가지 기본 규칙만 유념하면 쉽게 익힐 수 있다. 첫째, 밀가루를 버터에 넣고 익힐 때 색이 변하거나 타서 눌어붙게 두어서는 절대 안 된다. 둘째, 밀가루와 버터 혼합물에 우유를 조금씩 더하면서 열기를 날려 멍울이 생기는 것을 막는다. 셋째, 소스가 만들어질 때까지 젓는 것을 결코 멈추지 않는다.

중간 농도의 베샤멜 1⅔컵

- 우유 2컵
- 버터 4큰술
- 다목적용 밀가루 3큰술
- 소금 ¼작은술

1. 소스팬에 우유를 넣고 중약불에 올려 가장자리에 거품이 생길 정도로만 끓이는데, 작은 진주 같은 거품이 고리를 만들기 시작하는 바로 그때다.
2. 우유를 데우는 동안 바닥이 두껍고 4~6컵 분량의 소스팬에 버터를 넣고 약불에 올린다. 버터가 완전히 녹으면 밀가루를 전부 넣고 나무 주걱으로 2분 동안 꾸준히 저으면서 익힌다. 밀가루 색이 변하게 두어서는 안 된다. 불에서 내린다.
3. 뜨거운 우유를 밀가루와 버터 혼합물에 더하되, 한 번에 넣는 양이 2큰술을 넘지 않게 한다. 계속 골고루 젓는다. 처음 넣은 우유 2큰술이 혼합물에 완전히 스며들면, 2큰술을 더 넣고 계속 젓는다. 우유 ½컵 분량을 넣을 때까지 이 과정을 반복한다. 남은 우유 ½컵을 넣고 꾸준히 저어 밀가루와 버터에 우유가 부드럽게 어우러지도록 한다.
4. 소스팬을 약불에 올리고 소금을 넣고 저으면서 소스가 되직한 크림 같은 농도가 될 때까지 끓인다. 레시피에서 더 되직한 농도를 요구한다면 더 오래 저으면서 끓여준다. 묽게 만들려면 조금 덜 끓인다. 멍울이 생겼다면 거품기로 소스를 빠르게 풀어서 덩어리를 녹인다.

미리 준비한다면 ❀ 베샤멜은 만드는 데 시간이 조금밖에 걸리지 않으므로 쓰기 직전에 만드는 것이 가장 좋은데, 그래야 부드러운 상태에서 쉽게 펼쳐 쓸 수 있기 때문이다. 꼭 미리 만들어야 한다면 중탕기(double boiler) 위쪽 칸에 넣고 다시 나긋나긋하고 잘 퍼지게 될 때까지 꾸준히 저으면서 천천히 다시 데운다. 베샤멜을 하루 전에 미리 만들었다면 밀폐용기에 넣어 냉장 보관한다.

조리하는 양 늘리기 ❀ 앞에서 주어진 양을 2~3배로 늘릴 수 있으나, 한 번에 조리할 수 있는 양을 넘기지 않는다. 깊은 냄비보다는 넓은 냄비를 골라야 소스를 빠른 시간 내에 균일하게 만들 수 있다.

마요네즈
Maionnese

직접 만든 마요네즈는 어떤 요리에서도 놀라우리 만치 풍미를 돋우며, 조금만 연습하면 쉽고 빠르게 만들 수 있는 소스 중 하나다.

수년간 올리브유와 식물성기름을 써본 결과, 내 스스로 만족할 만한 더 가벼운 느낌의 소스에는 식물성기름이 더 적절하다는 것을 알게 되었다. 질 좋은 엑스트라버진 올리브유는 마요네즈에 날카로운 악센트를 더한다. 토스카나 올리브유의 경우에는 쓴맛이 나게 한다. 옅고 가벼운 맛을 내는 올리브유도 있지만, 왜 굳이 애를 쓰나? 이 책에 나온 몇 가지 레시피대로 두드러진 맛을 내야 할 때를 제외하고는 변함없이 식물성기름을 선택해도 좋다.

마요네즈와 씨름하고 싶지 않다면 모든 재료가 상온인 상태에서 시작해야 한다. 달걀을 풀 볼과 전기 믹서의 날조차 뜨거운 물에 데워두어야 한다.

주의 사항 ❀ 직접 만든 마요네즈는 살모넬라균을 옮길 수 있는 날달걀로 만든다. 나는 문제없이 마요네즈를 수십 번 만들었지만, 살모넬라균 오염이 걱정되고 특히 노인이나 아주 어린 아이, 혹은 면역력이 약한 사람에게 마요네즈를 대접할 계획이라면 포장된 시판 마요네즈를 써라.

1컵 분량

달걀노른자 2개분, 상온에 꺼내 놓는다
식물성기름 1컵에서 최대 1⅓컵,
원하는 마요네즈 양에 따라 준비
소금
갓 짜낸 신선한 레몬즙 2큰술

1. 전기 믹서를 중간 속도로 작동시켜 달걀노른자와 소금 ¼작은술을 넣고 옅은 노란색의 되직한 크림 농도가 될 때까지 푼다.
2. 믹서를 계속 작동시키면서 기름을 한 방울씩 떨어뜨린다. 몇 초마다 기름 넣기를 멈추되, 믹서는 멈추지 않고 넣은 기름이 달걀노른자에 모두 섞여 분리되지 않는지 확인한다. 믹서로 풀면서 기름을 계속 조금씩 넣는다.
3. 꽤 되직해지면, 믹서는 계속 작동시키면서 레몬즙을 1작은술 또는 그 이하로 넣는다.
4. 처음보다 빠른 속도로 기름을 더 추가한다. 한 번씩 기름 넣기를 멈추고, 믹서 작동은 계속하면서 기름이 소스에 완전히 스며들게 한다. 소스가 되직해지면 레몬즙을 조금 더 넣고 풀어주는데, 2큰술을 모두 넣을 때까지 이 과정을 반복한다. 소스가 기름을 전부 완전히 흡수하면 마요네즈가 완성된 것이다.
5. 맛을 보고 소금과 레몬즙으로 간을 맞춘다. 생선에 쓸 마요네즈라면 새콤한 편이 낫다. 소금과 레몬즙을 추가로 넣고 믹서로 푼다.

푸드프로세서를 쓴다면 ❀ 나는 푸드프로세서로 마요네즈를 만드는 것의 장점을 모르겠다. 아주 조금 더 빠를 뿐이다. 푸드프로세서로 만든 마요네즈는 믹서로 만든 것만 하지 못하고 프로세서 볼을 씻는 것이 훨씬 더 성가시다.

살사 베르데와 그 외 감칠맛 나는 소스

톡 쏘는 그린 소스, 살사 베르데

Salsa Verde

불리토 미스토(삶은 고기 모둠)를 차릴 때는 신맛을 가진 이 그린 소스가 변함없이 함께 차려진다. 그러나 살사 베르데의 쓰임은 고기에만 한정되지 않는다. 이 소스는 삶거나 찐 생선 요리의 풍미를 돋워주기도 한다. 고기에 쓴다면 식초로, 생선 요리와 차려 낸다면 레몬즙으로 만든다. 아래에 주어진 재료의 비율은 나에게는 균형이 잘 맞지만, 하나 또는 그 이상의 재료를 강조하거나 덜 강조함으로써 개인적인 입맛에 따라 조절할 수 있다. 아래 설명은 푸드프로세서 사용을 전제한다. 손으로 직접 소스를 만들 거라면 따로 설명한 대로 약간 다른 과정을 따르길 바란다.

4~6인분

파슬리잎 ⅔컵
케이퍼 2½큰술
선택 사항: 안초비 6조각
마늘 ½작은술, 아주 잘게 다진다
머스터드 ½작은술, 맛이 강한 것으로
고기에는 레드 와인 식초 ½작은술(취향에 따라), 생선이라면 신선한 레몬즙 1큰술(취향에 따라)
엑스트라버진 올리브유 ½컵
소금

모든 재료를 푸드프로세서에 넣고 균일하게 간다. 과하게 갈지는 마라. 맛을 보고 소금과 신맛을 내는 재료로 간을 맞춘다. 식초나 레몬즙을 더 넣어야겠다면 한 번에 조금씩 넣고 매번 다시 맛을 봐서 소스가 너무 시어지지 않게 한다.

손으로 만드는 법 ◎ 파슬리를 충분히 다져 2½큰술을 만들고, 케이퍼도 충분히 다져 2큰술을 만든다. 안초비 6조각을 가능한 한 크림 같은 질감으로 아주 곱게 다진다. 파슬리, 케이퍼, 안초비를 넣고 위의 재료 중 마늘과 머스터드도 함께 볼에 넣는다. 포크로 골고루 섞는다. 식초나 레몬즙을 추가하고 함께 저어준다. 올리브유를 넣고 다른 재료들과 고루 섞이도록 재빠르게 풀어준다. 맛을 보고 소금과 식초 또는 레몬즙으로 간을 맞춘다.

미리 준비한다면 ◎ 그린 소스는 밀폐용기에 담아 일주일까지 냉장 보관할 수 있다. 상온에 꺼내두었다가 쓰기 전에 골고루 저어준다.

안초비 없이 피클 넣어보기

전통적인 살사 베르데를 대신한 이 소스의 흥미로운 점은 씹는 맛으로, 푸드프로세서보다 손으로 직접 다져 만들었을 때 맛이 더 낫다. 4~6인분

코니숑 또는 식초에 담긴 다른 작은 오이 피클 ⅓컵
초록색 올리브 6개, 소금물에 담긴 것으로 준비
양파 ½큰술, 아주 잘게 다진다
마늘 ⅛작은술, 아주 잘게 다진다
파슬리 ¼컵, 잘게 썬다
갓 짜낸 신선한 레몬즙 1½큰술
엑스트라버진 올리브유 ½컵
소금
갓 갈아낸 검은 후추

1. 피클을 건져서 잘게 — 0.5cm보다는 크게 — 썬다.
2. 올리브를 건져서 씨를 빼고, 피클과 마찬가지로 0.5cm 크기로 잘게 썬다.
3. 피클, 올리브와 다른 모든 재료를 작은 볼에 넣고, 포크로 1~2분간 풀어준다.

따뜻한 레드 소스, 살사 로사

Salsa Rossa

따뜻한 레드 소스는 보통 그린 소스와 짝을 이루는데, 삶은 고기에 곁들일 때 살사 베르데의 톡 쏘는 맛을 누그리는 역할을 한다. 살사 로사를 단독으로 특별히 즐기는 방법은 381쪽 빵가루를 입힌 송아지 커틀릿 옆에 내거나 그 위에 뿌리는 것이다. 그릴에 구운 스테이크에 곁들여도 아주 좋고, 햄버거에도 어울린다. 4인분

붉은색 또는 노란색 파프리카 3개, 과육이 두꺼운 것으로 준비
노란 양파 중간 크기 5개, 껍질을 벗기고 얇게 썬다
식물성기름 ¼컵
매운 붉은 고추, 아주 조금
이탈리아산 플럼토마토 통조림 2컵, 즙과 함께 준비 또는 신선하고 아주 잘 익은 토마토 3컵, 잘게 썬다
소금

1. 파프리카를 세로로 길게 쪼개고, 심과 씨를 제거한다. 필러로 껍질을 벗기고 1cm 내외의 폭으로 가늘게 썬다.
2. 양파와 기름을 소스팬에 넣고 중불에 올린다. 양파가 숨이 죽고 부드러워지되, 갈색은 되지 않도록 저어가며 익힌다.

3. 파프리카를 넣고, 파프리카와 양파가 둘 다 아주 부드러워지고 부피가 반으로 줄어들 때까지 중불에서 계속 익힌다. 매운 고추, 토마토, 소금을 더해 계속 익히는데, 토마토에서 기름이 분리되어 떠오를 때까지 소스를 25분 안팎으로 천천히 뭉근하게 끓인다. 맛을 보고 소금으로 간을 맞추고 뜨거운 상태로 차려 낸다.

미리 준비한다면 ❀ 살사 로사는 2주 전까지 미리 준비해 밀폐용기에 넣고 냉장 보관할 수 있다. 차려 내기 전에 천천히 저어가며 완전히 다시 데운다.

호스래디시 소스

Salsina di Barbaforte

바르바포르테(barbaforte), 혹은 이탈리아 북동부에서 흔히 크렌(cren)으로 알려진 것은 삶은 소고기와 다른 고기뿐 아니라, 그릴에 구운 양고기와 스테이크, 삶은 햄이나 차가운 칠면조 또는 닭고기, 햄버거와 핫도그에 양념으로 곁들여져 입맛을 돋운다. 그리고 닭고기나 해산물 샐러드에 가장 깔끔한 양념으로 쓸 수 있다. 이탈리아식 호스래디시는 다른 호스래디시 소스와 달리 톡 쏘는 신맛을 내지 않는데, 올리브유의 부드러운 자극이 큰 비중을 차지해 식초가 내는 맛을 완화하기 때문이다. 이 소스를 만드는 데 가장 적합한 도구는 푸드프로세서다. 호스래디시 뿌리를 갈 때 이 도구의 진가가 나오는데, 손쉽게 균질하게 갈 수 있을 뿐 아니라 손으로 갈 때 피할 수 없는 눈물도 흘릴 일이 없다.

신선한 호스래디시에 관하여 ❀ 뿌리처럼 생겼는데, 정말로 뿌리가 맞다. 다른 뿌리채소가 그렇듯 여전히 살아 있는 것처럼 보일지라도, 더 나은 신선한 것은 따로 있다. 손에 들었을 때 너무 가볍지 않아야 하는데, 이것은 곧 뿌리 안에 수분을 간직하고 있다는 뜻이기 때문이다. 그리고 껍질은 너무 칙칙하지도, 너무 마른 흙먼지가 만져져서도 안 된다.

약 1½컵 분량

호스래디시 뿌리 675g, 신선한 것을 통째로 준비
엑스트라버진 올리브유 1컵
소금 2작은술
와인 식초 1½큰술
선택 사항: 발사믹 식초 1½작은술
유리병, 1¾~2컵 분량에 꼭 맞는 뚜껑이 있는 것으로 준비

1. 뿌리에서 하얀 호스래디시 속살이 나오도록 갈색 껍질을 전부 벗겨낸다. 세로 날이 달린 채소 필러가 이 작업을 가장 쉽게 해주는 도구다. 뿌리에서 줄기로 연결되는 부분이 남아 있다면 잘라내고, 필요하면 뿌리와 연결되는 부분의 껍질도 벗겨낸다.
2. 껍질을 벗긴 뿌리를 흐르는 찬물에 헹구고, 키친타월로 가볍게 두드려 물기를 말린 뒤 1cm 정도 크기로 자른다. 뿌리는 단단하다. 날카롭고 견고한 칼로 주의를 기울여 썬다.
3. 금속날을 장착한 푸드프로세서 볼에 썰어놓은 뿌리를 넣고 갈기 시작한다. 호스래디시가 곱게 갈리는 동안 볼에 올리브유를 가는 줄기로 붓는다. 소금을 더해 몇 초 더 간다. 와인 식초를 넣고 1분 정도 더 간다. 소스를 크림처럼 부드럽게 만들고 싶다면 더 오래 갈지만, 이 소스는 알갱이와 씹는 맛이 약간 있을 때 가장 맛있다.
4. 프로세서 볼에서 소스를 꺼낸다. 선택 사항인 발사믹 식초를 쓴다면, 이 시점에 넣고 포크로 풀어준다. 유리병 안에 소스를 붓고, 뚜껑을 단단히 닫은 뒤 냉장고에 넣는다. 몇 주간 버틴다.

차려 내기 ❀ 식탁에서 소스를 산뜻하고 부드럽게 즐기고 싶다면 올리브유를 살짝 첨가한다.

삶은 고기에 곁들이는 매콤한 소스, 라 페아라

La Pearà

라 페아라의 기원은 중세시대 베네치아의 양념 페베라타(peverata)로 거슬러 올라간다. '매콤한'(peppery)으로 번역될 수 있는데 오늘날 소스의 맛을 정확히 묘사한다. 라 페아라는 빵가루를 버터와 골수를 함께 익히면서 한 번에 조금씩 육수를

추가하여 빵가루를 천천히 불리고 덩어리지게 함으로써 질감을 만들어낸다. 천천히 조리할수록 더 맛있는 소스가 된다. 45분에서 1시간 정도 조리하면 훌륭한 결과물을 만들 수 있다. 소스 질의 핵심은 육수의 질에 달려 있으므로, 직접 만든 고기육수를 만족스럽게 대체할 만한 것은 없다.

라 페아라는 진하고 묵직하며 부드러운 양념으로, 뜨거운 상태로 소고기, 송아지고기, 닭고기 같은 삶은 고기 모둠에 곁들이면 완벽하다. 약 1컵

소 골수 1컵, 아주 곱게 다진다
버터 1½큰술
마른 빵가루 3큰술, 양념 안 된 고운 것으로 준비
고기육수 25쪽 설명대로 직접 만든 것으로 2컵 또는 그 이상
소금
갓 갈아낸 검은 후추

1. 골수와 버터를 작은 소스팬에 넣는다. 내열 도자 재질이 이런 종류의 천천히 익히는 요리에 가장 알맞고, 법랑이 입혀진 무쇠냄비도 괜찮은 대안이다. 팬을 중불에 올리고 자주 저어가며 나무 주걱으로 골수를 으깬다.
2. 골수와 버터가 녹고 거품이 생기기 시작하면 빵가루를 넣는다. 1~2분간 빵가루를 뒤적여가며 익힌다.
3. 육수 ⅓컵을 추가한다. 육수가 졸아들고 빵가루가 되직해지도록 나무 주걱으로 저으며 천천히 익힌다. 소금 2~3자밤을 넣고 후추를 넉넉히 갈아 넣는다.
4. 한 번에 조금씩 육수를 계속 추가하는데, 졸아들도록 두었다가 더 넣는다. 약불을 유지한 채로 자주 저어준다. 최종적으로는 멍울 없이 농도가 크림같이 부드럽고 되직해야 한다. 맛을 보고 소금과 후추로 간을 맞춘다. 입맛에 소스가 너무 되직하면 육수를 좀 더 넣고 잠시 끓여 묽게 만든다. 삶아서 얇게 썬 고기 위에 뜨거운 상태로 뿌려 내거나 소스 그릇에 담아 옆에 곁들인다.

가금류 구이에 곁들이는 매콤한 소스, 라 페베라다

La Peverada di Treviso

라 페베라다는 바로 앞의 라 페아라 레시피에서 언급한 중세 페베라타 소스에서 유래한 또 하나의 소스다. 기본이 되는 재료는 돼지고기 소시지와 닭 간으로, 주재료를 다지거나 푸드프로세서에 갈아서 크림 같은 질감으로 만들고 볶은 양파와 화이트 와인과 함께 올리브유로 익힌다. 이런 종류의 소스는 재료를 재량껏 선택해 변화를 줄 수 있다. 양파를 마늘로, 와인은 식초로, 오이 피클은 초록색

고추 피클로 대체할 수 있다. 기본 소스를 만들고 나서는, 이 목록을 자유롭게 조정하되 과하게 신맛이 나지 않도록 주의한다.

페베라다는 수렵조류와 가금류를 불문한 모든 종류의 조류 구이에 곁들인다. 베네치아에서 이 소스는 오리 구이와 떼어낼 수 없는데, 베네치아의 가장 중요한 행사인 흑사병에서 벗어난 것을 기념하는 7월의 토요일 저녁에 배를 몰고 석호로 나갈 때 꼭 가져가는 요리 중 하나다.

6인분 또는 그 이상

- 돼지고기 소시지 115g, 순한 맛으로 준비 아래(아래 참고)
- 닭 간 115g
- 식초에 절인 오이 피클 30g, 가급적 코니숑으로 준비
- 엑스트라버진 올리브유 ⅓컵, 또는 소시지가 기름지면 그보다 적게
- 양파 1큰술, 아주 잘게 다진다.
- 소금
- 갓 갈아낸 검은 후추
- 레몬필 간 것 1½작은술, 흰 속껍질이 들어가지 않도록 준비
- 달지 않은 화이트 와인 ⅔컵

참고 ❀ 이탈리안 소시지라 불리는 펜넬 씨가 들어가 있는 것은 쓰지 마라. 질 좋은 아침 식사용 소시지나 순한 맛의 돼지고기 살라미가 더 낫다.

1. 소시지 껍질을 벗긴다. 소시지 소, 닭 간과 피클을 푸드프로세서에 넣고 되직하고 부드럽게 간다.
2. 올리브유와 양파를 작은 소스팬에 넣고 중불로 양파가 옅은 황금색이 될 때까지 익힌다. 다진 소시지 혼합물을 넣고 기름이 잘 입혀지게 고루 젓는다.
3. 소금과 후추를 넉넉히 갈아 넣는다. 잘 저어준다. 레몬필 간 것을 넣고 다시 한번 골고루 젓는다.
4. 와인을 더해 한두 번 저은 뒤, 소스가 아주 천천히 뭉근하게 끓도록 불의 세기를 조절하고 뚜껑을 덮는다. 이따금 저어주며 1시간 동안 끓인다. 소스가 너무 되직하거나 물기가 없는 것 같으면 물을 1~2큰술 추가한다.
5. 작게 썰거나 가슴살만 얇게 저민 조류 구이 위에 뜨거운 채로 끼얹어 낸다.

미리 준비한다면 ❀ 이 소스는 하루이틀 전에 미리 만들어둘 수 있고, 요리를 낼 때 천천히 다시 데운다. 그렇지만 당일에 만들어 쓰면 맛이 훨씬 더 좋다.

조리도구

요즘 들어, 아마도 대부분의 요리사들이 최소화해야 할 것이 있는데, 그것은 바로 새로운 조리도구를 장만하기 위한 쇼핑 목록이다. 내 주방을 포함해 내가 본 거의 모든 주방에, 반드시 필요한 것보다 더 많은 도구와 냄비, 그리고 장치 들이 있다. 그럼에도 불구하고, 이탈리아 요리법에서 기본적으로 요구하는 사항들을 충족하면서 다른 것에 비해 매우 효율적인 냄비와 도구가 분명히 있다. 필수 도구는 몇 개 되지 않지만 빠트려서는 안 되고, 몇 가지 아이템은 장비가 잘 갖춰진 주방에도 없는 것이 있으니 여기서 언급하는 게 좋겠다.

소테팬 *SAUTÉ PAN*

기름에 볶기(sautèing)는 거의 모든 이탈리아 요리의 기본이기에 소테팬은 이탈리아 주방의 충실한 일꾼이다. 이것은 지름 25~30cm 정도에 바닥이 평평하고 넓은 팬으로, 옆면은 5~7.5cm 높이로 직선으로 떨어지거나 위로 벌어져 있으며 잘 들어맞는 뚜껑이 딸려 있다. 형편이 되는 선에서 구조가 튼튼하고 전도율과 열효율이 뛰어난 가장 좋은 냄비를 구하도록 한다. 표면에 눌어붙음 방지 코팅이 된 것은 피한다. 코팅이 기름에 재료를 볶음으로써 낼 수 있는 풍미를 완전히 끌어올리지 못하게 하기 때문이다. 이 설명에 부합하는 팬은 파스타 소스, 프리카세, 스튜, 채소 요리 같은 이탈리아식 레퍼토리의 거의 모든 요리를 해낼 것이다. 그리고 천천히 뭉근하게 끓이는 것부터 뜨겁게 바싹 튀기기까지 어떤 속도의 요리도 할 수 있다. 이와 같은 팬을 하나 이상은 가지고 있어야 한다. 팬 여러 개로 다양한 요리를 동시에 만드는 것이 편리하고 시간도 절약된다.

그 외 다른 냄비

❁ 다양한 크기의 스킬렛으로 소테팬을 보조하면 도움이 될 것이다. 이탈리아 요리에서는 넓고 얕은 팬이 깊고 좁은 것보다 더 필요하다는 것을 기억

하라. 넓고 얕은 팬의 표면은 빠른 조리가 가능하며 재료의 풍미를 더 완벽하게 끌어올린다.

❁ 파스타를 삶으려면 물 4L와 파스타 450~675g을 충분히 담을 수 있는 육수냄비가 필요하다. 무게가 가벼운 금속으로 만들어져 열이 빨리 전달되고 물기를 뺄 때 들어 올리기 쉬워야 한다. 파스타 냄비와 반드시 함께 갖춰야 할 것은 세울 수 있는 굽이 달린 콜랜더다.

❁ 리소토용으로는, 리소토가 익는 데 필요한 약 25분 동안 고르게 열을 유지할 수 있는 법랑이 입혀진 무쇠 제품, 또는 바닥이 여러 겹의 금속으로 된 무거운 강철 제품을 추천한다.

❁ 다양한 크기와 깊이의 오븐에 넣을 수 있는 차림용 용기류. 이것은 채소, 몇몇 생선 요리, 그리고 당연히 라자냐를 만들 때 필요하다.

푸드밀 *FOOD MILL*

나는 이탈리아에서 푸드밀이 없는 주방을 본 적이 없다. 아주 검박한 농부의 주방일지라도 말이다. 푸드밀이 하는 일을 똑같이 해낼 수 있는 도구는 없다. 익힌 채소, 콩류, 생선, 그리고 다른 부드러운 재료들을 구멍 뚫린 원판을 통과시킴으로써 불필요한 씨, 껍질, 섬유질 그리고 생선뼈와 분리해 걸쭉한 퓌레로 만든다. 푸드밀은 푸드프로세서처럼 걸쭉한 질감을 완전히 뭉개지 않는다. 이탈리아 요리에 아주 적합한 생생하고 차별화된 밀도를 유지시켜준다.

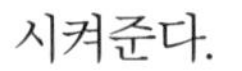

푸드밀에는 고정된 구멍 뚫린 원판이나 교체할 수 있는 원판이 딸려 있다. 고정식 원판은 대개 구멍이 아주 작은데, 이것은 대부분의 이탈리아 요리에 쓸모가 없다. 교체할 수 있는 원판 중 가장 자주 필요한 것은 구멍이 제일 큰 원판일 텐데, 이는 대개 3개의 원판이 딸려 있는 푸드밀에만 들어 있다. 반드시 이걸 사야 한다. 가급적 스테인리스 스틸 재질로 바닥엔 조절 가능한 클램프가 있어 음식을 으깨는 동안 볼이나 냄비 위에 안정적으로 둘 수 있어야 한다.

다른 도구들

❁ 치즈를 아주 곱게 갈 수 있는 구멍과 채칠 수 있는 넓은 구멍이 있거나 얇게 저밀 수 있는 파르메산 강판.

❁ 너트메그를 갈 수 있는 아주 작은 구멍을 포함해 각기 다른 크기의 구멍이 있는 사면강판.

❁ 가장자리가 핀으로 고정된 회전하는 날이 달린 필러. 채소는 데치거나 굽기보다, 필러로 껍질을 벗겨 더 단단하고 물기가 덜한 상태로 기름에 볶는 게 더 낫다.

❁ 구멍 뚫린 국자나 뒤집개. 조리한 기름을 남기고 냄비에서 음식을 꺼내거나, 음식을 잠시 덜어내고 조리한 즙을 졸여야 할 때 매우 유용하다.

❁ 손잡이가 긴 나무 주걱. 직접 만든 파스타, 특히 섬세하게 속을 채운 파스타를 저을 때 필수다. 모든 젓는 행위, 특히 소스를 만들거나 익히면서 재료를 으깰 때, 냄비 바닥에서 맛이 응집된 잔여물을 긁을 때 유용하다. 음식을 익히는 동안 냄비 안에 나무 주걱을 넣어두지 않도록 주의한다. 여러 번 써서 낡거나 씻기 힘들어지면 버린다.

❁ 고기 망치. 스칼로피네, 브라촐레(braciole) 또는 작게 썬 고기를 평평하게 펼치는 용도. 가장 좋은 것은 두껍고 무거운 스테인리스 원판 가운데에 짧은 손잡이가 수직으로 붙어 있는 것이다.

베이킹을 위한 필수품

❁ 빵, 피자, 스핀추니(sfinciuni), 포카치아를 만들 크고 무거운 베이킹 스톤 하나. 이 책에서처럼 포카치아를 틀에서 구울 때도 팬을 뜨거운 돌 위에 미끄러트리듯 올려놓으면 더 나은 결과물을 얻을 수 있다. 가장 실용적인 크기는 가지고 있는 오븐 선반만 한 크기나 최대한 근접한 크기의 것이다.

❁ 피자와 빵을 구울 나무로 된 베이커스 필. 나는 항상 이것을 생김새대로 패들(노)이라 부르는데, 제빵사들은 모두 '필'(peel)이라고 부른다는 것을 알았다. 섬유질 목판이나 단단한 판지, 또는 테두리가 없는 베이킹 시트로 대체할 수 있겠지만, 사용하기에는 패들(필)이 더 쉽고 재미있다. 내 것은 가로 40cm, 세로 36cm 크기에 20cm 길이의 손잡이가 달려 있다. 하나 장만할 계획이라면 굳이 이보다 작은 것을 살 이유는 없을 것이다.

❁ 포카치아용 짙은 탄소강 재질의 사각형 베이킹팬을 두 가지 크기로, 늘 상 쓸 수 있는 가로 23cm, 세로 33cm 정도 크기의 것과 전문가용으로 가로 48cm, 세로 33cm 정도 크기의 것.

❁ 스크래퍼. 손가락을 넣을 수 있는 큰 구멍이 뚫린 사각형의 금속으로 된 것이 특히 다루기 쉽고, 들러붙은 반죽 덩어리를 들어 올려야 할 때 가장 쓸모 있다.

전 채

차가운 전채요리

크로스티니 비안키—리코타 안초비 카나페

Crostini Bianchi—Ricotta and Anchovy Canapès

카나페 28개분

신선한 리코타 225g
버터 1큰술, 상온에 두어 말랑한 상태로
안초비 8조각(19쪽 설명대로 가급적 직접 만든 것으로)
엑스트라버진 올리브유 1큰술
갓 갈아낸 검은 후추
질 좋은 흰 빵 7장, 단단한 토스트용으로 준비

1. 오븐을 200°C로 예열한다.
2. 리코타에 물기가 많으면 요리용 천에 싸서 물기가 빠지도록 싱크대나 볼 위에 30분 정도 매달아둔다. 리코타와 빵을 제외한 모든 재료를 푸드프로세서에 넣고 부드러워질 때까지 간다.
3. 유산지 위에 빵을 겹치지 않게 놓은 뒤 예열된 오븐에 넣고 밝은 갈색이 될 때까지 몇 분 굽는다.
4. 빵의 가장자리를 잘라내고, 한 장이 정사각형 4개가 되도록 모두 4등분한다. 리코타 안초비 크림을 빵에 바른다.

미리 준비한다면 ❀ 재료는 2~3시간 전에 미리 준비해두고, 먹기 직전에 리코타 안초비 크림을 빵에 바르면 된다.

그린 소스와 섞은 완숙 달걀 요리

Hard-Boiled Eggs with Green Sauce

조리 후에 완숙 달걀과 노른자를 톡 쏘는 그린 소스와 섞어 내는 매력적인 전채 요리이다.

6인분

대란 6개
엑스트라버진 올리브유 2큰술
케이퍼 ½큰술, 26쪽 설명대로 소금에 절인 것은 물에 담갔다가 헹구고 식초에 담긴 것은 건져서 잘게 썬다
잘게 썬 파슬리 1큰술
잘게 썬 마늘 ¼작은술
안초비 3조각(19쪽 설명대로 가급적 직접 만든 것으로), 아주 잘게 다진다
잉글리시 혹은 디종 머스터드 ¼작은술
소금
붉은색 파프리카 1개, 너무 잘지 않게 깍둑썰기한다

1. 달걀을 찬물에 넣고 끓인다. 끓기 시작하면 약한 불에 10분간 익힌 뒤, 달걀을 꺼내 상온에서 식힌다.
2. 달걀이 식으면 껍질을 벗기고, 세로 방향으로 반으로 자른다. 모양이 망가지지 않도록 노른자를 조심스럽게 꺼낸 다음 흰자를 한쪽에 둔다.
3. 달걀노른자, 올리브유, 케이퍼, 파슬리, 안초비, 마늘, 머스터드와 소금 한 자밤을 볼에 넣고 모든 재료가 부드럽게 어우러질 때까지 포크로 섞는다(대량으로 만들 때는 푸드프로세서를 사용한다).
4. 3을 12등분해 흰자의 빈 부분을 하나씩 채운다. 그 위에 깍둑썰기한 붉은색 파프리카 조각을 올린다.

구운 파프리카와 안초비

Roasted Peppers and Anchovies

구운 파프리카와 안초비를 올리브유에 함께 담가두면 강하게 식욕을 돋우는 풍미가 탄생한다. 파프리카의 단맛이 안초비와 어우러지는 한편, 파프리카의 매운맛도 도드라진다. 이 요리는 집에서 살코기를 저미고 오일에 절여 만든 안초비를 활용하는 가장 성공적인 방법이다.

8인분 이상

붉은색 또는 노란색 파프리카 8개
마늘 4쪽
안초비 큰 것으로 16조각(19쪽 설명대로 가급적 직접 만든 것으로)
소금
갓 갈아낸 검은 후추
오레가노
케이퍼 3큰술, 16쪽 설명대로 소금에 절인 것은 물에 담갔다가 헹구고 식초에 담긴 것는 건진다
엑스트라버진 올리브유 ¼컵

1. 파프리카 굽기: 파프리카는 구워서 껍질을 벗기면 맛이 가장 농후하고 좋다. 숯을 쓰는 그릴 또는 오븐 브로일러를 쓰거나 가스레인지 위에서 곧바로 구울 수 있는데, 후자가 가장 효율적인 방법이다. 파프리카를 가스레인지 위에 그냥 올려두거나 석쇠나 가스레인지용 금속망이 있다면 사용해도 좋다. 무엇을 사용하든 파프리카의 한쪽 면이 검게 그을 때까지 굽다가, 집게로 뒤집어 가며 껍질이 모두 새카매질 때까지 굽는다. 가급적 형태가 유지되도록 짧은 시간 내에 조리한다. 다 구워지면 일회용 비닐봉투에 넣고, 입구를 단단히 봉한다. 손으로 만질 수 있을 정도로 식으면 바로 파프리카를 꺼내 까맣게 탄 껍질을 벗겨낸다.
2. 껍질을 벗긴 파프리카를 5cm 폭으로 세로로 길게 자른다. 씨와 걸쭉한 심은 제거한다. 다듬은 파프리카를 키친타월로 톡톡 두드려 물기를 최대한 제거한다. 절대 물에 헹궈서는 안 된다.
3. 무거운 칼 손잡이 부분으로 마늘을 껍질이 분리될 정도로만 찧어 껍질을 벗겨낸다.
4. 파프리카를 네 겹으로 쌓을 수 있는 깊이의 접시를 준비한다. 먼저 바닥에 한 겹을 깔고, 그 위에 4~5조각의 안초비를 놓고 소금 한 자밤, 거칠게 간 후추, 오레가노를 가볍게 흩뿌리고 약간의 케이퍼와 마늘 한 쪽도 올린다. 남은 재료를 모두 이용해 똑같이 반복한다. 맨 위층의 파프리카가 덮이도록 올리브유를 붓는다.
5. 파프리카는 식탁에 내놓기 최소 2시간 전에 마리네이드한다. 당일에 먹을 거라면 냉장고에 넣지 말고, 하루 이상 지난 뒤에 먹을 예정이라면 주방용 랩을 밀착해서 덮은 뒤 냉장고에 두었다가 차려 내기 1~2시간 전에 미리 꺼내 놓아 다시 상온 상태가 되도록 한다. 하루 이상 둘 거라면 24시간 뒤 마늘 조각은 건져낸다.

일러두기 ✿ 붉은색 또는 노란색 파프리카는 앞서 설명한 대로 구워서 껍질을

벗긴 뒤, 조금 깊은 접시에 펼쳐 올리고 소금을 살짝 뿌려 엑스트라버진 올리브유에 절이는 것만으로도 아주 훌륭한 전채가 된다. 뷔페에서 가장 인기 있는 요리일 것이며, 가벼운 점심에 걸맞은 여러 요리 중에서도 돋보일 것이다.

파프리카와 오이를 곁들인 구운 가지

Roasted Eggplant with Peppers and Cucumber

가지의 맛과 질감을 조화롭게 활용하는 이 요리는 가지를 차려 내는 가장 신선하고 흥미로운 레시피라 할 만하다. 구운 가지의 녹아내리는 듯한 부드러움과 생파프리카의 아삭함이 대조를 이루고, 강렬한 가지의 맛이 사라짐과 동시에 차갑고 신선한 오이의 맛이 뒤를 잇는다. 전채 코스에서 샐러드 역할을 맡거나 내놓거나 두툼하게 썰어 구운 빵에 발라 먹어도 좋고, 구운 고기와 함께 곁들이는 채소 요리로도 손색이 없다.

6인분

가지 675g
아주 잘게 다진 마늘 ½작은술
붉은색 파프리카 ½컵, 1cm 크기로 깍둑썰기한다
노란색 파프리카 ¼컵, 붉은색과 마찬가지로 썬다
오이 ½컵, 파프리카와 같은 크기로 썬다
잘게 썬 파슬리 1큰술
엑스트라버진 올리브유 2큰술
갓 짠 신선한 레몬즙 2큰술
갓 갈아낸 검은 후추
소금

1. 가지를 씻은 후 숯불이나 가스레인지, 또는 오븐 브로일러에 굽는다(64쪽 파프리카 굽기 참조). 열원에 닿은 쪽이 검게 변하고 가지가 부드러워지면 집게로 뒤집는다. 가지의 모든 면이 검게 변하고 열에 의해 숨이 죽어 물렁해지면 불에서 내려 한편에서 식힌다.
2. 손으로 집을 수 있을 정도가 되면, 껍질을 최대한 벗긴다. 껍질이 조금 남아 있어도 상관없다.
3. 가지 속살을 폭 2.5cm이하로 길게 자른다. 자잘한 검은 씨가 너무 많다면 떼어낸다. 손질한 가지는 남은 물기를 빼기 위해 콜랜더나 체 위에 최소 30분 놓아둔다.
4. 충분히 물기가 빠졌으면 썰어놓은 가지를 믹싱볼에 넣은 뒤 소금을 제외한 모든 재료를 넣고 가볍게 섞는다. 먹기 바로 직전에 소금으로 간한다.

마리네이드한 당근 스틱

Marinated Carrot Sticks

4인분

당근 115g
마늘 1쪽
말린 오레가노 ¼작은술
소금
갓 갈아낸 검은 후추
레드 와인 식초 1큰술
엑스트라버진 올리브유

1. 당근 껍질을 벗기고, 5cm 길이로 통으로 썬 다음, 소금 간을 한 끓는 물에 넣고 10분 정도 익힌다. 당근의 굵기와 자란 정도, 신선도에 따라 시간을 조절한다. 양념에 재우면 더 부드러워지므로, 당근을 속까지 충분히 익히되 모양이 단단하게 잡혀 있어야 한다. 균일하게 익히려면 굵기에 따라 가장 두꺼운 것부터 시간 차를 두고 차례로 물에 넣는다.
2. 당근에 남아 있는 물기를 제거하고, 0.5cm 정도 두께로 길게 자른다. 깊이가 있는 작은 접시에 놓는다.
3. 무거운 칼 손잡이 부분으로 마늘을 껍질이 분리될 정도로만 찧어 껍질을 벗겨낸다. 손질한 마늘을 당근 사이에 넣는다. 오레가노, 소금, 간 후추, 레드 와인 식초를 추가하고, 당근이 충분히 잠길 때까지 올리브유를 붓는다.
4. 당일에 먹는다면 당근을 상온에서 최소 3시간 재운다. 아니면 주방용 랩으로 밀봉해 냉장했다가 차려 내기 2시간 전에 꺼내 다시 상온 상태가 되도록 한다. 하루 이상 지나서 먹는다면 마늘은 24시간 뒤에 꺼낸다.

카르초피 알라 로마나 — 로마식 아티초크 요리

Carciofi alla Romana — Artichokes, Roman Style

북미 시장에서 흔히 볼 수 있는 씨알이 굵고 둥근 아티초크는 이탈리아에서 재배되는 몇 가지 품종 가운데 하나일 뿐이다. 이것은 한편 가장 부드럽고 맛이 뛰어난 아티초크 요리 중 하나이자 로마 사람들이 전채로 자랑스럽게 차려 내는 카르초피 알라 로마나에 쓰이는 바로 그 품종이다. 아티초크를 줄기를 제거하지 않은 채 통째로 삶고, 상온에서 거꾸로 뒤집어 상에 차린다. 아티초크가 제철인 시기에 로마의 트라토리아(trattoria, 한 가문이 소유해오면서 지역의 특색 있는 음식을 파는 편안하고 소박한 식당. 격식을 차린 리스토란테[ristorante]와, 와인과 간단한 식사를 제공하는 오스테리아[osteria]의 중간 정도로 인식되었으나 요즘에는 이들을 거의 구분하지 않는다—옮긴이)에 가면, 줄기가 위로 뒤집힌 채 커다란 접시에 가득 진열되어 있는 것을 볼 수 있다. 가장 맛있고 농후한 부분인 줄기는 조심스럽게 다듬어야 한다. 사실 이 레시피는 아티초크의 질기고 먹을 수 없는 부분을 떼어내는 것이 전부라 해도 과언은 아니다. 카르초피 알라 로마나의 준비 과정을 완전히 습득하면 다양한 다른 아티초크 요리에도 그 원리를 적용할 수 있다. 4인분

아티초크 큰 것 4개
레몬 ½개
아주 잘게 다진 파슬리 3큰술
아주 잘게 다진 마늘 1½작은술
신선한 민트잎 6~8장, 잘게 다진다
소금
갓 갈아낸 검은 후추
엑스트라버진 올리브유 ½컵

1. 어떤 아티초크든 먹을 수 없는 질긴 이파리 부분부터 제거한다. 처음에는 버리는 게 너무 많다고 느껴지겠지만, 먹을 수 없는 걸 요리하는 게 훨씬 더 낭비다. 바깥쪽에 난 잎부터 뒤로 젖혀서, 줄기 방향으로 잡아당기다가 아티초크 밑부분에 닿기 직전에 잎을 부러뜨려 벗긴다. 색이 옅은 잎의 맨 아랫부분은 부드럽고 먹을 만하므로 남겨두어야 한다. 잎을 떼내면서 아티초크 안쪽으로 갈수록 잎이 부러질 부드러운 지점이 밑부분에서 멀어질 것이다. 끝은 초록이고 최소 4cm 정도는 엷고 희끄무레한 잎들이 고깔 형태를 이룬 중심이 나올 때가지 계속 벗겨나간다.

   가운데 고깔 끝을 2.5cm 이상 잘라서 초록색의 거친 부분을 모두 없애준다. 레몬 ½개를 잘라낸 부분에 즙을 짜면서 문질러 갈변하는 것을 막는다.

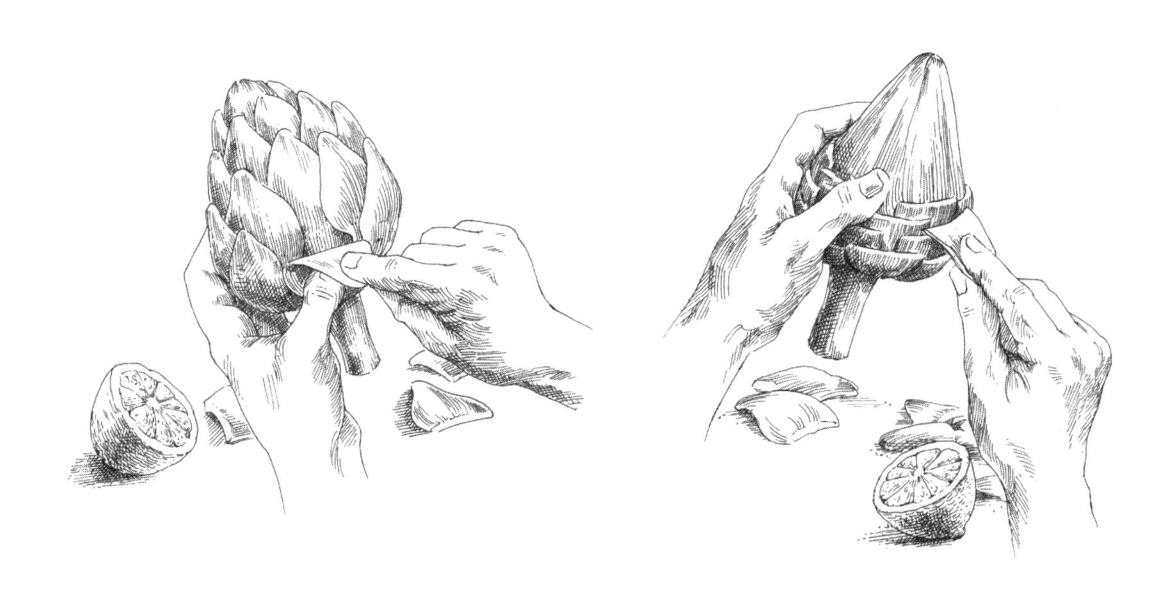

잘라낸 아티초크의 가운데를 보면 안쪽으로 아주 작은 잎들이 원을 그리며 빼곡하게 차 있을 것이다. 이 작은 잎을 모두 떼고, 부드러운 아랫부분이 떨어져 나가지 않도록 조심하면서 더 안쪽에 있는 보송보송한 심을 긁어낸다. 이 작업에는 끝이 둥근 작은 칼을 쓰면 편하다. 다시 아티초크의 바깥쪽으로 돌아가 질긴 초록색 부분을 마저 벗긴다. 이 요리에는 반드시 줄기가 붙어 있어야 하므로 잘라내지 않도록 주의한다.

아티초크를 뒤집으면 줄기의 아랫부분이 보이는데, 옅은 흰색 심이 초록색 껍질로 감싸여 있다. 초록색 부분은 질기고, 흰색 부분은 조리했을 때 부드럽고 맛있기 때문에 이것은 남겨두고 초록색 부분만 제거해야 한다. 줄기가 떨어지지 않도록 조심하면서 모든 껍질을 벗겨낸다. 다음은 모든 면에 골고루 레몬즙을 바른다.

2. 볼에 다진 파슬리, 마늘, 민트잎과 소금을 넣고 후추도 조금 갈아 넣어 섞는다. 섞은 양념 중 ⅓은 남겨두고, 나머지를 아티초크의 속을 파낸 부분에 넣고 안쪽에도 골고루 문질러 바른다.

3. 아티초크를 세워서 충분히 넣을 수 있는 깊이의 법랑냄비를 준비하는데, 바닥이 두껍고 뚜껑이 잘 맞는 것이어야 한다. 잎이 있는 머리 부분이 아래를, 줄기 부분이 위를 향하도록 아티초크를 담는다. 남은 허브와 마늘 양념을 아티초크 바깥쪽에 발라준다. 올리브유를 전부 넣고, 줄기를 제외한 잎 부분의 ⅓ 정도가 잠기도록 물을 충분히 부어준다.
4. 냄비 입구를 완전히 덮을 수 있는 크기의 키친타월을 두 겹으로 준비한다. 모슬린천도 좋다. 키친타월이나 천을 물에 적신 뒤 냄비가 완벽하게 덮이도록 냄비 위에 펼쳐 놓는다. 그 위에 뚜껑을 덮고 냄비 옆면으로 내려와 있는 타월이나 천을 전부 뚜껑 위로 당겨 올린다.
5. 중불로 35~40분 가열한다. 줄기와 가운데 봉오리 사이 두꺼운 부분을 포크로 찔러 쉽게 들어가면 다 된 것이다. 조리 시간은 아티초크의 신선도에 따라 달라진다. 아티초크가 질기면 2~3큰술의 물을 넣어가며 더 오래 삶아야 할 수도 있다. 반면에 아주 신선해서 물이 다 졸아들기도 전에 익었다면 뚜껑을 열어 타월이나 천을 걷어내고 화력을 키워 단시간에 물을 증발시킨다. 냄비 바닥에 닿았던 잎 끝부분이 갈색으로 변했을 텐데, 걱정하지 않아도 된다. 아티초크의 맛이 좋아졌음을 보여주는 것이다.
6. 다 익었으면 아티초크의 줄기가 위쪽으로 향하도록 접시에 담는다. 냄비에 남아 있는 올리브유와 즙을 식탁에 내기 바로 직전에 아티초크 위에 뿌린다. 아티초크가 따뜻할 때 뿌려야 흡수가 잘 되고, 요리를 윤이 나고 촉촉하게 해주며, 이후에도 따로 분리되지 않는다.

가장 먹기 좋은 상태는 아주 뜨겁지도 그렇다고 차갑게 식지도 않은, 만져보면 따뜻한 열이 느껴지는 때다. 그러나 로마에서 먹는 방식대로 한참이 지나 상온이 되었을 때도 좋다. 당일 먹을 예정이라면 이런 방식을 따른다. 하지만 모든 초록색 채소가 그렇듯 냉장고에 넣으면 맛이 급격히 떨어진다.

버섯, 파르메산 치즈와 흰 송로버섯 샐러드

Mushroom, Parmesan Cheese, and White Truffle Salad

이탈리아에서 가을에 누릴 수 있는 행복 중 하나는 흰 송로버섯과 야생 버섯이 같은 시기에 난다는 것이다. 이 버섯만으로도 아주 손쉽게 이 고급스러운 샐러드를 만들 수 있다. 다행스럽게도 버섯과 파르미자노 레자노가 샐러드의 기본 재료다. 너무 비싸거나 구할 수 없는 송로버섯 때문에 포기하지 않아도 된다는 말이다. 단단하며 벌레 먹지 않고 깨끗하고 신선한 포르치니, 야생 그물버섯을 구할 수 있다면 대신 사용해도 좋다. 이런 버섯이 없다면 통상 크레미니(cremini) 버섯으로 불리는 다양한 갈색 버섯이 대안이 될 수 있다. 포르치니와 가장 흡사한 맛을 내기 때문이다. 크레미니 버섯도 없다면 질 좋은 흰 양송이버섯도 쓸 만하다. 다만 파르미자노 레자노와 올리브유는 꼭 필요하다. 올리브유는 과일향을 머금은 엑스트라버진이어야 하는데, 가능하다면 이탈리아 중부 움브리아나 토스카나산으로 준비한다. 올리브유는 버섯과 치즈, 송로버섯의 풍미를 한데 어우러지게 한다. 바삭하게 구운 빵이 있다면 몇 조각을 깨끗하게 닦은 접시 가장자리에 놓아 화룡점정으로 마무리한다.

4인분

버섯 단단하며 깨끗하고 신선한 것으로 225g(앞의 설명 참조)
갓 짠 신선한 레몬즙 1~2큰술
셀러리 ⅔컵, 0.5cm 폭으로 비스듬히 썬다
파르미자노 레자노 치즈 ⅔컵, 채소용 필러나 만돌린으로 얇게 저민다
선택 사항: 흰 송로버섯 30g 또는 그 이상
엑스트라버진 올리브유 3큰술(앞의 설명 참조)
소금
갓 갈아낸 검은 후추

1. 흐르는 찬물에 버섯을 재빨리 씻는다. 물에 담그지 않는다. 물기가 완전히 없어질 때까지 천이나 키친타월로 톡톡 두드린다. 버섯갓과 자루가 붙어 있는 모양 그대로 2~3mm 폭으로 아주 얇게 세로로 썬다.
2. 얕은 볼이나 접시에 자른 버섯을 담고, 색이 유지되도록 곧바로 레몬즙으로 살짝 섞는다. 셀러리 썬 것과 파르메산 치즈 조각을 더한다. 선택 사항인 흰 송로버섯을 아주 얇게 저며 볼에 넣는다. 송로버섯 슬라이서가 있다면 사용하고, 채소용 필러로 가볍게 긁어내도 된다.
3. 올리브유, 소금, 후추를 넣고 가볍게 버무린다. 바로 먹는다.

새우로 속을 채운 토마토

Tomatoes Stuffed with Shrimp

6인분

토마토 크고 단단하며 둥글고 잘 익은 것으로 6개
생새우 껍질이 있고 작은 것으로 115g
레드 와인 식초 1큰술
소금
마요네즈, 50쪽 설명대로 대란 노른자 1개분, 식물성기름 ½컵, 갓 짠 신선한 레몬즙 2½~3큰술
케이퍼 1½큰술, 26쪽 설명대로 소금에 절인 것은 물에 담갔다가 헹구고 식초에 담긴 것은 건진다
잉글리시 또는 디종 머스터드 1작은술
파슬리

1. 토마토를 꼭지 쪽에서 썰어낸다. 작은 스푼으로 씨를 전부 파내고, 사이에 있는 속살도 일부 덜어내 3~4개의 빈 공간이 생기도록 한다. 다듬으면서 토마토가 뭉개지지 않도록 한다. 토마토에 소금을 뿌리고 접시에 뒤집어 놓아 남은 수분이 빠져나오게 한다.
2. 찬물에 새우를 씻는다. 냄비에 물 2L를 채운다. 식초와 소금 1큰술을 넣고 끓인다. 물이 끓으면 새우를 넣고 1분간(크기에 따라 더 오래 걸릴 수 있다) 익힌다. 새우를 건져내 껍질과 내장을 제거한다. 완전히 식을 때까지 한편에 둔다.
3. 모양이 가장 예쁘게 잡힌 새우 6마리를 골라 한편에 따로 둔다. 나머지는 너무 잘지 않게 썰어 볼에 담고, 마요네즈와 케이퍼, 머스터드와 함께 섞는다.
4. 토마토를 짜지 말고 탈탈 털어 남은 물기를 제거한다. 속에 새우 섞은 것을 채운다. 그 위에 남겨둔 새우와 파슬리 1~2잎을 올려 장식한다. 상온 상태에서 또는 살짝 차갑게 차려 낸다.

참치로 속을 채운 토마토

Tomatoes Stuffed with Tuna

6인분

- 토마토 크고 단단하며 둥글고 잘 익은 것으로 6개
- 소금
- 참치 통조림 210g짜리 2개, 올리브유에 저장된 이탈리아산으로
- 마요네즈, 50쪽 설명대로 대란 노른자 1개분, 식물성기름 ½컵, 갓 짠 신선한 레몬즙 2큰술
- 잉글리시 또는 디종 머스터드 2작은술
- 케이퍼 1½큰술, 26쪽 설명대로 소금에 절인 것은 물에 담갔다가 헹구고 식초에 담긴 것은 건진다
- 장식은 아래 제안을 따를 것

1. 71쪽 새우로 속을 채운 토마토 요리의 1번 단계와 같은 방법으로 토마토를 준비한다.
2. 믹싱볼에 참치를 넣고 살코기를 포크로 으깬다. 마요네즈를 1~2큰술 남겨두고 넣고, 머스터드와 케이퍼도 넣는다. 포크로 잘 섞어준다. 맛을 보고 소금으로 간한다.
3. 토마토를 짜지 말고 탈탈 털어 남은 물기를 제거한다. 참치 섞은 것을 속에 채운다.
4. 남은 마요네즈를 토마토 위에 바르고, 장식한다. 이때 얇게 썬 올리브, 길게 자른 붉은색 또는 노란색 파프리카를 쓰거나, 작은 케이퍼를 원형으로 두르거나, 파슬리 1~2잎을 올려도 된다. 상온에서, 또는 살짝 차갑게 차려 낸다.

인 카르피오네—튀겨서 양념에 절인 신선한 정어리(또는 다른 생선)

In Carpione—Fried Marinated Fresh Sardines(or other fish)

카르피오네는 가르다 호수에서만 잡히는 송어의 한 종류로, 한때 어획량이 풍부했으나 지나치게 남획되어 희귀한 어종이 되었다. 튀긴 다음 식초, 양파, 허브를 넣은 양념에 절인 뒤 며칠간 저장해두고 먹기도 했다. 카르피오네는 이제 그 생선 특유의 생선살을 맛보기는커녕 찾아보기도 힘들지만, 조리 방식만은 이어져 민물과 바닷물을 가리지 않고 다양한 대형 어종에 적용된다. 베네치아에서도 비슷한 방법을 쓰는데 건포도와 잣을 넣은 인 사오르(in saor)라는 소스에 절인다.

남부 이탈리아에서는 아 스카페체(a scapece)라고 하며 허브로 민트를 쓴다.

인 카르피오네식으로 조리했을 때 가장 맛있는 생선은 신선한 정어리 같다. 애석하게도 미국 남부 지역에서는 발견하기 힘들지만 말이다. 하지만 빙어처럼 통째로 튀길 수 있는 생선이나 가자미처럼 포를 뜰 수 있는 납작한 생선이면 전부 괜찮다. 원한다면, 장어를 인 카르피오네로 만들어 먹을 수도 있는 것이다. 나는 메기까지 생각해봤지만 시도하지는 않았다.

4~6인분

신선한 정어리나 빙어나 다른 작은 생선 450g 또는 두껍게 포를 뜬 생선 340g
식물성기름
스킬렛, 지름 20~23cm 크기
밀가루 ½컵, 접시 위에 펼친다
소금
갓 갈아낸 검은 후추
양파 1컵, 아주 얇게 썬다
와인 식초 ½컵
월계수잎 4장

1. 생선을 통으로 쓴다면, 내장을 제거하고 비늘을 긁어낸 뒤, 머리와 등지느러미를 자른다. 포 뜬 생선살을 쓴다면 4~6조각으로 나눈다. 생선살을 찬물에 씻고 키친타월로 두드려 물기를 완전히 없앤다.
2. 스킬렛에 2.5cm 높이로 기름을 충분히 부은 다음 중강불로 가열한다. 생선 앞뒤로 밀가루를 묻히고, 팬에 미끄러뜨리듯 넣는다. 많은 양을 넣어서는 안 된다. 적어도 두 번 이상 나눠서 넣어야 바삭하게 튀길 수 있다.
3. 양면이 모두 바삭한 갈색이 될 때까지 한 면당 2분 정도 튀긴다.
4. 구멍 뚫린 국자나 뒤집개로 생선을 접시로 옮긴 다음, 소금과 후추를 살짝 뿌린다. 이때 접시는 생선이 겹쳐져 모양이 망가지지 않도록 충분히 넓어야 한다.
5. 다 튀겼으면 팬에 있는 기름 절반을 따라낸다. 거기에 얇게 썬 양파를 넣고 중약불로 올린다. 양파가 부드러워지고 갈색으로 변하기 전까지 이따금 가볍게 뒤적여주며 익힌다.
6. 식초를 넣고 불을 키워 재빨리 젓고, 거품이 생기면 30초 더 끓인다. 전부 생선 위에 붓고 월계수잎을 올린다.
7. 호일이나 다른 접시로 덮어둔다. 양념이 깊이 배어들게 생선을 적어도 12시간 이상 담가두는데 2~3번 뒤집어준다. 24시간 안에 먹을 거라면 굳이 냉장 보관하지 않아도 된다. 냉장하면 며칠간 두고 먹을 수 있다. 차려 내기 1~2시간 전에 냉장고에서 꺼내 상온 상태가 되도록 하면 된다.

오렌지로 마리네이드한 차가운 송어

Cold Trout in Orange Marinade

튀기거나 기름에 구운 생선을 양념에 절이는 이탈리아의 전통적인 방법은 다양하다(72쪽 참조). 그중에서도 오렌지와 레몬, 베르무트가 조화를 이루는 이 요리는 가장 향긋하고 신맛이 적다. 송어를 비롯해 질 좋은 민물 생선이 가장 알맞다.

6인분

송어 또는 퍼치(농어류 민물고기) 또는 마리당 340g 정도 되는 다른 신선한 민물생선 3마리, 내장과 비늘을 제거하되 머리와 꼬리는 남긴다
엑스트라버진 올리브유 ½컵
밀가루 ½컵, 접시 위에 펼친다
아주 잘게 다진 양파 2큰술
화이트 베르무트 1컵, 단맛이 없는 이탈리아산으로 준비
오렌지필 2큰술, 흰색 속껍질 없이 겉껍질만 잘게 썬다
갓 짠 신선한 오렌지즙 ½컵
레몬 1개 분량의 즙
소금
갓 갈아낸 검은 후추
잘게 썬 파슬리 1½큰술
선택 사항: 장식으로 쓸 오렌지, 껍질을 벗기지 않고 얇게 썬다

1. 내장과 비늘을 제거한 생선을 찬물에 씻고 키친타월로 가볍게 두드려 물기를 없앤다.
2. 스킬렛에 기름을 붓고 중불에 올린다. 기름이 달궈지면 양면에 밀가루를 얇게 묻힌 생선을 미끄러뜨리듯 넣는다. 많은 양을 넣어서는 안 된다. 준비한 생선을 한 번에 다 넣을 수 없다면 나누어 넣되, 팬에 넣기 직전에 밀가루를 입혀야 한다.
3. 생선의 한쪽 면이 갈색이 되면 다른 쪽도 뒤집는데, 첫 번째 면은 5분 정도, 두 번째 면은 4분 정도 걸린다. 구멍 뚫린 국자나 뒤집개로 생선을 겹치지 않고 놓을 만큼 넓거나 긴 접시에 옮긴다. 스킬렛에 남은 기름은 버리지 않는다.
4. 잘 드는 칼로 생선의 양쪽 면에 2~3군데 사선으로 칼집을 넣는다. 껍질이 찢어지거나 살점이 떨어지지 않도록 주의한다.
5. 생선을 조리한 기름이 남아 있는 스킬렛에 다진 양파를 넣는다. 양파가 살짝 노릇해질 때까지 중불로 익힌다.
6. 베르무트와 오렌지필을 더한다. 30초 정도 보글보글 끓이면서 저어주다가, 오렌지즙, 레몬즙, 소금을 넣고 후추도 갈아 넣는다. 30초 더 끓이면서 2~3번 젓는다. 다진 파슬리를 넣고 한두 번 섞어준 다음, 접시에 담긴 생선 위에 전부 부어준다.

7. 생선에 양념이 잘 배도록 최소 6시간 상온에 둔 다음 냉장고에 넣는다. 먹기 하루 전에 만들어두어야 한다. 신선한 맛을 느끼고 싶거든 늦어도 3일 안에는 먹어야 한다. 차려 내기 최소 2시간 전에 냉장고에서 꺼내 상온상태가 되게 한다. 원한다면 얇게 썬 신선한 오렌지를 내기 전에 장식으로 올린다.

감베레티 알올리오 에 리모네—올리브유와 레몬즙에 재운 데친 새우

Gamberetti all'Olio e Limone—Poached Shrimp with Olive Oil and Lemon Juice

아주 질 좋은 새우를 살짝 데쳐 올리브유와 레몬즙에 재우고 차갑지 않게 내놓는다. 그러면 독보적으로 간단하면서도 맛이 절묘한, 전형적인 이탈리아식 해산물 요리 하나가 완성된다. 아드리아해 북부 지역의 모든 해산물 식당 메뉴에서 찾아볼 수 있는 요리다. 주재료의 가짓수가 적은 많은 이탈리아 요리의 성패는 주재료의 질에 좌우되는데, 이 요리에서는 새우와 올리브유에 달려 있다. 새우는 평소 이용하는 해산물 가게에서 가장 육질이 좋고 달콤한 것으로 구매하고, 올리브유는 농장에서 직접 만들어 병입한 이탈리아산 엑스트라버진 올리브유가 최선이다.

6인분

셀러리 1대
당근 1개, 껍질을 벗긴다
소금
와인 식초 2큰술
생새우 작고 껍질이 있는 것(큰새우를 쓴다면 아래 설명 참조) 675g
엑스트라버진 올리브유 ½컵
갓 짠 신선한 레몬즙 ¼컵
갓 갈아낸 검은 후추

1. 물 약 3L에 셀러리, 당근, 소금 1큰술과 와인 식초를 넣고 끓인다.
2. 10분간 보글보글 끓이다가, 새우를 껍질째 넣는다. 새우가 아주 작으면 물이 다시 끓어오를 때까지만 익힌다. 중간 크기 이상이라면 2~3분 정도 더 익힌다.
3. 다 익으면 새우를 건져 껍질과 내장을 제거한다. 중간에서 큰 크기의 새우를 썼다면 세로로 길게 2등분한다.
4. 새우를 얕은 볼에 넣고 따뜻할 때 올리브유와 레몬즙을 넣은 뒤 소금, 후추로 간한다. 가볍게 섞은 다음, 내기 전에 1시간 정도 상온에 둔다. 질 좋은 빵

을 바삭하게 구워 함께 내면 접시에 남은 맛있는 즙까지 깨끗이 닦아 먹을 수 있다.

참고 ❀ 이 요리는 차갑게 하지 않는 것이 훨씬 좋지만, 어쩔 수 없는 경우 하루 전에 미리 만들어 주방용 랩을 씌운 뒤 냉장 보관할 수는 있다. 먹기 전에 완전히 다시 상온 상태가 되어야 한다.

인살라타 루사—갖은 채소를 곁들인 새우 샐러드

Insalata Russa—Shrimp Salad with Assorted Vegetables

나처럼 너무 아름다워 보이는 요리의 맛을 의심하는 사람이라도 이 요리에 대해서만큼은 그런 의구심을 접어야 한다. 이 요리는 보기 좋은 만큼 맛도 좋기 때문이다. 게다가 만들기도 쉽다. 채소를 전부 씻고, 익히고, 자르는 시간이 걸리지만, 이 과정은 언제든지 내킬 때 또 여유가 있을 때 미리 준비해둘 수 있다. 이 샐러드가 '러시아식'이라는 의미의 루사(russa)라고 불리는 까닭은 오로지 비트의 붉은색 때문이다.

6인분

새우 중간 크기로 껍질째 450g
그린빈 115g
감자 중간 크기 2개
당근 중간 크기 2개
냉동 완두콩 100g, 해동한다
붉은색 통 비트 통조림에서 작은 것 6개, 건더기만 건져서 준비
케이퍼 2큰술, 26쪽 설명대로 소금에 절인 것은 물에 담갔다가 헹구고 식초에 담긴 것은 건진다
작은 오이 피클 또는 가급적 코니숑 2큰술, 썬다
와인 식초 1큰술과 여분의 2작은술
엑스트라버진 올리브유 3큰술
소금
마요네즈, 50쪽 설명대로 노른자 3개분, 엑스트라버진 올리브유 1¾컵(아래 참고), 갓 짠 신선한 레몬즙 3큰술, 소금 ⅜작은술

참고 ❀ 마요네즈에 올리브유를 쓰는 특별한 경우다. 산뜻한 풍미를 내는 좋은 올리브유가 향이 거의 없는 다른 식물성기름보다 맛을 더 돋우기 때문이다. 또한 올리브유의 점도는 샐러드 재료들을 뭉쳐주어 잘 어우러지게 한다.

1. 새우를 씻는다. 물을 끓여 소금을 넣고, 다시 끓어오르면 식초 1큰술과 함께

새우를 껍질째 넣는다. 4분간 익히고 물을 따라 버린다. 새우가 작으면 더 빨리 건진다. 손으로 만질 수 있을 정도로 식으면 껍질과 내장을 제거하고, 한편에 둔다.

2. 그린빈의 양 끝을 잘라내고 찬물에 씻는다. 물을 끓이고 소금을 넣은 뒤 그린빈을 더한다. 부드러워지면 바로 꺼내는데, 흐물흐물해져서는 안 된다.
3. 감자를 껍질째 씻는다. 냄비에 넣고 감자가 잠길 정도로 물을 부어 끓인다. 포크로 찔러 쉽게 들어갈 때까지 익힌 다음 건진다. 뜨거울 때 껍질을 벗긴다.
4. 당근 껍질을 벗긴다. 그린빈과 마찬가지로 부드럽게 익었지만 모양은 잡혀 있는 상태로 삶는다.
5. 소금을 넣은 끓는 물에 냉동 완두콩을 넣어 1분 이하로 익힌다. 건져서 한편에 둔다.
6. 키친타월로 비트를 가볍게 두드려 물기를 최대한 제거한다. 익혀서 식힌 채소들을 가져와서 감자를 제외한 비트와 다른 채소들은 장식으로 쓸 양을 조금 남겨둔다. 그린빈은 1cm 길이로 썰고, 감자, 당근, 비트는 1cm 크기로 깍둑썰기한다. 자른 채소들과 케이퍼, 오이 피클을 믹싱볼에 담는다.
7. 새우의 절반을 남겨두고 나머지는 깍둑썰기해서 채소가 있는 볼에 담는다. 올리브유와 와인 식초 2작은술, 소금을 넣고 전체적으로 가볍게 버무린다. 마요네즈의 반을 넣고 재료에 골고루 입혀지도록 잘 섞어준다. 맛을 보고 소금으로 간한다.
8. 가능한 모양이 둥글게 잡히도록 요리를 담을 접시 위에 볼을 뒤집어 올린다. 윗면이 평평하고 높이가 낮은 둥근 언덕 모양이 되게끔 스패출러로 표면을

다듬는다. 그 위에 남은 마요네즈를 펴 발라 겉면 전체를 덮고 스패출러로 매끈하게 마무리한다.

9. 남겨둔 채소와 새우로 마음 가는 방식으로 장식한다. 한 가지 방법을 제안하면, 당근을 둥글고 얇게 썰어 중앙에 놓고, 콩 1알을 당근 가운데 얹는다. 새우로 당근 가장자리를 둘러싸는데, 새우를 옆으로 눕혀 새우 꼬리끼리 같은 방향으로, 머리는 반대 방향으로 둥지 모양을 그리도록 만든다. 평평한 윗면의 나머지 빈 곳에는 꽃송이가 흩어져 있는 것처럼 당근을 중심으로 비트로 꽃잎을 만들고, 그린빈으로 줄기를 만든다. 옆면에는 남은 새우의 구부러진 배쪽이 샐러드에 묻히도록 박아 넣는데 머리는 위쪽을, 꼬리는 아래쪽을 향하게 해서 새우 등의 곡선이 바깥쪽으로 나오게 한다.

미리 준비한다면 ❁ 최대 이틀 전에 미리 만들어둘 수 있다. 주방용 랩에 싸서 냉장고에 넣어두되, 내기 전에 충분한 시간을 두고 꺼내놓아 상온보다 너무 차갑지 않도록 한다. 주의할 것은, 몇 시간이나 하루 정도 미리 만들어둘 경우 주변을 쉽게 물들이는 비트를 마지막에 장식으로 써야 한다.

연어볼

Salmon Foam

오래전부터 노르웨이 사람들이 연어를 양식해 연어는 이탈리아 시장에서 흔한 재료로 자리 잡았다. 지금은 보다 저렴한 통조림 형태가 이탈리아에서 더 익숙하다. 통조림 참치의 위상을 높인 것처럼, 이탈리아인은 통조림 연어로도 아주 훌륭한 요리를 만들어낸다. 이 레시피가 가장 좋은 예 중 하나다.

6인분

연어 통조림 425g
엑스트라버진 올리브유 ¼컵
갓 짠 신선한 레몬즙 2큰술
소금
갓 갈아낸 검은 후추
생크림 1½컵, 아주 차갑게 한다

1. 연어의 물기를 제거하고, 뼈와 잔가시를 조심스럽게 뽑아낸다. 큰 볼에 넣고 포크로 으깬다. 올리브유, 레몬즙, 소금 한 자밤을 넣고 후추를 갈아 넣은 다음, 골고루 섞일 때까지 포크로 치댄다.
2. 차가운 볼에 생크림을 넣고 단단하게 뿔 모양이 잡힐 때까지 거품을 낸다. 양념해 섞어놓은 연어에 거품을 낸 크림을 더하고 완전히 섞일 때까지 부드럽게

접어 올리듯 저어준다. 주방용 랩으로 덮어 냉장한다.

내기 전에 2시간 정도 차갑게 해두되, 24시간은 넘지 않도록 한다.

선택 가능한 장식 ◎ 생크림과 섞은 연어를 한 입 크기로 작고 둥글게 떠서 라디키오잎에 놓는다. 그 위에 검은 올리브를 올리는데, 가급적이면 그리스산 올리브가 아닌 캘리포니아산처럼 더 부드러운 맛을 가진 품종을 사용한다. 연어볼이 고정되도록 반달 모양으로 얇게 썬 레몬을 올리브를 중심으로 양쪽에 놓는다.

삶은 참치감자롤

Poached Tuna and Potato Roll

투박한 참치 통조림을 맛과 질감, 그리고 모양까지 고급스럽게 변신시켜주는 레시피다. 으깬 감자와 치즈를 합쳐 긴 원통형으로 만든 뒤, 채소와 화이트 와인을 넣어 살짝 풍미를 더한 물에 삶는다. 차갑게 식혀서 얇게 썰고 케이퍼 마요네즈를 올려 먹는다.

6~8인분

감자 중간 크기 1개
참치 통조림 210g짜리 2개, 올리브유에 저장된 이탈리아산으로, 기름을 따라 버린다
갓 갈아낸 파르미자노 레자노 치즈 ¼컵
달걀 1개와 흰자 1개분
갓 갈아낸 검은 후추
치즈클로스

삶을 물에 필요한 재료
노란 양파 중간 크기 ½개, 얇게 썬다
셀러리 1대
당근 1개
파슬리 줄기만 6대
소금
달지 않은 화이트 와인 1컵

40쪽의 설명대로 마요네즈 만들기에 필요한 재료
달걀노른자 대란 1개분
식물성기름 ⅔컵
갓 짠 신선한 레몬즙 2큰술
소금 ½작은술

함께 섞을 재료

케이퍼 2큰술, 16쪽 설명대로 소금에 절인 것은 물에 담갔다가 헹구고 식초에 담긴 것은 건져서 굵게 다진다

안초비 1조각, 아주 잘게 다진다

장식 재료

검은 올리브 조각

1. 감자를 껍질째 부드러워질 때까지 삶는다. 건져서 껍질을 벗기고 푸드밀이나 포테이토 라이서로 으깬다.
2. 볼에 참치를 넣고 으깬다. 치즈 간 것과 달걀 1개, 흰자 1개 분량, 후추를 조금 갈아 넣고, 으깬 감자도 더한다. 참치와 골고루 섞어준다.
3. 치즈클로스를 물에 적셔 꽉 짠 다음, 조리대에 펼쳐 놓는다. 참치 섞은 것을 가장자리에 한 줄로 길게 놓고 지름 6cm 정도의 소시지 형태로 만든다. 치즈클로스로 3~4바퀴 돌돌 말아주고 가장자리는 끈으로 묶는다.
4. 삶을 물 준비하기: 소스팬, 타원형 냄비 또는 생선 전용 찜기에 얇게 썬 양파, 셀러리 대, 당근, 파슬리 줄기, 소금 한 자밤과 와인을 넣는다. 말아놓은 참치까지 담아 그 위로 2.5cm 이상 올라올 만큼 물을 붓는다. 뚜껑을 덮고 끓인다. 끓어오르면 불을 줄여 기포가 잔잔해지도록 한 다음 천천히 뭉근하게 익힌다. 45분간 조리한다.
5. 참치롤의 양 끝을 뒤집개로 동시에 잡아 부서지지 않도록 조심스럽게 꺼낸다. 만질 수 있을 만큼 식으면 바로 치즈클로스를 벗긴다. 한편에 두고 완전히 식힌다.

미리 준비한다면 ❀ 참치롤을 익히는 이 단계까지는 먹기 하루 이틀 전에 미리 만들어둘 수 있다. 완전히 식으면 주방용 랩으로 단단하게 싼 다음 냉장 보관한다. 다음 단계로 넘어가기 전에 상온 상태가 되도록 미리 꺼내둔다.

6. 앞에서 말한 방법대로 마요네즈를 만든다. 완성되면 다진 케이퍼와 안초비를 넣고 섞는다.
7. 차갑게 식은 참치롤을 1.2cm보다 얇은 두께로 썬다. 접시에 얇게 썬 조각을 살짝 겹치도록 줄지어 놓는다. 그 위에 마요네즈를 바르고 검은 올리브 조각을 올린다. 올리브 조각을 얇게 썬 참치롤 가운데 놓기도 하고, 접시 끝에서 끝까지 일렬로 늘어놓기도 한다.

삶은 참치시금치롤

Poached Tuna and Spinach Roll

흔한 참치 통조림이 예쁜 모양과 그에 어울리는 맛을 갖추도록 변신시켜주는 또 다른 레시피다(79쪽 삶은 참치감자롤 참고).

8인분

시금치 신선한 것으로 675g
소금
참치 통조림 100g짜리 1개, 올리브유에 저장된 이탈리아산으로, 기름을 따라 버린다
안초비 4조각(9쪽 설명대로 가급적 직접 만든 것으로), 잘게 다진다
질 좋은 흰 빵 1½조각, 가장자리를 잘라낸다
우유 1½컵
달걀 2개
갓 갈아낸 파르미자노 레자노 치즈 1½컵
마른 빵가루 3큰술, 양념 안 된 고운 것으로 준비
갓 갈아낸 검은 후추
치즈클로스
엑스트라버진 올리브유 ⅓컵
갓 짠 신선한 레몬즙 2작은술

장식 재료
레몬 1개, 얇게 썬다
당근 작은 것 1개, 둥근 모양으로 아주 얇게 썬다

1. 시금치 줄기부터 잎까지 주방용 대야에 담근 뒤, 흙이 완전히 씻겨 나갈 때까지 찬물을 갈아가며 몇 번 헹군다.
2. 물기가 남아 있는 시금치를 초록색으로 유지시켜줄 소금 2작은술과 함께 팬에 넣고 뚜껑을 덮어 익힌다. 시금치의 신선도와 여린 정도에 따라 아주 부드러워질 때까지 10분 또는 그 이상이 걸린다. 익힌 후 꺼내서 식힌다.
3. 시금치가 식으면 한 줌씩 쥐고 물기가 나오지 않을 때까지 꼭 짠다. 전부 짰으면 아주 잘게 다진 다음 믹싱볼에 넣는다.
4. 믹싱볼에 잘게 부순 참치와 안초비를 더한다.
5. 깊이가 있는 접시에 빵을 담고 우유를 부어 적신다.
6. 시금치와 참치가 담긴 볼에 달걀을 깨뜨려 넣는다. 파르메산과 빵가루, 소금을 더하고 후추도 갈아 넣는다.
7. 충분히 젖은 빵을 건져 접시 위에서 꾹 짜내고, 볼에 넣어 골고루 섞는다.

8. 80쪽 레시피의 3번 단계와 마찬가지로 참치롤의 모양을 잡고 치즈클로스로 감싼다.
9. 참치롤을 크기에 맞는 타원형 냄비나 생선 전용 찜기에 담는다. 롤이 충분히 잠길 정도로 물을 붓고 뚜껑을 덮은 다음 중불로 끓인다. 물이 끓기 시작하면 불을 줄여 35분간 뭉근하게 익힌다.
10. 롤의 양 끝을 뒤집개로 동시에 잡아 부서지지 않도록 조심스럽게 꺼낸다. 롤이 어느 정도 식으면 묶었던 끈을 풀고 치즈클로스를 벗긴다. 상온으로 식힌다. 시금치 맛이 변하므로 냉장고에는 넣지 않는다.
11. 1cm보다 얇게 썰어 지붕널 모양처럼 살짝 겹쳐지게 접시에 줄지어 놓는다. 올리브유와 레몬즙을 뿌린다. 썰어놓은 각각의 초록색 롤 위에 얇은 레몬조각을 하나씩 올리고, 그 위에 둥글게 썬 작은 당근 조각을 올린다.

따뜻한 전채요리

브루스케타 — 로마식 마늘빵

Bruschetta — Roman Garlic Bread

라틴어에서 유래한 현대 로마의 방언인 브루스카레(bruscare)는 '(얇게 썬 빵을) 굽다' 또는 '(커피콩을) 볶다'라는 뜻이다. 이런 이유로 구운 빵 자체를 제외하고 브루스케타를 좌우하는 가장 중요한 요소는 올리브유다.

가을에서 겨울로 넘어가는 시기를 알리는 것은 그 해에 생산된 신선한 올리브유다. 투명한 초록빛으로 반짝이는 향긋하고 신선한 올리브유에 빵을 듬뿍 적셔 연기가 피어오르는 불에 구워 먹는 전통은 아마 로마 역사만큼이나 오래되었을 것이다. 브루스케타가 로마에서 움브리아, 토스카나, 아브루초 등 나머지 중부 이탈리아로 전해지는 과정에서 다른 재료들이 그에 더해졌는데, 마늘과 토마토는 지금도 여전히 쓰인다. 두 가지 형태의 브루스케타 레시피를 소개한다.

기본 브루스케타

6~12인분

마늘 6쪽
질 좋은 도톰하고 바삭한 빵 12장, 두께 1~2cm, 크기 8~10cm로 자른다
엑스트라버진 올리브유, 과일향을 머금은 갓 생산된 것으로 준비
소금
갓 갈아낸 검은 후추

1. 브로일러를 예열한다. 숯불을 피우면 더 좋다.
2. 무거운 칼 손잡이로 껍질이 분리될 정도로만 마늘을 찧은 뒤 껍질을 벗긴다.
3. 빵의 양면을 노릇하게 굽는다.
4. 다 구워진 빵을 꺼내 뜨거울 때 모든 빵의 한 면에 으깬 마늘을 문지른다.
5. 마늘향이 밴 쪽이 위를 향하도록 접시에 빵을 놓는다. 올리브유가 골고루 스며들도록 조금씩 흩뿌려준다.
6. 소금을 치고 후추도 갈아 넣는다. 따뜻할 때 먹는다.

토마토 버전

기본 브루스케타 재료에 다음을 추가
플럼토마토 신선하고 잘 익은 것으로 8개
생바질잎 8~12장 또는 오레가노 몇 자밤

1. 토마토를 씻어 세로로 길게 반으로 자른다. 과도 끝으로 씨를 최대한 긁어낸 후, 1cm 크기로 깍둑썰기한다.
2. 바질잎을 씻는다. 털어서 물기를 완전히 없앤 다음 잘게 찢는다(오레가노를 사용한다면 이 단계는 생략한다).
3. 앞의 레시피대로 뜨겁게 구운 빵에 마늘을 문지른 다음, 깍둑썰기한 토마토를 올리고 바질이나 오레가노를 뿌린다. 소금과 후추로 간하고 올리브유를 살짝 흩뿌려준다. 따뜻할 때 먹는다.

카르초피 알라 주디아
—통째로 바삭하게 튀긴 아티초크

Carciofi alla Giudia — Crisp-Fried Whole Artichokes

로마의 튀긴 아티초크만큼 이탈리아에서 확고하게 자리 잡은 유대인 요리는 없다. 바깥쪽 잎은 말린 국화처럼 바삭하고 그에 둘러싸인 안쪽은 부드럽고 즙이 가득하다.

조리는 두 단계로 이루어진다. 첫 단계에서는 낮은 온도로 천천히 시간을 두고 가열해 아티초크를 완전히 익힌다. 두 번째 단계에서는 찬물을 뿌려 뜨거운 기름이 순간적으로 끓어오르게 함으로써 바깥쪽 잎을 바삭하게 마무리한다.

6인분

아티초크 중간 크기 6개, 가급적 어리고 신선한 것으로 준비
레몬 ½개
소금
갓 갈아낸 검은 후추
식물성기름

1. 66쪽 로마식 아티초크 레시피의 1번 단계대로 아티초크를 다듬는다. 다만 여기서는 밑동을 짧게 남겨두면서 줄기를 자른다. 바깥쪽에 난 단단한 잎을 맨 아랫부분까지 계속 길게 꺾어내서 아티초크 중심부가 통통한 장미 꽃봉오리 모양이 되도록 만든다. 먹을 수 없는 끝부분은 잘라내고, 갈변되지 않도록 자른 모든 부분을 레몬 ½개에서 짜낸 즙으로 문지른다.
2. 밑동이 위를 향하고 잎이 바깥쪽으로 자연스럽게 벌어지게끔 아티초크를 도마나 조리대에 뒤집어 놓는다. 가능한 한 쪼개지지 않도록 평평하게 두드려준다. 뒤집어서 소금과 후추를 뿌린다.
3. 깊이가 있는 스킬렛이나 소테팬에 바닥에서 4cm 정도 올라오도록 기름을 충분히 붓는다. 불을 중불로 올리고 기름이 달구어지면 아티초크를 밑동이 위를 향하도록 넣는다. 5분 정도 익히고 뒤집는다. 5분마다 뒤집어주며 익힌다. 밑동의 두꺼운 부분을 포크로 찔렀을 때 부드럽게 들어가면 다 된 것이다. 아티초크의 어린 정도와 신선도에 따라 15분 또는 그 이상 소요된다. 기름이 과열되어 아티초크가 너무 빨리 튀겨지지 않도록 불의 세기를 조절한다.
4. 아티초크가 다 익었으면 도마나 조리대에 밑동이 위를 향하도록 뒤집어 놓고, 조금 더 평평해지도록 나무 주걱이나 스패출러로 눌러준다.
5. 팬을 다시 강불에 올린다. 볼에 찬물을 담아 레인지 가까이에 놓는다. 기름이 달궈지는 즉시 팬에 아티초크를 밑동이 위를 향하도록 넣는다. 몇 분만 튀기고 뒤집은 다음, 손을 볼에 든 물에 담갔다가 남은 물기를 아티초크에 뿌린다.

이때 기름이 지글거리며 튀어 오르기 때문에, 팬과 손이 닿을 정도의 거리를 유지해야 한다.

6. 기름이 진정되자마자 봉오리가 아래를 향하도록 아티초크를 뒤집어 키친타월이나 식힘망 위에 놓고 기름을 뺀다. 뜨거울 때 먹어야 제맛이지만, 조금 식어 상온이 되어도 맛있다. 냉장고에 넣거나 다시 데우지는 않는다.

속을 채운 버섯 구이

Baked Stuffed Mushroom Caps

버섯 속을 채우는 재료의 핵심은 물에 불린 말린 포르치니버섯이다(물론 판체타, 마늘, 달걀, 마조람도 중요하다). 다른 많은 요리에서처럼, 이 버섯의 존재는 향이 약한 양식 버섯마저 폭발적인 향과 농후함을 지닌 야생 그물버섯으로 변신시킨다.

6인분

말린 포르치니버섯 30g
빵가루 ¼컵 가득, 신선하고 바삭하지 않은 부드러운 부분으로 만든다
우유 ¼컵
버섯 신선하고 갓에 속을 채울 수 있는 큰 것으로 450g
판체타 115g
안초비 4조각(19쪽 설명대로 가급적 직접 만든 것으로)
생바질잎 4장, 손으로 잘게 찢는다
마늘 작은 것 1쪽, 잘게 다진다
달걀 1개
잘게 다진 파슬리 3큰술
마조람 말린 것 ⅛작은술, 날것은 잘게 썰어서 ¼작은술
소금
갓 갈아낸 검은 후추
마른 빵가루 ½컵, 양념 안 된 것으로 준비
엑스트라버진 올리브유 ⅓컵

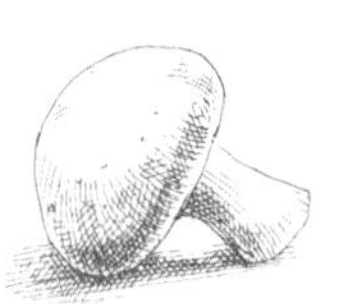

1. 말린 버섯을 미지근한 물 2컵에 넣고 30분 이상 불린다.
2. 작은 볼이나 깊이가 있는 접시에 부드러운 빵가루와 우유를 넣고 스며들도록 한편에 둔다.
3. 신선한 버섯을 흐르는 찬물에 재빨리 씻고, 키친타월로 톡톡 두드려 물기를 완전히 없앤다. 이때 버섯이 망가지지 않도록 주의한다. 갓이 쪼개지지 않도록 조심해서 자루를 떼어낸다.
4. 키친타월을 깐 채반을 작은 팬 위에 올려놓는다. 불린 포르치니를 건지되, 남

은 물은 버리지 않는다. 채반에 그 물을 부어 키친타월에 여과한 후 팬에 담는다. 불린 포르치니는 이물질이 남아 있지 않도록 찬물을 갈아가면서 몇 번 헹궈준다. 이것을 다시 팬에 넣어 뚜껑을 연 채로 팬의 물이 모두 증발할 때까지 강불에서 끓인다.

5. 오븐을 200°C로 예열한다.
6. 불려 익힌 포르치니와 떼어낸 버섯자루, 판체타, 안초비를 전부 아주 잘게 다진다. 손으로 직접 해도 되고 푸드프로세서를 사용해도 된다.
7. 다진 재료를 전부 믹싱볼에 넣고, 바질잎과 다진 마늘을 더한다. 우유에 불린 빵가루를 우유가 흘러나오지 않을 때까지 손으로 짜서 볼에 넣는다. 달걀도 깨뜨려 넣는다. 파슬리와 마조람, 소금을 더하고 후추도 갈아 넣은 다음, 포크로 모든 재료를 골고루 매끄럽게 섞는다. 맛을 보고 소금, 후추로 간을 조절한다.
8. 볼 안의 섞인 재료를 버섯갓에 채운다. 봉긋하게 솟은 모양이 되도록 갓마다 충분히 담아준다. 그 위에 마른 빵가루를 뿌린다.
9. 버섯이 나란히 한 층으로 놓일 수 있는 크기의 오븐용 그릇을 가져온다. 접시의 바닥과 옆면에 올리브유를 바른다. 속을 채운 쪽이 위를 향하도록 버섯을 놓는다. 올리브유를 버섯 위에 십자로 가늘게 흘리면서 버섯을 채운 속에 가볍게 바른다.
10. 예열된 오븐의 가장 위에 그릇을 넣고, 채운 속의 윗부분이 바삭해질 때까지 30분간 굽는다. 오븐에서 꺼낸 뒤 식기 전에 먹는다.

바냐카우다—생채소를 찍어 먹는 피에몬테식 소스

Bagna Caôda—Hot Piedmontese Dip for Raw Vegetables

피에몬테식 상차림에 바냐카우다를 내놓는 것만큼 겨울철의 맛과 정취를 한껏 느낄 수 있는 방법은 그 어디에도 없다. 그것은 소박한 맛의 카르둔, 아티초크, 파와 돼지감자, 그리고 소스에 찍어 먹는 전형적인 다른 초록색 채소들로 구성된다. 여기서 차가운 생채소는 소스에서 나오는 열기로 부드러워진다. 여기에 전통적으로 가벼우면서도 떫은 햇와인을 곁들인다.

카우다는 피에몬테 지방어로 미각이 아닌 온도의 '뜨거움', '열'을 뜻하며, 이 소스의 가장 중요한 특성이다. 피에몬테에서는 식탁용 화로에 양초를 켜두고 바냐카우다를 알맞은 온도로 유지하지만 양초든 전열기든 또는 휴대용 연료든, 따뜻하게 데울 수만 있다면 그 어떤 것이라도 상관없다. 그렇지만 오직 미적인 이유 때문에 당신은 바냐카우다 전용 도자냄비가 갖고 싶어질 것이다. 아직 가지고 있지 않다면 하나 장만하기 위한 핑곗거리로 이것만한 것이 없다. 6~8인분

엑스트라버진 올리브유 ¾컵
버터 3큰술
아주 잘게 다진 마늘 2작은술
안초비 8~10조각(19쪽 설명대로 가급적 직접 만든 것으로), 잘게 썬다
소금

1. 바냐카우다용 냄비를 걸어서 중탕할 수 있는 냄비를 고른다. 물을 넣어 보글보글 끓인다.
2. 바냐카우다용 냄비에 올리브유와 버터를 넣고, 중약불로 가열한다. 버터가 완전히 녹고 거품이 조금 생기기 시작하면 바로 다음 과정으로 넘어간다. 이 시기를 놓치면 너무 뜨거워지고 만다.
3. 마늘을 넣고 재빨리 볶는다. 절대로 마늘의 색이 변해서는 안 된다.
4. 물이 끓고 있는 냄비에 바냐카우다 냄비를 올린다. 다진 안초비를 넣고, 나무 주걱의 손잡이 끝부분으로 자주 저어주며 안초비가 녹아 죽처럼 될 때까지 으깬다. 소금을 넣고 섞어준 다음, 식탁용 화로 위에 놓는다. 이어지는 설명에 따라 생채소와 함께 차려 낸다.

바냐카우다용 채소

카르둔 ❁ 크고 흰 셀러리처럼 생겼지만 맛은 아티초크에 가깝다. 바냐카우다와 떼려야 뗄 수 없다. 안타깝게도 북미에 있는 이탈리아 식료품점에서 파는 카르둔은 피에몬테에서 파는 것에 비해 훨씬 질기고 쓴맛이 강하다. 바깥쪽에 섬유질을 벗겨내고 속심만 사용해야 할 것이다. 카르둔을 깨끗하게 씻어 셀러리처럼 4등분한다. 잘라낸 부분이 갈변되지 않도록 레몬즙으로 문지른다.

아티초크 ❁ 바냐카우다용 아티초크는 다른 요리에서처럼 다듬을 필요가 없다. 찬물에 아티초크를 헹구고, 통째로 올리거나 너무 크면 반으로 자른다. 자른 면에는 레몬즙을 발라야 한다. 먹을 때는 한 번에 이파리를 하나씩 떼어 끝을 잡고 바냐카우다에 찍은 다음, 부드러운 밑둥을 깨물어 이빨로 긁어먹는다.

브로콜리 ❁ 피에몬테 지역의 채소는 아니지만, 아주 잘 어울린다. 봉오리는 잘라낸 다음 다른 요리에 쓰고, 줄기 부분만 질긴 껍질을 칼로 벗겨내고 먹는다.

시금치 ✿ 어리고 아삭아삭한 시금치만 쓴다. 찬물을 여러 번 갈아가며 묻어 있던 흙을 완전히 씻어낸다. 집어서 찍어 먹기 편하게 줄기 달린 그대로 차려 낸다.

붉은색과 노란색 파프리카 ✿ 찬물에 씻은 다음 세로로 길게 4등분한다. 씨와 안쪽 심은 제거한다.

셀러리 ✿ 세로로 길게 반으로 자른다. 아주 두꺼우면 사등분한다. 줄기 바깥쪽에 나 있는 상처나 멍든 부분은 도려낸다. 찬물에 잘 씻는다.

당근 ✿ 껍질을 벗기고 두께 1cm로 세로로 길게 썬다.

래디시 ✿ 뿌리 수염은 잘라내고, 찬물에 씻은 다음 줄기와 잎이 달린 채로 차린다.

선초크 ✿ 찬물에 몇 분 동안 담가둔다. 감자 필러로 껍질을 깎는다. 울퉁불퉁하게 튀어나온 부분도 먹을 수 있기 때문에 매끄럽게 깎아낼 필요는 없다.

아스파라거스 ✿ 정확히 겨울 채소는 아니지만, 파는 곳을 어렵지 않게 찾을 수 있다. 정석은 아니지만, 매우 잘 어울린다. 가능하다면 봉오리가 야문 신선한 아스파라거스를 사용하도록 한다. 봉오리 아래 줄기에 돋은 작은 잎은 제거한다. 찬물에 씻는다.

주키니 ✿ 이 또한 겨울 채소가 아니지만, 잘 어울리는데 굳이 제외할 이유가 있겠는가? 가장 신선하고, 반들반들하며, 작고 어린 주키니를 고르라. 큰 볼에 찬물을 채워 20분 이상 담가둔다. 손이나 거친 천으로 박박 문질러 표면에 남아 있는 흙을 씻어내며 흐르는 찬물에 깨끗이 헹군다. 양 끝을 조금씩 잘라낸다. 두께 1cm로 세로로 길게 자른다.

다른 채소들

피에몬테에서는 순무와 파도 사용한다. 라디키오와 엔다이브 또한 좋은 대안이 될 수 있다. 기준은 정말이지 생으로 먹을 수 있는지, 그리고 당신이 좋아하는지에 달렸다. 반드시 생으로 먹어야 하므로 구할 수 있는 것 중에서 가장 신선하고 상처가 없어야 한다. 종류가 다양할수록 바냐카우다를 먹는 재미가 더 커질 것이다.

오스트리케 알라 타란티나 — 올리브유와 파슬리를 뿌린 구운 굴

Ostriche alla Tarantina — Baked Oysters with Oil and Parsley

이탈리아 반도에서 부츠의 굽 안쪽에 있는 도시 타란토는 이오니아해와 맞닿아 있어 고대부터 굴 양식으로 유명했다. 지금은 이탈리아인의 식탁에까지 포르투갈과 프랑스산 굴이 올라오지만, 지난 몇백 년 동안 이탈리아에서 소비되는 굴 대부분은 타란토산이었다. 아래 레시피와 같은 굴 레시피의 대다수도 마찬가지였다.

6인분

- 굵은 소금 또는 깨끗한 자갈
- 생굴 36개, 문질러 씻고 껍데기를 반만 따서 속살을 나머지 한쪽 위에 올린다
- 마른 빵가루 1½큰술, 양념 안 된 고운 것으로 준비
- 갓 갈아낸 검은 후추
- 잘게 썬 파슬리 1½큰술
- 엑스트라버진 올리브유 ¼컵
- 갓 짠 신선한 레몬즙

1. 오븐을 260°C로 예열한다.
2. 바로 차려 낼 오븐용 그릇을 고른다. 굴을 껍데기째 겹치지 않고 모두 담을 수 있는 크기여야 한다. 접시 바닥에 굵은 소금이나 자갈을 깐다. 이것의 용도는 굴을 고정해 안의 즙이 쏟아지지 않도록 하는 동시에 오븐에서 꺼낸 뒤 따뜻하게 유지하기 위한 것이다.
3. 굵은 소금이나 자갈 위에 굴을 나란히 놓는다. 각각의 굴에 빵가루를 올리고 후추를 갈아준 뒤 파슬리 약간과 올리브유 몇 방울을 뿌린다.
4. 예열된 오븐 맨 위에 접시를 넣는다. 3분간 굽는다. 먹기 전 레몬즙 몇 방울을 떨어뜨려 촉촉하게 한다.

껍데기 위에서 구운 홍합과 조개

Grilled Mussels and Clams on the Half Shell

4~6인분

대합조개 가능한 한 작은 것 24개
홍합 24개
잘게 썬 파슬리 3큰술
아주 잘게 다진 마늘 ½ 작은술
엑스트라버진 올리브유 ⅓컵
마른 빵가루 ½컵, 양념 안 된 고운 것으로 준비
플럼토마토 신선하고 잘 익은 것으로 4개
레몬 조각 몇 개

1. 주방용 대야나 싱크대를 찬물로 채우고 조개를 담근다. 5분 뒤 조개는 둔 채 물만 따라내고 새로 찬물을 채운다. 뻿뻿한 솔로 조개를 하나하나 벅벅 문지른다. 다시 물을 따라내고 채운 뒤 문질러 씻기를 반복한다. 이 과정을 2~3번 더 거친 뒤, 눈으로 보아 대야 바닥에 모래가 하나도 남지 않도록 깨끗한 물로 갈아준다. 손으로 눌렀을 때 입을 꽉 다물지 않는 조개는 버린다.
2. 위의 조개와 마찬가지로 찬물에 홍합을 담그고 문지른다. 이 과정에서 튀어나온 홍합 수염은 잡아 뽑거나 잘라낸다. 손으로 만졌을 때 입을 다물지 않는 것은 버린다.
3. 홍합과 조개를 각각 다른 냄비에 담고 강불에 올린다. 입을 벌리자마자 바로 냄비에서 꺼낸다. 제각각 입을 벌리는 순서가 다르며, 홍합이 조개보다 일찍 입을 벌릴 것이다. 조개든 홍합이든 입을 벌리는 순서대로 하나씩 조심스럽게 냄비에서 꺼낸다. 시간을 놓치면 질겨진다. 싱싱한 것이라면 결국엔 껍데기가 열릴 것이다. 마지막까지 열리지 않는 것은 그 안에 아마 진흙이 차 있거나 상한 것일 거다. 냄비에 남은 조개 국물은 버리지 않고 둔다.
4. 조개와 홍합 살을 발라내고 껍데기 반쪽을 한편에 챙겨두고, 반쪽은 버린다.
5. 남아 있는 흙 찌꺼기가 없어지도록 조개를 하나씩 냄비에 든 조개 국물에 넣고 살살 흔들어 헹군다.
6. 브로일러를 켠다.
7. 믹싱볼에 파슬리, 마늘, 올리브유와 빵가루를 넣는다. 조갯살과 홍합살을 넣고 양념 재료가 골고루 입혀지도록 버무린다. 맛이 배도록 20분간 그대로 둔다.
8. 세로날 필러로 토마토 껍질을 벗긴다. 반을 갈라 과도 끝으로 씨를 모두 긁어낸다. 토마토가 찌그러지지 않게 한다. 토마토 ½개당 얇고 긴 조각이 6개 나오도록 자른다.

9. 한편에 두었던 조개와 홍합 껍데기를 씻는다. 조갯살을 하나씩 껍데기 위에 놓는다. 믹싱볼 안에 남아 있는 양념을 각각의 조개와 홍합에 나누고 얇게 썬 토마토도 올린다. 브로일러 팬에 놓고 겉이 살짝 바삭해질 정도로만 굽는다. 레몬 조각과 함께 차려 낸다.

마늘과 파슬리로 양념해 가볍게 구운 가리비

Sautéed Scallops with Garlic and Parsley

아주 맛있는 이 해산물 전채를 만드는 데 성공하려면 두 가지 사항을 지켜야 한다. 최대한 작고 부드러운 가리비를 구할 것, 그리고 과하게 익히지 않을 것. 베네치아에서는 그런 가리비를 카네스트레이(Canestrei)라 부르는데, 새끼손가락 손톱보다 작다. 부드럽고 맛도 뛰어나다. 작고 단 제철 해만가리비를 구할 수 있다면 놓치지 않는 것이 좋다. 심해가리비는 더 크고, 쫄깃하며, 단맛은 덜하지만 신선하기만 하면 괜찮다.

4인분

해만가리비 또는 심해가리비 225g, 3~4등분해 썬다
엑스트라버진 올리브유 2큰술
잘게 다진 마늘 1작은술
소금
갓 갈아낸 검은 후추
잘게 다진 파슬리 1큰술
케이퍼 1큰술, 잘게 썬다
잘게 썬 구운 파프리카 2큰술, 직접 손질해서 준비(64쪽 참조)
마른 빵가루 1½큰술, 양념 안 된 고운 것으로 준비
가리비 껍데기 4개(대부분의 주방도구 상점에서 구할 수 있음) 또는 작은 그라탱용 접시 4개

1. 가리비를 찬물에 씻고 건진 다음, 키친타월로 톡톡 두드려 물기를 완전히 제거한다.
2. 작은 소스팬에 올리브유와 마늘을 넣고 중불에 올린다. 마늘이 살짝 노릇해

질 때까지만 볶은 다음 가리비를 넣는다. 소금과 후추를 갈아 넣고, 불을 세게 키운다. 수 초간 재빨리 저어주며 생가리비의 투명한 빛깔이 사라질 때까지 익힌다. 불을 끈다.

3. 브로일러를 예열한다.
4. 파슬리, 케이퍼, 다진 파프리카와 빵가루를 가리비에 넣고 잘 섞는다. 가리비 껍데기 또는 그라탱용 그릇 4개에 골고루 나누어 담는다. 남은 빵가루 ½큰술을 위에 뿌린다.
5. 가리비 껍데기나 그라탱용 그릇을 브로일러에 넣고 1분 정도 굽는데, 옅은 갈색을 띠면서 겉이 바삭해질 때까지만 구워야 한다. 바로 먹는다.

아로스티치니 아브루체시—양념에 절여 구운 한 입 크기의 어린 양고기 꼬치

Arrosticini Abruzzesi—Skewered Marinated Lamb Tidbits

움브리아, 라치오, 토스카나와 함께 중부 이탈리아의 또 다른 지역인 아브루초에서는 양치기와 그가 몰고 다니는 양이 곧 지역의 풍경이자 요리의 전통이다. 이 레시피는 양과 함께 야외에서 생활하던 양치기가 음식을 해 먹던 방법에서 유래했다. 집에서는 가정용 브로일러를 쓸 수밖에 없겠지만, 장작불의 타다 남은 열기로 구우면 더욱 환상적일 것이다.

4인분

어린 양고기 어깨살 225g, 뼈가 붙은 것으로 준비
마늘 1쪽
엑스트라버진 올리브유 2큰술
소금
갓 갈아낸 검은 후추
마조람 말린 것은 ½작은술 또는 신선한 것은 잘게 썰어서 1작은술
작은 꼬치 10~12개

1. 어린 양고기를 폭 1cm, 길이 5cm로 썬다. 비계를 잘라내지 말고, 가능한 한 많은 얇은 조각에 조금씩 붙어 있도록 썬다. 익히는 과정에서 지방이 부분적으로 녹아 불에 떨어지면서 고기에 육즙이 묻어나고 단맛이 난다.
2. 무거운 칼 손잡이로 마늘이 완전히 쪼개지도록 내리치고 분리된 껍질은 벗긴다.
3. 볼에 어린 양고기를 넣고 올리브유, 소금을 넣고 후추를 약간 갈아 넣는다. 마조람과 마늘도 넣는다. 어린 양고기 겉에 양념이 완전히 입혀지도록 가볍게

잘 섞어준다. 상온에서는 2시간, 냉장고에서는 4~6시간 절인다. 매 시간 어린 양고기 조각을 뒤집어준다. 냉장고에 넣었다면 익히기 최소 30분 전에 꺼내 둔다.

4. 브로일러를 예열하거나 약한 숯불을 준비한다. 장작불을 준비하면 더 좋다.
5. 양념이 잘 묻도록 어린 양고기를 한 번 더 뒤집은 다음, 적어도 2곳 이상 관통하도록 꼬치를 꿴다.
6. 브로일러가 예열되었거나 숯불 또는 장작불의 열기가 잦아들면 꼬치를 가능한 한 열원 가까이에 놓는다. 바비큐 기구를 사용한다면 숯이 아주 뜨거워야 한다. 한 면을 3분 익히고 꼬치를 뒤집어서 다른 면을 2~3분간 익힌다. 어린 양고기의 모든 면에 작고 고운 바삭한 껍질이 생겨야 한다. 한꺼번에 식탁에 낸다.

수프

이탈리아 수프의 특성은 두 가지 요인으로 결정된다. 바로 계절과 유래한 장소.

계절에 따라 사용할 채소, 콩, 구근과 허브의 종류가 정해진다. 그리고 이런 재료들은 확실히 특정 시기에만 구할 수 있기 때문에 수프에 액센트를 부여하거나 중심이 되는 재료가 된다. 수프라기보다는 해산물 요리에 가까운 몇 가지 생선 수프만 제외하면 말이다.

장소는 방식을 만든다. 채소 수프는 마치 지도처럼 거의 정확하게 당신이 이탈리아의 어디에 있는지를 알려준다. 남쪽이라면 토마토와 마늘, 올리브유가 기본이며, 가끔 파스타가 들어간다. 토스카나나 다른 중부 지역은 콩을 첨가하고 두껍게 썬 빵이 수프를 받쳐준다. 북쪽에선 쌀을 넣는다. 향으로 유명한 리구리아의 수프에는 양상추와 신선한 허브가 들어간다.

이탈리아 수프를 이어주는 공통점이자, 이들을 구별해주는 특성이 바로 재료가 가진 본성이다. 어떤 것은 다른 것보다 가벼운 맛이 난다. 어떤 것은 묽고 어떤 것은 걸쭉하다. 어떤 수프는 푸드밀로 콩이나 감자를 퓌레로 만들어 넣는다. 그러나 재료가 가진 물리적인 정체성인 질감, 농도, 무게가 온전하게 느껴지지 않는 수프는 어디에도 없다. 이탈리아식 레퍼토리에 재료를 모두 갈아버린 수프, 크림처럼 뒤섞인 수프란 없다.

미네스트로네 알라 로마뇰라
—로마냐식 채소 수프

Minestrone alla Romagnola — Vegetable Soup, Romagna Style

내 고향 로마냐의 가정집들에서 미네스트로네를 만들 때 쓰는 방법이다. 제철 채소에 항상 구할 수 있는 재료인 당근, 양파, 감자를 맛있는 육수에 넣어 몇 시간 동안 천천히 끓인다. 완성된 수프에서는 특별히 한 채소의 맛이 도드라지지 않고, 응축되어 녹아 있는 모든 채소의 맛을 한 번에 느낄 수 있다.

모든 재료를 한꺼번에 냄비에 넣지 않고 순서대로 조리하는 것이 중요하다. 맨 처음 양파를 기름에 볶아서 만들어낸 밑바탕이 되는 맛은 다른 채소에 차례차례 전달된다. 한 가지 채소가 조리되는 동안 다른 채소의 껍질을 벗기거나 써는 것이 모든 채소를 한꺼번에 준비하는 것보다 더 효율적이고 덜 따분한 방법이다. 요리를 시작하기 전에 재료를 전부 준비해두는 것이 더 간편한 방법일 수도 있다. 그러나 각 과정에 소요되는 시간만은 반드시 레시피를 따라야 한다. 6~8인분

주키니 신선한 것으로 450g
엑스트라버진 올리브유 ½컵
버터 3큰술
양파 1컵, 아주 얇게 썬다
당근 1컵, 작게 깍둑썰기한다
셀러리 1컵, 작게 깍둑썰기한다
감자 2컵, 껍질을 벗기고 작게 깍둑썰기한다
그린빈 신선한 것으로 115g
사보이 양배추 또는 보통 양배추 3컵, 채 썬다
카넬리니빈 통조림 물기를 빼고 1½컵 또는 마른 흰강낭콩 ¾컵, 23쪽 설명대로 불리고 삶는다
고기육수 25쪽 설명대로 직접 만든 것으로는 6컵 또는 소고기육수 통조림 2컵에 물 4컵을 탄다
선택 사항: 450~900g짜리 파르미자노 레자노 치즈의 딱딱한 가장자리, 깔끔하게 잘라낸다
이탈리아산 플럼토마토 통조림 ⅔컵, 즙도 함께 준비
소금
갓 갈아낸 파르미자노 레자노 치즈 ⅓컵

1. 볼에 찬물을 채워 주키니를 최소 20분 이상 담가두었다가, 536쪽 설명에 따라 흙이 남아 있지 않도록 깨끗하게 헹군다. 주키니의 양 끝은 잘라 버리고, 잘게 깍둑썰기한다.
2. 모든 재료가 전부 들어갈 정도로 큰 육수용 냄비를 준비한다. 올리브유와 버터, 얇게 썬 양파를 넣고 중약불에 올린다. 양파가 숨이 죽고 살짝 노릇해질 때까지만 익힌다. 색이 더 짙어지면 안 된다.
3. 깍둑썰기한 당근을 넣고 2~3분 동안 한두 번 저어주며 익힌다. 그다음 셀러리를 넣고 이따금 저어주며 2~3분 익힌다. 감자를 넣고 같은 과정을 반복한다.
4. 당근, 셀러리, 감자가 조리되는 동안 그린빈을 찬물에 담갔다가 헹구고 양 끝을 자른 뒤 짧은 길이로 썬다.
5. 작게 썬 그린빈을 냄비에 넣고 2~3분간 익힌 다음, 주키니를 넣는다. 모든 재료를 넣고 이따금 저어주기를 반복한 뒤, 몇 분 후에 채썰기한 양배추를 넣는다. 5~6분 추가로 익힌다.

6. 육수, 선택 사항인 치즈 가장자리, 토마토와 토마토즙을 넣고 소금을 살짝 뿌린다.
   시판용 육수를 사용한다면: 소금을 조금만 넣은 뒤 나중에 맛을 보고 추가로 간한다.
   다 넣었으면 크게 한 번 저어준다. 냄비 뚜껑을 덮고 불의 크기를 줄여 보글보글 끓을 정도로만 유지해 뭉근하게 끓인다.
7. 2시간 반 동안 끓인 뒤에 물기를 뺀 카넬리니빈을 넣고 잘 저어준 다음, 최소 30분 이상 더 끓인다. 다른 볼일이 있다면 잠깐 불을 끄고 조리를 중지했다가 나중에 다시 시작해도 된다. 수프가 아주 빽빽해질 때까지 끓인다. 미네스트로네는 절대 묽거나 줄줄 흘러서는 안 된다. 조리를 끝낼 때쯤 수프가 너무 빽빽하다 싶으면 집에서 만든 육수나 물을 더한 시판용 육수로 농도를 조절하면 된다.
8. 수프가 다 되었으면 불을 끄기 직전에 치즈 가장자리를 꺼내고, 갈아놓은 치즈를 한 바퀴 빙 둘러 넣는다. 맛을 보고 소금으로 간한다.

미리 준비한다면 ✾ 대부분의 조리된 채소와는 달리, 미네스트로네는 만든 다음 날 다시 데워 먹으면 더 맛있다. 밀봉해 냉장고에 넣으면 일주일까지 보관 가능하다.

쌀과 바질이 들어간
밀라노식 여름 채소 수프

Summer Vegetable Soup with Rice and Basil, Milan Style

무더운 여름이면, 밀라노의 트라토리아에서는 이 미네스트로네를 만드는 것으로 하루를 시작한다. 완성된 수프를 1인용 수프 그릇에 담고, 당일의 특선요리와 함께 테이블 위에 놓아 입구 옆에 진열한다. 핀치모니오(pinzimonio, 558쪽)에 찍어 먹을 아삭한 채소, 익혀서 차게 식힌 농어, 달콤한 캔털루프 멜론에 곁들인 파르마햄 같은 요리 말이다. 늦여름에는 캔털루프 멜론 대신 잘 익어 꿀 같은 즙이 뚝뚝 떨어지는 무화과를 올리기도 한다. 12시 반이나 1시쯤, 점심식사를 하기 위해 첫 손님이 자리에 앉으면 알맞은 온도와 농도의 미네스트로네가 그들 앞에 놓일 것이다.

채소 수프는 다시 데우면 맛이 더 좋아지기 때문에, 식탁에 내려고 마음먹은 날 이 미네스트로네를 완전히 처음부터 만들 필요는 없다. 바탕을 이루는 수프를 하루나 이틀 전에 먼저 조리해놓고 다시 만들 때 냉장고에서 꺼내면 된다. 완성한 후 차갑게 한 미네스트로네를 먹기 알맞은 온도로 만들려면 적어도 1시간은 걸린다는 점을 유념할 것.

4인분

로마냐식 채소 수프 2컵(94쪽 레시피대로 만든 것)
쌀 ½컵, 가급적이면 이탈리아산 아르보리오 쌀로 준비
소금
갓 갈아낸 검은 후추
갓 갈아낸 파르미자노 레자노 치즈 ¼컵
생바질잎 8~10장, 작고 가늘게 적당히 찢는다
엑스트라버진 올리브유 2큰술

1. 채소 수프와 물 2컵을 냄비에 넣고 중불보다 강불로 끓인다. 쌀을 넣고 나무 주걱으로 잘 저어준다.
2. 수프가 다시 끓기 시작하면 소금과 갓 간 후추를 약간 넣는다. 저어준 뒤 뚜껑을 덮고 중불보다 약하게 줄인다. 이따금 저어준다. 12분이 지나고 쌀이 익었다 싶으면 맛을 본다. 수프가 그릇에 담긴 뒤 식는 과정에서 쌀알이 퍼지기 때문에 과하게 익혀서는 안 된다. 다 된 것 같으면 불을 끄기 전에 갈아놓은 치즈를 한 바퀴 빙 둘러 넣는다. 맛을 보고 소금으로 간한다.
3. 1인용 접시나 볼에 수프를 담고, 바질잎을 찢어 넣어 잘 섞은 다음 한편에서 식힌다. 상온 상태일 때 올리브유를 살짝 뿌려 먹는다.

참고 ❁ 만든 당일을 조금이라도 지나서 내서는 안 되고, 내기 전에 냉장 보관하면 안 된다.

페스토 넣어보기

레시피의 2번 단계 마지막 과정에서 쌀이 익었을 때 페스토 2큰술을 빙 둘러 넣는다. 만드는 법은 186쪽 참조. 3번 단계의 생바질잎을 넣는 것은 생략한다.

봄철 채소 수프

Spring Vegetable Soup

우리에게 익숙한 채소 수프에 비하면 좀 더 가볍고 상큼한 맛이다. 미네스트로네처럼 다양한 채소를 오랜 시간 조리함으로써 얻어낸 맛의 복잡 미묘한 울림이 있지도 않고, 그걸 추구하지도 않는다. 이 수프는 올리브유, 마늘과 함께 조리된 감자가 바탕이 되고, 아티초크와 완두콩의 달콤함이 조화를 이룬 간결한 맛이다.

4~6인분

아티초크 중간 크기 3개
레몬즙 1큰술
완두콩 신선한 것으로 꼬투리 무게까지 합쳐서 450g 또는 냉동 완두콩 150g, 해동한다
엑스트라버진 올리브유 ⅓컵
마늘 1큰술, 잘게 썬다
삶은 감자 450g, 껍질을 벗기고 0.5cm 두께로 썬다
소금
갓 갈아낸 검은 후추
파슬리 3큰술, 아주 잘게 다진다
선택 사항: 1인분당 바삭하게 구운 빵 1장, 마늘을 가볍게 문질러서 낸다

1. 67~69쪽 설명을 참고해서 아티초크의 거친 잎과 끝부분을 다듬는다. 세로로 반을 자르고, 안에 있는 심과 보송보송한 털 같은 잎을 떼어낸다.
2. 반으로 자른 아티초크를 가능한 얇게 세로로 길게 썬다. 아티초크가 잠길 정도로 충분한 양의 물이 담긴 볼에 넣고, 레몬즙을 푼다.
3. 신선한 완두콩을 쓴다면: 꼬투리를 벗긴다. 103쪽 설명대로, 안쪽에 있는 막을 벗긴 꼬투리 몇 개를 준비한다. 꼬투리를 전부 또는 거의 다 쓸 필요는 없고, 가능한 만큼 준비한다. 꼬투리를 많이 넣을수록 수프의 맛이 더 달콤해진다.
4. 수프 냄비에 올리브유와 마늘을 넣고 중강불로 켠다. 마늘이 살짝 노릇해질 때까지 볶고, 그다음 감자 썬 것을 넣는다. 중불로 줄이고 뚜껑을 덮어서 10분간 익힌다.
5. 냉동 완두콩을 쓴다면: 콩을 한편에 두고 아래 6번 단계로 넘어간다. 신선한 완두콩을 쓴다면, 다음과 같이 진행한다. 감자를 넣은 냄비에 완두콩과 벗겨낸 꼬투리를 넣는다. 겉에 기름이 입혀지도록 3~4분간 저어주다가, 재료가 잠길 정도로 물을 붓는다. 냄비 뚜껑을 닫고 중약불로 줄여 20분간 익힌다.
6. 레몬즙을 넣은 물에 담긴 아티초크를 흔들어 헹구고 건진다. 냄비에 넣고 소금과 갓 갈아낸 후추를 약간 넣는다. 냄비 뚜껑을 연 채로 잘 저어주면서 3~4분간 익힌다.
7. 물을 재료가 잠길 정도로 충분히 붓고, 뚜껑을 덮은 뒤 중약불인지 확인한다. 아티초크를 포크로 찔렀을 때 쑥 들어갈 만큼 부드럽게 익힌다. 대개 30분 정도 걸리는데 신선도와 어린 정도에 따라 차이는 있다.
8. 냉동 완두콩을 쓴다면: 이 시점에서 넣고 10분간 익힌다.
9. 불을 끄기 직전에 파슬리를 넣고 한두 번 젓는다. 1인용 그릇에 수프를 퍼 담

고, 빵 조각을 선택적으로 올려서 바로 먹는다.

미리 준비한다면 ❁ 8번 단계까지 몇 시간 전에 미리 만들어둔다. 천천히 다시 데워서 9번 단계로 마무리한다.

시금치 수프

Spinach Soup

5~6인분

신선한 시금치 900g 또는 잎이 온전한 냉동 시금치 600g, 해동한다
소금
버터 4큰술
양파 2큰술, 잘게 썬다
우유 2컵
너트메그 1알
고기육수 25쪽 설명대로 직접 만든 것으로는 2컵 또는 소고기육수 통조림 1컵에 물 1컵을 탄다
갓 갈아낸 파르미자노 레자노 치즈 5큰술
크로스티니, 100쪽 설명대로 사각형 모양의 빵을 튀겨서 만든 것

1. 신선한 시금치를 쓴다면: 시들고 벌레 먹은 잎은 버리고, 줄기도 모두 잘라낸다. 주방용 대야나 싱크대에 찬물을 가득 받아 몇 분간 담가둔다. 깨끗한 물로 갈아가면서 물에 더 이상 흙이 남아 있지 않을 때까지 이 과정을 반복한다.
2. 시금치잎의 물기를 없애고 팬에 넣는다. 소금 1작은술을 넣고 뚜껑을 덮어 중불에 올린다. 부드러워질 때까지 5분 안팎으로 익힌다. 신선도와 어린 정도에 따라 차이는 있다.
3. 시금치를 꺼내고, 손으로 만질 수 있을 정도로 식자마자 부드러우면서도 힘있게 꽉 짠 다음 대충 썬다.
   냉동 시금치를 쓴다면: 해동되면 물기를 짜고 대충 썬다.
4. 수프 냄비에 버터와 양파를 넣고 중불로 올린다. 양파가 살짝 노릇해질 때까지 볶는다. 조리된 시금치나 해동한 시금치를 넣고, 냄비 뚜껑을 연 채로 기름기가 골고루 입혀지도록 2~3분간 저어가며 볶는다.
5. 육수와 우유를 붓고 너트메그를 아주 조금 — ⅛작은술보다 적게 — 갈아 넣는다. 뭉근하게 끓이면서 이따금 저어준다.
6. 파르메산 간 것을 넣고, 수프를 전체적으로 크게 젓는다. 맛을 보고 소금으로 간한 뒤 불을 끈다.

7. 1인용 접시나 볼에 퍼 담고, 한편에 크로스티니를 놓아 식탁에 차려 낸다.

크로스티니

Crostini

크로스티니는 이탈리아식 크루통(crouton)이다. 많은 수프에 아주 잘 어울리며 특히 수프를 식탁에 차리기 전에 금방 만들 수 있다.

4인분

식물성기름, 팬 높이의 1cm까지 채울 정도로 충분한 양을 준비

질 좋은 흰 빵 4장

1. 빵의 가장자리를 잘라내고 1cm 크기의 정사각형으로 자른다.
2. 중간 크기 스킬렛에 기름을 붓고, 중강불에 올린다. 빵을 넣었을 때 지글거릴 정도의 온도가 되도록 기름을 충분히 가열한다. 기름이 준비되었다 싶을 때 자른 빵을 한 조각 넣어본다. 지글거리며 튀겨지면 빵 조각을 가능한 한 많이 넣되, 팬이 꽉 차지 않을 만큼만 넣어야 한다. 2~3번 나눠서 튀기면 되므로 한 번에 다 넣을 필요가 없다. 기름 온도가 너무 높으면 빵이 쉽게 타버리기 때문에 불을 줄인다. 긴 주걱이나 스패출러로 팬 안에 있는 빵 조각들을 이리저리 움직여주다가, 옅은 갈색이 되자마자 구멍 뚫린 국자나 뒤집개로 건져낸다. 키친타월이나 식힘망에 올려 여분의 기름이 제거되도록 한다.

   두 번 이상 나눠서 튀길 경우 빵이 타지 않도록 기름의 온도를 잘 조절해야 한다. 빵 조각이 순식간에 옅은 갈색이 될 정도로만 기름 온도가 유지돼야 한다.

미리 준비한다면 ❀ 크로스티니는 식탁에 내기 직전에 만드는 것이 가장 좋다. 몇 시간 전에 미리 만든다면 상온에 보관한다. 쉽게 쿰쿰해지고 산패한 맛이 나기 때문에 하룻밤은 넘기지 말아야 한다.

쌀을 넣은 시금치 또는 에스카롤 수프

Spinach or Escarole Soup with Rice

이 수프에는 재료들이 품은 편안함을 주는 맛을 잘 살리기 위해 엄선된 몇 안 되는 재료가 들어간다. 비록 현실적인 이유로 직접 만든 고기육수의 대안을 제시

하긴 하지만, 이 제안은 무시하면 좋겠다. 필요할 때 쓰려고 얼려둔 질 좋은 고기 육수가 있길 바란다.

4~6인분

에스카롤 1통 또는 신선한 시금치 450g	소금
고기육수 25쪽 설명대로 직접 만든 것으로는 3½컵 또는 소고기육수 통조림 1컵에 물 2½컵을 타서 준비 또는 물 3½컵에 소고기 고형 육수 2개를 녹인다	버터 4큰술
	양파 2큰술, 잘게 썬다
	쌀 ⅓컵, 가급적이면 이탈리아산 아르보리오 쌀로 준비
	갓 갈아낸 파르미자노 레자노 치즈 3큰술

1. 에스카롤(escarole)을 쓴다면: 밑동에 붙은 잎을 모두 떼어내 시들거나 벌레 먹거나 색이 변한 부분은 제거한다. 흙이 남아 있지 않을 때까지 찬물을 갈아가며 여러 번 씻는다. 건져서 1cm 폭으로 세로로 길게 썬다. 한편에 둔다.
   시금치를 쓴다면: 시금치잎이 뿌리에 붙어 있으면 잘라내 각각의 잎이 떨어지게 한다. 잎과 줄기를 모두 넣을 것이기 때문에 줄기는 자르지 않는다. 99쪽 설명대로 시금치를 찬물에 담가 물을 갈아가며 여러 번 씻는다. 시금치를 팬에 넣고 초록색이 유지되도록 소금을 한 자밤 넣어준 후, 뚜껑을 덮고 중불로 익힌다. 시금치잎에 남아 있는 물기 외에 물은 추가로 넣지 않는다. 팬 안에 생긴 물이 부글부글 끓기 시작한 시점으로부터 2~3분 더 익힌다.
   커다란 구멍 뚫린 국자로 시금치를 건진다. 팬에 남은 물은 버리지 않는다. 시금치가 손으로 만질 수 있을 정도로 식자마자 부드럽게 짠다. 이때 팬 위에서 짜내 시금치에서 나온 물이 팬 안으로 떨어지게 한다. 시금치와 삶은 물을 한편에 둔다.
2. 커다란 볶음용 팬에 버터와 다진 양파를 넣고 중강불에 올린다. 양파가 살짝 노릇해질 때까지 볶은 다음, 에스카롤이나 시금치를 넣는다.
   에스카롤을 쓴다면: 색을 유지하도록 돕는 소금을 한 자밤 넣고 소금이 완전히 섞이도록 2~3분간 젓는다. 육수 ½컵을 붓고 약불로 줄인 다음 팬 뚜껑을 닫는다. 에스카롤이 부드러워질 때까지 익히는데, 대략 25~45분이 걸린다. 신선도와 어린 정도에 따라 차이는 있다.
   시금치를 쓴다면: 양파와 버터를 볶던 불의 세기 그대로 시금치를 2~3분간 볶는다.
3. 팬 안에 있는 내용물을 전부 수프 냄비로 옮긴다. 육수를 전부 붓고, 시금치

를 쓴다면 시금치에서 나온 물 한 컵을 함께 넣는다. 뚜껑을 덮고 중불에 올린다. 육수가 끓기 시작하면 쌀을 넣고 냄비 뚜껑을 다시 닫는다. 쌀이 다 익을 때까지 20~25분간 거품이 보글보글 올라오는 상태를 유지한 채 이따금 저어주며 불의 세기를 조절한다. 부드럽지만 씹는 맛이 있어야 하고, 안에 흰 심이 보여서는 안 된다.

4. 쌀이 다 익었을 때 파르메산 치즈 간 것을 빙 둘러 넣어주고 맛을 본 뒤 소금으로 간한다. 바로 먹는다.

참고 ※ 수프의 농도는 진하되 숟가락으로 떴을 때 여전히 흐르는 상태여야 한다. 쌀을 넣고 익히는 동안 너무 걸쭉한 것 같으면 물이나 시금치 익힌 물이 남았다면 한 국자 넣는다. 그러나 수프를 너무 묽게 만들지 않도록 한다.

미리 준비한다면 ※ 수프에 쌀을 한 번 넣었으면 조리를 끝내고 바로 먹어야 한다. 쌀알이 퍼져버리기 때문이다. 미리 준비해놓아야 한다면 2번 단계까지만 마쳐 두고, 먹을 준비가 되었을 때 다시 다음 조리에 들어간다. 먹기로 계획한 날 만들고, 아니라면 냉장 보관한다.

올리브유와 마늘 넣어보기

버터를 올리브유 3큰술로 대체하고, 양파 대신 마늘 2작은술을 넣음으로써 같은 수프지만 다른 형태로 좀 더 건강한 맛을 낼 수 있다. 마지막을 파르메산 치즈로 장식하는 것은 똑같다. 치즈를 넣고 수프가 완성되면 그릇에 담은 뒤, 신선한 올리브유를 살짝 흩뿌리고 검은 후추도 조금 갈아 넣는다.

리시 에 비시—쌀과 완두콩

Risi e Bisi—Rice and Peas

4월 25일은 파시스트와 독일의 지배로부터 벗어난 것을 기념하는 이탈리아 국경일이면서, 지난 천 년간 베네치아 공화국의 수호자였던 산마르코의 축일이기도 하다. 이날을 기념해 베네치아에서는 봄을 느끼게 하는 음식이자 사람들에게 인기가 높은 리시 에 비시, 즉 쌀과 콩 수프를 먹는다.

재료 중에서 신선한 완두콩을 대체할 만한 것은 없다. 이 요리의 본질이 오로지 질 좋고 신선한 완두콩의 풍미에 달려 있기 때문이다. 많은 이탈리아 가정에서는 완두콩의 단맛을 끌어내기 위해 꼬투리를 활용한다. 요리에 쓸 꼬투리를 준비하는 방법에 대해서는 아래 자세히 설명해두었다. 완두콩을 사용하는 다른 많은 레시피에 유용하게 쓸 수 있을 것이다. 리시 에 비시의 맛을 좌우하는 또 다른 핵심은 직접 만든 육수로, 이 또한 대체 불가능하다.

리시 에 비시는 완두콩이 들어간 리소토가 아니다. 이것은 수프다. 비록 아주 걸쭉하지만 말이다. 포크로 떠먹을 수 있을 정도로 뻑뻑하게 만들기도 하지만, 숟가락으로 떠먹을 정도로 묽은 게 가장 좋다.

4인분

- 완두콩 신선하고 어린 것으로 꼬투리까지 합쳐서 900g
- 버터 4큰술
- 양파 2큰술, 잘게 썬다
- 고기육수 25쪽 설명대로 직접 만든 것으로 3½컵
- 쌀 1컵 이탈리아산으로(40쪽 참조)
- 파슬리 2큰술, 잘게 썬다
- 갓 갈아낸 파르미자노 레자노 치즈 ½컵

1. 완두콩을 깐다. 가장 아삭하고 상처 없는 빈 꼬투리를 골라 1컵 가득 채워 따로 보관해둔다. 나머지는 버린다.
2. 꼬투리를 두 쪽으로 가른다. 반으로 가른 꼬투리를 집어 반짝거리는 안쪽의 오목한 부분이 보이도록 뒤집는다. 필름같이 생긴 질긴 막은 벗겨내야 한다. 한 손에 꼬투리를 들고, 다른 손으로 꼬투리의 끝을 툭 부러뜨린 뒤 아래쪽으로 천천히 당긴다. 별다른 어려움 없이 막이 벗겨질 것이다. 아주 얇기 때문에 다 벗겨내기도 전에 끊어진 반대쪽도 끝을 잡고 꺾어서 남아 있는 막을 벗겨낸다. 양 끝을 꺾어서 벗겨내고도 남은 막은 완벽히 제거하지 않아도 된다. 조리되는 동안 녹아 없어지기 때문이다. 막을 벗겨낸 꼬투리는 수프의 단맛을 끌어올리는 목적으로 쓰인다. 손질한 꼬투리와 완두콩알을 합치고 찬물에 담갔다가 건져서 한편에 둔다.
3. 수프 냄비에 버터와 양파를 넣고 중불에 올린다. 양파가 살짝 노릇해질 때까지 볶은 다음, 완두콩알과 손질한 꼬투리를 넣고 초록색이 유지되도록 소금을 한 자밤 넣는다. 골고루 섞이도록 저어주며 2~3분간 익힌다.
4. 육수 3컵을 넣어 뚜껑을 덮고, 거품이 보글보글 올라올 정도로만 불의 세기를 조절해 10분간 익힌다.
5. 쌀과 남은 육수 ½컵을 넣고 저어준 뒤 다시 뚜껑을 덮고, 쌀알이 부드럽지만 씹는 맛이 있는 정도로 익을 때까지 20분 내외로 뭉근하게 끓인다. 익는 동안 이따금 저어준다.

6. 쌀이 익으면 파슬리를 넣어 젓고, 그다음 파르메산을 넣는다. 맛을 보고 소금으로 간한 다음 불을 끈다.

쌀과 푹 익힌 양배추 수프

Rice and Smothered Cabbage Soup

맛있는 요리를 남기면 맛있는 수프를 만들 수 있다. 이 수프는 485쪽에 나오는 베네치아식 양배추 찜으로 만든다. 이 양배추 찜 자체가 워낙 맛있기 때문에 수프를 만들 만큼 남아 있을지는 모르겠지만, 아래 설명은 만들어놓은 것이 있다고 가정하고 요리를 시작한다.

앞의 베네치아식 쌀과 완두콩 수프처럼, 이 수프 역시 꽤 걸쭉하지만, 리소토는 아니다. 스푼으로 떠먹을 수 있을 정도로 묽어야 한다. 4~6인분

익힌 양배추 요리 485쪽 설명대로 2~3일 전에 만들어둔 것
고기육수 25쪽 설명대로 직접 만든 것으로는 3컵 또는 소고기육수 통조림 1컵에 물 2컵을 타서 준비 또는 물 3컵에 소고기 고형 육수 1½개를 녹여서 준비
쌀 ⅔컵, 가급적이면 이탈리아산 아르보리오 쌀로 준비
버터 2큰술
갓 갈아낸 파르미자노 레자노 치즈 ⅓컵
소금
갓 갈아낸 검은 후추

1. 수프 냄비에 양배추와 육수를 넣고 중불에 올린다.
2. 육수가 끓기 시작하면 쌀을 넣는다. 뚜껑을 덮지 않고 거품이 보글보글 올라올 정도로만 불의 세기를 조절한 채 천천히 계속 끓이며, 쌀이 익을 때까지 이따금 저어준다. 부드럽지만 씹는 맛이 있게끔 20분 정도 익힌다. 쌀이 익으면서 수프가 너무 걸쭉해진 것 같으면 직접 만든 육수를 한 국자 가득 퍼서 넣는다. 직접 만든 육수를 쓰지 않았다면 맹물을 넣는다. 수프가 완성되었을 때 약간 빽빽해야 한다는 것만 기억하면 된다.
3. 쌀이 익으면 버터와 파르메산 간 것을 넣고 크게 휘저어준 뒤 불을 끈다. 맛을 보고 소금으로 간하고 후추를 조금 갈아 넣는다. 1인용 접시에 수프를 퍼 담는다. 먹기 몇 분 전에 미리 담아놓아도 된다.

미네스트리나 트리콜로레 —당근과 셀러리를 넣은 감자 수프

Minestrina Tricolore — Potato Soup with Carrots and Celery

내가 결혼을 하고 처음 배운 요리 가운데 하나다. 수십 년이 지나고 셀 수 없이 많은 종류의 수프를 만들 수 있게 되었지만, 여전히 '작은 수프'라는 뜻의 미네스트리나를 종종 만들곤 한다. 질감의 기분 좋은 대비, 꾸밈없는 소박함, 누구든 만족시킬 수 있는 맛이라는 매력 때문이다.

4~6인분

감자 675g
버터 2큰술
식물성기름 3큰술
양파 3큰술, 잘게 다진다
당근 3큰술, 잘게 다진다
셀러리 3큰술, 잘게 다진다
갓 갈아낸 파르미자노 레자노 치즈 5큰술과 식탁에 놓을 여분의 양
우유 1컵
고기육수 25쪽 설명대로 직접 만든 것으로는 2컵 또는 소고기육수 통조림 ½컵에 물 1½컵을 탄다
소금
파슬리 2큰술, 잘게 썬다
크로스티니, 100쪽 설명대로 사각형 모양의 빵을 튀겨서 만든 것

1. 감자 껍질을 까서 찬물에 헹구고, 작은 조각으로 자른다. 수프 냄비에 넣고 감자가 잠길 정도로 찬물을 채운 뒤, 뚜껑을 덮고 중강불에 올린다. 부드러워질 때까지 익힌다. 푸드밀의 구멍 크기를 크게 조절하고, 감자 삶은 물과 감자를 넣고 통과시켜 퓌레로 만든다. 냄비에 담아 한편에 둔다.
2. 스킬렛에 버터와 식물성기름, 그리고 다진 양파를 넣고 중불에 올린다. 양파가 살짝 노릇해질 때까지 볶는다. 다진 당근과 셀러리를 넣고 기름이 골고루 입혀지도록 잘 저어주며 2분간 익힌다. 수프를 먹었을 때 당근과 셀러리가 씹히는 맛이 있어야 하기 때문에 물러지도록 오래 익히지는 마라.
3. 스킬렛 안에 있는 모든 재료를 감자가 담긴 냄비로 옮긴다. 중불에 올리고 파르메산 간 것, 우유 그리고 육수를 넣는다. 수프에서 분리되어 나온 지방이 표면에 뜰 때까지 몇 분간 저어주며 뭉근하게 익힌다. 수프가 크림보다 걸쭉해져서는 안 된다. 걸쭉해지고 말았다면, 육수와 우유를 같은 양으로 섞어 농도를 조절한다. 맛을 보고 소금으로 간한다. 불을 끄고 다진 파슬리를 빙 둘러 넣은 다음, 1인용 접시나 볼에 수프를 퍼 담는다. 갓 갈아낸 파르메산 치즈, 크로스티니와 함께 식탁에 차려 낸다.

푹 익힌 양파를 넣은 감자 수프

Potato Soup with Smothered Onions

6인분

삶은 감자 900g
버터 3큰술
식물성기름 3큰술
고기육수 25쪽 설명대로 직접 만든 것으로는 3½컵 또는 소고기육수 통조림 ½컵에 물 3컵을 탄다
양파 675g, 아주 얇게 썬다
소금
갓 갈아낸 파르미자노 레자노 치즈 3큰술과 식탁에 놓을 여분의 양
파슬리 1큰술, 잘게 썬다

1. 감자 껍질을 벗기고 1cm 크기의 주사위 모양으로 자른다. 찬물에 헹궈 한편에 둔다.
2. 수프 냄비에 버터, 식물성기름, 얇게 썬 양파와 소금을 크게 한 자밤 집어넣고, 중불에 올린다. 냄비 뚜껑은 덮지 않는다. 양파가 숨이 죽고 옅은 갈색이 될 때까지 이따금 저어주며 아주 느린 속도로 익힌다.
3. 깍둑썰기한 감자를 넣고 불의 세기를 강불로 키운다. 양파가 감자에 골고루 입혀지도록 빠르고 힘있게 볶는다.
4. 육수를 넣어 뚜껑을 덮고, 육수가 천천히 뭉근하게 끓도록 불의 세기를 조절한다. 감자가 부드러워지면 긴 나무 주걱을 이용해 감자를 냄비 안쪽 면에 대고 으깨어 수프가 걸쭉해지게 한다. 전체적으로 저어주고 8~10분간 더 익힌다. 수프가 너무 걸쭉해진 것 같으면 육수를 한 국자 가득 퍼서 넣거나, 직접 만든 육수가 없다면 물을 넣는다.
5. 불을 끄기 전, 파르메산 치즈와 파슬리를 빙 둘러 넣고 맛을 본 뒤 소금으로 간한다. 1인용 접시나 볼에 퍼 담아 여분의 간 치즈와 함께 차려 낸다.

감자 완두콩 수프

Potato and Green Pea Soup

이 수프의 사랑스러운 풍미는 달콤함과 감칠맛의 조화에서 비롯된다. 달콤함의 주인공은 완두콩인데, 이를 위해 고려해야 할 것이 있다. 당신이 사는 지역에 있는 시장에서 제철에 생산된 어리고 수분이 많은 품종을 최우선으로 선택해야 한다. 푸석푸석하고, 너무 자라버렸거나 원산지가 다른 지역이라면 차라리 냉동 제품을 쓰는 게 낫다.

4~6인분

버터 2큰술
식물성기름 2큰술
양파 3컵, 아주 얇게 썬다
소금
마늘 2쪽, 껍질을 벗긴 뒤 종잇장처럼 얇게 썬다
고기육수 25쪽 설명대로 직접 만든 것으로 모든 재료에 부어 그 위로 높이가 5cm 올라올 정도의 양 또는 소고기 고형 육수 1개
감자 3컵, 껍질을 벗긴 뒤 매우 작게 깍둑썰기한다
완두콩 신선한 것으로 꼬투리까지 합쳐서 900g 또는 냉동 완두콩 300g, 해동한다
갓 갈아낸 검은 후추
갓 갈아낸 파르미자노 레자노 치즈 식탁에 놓을 만큼의 양

1. 모든 재료가 충분히 들어갈 만한 크기의 소스팬을 고른다. 버터와 식물성기름, 얇게 썬 양파와 소금을 크게 한 자밤 넣고, 약불에 올린 다음 뚜껑을 덮는다. 양파가 부드러워지고 수분이 모두 빠져나올 때까지 이따금 뒤집어주면서 익힌다. 그다음에 뚜껑을 열고 중불로 키운 뒤 한두 번씩 저어주면서 익힌다. 물기가 전부 졸아 없어지고 양파가 황갈색이 될 때까지면 된다.
2. 얇게 썬 마늘을 넣고 살짝 노릇해질 때까지 한두 번 저어주며 익힌다. 깍둑썰기한 감자를 넣고 표면에 기름기가 골고루 입혀지도록 1~2분 동안 몇 번 뒤집어준다. 그다음 재료 위 5cm 높이까지 차오르도록 육수를 붓는다. 아니면 같은 양의 물을 붓고 고형 육수 1개를 넣는다. 천천히 뭉근하게 끓도록 불의 세기를 조절하고 뚜껑을 덮는다. 30분 끓인다.
3. 꼬투리를 벗긴 완두콩 또는 해동한 냉동 완두콩을 넣는다.
   신선한 콩을 쓴다면: 콩이 다 익을 때까지 10분 또는 그 이상 익힌다. 이 과정에서 원래 육수가 차올랐던 높이를 유지하도록 물을 보충해가며 끓인다(작게 자른 감자 상당량이 육수에 녹아들었음을 감안한다).
   냉동 완두콩을 쓴다면: 비린 맛이 없어질 때까지 4~5분간 익힌다. 맛을 보고 소금으로 정확한 간을 맞춘다.
   후추를 약간 갈아 넣고 저어준 다음, 파르메산 간 것과 함께 바로 차린다.

미리 준비한다면 ❁ 하루 전에 만들어놓고 먹기 직전에 천천히 데운다.

쪼갠 완두콩을 넣은 감자 수프

Potato Soup with Split Green Peas

6인분

삶은 감자 중간 크기 2개

쪼개서 말린 완두콩 225g

고기육수 25쪽 설명대로 직접 만든 것으로는 5컵 또는 소고기육수 통조림 1컵에 물 4컵을 타서 준비 또는 물 5컵에 소고기 고형 육수 1개를 녹인다

버터 3큰술

식물성기름 3큰술

양파 2큰술, 잘게 썬다

갓 갈아낸 파르미자노 레자노 치즈 3큰술과 식탁에 놓을 여분의 양

소금

크로스티니, 100쪽 설명대로 사각형 모양의 빵을 튀겨서 만든 것

1. 감자 껍질을 벗기고 작은 조각으로 썬다. 찬물에 헹구고 물기를 뺀다.
2. 쪼갠 완두콩을 찬물에 헹구고 물기를 뺀다.
3. 수프 냄비에 감자와 완두콩을 넣고 육수를 3컵 부은 다음, 뚜껑을 닫고 중불에 올린다. 감자와 콩이 부드러워질 때까지 뭉근하게 끓인다. 불을 끈다.
4. 삶은 감자와 콩을 그 즙과 함께 푸드밀로 퓌레로 만들어 냄비에 넣는다.
5. 작은 스킬렛에 버터와 식물성기름을 넣고, 양파 다진 것도 넣는다. 중강불에 올린다. 양파가 황금색이 될 때까지 뒤적이면서 익힌다.
6. 스킬렛 안의 내용물을 감자와 콩이 담긴 냄비에 붓는다. 남은 육수 2컵을 마저 넣고 냄비 뚜껑을 덮어 중불로 가열한다. 거품이 보글보글 올라오는 정도를 유지한 채 천천히 뭉근하게 끓인다. 육수에서 분리된 버터와 기름기가 표면 위에 뜰 때까지 이따금 저어주며 익힌다.
7. 파르메산 간 것을 빙 둘러 넣은 다음, 맛을 보고 소금으로 정확히 간을 맞춘 뒤 불을 끈다. 1인용 접시나 볼에 퍼 담고 갓 갈아낸 파르메산 치즈, 크로스티니와 함께 식탁에 차려 낸다.

렌틸콩 수프

Lentil Soup

4인분

버터 3큰술

식물성기름 3큰술

마른 렌틸콩 225g

양파 2큰술, 아주 잘게 다진다

당근 2큰술, 잘게 다진다
셀러리 2큰술, 잘게 다진다
이탈리아산 플럼토마토 통조림 1컵, 썰어서 즙과 함께 준비
판체타 또는 프로슈토 또는 훈제하지 않은 시골햄 ⅓컵, 아주 얇게 채 썬다
고기육수 25쪽 설명대로 직접 만든 것으로는 4컵 또는 소고기육수 통조림 1컵에 물 3컵을 탄다
소금
갓 갈아낸 검은 후추
갓 갈아낸 파르미자노 레자노 치즈 3큰술과 식탁에 놓을 여분의 양

1. 수프 냄비에 버터 2큰술과 식물성기름 전량을 넣는다. 양파 다진 것과 판체타를 넣고 중강불에 올린다. 냄비 뚜껑은 덮지 않는다. 양파가 짙은 황금색이 될 때까지 저어주면서 익힌다.
2. 당근과 셀러리 다진 것을 넣는다. 불의 세기를 유지한 채 이따금 저어주며 2~3분 익힌다.
3. 토마토와 즙을 넣고 거품이 보글보글 올라오는 정도로 불의 세기를 조절해 뭉근히 끓인다. 이따금 저어주며 25분간 익힌다.
4. 그동안 렌틸콩을 찬물에 씻고 물기를 뺀다. 렌틸콩을 냄비에 넣고 다른 재료들과 잘 어우러지도록 저어준 다음, 육수를 붓고 소금 한 자밤과 후추를 갈아 넣는다. 냄비 뚜껑을 덮고 불을 세기를 조절해 한 번씩 저어주며 뭉근하게 끓인다. 렌틸콩이 부드러워지는 데에 대개 45분 정도 걸리지만, 렌틸콩마다 각각 다르기 때문에 맛을 보아가며 익은 정도를 확인해야 한다. 어떤 렌틸콩은 다른 것에 비해 수분을 더 많이 빨아들이기도 한다. 필요에 따라 익히는 동안 육수를 추가하는데, 직접 만든 육수를 쓰지 못한다면 물을 넣는다.
5. 렌틸콩이 다 익으면 남은 버터 1큰술과 파르메산 간 것을 빙 둘러 넣고 불을 끈다. 맛을 보고 소금과 후추로 정확히 간을 맞춘다. 여분의 파르메산 간 것과 함께 식탁에 차려 낸다.

미리 준비한다면 ❁ 이 수프는 많은 양을 미리 만들어 냉동 보관해둘 수 있다. 미리 만들 때에는 4번 단계에서 조리를 멈추고, 먹기 직전에 다시 데워서 버터와 치즈를 넣는다.

쌀 넣어보기

쌀을 추가로 넣어 포만감을 주는 색다른 기본 렌틸콩 수프를 만들어보자. 6인분

렌틸콩 수프 109쪽 요리 4번 단계를 마친 상태로 준비
고기육수 25쪽 설명대로 직접 만든 것으로는 1½컵 또는 소고기육수 통조림 ½컵에 물 1컵을 탄다
버터 1큰술
쌀 ½컵, 가급적이면 이탈리아산 아르보리오 쌀로 준비
갓 갈아낸 파르미자노 레자노 치즈 3큰술과 식탁에 놓을 여분의 양
소금

수프를 한소끔 끓인 다음, 육수를 붓는다. 수프가 다시 끓어오르면 쌀을 넣고 나무 주걱을 이용해 전체적으로 잘 섞어준다. 쌀알이 부드럽지만 씹는 맛이 있는 정도로 익을 때까지 불의 세기를 적당히 유지하며 대략 20분간 계속 끓인다. 쌀이 익으면서 물기를 너무 많이 흡수해버렸다면 직접 만든 육수나 물을 추가로 붓는다. 쌀이 다 익으면 버터 1큰술과 파르메산 간 것을 빙 둘러 넣고 불을 끈다. 필요하다면 맛을 보고 소금으로 정확한 간을 맞춘다. 여분의 파르메산 간 것과 함께 식탁에 차려 낸다.

파스타, 베이컨, 그리고 마늘을 넣은 렌틸콩 수프

Lentil Soup with Pasta, Bacon, and Garlic

6인분

엑스트라버진 올리브유, 조리에 필요한 2큰술과 수프에 섞어 먹을 여분의 양
베이컨 115g, 아주 잘게 다진다
양파 ½컵, 잘게 썬다
마늘 2작은술, 잘게 썬다
셀러리 ⅓컵, 잘게 썬다
파슬리 2큰술, 잘게 썬다
마른 렌틸콩 1컵
토마토 ⅓컵, 신선하고 잘 익은 단단한 것은 필러로 껍질을 벗겨 씨를 파내고 작게 썰어서 준비 또는 이탈리아산 플럼토마토 통조림 건더기를 썰어서 즙과 함께 준비
소금
갓 갈아낸 검은 후추
관 모양 쇼트 파스타 수프용으로 1½컵
갓 갈아낸 로마노 치즈

참고 ❀ 로마노는 가장 쉽게 이용할 수 있는 양젖으로 만든 보급형 치즈다. 양젖으로 만든 치즈는 이탈리아어로 페코리노라고 하는데, 로마노는 그중에서 톡 쏘는 맛이 가장 강하다. 때문에 로마노 대신 피오레 사르도나 토스카나산 카치오타 같은 더 좋은 페코리노를 갈아서 쓸 경우 양을 ⅓컵으로 늘리거나, 맛을 보고 더 넣어야 한다.

1. 나중에 넣을 렌틸콩과 파스타를 충분한 양의 물을 부어 조리할 것을 감안해 그에 맞는 크기의 소스팬을 고른다. 올리브유 2큰술과 다진 베이컨, 양파, 마늘, 셀러리, 그리고 파슬리를 넣고 중불에 올린다. 재료를 저어준 뒤 가끔 뒤적여주면서 채소들의 색이 진해질 때까지 15분 정도 익힌다. 토마토 썬 것을 넣고 잘 섞어주고, 토마토 즙에서 나온 기름기가 표면에 뜰 때까지 몇 분간 더 익힌다.
2. 렌틸콩을 넣고 서너 번 뒤적여 잘 섞는다. 그다음 재료 위로 2.5cm 차오르게 물을 붓는다. 보글보글 끓는 정도로 불의 세기를 조절하고 렌틸콩이 부드럽게 익을 때까지 25~30분간 뭉근하게 끓인다. 익히기 시작할 때 물 높이가 렌틸콩 위 2.5cm보다 낮아지면, 처음의 양이 유지되도록 물을 더 붓는다.

미리 준비한다면 ❀ 이 과정까지 몇 시간 전 또는 하루나 이틀 전에도 미리 만들어둘 수 있다. 필요하면 물을 더 넣고 완전히 데우고, 다음 단계를 따른다.

3. 소금과 후추를 약간 갈아 넣고, 파스타를 넣은 다음 불을 키워 팔팔 끓인다. 필요하다면 물을 추가로 붓는다. 파스타가 부드럽지만 씹는 맛이 있는 정도로 익었을 때 수프의 농도가 묽다기보다 진한 쪽에 가까워야 한다.
4. 맛을 보고 소금과 후추로 정확한 간을 맞춘다. 치즈 간 것과 올리브유를 1큰술 정도 넣고 잘 저은 뒤, 불을 끄고 바로 차린다.

마늘과 파슬리를 넣은 흰콩 수프

White Bean Soup with Garlic and Parsley

콩을 정말 좋아하는 사람은 콩 수프에 콩만 들어 있길 원한다. 뭐 하러 다른 걸 넣겠나? 여기서는 카넬리니가 그 자체로 가장 돋보이도록 육수는 아주 조금, 올리브유와 마늘도 딱 필요한 만큼만 쓴다. 조리 과정에서 수분을 날려서 아주 빽빽하게 만들면 맛있게 구운 고기에 곁들임 요리로 차려 낼 수도 있다. 더 묽게 먹고 싶다면, 육수나 물을 조금 더 넣기만 하면 된다.

4~6인분

엑스트라버진 올리브유 ½컵
마늘 1작은술, 잘게 썬다
마른 카넬리니 또는 다른 흰콩, 23쪽 설명대로 불리고 삶아서 물기를 빼고 준비 또는 카넬리니 통조림 물기를 빼고 6컵
소금
갓 갈아낸 검은 후추
고기육수, 25쪽 설명대로 직접 만든 것으로는 1컵 또는 소고기육수 통조림 ⅓컵에 물 ⅔컵을 탄다
파슬리 2큰술, 잘게 썬다
선택 사항: 두툼하게 썰어 그릴이나 오븐에 구운 바삭한 빵

1. 수프 냄비에 올리브유와 다진 마늘을 넣고 중불에 올린다. 마늘이 아주 살짝만 노릇해질 때까지 뒤적이며 볶는다.
2. 삶은 콩 또는 통조림 콩을 물기를 빼고 넣고, 소금 한 자밤과 후추를 약간 갈아 넣는다. 뚜껑을 덮고 5~6분간 뭉근히 끓인다.
3. 냄비에서 콩을 ½컵 꺼낸 뒤 푸드밀에 넣고 퓌레를 만들어 육수 전량과 함께 다시 냄비에 붓는다. 추가로 5~6분간 뭉근히 끓이고, 맛을 본 뒤 소금과 후추로 정확한 간을 맞춘다. 파슬리 다진 것을 빙 둘러 넣고 불을 끈다.
4. 1인용 수프 볼에 구운 빵 조각을 놓고 그 위에 국자로 퍼 담는다.

파스타 에 파졸리—파스타를 넣은 콩 수프

Pasta e Fagioli—Pasta and Bean Soup

전형적으로 파스타 에 파졸리에 들어가는 콩은 흰색과 분홍색이 밝은 대리석처럼 무늬를 이루거나 숫제 진한 붉은색을 띠는 크랜베리빈 혹은 스코치빈이다. 이 콩을 익히면 여느 다른 콩들과는 다른 맛이 나는데, 어렴풋이 밤 같은 맛이 난다. 봄과 여름에 꼬투리를 까지 않은 신선한 콩이 나오고, 전문 식재료점이나 이탈리아 식료품점에서 이 콩을 취급한다. 꼬투리가 단단하고 색이 선명하면 아주 신선하다는 뜻이다. 한데 겉이 시들시들하고 색이 바랬더라도 내용물은 멀쩡하다. 꼬투리 1~2개를 까서 확인해보자.

크랜베리빈은 냉동 보관된 것이 말린 것보다 낫다. 제철에 시장에서 크랜베리빈을 만나면 잔뜩 사길 바란다. 껍질을 벗겨 냉동용 비닐백에 넣어 단단히 밀봉한 다음 냉동 보관해두자. 익히면 신선한 콩과 차이를 느끼지 못할 것이다. 신선한 크랜베리빈을 구할 수 없을 때는 말린 것도 만족스러운 대안이 될 수 있고, 필요에 따라 통조림을 사용할 수도 있다. 어떤 형태의 크랜베리빈도 구할 수 없다면 마른 붉은강낭콩으로 대체해도 된다.

6인분

엑스트라버진 올리브유 ¼컵
양파 2큰술, 잘게 썬다
당근 3큰술, 잘게 썬다
셀러리 3큰술, 잘게 썬다
돼지 립 또는 뼈에 살코기가 길게 붙어 있는 것 3~4쪽 또는 어린돼지 촙 2대
이탈리아산 플럼토마토 통조림 썰어서 즙과 함께 준비 또는 신선하고 잘 익은 단단한 토마토로 껍질을 벗기고 썰어서 ⅔컵
크랜베리빈 신선한 것으로 꼬투리까지 합쳐서 900g 또는 말린 크랜베리빈이나 붉은강낭콩 1컵, 23쪽 설명대로 불리고 삶아서 준비 또는 통조림에 든 크랜베리빈이나 붉은강낭콩 통조림 물기를 빼고 3컵
고기육수 25쪽 설명대로 직접 만든 것으로는 3컵(필요에 따라 추가) 또는 소고기육수 통조림 1컵에 물 2컵을 탄다
소금
갓 갈아낸 검은 후추
말탈리아티 파스타, 141쪽과 147쪽 설명대로 달걀 1개와 밀가루 ⅔컵을 써서 직접 만든 것 또는 작은 튜브형 마카로니 225g
버터 1큰술
갓 갈아낸 파르미자노 레자노 치즈 2큰술

1. 수프 냄비에 올리브유와 다진 양파를 넣고 중불에 놀린다. 양파가 살짝 노릇해질 때까지 뒤적이며 볶는다.
2. 당근과 셀러리를 넣고 잘 섞이도록 한두 번 잘 저어준 뒤, 돼지고기를 넣는다. 나무 주걱으로 고기와 채소를 이따금 뒤집어주며 10분간 익힌다.
3. 자른 토마토와 즙을 넣고 보글보글 끓을 정도로 불의 세기를 조절해 10분간 익힌다.
4. 신선한 콩을 쓴다면: 껍질을 벗기고 찬물에 헹궈 수프 냄비에 넣는다. 잘 섞이도록 2~3번 저어주고 육수를 붓는다. 냄비 뚜껑을 덮고 보글보글 끓을 정도로 불의 세기를 조절해 콩이 완전히 부드러워질 때까지 45분에서 1시간 정도 뭉근하게 끓인다.

   마른 콩을 삶아서 쓰거나 통조림을 쓴다면: 3번 단계에서 토마토를 익히는 시간을 20분으로 늘린다. 물을 따라낸 삶은 콩이나 통조림 콩을 냄비에 넣고 잘 섞이도록 전체적으로 저어준다. 5분간 끓인 다음, 육수를 붓고 냄비 뚜껑을 닫아 마찬가지로 뭉근하게 끓인다.
5. 냄비에서 콩을 ½컵 꺼내 푸드밀로 완전히 으깨어 다시 냄비에 넣는다. 소금과 후추를 약간 갈아 넣고, 전체적으로 섞는다.

6. 수프의 농도를 살핀다. 파스타를 넣고 익힐 수 있을 정도로 묽어야 한다. 필요하면 육수를 더 넣거나, 통조림 육수를 썼다면 물을 더 붓는다. 수프를 계속 끓이다가 파스타를 넣는다. 직접 만든 파스타를 쓴다면 1분 후에 꺼내어 익었는지 맛을 본다. 마카로니 파스타를 쓴다면 몇 분 더 걸리는데, 파스타가 부드러우면서도 씹는 맛이 남아 있을 때까지 익혀야 한다. 버터 1큰술과 치즈 간 것을 빙 둘러 넣고 불을 끈다.
7. 커다란 볼이나 1인용 접시에 수프를 담는다. 10분 정도 두었다가 먹어도 된다. 이 수프는 아주 뜨겁게 먹는 것보다 따끈할 때 먹는 게 가장 맛있다.

쌀 넣어보기

이 수프에 쌀을 넣어 먹어도 맛있다. 1컵이 적당하고, 이탈리아산 아르보리오 쌀이 가장 좋다. 위의 레시피에서 파스타 대신 쌀을 넣고 그대로 요리하면 된다.

미리 준비한다면 ❁ 거의 다 미리 준비해둘 수 있지만 5번 단계까지만 진행한다. 파스타나 쌀은 수프를 만들어 바로 먹을 준비가 되었을 때에 넣어 익혀야 한다.

아쿠아코타—양배추와 콩이 들어간 토스카나 시골풍 수프

Acquacotta—Tuscan Peasant Soup with Cabbage and Beans

당신이 먹는 요리의 주재료가 딱딱해진 빵과 물, 양파, 토마토, 올리브유라면, 돈 안 드는 이런 재료로 근근히 먹고살아야 했던 가난한 토스카나의 소작농이 된 기분일 것이다. 하지만 같은 요리에 달걀과 파르메산 치즈가 들어 있고 레몬향까지 풍긴다면, 농장을 가로질러 지주의 대저택 안에 들어간 듯한 착각에 빠질 것이다. 전통적인 토스카나 지역의 저녁식사에서는 수프가 다른 요리보다 먼저 나오지만, 더 간소한 식사라면 이 수프를 코스의 중심에 둘 수도 있다.

이 특별한 레시피는 빌라 카페차나(Villa Cappezzana)의 안주인인 리사 콘티니 보나코 백작부인에게서 전수받았다. 상냥한 성품의 소유자인 그녀는 토스카나 요리에 정통했다. 그녀의 남편 우고와 아들 비토리오가 만든 레드 와인 가운데 토스카나 지방에서 손꼽히는 카르미냐노(Carmignano)와 기아이에 델라 푸르바(Ghiaie della Furba)가 있다는 것은 카페나차를 찾은 방문객들이 누릴 수 있는 또 다른 행운이다.

6인분

양파 4컵, 0.8cm 정도 두께로 약간 두껍게 썬다
소금
사보이양배추 3컵, 아주 가늘게 채 썬다
케일잎 2컵, 아주 잘게 다진다
토마토 신선하고 잘 익은 단단한 것으로 1컵, 필러로 껍질을 벗겨 씨를 파내고 0.5cm 크기로 깍둑썰기한다
생바질잎 8장, 2~3조각으로 찢는다
고형 육수 1개
마른 카넬리니빈 23쪽 설명대로 불리고 삶아서 물기를 빼고 ⅓컵
엑스트라버진 올리브유 ½컵
셀러리 3컵, 잎과 함께 잘게 다진다
갓 갈아낸 검은 후추
도자냄비, 뚜껑이 있고 오븐에 넣었다가 식탁에 바로 낼 수 있는 것으로 준비
하루 지난 토스카나식 빵 또는 맛있는 시골빵 또는 641쪽 방법대로 만든 올리브유 빵 12장, 얇게 썰어서 굽는다
갓 갈아낸 파르미자노 레자노 치즈 ⅓컵
갓 짠 신선한 레몬즙 ⅓컵
달걀 6개

1. 모든 채소와 콩을 넣고 그 위로 물을 5cm 높이로 차도록 부을 것을 감안해 알맞은 소스팬을 고른다. 양파와 소금 약간, 올리브유 ¼컵을 넣고 중불에 올린다. 양파가 숨이 죽을 때까지 이따금 뒤적여주며 익힌다. 다진 셀러리를 넣고 표면에 기름이 입혀지도록 잘 섞고, 이따금 저어주면서 2~3분간 익힌다. 사보이양배추를 넣어 뒤적여주고 2~3분간 익힌다. 다진 케일잎을 넣고 섞어 잠깐 익힌다. 깍둑썰기한 토마토와 바질을 넣고 한두 번 뒤적인 다음, 재료 위로 5cm 올라올 만큼의 충분한 물과 고형 육수를 넣는다. 뚜껑을 완전히 닫고 최소 2시간에서 가능한 한 3시간까지 익힌다. 중간에 원래의 물 높이가 유지되도록 물을 보충해가며 끓인다.

미리 준비한다면 ❁ 여기까지 몇 시간 또는 하루 전에 만들어둘 수 있다. 하룻밤 보관할 때는 서늘한 곳에 둔다. 냉장고에 넣으면 조리된 초록색 채소에서 신맛이 나는 경향이 있기 때문이다. 다시 완벽하게 데워서 다음 단계를 진행한다.

2. 오븐을 200℃로 예열한다.
3. 채소가 담긴 냄비에, 익혀서 물기를 뺀 콩을 넣고 후추도 약간 갈아 넣어 저어준다. 맛을 보고 소금과 후추로 간을 맞춘다.
4. 도자냄비 바닥에 얇게 썬 빵을 깐다. 그 위로 남은 올리브유 ¼컵을 붓고, 채소가 있는 냄비에서 국물만 먼저 따라 붓는다. 그다음 채소와 콩을 옮긴다. 파

르메산 간 것의 절반을 위에 흩뿌린다.

5. 작은 스킬렛에 레몬즙을 넣고, 물을 부어 높이가 4cm 이상 차오르게 한 뒤 중불에 올린다. 스킬렛 안의 레몬즙물이 끓어오르면, 너무 빨리 끓지 않도록 불의 세기를 조절한다. 종지에 달걀 한 개를 깨뜨려 넣고 팬 안으로 미끄러뜨리듯 얌전히 넣는다. 달걀이 익도록 끓고 있는 레몬즙물을 살짝 떠서 부어준다. 3분 정도 지나면 흰자의 모양이 잡히고 전체적으로 불투명한 흰색이 되지만, 노른자는 아직 익지 않고 흐르는 상태가 된다. 건지개로 달걀을 꺼내 도자냄비 안에 있는 채소 위로 조심스럽게 올린다. 나머지 달걀 5개도 똑같은 과정을 반복한다. 달걀이 서로 겹치지 않게 나란히 놓는다.
6. 소금과 남아 있는 파르메산 간 것을 달걀 위에 흩뿌린다. 도자냄비의 뚜껑을 덮고 예열된 오븐에 넣어 10분간 익힌다. 오븐에서 꺼낸 뒤, 그릇에 덜기 전에 뚜껑을 열고 냄비 안의 재료가 잔잔해질 때까지 몇 분간 그대로 둔다. 그릇에 담을 때는 모든 사람이 반드시 냄비 바닥에 깔린 약간의 빵과 달걀 1알씩을 나눠 받을 수 있도록 한다.

라 조타—사우어크라우트 콩 수프

La Jota—Beans and Sauerkraut Soup

트리에스테는 20세기 내내 끊임없이 이탈리아 도시로서 정체성을 얻기 위해 열렬히 노력했지만, 그 지역의 요리만큼은 슬라브족의 투박한 특성을 그대로 간직하고 있다. 감자와 사우어크라우트, 돼지고기가 들어가 든든한 이 콩 수프처럼 말이다.

이 수프의 환상적인 농도를 만들어내는 데 가장 큰 기여를 하는 재료는 신선하고 훈제되지 않은 돼지껍데기로, 볼살 부위면 더 좋다. 안타깝게도 돼지고기를 전문적으로 취급하는 정육점이 아니면 구하기 어렵다. 단골 정육점에 부탁할 수 있다면, 이 요리에 필요한 양보다 더 많이 사서 남은 것은 냉동고에 쟁여두고 다른 때에 또 쓰길 바란다. 껍데기를 아예 구할 수 없다면, 좀 더 구하기 쉬운 신선한 돼지족발을 사용하라. 아니면 사태 부위로 알려진 신선한 어깨 끝부분의 살을 써도 좋다.

완성된 조타는 일명 페스타(pestà)로 마지막 풍미를 더한다. 페스타는 소금에 절인 돼지고기를 아주 잘게 다져서 거의 페이스트 상태로 만들기 때문에 붙은 이름이다. 수프에 들어가는 재료는 다르지만 조리 과정은 토스카나식 콩 수프에 기름으로 풍미를 더한다고 생각하면 된다.

8인분

수프 재료

크랜베리빈 신선한 것으로 꼬투리까지 합쳐서 900g 또는 말린 크랜베리빈이나 붉은강낭콩 1컵, 23쪽 설명대로 불리고 삶는다
베이컨 115g
사우어크라우트 물기를 빼고 450g
커민 ½작은술
감자 중간 크기 1개
돼지껍데기 신선한 것으로 675g 또는 앞의 설명에 따른 사태 부위
소금
옥수수가루 입자가 거친 것으로 3큰술

참고 ❀ 크랜베리빈에 관해서는 112쪽을 보라.

마지막 풍미를 돋우기 위한 페스타 재료

소금에 절인 돼지고기 ¼컵, 칼이나 푸드프로세서를 사용해 아주 잘게 다져 걸쭉하게 만든다
양파 1큰술, 아주 잘게 다진다
마늘 1작은술, 아주 잘게 다진다
소금
밀가루 1큰술

1. 신선한 콩을 쓴다면: 껍질을 벗기고 헹궈서 113쪽 설명대로 물을 부어 삶는다. 익으면 삶은 물에서 건지지 말고 그대로 한편에 둔다.
   마른 콩을 삶아서 쓴다면: 삶은 물과 함께 두었다가, 2번 단계부터 시작한다.
2. 베이컨을 2.5cm 폭으로 썰어 소스팬에 넣고 중불에 올린다. 2~3분간 익힌 다음 물기를 뺀 사우어크라우트와 커민을 넣는다. 베이컨에서 나온 기름과 골고루 섞이도록 저어주고 2분간 익힌다.
3. 물 1컵을 부어 뚜껑을 덮고, 아주 약한 불로 1시간 동안 익힌다. 1시간이면 사우어크라우트는 대단히 줄어들어 덩어리져 있고, 팬 안에는 물기가 거의 남아 있지 않을 것이다. 만일 물기가 남아 있다면 팬의 뚜껑을 연 채 불을 중불로 키워 수분을 증발시킨다.
4. 감자 껍질을 벗기고 작은 크기로 썰어 찬물에 헹구고 물기를 뺀다.
5. 신선한 돼지볼살이나 다른 부위의 껍데기를 쓴다면: 사우어크라우트를 뭉근히 끓이는 동안이나 신선한 콩을 익히면서 동시에 진행한다. 수프 냄비에 돼지껍데기와 물을 1L 정도 넣고 끓인다. 5분간 끓이고, 끓인 물을 따라 버린다. 돼지껍데기를 2~2.5cm 폭으로 길게 썬다. 껍데기가 너무 질긴 것 같더라도 걱정하지 마라. 조리하는 과정에서 부드럽게 풀어질 것이다.
   자른 껍데기를 다시 수프 냄비에 넣고 썰어놓은 감자와 물 3컵, 소금을 크

게 한 자밤 집어서 넣는다. 냄비 뚜껑을 덮고 보글보글 끓는 정도로 불의 세기를 조절해 1시간 동안 뭉근하게 끓인다.

신선한 돼지족발 또는 사태를 쓴다면: 돼지고기와 감자, 소금을 수프 냄비에 넣고 모든 재료 위로 5cm 높이로 차오를 만큼 물을 충분히 붓는다. 냄비 뚜껑을 덮고 보글보글 끓는 정도로 불의 세기를 조절해 1시간 동안 뭉근하게 끓인다.

돼지고기를 꺼내 뼈는 발라내고 1cm 폭으로 길게 썰어 다시 냄비에 넣는다.

6. 익혀놓은 신선한 콩 또는 마른 콩을 삶은 물과 함께 넣는다. 뚜껑을 덮고 보글보글 끓는 정도로 불의 세기를 조절해 뭉근하게 30분 익힌다.
7. 사우어크라우트를 넣고 다시 뚜껑을 덮어 계속 익힌다. 항상 뭉근하게 끓는 정도여야 하며, 1시간 더 끓인다.
8. 옥수수가루를 가는 줄기로 서서히 부어 넣고, 골고루 섞어준다. 물 2컵을 붓고, 뚜껑을 덮어 45분 더 뭉근하게 끓인다. 이따금 저어준다.
9. 수프가 거의 다 되었을 때쯤 페스타를 준비한다. 스킬렛이나 작은 소스팬에 소금에 절인 돼지고기 다진 것과 양파를 넣고 중불에 올린다. 양파가 살짝 노릇해질 때까지 볶는다. 다진 마늘을 넣고 아주 살짝만 노릇해질 때까지 볶는다. 소금을 크게 한 자밤 집어서 넣고, 밀가루를 한 번에 1작은술씩 넣고 골고루 섞어주고, 먹음직스럽게 완전히 노릇해질 때까지 익힌다.
10. 페스타를 수프에 넣고, 전체적으로 섞어준 다음 15분 더 뭉근하게 끓인다. 몇 분 정도 두었다가 먹는다.

미리 준비한다면 ❀ 라 조타는 몇 시간에 걸쳐 천천히 요리하는 수프지만, 만드는 이의 편의에 따라 시간 차를 두고 요리해도 상관없다. 이 수프는 오히려 시간이 지날수록 맛이 어우러지고 풍부해지기 때문에 1~2일 지나 먹어도 된다. 조리 단계 중 하나를 끝냈다면 언제든 끓이던 수프를 식혀 냉장고에 넣어두었다가, 다음 날 나머지 단계를 진행해도 괜찮다. 그렇지만 페스타는 먹을 준비가 되었을 때 만들어 수프에 넣어야 한다.

노바라 지역의 콩과 채소가 든 수프

Novara's Bean and Vegetable Soup

이 미네스트로네는 알프스산맥의 기슭인 이탈리아 북서쪽 피에몬테에서 전해졌다. 엄청나게 진한 이 수프는 적어도 두 가지로 활용될 수 있다. 그 자체로 대단히 만족스러운 채소 수프가 될 수 있고, 또 가장 든든한 리소토 중 하나인 라 파니시아(La paniscia)의 바탕이 될 수 있다. 라 파니시아에 관해서는 262쪽을 보라.

라 파니시아를 만들 생각이라면 수프를 조금 남겨두자. 남은 수프는 냉장 보관할 수 있고, 며칠이 지나면 맛이 훨씬 풍부해진다. 파스타를 넣어도 되고, 다양한 방식으로 활용할 수 있다.

4~6인분

돼지껍데기 또는 신선한 돼지 옆구리살(삼겹살) 115g
식물성기름 ⅓컵
버터 1큰술
양파 중간 크기로 2개, 약 1컵, 아주 얇게 썬다
당근 1개, 껍질을 벗기고 씻은 뒤 깍둑썰기한다
셀러리 1대, 큰 것으로 씻고 깍둑썰기한다
주키니 중간 크기로 2개, 536쪽 설명대로 씻어서 양 끝을 자르고 깍둑썰기한다
적양배추 1컵, 아주 가늘게 채 썬다
크랜베리빈 신선한 것으로 껍질까지 합쳐서 450g 또는 말린 크랜베리빈이나 붉은강낭콩 1컵, 23쪽 설명대로 불려서 건지되 익히지 않는다
이탈리아산 플럼토마토 통조림 ⅓컵, 썰어서 즙과 함께 준비
소금
갓 갈아낸 검은 후추
고기육수, 25쪽 설명대로 직접 만든 것으로는 3컵 또는 소고기육수 통조림 1컵에 물 2컵을 탄다
갓 갈아낸 파르미자노 레자노 치즈 식탁에 놓을 만큼의 양

1. 돼지고기를 폭 0.5cm, 길이 1cm로 썬다.
2. 수프 냄비에 식물성기름과 버터, 양파, 돼지고기를 넣고 중불에 올린다. 이따금 저어준다.
3. 양파가 진한 갈색으로 익으면, 깍둑썰기한 채소들과 채썰기한 양배추, 껍질을 벗긴 신선한 콩이나 불려서 건져놓은 마른 콩을 넣는다. 모든 재료가 골고루 섞이도록 1분 정도 잘 저어준다.
4. 자른 토마토와 즙, 소금 한 자밤, 후추를 약간 갈아 넣는다. 한 번 더 전체적으로 잘 섞어주고, 육수 전량을 붓는다. 모든 재료 위로 2.5cm 높이까지 차오르

지 않았다면 추가로 물을 부어준다.

5. 냄비 뚜껑을 덮고 불의 세기를 약하게 조절해 아주 천천히 익힌다. 최소 2시간 끓인다. 완성되었을 때는 꽤 걸쭉해져 있을 것이다. 맛을 보고 소금과 후추로 간한다.

   라 파니시아의 재료가 아니라 수프로 먹으려면 1인용 그릇이나 볼에 퍼 담고 몇 분간 그대로 둔다. 그 뒤에 갓 갈아낸 파르메산과 함께 식탁에 차려 낸다.

적양배추 콩 수프

Bean and Red Cabbage Soup

돼지고기와 콩이 들어간 이 수프는 다른 양배추 수프 못지않게 풍부한 질감을 지녔다. 콩과 고기를 넣은 풍만한 지중해식 요리 계통으로, 프랑스 요리 카술레(cassoulet)도 여기 포함된다. 이 수프는 기본 레시피에 얽매이지 않고, 입맛에 맞게 소시지와 콩, 양배추의 비율을 조절하며 좀 더 자유롭게 요리할 수 있다. 여기 소개하는 레시피는 고기와 채소가 들어간 수프 그 자체로 충분한 한 끼가 되게끔 하는 것이기 때문에, 소시지 양을 늘려 더욱 푸짐한 수프를 만들 수도 있고, 소시지를 완전히 빼버릴 수도 있다. 대신 뼈가 붙은 신선한 돼지고기 한 덩어리를 넣어서 육수의 맛을 깊게 하면 좀 더 수프 같은 느낌을 준다. 이렇게 만든다면 정찬에서 첫 번째 코스 요리로 내는 것도 가능하다.

6인분

돼지껍데기 또는 신선한 돼지족발 또는 돼지고기 사태 675g
엑스트라버진 올리브유 ¼컵
마늘 ½작은술, 잘게 썬다
양파 2큰술, 잘게 썬다
판체타 2큰술, 아주 가늘게 채 썬다
적양배추 450g, 약 4컵, 채 썬다
셀러리 ⅓컵, 잘게 썬다
이탈리아산 플럼토마토 통조림 3큰술, 건더기만 준비
타임 한 자밤
소금
갓 갈아낸 검은 후추
고기육수, 25쪽 설명대로 직접 만든 것으로는 3컵(여분의 양 준비) 또는 소고기육수 통조림 1컵에 물 2컵을 탄다
돼지고기 소시지 225g, 펜넬 씨나 다른 허브가 첨가되지 않은 부드러운 맛으로 준비
마른 카넬리니빈 또는 다른 흰강낭콩 1컵, 23쪽 설명대로 불리고 삶아서 준비 또는 카넬리니빈 통조림 물기를 빼고 3컵
선택 사항: 두툼하게 썰어 그릴이나 오븐에 구운 바삭한 빵

마무리에 넣을 맛있는 기름을 만들 재료

마늘 2~3쪽, 칼 손잡이로 가볍게 으깨어 껍질을 벗긴다
엑스트라버진 올리브유 3큰술
말린 로즈마리잎 ½작은술, 잘게 썰어서 준비 또는 생로즈마리 작은 줄기 1대

1. 돼지껍데기를 쓴다면: 작은 소스팬에 껍데기를 넣고 그 위로 2.5cm 높이로 차오르도록 물을 충분히 부어 끓인다. 1분간 익히고 물을 따라 버린 다음, 손으로 만질 수 있을 정도로 식으면 폭 1cm, 길이 5~7.5cm로 썬다.
   신선한 돼지족발 또는 사태를 쓴다면: 족발 또는 사태를 소스팬에 넣고 그 위로 5cm 높이로 차오르도록 물을 충분히 붓고, 뚜껑을 덮는다. 45분에서 1시간 정도 뭉근하게 끓인다.
   냄비에서 돼지고기를 꺼내 뼈는 발라내고 1cm 정도 폭으로 썰어 한편에 둔다.
2. 올리브유를 다진 양파, 판체타와 함께 수프 냄비에 넣고 중불에 올린다. 양파가 투명해질 때까지 볶다가 마늘을 넣고 살짝 노릇해질 때까지 이따금 저어주며 익힌다.
3. 채썰기한 양배추, 다진 셀러리, 돼지껍데기나 사태, 건더기만 건진 도마토, 타임 한 자밤을 넣는다. 양배추가 완전히 흐물흐물해질 때까지 중약불로 익힌다. 이따금 전체적으로 섞어준다.
4. 육수와 소금, 약간의 간 후추를 넣고 냄비 뚜껑을 덮은 뒤 불의 세기를 아주 약하게 한다. 2시간 반 정도 끓인다. 이 단계는 이틀에 걸쳐 나누어서 할 수 있는데, 필요하면 언제든 조리를 멈추고 냉장 보관한다. 다시 데우고 익히는 과정에서 수프의 맛이 한층 더 깊어진다.
5. 냄비 뚜껑을 열고 불을 끈다. 냄비를 살짝 기울여 표면에 뜬 지방을 가능한 한 많이 걷어낸다. 4번 단계까지 끝내고 냉장 보관한 상태라면 지방이 굳어서 표면에 얇게 떠 있을 테니 훨씬 쉽게 걷어낼 수 있을 것이다. 다시 불에 올려 천천히 뭉근하게 끓인다.
6. 이쑤시개나 뾰족한 포크로 소시지에 두세 군데 구멍을 뚫는다. 작은 스킬렛에 넣고 중약불에 올린다. 기름은 따로 넣지 않고 소시지에서 나오는 기름만을 이용해 모든 면을 갈색이 나도록 굽는다. 스킬렛에 남은 기름은 두고 소시지만 건져서 냄비에 넣는다.
7. 삶아서 물기를 뺀 콩이나 통조림 콩의 절반에 해당하는 양을 퓌레로 만들어 냄비에 넣는다. 전체적으로 저어주고, 뚜껑을 덮어 15분간 뭉근하게 끓인다.

8. 으깨지 않은 나머지 콩을 넣고 수프의 농도를 살핀다. 원한다면 직접 만든 육수나 물을 조금 더 넣는다. 뚜껑을 덮고 10분 더 뭉근하게 끓인다. 미리 만들어두고 싶다면, 이 단계에서 멈춘다. 다음 단계를 진행하기 전에 수프를 다시 가져와 몇 분간 끓인다.
9. 맛있는 기름을 만들기 위해 살짝 으깨어 껍질을 벗긴 마늘을 올리브유 3큰술과 함께 스킬렛에 넣고 중불에 올린다. 마늘이 먹음직스러운 옅은 갈색을 띠면 다진 로즈마리 또는 작은 줄기를 통째로 넣는다. 불을 끄고 2~3번 저어준다. 냄비 위에 거름망을 놓고 올리브유를 부어 마늘과 로즈마리는 걸러낸다. 수프는 추가로 몇 분 더 뭉근하게 끓인다.
10. 수프를 커다란 차림용 볼에 담아 식탁으로 가져간다. 짙은 적갈색의 도기로 된 볼이 꽤 잘 어울릴 것이다. 1인용 그릇이나 볼에 구운 빵 조각을 올리고, 그 위로 수프를 부어 차려 낸다.

병아리콩 수프

Chick Pea Soup

병아리콩의 깊은 단맛은 다른 콩들과는 차원이 다르다. 병아리콩은 지중해 동쪽 가장자리에 위치한 나라들이 5000년 이상 꾸준히 재배해온 작물이다. 수프는 병아리콩으로 만들 수 있는 가장 맛있는 음식 중 하나다. 그대로 먹어도 맛있지만 쌀이나 파스타를 넣어 변화를 줄 수도 있다. 통조림 병아리콩은 강낭콩 통조림처럼 곤죽이 되지 않고 모양이 예쁘게 유지될 뿐 아니라 비싸지도 않고, 불리고 삶아야 하는 마른 병아리콩의 수고를 덜 수 있다.

4~6인분

마늘 4쪽, 껍질만 벗긴다
엑스트라버진 올리브유 ⅓컵
말린 로즈마리잎 1½작은술, 거의 가루가 되도록 아주 잘게 부숴서 준비 또는 생로즈마리 작은 줄기 1대
이탈리아산 플럼토마토 통조림 ⅔컵, 썰어서 즙과 함께 준비
마른 병아리콩 ¾컵, 23쪽 설명대로 불리고 삶아서 준비 또는 병아리콩 통조림 물기를 빼고 2¼컵
고기육수, 25쪽 설명대로 직접 만든 것으로는 1컵 또는 고형 육수 1개를 물 1컵에 녹인다
소금
갓 갈아낸 검은 후추

1. 준비된 모든 재료를 넣을 수 있는 크기의 냄비를 준비한다. 거기에 마늘과 올

리브유를 넣고 중불에 올린다. 마늘을 볶다가 먹음직스러운 옅은 갈색으로 변하면 건져낸다.

2. 아주 잘게 부순 로즈마리잎 또는 신선한 줄기를 넣고 섞은 뒤, 자른 토마토와 즙을 함께 넣는다. 토마토 즙에서 분리된 기름이 표면에 뜰 때까지 20~25분 익힌다.
3. 삶거나 통조림에 든 병아리콩 물기를 빼고 넣는다. 냄비 안에 있는 토마토 즙과 골고루 섞이도록 저으면서 5분간 익힌다.
4. 육수 또는 고형 육수를 녹인 물을 붓고 뚜껑을 덮는다. 보글보글 끓는 정도로 불의 세기를 조절해 15분간 뭉근하게 끓인다.
5. 맛을 보고 소금으로 정확한 간을 맞춘다. 후추도 약간 갈아 넣는다. 냄비 뚜껑을 연 채로 거품이 끓어오르지 않을 때까지 잠깐 두었다가, 바로 차려 낸다.

미리 준비한다면 ❀ 이 수프는 용기에 넣어 밀봉하면 일주일까지 냉장 보관할 수 있다. 먹기 직전 다시 데울 때까지 소금과 후추로 간하지 않는다.

쌀 넣어보기

8인분

병아리콩 수프, 앞의 레시피대로 만들어 준비

고기육수, 25쪽 설명대로 직접 만든 것으로는 3컵(여분의 양 준비) 또는 고형 육수 2개를 물 3컵에 녹인다

쌀 1컵, 가급적이면 이탈리아산 아르보리오 쌀로 준비

엑스트라버진 올리브유 1큰술

소금

1. 만들어놓은 병아리콩 수프를 ¼컵 가득 떠서 구멍 크기를 크게 조절해놓은 푸드밀에 넣어 퓌레로 만든다. 수프 냄비에 넣고 남은 수프와 육수 또는 고형 육수를 녹인 물을 붓고 뭉근하게 끓인다.
2. 쌀을 넣고 저어주고, 냄비 뚜껑을 덮어 익힌다. 쌀알이 부드럽지만 씹는 맛이 있는 정도로 익을 때까지 보글보글 끓는 정도를 유지하며 끓인다. 10~12분 후 냄비 안의 수분량을 확인한다. 수프가 너무 진해진 것 같으면 직접 만든 육수나 물을 더 붓는다. 쌀이 익으면 올리브유를 빙 둘러 넣고 소금으로 간한다. 2~3분 두었다가 먹는다.

파스타 넣어보기

병아리콩 수프, 122쪽 레시피대로 만들어 준비
고기육수, 25쪽 설명대로 직접 만든 것으로는 2컵(여분의 양 준비) 또는 고형 육수 2개를 물 2컵에 녹인다
갓 갈아낸 파르미자노 레자노 치즈 2큰술
말탈리아티 파스타, 141쪽과 147쪽 설명대로 달걀 1개와 밀가루 ⅔컵을 써서 직접 만든 것 또는 작은 튜브형 마카로니 225g
버터 1큰술
소금

1. 만들어놓은 병아리콩 수프의 3분의 1에 해당하는 양을 구멍 크기를 크게 조절해놓은 푸드밀에 넣어 퓌레로 만든다. 수프 냄비에 넣고 남은 수프와 육수 또는 고형 육수를 녹인 물을 붓고 뭉근하게 끓인다.
2. 파스타를 넣고 저어준 뒤 냄비 뚜껑을 덮는다. 불의 세기를 일정하게 유지하며 계속 끓인다. 직접 만든 파스타를 쓴다면 1분 뒤에 익었는지 맛을 본다. 마카로니 파스타를 쓴다면 몇 분 더 걸리는데, 파스타가 부드러우면서도 씹는 맛이 남아 있을 때까지 익혀야 한다. 파스타를 익히는 동안 수프에 물기가 부족한 것 같으면 직접 만든 육수나 물을 넣어 보충한다.
3. 파스타가 익으면 불을 끄고, 파르메산 간 것과 버터를 빙 둘러 넣는다. 맛을 보고 소금으로 정확한 간을 맞춘다. 바로 먹는다.

트렌토식 보리 수프

Barley Soup in the Style of Trent

보리 수프는 이탈리아 북동부의 프리울리 그리고 이웃 지역인 트렌토에서 유명하다. 양파와 햄을 기름에 볶고, 로즈마리와 파슬리를 더한 다음, 깍둑썰기한 감자와 당근을 넣는데, 이 순서가 진행되면서 성공적인 맛의 층위가 형성됨으로써 보리가 그 자체로 훌륭한 맛을 내는 이상적인 바탕을 이룬다. 이 수프의 독보적인 매력은 여기에서 나온다.

4인분

통보리 1¼컵
엑스트라버진 올리브유 ¼컵 더하기 2큰술
양파 ½컵, 잘게 썬다
파슬리 1큰술, 잘게 썬다
감자 중간 크기 1개
당근 작은 것 2개 또는 큰 것 1개
고형 육수 1개

프로슈토 또는 판체타 또는 시골햄
또는 훈제하지 않고 삶은 햄 ⅓컵,
잘게 다진다
말린 로즈마리잎 ½작은술 또는
생로즈마리잎 1작은술, 잘게 다진다
소금
갓 갈아낸 검은 후추
갓 갈아낸 파르미자노 레자노 치즈
2~3큰술

1. 수프 냄비에 보리를 넣고, 그 위로 7.5cm 높이로 차오를 정도의 물을 충분히 부은 다음 냄비 뚜껑을 덮는다. 뭉근하게 끓는 정도로 유지하면서 1시간 정도 또는 보리가 완전히 부드러워지고 퍼지지 않는 정도로 익힌다.
2. 보리를 익히는 동안 작은 스킬렛에 올리브유와 다진 양파를 넣고 중불에 올린다. 양파가 살짝 노릇해질 때까지 볶고, 다진 햄을 넣어 이따금 저어주며 2~3분간 익힌다. 로즈마리와 파슬리를 넣고 전체적으로 섞어준 뒤 1분이 지나기 전에 불을 끈다.
3. 감자와 당근 껍질을 벗기고 찬물에 헹궈 잘게 깍둑썰기한다(각각 대략 ⅔컵이 되어야 한다).
4. 보리가 익으면 스킬렛 안에 있는 내용물을 전부 냄비에 붓고, 깍둑썰기한 감자와 당근, 고형 육수, 소금, 후추를 약간 갈아 넣는다. 수프가 너무 진한 것 같으면 물을 약간 추가한다. 너무 묽지도, 너무 걸쭉하지도 않아야 한다. 이따금 저어주며 30분간 뭉근하게 끓인다.
5. 불을 끄고, 식탁에 차려 내기 직전에 치즈 간 것을 냄비 안에 빙 둘러 넣는다. 바로 먹는다.

미리 준비한다면 ❀ 하루나 이틀 전에 미리 준비해둘 수 있지만, 다시 데우고 나서는 치즈 간 것을 넣어야 한다.

브로콜리와 달걀을 넣은 보리 수프

Broccoli and Egg Barley Soup

이 수프에는 파스타를 직접 만들 때 쓰는 입자가 굵은 보리가루를 쓴다. 수프에 질감을 주고 농도를 맞추기 위해서다. 하지만 진짜 보리나 썩 만족스럽진 않지만 작은 알갱이로 된 수프용 파스타를 대신 넣어 조리하는 것도 한 가지 방법이다. 이 수프의 매력은 브로콜리의 줄기와 송이를 모두 쓰는 데서 나온다. 둘을 마늘과 올리브유에 함께 볶은 후, 줄기는 퓌레로 만들고 송이는 한 입 크기로 자른다.

퓌레는 수프를 진하게 만들고, 부드러운 송이는 파스타 또는 보리의 씹는 맛과 대비를 이루어 수프에 생기를 불어넣는다.

6인분

브로콜리 신선한 것으로 1송이
소금
엑스트라버진 올리브유 ⅓컵
마늘 1작은술, 잘게 썬다
만프리굳, 148쪽 설명대로 직접 만든 것으로 준비 또는 익힌 보리(125쪽 참조) ⅔컵 또는 작은 알갱이로 된 수프용 파스타 ½컵
고기육수 2컵, 25쪽 설명대로 직접 만든 것으로 준비
파슬리 1큰술, 잘게 썬다
갓 갈아낸 파르미자노 레자노 치즈 식탁에 놓을 만큼의 양

1. 브로콜리 대에서 송이를 떼어낸다. 브로콜리 대 밑동 부분은 질기므로 1cm 정도 잘라낸다. 날이 잘 갈린 과도로 브로콜리 대와 송이의 두꺼운 줄기 부분에 붙은 진한 초록색 껍질을 벗긴다. 줄기가 너무 두꺼우면 세로로 길게 2등분한다. 찬물에 대와 송이를 담갔다가 물을 따라 버리고, 다시 깨끗한 찬물에 헹군다.
2. 물 약 3L를 끓인다. 브로콜리의 초록색을 선명하게 해줄 소금 2큰술을 넣고, 브로콜리 대를 넣는다. 물이 끓기 시작한 시점으로부터 2분 정도 더 끓이고, 송이를 넣는다. 물 위로 떠오르면 이따금씩 아래로 가라앉혀서 브로콜리가 변색되는 것을 막는다. 물이 다시 끓어오르는 시점으로부터 1분 더 삶고, 구멍 뚫린 국자나 구멍 뚫린 국자로 브로콜리를 건진다. 브로콜리 삶은 물은 버리지 않는다.
3. 브로콜리 대와 줄기가 겹치지 않고 담길 만큼 넓은 냄비를 가져온다. 올리브유와 마늘을 넣고 중불에 올린다. 마늘이 살짝 노릇해질 때까지 볶는다. 브로콜리와 소금을 약간 넣고 불의 세기를 강불로 키운다. 자주 저어주면서 2~3분간 익힌다.
4. 구멍 뚫린 국자로 브로콜리 송이만 골라 접시에 옮기고 한편에 둔다. 냄비에 남은 기름은 버리지 않는다.
5. 푸드프로세서에 브로콜리 대를 넣고 잠깐 간 다음, 여기에 냄비에 남은 기름을 전부 붓고 브로콜리 삶은 물 1큰술도 넣는다. 입자가 고른 퓌레 상태가 될 때까지 간다.
6. 브로콜리 대로 만든 퓌레를 수프용 냄비에 넣고 육수를 부어 끓인다. 파스타

또는 익힌 보리를 넣는다. 파스타가 부드럽게 익되 모양이 살아 있을 때까지 뭉근하게 끓인다. 파스타의 두께나 신선도에 달렸지만, 10분 정도 걸릴 것이다. 조리되는 과정에서 수프가 점점 더 걸쭉해지기 때문에 농도 조절이 필요할 것이다. 이때 버리지 않고 두었던 브로콜리 삶은 물을 넣는다. 수프가 너무 묽어지지 않도록 주의한다.

7. 파스타가 익는 동안 한편에 두었던 브로콜리 송이를 한 입 크기로 썬다. 파스타가 익자마자 송이를 넣고 1분 더 끓인 뒤, 다진 파슬리를 넣고 저어준다. 맛을 보고 소금으로 정확한 간을 맞추고 파르메산 간 것과 함께 바로 차려 낸다.

파사텔리—육수에 익힌 달걀과 파르메산 면

Passatelli—Egg and Parmesan Strands in Broth

볼로냐에서 아드리아해를 향해 남동쪽으로 이동하면 로마냐 지방이 시작된다. 이 근방의 요리 방식은 겉으론 볼로냐 요리와 비슷해 보이지만, 가벼움과 섬세함의 미덕이 돋보인다. 파사텔리는 이 미덕이 잘 살아 있는 아주 단순한 수프다.

로마냐에서는 손잡이가 달린 살짝 오목하고 구멍이 뚫린 원판을 사용해 달걀과 파르메산을 섞어 만든 반죽으로 파사텔리 면을 뽑아낸다. 다행히 이탈리아 사람이라면 누구나 주방에 갖춰놓는 기본적인 도구로 거의 비슷한 결과물을 만들어낼 수 있다. 푸드밀 말이다.

6인분

- 고기육수 7컵, 25쪽 설명대로 직접 만든 것으로 준비
- 갓 갈아낸 파르미자노 레자노 치즈 ¾컵과 식탁에 놓을 여분의 양
- 너트메그 1알
- 마른 빵가루 ⅓컵, 양념 안 된 고운 것으로 준비
- 레몬필 간 것, 1개분
- 달걀 2개

참고 ❀ 이 수프에는 직접 만든 고기육수의 풍미가 필수이므로 시판 육수는 사용하지 않는다.

1. 냄비 뚜껑을 연 채로 육수를 뭉근하게 끓인다. 그동안 반죽판이나 작업대 위에 파르메산 간 것, 빵가루, 너트메그 아주 조금—⅛ 작은술보다 적게—그리고 레몬 껍질 간 것을 넣고 섞는다. 봉긋한 언덕 모양으로 만든 뒤 가운데를 분화구 모양으로 판다. 분화구 모양으로 파놓은 구멍에 달걀을 깨뜨려 넣고, 모든 재료를 잘 뭉쳐진 알갱이가 있는 부드러운 반죽이 되도록 치댄다. 흡

사 옥수수가루로 만든 죽인 폴렌타처럼 보일 것이다. 반죽이 너무 질고 물기가 많은 것 같으면 파르메산 간 것과 빵가루를 조금 더 섞는다.

2. 푸드밀의 구멍 크기를 큰 것으로 조절한다. 육수가 끓기 시작하면, 파사텔리 반죽을 넣고 관통시켜 끓고 있는 육수 안으로 바로 떨어지도록 한다. 푸드밀을 김이 오르는 냄비에서 가능한 높게 들고 작업한다. 1분에서 최대 2분까지 뭉근하게 끓여가며 익힌다. 불을 끄고 수프를 4~5분 그대로 둔 다음, 1인용 접시나 볼에 퍼 담는다. 파르메산 간 것과 함께 식탁에 차려 낸다.

속을 채운 양상추 수프

Stuffed Lettuce Soup

리구리아에서는 부활절 기간에 양고기 로스트와 속을 채운 양상추 수프를 먹는다. 작은 양상추 통의 속심을 파내고, 허브와 연성치즈, 닭고기, 송아지고기, 송아지의 뇌, 달콤한 맛의 빵을 섞어 만든 반죽을 채우는 것이 전통적인 방식이다. 여기서는 송아지의 뇌와 달콤한 빵을 뺀 간단한 형태를 소개한다. 라팔로에 사는 친구에게 배웠는데 아주 만족스럽다.

4~6인분

송아지고기 225g, 가능한 덩어리로 준비
닭가슴살 한 마리 분량에 해당하는 양, 부위의 뼈를 바르고 껍질은 벗긴다
버터 4큰술
소금
갓 갈아낸 검은 후추
양파 1½큰술, 잘게 썬다
신선한 리코타 2큰술
생마조람 1작은술 또는 말린 것 ¾작은술
파슬리 1큰술, 잘게 썬다
달걀노른자 1개분
보스턴 양상추 3통
고기육수 4컵, 25쪽 설명대로 직접 만든 것으로 준비

셀러리 1큰술, 아주 잘게 다진다
당근 1큰술, 아주 잘게 다진다
갓 갈아낸 파르미자노 레자노 치즈 ½컵과 식탁에 놓을 여분의 양
1인분당 함께 내놓을 것: 갈색 또는 짙은 갈색이 되도록 버터를 발라 구운 빵 1쪽

1. 송아지고기와 닭고기를 2.5cm 크기로 썬다.
2. 버터 전량을 큰 소테팬에 넣고 중불에 올린다. 버터에 거품이 생기며 녹기 시작하면 송아지고기와 소금 한두 자밤 그리고 후추를 한두 번 갈아 넣는다. 송아지고기의 모든 면이 갈색으로 구워질 때까지 익힌 다음, 구멍 뚫린 국자나 뒤집개로 접시에 옮겨 담는다.
3. 닭고기 조각을 팬에 넣고 소금과 후추를 약간 뿌린다. 익어서 하얗게 변할 정도로만 단시간에 굽고, 송아지고기가 담긴 접시로 옮긴다.
4. 다진 양파를 팬에 넣고 중불에서 저어주며 살짝 노릇해질 때까지 볶는다. 셀러리와 당근을 넣고 이따금 저어주면서 부드러워질 때까지 익힌다. 채소와 채소에서 나온 즙을 모두 볼로 옮겨 담는다.
5. 익힌 송아지고기와 닭고기 조각을 칼이나 푸드프로세서로 아주 잘게 다진다. 간 고기를 볼에 넣는다.
6. 리코타와 파르메산 간 것 ½컵과 마조람, 파슬리, 달걀노른자를 볼에 넣고 모든 재료가 부드러운 덩어리가 될 때까지 골고루 섞는다. 맛을 보고 소금과 후추로 정확한 간을 맞춘다.
7. 시들거나 벌레가 먹은 양상추의 겉잎을 모두 떼어낸다. 다른 잎도 찢어지지 않도록 주의하면서 한 장씩 떼어내고, 찬물에 조심스럽게 헹군다. 아주 작은 잎과 속심은 샐러드 같은 다른 요리에 쓰도록 한다.
8. 물 4L 정도에 소금 1작은술을 넣고 끓인다. 양상추잎 3~4장을 넣고 5~6초간 데친 뒤 구멍 뚫린 국자나 그물 국자로 건진다.
9. 작업대에 양상추잎을 평평하게 펼친다. 가운데 심은 질기므로 잘라낸다. 각각의 잎에 볼에 섞어놓은 재료를 1큰술씩 떠서 올리고, 소시지 모양으로 길게 놓는다. 내용물을 완전히 감싸도록 싸주고, 양배추잎을 돌돌 만다. 단단하게 밀착되도록 손으로 잡고 지그시 쥐어준다. 한편에 둔다.
10. 남아 있는 잎도 한 번에 3~4장씩 나누어, 9번 단계를 똑같이 반복한다. 데치는 과정에서 소금을 더 넣어서는 안 된다. 잎의 크기가 작으면 하나를 만들 때 2장을 살짝 겹치게 놓고 돌돌 만다.
11. 내용물을 전부 말았으면 수프용 냄비나 소테팬 안에 가지런히 놓는다. 틈이

생기지 않게 촘촘하게 놓고, 한 층씩 쌓아 올린다. 냄비 면적과 비슷하면서도 안에 들어갈 정도로 작은 크기의 접시나 평평한 냄비 뚜껑을 익히는 동안 속을 채운 양상추가 고정되도록 맨 위에 놓는다.

12. 양상추 위에 놓은 접시나 냄비 뚜껑 위로 2.5cm 차오르도록 육수를 충분히 붓는다. 냄비 뚜껑을 덮고 육수가 끓기 시작한 시점으로부터 30분간 아주 천천히 보글보글 끓는 정도로 뭉근하게 끓인다.
13. 동시에 남은 육수를(이 양은 1½컵보다 적어야 한다) 작은 소스팬에 붓고, 뚜껑을 덮어 약불에 올린다.
14. 속을 채운 양상추가 다 익으면 1인용 그릇이나 볼에 담고, 그 위에 구운 빵 1쪽을 올린다. 양상추롤이 풀어지지 않도록 조심스럽게 옮긴다. 냄비에 남은 육수와 따로 끓인 육수를 모두 위에 부어준다. 각각의 접시에 파르메산 간 것을 살짝 흩뿌리고 바로 식탁에 낸다.

조개 수프

Clam Soup

가장 이탈리아스러운 맛은 대개 이탈리아식 레시피의 단순함과 명쾌함을 이해하고 실천함으로써 나온다. 그러나 해산물의 경우 이탈리아스러움을 살리려면 때론 이 원칙을 잠시 내려놓아야 한다.

내 고향 로마냐에서는 조개가 한때 많이 잡혔고 값도 저렴했다. 사투리로는 포브라츠(povrazz), 이탈리아어로는 포베라체(poveracce)라고 불렀는데, 가난한 사람이 먹는 음식이란 뜻이다. 바다에 널려 있었고 매콤한 맛이 있어서 조리할 때 양념을 할 필요가 없었다. 하지만 북미 지역에서 난 조개는 먹기까지 손이 많이 간다. 다음의 레시피에서는 샬롯과 와인, 고추가 필요하다. 아드리아 해안가 어딘가에서 요리한다면 기꺼이 생략해도 좋다.

참고 ✿ 익힐 때 입이 벌어지지 않는 조개를 버리라고 조언하는 요리사나 요리책은 이탈리아에 없다. 꽉 다문 입을 풀고 껍데기를 벌리기가 가장 어려운 것이 가장 싱싱하게 살아 있는 조개이다. 냄비 안에서 입을 여는지 봐야 상한 걸 안다면, 날로 먹을 땐 무슨 수로 조개 상태를 판단할 것인가? 날것일 때 손으로 건드렸는데도 입을 벌리고 있는 조개야말로 반드시 버려야 한다. 그건 이미 죽은 조개다.

4인분

새끼 대합조개 살아 있는 것으로 껍데기를 까지 않고 36개
엑스트라버진 올리브유 ½컵
샬롯 또는 양파 1½큰술, 아주 잘게 다진다
마늘 2작은술, 아주 잘게 다진다
파슬리 2큰술, 아주 잘게 다진다
옥수수전분 ¼작은술을 화이트 와인 ⅔컵에 녹여서 준비
매운 붉은색 고추 ⅛작은술, 잘게 썬다
1인분당 함께 내놓을 것: 껍질이 바삭한 빵을 두껍게 썰어 구운 것 1쪽

1. 주방용 대야나 싱크대에 찬물을 가득 채워 조개를 5분간 담근다. 물을 버리고 새로 찬물을 채워 조개를 다시 담근다. 아주 거친 솔로 조개를 하나씩 집어 세게 문질러 닦는다. 물을 버리고 다시 채워, 다시 한번 문질러 씻는다. 대야 바닥에 흙 찌꺼기가 보이지 않을 때까지, 매회 깨끗한 물로 갈아가며 2~3번 반복한다. 만졌을 때 입을 계속 벌리고 있는 조개는 골라내 버린다.
2. 조개를 모두 넣었을 때 2~3겹 이상 겹치지 않게끔 충분히 넓은 냄비를 고른다. 올리브유와 다진 샬롯 또는 양파를 넣고 투명해질 때까지 볶은 뒤, 마늘을 넣는다. 마늘이 살짝 노릇해질 때까지 볶은 다음, 파슬리를 넣는다. 2~3번 저어주고 와인과 고추를 넣는다. 자주 저어주면서 강불로 2분간 익힌다. 조개를 전부 냄비에 넣는다.
3. 가능한 한 많은 조개가 뒤집어지도록 2~3번 저어주고, 냄비 뚜껑을 덮는다. 불의 세기는 강불로 유지한다. 손잡이가 긴 주걱으로 조개를 자주 뒤적이면서 확인한다. 어떤 것은 다른 것보다 먼저 입을 벌릴 것이다. 집게나 구멍 뚫린 국자로 입을 벌린 조개를 꺼내 차림용 볼에 옮긴다.
4. 모든 조개가 입을 벌려 차림용 볼로 옮겨 담았으면, 불을 끄고 냄비를 기울여 안에 있는 조개 국물을 퍼서 건져낸 조개 위에 붓는다. 바닥엔 모래가 가라앉아 있기 때문에 국물을 젓지 말고 조심스럽게 떠낸다. 차림용 볼을 바로 식탁으로 가져가 각자 수프 접시에 구운 빵 1쪽과 함께 나누어 준다.

조개 완두콩 수프

Clam and Pea Soup

조개는 초록색 채소와 궁합이 좋다. 특히 질 좋은 신선한 완두콩은 수프에 단맛과 상큼한 맛을 더한다. 하지만 오래되고 퍼석퍼석한 생콩을 쓸 바에는 냉동 콩을 쓰는 것이 더 현명한 선택일 수 있다.

6인분

새끼 대합조개 살아 있는 것으로 껍데기를 까지 않고 36개
완두콩 신선한 것으로 꼬투리까지 합쳐서 1350g 또는 냉동 완두콩 900g, 해동한다
엑스트라버진 올리브유 ⅓컵
양파 ½컵, 잘게 썬다
마늘 1½작은술, 잘게 썬다
파슬리 2큰술, 잘게 썬다
이탈리아산 플럼토마토 통조림 ⅔컵, 썰어서 즙과 함께 준비
소금
갓 갈아낸 검은 후추
크로스티니, 100쪽 설명대로 사각형 모양의 빵을 튀겨서 만든 것

1. 131쪽 설명대로 조개를 물에 담그고 문질러 씻는다. 건드렸을 때 입을 다물지 않는 조개는 골라서 버린다.
2. 조개를 모두 넣었을 때 두세 겹보다 많이 겹치지 않을 정도로 충분히 넓은 냄비를 고른다. 물을 ½컵 붓고 뚜껑을 단단히 덮은 뒤, 강불에 올린다. 위쪽에 있던 조개가 아래로 내려가도록 긴 손잡이가 달린 주걱으로 자주 뒤적여주며 조개 상태를 확인한다. 조개가 입을 벌리자마자 집게나 구멍 뚫린 국자로 볼에 옮겨 담는다. 마지막 남은 조개까지 입을 벌리고 냄비에서 꺼내면, 불을 끄고 냄비 뚜껑은 열어둔다.
3. 조갯살만 발라내고 껍데기는 버린다. 각각의 조갯살을 냄비에 남은 조개 국물에 담가서 붙어 있던 흙 찌꺼기가 국물 안으로 떨어지게 한다. 냄비 안에 있는 조개 국물이 뒤섞이지 않도록 아주 조심스럽게 담갔다가 꺼낸다.
4. 조갯살 하나를 2~3등분으로 썰고, 깨끗한 볼에 전부 옮겨 담는다.
5. 익은 조개를 처음에 옮겨 담았던 볼에 남아 있는 조개 국물을 냄비에 붓는다.
6. 볼이나 주둥이가 있는 큰 컵 위에 거름망을 놓고 키친타월을 깐다. 냄비 안에 있는 조개 국물을 전부 부어 키친타월을 통과해 걸러지게 한다.
7. 잘라놓은 조갯살이 촉촉해질 정도로만 거른 조개 국물을 부어주고 남은 양은 따로 둔다.
8. 신선한 완두콩을 쓴다면: 꼬투리를 벗기고, 수프에 넣을 꼬투리를 103쪽 설

명대로 손질해 1컵 가득 준비한다. 찬물에 담갔다가 건지고, 헹궈서 한편에 둔다.

냉동 완두콩을 쓴다면: 다음 조리 단계로 바로 들어간다.

9. 깊이가 있는 큰 냄비를 고른다. 올리브유와 다진 양파를 넣고 중불에 올린다. 양파가 투명해질 때까지 저어주면서 익힌 다음, 다진 마늘을 넣는다. 한두 번 뒤적인다. 마늘이 진한 갈색으로 변하면 다진 파슬리를 넣는다. 잘 섞고 자른 토마토와 즙을 넣는다. 소금과 후추를 약간 갈아 넣고 이따금 저어주며 10분간 익힌다.
10. 껍질을 깐 신선한 완두콩과 손질한 꼬투리, 또는 해동한 냉동 완두콩을 넣고, 걸러 놓았던 조개 국물도 넣는다. 완두콩 위로 2.5cm 높이로 차오를 정도여야 하는데 필요하다면 물을 넣어 보충한다. 냄비 뚜껑을 덮고 보글보글 끓을 정도로 불의 세기를 조절해 뭉근하게 끓인다. 신선한 완두콩을 썼다면 부드럽게 익을 때까지 콩의 신선도와 어린 정도에 따라 10분 또는 그 이상 걸릴 것이다. 해동한 완두콩을 썼다면 1~2분이면 익는다. 맛을 보고 소금과 후추로 정확한 간을 맞춘다.
11. 냄비에 잘라놓은 조갯살과 국물을 모두 넣는다. 완전히 데워지지 않아도 되며 아주 잠깐 익히면 된다. 조갯살이 질겨지기 때문이다. 1인용 수프 볼에 퍼 담고 크로스티니와 함께 식탁에 차려 낸다.

홍합 수프

Mussel Soup

4인분

홍합 살아 있는 것으로 껍데기를 까지 않고 900g
엑스트라버진 올리브유 ⅓컵
마늘 1½ 작은술, 잘게 다진다
파슬리 1큰술, 굵게 다진다
이탈리아산 플럼토마토 통조림 1컵, 건더기만 썬다
매운 붉은색 고추 ⅛작은술, 잘게 썬다
1인분당 함께 내놓을 것: 껍질이 바삭한 빵을 두껍게 썰어 오븐에 구운 것 1쪽, 으깨어 껍질을 벗긴 마늘을 살짝 문질러서 준비

1. 90쪽 설명대로 홍합을 씻고 손질한다. 만졌을 때 입을 다물지 않는 것은 골라내 버린다.

2. 껍데기를 까지 않은 홍합이 전부 들어갈 정도의 냄비를 고른다. 올리브유와 다진 마늘을 넣고 중불에 올린다. 마늘이 살짝 노릇해질 때까지 볶는다. 파슬리를 넣고 전체적으로 1번 섞어준 뒤, 토마토 자른 것과 고추를 넣는다. 냄비 뚜껑을 연 채로 25분 또는 토마토에서 분리된 기름이 표면에 뜰 때까지 뭉근하게 끓인다.
3. 홍합을 껍데기째 전부 넣고 냄비 뚜껑을 덮어 불의 세기를 강불로 키운다. 위쪽에 있던 홍합이 아래로 내려가도록 긴 손잡이가 달린 주걱으로 자주 뒤적여주며 홍합 상태를 확인한다. 홍합이 모두 입을 벌릴 때까지 익힌다.
4. 구워서 마늘을 문지른 빵을 1쪽씩 1인용 수프 볼 위에 놓는다. 그 위로 홍합과 양념이 섞인 국물을 함께 퍼 담고 식탁에 차려 낸다.

오징어 아티초크 수프

Squid and Artichoke Soup

이탈리아 리구리아에서는 고기나 해산물을 요리할 때, 그것과 잘 어울리는 채소를 고르는 것을 중요하게 여긴다. 오징어와 아티초크를 넣은 이 수프가 한 예로, 재료가 신선할수록 투명하게 빛나는 흰색의 둥근 고리와 황록색 조각이 마치 바다와 태양이 선사한 선물처럼 아름답게 어우러진다.

4인분

오징어 신선한 것 또는 냉동된 것을 해동해서 통째로 450g, 가급적 몸통 길이를 포함해 12.5cm 이하인 것으로 준비
엑스트라버진 올리브유 ½컵
마늘 1작은술, 아주 잘게 다진다
파슬리 3큰술, 잘게 썬다
갓 갈아낸 검은 후추
달지 않은 화이트 와인 1컵
아티초크 큰 것 1개 또는 중간 크기 2개
레몬즙, ½개분
소금
1인분당 함께 내놓을 것: 두툼하게 썰어 그릴이나 오븐에 구운 바삭한 빵 1쪽, 으깨어 껍질을 벗긴 마늘을 살짝 문질러서 준비

1. 325~327쪽 설명대로 오징어를 손질한다. 몸통을 0.5cm 두께보다 얇은 고리 모양으로 썬다. 다리가 두꺼우면 둘로 가르고, 모든 다리가 2.5cm보다 짧게끔 반으로 자른다.
2. 수프용 냄비에 올리브유와 마늘을 넣고 중불에 올린다. 마늘이 살짝 노릇해

질 때까지 이따금 저어주며 익힌다. 파슬리를 넣고 한두 번 섞고, 오징어를 넣어 겉에 기름이 골고루 입혀지도록 뒤적인다. 후추를 갈아 넣고 와인도 넣은 뒤, 전체적으로 한두 번 젓는다. 냄비 안에 있는 국물이 오징어 위로 4cm 높이 이상 차오르지 않았다면 필요한 만큼 물을 넣어 보충한다. 끓기 시작하면 냄비 뚜껑을 덮고 불의 세기를 중약불로 줄인다.

3. 오징어를 포크로 찔러 부드럽다고 느껴질 때까지 40분 또는 그 이상 익힌다. 냄비 안 국물이 오징어 위로 4cm 차올랐던 높이보다 졸아들면 물을 더 붓는다.
4. 오징어를 익히는 동안 67~69쪽 설명대로 아티초크를 손질한다. 가능한 한 밑동 쪽이 붙어 있는 모양으로 최대한 얇게 세로로 길게 자른다. 볼에 아티초크를 넣고, 아티초크가 잠길 정도로 충분한 양의 찬물을 붓는다. 반 개 분량의 레몬즙도 넣는다.
5. 오징어가 부드럽게 익으면 소금을 넣고 잘 섞는다. 얇게 썬 아티초크를 건져 찬물에 헹군 다음, 냄비에 넣는다. 모든 재료 위로 5cm 높이로 차오르도록 물을 충분히 붓는다. 소금을 약간 더 넣고 전체적으로 섞어주고, 다시 냄비 뚜껑을 덮는다. 아티초크의 상태에 따라 부드럽게 익을 때까지 15분 내외로 익힌다. 맛을 보고 소금과 후추로 정확한 간을 맞춘다.
6. 마늘을 바른 빵 1쪽을 1인용 수프 볼에 담고, 그 위로 수프를 붓는다. 식탁에 차려 낸다.

파스타

PASTA

파스타 조리의 핵심

냄비 ⁂ 가벼운 냄비를 써라. 열전도율이 좋고, 파스타와 끓는 물로 가득 채워져 있을 때도 들기 쉬운 에나멜을 입힌 알루미늄 냄비 같은 것 말이다.

콜랜더 ⁂ 세울 수 있게 굽이 달린 넉넉한 크기의 콜랜더가 부엌 싱크대나 큰 대야에 상시 대기 중이어야 한다.

물 ⁂ 파스타가 냄비 안에서 이리저리 움직일 수 있을 정도로 많은 물이 필요하다. 그렇지 않으면 서로 들러붙고 만다. 파스타 450g당 물 약 4L가 필요하다. 아무리 적은 양의 파스타라도 3L는 있어야 한다. 225g당 물 1L를 추가로 넣되, 한 번에 900g이 넘는 양을 삶아서는 안 된다. 파스타 양이 많을수록 균일하게 익히기 힘들고, 물을 많이 채운 냄비는 무거울뿐더러 위험하다.

소금 ⁂ 파스타 450g당 소금 1½큰술을 넣는다. 소스가 아주 순하고 간이 세지 않다면 더 넣는다. 소금은 물이 끓어오르면 넣는다. 물이 다시 부글거리면서 끓을 때까지 기다렸다가 파스타를 넣는다.

올리브유 ⁂ 직접 만든 속을 채운 파스타를 제외하고는 물에 기름을 절대로 넣지 마라. 속을 채운 파스타의 경우, 냄비에 기름 1큰술을 넣으면 마찰을 줄여주고 쪼개져서 속이 터지는 것을 막아준다.

1인분 계산하기 ⁂ 450g씩 포장된 시판 건조 파스타는 종류에 따라 4~6인분이다. 생면 파스타의 1인분 양은 140쪽을 참고하라.

냄비에 파스타 넣기 ⁂ 소금을 넣고 다시 완전히 끓어오른 물에 파스타를 넣는다. 파스타는 한 번에 다 넣고 물이 빠른 시간에 다시 끓어오르도록 잠시 냄비 뚜껑을 덮어라. 끓어 넘치지 않도록 지켜보면서 불을 조절한다. 물이 다시 끓으면 뚜껑을 열거나 살짝 걸쳐 놓는다. 파스타를 물에 넣은 직후 긴 나무 주걱으로 저어주고, 이후 파스타가 익는 동안에도 자주 저어준다.

❁ 스파게티나 페르차텔리(perciatelli) 같은 기다란 건조 파스타를 익힐 경우, 냄비에 넣었을 때 면이 냄비 밖으로 나온다면 긴 스패출러로 면을 구부려 완전히 잠기게 한다. 그렇다고 잘게 부러트리지는 마라.

❁ 직접 만든 생면 파스타를 쓴다면 접시 닦는 천으로 파스타를 모아 감싸고, 끓는 물에서 풀어주면서 냄비 안으로 파스타를 살며시 떨어뜨린다.

알덴테 ❁ 파스타는 반드시 씹었을 때 단단한 느낌이 나게 알덴테로 익혀야 한다. 스파게티나 다른 시판 건조 파스타는 페투치네나 직접 만든 파스타와 단단한 정도가 다르다. 후자는 절대 전자만큼 단단하고 씹는 질감이 느껴질 수 없지만, 순전히 부드럽기만 해서도 안 된다. 어느 정도는 씹는 맛이 있어야 한다. 파스타가 늘어지면 탄성을 잃고 소스의 맛을 생생하게 전달할 수 없다.

건지기 ❁ 시판 파스타는 다 익으면 망설이지 말고 콜랜더 위로 부어 바로 건져야 한다. 콜랜더를 잠깐 옆으로 크게 기울였다가 위아래로 흔들어 물기가 완전히 빠지게 한다.

소스 입히기와 버무리기 ❁ 파스타가 다 익었을 때 소스가 준비돼 있어야 한다. 콜렌더 위에 파스타를 건져둔 채로 소스가 완성되거나 다시 데워지길 기다리지 마라. 익혀서 건진 파스타는 지체 없이 따뜻하게 데워진 접시 위로 옮겨서 바로 소스와 버무린다. 갈아놓은 치즈를 넣어야 한다면 바로 넣고 파스타와 버무린다. 열기에 치즈가 녹으면서 소스와 부드럽게 섞일 것이다.

파스타를 요리하고 식탁에 차려 내는 과정에서 가장 중요한 것은 버무리는 단계다. 버무리기 전까지 파스타와 소스는 2개의 독립된 요소다. 버무리기는 그 둘을 하나로 연결한다. 기름이나 버터를 모든 가닥에 완전히 골고루 입혀야 하고, 스미게 해서 소스의 맛을 전달해야 한다. 훌륭한 소스는 위에 얹히거나 바닥에 깔리기만 하지 않는다. 소스가 고르고 일정하게 배이지 않으면 파스타의 맛을 충분히 살리지 못한다.

소스를 넣자마자 포크나 스푼 또는 포크 두 개를 써서 재빨리 버무린다. 그릇 바닥 쪽에 있는 파스타를 위로 퍼 올려 뭉친 것을 풀어주고, 들어 올렸다가 내리며 뒤집으면서 둥글게 원을 그리듯 섞는다. 소스가 걸쭉하게 서로 엉겨 붙으면 포크와 스푼으로 고루 풀어준다.

버터를 기본으로 한 소스일 때는 마지막에 신선한 버터를 약간, 올리브유를 기본으로 한 소스라면 올리브유를 넣고 한두 번 더 버무린다.

참고 ෴ 생면 파스타가 공장제 파스타보다 더 흡수력이 좋으므로 보통 버터나 기름이 조금 더 들어가야 한다.

식탁에 차리기 ෴ 일단 파스타에 소스를 입혔다면 바로 차려 내고, 음식을 받은 손님이나 가족은 대화를 멈추고 먹기 시작해야 한다. 파스타가 다 익은 순간, 건지고, 소스를 입히고, 식탁에 내서 먹기까지의 과정이 일사천리로 이루어져야 한다. 익힌 뜨거운 파스타를 내버려두지 마라. 축축하고 끈적끈적한 덩어리가 되고 만다.

공장제 파스타

포장된 건조 파스타는 공장에서 생산된 것으로, 친숙한 형태로는 스파게티, 펜네, 푸실리 같은 것이 있다. 기계로 찍어낸 파스타는 집에서 직접 만든 파스타보다 어쩔 수 없이 질이 떨어진다. 그럼에도 공장제 파스타를 쓰는 게 더 나은 요리도 여럿 있다. 특별히 직접 만든 파스타를 써야 하는 경우도 몇 있지만 말이다. 두 종류 파스타의 차이점과 일반적인 쓰임에 관해서는 35~36쪽에 설명되어 있다.

집에서 신선한 파스타 만드는 법
제면기를 사용하는 법과 밀대로 만드는 법

당신이 곳곳에 수제 파스타 가게가 있는 에밀리아-로마냐에 사는 게 아니면, 밖에서 파스타를 사거나 먹는 것보다 밀대나 제면기를 이용해 신선한 파스타를 집에서 만드는 게 낫다.

미리 일러두자면, 밀대와 제면기가 같은 결과물을 만들어내진 않는다. 손으로 민 파스타는 제면기로 생면 파스타를 뽑아내는 것과 꽤 다르다. 손으로 파스타를 밀면, 90cm 길이의 둥근 나무 봉을 이용한 빠르고 연속적인 손동작에 의해 반죽이 늘어나면서 얇아진다. 제면기를 이용하면 원하는 두께가 될 때까지 반죽을 2개의 원통 사이로 짜낸다.

손으로 민 파스타의 색이 제면기로 뽑은 것보다 확실히 더 진하다. 잘 보이지 않지만 들쭉날쭉한 굴곡이 표면에 새겨지기 때문이다. 익히면 소스는 빨아들이면서 겉은 촉촉하다. 입 안에서 그 어떤 파스타도 흉내 낼 수 없는 섬세하고 부드러운 감촉을 선사한다. 그러나 안타깝게도 밀대 미는 법을 배우는 건 설명을 잘 따르는 문제가 아니다. 장인의 기술을 터득하는 문제다. 엄청난 끈기를 갖고 반복해봐야 하고, 손동작을 곰곰 생각하지 않고도 재빠르고 자신 있게 손이 움직일 때까지 연습해야 한다.

반면에 제면기 사용엔 딱히 엄청난 기술이 필요하지 않다. 달걀과 밀가루를 섞어 너무 질거나 되지 않게 반죽을 만드는 법만 배우면, 이후로는 간단한 기계 조작법만 익히면 된다. 초심자 역시 저렴한 비용으로 괜찮은 생면 파스타를 만들 수 있다.

밀가루 ❀ 이탈리아에서 볼로냐식으로 만든 전통적인 신선한 달걀 파스타는 도피오 제로(doppio zero), 즉 '00' 밀가루로 만든다. 이것은 곱게 제분된 백색 밀가루로, 표백하지 않은 종류의 미국식 다목적용 밀가루보다 글루텐이 덜 형성된다. 내가 이탈리아가 아닌 곳에서 직접 생면 파스타를 만들 경우, 표백하지 않은 다목적용 밀가루를 썼을 때 가장 만족스러운 결과물을 얻었다. 그 밀가루를 썼을 때 질감과 향미가 아주 좋고 실한 파스타를 만들기 쉬웠다.

가장 단단한 밀인 듀럼밀을 제분해 만든 세몰리나(semolina)가 가진 장점에 대해서는 약간의 이견이 있다. 이탈리아에서는 세몰라 디 그라노 두로(semola di grano duro)라고 부르며, 모든 이탈라아산 공장제 파스타 포장지에서 이 이름을 발견할 수 있다. 내 생각에, 이 밀가루는 공장에서 생산하는 파스타에만 적합하다. 가정에서 쓰기엔 이점이 별로 없다. 파스타용으로 파는 밀가루 제품도 조직이 거친데, 그보다 굵은 세몰리나로 반죽을 만들기란 거의 불가능하다. 곱게 제분되었다고 해도 원하는 부드러운 질감을 얻으려면 기계로 밀어야 한다. 밀대로 밀기를 시도하는 것은 가능성 없는 싸움에 희망을 거는 것이나 마찬가지다. 세몰리나 가루는 공장이나 상업용 파스타 전문가에게 맡겨두고, 가정에서는 표백하지 않은 다목적용 밀가루를 써라.

제면기로 만드는 파스타

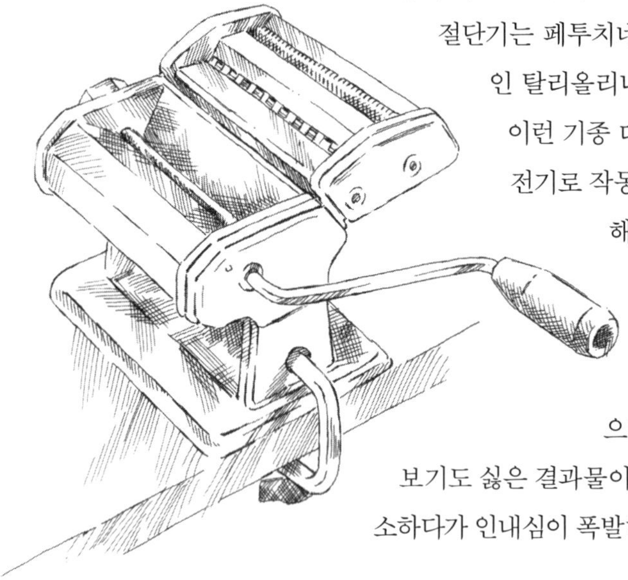

제면기 ❀ 파스타 제면기를 구입할 때 염두에 둘 기준은 딱 하나다. 반죽을 치대고 얇게 펴는 한 쌍의 철로 된 원통이 나란하게 붙어 있고, 절단기는 페투치네(fettuccine)용 하나, 아주 가는 면인 탈리올리니(tagliolini)용 하나가 달린 것이다. 이런 기종 대부분이 손으로 돌리는 방식인데, 전기로 작동시킬 수도 있다. 모터를 따로 구입해 제면기 손잡이를 빼면 쉽게 연결할 수 있다.

곤죽이 된 달걀과 밀가루 반죽을 통과시켜 파스타를 뽑으려 하지 마라. 끈적끈적하고 쳐다보기도 싫은 결과물이 나올뿐더러 그 복잡한 장치를 청소하다가 인내심이 폭발하고 말 것이다.

노란색 파스타 반죽 ❀ 표백하지 않은 밀가루 1컵과 대란 2개로 파스타 340g을 만들 수 있는데, 일반적인 3인분 또는 전채로는 4인분에 해당하는 양이다. 밀가루와 달걀의 대략적인 비율은 이대로 따르되, 달걀 상태와 때로는 부엌 안 습도에 따라서 조절해야 할 수도 있다.

참고 ❀ 속을 채울 노란색 파스타의 반죽에는 앞에서 말한 비율에 우유 ½큰술을 추가한다.

초록색 파스타 반죽 ❀ 표백하지 않은 밀가루 1½컵, 대란 2개에 냉동 시금치잎 140g을 해동하거나 신선한 시금치 225g으로, 일반적인 4인분에 해당하는 450g 정도의 초록색 파스타를 만들 수 있다.

냉동 시금치를 해동해서 쓴다면 냄비에 소금 ¼작은술을 넣고, 나긋해지고 풋내가 없어질 때까지 뚜껑을 덮어 익힌다. 신선한 시금치를 쓴다면 씻은 다음, 99쪽 설명에 따라 조리한다. 두 종류의 시금치 모두 물기를 완전히 빼고, 만질 수 있을 정도로 충분히 식으면 손에 쥐고 남은 물기가 없도록 힘주어 짠다. 칼로 아주 곱게 다진다. 물기가 너무 많이 나올 수 있으니 푸드프로세서는 사용하지 않는다.

참고 ❀ 기본적인 노란색 파스타에 색을 입히는 재료로 시금치 외에는 추천할 수 있는 게 없다. 다른 재료는 아무 맛이 나지 않기 때문에 혀로 느낄 수 있는 맛의 즐거움이 없다. 굳이 다른 맛을 낸다면 오징어 먹물로 반죽을 물들인 처참한 검은색 파스타가 있긴 하지만 그마저도 묵은 맛이 난다. 파스타는 치장할 필요가 없다. 소스의 빛깔과 향으로 충분하다.

달걀과 밀가루 배합하기 ❀ 밀가루가 정확히 얼마나 필요할지는 그 누구라도 알려줄 수 없다. 달걀과 밀가루를 배합하는 비율은 오직 손에 달려 있다. 반죽을 계속하면서 감각적으로 비율을 조정한다.

작업대에 밀가루를 붓고 산봉우리처럼 모양을 잡아, 가운데에 구멍을 깊게 판다. 그 구멍에 달걀을 깨어 넣는다. 초록색 반죽을 만든다면 이 시점에서 다진 시금치도 함께 넣는다.

오믈렛을 만들 때처럼 포크로 달걀을 1분 정도 가볍게 푼다. 시금치를 넣었다면 1분 또는 그 이상 더 섞는다. 밀가루 약간을 달걀 위로 끌어서 넣고 달걀이 더 이상 흘러내리지 않을 때까지 포크로 조금씩 천천히 섞는다. 손으로 밀가루 더미의 가장자리를 끌어 모으되, 약간의 밀가루는 한쪽에 밀어두고 반드시 필요할 때까지 그대로 둔다. 부드럽고 균일한 반죽이 되도록 손가락과 손바닥을 써서 달걀과 밀가루를 합쳐라. 반죽이 질면 밀가루를 좀 더 넣는다.

반죽의 느낌이 좋고 더 이상 밀가루를 넣지 않아도 될 것 같으면 손을 씻고 닦은 뒤 간단한 시험을 거쳐라. 반죽 가운데를 엄지손가락으로 깊게 찔러보는 것이다. 묻어 나오는 것 없이 깨끗하게 빠져나온다면 밀가루를 더 넣지 않아도 된다. 달걀과 밀가루 반죽을 한쪽에 두고, 어떤 밀가루 부스러기나 덩어리도 남아 있지 않도록 작업대를 깨끗하게 청소한다. 이제 반죽을 치댈 준비가 되었다.

치대기 ❀ 반죽을 적당히 치대는 것은 제면기로 맛있는 파스타를 만드는 데 있어 가장 중요한 과정이자, 집에서 훌륭한 생면 파스타를 뽑는 비법이다. 기계로

도 파스타 반죽을 치댈 수 있지만, 손으로 반죽하는 것보다 월등히 빠르지도 않고, 훨씬 만족스럽지 못하다. 특히 푸드프로세서로 반죽했을 때가 그렇다.

밀가루와 달걀을 합친 상황으로 돌아가자. 손가락을 구부려 잡은 채 손바닥 바깥쪽 아래 튀어나온 부분으로 누르면서 앞쪽으로 민다. 반죽을 반으로 접어 90° 회전시키고, 손바닥 아랫부분을 써서 다시 세게 누르며 민다. 같은 동작을 반복한다. 동그란 반죽은 항상 같은 방향으로 회전시켜야 하는데, 시계방향이든 반시계방향이든 상관없이 편한 쪽으로 하면 된다. 8분 정도 쉬지 않고 치대고, 반죽이 아기피부처럼 부드러워졌다면 제면기에 넣을 준비가 된 것이다.

참고 반죽을 크게 만든다면, 둘 또는 그 이상으로 나누어 순서대로 하나씩 치대기를 끝낸다. 아직 치대지 않은 반죽이나 이미 치대는 작업을 마친 반죽은 주방용 랩으로 밀착시켜 덮어둔다.

얇게 펴기 달걀 2개로 만든 각각의 둥근 반죽을 같은 크기로 6등분한다. 다시 말해, 얇게 펴기 위해 나눈 반죽 덩어리 개수는 전체 반죽에 사용한 달걀의 3배에 해당하는 수이다.

깨끗하고 마른 접시닦이용 천을 제면기를 놓을 작업대 주변에 펼쳐 놓는다. 많은 양의 파스타를 만든다면 넓은 작업공간이 있어야 하고 천도 많이 필요하다. 밀대 역할을 하는 매끄러운 원통 한 쌍 사이의 틈을 가장 넓

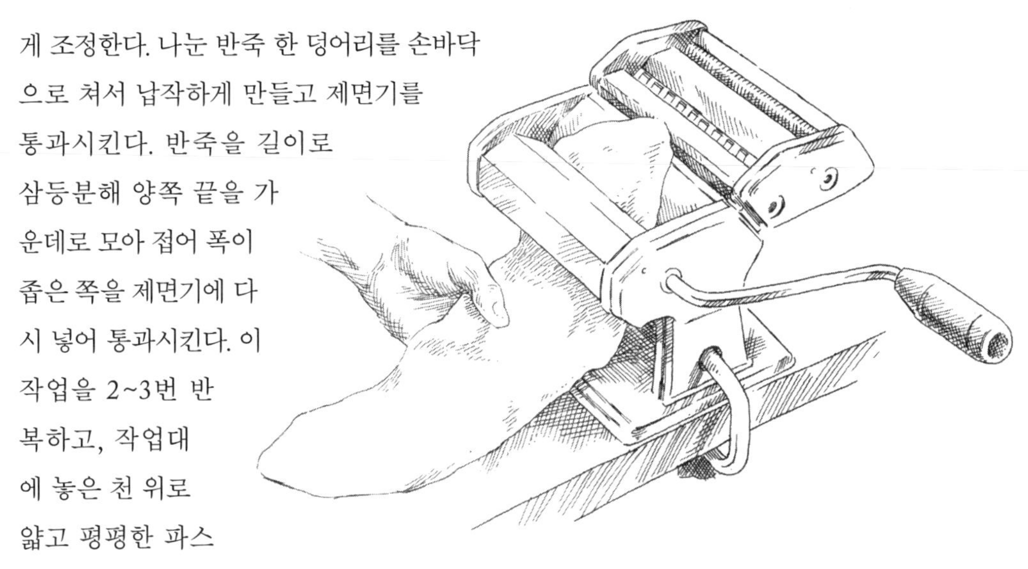

게 조정한다. 나눈 반죽 한 덩어리를 손바닥으로 쳐서 납작하게 만들고 제면기를 통과시킨다. 반죽을 길이로 삼등분해 양쪽 끝을 가운데로 모아 접어 폭이 좁은 쪽을 제면기에 다시 넣어 통과시킨다. 이 작업을 2~3번 반복하고, 작업대에 놓은 천 위로 얇고 평평한 파스타를 누인다. 얇고 넓은 면이 많이 만들어지기 때문에 남은 반죽을 둘 공간을 비워두면서 작업대 끝 가장자리부터 놓는다.

다른 반죽 덩어리도 손으로 납작하게 펴고, 앞의 설명을 정확히 따라 제면기를 통과시킨다. 먼저 만들어 천 위에 올려둔 반죽 옆에 누이되, 서로 닿거나 겹치지 않도록 한다. 넓게 편 반죽이 아직 촉촉해서 서로 붙어버릴 수 있다. 남은 반죽 모두 동일한 과정을 거쳐 얇게 편다.

참고 ❁ 이것은 파스타를 면발로 자르기 전에 거치는 과정이다. 라비올리나 다른 속을 채운 형태로 만들 계획이라면 다음에 나올 속을 채운 파스타를 참고하라.

제면기에 장착된 밀대 사이를 한 단계 좁힌다. 맨 처음 얇게 편 파스타를 가져와 폭이 좁은 쪽을 밀대 사이에 넣고 한 번 통과시킨다. 접지 말고 평평하게 편 채로 천 위에 놓는다. 다음 파스타 면도 같은 과정을 거친다.

모든 파스타 면을 한 번씩 통과시켰다면, 밀대 사이를 더 좁게 조정하고 위에서 한 것처럼 다시 한번 파스타 면을 통과시킨다. 면이 얇아질수록 더 길어지므로 작업대 위에 펼쳐둘 충분한 공간이 없다면 가장자리에 걸쳐 놓아도 좋다. 원하는 파스타 두께가 나올 때까지 밀대 사이 간격을 한 번에 한 단계씩 좁혀가며 반복한다. 판매를 위해 생면 파스타를 만드는 업자는 이처럼 차례차례 얇게 펴는 과정을 크게 줄이거나 아예 건너뛰기도 한다. 그러나 이 과정은 치대기와 함께 질 좋은 파스타의 조직과 구조를 형성하는 데 중요하다.

속을 채운 파스타에 대한 참고 ❀ 속을 채우고 감싸기 위해 만든 파스타 반죽은 부드럽고 들러붙어야 한다. 그러려면 앞서 설명한 과정을 따르되 순서를 약간 조정해야 한다. 반죽을 한 번에 한 덩어리만 가져와 얇게 펴는 과정 전체를 거친 후 잘라서 선택한 레시피에 따라 속을 채운다. 그 뒤에 다음 반죽 덩어리로 작업한다. 얇게 펴기 위해 준비해둔 나머지 반죽 덩어리들은 주방용 랩으로 싸 둔다.

건조하기 ❀ 페투치네, 탈리올리니, 파파르델레(pappardelle), 그 외에 잘라서 만드는 모든 파스타는 천 위에 얇게 편 반죽을 펼쳐서 부엌의 온도와 통풍 상태에 따라 10분 또는 그 이상, 이따금 면을 뒤집어주면서 말려야 한다. 파스타는 적당히 무를 때 잘라야 부스러지지 않는다. 너무 물렁하거나 수분을 지나치게 머금고 있으면 서로 들러붙고 만다. 판매 목적이 아니면 파스타를 이 이상 말리지 않아도 된다(146쪽을 보라).

얇게 민 파스타 자르기 ❀ 페투치네를 만들려면 제면기에 폭이 더 넓은 날을, 톤나렐리(아래 참고) 또는 탈리올리니는 더 좁은 날을 장착한다. 파스타 면이 지나치지는 않되 충분히 말랐을 때 선택한 칼날에 넣어 통과시킨다. 칼날에서 빠져나온 면 가닥은 꼬이기 때문에 서로 떼어주면서 주방용 천 위에 펼쳐 놓는다. 136~137쪽의 파스타 조리의 핵심에서 설명한 대로 파스타를 익히려면 천 하나에 모은 다음, 소금을 넣은 끓는 물에 미끄러지듯 넣는다.

특수면 자르기

❀ 톤나렐리(Tonnarelli): 단면이 사각형이면서 길쭉하게 생긴 이 면은 이탈리아 중부에서 왔는데, 생김새도 흥미롭거니와 독특한 소스들과 어울리는 점이 특히 훌륭하다. 마케로니 알라 키타라(maccheroni alla chitarra)로도 알려져 있는데, 중부 이탈리아에서는 이 면을 자를 때 기타처럼 생긴 도구를 쓰기 때문이다. 이 면은 각진 모양이 분명한 만큼 도톰하다. 면의 단단한 조직은 공장제 파스타처럼 '씹는 맛'을 주고, 맛이나 향이 진하지 않은 홈메이드 파스타 소스와 모두 잘 어울린다.

톤나렐리를 만들 때는 제면기를 쓰면 좋다. 톤나렐리 반죽은 페투치네나 다른 면보다 더 두꺼운 상태로 남겨두어야 한다. 자른 단면이 사각형이어야 하므로 파스타 가닥의 두께가 제면기 절단 날의 홈의 폭과 같아야 한다. 톤나렐리를 뽑을 때는 대부분의 제면기에서 면의 두께를 마지막에서 두 번째

단계에 맞추면 된다. 의심스럽다면 이렇게 맞춰놓은 상태에서 반죽 일부를 통과시켜 두께가 절단 날의 홈의 폭과 같은지 확인하도록 한다.

❁ 파파르델레(Papparadelle): 파스타를 직접 만들어 먹기로 유명한 볼로냐 사람들이 최애하는 파파르델레는 넓적한 모양으로 시선을 사로잡는다. 이 면의 넓은 표면은 고기나 야채, 또는 둘을 섞어 만든 소스를 풍부하게 감싼다. 이 면은 칼로 직접 썰어야 하는데, 제면기에 파파르델레용 절단 날이 없기 때문이다. 얇게 편 파스타 면을 길이 15cm, 폭 2.5cm의 끈 모양으로 자른다. 바퀴형 제과제빵용 칼이 가장 효과적인 도구인데, 홈이 파인 것으로 자르면 꽤 재미있는 면을 만들 수 있다.

❁ 탈리아텔레(Tagliatelle): 제면기의 넓은 날로 만들 수 있는 면은 페투치네다. 탈리아텔레는 고기를 넣은 볼로냐식 소스와 가장 잘 어울리는 전통 볼로냐식 면으로, 폭이 약간 더 넓기 때문에 직접 썰어야 한다. 얇게 민 파스타 반죽이 썰 수 있을 정도로 충분히 마르되 갈라지지 않고 부드럽게 구부러질 때, 7.5cm 정도 폭으로 길이를 따라 느슨하게 접는다. 중식칼이

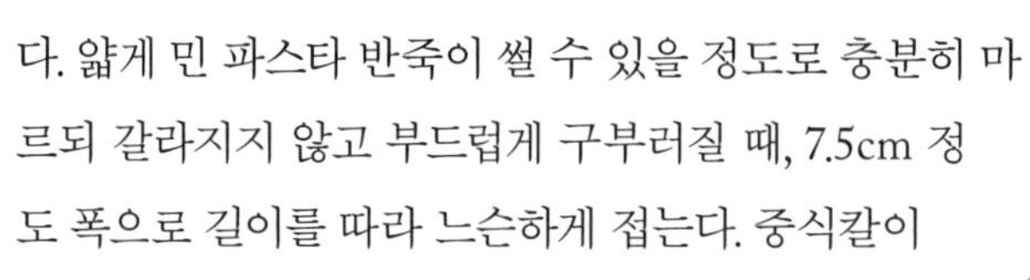

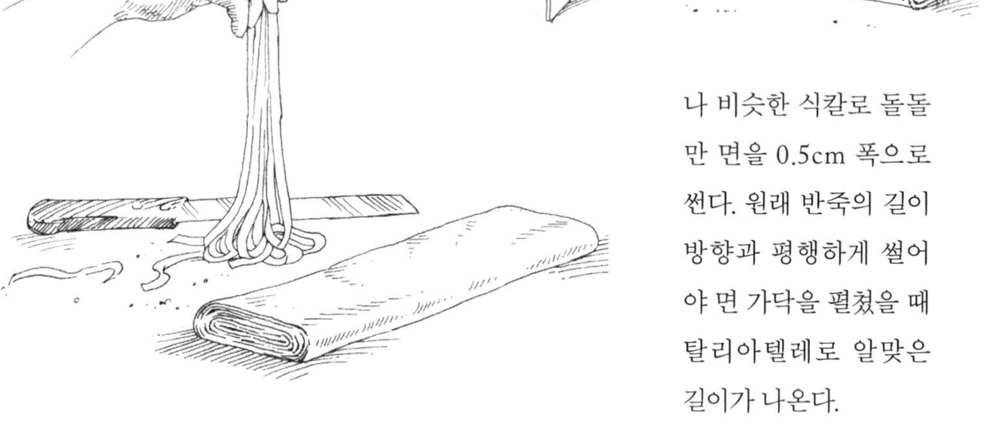

나 비슷한 식칼로 돌돌 만 면을 0.5cm 폭으로 썬다. 원래 반죽의 길이 방향과 평행하게 썰어야 면 가닥을 펼쳤을 때 탈리아텔레로 알맞은 길이가 나온다.

장기 보관을 위한 건조법 ❁ 생면 파스타는 반드시 부드러울 것이라고들 여긴다. 이건 오해다. 면을 갓 만들었을 때만 정말 부드럽다. 물론 그런 상태가 삶기에 아주 적절한 것은 사실이다. 그러나 면이 건조되길 기다릴 수도 있다. 건조는 자연스러운 과정이니 굳이 막을 이유도 없다. 반대로, 생면 파스타를 부드럽게 유지시키는 인위적인 방법—거친 옥수수가루를 뿌리거나, 주방용 랩으로 싸두거나, 냉장고에 넣는—은 불필요할뿐더러 파스타의 질을 떨어뜨리므로 피해야 한다. 적절하게 건조된 생면은 삶으면 본래 갖고 있던 질감과 맛이 고스란히 살아난다. 시중에서 파는 흐느적거리는 '생면' 파스타는 그렇지 않다.

한번 건조시킨 직접 만든 생면 파스타는 찬장에서 일주일 동안 저장할 수 있다. 면을 자르고, 한 번에 몇 가닥씩 모아 새둥지 모양으로 돌돌 만다. 저장하기 전에 완전히 건조시킨다. 수분이 남은 상태로 넣어두면 곰팡이가 피기 때문이다. 조심하는 차원에서 천을 밑에 깔고 말아놓은 파스타를 24시간 동안 말린다. 다 마르면 큰 상자나 통에 넣고 파스타들 사이에 키친타월을 끼워 넣어 보관한다. 부러지기 쉬우니 조심조심 다룬다. 냉장고 말고 건조한 찬장 안에 저장한다.

참고 ❁ 건조시킨 생면 파스타는 익히는 시간을 약간 더 길게 잡아야 한다.

수프 파스타

직접 만든 파스타를 수프에 넣어 먹기 좋게 자른 것이다. 옅은 달걀 맛이 나는 부드러운 질감으로 시판 공장제 파스타보다 확실히 더 매력적이다.

❁ 말탈리아티(Maltagliati): 걸쭉한 수프, 특히 콩수프와 가장 잘 어울리는 파스타다. '대충 자르다'라는 뜻의 이름으로, 면의 모양이 길고 반듯한 끈이 아닌 불규칙한 마름모꼴인 데서 비롯했다. 앞서 탈리아텔레에서 설명한 대로 얇게 편 파스타 반죽을 납작하게 만다. 돌돌 만 면 가운데에 뾰족한 각이 생기도록 면의 귀퉁이를 비스듬하게 썰어낸다. 이 다음을 똑바로 썰게 되어도 다시 처음처럼 귀퉁이를 잘라 각을 만들어 썬다. 면을 다 자르면, 말탈리아티를 바로 펼쳐주고 느슨하게 풀어준다. 그래야 서로 들러붙지 않는다.

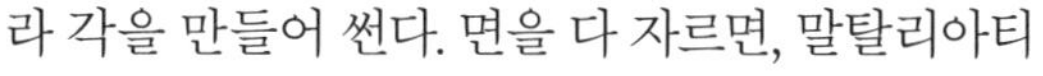

파스타를 만들 때마다 일부를 말탈리아티로 만들어두면 좋다. 말리면 오랫동안 저장해두고 수프에 넣고 싶을 때 언제든 쓸 수 있기 때문이다.

❁ 콰드루치(Quadrucci): 이탈리아어 뜻이 알려주듯, 이것은 작은 사각형이다. 탈리아텔레 폭으로 면을 자른 다음에, 면을 펼치지 않은 상태에서 사각형이 나오도록 수직 방향으로 썬다. 콰드루치는 직접 만든 고기육수에 완두콩과 볶은 닭 간을 넣은 수프와 특히 잘 어울린다.

❁ 만프리굴(Manfrigul): 아드리아해와 맞닿은 북동쪽 해안 지역인 로마냐의 특산물로, 작은 보리 알갱이처럼 잘게 썰어서 만든다. 이 파스타의 단단하고 독특한 식감은 수프의 질감과 대조를 이루며 먹는 즐거움을 준다.

141쪽 설명대로 치댄 반죽을 준비한다. 손바닥으로 두께가 5cm 정도 되도록 반죽을 납작하게 편다. 최대한 얇게 썰어서 깨끗한 마른 주방용 천 위에 펼쳐 놓는다. 들러붙지 않을 정도가 될 때까지 한두 번 뒤집어가며 건조시키되, 부스러질 정도로 말려서는 안 된다. 주방의 온도와 습도에 따라 20~30분이 걸린다. 얇게 썰어둔 조각 하나를 잘라서 끈적이는지 확인해본다. 끈적이지 않는다면 얇게 썬 반죽을 모두 도마 위로 가져와 날카로운 칼로 아주 작게 깍둑썰기한다.

참고 ❁ 푸드프로세서의 금속 날로도 만프리굴을 잘게 썰 수 있다. 버튼으로 모터를 껐다 켰다 하면 고르고 잘게 써는 게 가능하다. 아주 작은 알갱이가 되었을 때 멈춘다. 프로세서의 몸통을 분리해 고운 채 위로 내용물을 붓고 흔들어 가루가 된 반죽은 걸러 버린다.

만프리굴 보관하기: 이 파스타는 보관이 용이하기 때문에 언제든 쓸 수 있도록 비축해두면 좋다. 깨끗한 마른 천 위에 펼쳐서 완전히 말린다. 12시간 정도 걸리는데, 하룻밤을 말려도 좋다. 밀폐된 유리병에 넣고 찬장에 보관한다. 야채 수프 또는 쌀이나 보리를 넣는 수프라면 뭐든지 만프리굴을 쓸 수 있다. 25쪽 방법대로 직접 만든 기본 고기육수에 만프리굴만 넣고 파르메산 간 것을 곁들여 차려 내도 아주 훌륭하다.

속을 채워 모양을 낸 파스타

다음에 나오는 모든 형태는 부드럽고 촉촉한 갓 만든 반죽으로만 만든다. 시작하기에 앞서 144쪽 속을 채운 파스타의 참고 사항을 읽어보라. 금방 얇게 민 부드러운 반죽이 모양을 잡기 쉽고, 끈적임이 남아 있어 접어 붙인 부분이 떨어지지 않아서 익히는 동안 속이 새지 않는다.

❁ 토르텔리니(Tortellini): 이 만두형 파스타를 볼로냐에서는 토르텔리니로, 로마냐 지역의 라벤나, 포를리, 리미니에서는 카펠레티(capelletti)라고 부른다. 속은 아주 다양하지만 빚는 방법은 같다. 얇게 민 파스타 반죽을 폭 4cm 정도의 사각형 띠 모양으로 자른다. 잘라낸 부분은 버리지 말고 한데

뭉쳐 두었다가 나중에 쓴다.

사각 띠를 4cm 크기의 정사각형으로 썬다. 만들어둔 속을 각각의 정사각형 가운데에 ¼작은술 정도 올린다. 사각형을 대각선 방향으로 두 개의 삼각형이 나오도록 접는데, 삼각형 하나가 다른 하나를 덮는 식으로 접어 올린다. 아래 삼각형의 가장자리에서 0.3cm를 남겨두고 위로 덮는 삼각형을 접는다. 손가락 끝으로 가장자리가 단단히 붙도록 꾹꾹 눌러준다.

삼각형 파스타의 길이가 긴 변, 즉 접힌 변의 한쪽 끝을 삽는다. 반대쪽 끝을 다른 손의 엄지와 검지로 잡는다. 삼각형이 만드는 사람 쪽을 향하고 긴 변이 바닥과 평행이 되며 모서리는 위를 향한다. 반죽을 잡은 채로 한쪽 손 검지를 그 끝이 만드는 사람을 보도록 삼각형 뒤쪽으로 돌려 밑변이 자연스럽게 눌리게 한다. 이렇게 하면 삼각형 위쪽 모서리도 접힌다. 그대로 검지 끝에 걸린 반지 모양이 되도록 양 모서리를 맞붙인다. 풀리지 않게 꾹꾹 눌러준다. 깨끗한 마른 주방용 천 위에 토르텔리니를 조심스럽게 놓는다.

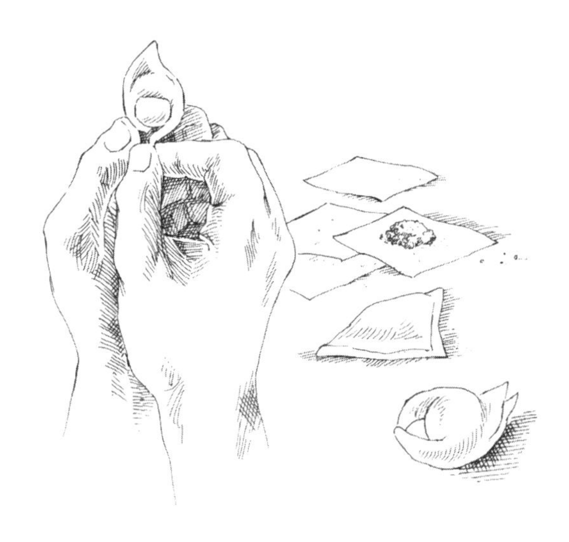

만든 토르텔리니는 모두 천 위에 줄지어 놓는데, 서로 닿거나 들러붙어 찢어지지 않도록 떨어뜨려 놓는다. 몇 시간 또는 하루 전에 미리 만들어두어도 된다. 미리 만들었다면 이따금 뒤집어주어 모든 면이 골고루 건조되도록 한다. 반죽이 가죽처럼 단단해지면 토르텔리니가 결국 찢어지므로 유의한다.

제안 ❁ 토르텔리니를 처음 만들어보는 거라면 한 변이 4cm인 정사각형으로 반죽을 몇 조각 잘라 맞게 만들고 있다는 확신이 들 때까지 연습한다.

❁ 토르텔로니(Tortelloni), 토르텔리(Tortelli), 라비올리(Ravioli): 이 파스타들은 이름도 다르고 크기와 속재료도 다르지만 모양만큼은 똑같이 사각형이다. 이 파스타를 만들려면 갓 만든 부드러운 반죽을 긴 사각형으로 자르는데, 폭이 각각의 레시피에 나온 만두형 파스타의 정확히 두 배가 되게 한다.

예컨대, 레시피에 나온 토르텔로니가 5cm 크기라고 가정해보자. 반죽을 10cm 폭의 긴 사각형으로 자르고, 속을 5cm 간격으로 놓는다. 속재료 간격은 만두형 파스타의 크기와 반드시 같아야 하므로, 이 경우에는 5cm이다. 속은 한쪽 가장자리에서 2.5cm—만두형 파스타 폭의 절반에 해당—떨어뜨려 간격을 맞춰 줄지어 놓는다. (생각보다 쉽다. 처음이라면 종이를 잘라 크기를 가늠해보자.)

사각형 면 위에 속을 다 놓았다면, 한쪽 가장자리를 다른 쪽 가장자리로 가져와 붙인다. 그러면 속을 감싼 긴 튜브가 만들어진다. 홈이 파인 바퀴형

제과제빵용 칼로, 붙인 가장자리와 튜브의 양 끝을 잘라내 뚫린 곳이 없게 한다. 같은 칼로 속재료 사이를 가로지르면서 잘라 사각형 조각들로 만든다. 깨끗한 마른 주방용 천 위에 서로 떨어뜨려 펼쳐놓고, 반죽이 부드러울 동안은 건드리지 않는다. 서로 들러붙는다고 억지로 떼어내려 하면 찢어진다. 바로 익힐 요량이 아니라면 건조되는 동안 이따금 뒤집어준다.

❁ 가르가넬리(Garganelli): 손으로 뒤집어 만 튜브형 파스타인 가르가넬리는 로마냐에 있는 이몰라와 몇몇 마을의 특산물이다. 이 파스타의 말린 모양은 시판하는 펜네를 연상시키고, 직접 만든 이 파스타의 질감은 궁합이 좋은 소스와 만났을 때 특별한 맛의 충격을 안겨준다. 속을 채우지는 않지만, 토르텔리니나 토르텔로니처럼 반드시 갓 만든 부드러운 반죽으로 만들어야 한다.

로마냐에서는 가르가넬리를 작은 베틀처럼 생긴 페티네(pettine)라는 도구나 빗을 이용해 만든다. 깨끗한 새 머리빗으로도 대신할 수 있는데, 빗살의 길이가 최소 4cm는 되어야 한다. 빗살이 긴 곱슬머리용 빗(Afro comb)도 좋다. 지름 0.5cm에 길이 15~18cm짜리 작은 나무봉이나 각이 없이 둥근 연필도 필요하다.

갓 한 부드러운 반죽을 4cm 크기의 정사각형으로 자른다. 평평한 작업대 위에 빗을 놓는데, 빗살 끝이 만드는 사람의 반대쪽을 향하게 한다. 사각형 조각을 대각선 방향으로 빗 위에 올려 한쪽 모서리는 만드는 사람을, 다른 쪽은 빗살을 향하게 한다. 작은 나무봉이나 연필을 사각형 면 조각 위에 빗

과 평행하게 놓는다. 가까운 쪽 모서리에서부터 나무봉을 살짝 누르면서 굴려 말아준다. 나무봉이 만드는 사람 쪽에서 멀어지면서 빗에서 떨어지게 한다. 나무봉을 들고 작고 홈이 파인 튜브형 파스타를 살살 빼낸다. 깨끗한 마른 주방용 천 위에 가르가넬리를 펼쳐 놓고 서로 들러붙지 않게 한다. 가르가넬리는 다른 파스타처럼 미리 만들어 건조해둘 수 없는데, 그러면 익으면서 쪼개지기 때문이다. 만들자마자 익히는 게 제일 좋지만, 그럴 수 없다면 몇 초 동안만 끓는 물에 넣었다가 바로 건져내 올리브유에 버무리고 쟁반 위에 서로 붙지 않게 놓아 식힌다.

❁ 스트리케티(Stricchetti): 영어권에서는 '나비 넥타이', 표준 이탈리아어로는 파르팔리네(farfalline)로 알려진 파스타다. 스트리케티라는 명칭은 아마도 이 형태가 처음 만들어졌을 로마냐의 방언이다. 이것은 모든 파스타를 통틀어 손으로 모양을 잡기가 가장 쉽다. 갓 한 부드러운 반죽을 가로 2.5cm, 세로 4cm 크기로 자른다. 사각형의 긴 변 가운데를 엄지와 검지로 집어 양쪽이 서로 만나도록 재빨리 찌그러뜨려 모은다. 약간 더 복잡한 방법도 있는데, 이는 가운데로 반죽이 덜 뭉친다는 장점이 있다. 엄지를 사각형 반죽 중앙에 놓고 긴 변 중 하나의 가운데를 엄지손가락을 향해 접는다. 엄지가 있던 곳에 다시 검지를 갖다 대고, 엄지로는 사각형의 다른 긴 변을 가운데로 모아 만나게 한다. 접은 부분이 고정되도록 단단히 조인다.

속을 채운 파스타 건조시키기 ❁ 토르텔리니, 라비올리 그리고 다른 속을 채우거나 모양을 낸 파스타는 가죽처럼 단단하게 완전히 말린 상태로 최소 일주일 동안 저장할 수 있다. 저장하기 전에 이따금 뒤집어주면서 24시간 동안 말린다. 이탈리아에서처럼 찬장에 넣어 저장할 수 있지만, 냉장 보관도 가능하다. 완전히 건조됐는지 처음에 확인 또 확인하라. 건조가 덜 되면 곰팡이가 핀다.

밀대로 만든 파스타

필요한 도구 ❁ 손으로 파스타를 만들려면 크고 안정적인 탁자와 파스타용 밀대가 필요하다. 돌돌 만 다음 파스타를 자르는 데는 볼로냐에서 쓰는 칼과 거의 비슷하게 생긴 중식칼이 유용할 수 있다.

탁자의 깊이는 60cm면 충분하고, 깊을수록 작업하기 편하다. 90cm가 적당하고, 140cm는 이상적이다.

탁자 상판의 재질로 가장 좋은 것은 나무다. 단단한 재질의 나무판자나 줄무늬 합판이 알맞다. 내열성 합성수지(formica) 또는 인조대리석도 괜찮다. 가장 권하지 않는 재질은 대리석인데, 차가운 성질이 반죽에 탄력이 생기는 것을 방해하기 때문이다.

상판이 나무라면, 서서 반죽을 밀 곳과 가까운 가장자리가 너무 날카롭게 각이 지지 않았는지 확인하라. 거기에 파스타를 한 장씩 걸쳐 놓았을 때 찢어질 수 있기 때문이다. 매끄럽지 않다면 사포로 갈아낸다. 합판으로 된 상판은 보통 가장자리를 감싸는 처리가 되어 있거나 뭉툭하게 마감하기 때문에 문제없을 것이다.

파스타용 밀대는 제과제빵용 밀대보다 더 가늘고 길다. 전형적인 크기는 지름 4cm에 길이 80cm 정도다. 에밀리아-로마 외의 지역에서는 구하기 쉽지 않다. 물품이 특별히 잘 비치된 주방용품점에서 가끔 취급하기도 한다. 좋은 목공점에서 단단한 재질의 나무로 된 지름이 4~5cm인 봉을 잘라줄 수도 있다. 양 끝을 완전히 매끄럽게 사포질한다.

밀대 말리고 보관하기: 세제와 물로 씻은 다음에 세제가 완전히 씻겨나가도록 흐르는 찬물에 헹군다. 부드러운 천으로 물기를 완전히 닦아낸다. 적당히 따뜻한 방 안에 두고 완벽하게 말린다.

아무런 맛이 없는 식물성기름을 천에 적셔 밀대의 표면 전체를 문지른다. 기름을 너무 많이 발라서는 안 되고, 아주 살짝만 입혀야 한다. 기름이 나무에 스며들면 밀가루로 밀대를 문지른다.

밀대를 좋은 상태로 유지하려면, 12번 사용에 한 번 꼴로 '보존 처리'를 반복한다.

밀대가 뒤틀어지는 것을 막으려면 매달아서 보관한다. 한쪽 끝에 고리를 달아 벽이나 찬장 안쪽 고리에 걸어놓는다. 밀대 표면이 파이지 않도록 조심한다. 표면이 고르지 못하면 파스타가 찢어질 수 있다.

밀대를 가져오기 전에 모든 설명을 주의 깊게 읽는다. 밀대를 쓰는 동작은 손으로 추는 발레와 같고, 댄서가 춤을 배우듯 동작을 익혀야 한다. 손을 놀리기 전에 동작이 직감적으로 나와야 하고, 움직임의 규칙과 과정이 머릿속에 명확하게 펼쳐져야 한다.

반죽 ❀ 141~142쪽 설명을 정확히 따라서 치댄 반죽 덩어리를 준비한다.

제안: 손으로 파스타를 만드는 것이 처음이라면 140쪽 초록색 파스타 반죽으로 시작해보면 더 쉽다. 더 부드러워서 더 쉽게 늘어난다.

반죽 휴지시키기 ❀ 밀기 전에 치댄 반죽의 글루텐이 안정적으로 형성되도록 휴지시키는 것이 좋다. 반죽을 다 치댄 뒤 주방용 랩으로 반죽 덩어리를 감싸 상온에서 최소 15분, 최대 2시간 휴지시킨다.

첫 번째 동작 ❀ 휴지할 때 감싼 랩을 벗기고 불편함 없이 손이 닿는 범위 내에서 작업용 탁자 가운데에 반죽 덩어리를 둔다. 살짝 납작해지도록 손바닥으로 2~3번 내리친다.

납작해진 반죽 덩어리 가운데 쪽으로 3분의 1 정도 되는 지점 위에 밀대를 가로질러 놓는다. 밀대는 만드는 사람과 가까운 쪽의 탁자 가장자리와 평행하게 놓아야 한다.

밀대를 힘차게 앞으로 누르면서 반죽 덩어리를 펴고, 반대로 부드럽게 굴려 시작점으로 돌아오고, 다시 앞으로 누르면서 미는 동작을 4~5번 반복한다. 매번 밀대를 멀리 떨어진 반죽의 가장자리까지 밀거나 그 위를 지나가지 않도록 한다.

반죽을 90° 돌려 앞의 동작을 반복한다. 반죽이 한 바퀴를 돌아 처음 지점으로 오고, 평평한 원판이 될 때까지 계속 돌려가며 밀어준다. 돌리는 각도는 서서히 줄겠지만 항상 같은 방향으로 돌려야 한다. 이 작업을 정확하게 했다면 반죽 덩어리는 반듯한 원 형태로 고르게 평평해져 있을 것이다. 펴진 상태의 지름

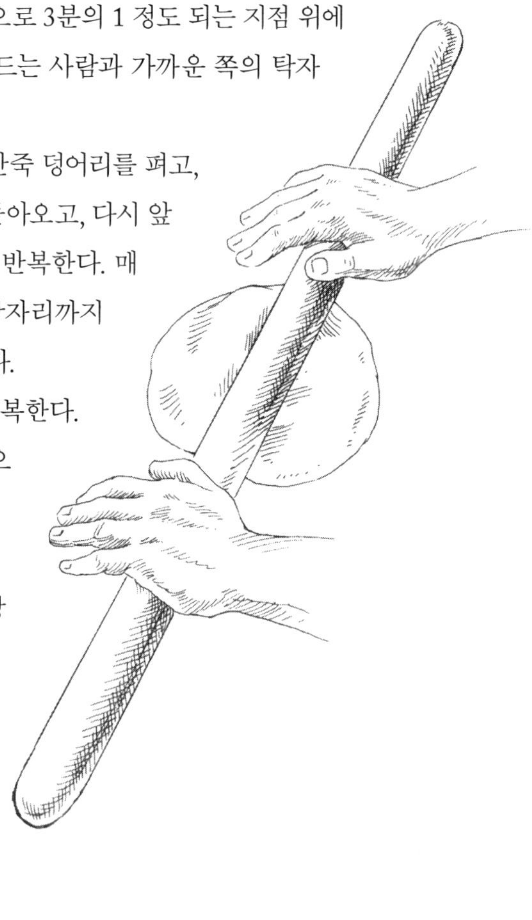

은 20~23cm이다. 다음 동작으로 넘어간다.

두 번째 동작 ❀ 이제 반죽을 늘릴 차례다. 가까운 쪽 반죽 아래 가장자리를 한 손으로 잡는다. 밀대는 반대편 멀리 떨어진 반죽의 가장자리에 두되, 만드는 사람 쪽 탁자와 평행하게 놓는다. 한 손이 밀대를 미는 동안 다른 손은 가장 가까운 쪽의 반죽 가장자리를 잡고 고정시키는 역할을 한다.

멀리 떨어진 쪽의 반죽 가장자리를 밀대로 만다. 밀대를 만드는 사람 쪽으로 굴리면서 가능한 한 많은 반죽이 밀대에 밀착되어 감기도록 한다. 다른 손은 가까운 쪽의 반죽 가장자리를 잡고 있어야 한다. 밀대를 만드는 사람 쪽으로 굴렸다가, 손바닥 아랫부분으로 누르며 다시 앞으로 민다. 앞으로 굴리는 것이 아니라, 밀어야 한다. 손과 손 사이의 반죽이 팽팽해지면서 늘어나게 하는 것이다. 이 동작은 연속적이고 유려한 움직임으로 아주 신속하게 이루어져야 한다. 어떤 순간이든 아래로 눌러 압력을 가하는 동작을 해서는 안 된다. 밀대를 미는 손은 2~3초 이상 한 곳에 미물러서는 안 된다.

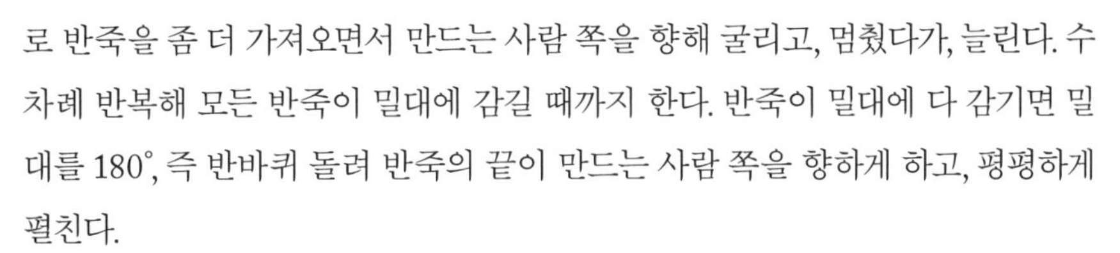

만드는 사람 쪽으로 밀대를 계속 굴리고, 멈췄다가, 반죽을 늘리면서 앞쪽으로 밀어낸다. 밀대로 반죽을 좀 더 가져오면서 만드는 사람 쪽을 향해 굴리고, 멈췄다가, 늘린다. 수차례 반복해 모든 반죽이 밀대에 감길 때까지 한다. 반죽이 밀대에 다 감기면 밀대를 180°, 즉 반바퀴 돌려 반죽의 끝이 만드는 사람 쪽을 향하게 하고, 평평하게 펼친다.

다시 한번 반죽이 완전히 밀대에 다 감길 때까지 굴리고 늘리는 동작을 반복한다. 앞서와 같은 방향으로 밀대를 180° 회전시키고 밀대에서 반죽을 푼다. 같은 동작을 다시 한번 반복한다. 얇은 반죽판이 늘어나 지름이 30cm 정도 될 때까지 계속한다. 다음 동작으로 바로 넘어간다.

세 번째 동작 ❀ 이제 결정적인 단계까지 왔다. 이 단계에서 반죽의 지름이 전 단계보다 2배 가까이 늘어나는데, 이번 동작을 멈추었을 때가 비로소 반죽이 파스타가 되는 순간이다. 리드미컬하면서도 압력을 가하는 손동작을 습득하면, 볼로냐 전통에 따라 파스타를 직접 만드는 아주 귀한 요리 기술 하나를 얻는 것이다.

둥근 반죽을 탁자 위에 평평하게 놓는다. 멀리 떨어진 반죽의 가장자리에 밀대를 두되, 만드는 사람과 가까운 쪽 탁자의 가장자리와 평행하게 한다. 밀대 가운데로 반죽 끝을 둥글게 말고, 밀대를 만드는 사람 쪽으로 굴린다. 반죽이 10cm 정도 감겨 올 것이다. 밀대 가운데를 두 손으로 가볍게 모아 잡는데, 손가락이 닿지 않아야 한다. 밀대를 멀리 굴렸다가 만드는 사람 쪽으로 굴리되, 원래 반죽의 10cm 이상은 가져오지 않는다. 밀대를 뒤쪽과 앞쪽으로 굴리는 동시에 양손을 서로 멀어지게 밀대 양 끝으로 부드럽게 이동시킨다. 그리고 다시 가운데로 가져오고, 이 동작을 빠르게 몇 번 반복한다.

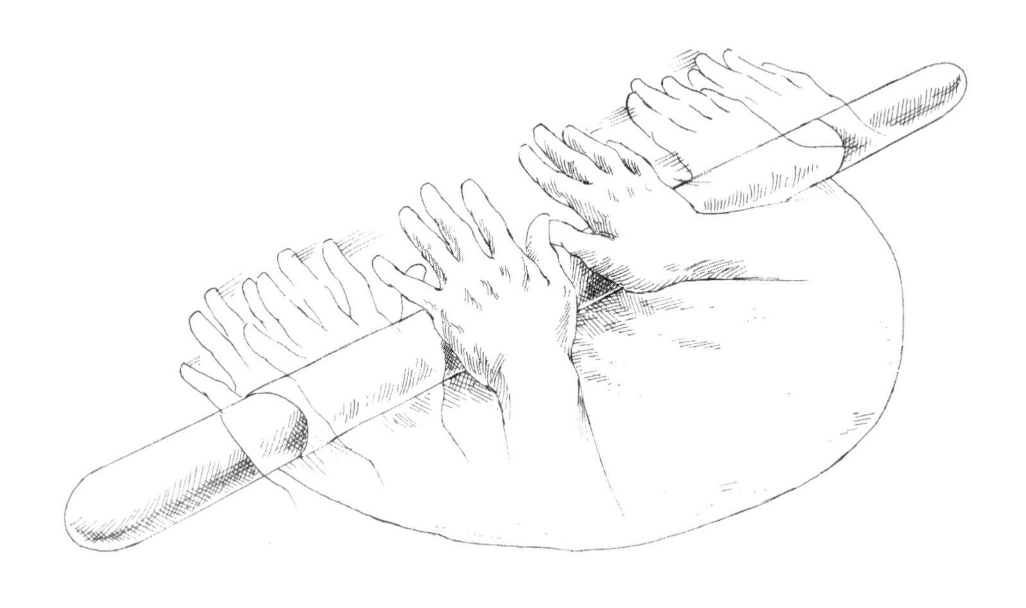

손이 중앙에서 멀어질 때, 손바닥 아랫부분이 반죽의 표면을 쓸고 나가도록 둔다. 반죽을 끌고 당기면서 사실상 밀대 양 끝을 향해 늘리는 것이다. 손을 가운데에서 끝으로 미끄러지듯 움직이는 동시에 밀대는 만드는 사람 쪽으로 굴려야 한다. 이 동작에서는 약간의 압력을 가해야 하는데, 그 방향이 아래쪽이 아니라 바깥쪽임을 유념하라. 반죽을 위에서 아래로 누르면 밀대에 들러붙기만 하고 늘어나지는 않는다.

양손을 가운데로 다시 가져올 때는 반죽 위로 손이 떠 있는 상태로 거의 스치듯 지나가야 한다. 반죽을 바깥쪽, 즉 밀대 양 끝을 향해 늘려야 하므로 다시 가운데로 끌고 와서는 안 되기 때문이다. 양손을 밀대의 가운데로 다시 가져오면서 만드는 사람 쪽에서 멀어지도록 밀대를 앞으로 굴린다.

양손을 아주 재빨리 움직이되, 바깥쪽을 밀어낼 때 무게가 실리지 않도록 손바닥의 아랫부분만 반죽에 닿아야 한다. 이렇게 움직이는 동안에도 여전히 밀대를 앞뒤로 부드럽게 굴려야 한다.

반죽을 약간 더 가져와 이 일련의 동작을 반복한다. 양손을 바깥으로 보냈다가 안으로 모으며 밀대를 앞뒤로 부드럽게 굴린다.

거의 모든 반죽을 가져오고 늘려서 몇 cm 남지 않았을 때 밀대를 180° 회전시킨다. 얇은 반죽을 평평하게 펼치고 멀리 떨어진 끝에서부터 다시 시작하며, 앞서 설명한 늘리는 동작 전체를 반복한다.

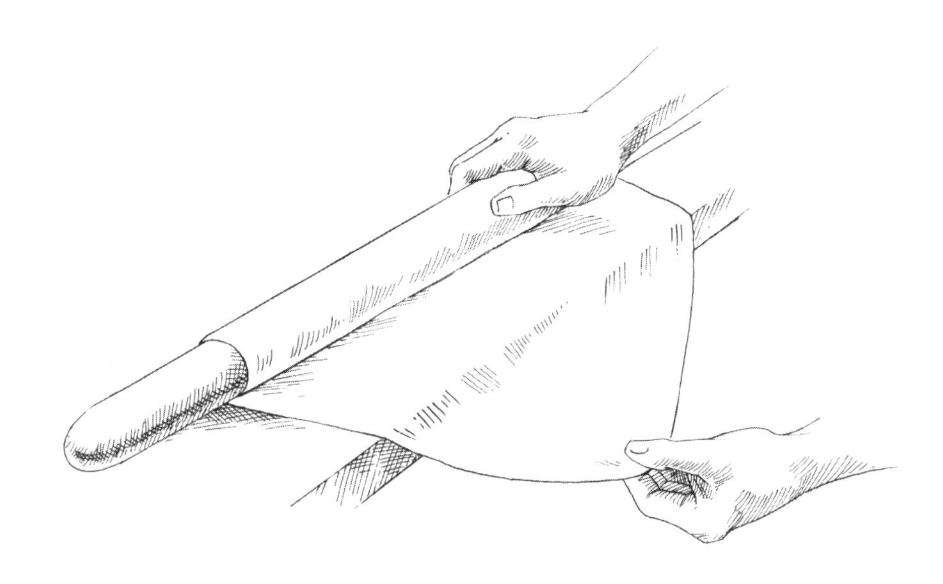

얇은 반죽이 점점 더 커지면 탁자 가장자리에 걸쳐지게 되는데, 하중이 반죽을 늘리는 데 도움을 줄 것이다. 그러나 그것에 너무 기대지는 마라. 찢어질 수 있기 때문이다. 밀대에 만 반죽을 가져와 반죽의 끝을 탁자 아래로 천천히 당긴다.

파스타 면을 돌려가면서 전부 완벽하게 늘렸을 때 탁자 위에 평평하게 펼친다. 밀대로 남은 주름을 마저 편다.

세 번째 동작은 표준적인 양의 파스타 반죽을 기준으로 10분 안에 이루어져야 한다.

제안:

❁ 반죽 덩어리를 파스타 면으로 얇게 펴는 일은 시간 싸움이다. 반죽은 부드럽고 나긋나긋할수록 더 길게 늘일 수 있지만, 이런 유연함이 지속되는 시간은 짧다. 마르기 시작하는 순간, 반죽은 다루기 어려워지고 금이 가기 시작한다. 애초에 작업을 시작할 때부터 속도를 내야 한다.

❁ 오븐을 켜둔 상태 또는 뜨거운 라디에이터나 환풍기 근처에서 파스타를 만들지 마라. 이 모든 것이 파스타 반죽을 마르게 한다.

❁ 손이 닿기 쉬운 범위 안에서 작업하면 더 쉽게 움직임을 조절할 수 있다.

❁ 진짜 반죽을 밀기 전에 기름막을 입힌 천(oilcolth)이나 들러붙지 않는 비닐을 둥글게 잘라 늘리는 동작을 연습해보면 도움이 된다.

문제점: 원인과 해결책

❁ 파스타에 구멍이 난다. 이건 모두에게, 때론 전문가에게도 일어날 수 있는 일이다. 대개는 심각하지 않다. 가장자리를 조금 떼어 약간 겹치도록 위에 덮는다. 필요하면 손가락 끝에 물을 살짝 묻혀 봉합한다. 밀대로 밀어 매끈하게 만들고 다시 반죽 작업을 계속하면 된다.

❁ 가장자리가 작게 갈라진다. 반죽을 늘리는 속도보다 빠르게 반죽이 말라가기 시작했음을 의미한다. 또는 반죽의 가운데보다 가장자리를 더 얇게 폈다는 뜻이다. 편 반죽은 더 이상 늘릴 수 없지만 이미 충분히 얇다면 사용해도 된다.

❁ 반죽이 조각 난다. 빠르게 늘리지 않아 말라버렸거나, 애초에 반죽에 밀가루가 지나치게 많고 물기가 없었기 때문이다. 심각한 증상이다. 특별한 조치가 필요한데, 처음부터 시작하고 다시 치대어 부드럽고 탄력 있는 반죽을 만든다.

❁ 파스타를 충분히 얇게 밀 수 없다. 이건 연습과 끈기의 문제다. 늘리는 동작에 관한 설명을 다시 읽어 숙지하고 더 빨리 작업하라. 아마 기술적인 이유도 있을 것이다. 반죽을 완벽하게 충분히 오래 치대지 않았거나, 밀가루가 너무 많거나, 치댄 뒤에 충분히 휴지시키지 않았을 것이다. 부엌이 너무 덥거나 너무 건조하거나 외풍이 너무 많이 들어와서일 수도 있다.

❁ 얇은 반죽이 그 자체로 들러붙거나 밀대에 들러붙는다. 아마 늘리는 동작에서 아래쪽으로 압력을 가해 눌렀거나 밀가루가 충분치 않아 반죽이 너무 부드럽게 치대졌을 것이다. 이 경우, 얇게 편 반죽 위에 밀가루를 흩뿌려 고루 펴주면 된다.

❁ 페투치네나 토르텔리니치고는 파스타가 너무 두껍고, 그렇다고 버리기에는 너무 멀쩡하다. 147~148쪽의 말탈리아티나 콰드루치, 만프리굴로 잘라 수프에 넣는 용도로 쓴다. 아주 두껍다면 오래 익히면 된다.

직접 밀어 만든 면 건조시키기 ❁ 탁자나 작업대 위에 깨끗한 마른 주방용 천을 펼쳐놓는다. 그 위에 얇게 민 파스타를 주름진 곳 없이 평평하게 놓는다. 얇게 민 파스타의 3분의 1을 탁자나 작업대 가장자리에 걸쳐 놓는다. 10분 뒤에 파스타 면을 회전시켜 다른 쪽을 걸쳐놓는다. 또 10분이 지나면 다시 회전시켜 다른 쪽을 걸친다. 건조시키는 데 걸리는 총 시간은 반죽의 상태와 공간의 온도와 습도에 달려 있다. 반죽의 수분이 충분히 증발해 접거나 잘랐을 때 들러붙지 않아야 하지만, 너무 말라서 조각나거나 금이 가서도 안 된다. 파스타의 표면이 가죽처럼 보이기 시작하면 대개 준비가 된 것이다.

직접 밀어 만든 면 자르기 ❁ 반죽이 아주 적당히 건조되었을 때, 얇게 민 반죽을 파스타 밀대로 말고, 작업대 위에 있던 천을 치운다. 밀대로 말았던 파스타를 다시 펼치고, 작업대 위에 평평하게 놓는다. 만드는 사람을 기준으로 가장 멀리 있는 반죽의 가장자리를 잡고 가장자리에서 7~8cm 정도 느슨하게 접는다. 접은 부분을 다시 접고, 또 접어 얇게 민 반죽 전체를 접어서 폭이 7~8cm 정도인 길고 평평한 사각형 두루마리가 되게 한다.

중식칼 또는 다른 적당한 칼로 돌돌 만 면을 수직으로 자른다. 탈리아텔레를 만들려면 폭을 0.5cm 정도로, 페투치네를 만들려면 폭을 조금 더 좁게 자른다. 띠 형태의 면을 깨끗한 마른 주방용 천 위에 흩트러 놓는다. 장기 보관을 위해 파스타를 건조시키는 법과 다른 모양으로 자르는 법은 144~145쪽을 참고하라.

직접 밀어 만든 면으로 토르텔리니와 다른 모양의 파스타 만들기 ❁ 속을 채운 파스타나 다른 모양의 파스타를 만들려면 반죽이 부드러워야 하므로, 얇게 민 반죽을 건조시키면 안 된다. 148쪽 속을 채운 파스타용 반죽에 대한 설명을 찾아보라.

얇게 민 파스타 반죽의 한쪽 가장자리를 직선으로 잘라낸다(잘라낸 반죽은 사각형 수프용 파스타로 잘라 쓴다). 얇게 민 반죽을 사각형 띠로 자른다. 토르텔리니를 만든다면 폭이 4cm 정도는 되어야 한다. 토르텔로니나 다른 사각형 파스타를 만든다면 레시피에 나온 파스타 크기의 2배로 폭을 잡아 띠를 자른다.

한쪽에 남은 반죽을 옮기고, 마르지 않도록 주방용 랩으로 덮어둔다. 잘라놓은 띠 모양 면으로 토르텔리니를 만들거나 150~152쪽에 설명된 다른 모양의 파스타를 만든다. 띠 하나를 다 썼으면 남은 반죽에서 또 다른 띠를 알맞게 잘라낸다. 남은 반죽은 주방용 랩으로 덮어둔다.

파스타 소스

토마토 소스

TOMATO SAUCES

해외에서 이탈리아 각 지역 레시피의 무한한 다양성을 발견하고 개선하기 시작한 이들에게, 이탈리아 요리는 토마토를 과하게 쓰는 요리로 평가되었고, 붉은색과 소스 속 토마토의 맛은 거칠고 세련되지 않은 것으로 대변되었다. 하지만 머잖아 재평가를 받으리라 생각한다.

토마토 소스의 본질은 투박함이 아니다. 정반대다. 토마토를 넣어 맛있게 만든 소스보다 이탈리아 요리의 풍부함을 잘 전달할 수 있는 재료는 없다. 좋은 토마토의 신선함, 직접성, 농후함과 가장 잘 어울리는 파스타를 영리하게 매치하는 것보다 이탈리아 요리사의 재능을 분명하게 드러내주는 건 없다.

다음에 모아놓은 소스들은 토마토가 지배적인 역할을 한다. 다양한 레시피 중에서 고를 수 있는데, 이에 따라 중심이 되는 재료가 토마토에서 다른 야채로, 치즈로, 생선으로, 고기로 변한다. 기본이 되는 파스타 소스의 재료를 자유롭게 고를 수 있는 것이다.

기본 레시피 파스타 소스는 느긋하게 만들 수도, 급히 만들 수도 있다. 4분 만에 완성하는가 하면 4시간이 걸릴 수도 있다. 어떤 경우든 수분을 증발시키며 이를 통해 응축되고 뚜렷한 맛을 낸다. 절대로 냄비 뚜껑을 덮고 소스를 끓여서는 안 된다. 맛이 단조롭고 흐리며 약해진다.

소스의 맛을 보고 간 맞추기 파스타가 적당히 간이 맞으려면 소스가 충분히 간이 되어야 한다. 단조로움은 미덕이 아니고, 무미(無味)는 쾌락이 아니다. 파스타와 버무리기 전에 항상 소스의 맛을 본다. 소스 자체만으로 짜다고 느껴지더라도 파스타와 버무리면 짜지 않다. 450g 또는 그 이상의 거의 간이 되지 않은 익힌 파스타에 충분히 맛을 낼 수 있을 정도여야 한다는 것을 기억하라.

토마토가 주재료일 때: 가능하다면 자연 상태에서 충분히 익은 신선한 플럼토마토를 쓴다. 플럼토마토가 아닌 다른 품종이라면 마찬가지로 잘 익고 과육이 실하며 물기가 없는 것을 쓴다. 만족할 만한 신선한 토마토를 구할 수 없다면 통조림에 든 이탈리아산 플럼토마토를 쓰는 게 낫다. 가까운 곳에서 이 통조림을 구하지 못하거든, 다른 통조림 종류를 써보고 가장 좋은 맛과 농도를 가진 것을 찾자. 그것도 경험이다. 신선한 토마토와 통조림 토마토에 관한 간략한 설명은 44~45쪽에 나와 있다.

조리 시간 ❀ 조리 시간은 조건과 상황에 따라 달라진다. 소스를 많이 만든다면 더 오래 걸릴 것이다. 냄비가 넓고 얕다면 더 빨리, 깊고 좁다면 더 천천히 조리될 것이다. 소스가 다 됐을 때 준비됐다고 말할 수 있을 뿐이다. 소스를 맛보고 농도를 살펴라. 너무 되직해서도 너무 묽어서도 안 되고, 토마토 날것의 맛이 나서도 안 되며, 단맛과 신선함은 간직하고 있어야 한다.

냉동하기 ❀ 냉동 보관 가능한 토마토 소스는 레시피에 따로 설명했다. 해동한 다음, 파스타에 버무리기 전에 10분 정도 데운다.

되새길 점 ❀ 소스에 버터가 들어갔나면, 항상 신선한 버터를 추가로 몇 큰술 넣고 파스타와 함께 버무린다. 올리브유가 들어갔다면 버무리면서 신선한 올리브유를 흩뿌린다.

소스에 넣을 신선한 토마토 손질하기

레시피에서 달리 설명하지 않는 한, 소스로 쓸 토마토를 아래 두 가지 방법 중 하나로 손질한다. 데쳐서 손질하는 법을 쓰면 과육이 풍부하면서 투박한 질감을 얻을 수 있다. 푸드밀을 쓰면 더 부드럽고 매끈한 소스를 만들 수 있다.

데쳐서 손질하는 법 ❀ 토마토를 끓는 물에 빠뜨려 1분 이하로 둔다. 건져서 손으로 만질 수 있을 정도로 식자마자 껍질을 벗기고 굵은 조각으로 썬다.

푸드밀을 쓰는 법 ❀ 토마토를 찬물에 씻어 세로로 반을 갈라 소스팬에 넣고 뚜껑을 덮는다. 중불에 올리고 10분 동안 익힌다. 푸드밀의 원판을 가장 큰 구멍으로 조절하고 볼 위에 놓는다. 토마토를 즙과 함께 옮기고 갈아서 퓌레로 만든다.

양파와 버터를 넣은 토마토 소스

Tomato Sauce with Onion and Butter

토마토 소스 중에 가장 만들기 쉽다. 순수한 토마토의 단맛이 매력적이다. 파스타 없이 이 소스만 냄비째 퍼 먹는 사람이 있을 정도다.

6인분

토마토 161쪽 설명대로 신선하고 잘 익은 것 900g 또는 이탈리아산 플럼토마토 통조림 2컵, 썰어서 즙과 함께 준비
버터 5큰술
양파 중간 크기 1개, 껍질을 벗기고 반으로 자른다
소금
파스타 450~675g
갓 갈아낸 파르미자노 레자노 치즈 식탁에 놓을 만큼의 양

추천하는 파스타 ❁ 270쪽 감자 뇨키만큼 이 소스에 잘 어울리는 것이 없다. 그러나 스파게티, 펜네, 리가토니 같은 공장제 파스타를 넣어도 아주 맛있다. 파르메산 간 것과 함께 차려 낸다.

준비한 신선한 토마토 또는 통조림 토마토를 소스팬에 넣고, 버터와 양파, 소금도 넣는다. 뚜껑을 연 채 토마토에서 분리된 기름이 표면에 떠오를 때까지 아주 느린 속도로 뭉근하게 45분간 익힌다. 이따금 저어주고, 덩어리가 큰 토마토는 스패출러 뒷면을 사용해 팬 안에서 으깬다. 맛을 보고 소금으로 정확한 간을 맞춘다. 파스타를 넣고 버무리기 전에 양파는 꺼낸다.

참고 ❁ 완성된 것은 냉동할 수 있다. 냉동하기 전에 양파는 꺼낸다.

올리브유와 잘게 썬 채소를 넣은 토마토 소스

Tomato Sauce with Olive Oil and Chopped Vegetables

이 소스에는 크루도 상태의 당근과 셀러리를 넣는데, 따로 미리 기름에 볶는 과정 없이 토마토와 함께 넣는다. 당근의 단맛과 셀러리의 향이 신선한 토마토 소스의 맛에 깊이를 더한다.

6인분

토마토 161쪽 설명대로 신선하고 잘 익은 것 900g 또는 이탈리아산 플럼토마토 통조림 2컵, 썰어서 즙과 함께 준비
당근 ⅔컵, 잘게 썬다
셀러리 ⅔컵, 잘게 썬다
양파 ⅔컵, 잘게 썬다
소금
엑스트라버진 올리브유 ⅓컵
파스타 450~675g

추천하는 파스타 ❀ 어떤 공장제 파스타에도 맞는 다목적 소스로, 특히 스파게티와 펜네가 잘 어울린다.

1. 준비한 신선한 토마토 또는 통조림 토마토를 소스팬에 넣고, 당근, 셀러리, 양파, 그리고 소금을 넣는다. 팬 뚜껑을 덮지 않고 뭉근하게 30분간 익힌다. 이따금 저어준다.
2. 올리브유를 붓고, 부글부글 끓을 만큼 불의 세기를 약간 세게 조절한다. 주걱 뒷면으로 뜰 수 있을 정도로 걸쭉하게 토마토를 졸인다. 15분간 익힌 뒤, 맛을 보고 소금으로 정확한 간을 맞춘다.

참고 ❀ 완성된 상태로 냉동할 수 있다.

마조람과 두 가지 치즈를 넣어보기

위의 소스를 마지막 단계까지 조리한 다음 아래 내용을 추가한다.

마조람 생것 2작은술 또는 말린 것 1작은술
갓 갈아낸 파르미자노 레자노 치즈 2큰술
갓 갈아낸 로마노 치즈 2큰술
엑스트라버진 올리브유 2작은술

1. 소스를 뭉근하게 끓이는 동안 마조람을 넣고 전체적으로 섞어준다. 5분 더 끓인다.
2. 불을 끄고, 파르메산 간 것을 빙 둘러 넣은 뒤, 로마노를 넣고, 그다음으로 올리브유를 넣는다. 바로 파스타와 버무린다.

추천하는 파스타 ❀ 스파게티와 아주 잘 어울리고, 좀 더 두껍고 가운데 구멍이 있는 부카티니(bucatini)나 페르차텔리(perciatelli)와도 궁합이 좋다.

로즈마리와 판체타를 넣어보기

위의 기본 소스를 마지막 단계까지 조리한 다음 아래 내용을 추가한다.

로즈마리잎 말린 것으로 아주 잘게 다져서 2작은술 또는 생로즈마리 작은 줄기 1대

판체타 ½컵, 얇게 썬 다음 아주 가늘게 채 썬다

1. 소스를 뭉근하게 끓이는 동안 작은 스킬렛에 올리브유를 넣고 중강불에 올린다. 올리브유가 달구어지면 로즈마리와 판체타를 넣는다. 스패출러로 계속 저으면서 1분간 익힌다.
2. 스킬렛 안의 내용물을 토마토 소스가 담긴 소스팬으로 전부 옮긴다. 이따금 저어주며 15분간 끓인다.

추천하는 파스타 ❀ 로텔레(rotelle)나 콘킬리에(conchiglie), 푸실리(fusilli)처럼 갈라지거나 구멍이 있는 파스타가 좋다.

올리브유에 볶은 채소 토마토 소스

Tomato Sauce with Sautéed Vegetables and Olive Oil

기름에 볶은 채소를 바탕으로 오랜 시간 끓인 소스로, 앞의 두 소스보다 더 걸쭉하고 진하다.

6인분

토마토 161쪽 설명대로 신선하고 잘 익은 것 900g 또는 이탈리아산 플럼토마토 통조림 2컵, 썰어서 즙과 함께 준비

엑스트라버진 올리브유 ⅓컵

양파 ⅓컵, 잘게 썬다

당근 ⅓컵, 잘게 썬다

셀러리 ⅓컵, 잘게 썬다

소금

파스타 450~675g

추천하는 파스타 ❀ 대부분의 공장제 파스타와 잘 어울린다. 특히 리가토니(rigatoni), 끝이 뾰족한 펜네(penne), 부카티니 같은 형태의 파스타가 좋다.

1. 신선한 토마토를 쓴다면: 준비한 토마토를 소스팬에 넣고 뚜껑을 연 채로 1시간 동안 뭉근히 익힌다. 이따금 저어주며 스패출러 뒷면을 이용해 토마토 조각을 팬의 옆면에 대고 으깬다. 즙까지 모두 볼에 옮긴다.

통조림 토마토를 쓴다면: 바로 2번 단계를 진행하고, 토마토는 3번 단계에서 설명한 대로 넣는다.

2. 키친타월로 소스팬을 닦는다. 올리브유와 다진 양파를 넣고 중불에 올린다. 양파가 아주 살짝만 노릇해질 때까지 저어주며 익힌 다음 당근과 셀러리를 넣고 불을 강하게 키운다. 채소에 기름이 골고루 입혀지도록 한두 번 저어주고 몇 분 더 익힌다.
3. 조리해놓은 신선한 토마토 또는 통조림 토마토를 넣고 소금도 크게 한 자밤 집어넣은 다음, 전체적으로 섞어준다. 팬 뚜껑을 연 채로 보글보글 끓는 정도로 불의 세기를 조절해 뭉근하게 끓인다. 신선한 토마토를 썼다면 15분에서 20분, 통조림 토마토를 썼다면 45분 끓인다. 이따금 저어준다. 맛을 보고 소금으로 정확한 간을 맞추고 불을 끈다.

참고 ❀ 완성된 상태로 냉동할 수 있다.

크림을 넣은 토마토 소스

Tomato Sauce with Heavy Cream

6인분

버터 ⅓컵
양파, 당근, 셀러리 각각 3큰술, 아주 잘게 다진다
소금
생크림 ½컵
파스타 450~675g
토마토 161쪽 설명대로 신선하고 잘 익은 것 1125g 또는 이탈리아산 플럼토마토 통조림 2½컵, 썰어서 즙과 함께 준비
갓 갈아낸 파르미자노 레자노 치즈 식탁에 놓을 만큼의 양

추천하는 파스타 ❀ 속을 채운 생면 파스타에 이상적인 소스다. 221쪽의 근대, 프로슈토, 리코타로 속을 채운 토르텔로니, 220쪽의 파슬리와 리코타로 속을 채운 토르텔리, 218쪽의 고기와 리코타로 속을 채운 초록색 토르텔리니, 또는 272쪽의 시금치 리코타 뇨키처럼 말이다. 파르메산 간 것과 함께 낸다.

1. 생크림을 제외한 모든 재료를 소스팬에 넣고 뚜껑을 연 채로 45분간 끓인다. 나무 주걱으로 이따금 저어준다. 통조림 토마토를 쓴다면 푸드밀을 써서 퓌레 상태로 만들어 소스팬에 넣는다.

참고 ❀ 냉동하려면 이 단계에서 한다.

2. 약간 빠른 속도로 끓도록 불을 조절한다. 생크림을 넣는다. 전체적으로 섞어 주고, 1분 정도 저으면서 끓인다.

마늘과 바질을 넣은 토마토 소스

Tomato Sauce with Garlic and Basil

로마 사람들이 알라 카레티에라(alla carrettiera)라고 부르는 수많은 소스 중 하나다. 주변 산지에서 와인과 농산품을 로마로 운반하던 마부나 수레 끄는 사람을 카레티에라라고 하는데, 이 소스는 그들이 쉽게 구할 수 있는 재료로 싼값에 많은 양을 먹기 위해 만든 데서 유래했다.

4인분

생바질 크게 한 묶음
토마토 161쪽 설명대로 신선하고 잘 익은 것 900g 또는 이탈리아산 플럼토마토 통조림 2컵, 썰어서 즙과 함께 준비
마늘 5쪽, 껍질을 벗기고 잘게 다진다
엑스트라버진 올리브유 5큰술
소금
갓 갈아낸 검은 후추
파스타 450g

참고 ❀ 레시피에 나온 마늘의 양을 보고 놀라지 마라. 과하게 태우지 않고 소스 안에 넣어 뭉근하게 익히면 마늘 향은 약해진다.

추천하는 파스타 ❀ 토마토 알라 카레티에라에 가장 알맞은 파스타는 얇은 스파게티인 스파게티니(spaghettini)이지만 보통 스파게티도 괜찮다.

1. 바질잎만 줄기에서 모두 떼어내 찬물에 살짝 헹구고, 채반이나 야채탈수기를 이용해 물기를 제거한다. 또는 마른행주로 느슨하게 감싸 2~3번 흔들어 털어내도 좋다. 아주 작은 잎을 제외하고 모두 손으로 잘게 찢는다.
2. 토마토, 마늘, 올리브유, 소금을 소스팬에 넣고 후추도 살짝 갈아 넣은 다음, 중강불에 올린다. 토마토에서 분리된 기름이 표면에 뜰 때까지 20~25분 끓인다. 맛을 보고 소금으로 간을 맞춘다.
3. 소스가 완성되자마자 불을 끄고 찢어놓은 바질잎을 넣고 섞는다. 이때 파스타를 버무린 뒤에 올릴 잎은 조금 남겨둔다.

아마트리차나—판체타와 고추를 넣은 토마토 소스

Amatriciana—Tomato Sauce with Pancetta and Chili Pepper

이 소스로 알려진 로마의 작은 도시 아마트리체에서는 8월에 지역의 명물인 두껍고 가운데에 구멍이 난 튜브형 스파게티인 부카티니를 기념하는 '알 라마트리차나' 축제가 열린다. 서양배 모양의 살라미인 모르타델라, 양젖으로 만든 치즈인 페코리노와 마찬가지로 양젖으로 만든 리코타는 그 지역을 방문했을 때 꼭 한 번 먹어봐야 한다. 이것들은 이탈리아에서도 최고를 자랑한다.

아마트리차나 이 소스를 만들 때 어떤 사람들은 토마토를 넣기 전에 화이트 와인을 넣기도 하는데, 직접 만들어보니 신맛이 너무 강했다. 하지만 원한다면 시도해봐도 좋다.

4인분

- 식물성기름 2큰술
- 버터 1큰술
- 양파 중간 크기 1개, 잘게 다진다
- 판체타 0.5cm 두께로 1장, 폭 1cm, 길이 2.5cm로 썬다
- 이탈리아산 플럼토마토 통조림 1½컵, 건더기만 썬다
- 매운 붉은색 고추, 잘게 썰어서 기호에 맞게 준비
- 소금
- 갓 갈아낸 파르미자노 레자노 치즈 3큰술
- 갓 갈아낸 로마노 치즈 2큰술
- 파스타 450g

추천하는 파스타 ⚜ 부카티니를 쓰지 않고는 '알 아마트리차나'라고 할 수 없다. 둘은 마치 로미오와 줄리엣처럼 떼려야 뗄 수 없는 관계다. 굳이 다른 짝을 찾는다면 펜네나 리카토니, 콘킬리에가 그나마 가까운 맛을 낼 것이다.

1. 소스팬에 기름과 버터, 양파를 넣고 중불에 올린다. 양파가 살짝 노릇해질 때까지 볶다가 판체타를 넣는다. 한두 번 뒤적여주며 1분 정도 익힌다. 고추, 소금을 넣고 뚜껑을 덮지 않은 상태로 25분간 뭉근하게 끓인다. 맛을 보고 소금과 매운 고추를 더한다.
2. 소스에 파스타를 버무린 다음, 두 가지 치즈를 모두 넣어 다시 골고루 섞어 준다.

포르치니 버섯을 넣은 토마토 소스

Tomato Sauce with Porcini Mushrooms

4인분

샬롯 또는 양파 2큰술, 잘게 다진다
버터 2½큰술
식물성기름 1큰술
판체타나 프로슈토 또는 훈제하지 않고 삶은 햄을 0.5cm 폭으로 썬 것 2큰술
토마토 신선하고 잘 익은 것으로 껍질을 벗기고 다진 것 또는 이탈리아산 플럼토마토 통조림, 썰어서 즙과 함께 1½컵 준비
말린 포르치니 버섯 30g, 37쪽 설명대로 불린다
버섯 불린 물, 37쪽을 참고해 거른다
소금
갓 갈아낸 검은 후추
파스타 450g
갓 갈아낸 파르미자노 레자노 치즈 식탁에 놓을 만큼의 양

추천하는 파스타 ෴ 콘킬리에, 펜네, 적당히 자른 치티(ziti), 또는 144쪽과 145쪽대로 갓 만든 톤나렐리나 파파르델레를 파르메산 간 것과 함께 차려 낸다.

1. 소스팬에 버터와 기름을 함께 넣고 샬롯이나 양파를 넣는다. 중불에 올린다. 샬롯이나 양파의 색이 살짝 노릇해질 때까지 뒤적여가며 볶는다. 판체타나 햄 자른 것을 넣고 이따금 저어가며 1~2분 더 익힌다.
2. 자른 토마토를 즙과 함께 넣고, 불린 버섯과 걸러놓은 버섯 불린 물, 소금, 간 후추도 넣는다. 소스에서 거품이 약하게 끓어오르도록 불의 세기를 조절한다. 토마토에서 기름이 분리되어 나올 때까지 뚜껑을 연채로 이따금 저어가며 40분간 끓인다.
3. 소스에 파스타를 가볍게 버무린 후, 갓 갈아낸 파르메산을 곁들여 차려 낸다.

햄과 토마토를 넣은 버섯 소스

Mushroom Sauce with Ham and Tomato

4~6인분

신선한 흰색 버섯 340g
엑스트라버진 올리브유 ⅓컵
마늘 2쪽, 껍질을 벗기고 살짝 으깬다
훈제하지 않고 삶은 햄 ⅓컵, 0.3cm 또는 그보다 얇은 두께로 가늘게 채 썬다
말린 포르치니 버섯 30g, 37쪽 설명대로 불린다
버섯 불린 물, 37쪽을 참고해 거른다
파슬리 2큰술, 잘게 썬다
소금
갓 갈아낸 검은 후추
이탈리아산 플럼토마토 통조림 1컵, 잘게 다져서 즙과 함께 준비
파스타 450g

추천하는 파스타 ❀ 길이가 짤막한 공장제 파스타. 마케론치니, 펜네, 치티, 콘킬리에 또는 푸실리.

1. 흐르는 찬물에 신선한 흰색 버섯을 재빨리 씻는다. 버섯의 밑동과 갓이 붙어 있는 모양대로 세로로 길고 아주 얇게 썬 다음 부드러운 천으로 두드려 물기를 완전히 제거한다.
2. 커다란 소테팬에 올리브유와 으깬 마늘을 넣고 중강불에 올린다. 마늘을 볶다가 옅은 갈색이 되면 팬에서 꺼낸다.
3. 채 썬 햄을 넣고 한두 번 뒤적인 다음, 불린 포르치니 버섯과 걸러놓은 버섯 불린 물을 넣는다. 물기가 다 졸아들 때까지 강불로 가열한다.
4. 신선한 버섯, 다진 파슬리, 소금을 넣고 후추를 약간 갈아 넣는다. 30초 정도 젓다가 토마토와 즙을 함께 넣고 팬 안 재료가 토마토와 잘 어우러지도록 다시 한번 완전히 섞어준다. 소스가 뭉근하게 끓어오르도록 불의 세기를 조절해 팬 뚜껑을 연 채로 25분 또는 기름이 분리되어 표면에 떠오를 때까지 끓인다.

참고 ❀ 신선한 버섯이 단단해지지 않을까 걱정하지 마라. 포르치니와 같은 방식으로 조리하기 때문에 완성되면 아주 부드러울 것이다.

붉은색 고추와 토마토를 넣은 가지 소스

Eggplant Sauce with Tomato and Red Chili Pepper

4인분

가지 450g
소금
가지를 튀길 식물성기름
엑스트라버진 올리브유 3큰술
마늘 1½작은술, 잘게 썬다
파슬리 2큰술, 잘게 썬다
이탈리아산 플럼토마토 통조림 1¾컵, 썰어서 즙과 함께 준비
매운 붉은색 고추, 잘게 썰어서 기호에 맞게 준비
파스타 450g

추천하는 파스타 ❀ 이 소스에는 스파게티니나 시판용 얇은 스파게티만 한 것이 없다.

1. 가지 꼭지를 잘라내고 얇게 썰어 소금을 뿌려둔다. 499쪽에서 설명한 방법을 정확히 따라 튀긴다. 식힘망이나 펼쳐둔 키친타월 위에 놓고 기름이 빠지도록 한편에 둔다.
2. 소스팬에 올리브유와 마늘을 넣고 중불에 올린다. 마늘 색이 살짝 변할 때까지 볶는다. 파슬리, 토마토, 고추, 소금을 넣고 전체적으로 섞어준다. 소스가 뭉근하게 끓도록 불의 세기를 조절하고, 기름이 분리되어 떠오를 때까지 25분 정도 끓인다.
3. 튀긴 가지를 1cm 폭으로 썬다. 소스에 넣고 한두 번 저어주며 2~3분 더 끓인다. 맛을 보고 소금이나 고추를 가감한다.

미리 준비한다면 ❀ 소스를 만들기 1~2일 전에 가지를 먼저 튀겨놓거나, 소스 전체를 3~4일 전에 미리 만들어 냉장 보관해두었다가 다시 데워 먹어도 좋다.

시칠리아식 가지 리코타 소스

Eggplant and Ricotta Sauce, Sicilian Style

6인분

가지 450~675g
소금
식물성기름
엑스트라버진 올리브유 ⅓컵
양파 ½컵, 아주 얇게 썬다
마늘 1½작은술, 잘게 썬다
신선하고 잘 익은 이탈리아산
플럼토마토 2컵, 필러로 껍질을 벗기고 세로로 반을 갈라 씨를 파낸 다음 가늘고 길게 썬다
갓 갈아낸 검은 후추
갓 갈아낸 로마노 치즈 3큰술
신선한 리코타 3큰술
생바질잎 8~10장
파스타 450~675g
갓 갈아낸 파르미자노 레자노 치즈 식탁에 놓을 만큼의 양

추천하는 파스타 ❀ 나는 이 소스를 로텔레와 먹는 것을 아주 좋아한다. 물론 푸실리와 리가토니도 좋다. 그저 평범하고 흔한 스파게티만은 쓰지 않길 바랄 뿐이다.

1. 가시가 있는 가지의 초록색 꼭지를 잘라낸다. 가지 껍질을 벗기고 4cm 정도 크기로 깍둑썰기한다. 깍둑썰기한 가지를 콜랜더에 담고 그 아래에 주방용 대야나 커다란 볼을 받친 다음, 소금을 넉넉하게 뿌린다. 그대로 1시간 정도 절이면 가지의 쓴맛이 거의 빠진다.
2. 절인 가지를 약간만 덜어 흐르는 찬물에 헹군다. 마른행주로 감싸고, 가지의 물기가 최대한 제거되도록 비틀어 짠다. 또 다른 깨끗한 마른행주 위에 펼쳐 놓는다. 남은 가지도 똑같이 한다.
3. 커다란 튀김용 냄비에 식물성기름을 1cm 높이로 충분히 붓고, 중강불에 올린다. 기름이 뜨겁게 달구어지면 가지를 미끄러트리듯 넣되, 가능한 한 많이 넣으면서도 냄비 안이 꽉 차지 않게 한다. 한 번에 다 튀길 수 없다면 2~3번 나누어 튀긴다. 가지를 포크로 찔러 부드러워진 것 같으면 구멍 뚫린 국자나 뒤집개로 바로 꺼내 식힘망이나 키친타월을 깐 접시 위에 겹치지 않게 놓고 기름기를 뺀다.
4. 냄비 안에 있던 기름을 버리고 깨끗한 키친타월로 닦는다. 올리브유와 얇게 썬 양파를 넣고 중강불에 올린다. 양파가 살짝 노릇해질 때까지 볶다가 잘게 썬 마늘을 넣고 1~2초 정도 볶는다.

5. 길게 썬 토마토를 넣고 강불로 키워 토마토에서 기름이 분리되어 나올 때까지 자주 뒤적여가며 8~10분 익힌다.
6. 가지를 넣고 후추도 살짝 갈아 넣어 저어준 다음, 불의 세기를 중불로 줄인다. 한두 번 저어주며 1~2분 더 익힌다. 맛을 보고 소금으로 간한다.
7. 익힌 파스타를 건져 가지 소스에 버무린다. 로마노 치즈를 갈아 넣고, 리코타와 바질잎도 넣는다. 모든 재료가 뜨거운 파스타에 골고루 입혀지도록 다시 한번 버무린 뒤, 파마산 치즈 간 것과 함께 바로 차려 낸다.

리코타와 햄을 넣은 시금치 소스

Spinach Sauce with Ricotta and Ham

4~6인분

신선한 시금치 900g 또는 냉동 시금치 잎이 온전한 것으로 600g, 해동한다
버터 115g
훈제하지 않고 삶은 햄 60g, 잘게 썬다
소금
너트메그 1알
신선한 리코타 ½컵
갓 갈아낸 파르미자노 레자노 치즈 ½컵과 식탁에 놓을 여분의 양
파스타 450~675g

추천하는 파스타 표면에 홈이 있는 펜네. 마케론치니나 리가토니(rigatoni).

1. 신선한 시금치를 쓴다면: 잎만 떼어내고 줄기는 버린다. 99쪽 설명대로 정확하게 물에 담그고 헹궜다가 익혀서 조심스럽게 물기를 짜낸다. 잘게 썰어 한편에 둔다.

   냉동 시금치를 쓴다면: 손으로 물기를 짜고 잘게 썰어서 한편에 둔다.
2. 버터의 절반을 소테팬에 넣고 중강불에 올린다. 버터가 녹아 끓으면서 거품이 생기기 시작하면 햄을 넣고 2~3번 뒤집은 뒤, 시금치를 넣고 소금 한 자밤을 뿌린다. 리코타에는 간이 되어 있지 않기 때문에 소스의 핵심 재료가 되는 시금치에 충분히 간이 배어야 한다는 사실을 명심하라. 시금치를 강불에서 자주 뒤적여주며 2분 정도 볶는다.
3. 불을 끄고 너트메그를 갈아 넣고 섞는데, 이때 ⅛작은술보다 적은 양을 넣도록 한다.
4. 파스타를 익혀서 건져내 팬 안의 재료와 함께 버무린다. 리코타와 남은 버터, 파르메산 간 것도 더한다. 여분의 파르메산과 함께 바로 차려 낸다.

완두콩과 베이컨, 리코타를 넣은 소스

Peas, Bacon, and Ricotta Sauce

이탈리아에서는 대개 향미가 강한 베이컨을 요리에 사용하지 않고, 대신 훈제하지 않은 판체타를 쓴다. 이탈리아 북부를 제외하고는 말이다. 또 북부의 리코타는 아주 부드럽고, 베네치아 석호의 섬 농장에서 나는 신선한 완두콩은 단맛이 강해서, 이 둘을 섞어 만든 소스는 매력적일 수밖에 없다.

4인분

완두콩 신선하고 어린 것은 꼬투리까지 합쳐서 450g 또는 냉동 완두콩 알이 작은 것으로 150g, 해동한다
베이컨 115g, 가급적 기름기가 적고 두꺼운 것으로 준비
소금
신선한 리코타 115g
버터 1큰술
갓 갈아낸 파르미자노 레자노 치즈 ⅓컵과 식탁에 놓을 여분의 양
갓 갈아낸 검은 후추
파스타 450g

추천하는 파스타 ❁ 움푹 팬 구멍에 소스가 잘 들어가는 콘킬리에가 최선의 선택이겠지만, 푸실리나 리가토니도 훌륭한 대안이다.

1. 신선한 완두콩을 쓴다면: 꼬투리를 벗기고 찬물에 헹군다. 물을 조금만 넣고 뭉근하게 끓여 살짝 부드러워질 정도로만 삶는다. 콩의 신선도와 여린 정도에 따라 삶는 시간을 조절한다.
   냉동 완두콩을 쓴다면: 2번 단계부터 시작한다.
2. 베이컨을 짧은 길이로 가늘게 썬다. 작은 소테팬에 넣고 중불에 올린다. 아주 연한 갈색이 되도록 익히는데, 지방이 녹아 나오되 바삭해지면 안 된다. 팬 안에 베이컨 기름을 2큰술 정도 남기고 나머지는 따라 버린다.
3. 베이컨이 든 팬에 익힌 신선한 완두콩 또는 냉동 완두콩을 넣는다. 완두콩에 기름이 골고루 입혀지도록 저어주며 중불에서 1~2분 익힌다.
4. 이후에 파스타를 넣어 버무릴 수 있을 정도로 큰 볼에 리코타를 넣고 포크로 덩어리를 풀어준다. 버터도 추가한다.
5. 익혀서 건진 파스타를 볼에 넣고 리코타, 버터와 함께 바로 버무린다. 따뜻한 상태의 완두콩과 베이컨, 그리고 팬 안에 든 모든 내용물을 파스타 위로 재빠르게 붓는다. 전체적으로 잘 버무려주고, 파르메산 간 것을 더하고 후추도 2~3번 갈아 넣는다. 한두 번 더 섞어주고 치즈 간 것과 함께 바로 차려 낸다.

완두콩, 파프리카
그리고 프로슈토 크림 소스

Peas, Peppers, and Prosciutto Sauce with Cream

완두콩과 프로슈토로 아주 손쉽게 크림 파스타 소스를 만들 수 있다. 이 레시피에서는 파프리카를 더해 그 향과 질감, 탐스러운 붉은색으로 소스를 더욱 생기 있게 만들었다.

4~6인분

붉은색 파프리카 3개, 속살이 두껍고 잘 익은 것으로 준비
버터 3큰술
프로슈토나 시골햄 또는 훈제하지 않고 삶은 햄, 1cm 두께로 썬 것 170g, 아주 작게 깍둑썰기한다
냉동 완두콩 1컵, 알이 작은 것으로 해동한다
생크림 1컵
소금
갓 갈아낸 검은 후추
갓 갈아낸 파르미자노 레자노 치즈 1컵과 식탁에 놓을 여분의 양
파스타 450~675g

추천하는 파스타 151쪽 설명대로 직접 만든 튜브형 파스타인 가르가넬리에 이보다 잘 맞는 소스는 없다. 마케론치니나 펜네 같은 길이가 짧은 튜브형 공장제 파스타 또한 꽤 잘 어울린다.

1. 64쪽 설명대로 파프리카를 구워 껍질을 벗기고, 씨를 제거한다. 키친타월로 톡톡 두드려 물기를 완전히 없애고 사방 0.5cm 크기로 깍둑썰기해서 한편에 둔다.
2. 소테팬에 버터와 깍둑썰기한 프로슈토를 넣고 중불에 올린다. 자주 저어주면서 1분 미만으로 익힌다.
3. 해동한 완두콩을 넣고 기름이 골고루 입혀지도록 뒤적이며 몇 분 더 익힌다.
4. 작게 깍둑썰기한 파프리카를 넣고 30초 미만으로 볶는다.
5. 크림과 소금을 더하고, 후추도 살짝 갈아 넣은 다음 불의 세기를 강하게 한다. 크림이 걸쭉해질 때까지 계속 저어주면서 끓인다.
6. 익혀서 건진 파스타에 소스를 버무리고, 파르메산 간 것을 빙 둘러 뿌린다. 갈아놓은 여분의 치즈와 함께 바로 차려 낸다.

마늘과 바질을 넣은,
구운 붉은색 파프리카와 노란색 파프리카 소스

Roasted Red and Yellow Pepper Sauce with Garlic and Basil

파프리카 껍질을 벗기는 방법 중 하나가 굽는 것이지만, 아주 훌륭한 이 나폴리식 소스에서는 필러를 사용하는 게 더 낫다. 파프리카를 구우면 어느 정도 익어 부드러워지는데, 재빨리 능숙하게 볶아 만드는 이 소스에서는 파프리카가 익지 않은 상태로 단단해야 한다.

4인분

파프리카 3개, 속살이 두꺼운 것으로 붉은색과 노란색을 섞는다
생바질잎 16~20장
엑스트라버진 올리브유 2큰술
마늘 4쪽, 껍질을 벗긴다
소금
버터 2큰술
갓 갈아낸 파르미자노 레자노 치즈 ⅔컵
파스타 450g

추천하는 파스타 ◎ 표면에 홈이 있는 리가토니가 가장 좋지만, 펜네, 치티, 마케론치니 같은 다른 튜브형 파스타도 좋다.

1. 파프리카를 찬물에 씻는다. 볼록한 파프리카의 형태를 따라 세로로 길게 썬다. 씨와 푸석한 심은 떼어낸다. 세로날 필러로 가볍게 살살 밀어내며 껍질을 떠내듯 벗긴다. 껍질을 벗긴 파프리카는 세로로 길게 1cm 폭으로 썰고, 다시 짧게 반으로 자른다.
2. 흐르는 찬물에 바질잎을 헹구고, 부드러운 천이나 키친타월로 잎에 상처가 나지 않도록 가볍게 두드려 물기를 말린다. 크기가 큰 잎은 손으로 적당히 찢는다.
3. 준비된 모든 재료가 넉넉히 담길 정도로 큰 소테팬을 고른다. 올리브유와 마늘을 넣고 중강불에 올린다. 옅은 갈색이 될 때까지 마늘을 볶은 다음 건져내 버린다.
4. 팬에 파프리카를 넣고 강불에서 15분간 자주 저어가며 익힌다. 파프리카 속살이 부드럽게 익되 뭉그러지지 않는 정도면 된 것이다. 충분히 간이 배도록 소금을 넣고 불을 끈다. 버무릴 파스타가 준비되면 다시 천천히 데운다.
5. 파스타를 건져낼 준비가 거의 다 되면, 작은 소스팬에 버터를 넣고 약불에서 녹인다. 버터를 다 녹여야 하지만, 지글지글 끓어서는 안 된다.
6. 익혀서 건진 파스타를 큰 소테팬에 재료와 함께 가볍게 버무린 다음, 녹인 버터, 파르메산 간 것, 바질잎을 추가한다. 다시 한번 골고루 버무리고 바로 차려 낸다.

바질과 달걀노른자를 넣은 주키니 소스

Zucchini Sauce with Basil and Beaten Egg Yolk

4인분

신선한 주키니 450g
식물성기름, 튀김용으로 준비
버터 3큰술
다목적용 밀가루 1작은술, 우유 ⅓컵에 녹인다
달걀노른자 1개분, 포크로 가볍게 푼다(51쪽 살모넬라균에 대한 주의 사항 참고)
소금
갓 갈아낸 파르미자노 레자노 치즈 ½컵
갓 갈아낸 로마노 치즈 ¼컵
생바질잎 ⅔컵, 손으로 적당히 찢어서 준비 또는 같은 양의 파슬리를 잘게 썬다
파스타 450g

추천하는 파스타 ◎ 얇게 썬 주키니와 크림이 들어가 부드러운 이 소스는 면에 잘 붙는 성질이 있어 푸실리 같은 나선형 파스타에 특히 잘 어울린다. 짧고 뭉툭하든 와인따개 스크루처럼 길든, 파스타의 길이는 상관없다.

1. 주키니를 찬물에 최소 20분 이상 담가두었다가, 536쪽 설명을 참고해 이물질을 깨끗이 씻어낸다. 물에서 건져내 양 끝을 잘라내고 길이 8cm, 두께 3mm인 막대 모양으로 썬다. 키친타월로 가볍게 두드려 물기를 완전히 없앤다.
2. 높이가 1cm 올라오도록 튀김용 냄비 안에 기름을 붓고 중강불에 올린다. 주키니를 넣었을 때 지글거리며 거품이 생길 정도로 기름이 충분히 달구어지면, 냄비 안이 꽉 차지 않는 선에서 가능한 한 많은 주키니를 넣는다. 한 번에 다 넣을 수 없다면 2~3번 나누어 튀긴다. 옅은 갈색이 될 때까지 수시로 뒤집어가며 주키니를 튀기되, 짙은 갈색이 되면 안 된다. 튀긴 주키니는 식힘망이나 키친타월을 평평하게 깔아놓은 접시로 옮겨 담아 기름을 뺀다.

미리 준비한다면 ◎ 파스타와 소스를 만들기 몇 시간 전에 미리 주키니를 튀겨놓아도 좋다.

3. 파스타를 건져서 버무릴 준비가 거의 다 되었을 때, 냄비에 있던 기름을 부어버리고 깨끗하고 마른 키친타월로 냄비 안을 닦아낸다. 버터를 2큰술 넣고 중불에 올린다. 버터가 녹기 시작하면 중약불로 불을 줄이고, 밀가루와 우유 섞어놓은 것을 조금씩 부어가며 저어준다. 30초 정도 꾸준히 저어가며 익힌다. 소금 한 자밤, 튀긴 주키니를 넣고 뒤집어가며 1분 정도 익힌다.

4. 불을 끄고 남아 있는 버터 1큰술과 달걀노른자를 넣고 재빨리 섞는다.
5. 익혀서 건진 파스타를 소스에 넣고 버무린 다음, 갈아놓은 치즈를 더해 전체적으로 한 번 더 버무려주고 찢어놓은 바질잎을 추가해 다시 버무린다. 곧바로 차려 낸다.

마늘과 바질을 넣은 튀긴 주키니 소스

Fried Zucchini Sauce with Garlic and Basil

4인분

신선한 주키니 675g, 크기가 작은 것으로 준비
소금
생바질잎 10~12장
다목적용 밀가루 ½컵
식물성기름, 튀김용으로 준비
마늘 3쪽, 껍질을 벗긴다
버터 4큰술
갓 갈아낸 파르미자노 레자노 치즈 ½컵과 식탁에 놓을 여분의 양
파스타 450g

추천하는 파스타 ❀ 생면 파스타가 특히 잘 어울릴 것이다. 144쪽 설명대로 만든 페투치네 같은 형태면 좋다. 공장제 파스타 중에는 푸실리나 스파게티 같은 모양도 괜찮다.

1. 주키니를 찬물에 최소 20분 이상 담가두었다가, 536쪽 설명을 참고해 이물질을 깨끗이 씻어낸다. 물에서 건져내 양 끝을 잘라내고, 길이 약 6cm, 두께는 0.5cm보다 얇은 막대 모양으로 썬다.
2. 썬 주키니를, 세울 수 있는 콜랜더에 담고 아래에 커다란 볼을 받친 다음 소금을 넉넉하게 뿌린다. 소금이 골고루 배도록 2~3번 버무리고, 2시간 이상 그대로 둔다. 아래에 받친 볼에 주키니에 닿을 정도로 물기가 고였는지 수시로 상태를 확인한다.
3. 2시간 이상 지나면 주키니를 키친타월로 감싸고 톡톡 두드려 물기를 완전히 제거한다. 콜랜더는 다시 사용해야 하므로 씻어서 말려둔다.
4. 바질잎을 찬물에 헹군다. 키친타월로 두드려 물기를 없애고 손으로 작게 찢는다. 한편에 둔다.
5. 튀길 준비가 되었다면 콜랜더에 주키니를 다시 담아 접시 위에 놓는다. 주키니에 밀가루를 뿌리고 콜랜더를 흔들어 밀가루를 골고루 입히는 동시에 남은 밀가루는 아래로 떨어지게 한다.

6. 튀김용 냄비에 높이가 0.5~1cm 정도 올라오도록 식물성기름을 충분히 붓는다. 마늘을 넣고 강불로 올린다. 기름이 충분히 달구어지면 냄비 안이 꽉 차지 않는 선에서 가능한 한 많은 주키니를 넣는다. 마늘이 갈색으로 변하기 시작하자마자 꺼내 버린다. 주키니를 뒤집어주고, 전체적으로 먹음직스러운 갈색이 될 때까지 튀기다가 식힘망이나 키친타월을 깔아놓은 접시 위로 옮겨 담는다. 전부 먹음직스러운 갈색이 되도록 나누어 튀긴다.

미리 준비한다면 ❀ 소스를 만들기 몇 시간 전에 6번 단계까지 준비해놓을 수 있으나, 튀긴 주키니를 냉장 보관해서는 안 된다.

7. 파스타가 거의 익어갈 즈음, 버터를 중탕기 위 칸에 넣고 녹여서 따뜻하게 둔다. 부드러운 생면 파스타를 쓴다면 파스타를 냄비에 넣어 익히기 전에 버터를 녹여 둔다.
8. 익혀서 건진 파스타와 따뜻한 녹은 버터를 버무리고, 튀긴 주키니, 바질, 갈아놓은 치즈를 넣고 다시 골고루 버무린다. 준비한 여분의 파르메산과 함께 바로 차려 낸다.

푹 익힌 양파 소스

Smothered Onions Sauce

달면서도 자극적인 양파의 맛, 그것이 이 소스의 전부다. 이 특별한 맛을 끌어올리기 위해서는 양파가 녹으면서 부드럽고 달아질 때까지 1시간가량 아주 천천히 뭉근하게 익히는 것이 먼저다. 그렇게 하면 갈색으로 변하면서 톡 쏘면서도 자극적인 맛이 생긴다.

라드를 쓴다면 맛이 훨씬 깊어질 것이다. 라드가 없으면 대신 버터를 사용해도 괜찮다.

4~6인분

라드 2큰술 또는 버터 2큰술과 엑스트라버진 올리브유 2큰술을 함께 쓴다
양파 675g(약 6컵), 아주 얇게 썬다
소금
갓 갈아낸 검은 후추
달지 않은 화이트 와인 ½컵
파슬리 2큰술, 잘게 썬다
갓 갈아낸 파르미자노 레자노 치즈 ⅓컵
파스타 450~675g

추천하는 파스타 ❀ 최상의 선택은 스파게티지만, 144쪽 방법대로 직접 만든 톤

나넬리도 좋다. 이 소스는 스파게티보다 물기를 더 잘 빨아들이는 직접 만든 파스타를 쓰기엔 조금 진하다. 따라서 소스를 만들기 시작할 때 라드 ½큰술이나 버터 1큰술을 추가로 넣어 만들도록 한다.

1. 큰 소테팬에 라드 또는 버터와 올리브유를 넣고, 양파와 소금도 조금 넣는다. 뚜껑을 덮고 아주 약한 불에 올린다. 양파가 아주 부드러워질 때까지 대략 1시간 정도 익힌다.
2. 팬 뚜껑을 열고 불을 중강불로 키운다. 양파 색이 진하고 어두운 갈색이 될 때까지 익힌다. 물기가 남아 있다면 가열해 증발시킨다.
3. 후추를 넉넉히 갈아 넣는다. 맛을 보고 소금으로 간한다. 이 방법으로 양파를 끈기 있게 조리하면 단맛이 아주 강해지기 때문에 충분한 양을 넣어 간을 맞추어야 한다. 와인을 넣고 불을 세게 한다. 자주 저어주며 와인을 증발시킨다. 파슬리를 더하고 전체적으로 섞어준 다음 불을 끈다.

미리 준비한다면 ❀ 파슬리를 넣는 바로 전 단계까지 미리 만들어둘 수 있다. 파스타를 버무릴 준비가 되면, 소스를 중불에 올려 다시 데우고 파스타를 건지기 직전에 파슬리를 넣는다.

4. 익혀서 건진 파스타를 넣고 버무리면서 파르메산 간 것도 넣는다. 뭉쳐 있던 양파 가닥을 흐트러뜨리고 가능한 한 파스타 전체에 골고루 묻도록 버무려준다. 바로 차려 낸다.

로즈마리 버터 소스

Butter and Rosemary Sauce

이탈리아식 구운 고기 가운데 가장 맛난 부위는 바로 먹고 남은 고기다. 마늘향이 감도는 육즙과 함께 로즈마리향이 듬뿍 밴 남은 갈색 고기 몇 점 말이다. 이탈리아 사람들은 대개 여기에 파스타를 버무려 먹는데 이것을 라 파스타 콜 토코 다로스토(la pasta col tocco d'arrosto), 즉 '로스트의 여운'이라고 부른다. 먹다 남은 고기가 없어도 '로스트의 여운' 소스를 만들 수 있다. 다음의 간편한 레시피는 로즈마리와 마늘만으로도 원래 소스가 가진 모든 풍미를 낼 수 있게 해줄 것이다.

4~6인분

마늘 3~4쪽
버터 6큰술, 작은 조각으로 자른다
생로즈마리 3줄기
소고기 고형 육수 1개, 부순다
갓 갈아낸 파르미자노 레자노 치즈 ⅓컵과 식탁에 놓을 여분의 양
파스타 450g

추천하는 파스타 ֍ 이 소스는 144쪽 설명대로 만든 네모난 생면인 톤나넬리와 어울렸을 때 최고의 맛을 낸다. 하지만 페투치네나 스파게티를 써도 꽤 성공적일 수 있다.

1. 칼 손잡이 뒷부분을 이용해 마늘이 쪼개지면서 껍질이 분리될 정도로 으깬 다음, 껍질을 벗긴다. 작은 소스팬에 마늘, 버터, 로즈마리를 넣고 중불에 올린다. 자주 저어주며 4~5분 익힌다.
2. 부순 큐브형 소고기 고형 육수를 넣는다. 고형 육수가 완전히 녹을 때까지 저으면서 익힌다.
3. 익혀서 건져놓은 파스타 위에 촘촘한 거름망을 놓고 그 위에 소스를 붓는다. 파스타에 소스가 골고루 입혀지도록 버무린다. 갈아놓은 파르메산을 넣고 다시 한번 버무린다. 여분의 치즈와 함께 바로 차려 낸다.

아이오 에 오이오—로마식 마늘 오일 소스

"Aio e Oio"—Roman Garlic and Oil Sauce

4인분

파스타 450g
소금
엑스트라버진 올리브유 ⅓컵
마늘 2작은술, 아주 잘게 다진다
매운 붉은색 고추, 잘게 썰어서 기호에 맞게 준비
파슬리 2큰술, 잘게 썬다

추천하는 파스타 ֍ 로마 사람들은 흔히 '스파게티 아이오 에 오이오'(spaghetti aio e oio)라고 할 정도로, 이 소스에 다른 파스타를 쓰는 것을 달이 차오르는 순서를 바꾸는 것만큼 불가능하다고 여긴다. 굳이 대체할 만한 다른 파스타를 제안한다면, 마늘과 오일이 아주 잘 버무려질 수 있는 얇은 스파게티인 스파게티니일 것이다.

1. 원래 넣는 양보다 더 많은 양의 소금을 넣고 물을 끓여 스파게티를 익힌다. 올리브유에 소금이 잘 녹지 않기 때문에 소스 자체에는 소금이 들어가지 않는

다. 따라서 버무리기 전에 파스타 자체에 충분히 소금 간이 되어 있어야 한다.

2. 파스타를 삶는 동안 작은 소스팬에 올리브유, 마늘, 잘게 썬 붉은색 고추를 넣고 중약불에 올린다. 마늘이 살짝 노릇해질 때까지 저어가며 볶는다. 갈색이 되어서는 안 된다.
3. 익혀서 건진 파스타와 소스팬에 든 모든 내용물을 함께 버무린다. 면의 모든 가닥에 기름이 골고루 입혀지도록 계속 뒤적여준다. 맛을 보고 필요하다면 소금으로 정확한 간을 맞춘다. 잘게 썬 파슬리를 넣고 다시 한번 버무린 뒤 바로 차려 낸다.

익히지 않은 '아이오 에 오이오'

4인분

마늘 4쪽
소금
엑스트라버진 올리브유 ⅓컵
파스타 450g
매운 붉은색 고추, 잘게 썰어서 기호에 맞게 준비
파슬리 2큰술, 잘게 썬다

1. 칼 손잡이 뒷부분을 이용해 가볍게 마늘이 쪼개지며 껍질이 분리될 정도로만 으깬다. 껍질을 까서 버린다.
2. 따뜻한 볼에 마늘, 소금, 올리브유와 고추를 넣는다. 이 볼은 파스타를 넣어 버무리고 모든 재료를 2~3번 뒤적일 수 있을 정도로 커야 하며 미리 따뜻하게 데워 준비한다.
3. 소금을 원래 넣는 양보다 더 많이 넣어 파스타를 익힌다. 알덴테 상태가 되면 건져서 볼에 넣고 생마늘과 올리브유로 버무린다. 파스타 가닥에 올리브유가 골고루 입혀지도록 반복해 뒤적여준다. 맛을 보고 소금으로 간한다. 잘게 썬 파슬리를 넣고 다시 버무린 뒤 바로 차려 낸다.

신선한 토마토와 바질을 넣은 익히지 않은 '아이오 에 오이오'

파슬리를 제외한 바로 앞 레시피의 모든 재료에 생바질잎 몇 장과 양의 신선하고 잘 익은 단단한 플럼토마토를 115g 또는 그보다 약간 더 많이 준비한다.

세로날 필러로 생토마토 그대로 껍질을 벗긴다. 반으로 갈라서 씨를 파낸 다음 아주 작게 깍둑썰기한다. 파스타를 넣어 버무릴 볼에 토마토를 넣고 앞선 레시피처럼 소금을 크게 1~2자밤, 마늘, 올리브유, 고추를 넣는다. 보통 파스타를 삶을 때 넣는 양만큼 소금을 넣고 파스타를 익힌다. 익혀서 건진 파스타를 볼에 넣고 기름기가 골고루 입혀지도록 파스타 가닥을 흩트려 버무린다.

추천하는 파스타 ෴ 익히지 않은 소스로 조리하는 앞의 두 가지 방식의 아이오에 오이오에는 모두 얇은 스파게티인 스파게티니가 잘 어울린다.

마늘과 고추를 넣은 콜리플라워 오일 소스

Cauliflower Sauce with Garlic, Oil, and Chili Pepper

4~6인분

콜리플라워 1송이(약 675g)
엑스트라버진 올리브유 ½컵
마늘 큰 것 2쪽, 껍질을 벗기고 잘게 썬다
안초비 6조각(19쪽 설명대로 가급적 직접 만든 것으로), 아주 잘게 다진다
매운 붉은색 고추, 잘게 썰어서 기호에 맞게 준비
소금
파슬리 2큰술, 잘게 썬다
파스타 450~675g

추천하는 파스타 ෴ 양 끝이 뾰족한 마카로니인 펜네라면 표면이 밋밋하든 홈이 파였든 상관없이 매력적인 선택이 될 것이다.

1. 콜리플라워 안쪽에 달린 아주 부드러운 몇 개를 제외하고 잎을 모두 떼어낸다. 찬물에 헹구고 반으로 자른다.
2. 약 4~5L 물을 끓이고 콜리플라워를 넣어 부드러워질 때까지 25~30분 익힌다. 형태가 뭉그러질 정도로 익혀서는 안 된다. 포크로 찔러 익은 정도를 가늠한다. 다 익으면 건져서 한편에 둔다.
3. 소스팬에 물을 넣고 보글보글 끓인다.
4. 중간 크기의 소테팬에 올리브유와 마늘을 넣어 중불에 올리고, 마늘이 살짝 노릇해질 때까지 익힌다. 소테팬을 불에서 내려 물이 끓고 있는 소스팬 위에 중탕하는 것처럼 올린 다음, 안초비를 넣는다. 스패출러의 뒷면으로 안초비를 팬 안쪽에 대고 으깨어 가능한 죽처럼 되게 만든다. 팬을 다시 중불에 올리고 자주 저어주며 30초 정도 익힌다.
5. 삶아서 건진 콜리플라워를 넣고 포크를 이용해 땅콩보다 조금 더 큰 크기로 재빠르게 부순다. 기름기가 골고루 입혀지도록 잘 뒤적이면서, 일부는 덩어리 없이 걸쭉해지도록 주걱 뒷면으로 으깬다.
6. 잘게 썬 고추와 소금을 넣는다. 불을 세게 키워 자주 저어주며 몇 분 더 익힌다.

미리 준비한다면 ◎ 몇 시간 전에 이 단계까지 만들어두어도 된다. 냉장 보관하지는 마라. 파스타를 건져서 버무릴 준비가 거의 다 되었을 때 천천히 다시 데운다.

7. 익혀서 건진 파스타를 버무린다. 잘게 썬 파슬리를 넣고 한두 번 다시 버무린 뒤 바로 차려 낸다.

브로콜리 안초비 소스

Broccoli and Anchovy Sauce

6인분

브로콜리 1송이(약 450g), 크고 신선한 것으로 준비
엑스트라버진 올리브유 ⅓컵
안초비 6조각(19쪽 설명대로 가급적 직접 만든 것으로), 아주 잘게 다진다
매운 붉은색 고추, 잘게 썰어서 기호에 맞게 준비
파스타 675g
갓 갈아낸 파르미자노 레자노 치즈 2큰술
갓 갈아낸 로마노 치즈 ¼컵

추천하는 파스타 ◎ 미니어처 접시 모양의 쫀득한 식감을 자랑하는 풀리아의 대표 파스타, 직접 만든 오레키에테(orecchiette)는 이 꾸밈없는 맛의 브로콜리 소스와 궁합이 아주 좋다. 오레키에테는 243쪽을 참고해 직접 만들 수 있지만, 이탈리아산을 취급하는 수입 식료품점에서도 구입할 수 있다. 푸실리나 콘킬리에도 괜찮다.

1. 브로콜리 줄기에서 작은 송이들을 떼어내는데, 남은 줄기를 버리지 않는다. 126쪽의 자세한 설명에 따라 브로콜리 줄기 표면을 얇게 벗기고, 송이와 함께 씻는다. 소금을 넣은 끓는 물에서 포크로 찔렀을 때 살짝 부드러워진 정도까지만 익힌다.
2. 브로콜리를 건져 송이는 더 작은 조각으로 쪼개고, 줄기는 크게 깍둑썰기해서 한편에 둔다.
3. 소스팬에 물을 붓고 보글보글 끓인다.
4. 소테팬에 올리브유를 넣고 약불에 올린다. 올리브유의 온도가 올라가기 시작하면, 중탕하는 것처럼 물이 끓고 있는 소스팬 위에 냄비를 올리고 잘게 썬 안초비를 넣는다. 스패출러 뒷면으로 안초비를 저으면서 으깨는데, 덩어리지지 않은 죽 상태가 되도록 만든다.

미리 준비한다면 ❀ 이 단계까지 몇 시간 전에 미리 만들어둘 수 있지만, 익힌 브로콜리를 냉장 보관하지는 마라.

5. 냄비를 다시 중불에 올린다. 미리 만들어두었다면 스패출러로 저어가며 안초비를 천천히 데운다. 브로콜리 송이와 깍둑썰기한 브로콜리 줄기, 매운 고추를 넣는다. 잘 섞이도록 뒤적이며 4~5분 익힌다.
6. 냄비 안의 내용물과 익혀서 건진 파스타를 함께 버무린다. 갈아놓은 두 종류의 치즈를 넣고 다시 한번 골고루 버무린다. 바로 차려 낸다.

토마토 안초비 소스

Tomato and Anchovy Sauce

4인분

마늘 1작은술, 아주 잘게 다진다
엑스트라버진 올리브유 ⅓컵
안초비 4조각(19쪽 설명대로 가급적 직접 만든 것으로), 대충 작게 썬다
이탈리아산 플럼토마토 통조림 1½컵, 썰어서 즙과 함께 준비
소금
갓 갈아낸 검은 후추
파스타 450g
파슬리 2큰술, 잘게 썬다

추천하는 파스타 ❀ 첫 번째로 선택할 수 있는 파스타는 가느다란 스파게티인 스파게티니다. 그리고 그보다 약간 굵은 전형적인 스파게티가 이를 대체할 만한 유일한 파스타다.

1. 소스팬에 물을 보글보글 끓인다.
2. 소테팬에 마늘과 올리브유를 넣고 중불에 올린다. 마늘이 아주 살짝만 노릇해질 정도로 볶는다.
3. 마늘과 올리브유가 든 소테팬을 물이 끓고 있는 소스팬 위에 중탕하는 것처럼 올린다. 썰어놓은 안초비를 넣고 스패출러 뒷면을 팬 안쪽에 대면서 안초비를 죽이 될 때까지 으깬다. 팬을 다시 중불에 올리고 30초 미만으로 볶아준다. 토마토와 소금을 넣고, 후추도 살짝 갈아 넣는다. 천천히 뭉근하게 끓도록 불의 세기를 조절해 토마토에서 기름이 분리되어 표면에 떠오를 때까지 20~25분 익힌다. 이따금씩 저어준다.

미리 준비한다면 ❀ 소스를 몇 시간 전에 미리 준비했다면 파스타를 건져서 버

무릴 준비가 거의 다 되었을 때 천천히 다시 데운다. 냉장 보관해서는 안 된다.

4. 익혀서 건진 파스타를 가닥가닥 골고루 소스가 입혀지도록 뒤적이며 냄비 안의 모든 내용물과 함께 버무린다. 잘게 썬 파슬리를 넣고 다시 한번 버무려 바로 차려 낸다.

페스토
PESTO

페스토는 그 장점에 걸맞게 점점 더 인기가 높아지고 있는 것 같다. 다 파악하기 힘들 정도로 많은 요리에 '페스토'라는 것이 들어간다. 그중 페스토 고유의 성격을 최대한 살린 요리가 얼마나 될지 의심스럽다.

페스토는 바질만이 가진 향을 전달하기 위해 제노바 사람들이 개발한 소스다. 바질 외에는 올리브유, 마늘, 잣, 버터와 간 치즈만 들어간다. 페스토는 절대 익히거나 가열하지 않는다. 채소 수프 위에 올려 맛을 돋우는 경우는 있지만 말이다. 그리고 페스토의 훌륭한 역할 중 하나가 바로 파스타를 위한 매력적인 소스가 될 수 있다는 것이다.

이탈리아의 리구리아 지역에서 나는 매혹적인 향을 지닌 바질로 만든 페스토만한 것은 없을 것이다. 그러나 걱정하지 마라. 신선한 바질을 구할 수만 있다면 어디서든 꽤 훌륭한 페스토를 만들 수 있다.

제노바 요리사들은 절구와 공이로 만든 것이 아니면 페스토가 아니라고 말한다. 적어도 언어학적으로는 그들이 옳다. 페스토(pesto)라는 단어가 절구를 이용해 빻거나 간다는 뜻의 페스타레(pestare)에서 유래했기 때문이다. 진정한 맛을 안다는 면에서, 그리고 전통의 가치를 존중한다는 면에서도 그들이 옳을지 모르겠다. 187쪽에 절구로 페스토를 만드는 법이 있다. 하지만 시간이 없다거나 절구를 쓰기 까다롭다는 이유로 페스토 만들기를 포기해버리는 것이 훨씬 더 안타까운 일이다. 푸드프로세서를 쓰면 최소한의 노력으로 아주 만족스러운 결과를 얻을 수 있다.

참고 ❀ 리구리아 지역에서 페스토를 만들 때 쓰는 피오레 사르도(fiore sardo)로 알려진 페코리노 치즈는 로마노 치즈보다 쏘는 맛이 훨씬 덜하다. 여기서 설명한 레시피는 로마노와 파르미자노 레자노를 기준으로 한 것이므로, 만일 가지고 있는 피오레 사르도를 쓰고 싶다면 넣는 양을 늘려야 할 것이다.

푸드프로세서로 페스토 만드는 법

Pesto by the Food Processor Method

6인분

푸드프로세서에 들어갈 재료

생바질잎 눌러 담아서 2컵

엑스트라버진 올리브유 ½컵

잣 3큰술

마늘 2쪽, 푸드프로세서에 넣기 전에 미리 다진다

소금

수작업으로 마무리할 재료

갓 갈아낸 파르미자노 레자노 치즈 ½컵

갓 갈아낸 로마노 치즈 2큰술

버터 3큰술, 상온에 두어 말랑한 상태로 준비

파스타 675g

1. 바질을 찬물에 잠시 담가두었다가 씻고, 키친타월로 가볍게 두드려 물기를 완전히 제거한다.
2. 푸드프로세서에 바질, 올리브유, 잣, 다진 마늘과 소금을 크게 한 자밤 넣고, 부드럽고 균일한 상태가 되도록 간다.
3. 볼에 옮겨 담아 두 가지 치즈를 넣고 손으로 섞는다. 조금만 수고를 기울여 손으로 섞으면 확실히 훨씬 더 좋은 질감을 낼 수 있다. 치즈가 다른 재료들과 고루 섞이면 말랑해진 버터를 넣고 소스에 균일하게 녹아들도록 섞는다.
4. 파스타 위에 페스토를 펴서 올리고, 파스타 삶은 물을 1~2큰술 넣어서 약간 묽게 희석시킨다.

페스토를 냉동한다면 ❀ 푸드프로세서로 만들 경우 2번 단계까지 진행하고, 치즈와 버터를 넣지 않은 상태에서 냉동한다. 사용하기 바로 전 해동 후 치즈와 버터를 추가한다.

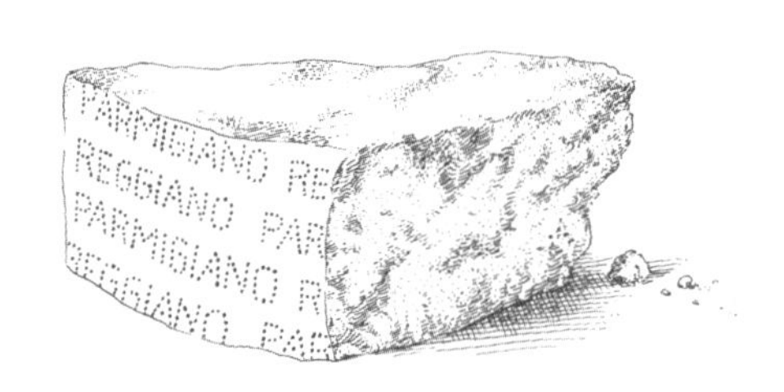

절구로 페스토 만드는 법

Pesto by the Mortar Method

6인분

크기가 큰 대리석 절구, 단단한 나무공이가 딸린 것으로 준비
마늘 2쪽
생바질잎 눌러 담아서 2컵
잣 3큰술
굵은 천일염
갓 갈아낸 파르미자노 레자노 치즈 ½컵
갓 갈아낸 로마노 치즈 2큰술
엑스트라버진 올리브유 ½컵
버터 3큰술, 상온에 두어 말랑한 상태로 준비
파스타 675g

1. 칼 손잡이로 마늘 껍질이 분리될 정도로만 가볍게 으깨 껍질을 벗긴다.
2. 바질을 찬물에 잠시 담가 두었다가 씻고, 키친타월로 가볍게 두드려 물기를 완전히 제거한다.
3. 절구에 바질, 마늘, 잣과 천일염을 넣는다. 공이로 원을 그리면서 절구 옆면에 대고 모든 재료를 간다. 갈아진 재료가 죽처럼 되면 두 가지 치즈를 모두 넣고 공이로 갈면서 골고루 섞이도록 한다.
4. 올리브유를 아주 조금씩 부어 넣으면서 나무 주걱으로 섞는다. 올리브유를 전부 섞어 넣었다면 버터를 넣고 나무 주걱으로 고루 녹아들게 섞어준다.
5. 파스타 위에 페스토를 펴서 올리고, 파스타 삶은 물을 1~2큰술 넣어서 약간 묽게 희석시킨다.

추천하는 파스타 스파게티와 270쪽 감자 뇨키가 페스토와 완벽하게 어울린다. 제노바의 전통적인 파스타 트레네테(trenette) 또한 페스토와 잘 어울리는 대표 파스타다. 페투치네와 거의 같으니, 페스토를 생면 파스타와 먹고 싶다면 144쪽 페투치네 만드는 법을 참고하라. 페투치네가 너무 전형적이면 144쪽의 톤나넬리도 매력적인 선택이 될 것이다.

그린빈과 감자를 넣은 페스토 파스타

Pasta and Pesto with Potatoes and Green Beans

파스타나 국수류에 페스토를 섞어 먹을 때, 제노바에서는 삶은 햇감자와 그린빈을 곁들여야 제대로 먹었다고 여긴다. 이 모두를 갖춘다면 이탈리아 파스타를 통틀어 한 끼 식사로 이보다 훌륭한 것은 없다.

6인분

햇감자 작은 것 3개
어린 그린빈 225g
파스타 675g
페스토, 앞의 레시피를 따라 만든 것

1. 감자를 껍질째 삶는다. 다 익으면 껍질을 벗기고 얇게 썬다.
2. 그린빈의 양 끝을 자르고 찬물에 씻는다. 소금을 넣은 끓는 물에 넣고 부드러워질 때까지 익히는데, 너무 물러져서도 단단해서도 안 된다. 건져서 한편에 둔다.
3. 스파게티 또는 페투치네 6인분을 삶는다. 파스타를 건질 때 삶은 물을 조금 남겨 2큰술 가득 페스토에 넣는다.
4. 익혀서 건진 파스타를 감자, 그린빈, 페스토와 버무린다. 바로 차려 낸다.

리코타 페스토

Pesto with Ricotta

약간 시큼하고 부드러운 맛을 가진 리코타는 페스토에 가벼운 맛과 생기를 불어넣는다. 재료는 기본적으로 186쪽의 푸드프로세서로 페스토 만드는 법과 같고, 거기에 리코타 3큰술을 추가하고 버터의 양은 2큰술로 줄인다. 기본 레시피와 동일하게 치즈 간 것, 리코타, 버터를 다른 볼에서 먼저 간 재료들과 함께 손으로 섞는다. 6인분 양이다.

추천하는 파스타 ❀ 230쪽에서 설명한 피카제(piccagge)처럼 직접 만든 라자냐가 가장 전통적이면서도 흥미로운 선택일 것이다. 그러나 스파게티를 쓰더라도 실망하진 않을 것이다.

검은 송로버섯 소스

Black Truffle Sauce

이 레시피를 『더 많은 정통 이탈리아 요리』를 통해 맨 처음 알릴 때, 재료에 드는 비용과 엄청난 감각을 요구하는 요리라는 이유로 기준을 2인분을 줄였다. 2인을 기준으로 했을 때 가장 좋은 맛을 낼 수 있다는 생각에는 변함이 없다. 많은 양을 요리해야 한다면 송로버섯을 2배로 늘릴 때 안초비는 1.5배만 늘리면 된다.

2인분

검은 송로버섯 85g, 가급적 신선한 것으로 준비
엑스트라버진 올리브유 3큰술, 파스타에 넣을 여분의 양도 조금 준비
마늘 1~2쪽
안초비 1조각(19쪽 설명대로 가급적 직접 만든 것으로), 아주 잘게 다진다
소금
파스타 225g

추천하는 파스타 ✿ 가는 스파게티인 스파게티니.

1. 신선한 송로버섯을 쓴다면: 빳빳한 솔로 송로버섯 표면을 털어내고 젖은 천으로 닦은 뒤, 가볍게 두드려 물기를 완전히 말린다.
   통조림 송로버섯을 쓴다면: 버섯 건더기를 건져내 가볍게 두드려 물기를 없앤다. 버섯이 담겨 있던 물은 리소토나 고기요리의 소스를 만드는 데 쓸 수 있다.
2. 강판의 구멍이 가장 작은 면에 대고 송로버섯을 아주 작은 입자로 간다. 몇몇 일본 조리용품 상점에서 파는 날이 예리한 금속 강판이 이 작업을 하기에 최적의 도구다.
3. 칼 손잡이로 마늘 껍질이 분리될 정도로만 가볍게 으깨어 껍질을 벗긴다.
4. 작은 소스팬에 물을 넣고 보글보글 끓인다.
5. 다른 작은 소스팬에 올리브유와 마늘을 넣고 중불에 올린다. 이때 소스팬은 가능한 한 도자기 재질이 좋다. 마늘이 연한 갈색으로 변할 때까지 익힌다.
6. 마늘을 꺼내 버리고, 소스팬을 중탕하는 것처럼 물이 끓고 있는 팬 위에 올린다. 잘게 다진 안초비를 넣고 스패출러로 젓고, 주걱의 뒷면을 이용해 팬 안쪽에 대고 으깬다. 1~2분 뒤에 소스팬을 다시 불 위로 가져오고 불의 세기를 약하게 조절한다. 안초비가 전체적으로 죽 상태에 가까워질 때까지 몇 분 정도 계속 젓는다.
7. 송로버섯 간 것을 넣고 한두 번 고루 섞은 뒤, 맛을 보고 필요하다면 소금으로 간한다. 한두 번 재빨리 젓고 불에서 내린다.
8. 익혀서 건진 스파게티니를 넣고 팬 안의 내용물과 함께 버무린다. 신선한 올리브유를 살짝 두른 뒤 바로 차려 낸다.

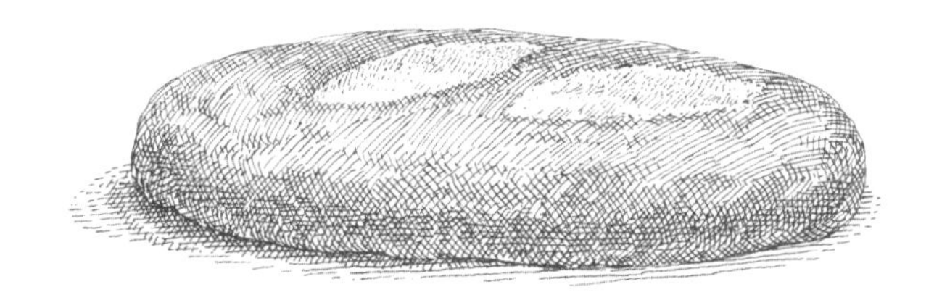

토마토와 마늘을 넣은 참치 소스

Tuna Sauce with Tomatoes and Garlic

4~6인분

엑스트라버진 올리브유 4큰술
마늘 ½작은술, 아주 잘게 다진다
이탈리아산 플럼토마토 통조림 1½컵, 썰어서 즙과 함께 준비
참치 통조림 340g, 올리브유에 저장된 이탈리아산으로 준비(참치에 관한 설명은 47쪽 참고)
소금
갓 갈아낸 검은 후추
버터 1큰술
파스타 450~675g
파슬리 3큰술, 잘게 썬다

추천하는 파스타 ✿ 스파게티 또는 펜네나 리가토니 같은 짧은 튜브 형태의 마카로니.

1. 소스팬이나 작은 소테팬에 올리브유와 잘게 다진 마늘을 넣고 중불에 올려 마늘이 살짝 노릇해질 때까지 익힌다. 자른 토마토와 즙을 함께 넣고 잘 섞이도록 저은 뒤, 뭉근하게 끓도록 불의 세기를 조절해 토마토에서 기름이 분리되어 떠오를 때까지 25분 정도 끓인다.

미리 준비한다면 ✿ 소스를 이 단계까지 몇 시간 또는 하루나 이틀 전에 준비해두어도 된다. 쓸 준비가 되면 천천히 다시 데운다.

2. 참치 건더기를 건져 포크로 덩어리를 부순다. 토마토를 데우던 불을 끄고 참치를 넣어 전체적으로 고루 섞는다. 맛을 보고 필요하다면 소금으로 간한다. 후추를 살짝 갈아 넣고 버터를 1큰술 넣어 다시 한번 잘 섞는다.
3. 익혀서 건진 파스타를 넣고 버무린다. 잘게 썬 파슬리를 넣고 다시 버무리고 바로 차려 낸다.

조개를 넣은 토마토 소스

Clam Sauce with Tomatoes

아드리아해에서 나는 작고 동그란 조개는 감칠맛이 매우 좋아서 맛을 내는 데 다른 재료가 필요 없다. 다른 바다에서 나는 조개는 맛이 단조로워서 조개 소스 본연의 향미를 풍부하게 끌어올려 이탈리아의 맛에 가까워지려면 다른 재료를 추가해야 한다. 이 레시피에서는 안초비와 고추를 활용했다.

4인분

새끼 대합 12개, 작은 것으로
엑스트라버진 올리브유 3큰술, 파스타에 넣을 여분의 양도 조금 준비
마늘 1½작은술, 잘게 다진다
파슬리 2큰술, 잘게 썬다
안초비 1조각(19쪽 설명대로 가급적 직접 만든 것으로), 아주 잘게 다진다
이탈리아산 플럼토마토 통조림 2컵, 썰어서 즙과 함께 준비 또는 신선하고 잘 익은 토마토, 껍질을 벗기고 썬다
소금
매운 붉은색 고추, 잘게 썰어서 기호에 맞게 준비
파스타 450g

추천하는 파스타 ✿ 가는 스파게티인 스파게티니가 제일 낫다. 차선책은 스파게티.

1. 131쪽 설명대로 조개를 문질러 씻는다. 건드렸을 때 입을 다물지 않는 조개는 골라내 버린다. 조개가 세 겹 이상 겹치지 않게 바닥이 넓은 냄비를 준비하고, 조개를 넣는다. 냄비 뚜껑을 닫고 강불에 올린다. 뒤적이며 익히고, 조개 상태를 자주 확인한다. 입을 벌린 조개는 바로 냄비에서 꺼낸다.
2. 조개가 모두 입을 벌리면 껍데기에서 조갯살을 발라낸다. 발라낸 조갯살은 남아 있는 모래가 제거되도록 냄비 안에 담긴 조개 국물에 살살 흔들어 헹군다. 유난히 작은 것은 제외하고 칼로 2~3등분 한다. 작은 볼에 담아 한편에 둔다.
3. 키친타월을 체에 깔고 아래에 볼을 받쳐 냄비 안의 조개 국물을 부어 거른다. 조갯살이 마르지 않도록 거른 조개 국물을 조금 떠서 위에 뿌려준다.
4. 소스팬에 올리브유와 마늘을 넣고 중불에 올린 다음. 마늘이 살짝 노릇해질 때까지 익힌다. 파슬리를 넣고 한두 번 젓고, 자른 토마토와 즙, 잘게 다진 안초비와 걸러낸 조개 국물을 넣는다. 1~2분 전체적으로 저은 뒤, 뭉근하게 끓도록 불의 세기를 조절해 토마토에서 기름이 분리되어 떠오를 때까지 25분 정도 끓인다.

미리 준비한다면 ✿ 소스를 완성하기 몇 시간 전에 이 단계까지 미리 준비해둘 수 있다. 파스타를 버무릴 준비가 되었을 때 천천히 다시 데운다.

5. 맛을 보고 소금으로 간하고, 잘게 썬 고추를 넣고 2~3번 저은 뒤 불에서 내린다. 잘라놓은 조갯살을 넣어 소스가 고루 입혀지도록 섞는다. 익혀서 건진 스파게티니 또는 스파게티를 넣고 잘 버무린다. 파스타 위에 올리브유를 살짝 두르고 바로 차려 낸다.

흰조개 소스

White Clam Sauce

베네치아, 아니 이탈리아 어디서든 조개 스파게티를 먹을 수 있다. 그러나 체사레 베넬리가 텍사스 출신인 아내 다이엔과 함께 운영하는 식당 알 코보(Al Covo)에서 내놓는 요리 같은 것은 어디에도 없다. 조개와 스파게티의 조합이라는 변하지 않는 테마를 다루는 데 있어 체사레가 보여주는 차이는, 조개가 막 입을 열었을 때 나오는 본연의 국물 맛을 가두는 데 있다. 파스타가 완전히 익기 전에 건져내 팬에 있는 조개 국물로 마저 익히는 것이다. 파스타가 완전히 익으면서 신선한 조개 국물을 모두 흡수해 농후하면서도 풍부한 맛을 자아낸다.

4인분

새끼 대합 18개, 작은 것으로
엑스트라버진 올리브유 5큰술
마늘 큰 것으로 2쪽, 껍질을 벗기고 종잇장처럼 얇게 썬다
파슬리 1½큰술, 잘게 썬다
신선한 매운 고추 2작은술 또는 기호에 맞춘 양, 썬다
플럼토마토 1개, 신선하고 잘 익은 단단한 것을 껍질은 까지 않고 1cm 크기로 깍둑썰기해서, 씨는 제거하고 즙은 버린다
달지 않은 화이트 와인 ½컵
건조 파스타 450g
생바질잎 6장, 2~3조각으로 찢는다

추천하는 파스타 191쪽에서 토마토를 넣은 조개 소스에 추천한 파스타와 같다. 생면 파스타를 쓰고 싶다면 스파게티니보다 직접 만든 페투치네를 쓰되, 공장제 파스타보다 더 빨리 익는다는 것을 유념하라. 면을 익히기 전에 먼저 스킬렛에 조개 국물을 넣고 반쯤 졸여두어야 페투치네를 넣었을 때 국물 졸이는 시간을 줄일 수 있다.

1. 131쪽 설명대로 조개를 문질러 씻고, 건드렸을 때 입을 다물지 않는 조개는 골라내 버린다. 191쪽 1번 단계대로 조개가 입을 벌릴 때까지 끓인다.
2. 조개가 모두 입을 벌리면 구멍 뚫린 국자로 냄비 밖으로 건져낸다. 이때 냄비 안 조개 국물을 가능한 한 휘젓지 않는다. 껍데기에서 조갯살을 발라내고, 남아 있는 모래가 제거되도록 냄비 안에 담긴 조개 국물에 살살 흔들어 헹군다. 유난히 작은 것은 제외하고 칼로 2~3등분 한다. 작은 볼에 담고, 올리브유 2큰술을 위에 뿌려준 뒤, 주방용 랩으로 꼼꼼히 덮어 한편에 둔다. 냉장고에 넣어서는 안 된다.
3. 키친타월을 체에 깔고 아래에 볼을 받쳐 냄비 안에 남은 조개 국물을 부어 거른다. 한편에 둔다.

4. 파스타가 충분히 들어갈 만한 크기의 스킬렛이나 소테팬을 가져온다. 올리브유 3큰술, 얇게 썬 마늘을 넣고 중강불에 올린다. 색이 변하기 전 몇 초간만 마늘을 볶다가 파슬리와 고추를 넣는다. 한두 번 섞어주고 깍둑썰기한 토마토를 넣는다. 이따금 저어주며 1~2분 토마토를 익힌 다음, 화이트 와인을 넣는다. 와인이 졸아들도록 20~30초 끓인 뒤 불을 끈다.
5. 소금을 넉넉히 넣은 물에 파스타를 넣고, 형태가 풀어지지 않고 완전히 익은 부분이 거의 없게 익힌다. 한 입 깨물었을 때 살짝 단단하고, 씹은 단면 중앙에 아주 가는 흰색 심이 보여야 한다.
6. 스킬렛이나 소테팬을 강불에 올리고, 바로 파스타를 건져 여기에 옮겨 넣는다. 걸러놓은 조개 국물을 모두 넣고, 국물이 전부 졸아들 때까지 파스타를 버무리며 익힌다.

   건졌을 때 덜 익은 파스타가 이 과정에서 완벽하게 익는다. 맛을 보고, 만일 조개 국물이 전부 졸았는데도 파스타가 덜 익었다면 물을 약간 더 넣고 조금 더 익힌다.
7. 불을 끄기 전에 파스타가 익자마자 썰어서 볼에 담아둔 조갯살과 올리브유를 모두 넣고, 찢은 바질잎도 넣는다. 팬 안에서 그대로 2~3번 버무린 뒤 따뜻한 접시에 옮겨 담아 바로 차려 낸다.

사르데냐식 보타르가 소스

Sardinian Bottarga Sauce

사르데냐의 맛은 그곳의 풍경과 거기 사는 사람들의 모습과 닮아 있다. 이탈리아 본토에서는 느낄 수 없는 맛이다. 어떤 강렬함과 힘이 있다. 자극적인 사향 냄새가 진하게 풍기는 보타르가 데 무지네(borttarga de muggine)—말린 숭어알에 관해서는 24쪽 설명을 보라—가 딱 그러하다. 섬에 머무르며 미각을 일깨운 덕에 사르데냐 요리의 특징만큼은 확실히 구분할 수 있게 되었다.

보타르가를 쓰는 법은 크게 두 가지다. 하나는 올리브유를 사용해 생선 부산물의 맛을 그대로 살리는 것이고, 다른 하나는 버터로 어란의 강한 풍미를 부드러운 단맛으로 바꾸는 것이다. 뉴욕 메트로폴리탄 미술관에서 일하는 나의 친구 대니얼 버거는 오랫동안 이탈리아 음식을 아주 좋아했고 또 열정적으로 요리하는데, 그는 소스를 만들 때는 올리브유를 쓰고 파스타를 버무릴 때는 버터를 넣는다. 나는 버터만 썼을 때가 가장 맛있었다. 전통을 엄격히 따른다면 양파를 넣어야 하지만, 대신 파를 넣으라는 대니의 제안엔 적극 동의한다.

참고 ✿ 좋은 숭어 보타르가는 비싸기 때문에, 레시피를 2인분 기준으로 잡았다. 개인적으로 보타르가는 여러 사람을 대접하기 위한 요리는 아니라고 생각하지만, 사람 수에 비례하도록 레시피의 양을 4인분이나 6인분도 쉽게 만들 수 있다.

2인분

숭어 보타르가 30g, 아래 레시피대로 얇게 썬 다음 잘게 썬다, 눌러 담지 않고 ¼컵
파(scallion) ⅔컵, 파란 잎 쪽과 흰 뿌리 쪽 모두 둥근 모양을 살려 아주 얇게 송송 썰어서 준비 또는 양파를 잘게 썬다
소금
파스타 225g
버터, 파 또는 양파를 익히는 데 쓸 1½큰술과 파스타에 버무릴 1큰술
파슬리 1큰술, 잘게 다진다
레몬 껍질 ¼작은술, 흰 속껍질을 제외한 겉껍질만 간다
선택 사항: 매운 붉은색 고추, 아주 소량만 기호에 맞게 준비

추천하는 파스타 ✿ 사르데냐에서는 입자가 거친 세몰리나 가루로 만든 작은 뇨키 모양 파스타 말로레두스(malloreddus)를 넣어 먹는다. 말로레두스 대신 가는 스파게티인 스파게티니도 좋다. 가급적 이탈리아에서 수입된 질이 좋은 것을 택한다. 직접 만든 파스타를 쓰고 싶다면 굵고 단면에 각이 진 톤나넬리가 아주 잘 어울린다. 톤나넬리 만드는 법은 144쪽에 소개되어 있다.

1. 보타르가의 무게를 잰 다음 30g에 해당하는 분량만큼 잘라낸다. 표면의 얇은 막을 벗긴다. 세로날 필러를 이용해 종잇장처럼 얇게 저민 뒤, 칼로 썰 수 있는 최대한 작은 크기로 썬다. 도마 위에서 칼날의 끝부분을 손바닥으로 누르며 고정시키고, 다른 손으로 손잡이를 쥔 채 지렛대처럼 위아래로 움직이면 짧은 시간 안에 보타르가를 작고 고운 입자로 다질 수 있다. (이 레시피에 해당하는 것보다 많은 양을 만든다면 푸드프로세서를 사용해도 된다.)
2. 작은 소스팬에 파 또는 양파, 소금 크게 한 자밤과 버터 1½큰술을 함께 넣는다. 중불에 올려 파나 양파의 색이 살짝 변할 때까지 이따금 저어주며 익힌다.
3. 파스타가 익자마자 건져 따뜻하게 데운 그릇에 담고 버터 1큰술을 넣는다. 소스팬에 든 내용물을 모두 붓고 2~3번 버무린 다음, 잘게 썬 파슬리와 레몬 껍질 간 것, 기호에 맞게 고추를 넣고, 보타르가를 넣는다. 파스타 겉면에 소스가 골고루 묻도록 전체적으로 다시 버무린다. 바로 차려 낸다.

참고 ꕥ 개인적으로 고추는 보타르가가 가진 맛과 충돌하기 때문에 필요하지 않은 것 같다. 하지만 많은 사람이 고추 넣은 것을 즐기니, 각자의 선택에 맡기겠다.

올리브유, 마늘, 매운 고추를 넣은 가리비 소스

Scallop Sauce with Olive Oil, Garlic, and Hot Pepper

이탈리아 해안에서 잡히는 가리비 종류인 카네스트렐리(canestrelli)는 껍데기를 벗기면 어린아이 새끼손가락 손톱보다도 크기가 작지만 맛은 최고다. 북미에서 나는 가리비 중에서 특히 단맛이 강한 해만가리비도 신선하기만 하면 무척 맛있다. 하지만 카네스트렐리보다는 크기 때문에 양념이 잘 묻도록 작게 잘라야 한다.

6인분

- 해만가리비 또는 심해가리비 450g
- 엑스트리버진 올리브유 ½컵
- 마늘 1큰술, 아주 잘게 다진다
- 파슬리 2큰술, 잘게 썬다
- 매운 붉은색 고추, 잘게 썰어서 기호에 맞게 준비
- 소금
- 파스타 450~675g
- 마른 빵가루 ½컵, 양념이 되지 않은 것을 오븐이나 스킬렛에 살짝 굽는다

추천하는 파스타 ꕥ 해산물이 들어간 다른 소스와 마찬가지로 가는 스파게티인 스파게티니가 가장 알맞다. 그러나 스파게티도 괜찮은 선택이다.

1. 가리비를 찬물에 씻는다. 마른 천으로 톡톡 두드려 물기를 완전히 제거하고 1cm 두께로 썬다.
2. 소스팬에 올리브유와 마늘을 넣고 중불에 올려, 마늘이 살짝 노릇해질 때까지 볶는다. 파슬리와 고추를 넣는다. 한두 번 저어주고 가리비를 넣은 다음 소금을 크게 1~2자밤 넣는다. 불을 강하게 키우고 가리비가 불투명해지면서 하얗게 변할 때까지 자주 뒤적이며 1분 30초 정도 익힌다. 가리비는 오래 익히면 질겨지므로 주의한다. 맛을 보고 소금이나 고추를 넣어 간을 맞춘다. 가리비에서 물이 너무 많이 나오면 구멍 뚫린 국자로 가리비를 꺼낸

다음, 끓여서 수분을 날린다. 가리비를 다시 팬에 넣고 재빨리 뒤집은 뒤 불을 끈다.

3. 익혀서 건진 스파게티니를 넣고 골고루 버무리고, 빵가루를 넣어 다시 한번 버무린 다음 바로 차려 낸다.

생선 소스

Fish Sauce

이 소스의 주인공은 생선에서 가장 달고 맛있는 머리 부위의 작은 살점이다. 이 맛좋은 살점을 즐기는 데 문제가 하나 있으니, 바로 가시를 제거하는 것이다. 생선 머리를 푸드밀로 으깨면, 생선 머리가 가진 모든 맛은 뽑아내면서도 성가신 가시는 제거할 수 있다. 318쪽에서도 생선 수프의 맛을 끌어올리기 위해 같은 방법을 사용했다.

생선 가게엔 언제나 생선을 말끔하게 손질해 파느라 떼어낸 신선한 생선 머리를 갖고 있다. 단골이라면 몇 개를 공짜로 얻을 수도 있겠지만, 돈을 지불한다고 해도 꽤 싼 값에 살 수 있을 것이다.

8인분

갖은 생선 머리 675~900g, 농어, 적도미 또는 도미류
엑스트라버진 올리브유 ⅔컵
양파 ⅓컵, 잘게 썬다
마늘 1큰술, 잘게 썬다
파슬리 ¼컵, 잘게 썬다
달지 않은 화이트 와인 ⅓컵
이탈리아산 플럼토마토 통조림 1½컵, 즙도 함께 준비
소금
갓 갈아낸 검은 후추
파스타 675g
버터 2큰술

추천하는 파스타 ◎ 소스가 가진 모든 풍미를 전달하기에는 스파게티가 이상적이지만, 펜네와 리가토니 같은 짧은 튜브 모양 마카로니도 좋은 선택이 될 수 있다.

1. 생선 머리를 전부 찬물에 씻고, 물기가 빠지도록 콜랜더에 넣어 한편에 둔다.
2. 생선 머리를 모두 겹치지 않게 넣을 수 있는 크기의 소테팬을 가져온다. 올리브유와 잘게 썬 양파를 넣고 중불에 올린 다음 양파가 투명해질 때까지 볶는다. 마늘을 넣고 살짝 노릇해질 때까지 볶는다. 잘게 썬 파슬리의 절반을 넣고 (2큰술) 한두 번 저어준 뒤, 생선 머리를 넣는다.

3. 생선 머리에 양념이 잘 묻도록 뒤집고, 와인을 넣어 보글보글 끓인다. 1분 미만으로 끓여 졸이다가 썰어놓은 토마토와 즙, 소금, 후추를 넣고 팬 안의 모든 재료를 뒤적이며 저어준다. 불의 세기를 조절해 15분간 뭉근하게 끓인다.
4. 냄비에서 생선 머리를 꺼낸다. 작은 숟가락으로 가능한 한 많은 살을 발라낸다. 특히 볼과 목 쪽에 있는 살이 발라내기 쉽다. 작은 볼이나 접시에 담아 한편에 둔다.
5. 크기가 큰 뼈를 모두 떼어낸다. 푸드밀의 구멍을 가장 큰 크기에 맞추고 생선 머리의 남은 부분을 넣고 갈아내 팬 안으로 떨어지게 한다.

미리 준비한다면 ❁ 이 단계까지 몇 시간 전에 미리 준비해둘 수 있다. 이때 팬 안의 소스를 발라놓은 살코기에 조금 부어 주방용 랩으로 덮어 한편에 둔다.

6. 다시 불을 켜고 세기를 조절해 아주 천천히 뭉근하게 익힌다. 자주 저어주며 소스에 농도가 생기고 부드러우면서도 걸쭉해질 때까지 20분간 끓인다. 발라놓은 작은 생선살 조각을 넣고 저은 다음, 5분 더 익힌다.
7. 팬 안에 있는 소스와 익혀서 건진 파스타를 버무린다. 남은 파슬리와 버터를 넣고 다시 버무리고 바로 차려 낸다.

시칠리아식 정어리 소스

Sicilian Sardine Sauce

시칠리아 요리는 이탈리아의 그 어떤 지역보다 식재료라는 생동감 넘치는 어휘를 능숙하게 다룸으로써 우리를 황홀하게 만든다. 팔레르모의 파스타 콘 레 사르데(pasta con le sarde)를 보라. 샤프란과 야생 펜넬의 향, 정어리와 안초비의 자극적인 맛, 건포도의 진득한 과즙, 견과류의 고소함이 한데 어우러져 입맛을 돋우는 엄청난 하모니를 이룬다.

파스타 콘 레 사르데를 상황에 맞게 재현하기 위해서는 재료를 적절하게 대체해야 한다. 신선한 정어리는 수급이 불안정해 구하기 어려우니 통조림 정어리로 대신한다. 북미의 경우, 봄부터 여름까지 야생 펜넬을 구할 수 있는 북부 캘리포니아 이외의 지역에서는 재배해서 파는 피노키오(finocchio)잎을 사용해야 할 것이다.

4~6인분

신선한 정어리 450g 또는 올리브유에
담긴 정어리 통조림 건더기만 230g
피노키오잎(아래 참고) 2컵 또는
신선한 야생 펜넬 1¾컵
소금
건포도 1큰술
엑스트라버진 올리브유 ½컵
양파 2큰술, 잘게 썬다
안초비 4조각(19쪽 설명대로 가급적
직접 만든 것으로), 잘게 다진다
잣 ⅓컵
토마토 페이스트 1½큰술, 따뜻한 물
1컵에 샤프란 가루 크게 한 자밤
또는 말린 샤프란 가닥 ½ 작은술과
함께 섞는다
갓 갈아낸 검은 후추
파스타 450~675g
마른 빵가루 ½컵, 양념이 되지 않은
것을 오븐이나 스킬렛에 살짝
굽는다

참고 ❀ 채소 가게에서는 대개 피노키오잎을 잘라내고 파는데, 소스를 만들려면 잎 부분이 필요하다.

추천하는 파스타 ❀ 두껍고 구멍이 있는 스파게티를 써야 한다. 시칠리아에서는 우 피르차투(u pirciatu)라고 부르는 것으로, 부카티니 또는 페르차텔리와 모양이 같다.

1. 신선한 정어리를 쓴다면: 정어리 머리를 툭 잘라 내장이 함께 딸려 나오도록 잡아당긴다.

   머리 쪽에서 꼬리까지 이어지는 등지느러미를 지느러미에 붙은 작은 뼈들과 함께 뜯어낸다.

   한 손에 정어리를 들고 다른 손 엄지손톱을 배꼽 구멍에 넣고 척추 뼈를 따라 꼬리까지 움직인다. 이렇게 하면 정어리가 완전히 평평하게 펼쳐지면서 척추 뼈가 드러난다.

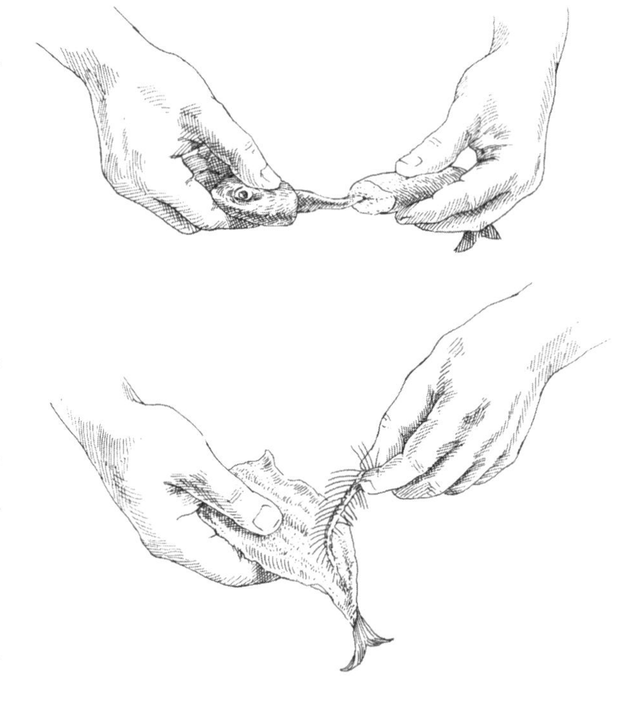

   척추뼈 아래로 몸통을 잡은 엄지와 검지를 쓸어내듯 움직여 뼈가 살에서 살짝 들리게 한다. 살에서 척추 뼈를 들어내되, 뜯어내지는 마

라. 생선 몸통에서 정확히 척추 뼈만 꼬리 쪽으로 들어낸다.

뼈를 발라내고 펼쳐진 상태의 정어리를 흐르는 찬물에 씻는데, 내장이나 잔가시가 붙어 있지 않도록 헹궈낸다.

준비된 정어리를 모두 손질했다면 커다란 도마 위에 반듯하게 놓고, 도마가 살짝 기울도록 한쪽 끝을 들어 고정시켜 정어리에서 물이 빠지도록 한다.

통조림 정어리를 쓴다면: 2번 단계부터 시작한다.

2. 피노키오잎 또는 야생 펜넬을 찬물에 씻는다. 4~5L의 물을 끓이고, 소금을 넣어 다시 끓기 시작하면 준비된 펜넬류를 넣는다. 뚜껑을 비스듬히 닫은 채로 10분 동안 익힌다. 불을 끄고 익은 펜넬류를 구멍이 있는 주걱으로 꺼내되, 냄비 안에 끓인 물은 그대로 두어 나중에 파스타를 익히는 데 쓴다.
3. 펜넬류가 손으로 만질 수 있을 정도로 충분히 식으면 물기가 나오도록 손으로 부드럽게 짠 다음, 칼로 썬다.
4. 건포도를 찬물에 15분 미만 불린 다음 건져서 칼로 썬다. 불리는 중간 중간 물을 갈아준다.
5. 소스팬에 물을 넣고 보글보글 끓인다.
6. 파스타를 제외한 모든 재료가 충분히 들어갈 수 있을 정도로 큰 소테팬을 준비한다. 올리브유와 양파 썬 것을 넣고 중불에 올린다. 양파가 투명해질 때까지 볶는다. 소테팬을 중탕하는 것처럼 물이 끓고 있는 소스팬 위로 올리고 안초비를 넣는다. 스패출러로 안초비를 으깨가며 계속 저어준다.
7. 안초비가 거의 죽처럼 되면 팬을 다시 중불에 올린다. 펜넬류를 넣고 이따금 저어주며 5분간 익힌다.
8. 신선한 정어리를 쓴다면: 나무 주걱으로 냄비 안에 있는 재료를 한쪽으로 밀어 빈 공간을 만든다. 거기에 정어리를 겹치지 않는 선에서 가능한 한 많이 넣는다. 한쪽 면을 1분 미만으로 익히고 뒤집어 반대쪽도 마찬가지로 짧은 시간만 익힌다. 익힌 정어리를 재료와 함께 한쪽으로 밀어두고, 다시 생긴 공간에 남은 정어리를 넣어 익힌다. 정어리를 모두 익힐 때까지 이 과정을 반복한다.
   통조림 정어리를 쓴다면: 9번 단계로 넘어간다.
9. 잣, 건포도 썬 것, 토마토 페이스트와 샤프란, 소금을 넣고 후추도 약간 갈아 넣는다. 팬 안에 있던 모든 재료에 양념이 고루 묻도록 뒤적여준다. 냄비 안에 수분이 모두 졸아들 때까지 중불로 계속 익힌다. 통조림 정어리를 쓴다면 이 시점에 넣고 2~3번 뒤적인 다음 불에서 내린다.

미리 준비한다면 ❀ 소스를 이 단계까지 몇 시간 전에 미리 준비해둘 수 있다. 통조림 정어리를 쓴다면 파스타를 버무리기 전 소스를 다시 데울 때 정어리를 넣어라.

10. 펜넬류를 익혔던 물을 다시 끓이고 소금을 조금 넣어 파스타를 익힌다.
11. 정어리 소스에 익혀서 건진 파스타를 버무린다. 빵가루를 넣고 다시 버무린다. 이 파스타는 식탁에 내기 몇 분 전에 준비해두어도 된다.

구운 아몬드를 곁들여 오븐에 구운 파스타 콘 레 사르데

Baked Pasta con le Sarde with Toasted Almonds

1. 앞의 기본 레시피에 따라 정어리 소스를 만든다.
2. 신선한 정어리를 사용한다면 115g 정도를 추가로 준비해 기본 레시피에서 설명한 대로 씻고 다듬어 펼친 모양이 되게 한다. 다른 팬에 올리브유를 뜨겁게 데워 정어리의 양면이 모두 갈색이 될 때까지 충분히 튀기듯 익힌다. 식힘망이나 키친타월을 깐 접시 위로 옮겨 기름을 뺀다.
3. 576쪽에서 설명한 대로, 껍질을 벗긴 아몬드 ¼컵을 데치고 180°C로 예열한 오븐에서 몇 분간 구운 다음, 푸드프로세서에 넣어 살짝만 갈거나 칼로 직접 잘게 부순다. (오븐은 그대로 180°C인 채로 둔다.)
4. 용량이 2.4L 정도 되는 오븐용 그릇(지름은 23~33cm)을 가져와 그릇 안쪽에 버터를 바른다.
5. 기본 레시피대로 펜넬류를 데친 물에 파스타를 넣어 익힌다. 살짝 덜 익었을 때 건지는데, 알덴테보다 좀 더 단단한 상태여야 한다. 오븐용 그릇 맨 아래에 파스타를 한 층으로 깔고 정어리 소스를 올려 고루 펼쳐준 다음, 빵가루를 흩뿌린다. 그 위로 다시 파스타, 소스, 빵가루를 쌓고, 남은 파스타와 소스를 모두 쓸 때까지 이 작업을 반복한다. 빵가루는 조금 남겨둔다. 신선한 정어리를 쓴다면 갈색으로 구운 정어리의 껍질이 위를 향하도록 해서 맨 위층에 올린다. 구워서 잘게 부순 아몬드와 빵가루를 흩뿌린다. 올리브유도 아주 살짝 뿌려준다. 180°C 오븐에서 5분간 굽는다. 오븐에서 꺼낸 파스타는 몇 분 뒤에 식탁에 차려 내도 된다.

분홍 새우 크림 소스

Pink Shrimp Sauce with Cream

토르텔리니를 쓸 경우
6인분 또는 납작한 면을 쓸 경우 4인분

중간 크기 새우 225g, 껍질을 포함한 무게
엑스트라버진 올리브유 ⅓컵
마늘 2쪽, 껍질을 벗기고 잘게 다진다
토마토 페이스트 1½큰술, 달지 않은 화이트 와인 ½컵에 섞는다
소금
갓 갈아낸 검은 후추
생크림 ½컵
토르텔리니(148쪽 참조) 또는 다른 파스타 450g
파슬리 2큰술, 잘게 썬다

추천하는 파스타 ❀ 우아하면서 개성이 도드라진 이 소스에 어울리는 이상적인 파스타는 219쪽의 생선으로 속을 채운 토르텔리니다. 144쪽의 페투치네나 145쪽의 파파르델레 같은 다른 종류의 직접 만든 파스타도 잘 맞는다.

1. 새우 껍질을 까고, 세로로 길게 잘라 내장을 꺼내고 흐르는 찬물에 헹군다.
2. 소스팬에 올리브유와 다진 마늘을 넣고 중불에 올린다. 마늘이 아주 살짝만 노릇해질 때까지 볶다가 와인에 푼 토마토 페이스트를 넣는다. 이때 튀지 않도록 주의하며 한 번에 재빨리 붓는다. 이따금 저어주며 10분간 끓인다.
3. 새우, 소금을 넣고 후추도 취향대로 갈아 넣은 다음 중강불로 불을 키운다. 새우에 소스가 잘 묻도록 뒤적이며 2분 정도 익힌 뒤 불에서 내린다.
4. 냄비에 있는 새우 중 ⅔를 구멍 뚫린 국자로 꺼내 푸드프로세서나 분쇄기에 넣고 갈아 죽처럼 만든다.
5. 죽처럼 간 새우를 다시 냄비에 넣는다. 중불로 올리고 크림을 넣어 걸쭉해질 때까지 자주 저어주며 1분간 끓인다. 맛을 보고 소금과 후추로 간을 맞춘다.
6. 익혀서 건진 파스타를 소스와 버무린다. 잘게 썬 파슬리를 넣고 다시 버무리고, 바로 차려 낸다.

파르메산 치즈 버터 소스

Butter and Parmesan Cheese Sauce

버터와 파르메산으로 만든 기본 화이트 소스는 이탈리아 북부에서 세대를 막론하고 모든 이가 즐겨 먹는 소스다. 파스타에서 나오는 열에 의해 생치즈와 버터가 녹고, 파스타를 버무릴 때 두 재료가 서로 섞이면서 소스가 만들어진다. 다른

파스타 요리도 그렇지만, 이 소스의 맛은 버무리는 기술이 얼마나 능숙하고 숙달되어 있는지에 달려 있다.

4~6인분

파스타 450g
갓 갈아낸 파르미자노 레자노 치즈 1컵
버터 4큰술, 최대한 질이 좋은 것으로 준비

추천하는 파스타 ❁ 버터와 치즈는 직접 만든 파스타와도, 시판 건조 파스타와도 잘 맞다. 221쪽의 근대, 프로슈토, 리코타로 속을 채운 토르텔로니 또는 스파게티와의 조합을 시도해보라. 언제나 여분의 간 치즈와 함께 내도록 한다.

1. 방금 익혀서 건진 뜨거운 파스타를 미리 따뜻하게 데워놓은 볼에 담는다. 간 치즈 4큰술 정도를 넣고 재빨리 골고루 버무린다. 파스타가 전체적으로 뒤적여지면서 치즈가 녹아 겉에 들러붙게 된다.
2. 준비한 버터 절반과 치즈 4큰술을 넣고 다시 재빠르게 골고루 버무린다.
3. 남아 있는 치즈를 넣고 파스타를 서너 번 뒤적인다.
4. 남아 있는 버터를 넣고 버터가 모두 녹을 때까지 버무리고, 여분의 치즈와 함께 바로 차려 낸다.

세이지 버터 소스

Butter and Sage Sauce

이탈리아에서는 이 소스를 '부로 오로 에 살비아'(burro oro e salvia)라고 부르는데, '황금빛 버터와 세이지'라는 뜻이다. 세이지 향이 배어 풍부하게 퍼지고, 버터는 완연한 황금빛이 될 때까지 가열해 만들기 때문이다.

4~6인분

버터 4~5큰술, 최대한 질이 좋은 것으로 준비
세이지잎 6~8장, 가능한 한 신선하고 온전한 잎으로 준비
파스타 450g
갓 갈아낸 파르미자노 레자노 치즈 식탁에 놓을 만큼의 양

추천하는 파스타 ❁ 버터와 세이지는 직접 만든 파스타와 가장 궁합이 좋다. 144쪽의 페투치네 같은 넓적한 면이나 220쪽의 파슬리와 리코타로 속을 채운 토르텔리 같은 파스타 말이다. 또한 270쪽의 감자 뇨키와도 아주 잘 어울린다.

작은 스킬렛에 버터를 넣고 중불에 올린다. 버터의 거품이 잦아들고 갈색보다 연한 황갈색이 되면 세이지를 넣는다. 몇 초 뒤에 세이지잎을 한 번 뒤집은 다음, 스킬렛 안의 내용물을 익혀서 건진 파스타 위에 붓는다. 골고루 버무리고 여분의 파르메산 치즈와 함께 바로 차려 낸다.

크림 버터 소스

Cream and Butter Sauce

로마의 레스토랑에서 대중화된 이후, 이 소스는 전 세계적으로 알프레도(all'Alfredo)로 알려졌다. 알이 굵고 신선한 흰 송로버섯이 수중에 들어오거든, 알프레도 소스로 버무린 파스타 위에 아주 얇게 썰어서 올리길 바란다. 이것이 흰 송로버섯을 가장 잘 활용하는 방법이다.

4~6인분

생크림 1컵
버터 2큰술, 최대한 질이 좋은 것으로 준비
144쪽의 직접 만든 페투치네 또는 148쪽의 토르텔리니 또는 218쪽의 초록색 토르텔리니 565g
갓 갈아낸 파르미자노 레자노 치즈 ⅔컵과 식탁에 놓을 여분의 양
소금
갓 갈아낸 검은 후추
너트메그 1알

추천하는 파스타 ❁ 직접 만든 파스타가 가진 장점을 잘 살리기에 이만한 소스는 없다. 특히 페투치네가 그렇다. 토르텔리니 또한 더없이 잘 어울린다.

1. 나중에 파스타를 버무려 식탁에 차려 내기에 알맞은 직화 가능한 그릇을 가져온다. 생크림 ⅔컵과 준비된 버터를 모두 넣고 중불에 올려 크림과 버터가 걸쭉해질 때까지만 1분 미만으로 가열한다. 불을 끈다.
2. 파스타를 익히는데, 여전히 딱딱하고 조금 덜 익은, 알덴테보다 더 단단한 상태에서 건진다. 생면 페투치네를 쓰면 몇 초밖에 걸리지 않는다.
3. 건져낸 파스타를 버터와 크림이 담긴 그릇에 옮기고 약불에 올려 골고루 버무린다. 모든 파스타 가닥에 크림과 버터 소스가 입혀지도록 바닥에서부터 위로 퍼 올리듯 섞는다.

4. 남은 생크림 ⅓컵과 파르메산 ⅔컵, 소금 한 자밤을 넣고, 약간의 후추와 너트메그도 ⅛작은술보다 적게 갈아 넣는다. 페투치네 면에 소스가 잘 입혀지도록 다시 짧게 버무린다. 맛을 보고 소금으로 간을 맞추고, 여분의 파르메산 간 것과 함께 그릇째 바로 차려 낸다.

고르곤졸라 소스

Gorgonzola Sauce

이 소스에서 유일한 관건은 고르곤졸라(gorgonzola)를 올바르게 다루는 법을 아는 것이다. 실력 있고 양심적인 치즈 판매상을 알고 있다면, 이탈리아에서 신선한 고르곤졸라가 통째로 들어오는 날을 알려달라고 하라. 한 번이라도 자른 치즈는 맛이 좋아지지 않고, 건조해지고, 부스러지며, 누렇게 변색된다. 치즈는 따뜻한 흰색에 크림처럼 부드러우며 약간 흐물거리는 상태일 때 가장 맛이 좋다.

고르곤졸라를 냉장고에서 꺼내자마자 바로 사용하지 마라. 냉기가 맛과 향을 해치기 때문이다. 구입한 날 사용할 거라면 냉장고에 넣지 마라. 하루나 이틀 전에 구입했다면 사용하기 적어도 6시간 전에 냉장고에서 꺼내두어야 한다. 6인분

고르곤졸라 115g, 앞의 설명대로 상온에 6시간 동안 둘 것
우유 ⅓컵
버터 3큰술
소금
생크림 ½컵
파스타 565g
갓 갈아낸 파르미자노 레자노 치즈 ⅓컵과 식탁에 놓을 여분의 양

추천하는 파스타 공장제 파스타일지라도 리가토니와 펜네 같은 모양이라면 아주 잘 맞다. 직접 만든 파스타 중에서는 144쪽의 페투치네, 151쪽의 가르가넬리, 그리고 270쪽의 감자 뇨키와 궁합이 가장 좋다.

1. 나중에 파스타를 모두 담을 수 있는 크기의 직화 가능한 그릇을 가져온다. 고르곤졸라, 우유, 버터와 소금 1~2자밤을 넣고 약불에 올린다. 치즈가 녹으면서 우유, 버터와 함께 잘 섞이도록 나무 주걱 뒷면으로 치즈를 으깨면서 저어준다. 소스에 점도가 생기고 크림 같은 상태가 될 때까지 1~2분 가열한다. 파스타를 익혀서 건질 준비가 거의 다 될 때까지 불을 꺼둔다. 생면 파스타를 쓴다면, 파스타를 익히는 데에는 몇 초밖에 걸리지 않고 소스는 1분 정도 다시 데워야 함을 유념하라.

2. 파스타가 다 익기 조금 전에, 소스에 생크림을 넣고 중약불에 올려 어느 정도 졸아들 때까지 저어준다. 익혀서 건진 파스타를 넣고(뇨키를 쓴다면 나누어 익힌 뇨키를 냄비에서 건져 따뜻하게 데운 접시에 모두 옮겨 담고 소스를 붓는다[271쪽 참조]) 소스와 버무린다. 갈아둔 파르메산 ⅓컵을 더하고 치즈가 녹도록 골고루 버무린다. 여분의 간 치즈와 함께 그릇째 바로 차려 낸다.

버섯과 햄을 넣은 크림 소스

Mushroom, Ham, and Cream Sauce

6~8인분

신선한 양송이버섯 또는 크레미니 버섯 340g
버터 3큰술
샬롯 또는 양파 2큰술, 잘게 다진다
소금
갓 갈아낸 검은 후추
훈제하지 않고 삶은 햄 170g, 아주 가늘게 채 썬다
생크림 6큰술
직접 만든 페투치네, 아래 방법을 따라서 준비

파스타를 버무리는 데 필요한 재료

버터 2큰술
생크림 6큰술
갓 갈아낸 파르미자노 레자노 치즈 ½컵과 식탁에 놓을 여분의 양

추천하는 파스타 ❀ 궁합이 좋은 것은 '짚과 건초'라는 뜻을 가진 노란색과 초록색 페투치네, 팔리아 에 피에노(paglia e fieno)다. 위 소스의 양은 140쪽에 설명한 노란색 파스타 반죽과 초록색 파스타 반죽을 각각 280g, 450g 정도 쓰는 비율에 맞춘 것이다. 물론 노란색 파스타와 초록색 파스타 중 한 가지만 만들어도 좋다. 이 경우 노란색이나 초록색 페투치네 각각에 해당하는 양을 두 배로 늘린다.

1. 버섯 자루의 끝부분을 얇게 썰어서 제거한다. 흐르는 찬물에 재빠르게 버섯을 씻고, 부드러운 천으로 톡톡 두드려 물기를 완전히 없앤다. 0.5cm 크기로 깍둑썰기해 한편에 둔다.
2. 버섯이 넉넉하게 들어갈 정도로 큰 소테팬이나 스킬렛을 가져온다. 버터와 잘게 썬 샬롯 또는 양파를 넣고 중불에 올린 다음, 샬롯 또는 양파의 색이 살짝 노릇해질 때까지 익힌다.
3. 불의 세기를 강불로 키우고 버섯을 넣는다. 버섯 표면에 기름이 골고루 입혀

지도록 저어준다. 버섯이 버터를 전부 흡수하면 불을 약하게 줄이고 소금과 후추를 약간 넣고, 버섯을 2~3번 뒤집는다.

4. 짧은 시간 내에 버섯에 물기가 생길 텐데, 그러자마자 불을 강하게 키우고 자주 저어주며 수분을 날린다.
5. 중불로 줄인 다음 햄을 넣고 1분 또는 그 미만으로 볶는다. 크림을 넣고 졸아들어 살짝 걸쭉해질 때까지만 가열한다. 맛을 보고 소금과 후추로 간한다. 소스를 불에서 내려 한편에 둔다.
6. 나중에 파스타를 전부 넣었을 때 덩어리져 쌓이지 않을 정도로 큰 법랑을 입힌 무쇠팬 또는 다른 종류의 직화 가능한 그릇을 가져온다. 파스타를 버무리는 데 쓸 버터 2큰술과 크림 6큰술을 넣고 약불에 올린다. 버터가 녹으면 크림과 잘 섞이도록 저어주고 불을 끈다.
7. 초록색과 노란색 페투치네를 둘 다 쓴다면: 시금치 파스타가 노란색 파스타보다 빨리 익기 때문에, 소금을 넣은 물이 담긴 각각의 냄비에 따로 익혀야 한다. 노란색 페투치네를 냄비에 먼저 넣고 나무 주걱으로 저어준 다음 셋을 센다. 그러고 나서 시금치 파스타를 다른 냄비에 넣어 익힌다.
   파스타를 한 가지만 쓴다면: 소금을 넣은 끓는 물에 넣는다.
8. 버섯 소스가 담긴 그릇의 불을 약불로 켠다.
9. 아주 단단한 상태인 알덴테가 되면 파스타를 건진다. 약간 덜 익은 상태여도 마지막 조리 과정을 거치며 계속 부드러워진다는 것을 명심하라. 버터와 크림이 든 무쇠팬에 파스타를 옮겨 넣는다. 약불에 올린 상태에서 양념이 골고루 입혀지도록 뒤적이며 면을 버무린다. 버섯 소스 중 절반을 넣어 버무린다. 간 파르메산 ½컵을 넣고 다시 버무리고 불을 끈다. 남은 버섯 소스를 파스타 위에 붓고 여분의 파르메산 간 것과 함께 바로 차려 낸다.

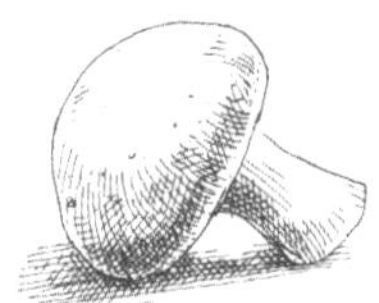

소시지를 넣은 붉은색 파프리카와 노란색 파프리카 소스

Red and Yellow Bell Pepper Sauce with Sausages

볼로냐에는 고객을 시험대에 올린 '알 칸툰체인'(Al Cantunzein)이라는 식당이 있었다. 그들은 손님이 원하지 않을 때까지 직접 만든 파스타를 코스별로 끊임없이 테이블로 가져왔다. 30~40종의 파스타가 서빙되는 날도 있었다고 하지만, 그걸 다 먹은 사람을 알지 못하니 증명할 길은 없다. '알 칸툰체인'은 학생폭동으로 파괴된 때인 1970년대 후반까지 번창했다. 식당은 다시 지어졌지만, 이전과 같을 수는 없었다. 그래도 237쪽의 스크리뇨 디 베네레(scrigno di venere), 그리고 파파르델레를 위한 이 완벽한 여름용 소스처럼 이 식당만의 창조적인 레시피 몇 가지는 지금도 직접 만든 파스타의 고전으로 남아 있다.

6~8인분

파프리카 3개, 속살이 두꺼운 것으로 붉은색 1개와 노란색 2개를 준비
엑스트라버진 올리브유 4큰술
양파 2큰술, 잘게 썬다
소시지 4개(약 1½컵) 펜넬씨, 매운고추 또는 다른 강한 양념이 첨가되지 않은 것을 1cm 크기로 썬다
소금
갓 갈아낸 검은 후추
이탈리아산 플럼토마토 통조림 1컵, 건더기만 썬다
생면 파파르델레, 아래 설명에 따라 준비 또는 시판 건조 파스타 675g

파스타를 버무리는 데 필요한 재료
갓 갈아낸 파르미자노 레자노 치즈 ⅔컵과 식탁에 놓을 여분의 양
버터 1큰술

추천하는 파스타 ❀ 달걀이 들어간 노란색과 초록색의 넓적한 면인 파파르델레는 이 소스가 만들어진 이유이자 또한 가장 완벽한 조합이다. 145쪽 설명에 따라 파파르델레를 만들라. 큰 달걀 2개와 밀가루 정확히 1컵으로 노란색 면 반죽을 만들고, 초록색 면은 큰 달걀 1개와 밀가루 ¾~1컵, 그리고 익힌 시금치 작게 한 움큼이 필요하다. 파스타 반죽에 대해서는 141~144쪽을 보라. 그리고 206쪽 설명에 따라 노란색과 초록색 파스타는 따로 익힌다.

비록 환상적인 조합은 아니지만, 시중에 포장되어 파는 건조 파스타도 이 소스와 함께라면 넉넉히 맛있을 수 있다. 리가토니 또는 자동차 바퀴 모양인 로텔레 같은 형태의 파스타로 시도해보라.

1. 파프리카를 길게 4등분해 썰어, 씨와 심을 제거하고 세로날 필러로 껍질을 벗긴다. 2.5cm 크기 안팎의 사각형 모양으로 썬다.
2. 소테팬에 올리브유와 잘게 썬 양파를 넣고 중강불에 올린다. 양파가 살짝 노릇해질 때까지 볶는다. 소시지를 넣고 2분 정도 익힌 다음, 파프리카를 넣고 가끔 뒤적여주며 7~8분 익힌다. 소금과 후추를 넣고 잘 저어준다.
3. 팬에 토마토를 넣고, 토마토에서 기름이 분리되어 떠오를 때까지 15~20분 보글보글 끓인다.

미리 준비한다면 ❀ 소스는 식탁에 차려 내기 몇 시간 전에 이 단계까지 만들어 둘 수 있다. 냉장고에 넣지는 마라. 파스타를 버무리기 바로 전에 천천히 다시 데운다.

4. 익혀서 건진 파스타 위에 소테팬 안에 있는 내용물을 전부 붓고, 골고루 버무린다. 버터와 간 파르메산을 넣어 다시 한번 버무리고, 여분의 치즈 간 것과 함께 바로 차려 낸다.

엠보고네—크랜베리빈과 세이지, 로즈마리를 넣은 소스

Embogoné—Cranberry Beans, Sage, and Rosemary Sauce

베로나 북쪽의 고지대 발폴리첼라(Valpolicella)에는 고대 석공들이 살던 마을, 산 조르조(San Giorgio)가 있다. 그곳 달라 로사(Dalla Rosa) 가문의 요리 실력은 적어도 4세대에 걸쳐 마을 사람들과 방문객들로부터 추앙받아왔다. 그 요리 중 하나가 가문에서 운영하는 트라토리아에서 이어지고 있는데, 베네토 요리의 기본 재료 중 하나인 크랜베리빈으로 만든 소스에 버무린 파스타다. 크랜베리빈은 지금은 '파스타 에 파졸리'의 핵심 재료로 여겨지지만, 달라 로사 가문의 누군가가 만들어 내기 전까지는 아무도 크랜베리빈을 그렇게 맛있는 파스타 재료로 쓰지 않았다.

로도비코 달라 로사에 따르면, 엠보고네(embogoné)라는 말은 달팽이를 지칭하는 방언인 보고니(bogoni)에서 왔다. 콩이 스킬렛 안에서 원을 그리며 천천히 움직이며 소스가 될 때 모습이 마치 달팽이가 껍질에서 미끄러져 나오는 것처럼 보여서 붙은 이름이 아닐까 추측한다.

참고 ❀ 크랜베리빈에 대해 잘 모른다면, 112쪽 파스타를 넣은 콩 수프 설명을 보라.

4인분

신선한 크랜베리빈 꼬투리 무게까지 합쳐서 1350g 또는 마른 크랜베리빈 또는 강낭콩 1½컵, 23쪽 설명대로 불리고 익힌다
엑스트라버진 올리브유 3큰술, 소스용으로 1큰술과 파스타를 버무리는 용도로 2큰술
판체타 115g, 아주 잘게 다진다
양파 ⅓컵, 잘게 다진다
마늘 1작은술, 잘게 다진다
세이지잎, 신선한 것으로는 1작은술, 말린 것으로는 ½작은술, 잘게 썬다
로즈마리, 신선한 것으로는 1작은술, 말린 것으로는 ½작은술, 잘게 썬다
소금
갓 갈아낸 검은 후추
생면 파파르델레, 아래 설명에 따라 준비 또는 시판 건조 파스타 450g
갓 갈아낸 파르미자노 레자노 치즈 ½컵과 식탁에 놓을 여분의 양

추천하는 파스타 트라토리아 달라 로사에서 이 소스에 버무리는 면인, 달걀을 넣어 직접 만든 넓적한 면 파파르델레를 추천한다. 콩 소스로 버무렸을 때 이보다 더 좋은 조합을 본 적이 없다. 145쪽 설명대로 큰 달걀 3개와 표백하지 않은 밀가루 1⅔컵 정도로 만든 반죽으로 파파르델레를 만들어보라. 큼직한 시판 건조 파스타도 좋은 선택이 될 수 있다. 리가토니를 써보자.

1. 신선한 콩을 쓴다면, 냄비에 넣고 그 위로 높이가 5cm 차오를 만큼 물을 채운다. 냄비 뚜껑을 덮고 약불에 올려 부드러워질 때까지 1시간 또는 그 미만으로 익힌다.
2. 소테팬에 올리브유 1큰술과 잘게 다진 판체타, 양파를 넣고 중강불에 올린다. 양파가 투명해질 때까지 자주 저어주며 익힌다. 마늘과 세이지, 로즈마리를 넣고 추가로 몇 분 익히다가 불을 최대한 약하게 줄인다.
3. 익힌 신선한 콩 또는 마른 콩을 건진다. 콩을 삶은 물은 버리지 않는다. 콩을 팬에 넣고 스패출러 뒷면을 이용해 전체의 4분의 3 정도 분량을 으깬다. 콩 삶은 물 ½컵을 넣어 소스를 흐르는 정도의 농도로 맞춘다. 소금과 후추를 살짝 갈아 넣고 전체적으로 저어준다.
4. 파스타가 익으면 건져서 식탁에 차려낼 따뜻하게 데운 접시에 담고, 팬 안의 내용물을 부어 버무린다. 남은 올리브유 2큰술을 넣고 파르메산 치즈를 갈아 흩뿌려 다시 한번 버무리고, 바로 차려 낸다. 소스가 너무 되직한 것 같으면 콩 삶은 물을 조금 더 넣어 묽게 만든다.

햄과 크림을 넣은 아스파라거스 소스

Asparagus Sauce with Ham and Cream

4~6인분

신선한 아스파라거스 675g	버터 2큰술
소금	생크림 1컵
파스타 450~565g	갓 갈아낸 파르미자노 레자노 치즈
훈제하지 않고 삶은 햄 170g	⅔컵과 식탁에 놓을 여분의 양

추천하는 파스타 이 소스에는 크기가 작은 튜브 모양의 마카로니가 가장 적합하다. 펜네, 마케론치니나 치티 같은 시판 건조 파스타 또는 151쪽 설명대로 직접 만든 가르가넬리를 써라.

1. 아스파라거스 줄기에서 물기가 많은 밑동을 2.5cm 이상 잘라낸다. 472쪽 설명대로 껍질을 벗기고 씻는다.
2. 아스파라거스 전부를 한 층으로 놓을 수 있는 냄비를 고른다. 냄비에 5cm 높이로 차오르도록 물을 충분히 붓고, 소금 1큰술을 넣는다. 중강불에 올리고, 물이 끓으면 아스파라거스를 조심스럽게 넣고 뚜껑을 덮는다. 아스파라거스의 신선도와 줄기의 두께에 따라 물이 다시 끓기 시작한 시점으로부터 4~8분 익힌다. 아스파라거스가 단단하지 않고 부드러워지면 건진다. 냄비는 곧 다시 사용할 테니 마른 키친타월로 닦아 한편에 둔다.
3. 손으로 만질 수 있을 정도로 아스파라거스가 식으면 뾰족한 싹 부분을 잘라두고, 나머지 줄기도 1.5cm 길이로 썬다. 여전히 딱딱하고 질긴 부분이 있다면 버린다.
4. 햄을 0.5cm 폭으로 길게 썬다. 아스파라거스를 익히는 동안, 냄비에 버터와 햄을 넣고 중약불에 올려 햄이 바삭해지기 전까지 2~3분 익힌다.
5. 썰어놓은 아스파라거스의 싹과 줄기를 넣고 중강불로 불을 키운다. 아스파라거스에 버터가 고루 입혀지도록 뒤적여가며 1~2분 익힌다.
6. 크림을 넣고 중불로 줄인다. 크림이 걸쭉해질 때까지 30초 정도 자주 저어주며 익힌다. 맛을 보고 소금으로 간한다.
7. 익혀서 건진 파스타에 냄비 안의 모든 내용물을 붓는다. 골고루 버무리고, 파르메산 간 것을 ⅔컵 넣고 다시 버무린 다음, 여분의 간 치즈와 함께 바로 차려낸다.

소시지를 넣은 크림 소스

Sausages and Cream Sauce

4인분

소시지 225g, 펜넬씨, 고춧가루나 다른 강한 양념이 첨가되지 않고 단맛이 있는 것으로 준비
양파 1½큰술, 잘게 썬다
버터 2큰술
식물성기름 1큰술
갓 갈아낸 검은 후추
생크림 ⅔컵
소금
파스타 450g
갓 갈아낸 파르미자노 레자노 치즈 식탁에 놓을 만큼의 양

추천하는 파스타 ❁ 이 소스를 즐겨 먹는 볼로냐에서는 그라미냐(gramigna)라고 불리는 얇고 구부러진 튜브 모양의 마카로니를 쓴다. 이 소스는 작은 소시지 조각과 크림을 잡아둘 수 있는 뒤틀리거나 구멍이 있는 이런 형태의 파스타와 아주 잘 어울린다. 콘킬리에와 푸실리가 가장 좋은 예다.

1. 소시지의 막을 벗기고 가능한 한 작게 부스러뜨린다.
2. 잘게 썬 양파와 버터, 식물성기름을 작은 소스팬에 넣고 중불에 올려 양파가 살짝 노릇해질 때까지 익힌다. 부스러뜨린 소시지를 넣고 10분간 익힌다. 후추를 약간 갈아 넣고 크림을 전부 넣어 중강불로 불을 키운 다음, 한두 번 저어가며 걸쭉해질 때까지 끓인다. 맛을 보고 소금으로 간한다.
3. 익혀서 건진 파스타와 소스를 버무리고 파르메산 간 것과 함께 바로 차려낸다.

프로슈토를 넣은 크림 소스

Prosciutto and Cream Sauce

4인분

프로슈토 또는 시골햄 115g, 얇게 썰어져 있는 것으로 준비
버터 3큰술
생크림 ½컵
파스타 450g
갓 갈아낸 파르미자노 레자노 치즈 ¼컵과 식탁에 놓을 여분의 양

추천하는 파스타 ❁ 이 소스는 직접 만든 페투치네나 144쪽의 톤나렐리, 또는 초록색 토르텔리니, 그리고 짧은 튜브 모양의 마카로니인 펜네와 리가토니 같은 파스타와 모두 잘 어울린다.

1. 프로슈토 또는 시골햄을 가늘게 채 썬다. 이것을 소스팬에 버터와 함께 넣고 중불에 올려 이따금 저어가며 전체적으로 갈색이 될 때까지 2분간 익힌다.
2. 생크림을 넣고, 걸쭉해지면서 최소 3분의 1로 졸아들 때까지 자주 저어가며 끓인다.
3. 익혀서 건진 파스타와 소스를 버무린다. 간 파르메산 ¼컵을 넣고 다시 버무리고, 여분의 갈아놓은 치즈와 함께 바로 차려 낸다.

카르보나라 소스

Carbonara Sauce

2차 세계대전 종전까지 로마에 주둔하며 지역 주민들과 친분을 쌓은 미군이 가져다준 달걀과 베이컨을 이용해 맨 처음 이 소스를 만들었다고, 이탈리아 음식 역사학자들은 주장한다. 전형적인 미국식 재료인 베이컨과 달걀이 어떻게 카르보나라로 탈바꿈했는지에 대해선 아직 정확히 확인된 바 없지만 소스의 풍부한 맛만은 의심할 여지가 없다. 명백히 로마식인 것이다.

가장 흔하게는 미국식으로 훈제한 베이컨을 쓰지만, 로마에서는 때로 베이컨을 전혀 넣지 않고 염장한 돼지 볼살을 쓴다. 미각을 지나치게 자극하는 훈연향을 가진 베이컨보다 단맛이 훨씬 강하다. 돼지 볼살은 이탈리아 이외의 지역에서는 구하기 힘들지만, 이와 비슷하게 부드럽고 풍부한 맛이 나는 판체타로 대체할 수 있다. 베이컨이나 판체타 둘 중 어떤 것으로든 소스를 만들 수 있으니, 양쪽 모두 시도해보고 더 만족스러운 재료를 찾아보자.

6인분

- 판체타 225g, 두께가 1cm 정도 되는 것으로 준비 또는 비슷한 두께의 베이컨
- 마늘 4쪽
- 엑스트라버진 올리브유 3큰술
- 달지 않은 화이트 와인 ¼컵
- 대란 2개(51쪽 살모넬라균에 대한 주의 사항 참고)
- 갓 갈아낸 로마노 치즈 ¼컵
- 갓 갈아낸 파르미자노 레자노 치즈 ½컵
- 갓 갈아낸 검은 후추
- 파슬리 2큰술, 잘게 썬다
- 파스타 565g

추천하는 파스타 ✿ 스파게티를 쓰지 않은 카르보나라는 상상하기 힘들다.

1. 판체타 또는 두툼한 베이컨을 0.5cm 정도의 폭으로 길게 썬다.

2. 칼 손잡이로 껍질이 분리될 정도로만 마늘을 가볍게 으깨어 껍질을 벗긴다. 마늘과 올리브유를 작은 소테팬에 넣고 중강불에 올린다. 마늘이 짙은 갈색이 될 때까지 볶다가, 팬에서 꺼내어 버린다.
3. 길게 썬 판체타 또는 베이컨을 냄비에 넣고 가장자리가 바삭해지기 시작할 때까지만 익힌다. 와인을 붓고, 1~2분 정도 보글보글 끓인 뒤 불을 끈다.
4. 이후에 파스타를 바로 버무려 차려 낼 볼에 달걀 2개를 깨뜨려 넣는다. 포크로 가볍게 풀어주고, 두 종류의 갈아놓은 치즈, 후추를 취향에 맞춰 넣고 잘게 썬 파슬리도 넣는다. 골고루 섞는다.
5. 익혀서 건진 스파게티를 볼에 넣고 가닥마다 잘 입혀지도록 재빨리 버무린다.
6. 판체타 또는 베이컨을 강불에서 빠르게 다시 데우고, 팬 안의 모든 내용물을 볼에 붓는다. 다시 고루 버무려 바로 차려 낸다.

볼로냐식 미트 소스

Bolognese Meat Sauce

볼로냐 사람들은 그들의 자랑인 미트 소스를 라구(Ragù)라고 부르는데, 입에서 녹는 부드러움과 거부감 없는 맛이 특징이다. 몇 가지 기본적인 핵심만 지키면 누구나 이 맛을 낼 수 있다.

❁ 고기는 기름기가 너무 없는 부위를 사용해서는 안 된다. 기름기가 많을수록 단맛이 더 있는 라구가 된다. 가장 알맞은 부위는 머리 쪽에 가까운 소고기 목심이다.

❁ 나중에 맛있는 소스가 되려면 고기를 기름에 볶을 때 육즙이 나오자마자 소금을 넣는다.

❁ 와인과 토마토를 넣기 전에 우유를 넣어 고기를 익힌다. 이후에 신맛이 나는 것을 막아준다.

❁ 데미글라스나 다른 농축액을 쓰지 않는다. 균형을 깨뜨려 불쾌한 맛을 낸다.

❁ 열을 잘 유지하는 냄비를 사용한다. 볼로냐와 에밀리아-로마냐에서 흔히 쓰는 도기가 알맞지만, 에나멜을 입힌 무쇠냄비나 철을 여러 겹 겹쳐 만든 바닥이 두꺼운 냄비도 아주 적합하다.

❁ 뚜껑을 열고 아주 오래오래 뭉근하게 끓인다. 적어도 3시간 이상 끓여야 하고, 더 오래 끓일수록 좋다.

가득 채운 2컵 분량, 파스타 675g에 알맞은 6인분

식물성기름 1큰술
버터 4큰술, 요리용 3큰술과 파스타와 버무릴 1큰술
양파 ½컵, 잘게 썬다
셀러리 ⅔컵, 잘게 썬다
당근 ⅔컵, 잘게 썬다
소고기 목심 간 것 340g(앞의 설명 참고)
소금
갓 갈아낸 검은 후추
우유 1컵
너트메그 1알
달지 않은 화이트 와인 1컵
이탈리아산 플럼토마토 통조림 1½컵, 썰어서 즙과 함께 준비
파스타 565~675g
갓 갈아낸 파르미자노 레자노 치즈 식탁에 놓을 만큼의 양

추천하는 파스타 ❀ 그 모든 먹는 즐거움 중에서도 146쪽의 직접 만든 볼로냐식 탈리아텔레와 라구와의 만남보다 완벽한 조합은 없다. 225쪽의 볼로냐식 미트 소스를 곁들인 초록색 라자냐도 역시 훌륭하다. 148쪽의 토르텔리니와 먹는 라구는 참 맛있고, 시판 건조 파스타 중에는 리가토니, 콘킬리에, 또는 푸실리와 먹어도 흠잡을 데 없는 맛을 낸다. 볼로냐에서는 절대 스파게티 위에 미트 소스를 얹어 먹지 않는데, 이상하게도 영국과 영연방 국가들에서 이 조합이 대중화되었다.

1. 냄비에 기름, 버터, 잘게 썬 양파를 넣고 중불에 올린다. 양파가 투명해질 때까지 저어가며 볶은 다음, 잘게 썬 셀러리와 당근을 넣는다. 모든 채소에 기름이 고루 입혀지도록 저어가며 2분 정도 익힌다.
2. 소고기 간 것, 소금 크게 한 자밤과 후추를 약간 갈아 넣는다. 포크로 고기를 잘게 부스러트리며 잘 저으면서 덜 익은 붉은 기가 없어질 때까지 익힌다.
3. 우유를 붓고 완전히 졸아들 때까지 자주 저어주며 뭉근하게 끓인다. 너트메그를 아주 조금—⅛작은술 정도—갈아 넣고 섞어준다.
4. 와인을 넣고 증발할 때까지 끓인 뒤, 토마토를 넣고 모든 재료가 고루 섞이도록 젓는다. 토마토가 끓기 시작하면 불을 줄여 소스 표면에서 간간이 거품 방울이 터지도록 최대한 약하게 끓인다. 뚜껑을 덮지 않은 채로 이따금 저어주며 3시간 또는 그 이상 끓인다. 소스가 조리되면서 마르기 시작하고 고기에서 지방이 분리되는 것을 볼 수 있다. 지방이 들러붙는 것을 막으려면 계속 끓이면서 필요에 따라 물 ½컵을 넣는다. 하지만 마지막 결과물에는 물기가 없어야 하고 지방은 분리되어 있어야 한다. 맛을 보고 소금으로 간한다.

5. 버터 1큰술을 넣어 익혀서 건진 파스타와 버무리고, 갓 갈아낸 파르메산 치즈와 함께 차려 낸다.

미리 준비한다면 ❀ 3~4시간 소스만 들여다보고 있을 수 없다면, 자리를 떠야 할 때 불을 껐다가 나중에 다시 끓여도 된다. 시작한 날을 넘기지 않고 완성하면 괜찮다. 완성되면 통에 넣고 밀봉해 3일간 냉장 보관할 수 있고, 냉동도 가능하다. 파스타와 버무리기 전에 한두 번 저어가며 15분 정도 뭉근하게 끓인다.

돼지고기로 만든 라구

돼지고기는 볼로냐 문화와 경제에서 중요한 부분을 차지한다. 레시피에서도 마찬가지다. 많은 요리사가 더 맛있는 라구를 만들기 위해 돼지고기를 약간 넣는다. 간 돼지고기, 가급적 목심 부위를 1 정도, 소고기를 2 정도 비율로 써서 앞에서 설명한 기본 레시피를 정확히 따라 미트 소스를 만들도록 한다.

닭 간 소스

Chicken Liver Sauce

4~6인분

- 닭 간 225g, 신선한 것으로 준비
- 샬롯 또는 양파 2큰술, 잘게 썬다
- 식물성기름 1큰술
- 버터 2큰술
- 마늘 ¼작은술, 아주 잘게 다진다
- 판체타 또는 프로슈토 3큰술, 깍둑썰기한다
- 세이지잎 4~5장
- 소고기 목심 간 것 115g
- 소금
- 갓 갈아낸 검은 후추
- 토마토 페이스트 1작은술, 달지 않은 화이트 베르무트 ¼컵에 섞는다
- 직접 만든 파스타 565g
- 갓 갈아낸 파르미자노 레자노 치즈 식탁에 놓을 만큼의 양

추천하는 파스타 ❀ 이것이야말로 시각과 미각을 모두 충족시키는 직접 만든 넓은 면 파파르델레를 위한 기가 막힌 소스다. 면에 대한 설명은 145쪽 나와 있다. 또한 267쪽의 반지처럼 모양을 잡아 닭 간 소스를 곁들인 파르메산 리소토처럼 응용할 수도 있다.

1. 닭 간에서 초록색을 띄는 부분과 지방 조직을 떼어내고, 흐르는 찬물에 헹군다. 칼로 3~4등분 하고, 키친타월로 톡톡 두드려 물기를 완전히 제거한다.

2. 소스팬이나 작은 소테팬에 기름과 버터를 함께 넣고 샬롯 또는 양파를 넣는다. 중불에 올린다. 샬롯 또는 양파가 투명해질 때까지 저어가며 익힌다. 다진 마늘을 넣고 색이 변하지 않을 때까지 잠깐 익힌 다음 깍둑썰기한 판체타 또는 프로슈토와 세이지를 넣는다. 잘 저어주고 1분 미만으로 익힌 뒤 소고기 간 것, 소금 크게 한 자밤과 후추를 약간 갈아 넣는다. 포크로 고기를 잘게 부스러트리고 덜 익은 붉은 기가 없어질 때까지 익힌다.
3. 썰어놓은 닭 간을 넣고 중강불로 불을 키운다. 골고루 섞고, 간이 덜 익었을 때 보이는 붉은 기가 없어질 때까지만 잠깐 익힌다.
4. 토마토 페이스트와 베르무트 섞은 것을 붓고 이따금 저어주며 5~8분 끓인다. 맛을 보고 소금으로 간한다.
5. 익혀서 건진 파스타 위에 팬 안에 든 모든 내용물을 붓는다. 모든 가닥에 소스가 입혀지도록 잘 버무린다. 파르메산 간 것과 함께 바로 차려 낸다.

특별한 파스타 요리

고기와 치즈로 속을 채운 토르텔리니

Tortellini with Meat and Cheese Filling

토르텔리니 약 200개분

속재료

돼지고기 115g, 목살 또는 목에 가까운 부위
닭가슴살 170g, 뼈와 껍질을 제거한다
버터 2큰술
소금
갓 갈아낸 검은 후추
모르타델라 3큰술, 아주 잘게 다진다
신선한 리코타 1¼컵
달걀노른자 1개분
갓 갈아낸 파르미자노 레자노 치즈 1컵
너트메그 1알

파스타 재료

직접 만든 노란색 파스타 반죽, 대란 4개와 표백하지 않은 밀가루 대략 2컵, 우유 1큰술을 써서 140쪽 설명대로 제면기로 만든 것 또는 153쪽 설명대로 직접 밀어서 만든 것

추천하는 소스 토르텔리니를 차려 내는 전통적인 방식은 육수에 담그는 것

이다. 직접 만든 고기육수 2.4L에 토르텔리니 100개를 익혀서 차릴 수 있는데, 대략 6인분이다. 전통적이지는 않지만, 마찬가지로 아주 잘 어울리는 것이 203쪽의 크림 버터 소스, 165쪽의 크림을 넣은 토마토 소스, 213쪽의 볼로냐식 미트 소스다. 소스와 함께 차려낼 때 토르텔리니 24개를 1인분으로 계산한다. 간 파스메산과 함께 차려 낸다.

1. 돼지고기와 뼈와 껍질을 제거한 닭가슴살을 1cm 크기로 깍둑썰기한다.
2. 스킬렛에 버터를 넣고 중불에 올린다. 버터가 거품을 내면서 녹기 시작하면 깍둑썰기한 돼지고기와 소금 1~2자밤을 넣고, 후추도 살짝 갈아 넣는다. 모든 면이 고루 갈색으로 익도록 6~7분 익힌다. 구멍 뚫린 국자로 스킬렛에서 꺼내고 한편에서 식힌다.
3. 스킬렛에 썰어놓은 닭고기를 소금 한 자밤, 간 후추와 함께 넣는다. 닭고기의 모든 면이 갈색이 되도록 2분 정도 익힌다. 구멍 뚫린 국자로 스킬렛에서 꺼내 돼지고기와 함께 한편에서 식힌다.
4. 손으로 만질 수 있을 정도로 충분히 식으면 돼지고기와 닭고기를 굵게 다진다. 푸드프로세서를 사용해도 좋지만, 고기가 곤죽이 되지는 않도록 한다.
5. 다진 고기를 볼에 넣은 다음 모르타델라, 리코타, 달걀노른자, 파르메산 간 것을 넣고 너트메그도 아주 소금—⅛작은술 정도—갈아 넣는다. 모든 재료가 균일하게 합쳐질 때까지 골고루 섞는다. 맛을 보고 소금으로 간한다.
6. 140쪽 설명대로 제면기를 쓰거나 154쪽의 직접 밀어 만든 방법을 따라서 노란색 파스타 반죽을 만든다. 148쪽 설명을 따라 토르텔리니를 자르고, 만들어둔 내용물을 속에 채운다. 파스타를 익힐 때는 물에 올리브유 1큰술을 넣는다.

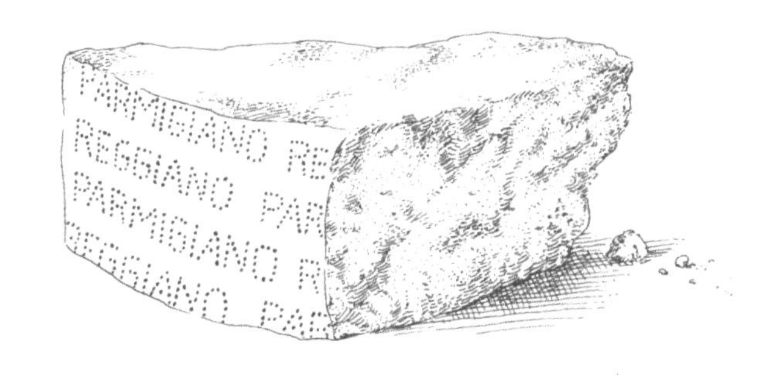

고기와 리코타로 속을 채운 초록색 토르텔리니

Green Tortellini with Meat and Ricotta Stuffing

토르텔리니 약 130개분, 5~6인분

속재료

돼지고기 115g, 목살 또는 목에 가까운 부위
송아지고기 어깨살 115g
버터 1큰술
소금
갓 갈아낸 검은 후추
모르타델라 1큰술, 아주 잘게 다진다
신선한 리코타 ½컵
달걀노른자 1개분
갓 갈아낸 파르미자노 레자노 치즈 ⅓컵
너트메그 1알

파스타 재료

직접 만든 초록색 파스타 반죽
대란 2개와 냉동 시금치잎 100g 또는 신선한 시금치 170g, 소금, 표백하지 않은 밀가루 대략 1½컵, 그리고 우유 1큰술을 써서 140쪽 설명대로 제면기로 만든 것 또는 153쪽 설명대로 직접 밀어서 만든 것

추천하는 소스 ❁ 211쪽의 프로슈토 크림 소스, 203쪽의 크림 버터 소스, 165쪽의 크림을 넣은 토마토 소스다. 항상 간 파르메산과 함께 차려 낸다.

1. 돼지고기와 송아지고기를 얇게 썬 다음, 2.5cm 안팎 크기의 정사각형으로 썬다. 두 가지 고기는 따로 둔다.
2. 작은 스킬렛에 버터와 돼지고기를 넣고 중약불에 올린다. 고기의 양면이 갈색이 나도록 자주 뒤집어가며 5분간 익힌다.
3. 송아지고기를 넣고 양면이 갈색이 되도록 1분 30초 이하로 익힌다. 소금을 넣고 후추도 살짝 갈아 넣는다. 겉면에 기름기가 잘 돌도록 고루 저어준 뒤, 구멍 뚫린 국자를을 이용해 팬에 기름은 남겨둔 채 고기만 모두 꺼낸다.
4. 손으로 만질 수 있을 정도로 충분히 식으면, 돼지고기와 송아지고기를 함께 굵게 다진다. 푸드프로세서를 사용해도 좋지만, 고기가 곤죽이 되지 않도록 한다.
5. 다진 고기를 볼에 넣은 다음 모르타델라, 리코타, 달걀노른자, 간 치즈를 넣고 너트메그도 아주 조금—⅛작은술 정도—갈아 넣는다. 모든 재료가 균일하게 합쳐질 때까지 골고루 섞는다. 맛을 보고 소금과 후추로 간한다.
6. 140쪽 설명대로 제면기를 쓰거나 154쪽의 직접 밀어 만든 방법을 따라서 초

록색 파스타 반죽을 만든다. 148쪽 설명을 따라 자르고, 만들어둔 내용물로 속을 채워서 토르텔리니 모양으로 만든다. 파스타를 익힐 때는 물에 올리브유 1큰술을 넣는다.

생선으로 속을 채운 토르텔리니

Tortellini with Fish Stuffing

토르텔리니 약 140개분, 6인분

속재료

양파 작은 것 1개
당근 중간 크기 1개
셀러리 작은 것 1대
생선살 450g, 가능한 한 덩어리 상태, 가급적 농어 또는 이와 유사한 섬세한 맛과 촉촉한 살을 가진 다른 생선으로 준비
와인 식초 2큰술
소금
달걀노른자 2개분
갓 갈아낸 파르미자노 레자노 치즈 3큰술
마조람 말린 것으로 ⅛작은술 또는 신선한 잎 몇 장
너트메그 1알
갓 갈아낸 검은 후추
생크림 2큰술

파스타 재료

직접 만든 노란색 파스타 반죽, 대란 3개와 표백하지 않은 밀가루 대략 1⅔컵, 우유 1큰술을 써서 140쪽 설명대로 제면기로 만든 것 또는 153쪽 설명대로 직접 밀어서 만든 것

추천하는 소스 ❀ 201쪽의 분홍 새우 크림 소스, 또는 165쪽의 크림을 넣은 토마토 소스다. 치즈 간 것과 함께 차려도 되고 없어도 된다.

1. 양파와 당근 껍질을 벗기고, 당근과 셀러리를 찬물에 헹군다.
2. 나중에 생선을 넣었을 때 잠길 만큼 냄비에 물을 넣는다. 양파와 당근, 셀러리를 넣고 끓인다.
3. 생선, 식초, 소금을 넣고 냄비 뚜껑을 덮는다. 물이 다시 끓기 시작하면 생선이 부드럽게 익도록 불을 조절해 뭉근하게 끓인다. 생선의 두께에 따라 다르지만 8분 정도 걸린다.
4. 구멍 뚫린 국자나 뒤집개로 생선을 꺼내 접시로 옮긴다. 껍질, 미끈거리는 이물질, 가운데 뼈를 제거하고, 발견한 작은 뼈들을 모두 조심스럽게 뽑아낸다.

생선 모양을 유지하려 애쓸 필요는 없다. 속으로 만들기 위해 곧 부스러뜨릴 것이기 때문이다.

5. 생선을 볼에 넣고 포크로 으깬다. 달걀노른자, 간 파르메산, 마조람을 넣고 너트메그도 아주 조금—⅛작은술 정도—갈아 넣는다. 모든 재료가 균일하게 합쳐질 때까지 포크로 섞는다. 맛을 보고 소금으로 간한다.
6. 140쪽 설명대로 제면기를 쓰거나 154쪽의 직접 밀어 만든 방법을 따라서 노란색 파스타 반죽을 만든다. 148쪽 설명을 따라 자르고, 생선을 섞은 내용물로 속을 채워서 토르텔리니 모양으로 만든다. 파스타를 익힐 때는 물에 올리브유 1큰술을 넣는다.

파슬리와 리코타로 속을 채운 토르텔리

Tortelli Stuffed with Parsley and Ricotta

토르텔리 약 140개분, 6인분

속재료

파슬리 ½컵, 잘게 썬다
신선한 리코타 1½컵
갓 갈아낸 파르미자노 레자노 치즈 1컵
소금
달걀노른자 1개분
너트메그 1알

파스타 재료

직접 만든 노란색 파스타 반죽, 대란 3개와 표백하지 않은 밀가루 대략 1⅔컵, 우유 1큰술을 써서 140쪽 설명대로 제면기로 만든 것 또는 153쪽 설명대로 직접 밀어서 만든 것

추천하는 소스 ◎ 첫 번째로 권하는 것은 203쪽의 크림 버터 소스고, 두 번째는 165쪽의 크림을 넣은 토마토 소스다. 파르메산 간 것과 함께 차려 낸다.

1. 파슬리, 리코타, 파르메산 간 것, 소금, 달걀노른자, 그리고 너트메그도 아주 조금—⅛작은술 정도—갈아서 모두 볼에 넣고, 모든 재료가 고루 합쳐질 때까지 포크로 섞는다. 맛을 보고 소금으로 간한다.
2. 140쪽 설명대로 제면기를 쓰거나 154쪽의 직접 밀어 만든 방법을 따라서 노란색 파스타 반죽을 만든다. 150쪽 설명을 따라 5cm 크기의 사각형 토르텔리로 자르고, 리코타와 파슬리를 섞은 내용물을 속으로 채운다. 파스타를 익힐 때는 물에 올리브유 1큰술을 넣는다.

근대, 프로슈토, 리코타로 속을 채운 토르텔로니
Tortelloni Stuffed with Swiss Chard, Prosciutto, and Ricotta

토르텔로니 약 140개분, 6인분

속재료

근대, 줄기가 아주 가늘다면 900g, 줄기가 굵으면 1125g 또는 신선한 시금치 900g
소금
양파 2½큰술, 아주 잘게 다진다
프로슈토 또는 판체타 또는 훈제하지 않고 삶은 햄 3½큰술, 잘게 썬다
버터 3큰술
신선한 리코타 1컵
달걀노른자 1개분
갓 갈아낸 파르미자노 레자노 치즈 ⅔컵
너트메그 1알

파스타 재료

직접 만든 노란색 파스타 반죽, 대란 3개와 표백하지 않은 밀가루 대략 1⅔컵, 우유 1큰술을 써서 140쪽 설명대로 제면기로 만든 것 또는 153쪽 설명대로 직접 밀어서 만든 것

추천하는 소스 ❁ 202쪽의 세이지 버터 소스, 201쪽의 파르메산 치즈 버터 소스, 165쪽의 크림을 넣은 토마토 소스다. 파르메산 간 것과 함께 차려 낸다.

1. 근대잎을 줄기에서 잡아당겨 떼어낸다. 또는 시금치 뿌리를 자르고 상처가 났거나 시들어 변색된 잎을 제거한다. 다 자라 크고 줄기가 흰 근대를 쓴다면 줄기를 따로 보관해두었다가 495쪽의 파르메산 치즈를 곁들인 근대 줄기 그라탱에 쓴다. 찬물을 채운 대야에 잎을 담갔다가 들어 올린다. 물을 몇 번 갈아가며 대야 바닥에 흙이 남아 있지 않을 때까지 반복한다.
2. 잎을 털지 말고 그대로 조심스럽게 건져 올려 물기 있는 그대로 냄비에 넣는다. 채소의 초록색을 유지시켜줄 소금을 크게 한 자밤 넣고 뚜껑을 덮은 다음 중불에 올려 부드러워질 때까지 12분 정도 익힌다. 근대나 시금치의 신선도에 따라 익히는 시간 차이는 있다. 건져서 손으로 만질 수 있을 정도로 식자마자 가능한 한 물기가 남지 않도록 부드럽게 짠다. 아주 잘게 다진다.
3. 작은 소테팬에 양파, 프로슈토, 버터를 넣고 중불에 올린다. 양파가 투명해질 때까지 저어가며 익힌 다음, 근대 또는 시금치 다진 것을 넣는다. 버터가 전부 스며들 때까지 2~3분 익힌다.

4. 팬의 내용물을 전부 볼에 붓는다. 리코타, 달걀노른자, 파르메산 간 것 그리고 너트메그도 아주 조금—⅛작은술 정도—갈아서 모두 볼에 넣고, 모든 재료가 고루 합쳐질 때까지 포크로 섞는다. 맛을 보고 소금으로 간한다.
5. 140쪽 설명대로 제면기를 쓰거나 154쪽의 직접 밀어 만든 방법을 따라서 노란색 파스타 반죽을 만든다. 150쪽 설명을 따라 5cm 크기의 사각형 토르텔로니로 자르고, 채소를 섞은 내용물을 속으로 채운다. 파스타를 익힐 때는 물에 올리브유 1큰술을 넣는다.

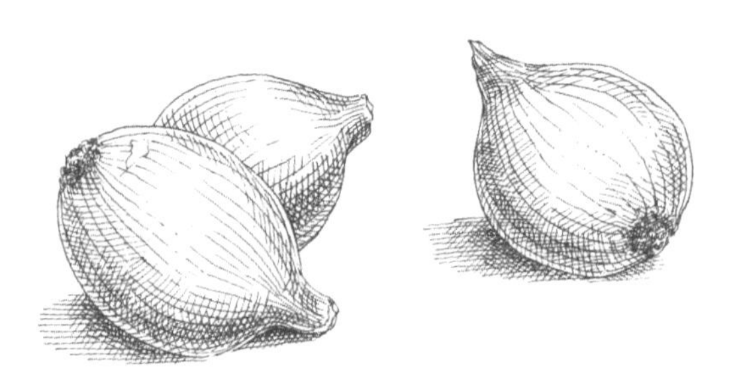

카펠라치—고구마로 속을 채운 라비올리

Cappellacci—Ravioli Filled with Sweet Potatoes

이탈리아에서 카펠라치라고 말하면, 단호박 바탕의 소를 채운 네모난 만두형 파스타로 이해한다. 에밀리아-로마냐 북동쪽 지역, 특히 페라라 지역의 특산물이다.

그곳에서 나는 주카 바루카(zucca barucca)라는 이름의 호박은 달고 즙이 풍부하며, 보드라운 조직을 지녔다. 다른 호박들과는 다르다. 내가 처음으로 『전통 이탈리아 요리책』에서 레시피를 정리할 때, 북미에서는 호박 대신 고구마를 써서 그 속을 가장 가깝게 재현할 수 있다는 걸 알아냈다. 북미의 호박 품종 중에는 주카 바루카와 비슷한 맛과 질감을 가진 것이 없었다.

고구마도 잘 선택해야 한다. 옅고 희끄무레한 노란색 껍질은 안 된다. 때론 참마로 오해받기도 하는, 껍질 색이 짙고 속은 붉은 오렌지색인 것이어야 한다. 그런 품종의 고구마가 익혔을 때 감미로우면서 달콤하고 촉촉해서 최상급 주카 바루카만큼 카펠라치에 어울린다.

카펠라치 약 140개분, 6인분

속재료

고구마 790g, 속살이 오렌지색인 것으로 준비
아마레티 과자 2개, 이탈리아산으로 준비
달걀노른자 1개분
프로슈토 3큰술, 다진다
갓 갈아낸 파르미자노 레자노 치즈 1½컵
파슬리 3큰술, 아주 잘게 다진다
너트메그 1알
소금

파스타 재료

직접 만든 노란색 파스타 반죽, 대란 3개와 표백하지 않은 밀가루 대략 1⅔컵, 우유 1큰술을 써서 140쪽 설명대로 제면기로 만든 것 또는 153쪽 설명대로 직접 밀어서 만든 것

추천하는 소스 ◎ 201쪽의 파르메산 치즈 버터 소스 또는 203쪽의 크림 버터 소스다. 파르메산 간 것과 함께 차려 낸다.

1. 오븐을 230°C로 예열한다.
2. 뜨거운 오븐의 중간 칸에 고구마를 넣고 굽는다. 20분 뒤에 온도를 200°C로 내리고, 포크로 찔러 고구마가 아주 부드럽게 익었을 때까지 35~40분 더 굽는다.
3. 오븐을 끈다. 고구마를 꺼내 세로로 반을 쪼갠다. 자른 단면이 위로 향하도록 놓은 뒤 고구마를 다시 오븐에 넣고, 오븐 문을 살짝 열어둔다. 10분 뒤에 꺼낸다. 고구마의 수분이 어느 정도 날아갔을 것이다.
4. 푸드프로세서 또는 절구와 공이를 사용해 아마레티 과자를 가루로 만든다.
5. 고구마 껍질을 벗기고 푸드밀로 갈아, 볼에 퓌레 상태로 담기게 한다. 가루로 만든 과자, 달걀노른자, 간 파르메산, 파슬리 그리고 너트메그도 아주 조금—⅛작은술 정도—갈아서 넣고 소금도 넣는다. 모든 재료가 고루 합쳐질 때까지 포크로 섞는다.
6. 140쪽 설명대로 제면기를 쓰거나 154쪽의 직접 밀어 만든 방법을 따라서 노란색 파스타 반죽을 만든다. 150쪽 설명을 따라 5cm 크기의 사각형 라비올리로 자르고, 고구마를 섞은 내용물을 속으로 채운다. 파스타를 익힐 때는 물에 올리브유 1큰술을 넣는다.

볼로냐식 소스에 버무려 구운 리가토니

Baked Rigatoni with Bolognese Meat Sauce

6인분

리가토니 675g
소금
볼로냐식 미트 소스, 213쪽 레시피대로 만들어 준비
베샤멜 소스, 49쪽 설명을 따라 중간 정도 농도의 우유 2컵, 버터 4큰술, 밀가루 3큰술, 소금 ¼작은술로 만든다
갓 갈아낸 파르미자노 레자노 치즈 6큰술
오븐에 넣었다가 바로 차려 낼 도자 접시
버터, 접시 안쪽에 바르고 조금씩 떼어 올릴 양

1. 오븐을 200℃로 예열한다.
2. 넉넉한 양의 끓는 물에 소금을 넣고 리가토니를 익힌다. 단단하면서도 알덴테보다 아주 조금 덜 익은 상태일 때 건진다. 오븐에 들어간 동안 계속 익기 때문이다. 믹싱볼로 옮겨 담는다.
3. 미트 소스, 베샤멜, 간 파르메산 4큰술을 파스타에 더한다. 파스타에 소스가 고루 입히고 균일하게 배도록 잘 버무린다.
4. 도자 접시 안쪽에 버터를 얇게 바른다. 볼에 있는 모든 내용물을 붓고, 스패출러로 평평하게 펴준다. 파르메산 간 것 2큰술을 위에 뿌리고 버터도 군데군데 올린다. 예열된 오븐의 가장 위 칸에 접시를 넣고 표면이 약간 바삭해질 때까지 10분간 굽는다. 오븐에서 꺼낸 다음, 리가토니가 가라앉을 때까지 몇 분 기다렸다가 식탁에 차려 낸다.

라자냐

LASAGNE

제대로 된 라자냐는 섬세한 몇 개의 층으로 이루어진다. 얇디얇은 파스타와 맛있는 재료를 층층이 쌓는데, 고기나 아티초크, 버섯 등 각종 좋은 재료로 만든 속이 너무 묵직하게 층을 눌러서는 안 된다. 라자냐에 적합한 파스타는 오직 직접 종잇장처럼 얇게 민 반죽으로 만든 것뿐이다. 밀대 미는 법을 터득하지 못했다면, 제면기로도 아주 만족스러운 결과물을 얻을 수 있다.

제면기로 반죽을 만들면 가게에서 포장 파스타를 사는 것보다 시간은 좀 더 걸릴지 모른다. 그러나 포장 파스타에는 부엌에서 직접 만든 라자냐가 머금는 그 어떤 풍미도 들어 있지 않다. 섬세하지 않은 시판 라자냐를 쓰면 시간은 조금 아낄지 몰라도, 결과물은 별로일 것이다.

볼로냐식 미트 소스를 곁들인 초록색 라자냐

Baked Green Lasagne with Meat Sauce, Bolognese Style

6인분

- 볼로냐식 미트 소스, 213쪽 레시피대로 만든 전량을 준비
- 베샤멜 소스, 49쪽 설명대로 우유 3컵, 버터 6큰술, 밀가루 4½큰술, 소금 ¼작은술로 만든다
- 소금 1큰술
- 버터 2큰술과 23~30cm 크기에 높이는 6cm보다 낮은 라자냐 전용 그릇 안쪽에 바를 양을 추가로 준비
- 갓 갈아낸 파르미자노 레자노 치즈 ⅔컵
- 직접 만든 초록색 파스타 반죽, 대란 2개와 냉동 시금치잎 100g 또는 신선한 시금치 170g, 소금, 표백하지 않은 밀가루 대략 1½컵을 써서 140쪽 설명대로 제면기로 만든 것 또는 153쪽 설명대로 직접 밀어서 만든 것

1. 미트 소스를 준비해 한편에 둔다. 미리 만들어 얼려둔 소스를 쓴다면 2½컵을 해동해 천천히 다시 데운 뒤 한편에 둔다.
2. 베샤멜 소스를 준비하되, 사워크림 정도의 농도로 흐르는 상태여야 한다. 완성되면 중탕용 냄비 위쪽에 넣고 불을 최대한 낮춰 따뜻하게 유지한다. 표면에 막이 형성되면 쓰기 바로 직전에 저어준다.
3. 초록색 파스타 반죽을 만든다. 140쪽 설명대로 제면기를 쓰거나 154쪽의 직접 밀대로 미는 방법을 따른다. 어떤 방법을 쓰든 가능한 한 얇게 민다. 제면기로 반죽을 만든다면, 제면기가 뽑아낼 수 있는 가장 넓은 폭의 면이 나왔을 때 25cm 길이로 자른다. 직접 민다면, 파스타 면을 폭 11cm 정도에 길이 25cm의 직사각형으로 자른다.
4. 볼에 찬물을 담아 가스 또는 전기레인지 근처에 놓는다. 작업대 위에는 깨끗한 마른 천을 펼쳐 놓는다. 물을 4L 정도 보글보글 끓이고, 소금 1큰술을 넣어 물이 다시 끓기 시작하면 자른 파스타 4~5장을 넣는다. 파스타를 넣고 물

이 다시 끓어오른 뒤 몇 초 동안 아주 짧게 익힌다. 구멍 뚫린 국자나 구멍 뚫린 국자로 꺼내고 찬물이 담긴 볼에 담근다. 한 번에 하나씩 면을 꺼내 마치 신중하게 손빨래를 하는 것처럼 조심스럽게 문질러가며 차가운 흐르는 물에 헹군다. 면을 하나씩 아주 부드럽게 손으로 짠 다음, 천 위에 평평하게 펴서 말린다. 준비된 모든 파스타를 이런 방식으로 한 번에 4~5장씩 익히고, 펼쳐서 말리고, 다른 천으로 윗면을 톡톡 두르려 물기를 제거한다.

부가 설명 ֍ 라자냐에 넣을 파스타를 씻고, 짜고, 말리는 것은 귀찮지만 꼭 필요한 과정이다. 어느 정도 익혀진 파스타를 찬물에 처음 딱 담그면 더 익는 것을 즉각적으로 막아준다. 이것은 중요한 과정이다. 이 단계에서 라자냐가 꽤 단단한 상태로 유지되지 않으면 나중에 구웠을 때 끔찍하게 뭉그러진다. 그리고 표면의 축축한 전분기를 헹궈내야, 말리려고 천 위에 놓았을 때 들러붙거나 파스타를 쓸 때 찢어지지 않는다.

5. 오븐을 200℃로 예열한다.
6. 버터와 베샤멜 1큰술 정도를 라자냐 전용 그릇 바닥에 빈틈없이 문질러 바른다. 용기 바닥에 파스타 면을 한 층 깐다. 이때 파스타 면을 용기에 맞춰 자르고, 가장자리끼리 0.5cm 이상 겹치지 않도록 한다.
7. 파스타 위에 미트 소스와 베샤멜을 섞어서 얇게 펴 바르고, 간 파르메산을 흩뿌린다. 파스타를 앞서와 마찬가지로 용기에 맞춰 잘라 한 층을 덮는다. 소스와 베샤멜 섞은 것을 다시 펴 바른 뒤, 파르메산을 흩뿌리는 과정을 반복한다. 틈이 생기면 가장자리를 정리할 때 잘라둔 파스타 면으로 메워도 좋다. 최소 6층으로 파스타를 쌓는다. 맨 위층에 소스를 충분히 얇게 펴 바른다. 파르메산을 흩뿌리고 듬성듬성 버터를 올린다.

미리 준비한다면 ֍ 라자냐는 최대 2일 전에 이 단계까지 미리 만들어둘 수 있다. 주방용 랩으로 밀착해 덮은 뒤 냉장 보관한다.

8. 예열해놓은 오븐의 가장 위 칸에 넣고 표면이 노릇노릇하고 바삭해질 때까지 굽는다. 10~15분 걸릴 것이다. 초반 몇 분이 지나도 바삭한 층이 생길 기미가 보이지 않는다면, 오븐 온도를 10~20℃ 올린다. 굽는 시간이 총 15분을 넘겨서는 안 된다.
9. 오븐에서 꺼내 가라앉을 때까지 10분 정도 두었다가, 용기째 바로 차려 낸다.

버섯 햄 라자냐

Lasagne with Mushrooms and Ham

6인분

양송이 675g, 신선하고 단단한 것으로 준비
식물성기름 3큰술
버터 3큰술과 지름 23~30cm 크기에 높이는 6cm보다 낮은 라자냐 전용 그릇 안쪽에 바를 양을 추가로 준비
양파 ⅓컵, 아주 잘게 다진다
포르치니 말린 것으로 60g, 37쪽 설명대로 불린다
버섯 불린 물, 37쪽을 참고해 거른다
이탈리아산 플럼토마토 통조림 ⅓컵, 건더기만 썬다
파슬리 2큰술, 잘게 썬다
소금
갓 갈아낸 검은 후추
직접 만든 노란색 파스타 반죽, 대란 3개와 표백하지 않은 밀가루 대략 1⅔컵을 써서 140쪽 설명대로 제면기로 만든 것 또는 153쪽 설명대로 직접 밀어서 만든 것
훈제하지 않고 삶은 햄 340g
베샤멜 소스, 49쪽 설명대로 우유 2컵, 버터 4큰술, 밀가루 3큰술, 소금 ¼작은술로 만든다
갓 갈아낸 파르미자노 레자노 치즈 ⅔컵과 식탁에 놓을 여분의 양

1. 양송이를 흐르는 찬물에 재빨리 헹군다. 건져서 부드러운 천이나 키친타월로 물기를 완전히 닦아낸다. 갓과 밑동이 붙어 있도록 세로로 아주 얇게 썬다.
2. 양송이가 서로 너무 겹치지 않고 여유롭게 들어갈 정도로 충분한 크기의 소테팬을 고른다. 기름, 버터 3큰술과 잘게 썬 양파를 넣고 중불에 올린다.
3. 양파가 투명해질 때까지 저으면서 익힌다. 불린 포르치니와 걸러놓은 버섯 불린 물, 잘게 썬 토마토와 파슬리를 넣는다. 모든 재료에 기름이 입혀지도록 잘 저어주고, 냄비 뚜껑을 비스듬하게 덮은 상태로 중간보다 약하게 불을 조절해 놓는다.
4. 냄비 안의 수분이 완전히 날아가면 얇게 썬 양송이, 소금과 후추를 약간 갈아 넣고 불을 강하게 키운다. 양송이에서 나온 물기가 모두 증발할 때까지 뚜껑을 연 채 7~8분 익힌다. 맛을 보고 소금과 후추로 간하고, 저어준 뒤 불에서 내려 한편에 둔다.
5. 140쪽 제면기를 쓰거나 154쪽의 직접 밀대로 미는 방법을 따라 노란색 파스타 반죽을 만든다. 225~226쪽 초록색 라자냐 레시피에서 설명한 대로 반죽을 라자냐 면으로 자르고, 살짝 익혀 마른 천 위에 펼쳐둔다.
6. 오븐을 200°C로 예열한다.

7. 햄을 아주 가늘게 채 썬다.
8. 베샤멜 소스를 만든다. 완성되면 중탕용 냄비의 위쪽에 넣고 불을 최대한 낮춰 따뜻하게 유지한다. 표면에 막이 형성되면 쓰기 바로 직전에 저어준다.
9. 버터와 약간의 베샤멜을 라자냐 전용 그릇 바닥에 빈틈없이 문질러 바른다. 파스타 면을 용기에 맞춰 잘라 바닥에 한 층으로 깐다. 면은 가장자리끼리 0.5cm 이상 겹치지 않도록 한다.
10. 베샤멜을 2~3큰술 정도 남겨두고 나머지 전부를 버섯과 섞은 다음, 이것을 파스타 위에 얇게 펴 올린다. 그 위에 채 썬 햄 소량을 드문드문 올리고, 파르메산 간 것을 살짝 뿌린다. 다른 파스타 면으로 덮는데, 전과 마찬가지로 잘라 다듬는다. 틈이 생기면 가장자리를 정리할 때 잘라둔 파스타 면으로 메워도 좋다. 버섯과 베샤멜 섞은 것, 햄, 간 치즈를 올리는 과정을 반복한다. 최소 6층으로 쌓아 올린다. 맨 위층에는 남겨두었던 베샤멜만 펴 바르고, 남은 파르메산을 뿌린 다음 버터 2큰술을 듬성듬성 올린다.

미리 준비한다면 ◎ 라자냐는 최대 2일 전에 이 단계까지 미리 만들어둘 수 있다. 주방용 랩으로 밀착해 덮은 뒤 냉장 보관한다.

11. 예열해놓은 오븐의 가장 위 칸에 넣고 표면이 노릇노릇하고 바삭해질 때까지 굽는다. 10~15분 걸릴 것이다. 초반 몇 분이 지나도 바삭한 층이 생길 기미가 보이지 않는다면, 오븐 온도를 10~20℃ 올린다. 굽는 시간이 총 15분을 넘겨서는 안 된다.
12. 오븐에서 꺼내 가라앉을 때까지 10분 정도 두었다가, 파르메산 간 것과 함께 용기째 바로 차려 낸다.

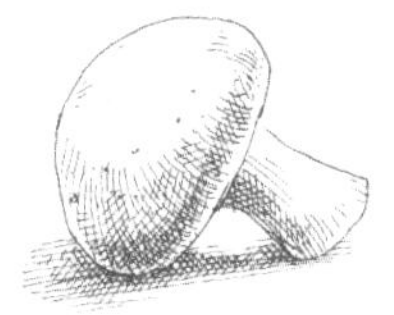

아티초크 라자냐

Lasagne with Artichokes

6인분

아티초크 중간 크기 4~5개
레몬 ½개
소금
버터 3큰술과 지름 23~30cm 크기에 높이는 6cm보다 낮은 라자냐 전용 그릇 안쪽에 바를 양을 추가로 준비
베샤멜 소스, 49쪽 설명대로 우유 2컵, 버터 4큰술, 밀가루 3큰술, 소금 ¼작은술로 만든다
직접 만든 노란색 파스타 반죽, 대란 3개와 표백하지 않은 밀가루 대략 1⅔컵을 써서 140쪽 설명대로 제면기로 만든 것 또는 153쪽 설명대로 직접 밀어서 만든 것
갓 갈아낸 파르미자노 레자노 치즈 ⅔컵

1. 67~69쪽 자세한 설명에 따라 아티초크의 거친 부분을 다듬는다. 다듬은 뒤에는 변색되지 않도록 자른 부분을 레몬으로 문지른다.
2. 다듬은 아티초크를 각각 세로로 4등분 한다. 아랫부분에 붙어 있는 부드럽고 구부러진 가시 같은 잎은 떼어 버리고, 그 안쪽에 있는 보송보송한 심도 잘라내 버린다. 쪼갠 아티초크를 최대한 얇게 세로로 썰고, 레몬 ½개 분량의 즙을 섞은 물이 담긴 볼에 넣는다.

미리 준비한다면 ❀ 이 단계까지 몇 시간 전에 미리 준비해둘 수 있다.

3. 아티초크를 건져 깨끗한 흐르는 물에 완전히 헹군 다음, 소테팬에 소금, 버터 3큰술과 함께 넣고 잠길 때까지 충분히 물을 부어 중불에 올린다. 아티초크가 밝은 갈색으로 익을 때까지 보글보글 거품이 일어나는 상태로 뭉근하게 끓인다. 포크로 아티초크를 찌른다. 충분히 부드럽지 않으면 물을 조금 더 넣고 한동안 더 익혀 수분이 모두 날아가게 한다. 아티초크가 다 익었으면 팬 안에 있는 모든 내용물을 볼에 부은 다음 한편에 둔다.
4. 베샤멜을 만들어, 걸쭉한 크림 같은 중간 정도의 농도를 유지한다. 4~5큰술만 따로 덜어두고, 나머지는 모두 볼에 넣어 아티초크와 섞는다.
5. 140쪽 제면기를 쓰거나 154쪽의 직접 밀대로 미는 방법을 따라 노란색 파스타 반죽을 만든다. 225~226쪽의 초록색 라자냐 레시피에서 설명한 대로 반죽을 라자냐 면으로 자르고, 살짝 익혀 마른 천 위에 펼쳐둔다.
6. 오븐을 200°C로 예열한다.

7. 버터와 약간의 베샤멜을 라자냐 전용 그릇 바닥에 빈틈없이 문질러 바른다. 파스타 면을 용기에 맞춰 잘라 바닥에 한 층 깐다. 면은 가장자리끼리 0.5cm 이상 겹치지 않도록 한다.
8. 베샤멜과 아티초크를 섞은 것으로 얇고 고르게 파스타를 덮고, 위에 간 파르메산을 뿌린다. 전과 마찬가지로 잘라 다듬어 다른 파스타 면으로 덮는다. 틈이 생기면 가장자리를 정리할 때 잘라둔 파스타 면으로 메워도 좋다. 베샤멜과 아티초크로 덮인 다른 파스타 층을 계속 쌓아나가되, 새 파스타 층을 덮기 전에 항상 치즈를 뿌린다. 6층보다 적게 쌓아서는 안 된다.
9. 맨 위에 덜어두었던 베샤멜 4~5큰술을 펴 바른다. 버터를 듬성듬성 올리고 남아 있는 치즈 간 것을 뿌린다.

미리 준비한다면 ❁ 최대 1일 전에 이 단계까지 미리 만들어둘 수 있다. 주방용 랩으로 밀착해 덮은 뒤 냉장 보관한다.

10. 예열해놓은 오븐의 가장 위 칸에 넣고 표면이 노릇노릇하고 바삭해질 때까지 굽는다. 10~15분 걸릴 것이다. 초반 몇 분이 지나도 바삭한 층이 생길 기미가 보이지 않는다면, 오븐 온도를 10~20℃ 올린다. 굽는 시간이 총 15분을 넘겨서는 안 된다.
11. 오븐에서 꺼내 가라앉을 때까지 10분 정도 두었다가, 파르메산 간 것과 함께 용기째 바로 차려 낸다.

리코타 페스토 라자냐

Lasagne with Ricotta Pesto

이탈리아 리구리아에서는 가장 넓적한 면발보다 훨씬 더 넓적하고 평평한 파스타를 만드는데, 볼로냐의 전통 라자냐보다는 조금 작다. 볼로냐식 라자냐와 달리 데치거나 굽기보다 오직 삶아서만 익힌다. 제노바 방언으로는 '피카제'라고 부르며 '냅킨 또는 접시 닦는 천'이라는 뜻이다. 피카제는 거의 예외없이 리코타 페스토를 곁들이기 때문에 아주 가볍고 신선한 여름용 파스타 요리 중 하나로 자리 잡았다.

6인분

직접 만든 노란색 파스타 반죽, 대란 3개와 표백하지 않은 밀가루 대략 1⅔컵을 써서 140쪽 설명대로 제면기로 만든 것 또는 153쪽 설명대로 직접 밀어서 만든 것
리코타 페스토, 188쪽 레시피에 따라 만든 것
소금 2큰술
엑스트라버진 올리브유 1큰술
갓 갈아낸 파르미자노 레자노 치즈 식탁에 놓을 만큼의 양

1. 140쪽 제면기를 쓰거나 154쪽의 직접 밀대로 미는 방법을 따라 노란색 파스타 반죽을 만든다. 반죽을 폭 9cm, 길이 13cm 정도의 사각형으로 자른다. 작업대 위에 놓인 깨끗한 마른 천 위에 자른 면을 펼쳐 놓는다.
2. 188쪽 설명을 따라 리코타 페스토를 만든다.
3. 4~5L 물을 끓인다. 소금 2큰술과 올리브유 1큰술을 넣는다. 물이 다시 끓기 시작하면 파스타의 절반을 넣는다. 넓은 면이 서로 들러붙을 수 있기 때문에 전부 한꺼번에 넣는 것은 바람직하지 않다.
4. 처음에 넣은 파스타가 알덴테로 익자마자 구멍 뚫린 국자나 그물 국자로 건져, 따뜻하게 해놓은 차림용 접시 위에 펼쳐 둔다. 페스토에 파스타를 삶은 냄비 안의 물을 한 숟가락 가득 퍼 넣어 농도를 옅게 한다. 접시에 담긴 파스타 위에 페스토의 절반을 붓고 펴 바른다.
5. 남은 파스타를 냄비에 넣고 익으면 건져서 미리 만들어둔 파스타 층 위에 펼쳐 놓는다. 남은 페스토로 덮고 파르메산 간 것과 함께 바로 차려 낸다.

참고 ֍ 갓 만든 파스타라면, 앞서 제안한 대로 두 번에 나누어 익힐 수 있다. 익는 시간이 아주 짧기 때문에 첫 번째로 익힌 파스타가 두 번째 파스타가 다 익을 때까지 식지 않고 온기를 품고 있기 때문이다. 파스타가 어느 정도 건조된 상태라면 익는 데 더 오래 걸리므로, 이 경우에는 두 개의 냄비를 써서 분량을 둘로 나눈 파스타를 동시에 익혀야 한다.

고기로 속을 채운 카넬로니

Cannelloni with Meat Stuffing

고기와 치즈를 부드럽게 감싸 돌돌 만 이 파스타를 카넬로니라 부른다. 직접 만든 파스타 반죽을 가장 적절하고 만족스럽게 이용할 수 있는 레시피 중 하나다.

만들기가 조금도 어렵지 않을뿐더러 한 가지 기본 원칙만 명심한다면 언제든 성공적인 결과물을 얻을 수 있다. 카넬로니를 소시지처럼 하나로 덩어리진 속을 감싼 튜브처럼 여겨서는 안 된다. 파스타를 말기 전에, 속을 아주 얇게 펴 발라야 하는데, 파스타에 바른 내용물이 파스타 자체보다 두껍지 않아야 한다. 그 뒤에 속재료가 고르게 퍼지도록 하면서 반죽을 스펀지 롤케이크 모양으로 돌돌 만다.

6인분

베샤멜 소스, 49쪽 설명대로 우유 2컵, 버터 4큰술, 밀가루 3큰술, 소금 ¼작은술로 만든다

속재료

버터 1큰술
양파 1½큰술, 잘게 다진다
소고기 목심 간 것 170g
소금
훈제하지 않고 삶은 햄 ½컵, 잘게 썬다
달걀노른자 1개분
너트메그 1알
갓 갈아낸 파르미자노 레자노 치즈 1½컵
신선한 리코타 1¼컵

소스 재료

버터 2큰술
양파 1큰술, 잘게 다진다
소고기 목심 간 것 170g
소금
이탈리아산 플럼토마토 통조림 ½컵, 썰어서 즙과 함께 준비

파스타 재료

직접 만든 노란색 파스타 반죽, 대란 3개와 표백하지 않은 밀가루 대략 1⅔컵을 써서 140쪽 설명대로 제면기로 만든 것 또는 153쪽 설명대로 직접 밀어서 만든 것
소금
바로 차려 낼 수 있는 가로 23cm, 세로 33cm 크기의 사각형 요븐용 그릇
갓 갈아낸 파르미자노 레자노 치즈 ⅓컵
버터 3큰술과 그릇 안쪽에 바를 양

1. 베샤멜 소스를 준비하되, 약간 걸쭉한 사워크림 정도의 농도로 맞춘다. 완성되면 중탕용 냄비의 위쪽에 넣고 불을 최대한 낮춰 따뜻하게 유지한다. 표면에 막이 형성되면 쓰기 바로 직전에 저어준다.
2. 속 만들기: 작은 소테팬에 버터 1큰술과 작게 썬 양파를 넣고 중불에 올려 양파가 투명해질 때까지 익힌다. 소고기 간 것을 넣는다. 중약불로 줄이고 갈색

으로 타지 않도록 포크로 고기를 부스러뜨리며 익힌다. 고기의 핏기가 사라지면, 2~3번 저어주며 1분만 더 익힌다.

3. 구멍 뚫린 국자를 이용해 재료에서 나온 기름은 팬에 남겨두고, 고기만 믹싱볼로 옮겨 담는다. 여기에 소금 1~2자밤, 잘게 썬 햄, 달걀노른자, 그리고 너트메그도 아주 조금—⅛작은술 정도—갈아서 넣고, 파르메산 간 것, 리코타, 그리고 베샤멜 소스 ¼컵을 넣는다. 모든 재료가 고루 합쳐질 때까지 포크로 섞는다. 맛을 보고 소금으로 간한다.
4. 소스 만들기: 소스팬에 버터 2큰술과 잘게 썬 양파를 넣고 중불에 올려 양파가 살짝 노릇해질 때까지 익힌다. 고기를 넣고 포크로 부스러뜨린다. 중약불로 줄이고 고기의 핏기가 없어질 때까지 익힌다. 소금, 잘게 썬 토마토와 즙을 넣고 소스가 아주 천천히 뭉근하게 끓도록 불의 세기를 조절한다. 이따금 저어주며 45분간 끓인다. 맛을 보고 소금으로 간한다.
5. 파스타 만들기: 140쪽 제면기를 쓰거나, 154쪽의 밀대로 직접 미는 방법을 따라 노란색 파스타 반죽을 준비하는데, 두 경우 모두 가능한 한 얇게 만들어야 한다. 반죽을 폭 7.5cm, 길이 10cm 정도의 사각형으로 자른다.
6. 물을 끓인다. 작업대 위 깨끗한 마른 천을 깐다. 볼에 찬물을 담아 물을 끓이고 있는 곳 근처에 둔다. 225~226쪽의 초록색 라자냐 레시피의 설명에 따라 삶고, 헹궈서 천 위에 파스타 면을 펼쳐 둔다.
7. 오븐을 200°C로 예열한다.
8. 버터를 오븐용 그릇 바닥에 두껍게 펴 바른다.
9. 카넬로니 만들기: 둥글고 큰 접시에 베샤멜 소스 1큰술을 펴 바른다. 이 위에 파스타 면 한 장을 깔고 돌려가며 파스타 아랫면에 소스를 묻힌다. 파스타의 윗면엔 가장자리 1cm씩은 남겨두고 속재료 1큰술을 펴 바른다. 스펀지 롤케이크 모양으로 파스타 면의 폭이 좁은 쪽을 접어 부드럽게 돌돌 만다. 말았을 때 파스타 면 모서리가 겹치는 부분이 아래를 향하도록 팬에 놓는다. 파스타 면을 전부 말거나 속재료를 다 쓸 때까지 이 작업을 반복한다. 둥글고 큰 접시 바닥에 이따금 베샤멜을 더 펴 바르되, 조금 남겨두어야 한다. 오븐용 그릇에 카넬로니가 빈틈없이 들어갔다면 알맞게 된 것이다. 겹쳐지면 안 된다.
10. 카넬로니 위에 미트 소스가 균일하게 덮이도록 펴 바른다. 소스 위에 남은 베샤멜을 펴 바르고, 파르메산 간 것을 흩뿌린 뒤 버터를 듬성듬성 올린다.

미리 준비한다면 ❁ 최대 2일 전에 이 단계까지 미리 만들어둘 수 있다. 주방용 랩으로 밀착해 덮은 뒤 냉장 보관한다.

11. 예열해놓은 오븐의 가장 위 칸에 넣고 표면이 노릇노릇하고 바삭해질 때까지 굽는다. 10~15분 걸리는데, 굽는 시간이 15분을 넘겨서는 안 된다. 오븐에서 꺼내 카넬로니가 가라앉을 때까지 최소 10분 정도 두었다가, 오븐용 그릇째 바로 차려 낸다.

시금치와 햄으로 속을 채워 얇게 썬 파스타롤

Sliced Pasta Roll with Spinach and Ham Filling

이탈리아에서는 이것을 로톨로(rotolo)라 부른다. 맛있는 시금치와 햄으로 만든 속을 파스타로 스펀지 롤케이크처럼 말아 치즈클로스로 감싼 다음 물에 삶는다. 식혀서 얇게 썰고 갈색이 나도록 뜨거운 오븐에 잠깐 굽는다. 뷔페식 상차림에 좋은 이 훌륭한 요리는 생김새만큼이나 매력적인 맛을 낸다.

6인분

양파와 버터를 넣은 토마토 소스 절반 분량, 162쪽 레시피에 따라 준비

속재료

신선한 시금치 900g 또는 냉동 시금치 잎이 온전한 것으로 600g, 해동한다
소금
양파 2큰술, 아주 잘게 다진다
버터 3큰술
프로슈토 3큰술, 잘게 다진다
신선한 리코타 1컵, 가득 채워서 준비
갓 갈아낸 파르미자노 레자노 치즈 1컵
너트메그 1알
달걀노른자 1개분

파스타 재료

직접 만든 노란색 파스타 반죽, 대란 3개와 표백하지 않은 밀가루 대략 1⅔컵을 써서 140쪽 설명대로 제면기로 만든 것 또는 153쪽 설명대로 직접 밀어서 만든 것
치즈클로스
소금
베샤멜 소스, 49쪽 설명대로 우유 1컵, 버터 2큰술, 밀가루 1½큰술, 소금 ⅛작은술로 만든다
갓 갈아낸 파르미자노 레자노 치즈 ⅓컵
버터 약 2큰술, 오븐용 그릇에 듬성듬성 놓을 것

1. 162쪽 설명에 따라 토마토 소스를 준비하되, 레시피에 나온 양의 절반만 쓴다.

2. 신선한 시금치를 쓴다면: 물을 몇 번 갈아가며 시금치를 담갔다가, 99쪽 설명대로 소금을 넣고 부드러워질 때까지 익힌다. 건져서 만질 수 있을 정도로 식자마자 손으로 가능한 한 많은 물기가 나오도록 부드럽게 짠다. 대충 거칠게 썰어서 한편에 둔다.
   냉동 시금치를 쓴다면: 냄비에 넣고 뚜껑을 덮어 소금을 넣고 5분간 익힌다. 꺼내어 식으면 가능한 한 모든 물기를 짜내고, 거칠게 썬다.
3. 스킬렛 또는 작은 소테팬에 속재료인 잘게 썬 양파와 버터를 넣는다. 중불에 올려 양파가 살짝 노릇해질 때까지 볶는다. 잘게 썬 프로슈토를 넣는다. 기름기가 잘 입혀지도록 저어가며 30초 정도 익힌 다음, 썰어놓은 시금치를 넣는다. 한두 번 골고루 저어주고, 시금치가 모든 버터를 흡수할 때까지 2분 또는 그 이상 익힌다.
4. 팬 안의 모든 내용물을 볼에 붓고, 리코타, 파르메산 간 것 1컵, 너트메그도 아주 조금—⅛작은술 정도—갈아서 넣고, 달걀노른자도 넣는다. 속재료가 모두 골고루 합쳐지도록 포크로 잘 섞어준다. 맛을 보고 소금으로 간한다.
5. 140쪽 제면기를 쓰거나, 153쪽의 밀대로 직접 미는 방법을 따라 노란색 파스타 반죽을 준비하는데, 두 경우 모두 가능한 한 얇게 만들어야 한다.
6. 제면기로 파스타를 만든다면: 모든 파스타 면이 커다란 한 장이 되게 만들어야 한다. 면 한 장의 가장자리에 물을 살짝 바르고, 다른 면을 가져와 그 부분에 겹친다. 0.3cm 정도로 아주 조금만 겹치게 한다. 파스타의 두 가장자리가 서로 붙도록 엄지손가락으로 겹친 부분을 빠짐없이 눌러준다. 제면기에 장착된 두 개의 밀대 사이로 부드럽게 통과시킨다. 다른 파스타 면으로도 같은 작

업을 반복하고, 모든 반죽이 한 장의 면으로 합쳐질 때까지 계속한다. 바퀴형 제과제빵용 칼이나 식칼로 둘레의 고르지 못한 부분을 다듬는다.

손으로 파스타를 만든다면: 반죽을 얇게 밀 때부터 하나의 면으로 만들고, 다음 단계로 넘어간다.

7. 만드는 사람 쪽과 가까운 가장자리에서 7.5cm 정도 띄운 지점부터 시작해 시금치 속을 파스타 면에 펴 바른다. 반죽 전체에 얇게 펴 바르는데, 가까운 쪽 가장자리 7.5cm와 반대쪽 가장자리 0.5cm 정도는 바르지 않는다. 가장자리 7.5cm를 들어올려 경계를 접어 가장자리 부분 전체가 속을 바른 부분 위로 겹치게 한다. 파스타 면 전체가 느슨하게 돌돌 말리도록 계속해서 접는다.
8. 치즈클로스로 파스타를 빈틈없이 감싼다. 양쪽 끝을 조리용 실로 단단히 묶는다. 생선 전용 찜기가 없다면, 3~4L의 물과 파스타를 넣었을 때 충분히 들어갈 정도로 큰 냄비를 가져온다. 물을 끓이고 소금 1큰술을 넣은 뒤 물이 다시 끓어오르면 말아놓은 파스타를 미끄러뜨리듯 넣는다. 불을 조절해 은근히 익히는데, 20분 정도가 적당하다. 숟가락 두 개 또는 뒤집개로 가운데 부분이 쪼개지지 않도록 받쳐 들어 올려 꺼낸다. 파스타가 뜨거울 때 치즈클로스를 벗기고, 한편에서 식힌다.
9. 오븐을 200°C로 예열한다.
10. 파스타가 식는 동안 중간 정도 농도의 베샤멜 소스를 만든다. 완성되면 미리 준비해두었던 토마토 소스와 섞는다.
11. 파스타가 식으면서 단단해지면, 통으로 구운 고기를 자르듯 2cm 정도 두께로 썬다.
12. 약 2cm 두께로 썬 파스타가 전부 한 층으로 들어갈 수 있는 오븐용 차림 접시를 가져온다. 접시 바닥에 소스를 가볍게 문질러 바른다. 지붕에 기왓장이 놓인 모양새로 살짝만 겹치도록 하면서 접시에 얇게 썬 파스타를 늘어놓는다. 남은 소스와 베샤멜을 섞어 파스타 위에 붓고, 파르메산 간 것 ⅓컵을 흩뿌린 뒤 버터를 조금씩 듬성듬성 올린다.

미리 준비한다면 이 단계까지 식탁에 차리기 1시간 전에 미리 만들어둘 수 있는데, 하룻밤을 넘겨서는 안 된다. 시금치에서 신맛과 금속 맛이 나기 때문에 냉장고에 넣어서는 안 된다.

13. 오븐의 맨 위에 넣고 표면이 노릇노릇하고 바삭해질 10~15분 굽는다. 오븐에서 꺼내 식탁에 가져가기 전 10분간 그대로 둔다. 오븐용 그릇째 바로 차려낸다.

시금치 페투치네, 포르치니 버섯과 햄으로 속을 채운 파스타 보자기

Pasta Wrappers Filled with Spinach Fettuccine, Porcini Mushrooms, and Ham

1970년대 후반의 학생운동으로 인해 문을 닫기 전까지, 볼로냐의 '알 칸툰체인'은 아마도 존재하는 최고의 파스타 식당이었을 것이다. 식당에서 나오던 30~40종의 파스타 가운데 가장 경이로운 요리는 스크리뇨 디 베네레(scrigno di venere)로, '비너스의 보석상자'라 불렸다. 그 '상자'는 초록색 페투치네, 햄, 야생버섯, 송로버섯처럼 먹을 수 있는 '보석'을 작은 손수건 크기의 보자기에 감싼 노란색 파스타였다.

특별히 기술적인 난점은 없지만, 감싸는 모양을 해치지 않는 양을 정확히 제시하는 데 무게를 두었다. 시작을 주의 깊게 읽으면 이후 단계는 원만히 해낼 수 있을 것이다.

6인분

페투치네 재료

직접 만든 초록색 파스타 반죽, 대란 2개와 냉동 시금치잎 100g 또는 신선한 시금치 170g, 소금, 표백하지 않은 밀가루 대략 1½컵을 써서 140쪽 설명대로 제면기로 만든 것 또는 153쪽 설명대로 직접 밀어서 만든 것

페투치네 소스 재료

버터 3큰술
샬롯 또는 양파 2큰술, 잘게 썬다
포르치니 버섯 말린 것으로 60g, 37쪽 설명대로 불린다
버섯 불린 물, 37쪽을 참고해 거른다
훈제하지 않고 삶은 햄 ⅔컵, 0.5cm 정도 폭으로 채 썬다
생크림 1컵
갓 갈아낸 파르미자노 레자노 치즈 ⅓컵
선택 사항: 흰 송로버섯 30g(또는 그 이상), 신선한 것 또는 통조림에 든 것으로 준비

파스타 보자기 재료

직접 만든 노란색 파스타 반죽, 대란 3개와 표백하지 않은 밀가루 대략 1⅔컵을 써서 140쪽 설명대로 제면기로 만든 것 또는 153쪽 설명대로 직접 밀어서 만든 것

베샤멜 소스 재료

49쪽 설명대로 우유 3컵, 버터 6큰술, 밀가루 4½큰술, 소금 ¼작은술로 만든다

소금
그라탱 전용 그릇 6개, 지름 11cm 정도 크기의 도기
버터, 그라탱 그릇 안쪽에 바를 양
나무 이쑤시개

1. 142쪽 제면기나 154~157쪽의 손으로 만드는 법을 따라 초록색 파스타 반죽을 만든다. 제면기에 달린 홈이 넓은 절단기를 쓰거나 손으로 직접 페투치네로 자른다. 144쪽과 159쪽을 참고하여 세밀한 부분을 완성한다. 작업대 위에 깨끗한 마른 천을 깔고 그 위에 페투치네를 느슨하게 펼쳐 놓는다.
2. 소스를 만든다. 소스팬 또는 작은 소테팬에 버터 3큰술과 잘게 썬 양파 또는 샬롯을 함께 넣고 중불에 올린다. 양파 또는 샬롯이 살짝 노릇해질 때까지 저어가며 익힌다. 불린 버섯과 걸러놓은 버섯 불린 물을 넣는다. 버섯 불린 물이 모두 졸아들 때까지 뭉근하게 끓인다.
3. 햄을 넣고 기름기가 잘 입혀지도록 한두 번 저어주며 30초 내외로 익힌 다음, 생크림을 넣는다. 크림이 걸쭉해질 때까지 끓인 뒤에 불에서 내려 한편에 둔다.
4. 파스타 보자기를 만든다. 142쪽 제면기나 154~157쪽 손으로 만드는 법을 따라 노란색 파스타 반죽을 준비한다. 두 경우 모두 가능한 한 얇게 밀어야 한다.

5. 제면기로 파스타를 만든다면: 파스타 전체를 커다란 한 장으로 만들어야 한다. 면 한 장의 가장자리에 물을 살짝 바르고, 다른 면을 가져와 그 부분에 겹친다. 0.3cm 정도로 아주 조금만 겹치게 한다. 서로 잘 붙도록 엄지손가락으로 겹친 부분 전체를 길게 따라가며 세게 눌러준다. 제면기에 장착된 두 개의 밀대 사이로 부드럽게 통과시킨다. 다른 파스타 면으로도 같은 작업을 반복하고, 모든 반죽이 한 장의 면으로 합쳐질 때까지 계속한다.
   손으로 파스타를 만든다면: 파스타를 밀 때 얇은 면 한 장으로 만들고, 다음 단계로 넘어간다.
6. 작업대 위에 마른 천을 놓고 그 위에 얇게 민 파스타 면을 놓아 10분 정도 건조시킨다.
7. 보자기 형태로 만들기 위해서 파스타를 지름 20cm 정도의 원판으로 잘라야 한다. 비슷한 크기의 냄비 뚜껑이나 접시, 또는 컴퍼스를 이용해 파스타 면 위에 20cm 크기의 원판 6개를 그린다. 파스타 면에서 원판을 떼어내 천 위에 펼쳐 놓는다. 남은 파스타는 자르고 말려서 수프에 넣거나 다른 경우에 사용한다.
8. 베샤멜 소스를 준비하되, 약간 걸쭉한 사워크림 정도의 농도로 맞춘다. 완성되면 중탕용 냄비의 위쪽에 넣고 불을 최대한 낮춰 따뜻하게 유지한다. 쓰기 바로 직전에 저어준다.
9. 찬물을 넣은 볼을 전기 또는 가스레인지 가까이에 둔다. 수프용 냄비에 물을 4L 정도 넣고 끓인다. 소금 1큰술을 넣고 물이 다시 끓으면 원형으로 자른 파스타 2장을 넣는다. 익힌 지 30초가 지나지 않았을 때 구멍 뚫린 국자나 다른 국자로 건져 볼의 찬물에 담근다. 그 뒤에 흐르는 찬물에 면을 조심스럽게 문지르면서 헹구고, 천 위에 펼쳐 놓는다. 원형으로 자른 파스타 6장 모두 이 과정을 거친다.
10. 버섯과 햄 소스를 약불에 올려 한두 번 저어주며 다시 데운다. 송로버섯 통조림을 쓴다면 안에 든 즙을 소스에 붓는다.
11. 원형 파스타를 익힌 수프용 냄비에 끓이면서 증발했던 양만큼 물을 채워 넣는다. 물이 보글보글 끓으면 초록색 페투치네를 넣는다. 약간 덜 익은, 알덴테보다 조금 단단한 상태에서 파스타를 건진다. 버섯과 햄 소스에 바로 버무린다. 간 파르메산을 넣고 다시 버무린다. 송로버섯을 쓴다면 아주 얇게 썰어서 파스타 위에 올린다. 송로버섯 슬라이서가 없다면 세로날 필러 또는 만돌린(mandoline)을 사용해도 된다. 페투치네를 6인분으로 나누어 한편에 둔다.
12. 오븐을 230℃로 예열한다.

13. 그라탱 그릇 바닥에 버터를 빈틈없이 문질러 바른다. 커다란 접시에 베샤멜 소스를 약간 덜어 바른다. 베샤멜 위에 원판 파스타를 놓고, 돌려가며 아랫면에 소스가 고루 묻게 한다. 그 위에 베샤멜을 조금 더 얇게 펴 바른다. 원판 파스타를 그라탱 용기에 놓는다. 가운데를 맞추고 가장자리는 용기 옆면으로 떨어지게 한다.

6등분 한 페투치네 중 하나를 가져와 원판 가운데에 놓는다. 물론 나누어 둔 소스도 함께여야 한다. 페투치네가 느슨하게 놓인 상태여야 하고, 아래로 눌러서는 안 된다. 베샤멜을 약간 넣고 섞는다.

원판의 가장자리를 집어 올려 가운데를 향해 꼬아 접어 파스타를 보자기처럼 모아 감싸쥔다. 꼭대기의 접힌 부분을 이쑤시개로 고정시킨 다음, 페투치네 한 가닥으로 이쑤시개 주변을 묶는다.

6개의 파스타 보자기를 모두 채우고 묶을 때까지 이 과정을 반복한다.

미리 준비한다면 ❀ 파스타 보자기는 이 단계까지 몇 시간 전에 미리 만들어둘 수 있다. 저녁을 위해 아침에 미리 해두어도 되지만, 하룻밤을 넘겨서는 안 되고, 냉장 보관해서도 안 된다.

14. 예열해둔 오븐 맨 위 칸에 그라탱 용기를 넣는다. 보자기가 접힌 부분이 열

은 갈색으로 바삭해질 때까지 8분 정도 굽는다. 10분보다 더 오래 굽지는 않는다.

15. 금속 뒤집개 두 개로 파스타 보자기를 아주 조심스럽게 들어 올려 그라탱 용기에서 수프 그릇으로 옮겨 담는다. 페투치네로 묶은 부분이 풀리지 않게 이쑤시개를 뺀다. 적어도 5분간 가라 앉혔다가 식탁에 차려 낸다.

피초케리
Pizzoccheri

피초케리는 짧고 넓적한 회갈색 면으로, 주로 고운 메밀가루로 만든다. 스위스 국경 지역 발텔리나(Valtellina)의 특산물인데, 서늘한 기후로 알프스 산맥 메밀이 잘 자라는 곳이다. 메밀이 꽤 부드럽기 때문에, 아래 레시피의 비율에 맞춰 밀가루를 약간 섞어줘야 한다.

피초케리 준비 과정은 세 부분으로 나뉜다. 파스타를 감자와 채소와 함께 익히고, 세이지와 마늘로 향을 낸 버터에 버무려 얇게 썬 부드러운 치즈를 위에 올리고, 마지막으로 오븐에 잠깐 노릇하게 굽는다.

채소는 사보이 양배추 또는 근대 줄기를 쓴다. 나는 근대를 권한다. 이 레시피에서는 줄기만 쓰지만, 떼어낸 이파리는 568쪽 설명대로 삶고 올리브유와 레몬즙에 버무려서 샐러드처럼 먹을 수 있다. 또는 496쪽 설명대로 마늘과 함께 볶아 채소 요리로 차려 낼 수도 있다. 발텔리나만의 부드럽고 풍미 좋은 치즈를 어디에서나 구할 수 있는 건 아니지만, 폰티나도 훌륭한 대안이다.

6인분

피초케리 재료

직접 만든 노란색 파스타 반죽, 대란 3개와 고운 메밀가루 대략 1¼컵, 표백하지 않은 밀가루 ½컵과 1큰술, 우유 1큰술, 물 1큰술, 소금 ½작은술을 써서 140쪽 설명대로 제면기로 만든 것 또는 153쪽 설명대로 직접 밀어서 만든 것

다른 재료

근대 줄기 3~3½컵, 이파리 부분은 완전히 제거하고 길이 5~7.5cm, 폭 1cm 정도로 썬다
소금
감자 1컵, 가급적 햇감자로 껍질을 벗기고 0.5cm 두께로 얇게 썬다
버터 4큰술
마늘 큰 것으로 4쪽, 칼 손잡이로 가볍게 으깨어 껍질을 벗기고 준비
세이지잎, 마른 것으로 2장 또는 신선한 것으로 3장
요븐용 그릇 30~35cm 크기의 바로 차려 낼 수 있는 것으로 준비, 안쪽에 버터를 빈틈없이 바른다
폰티나 치즈 115g, 이탈리아산을 얇은 조각으로 썬다
갓 갈아낸 파르미자노 레자노 치즈 ⅔컵

1. 피초케리 면 만들기: 작업대 위에 메밀가루와 표백하지 않은 밀가루를 붓고 둘을 잘 섞는다. 산처럼 봉우리 모양을 잡고 가운데에 구멍을 파서 달걀, 우유, 물, 소금을 구멍 안에 넣는다. 141쪽 설명을 따라 밀가루와 합친 뒤, 141~142쪽 설명대로 치댄다.
2. 142쪽 제면기를 쓰거나, 154~157쪽의 밀대로 미는 방법으로 반죽을 밀되, 페투치네보다 두껍게 만든다. 접어서 잘랐을 때 들러붙지 않도록 면이 축축하지 않을 때까지 2분 또는 그 이상 마르게 둔다. 면이 쉽게 쪼개지기 때문에 부서질 때까지 두어서는 안 된다.
3. 제면기로 만든 면 또는 직접 민 얇은 면을 느슨하게 접는다. 146쪽에서 탈리아텔레로 자르기 위해 느슨하고 납작한 형태로 돌돌 만 것을 참고한다. 돌돌 만 반죽을 2.5cm 정도 폭으로 자른다. 그리고 잘라낸 각각의 면을 가운데에서 대각선 방향으로 잘라 폭 2.5cm, 길이 7.5~9cm의 마름모 형태의 면이 나오게 한다. 작업대 위에 놓아둔 깨끗한 마른 천 위에 면을 펼쳐서 겹치지 않게 놓아둔다.

미리 준비한다면 ❁ 며칠 전 또는 심지어 몇 주 전에 이 단계까지 미리 만들어 둘 수 있다. 146쪽의 파스타 건조하기와 저장하는 법에 대한 설명을 참조하라. 건조시킨 파스타는 갓 만든 면보다 익히는 데 시간이 더 오래 걸린다는 것만 유념하라.

파스타 익히기

1. 오븐을 200°C로 예열한다.

2. 썰어놓은 근대 줄기를 찬물에 씻는다.
3. 4L 정도의 물을 끓여 소금을 2큰술 넣고, 물이 다시 끓어오르면 근대를 넣는다. 근대를 넣어 익힌 지 10분이 되면, 감자를 넣고 냄비 뚜껑을 비스듬하게 덮는다.
4. 근대와 감자가 익는 동안, 작은 스킬렛에 버터 4큰술과 으깬 마늘을 넣고 중불에 올린다. 마늘이 옅은 갈색이 될 때까지 저어가며 익히다가 꺼내어 버리고, 세이지잎을 넣는다. 달구어진 버터 안에 있는 세이지잎을 한두 번 뒤집은 뒤, 팬을 불에서 내린다.
5. 오븐용 그릇 안쪽에 버터를 얇고 꼼꼼하게 바른다.
6. 감자와 근대가 모두 부드러워 졌을 때—둘 다 포크로 찔러본다—같은 냄비에 파스타를 넣는다. 파스타를 약간 덜 익은 상태이자 씹어서 아주 단단한 정도인 몰토 알덴테로 익힌다. 갓 만든 면이라면 몇 초밖에 걸리지 않는다. 빠르게 근대와 감자와 파스타를 함께 건져, 모든 재료를 버터 바른 오븐용 그릇으로 옮겨 담는다.
7. 마늘과 세이지 버터를 파스타 위에 붓고, 모든 면에 잘 묻도록 골고루 버무린다.
8. 얇게 썬 폰티나와 파르메산 간 것을 넣고 파스타와 채소들과 함께 섞는다. 그릇 안 내용물을 평평하게 해주고, 예열된 오븐의 맨 위 칸에 넣는다. 5분 뒤에 꺼내고, 2~3분 가라앉힌 다음 그릇째 바로 차려 낸다.

오레키에테

Orecchiette

장화 모양의 이탈리아 반도에서 정강이 절반과 뒷굽 전체를 차지하는 풀리아에는 직접 만든 파스타에 대한 확고한 전통이 있다. 에밀리아-로마냐의 토르텔리니와 탈리아텔레, 라자냐와는 달리, 풀리아 파스타는 달걀 대신 물을 넣고, 에밀리아 평원의 고운 밀가루보다는 주로 풀리아산 경질밀 품종을 쓴다. 풀리아의 반죽은 더 쫀득하고, 단단하며, 더 거친 질감을 갖고 있다. 강한 개성을 가진 그 지역의 소스와 아주 잘 어울린다.

풀리아 파스타 중 가장 잘 알려진 형태는 '작은 귀'라는 뜻의 오레키에테(orecchiette)로, 반죽을 엄지로 누르면서 굴려 귀처럼 생긴 작은 원형으로 만든 것이다. 아래 레시피에서는 경질밀가루를 보통의 표백하지 않은 밀가루와 섞어서 반죽을 만들어 더 쉽게 작업할 수 있게 했다.

세몰리나 1컵, 경질밀로 만든 노란색 가루, 아주 고운 것으로 준비
표백하지 않은 다목적용 밀가루 2컵
소금 ½작은술
미지근한 물 1컵

1. 세몰리나, 다목적용 밀가루와 소금을 작업대 위에서 섞고, 봉우리 형태로 만들어 가운데를 우물처럼 판다. 한 번에 물을 몇 큰술 넣고, 밀가루와 합친다. 뻑뻑하지도 건조하지도 않게 가능한 한 많은 물이 흡수될 때까지 반복한다. 너무 질어서도 안 되지만, 달걀이 든 파스타보다는 부드러운 상태여야 한다.
2. 작업대 표면의 밀가루 잔여물을 긁어내고 손을 씻고 말린 다음, 반죽 덩어리가 부드러우면서도 탄력이 생길 때까지 8분 동안 치댄다. 손으로 반죽을 치대는 법은 141~142쪽 설명을 참고하라.
3. 주방용 랩으로 반죽을 감싸 14분 정도 휴지시킨다.
4. 치댄 반죽에서 레몬 한 개 크기 정도의 덩어리를 떼어내고, 남은 반죽은 다시 싸놓는다. 떼어낸 덩어리를 1cm 정도 두께의 소시지 모양으로 굴려 만든다. 할 수 있다면 1mm 정도의 두께로 아주 얇게 원형으로 썬다. 원형 반죽 하나를 집어 한쪽 손바닥의 움푹 파인 부분에 놓고 다른 손 엄지로 누르면서 굴려 가운데를 움푹하게 만들고, 폭 2.5cm 정도의 원형으로 편다. 모양이 마치 얕은 버섯 갓을 닮아 가운데보다 가장자리가 살짝 더 두꺼워야 한다. 반죽을 전부 다 쓸 때까지 반복해서 작업한다.
5. 오레키에테를 바로 쓸 게 아니라면 깨끗한 마른 천 위에 펼쳐 놓고 이따금 뒤집어가며 건조시킨다. 약 24시간 뒤 완전히 마르면 상자에 넣고 부엌 찬장에 두어 한 달 또는 그 이상 저장할 수 있다. 다른 파스타처럼 익히되, 갓 만든 보통의 달걀 파스타보다는 더 오래 걸릴 것이다.

추천하는 소스 가장 잘 어울리는 것은 183쪽의 브로콜리 안초비 소스다. 184쪽의 토마토 안초비 소스와 182쪽의 마늘과 고추를 넣은 콜리플라워 오일 소스 역시 좋은 선택이다.

파스타와 소스 매치하기

파스타의 형태는 수백 가지에 달하고 소스 덕분에 그 수가 다시 무한대로 늘어날 수 있지만, 파스타와 소스를 만족스럽게 조합하는 원칙은 몇 가지뿐이고 단

순하다. 이탈리아 요리가 가진 밑바탕에 깔린 풍미를 조화롭고 풍부하게 표현하려는 사람이라면 결코 무시할 수 없는 원칙이다.

파스타 한 접시를 만들 때 모든 것을 올바르게 했다 하더라도—심혈을 기울여 썩 괜찮은 생면을 직접 만들었거나 질 좋은 이탈리아산 건조 파스타를 구입해, 가장 신선한 재료로 매력적인 소스를 만들고, 넉넉한 양의 뜨거운 물에 파스타를 삶아 완벽히 알덴테 상태일 때 건져, 소스와 솜씨 좋게 버무린—당신의 요리는 완벽하게 성공적이지 않을 수 있다. 파스타 유형과 형태에 딱 맞는 소스를 매치시키는 것에 대해 생각하지 않았다면 말이다.

우선, 기본 파스타는 두 유형으로 나뉘는데, 공장에서 만들어 포장된 달걀이 들어가지 않은 건조한 종류와 직접 만든 신선한 달걀 파스타다. 잘만 만들었다면 공장제 파스타도 수제 파스타만큼 좋을 수 있다. 전자로 할 수 있는 것을 반드시 후자로 할 필요는 없다.

유달리 단단하고 조밀한 조직, 거친 질감을 가진 공장제 파스타의 첫 번째 선택은 해산물 소스와 아주 다양한 가벼운 채소 소스 같은 올리브유를 기본으로 한 소스다. 물론 버터를 기본으로 하는 모든 소스를 쓰면 안 된다는 말은 아니다. 포장된 건조 파스타는 버터를 기본으로 한 소스 중 몇몇과 흥미로운 방식으로 결합될 수 있다. 다만 더 진하고 무게감 있는 다른 결과물이 나올 것이다.

공장제 파스타를 쓸 때는 그 형태에 따라 소스를 선택한다. 가는 스파게티인 스파게티니는 대개 올리브유를 기본으로 한 해산물 소스와 최고로 어울린다. 많은 토마토 소스, 특히 버터로 만들었을 때는 더 두꺼운 스파게티가 잘 어울리고, 어떤 경우에는 부카티니나 페르차텔리 같은 구멍이 있는 면이 더 좋다. 미트 소스 또는 다른 덩어리가 있는 소스는 리가토니나 펜네처럼 더 큰 구멍이 있는 튜브형 파스타, 또는 움푹 파인 형태의 콘킬리에와 가장 궁합이 좋다. 푸실리는 211쪽의 소시지를 넣은 크림 소스처럼 걸쭉하고 부드러운 소스와 기가 막히게 어울리는데, 비틀려 홈이 파인 부분이 소스를 잘 붙들기 때문이다.

공장제 파스타는 소스를 뚜렷하고 대담하게 드러낸다. 직접 만든 파스타는 깊숙이 빨아들인다. 직접 만든 신선한 파스타는 미각을 섬세하게 자극하고, 입 안에서 가볍고 경쾌한 느낌을 선사한다. 대부분의 올리브유 소스는 직접 만든 면을 미끄럽게 해 좋은 질감을 느낄 수 없게 하고, 강한 풍미가 면을 살리지 못한다. 직접 만든 면은 은은한 맛을 내는 소스와 조합이 좋다. 해산물, 고기 또는 채소가 포함될 수도 있는데, 대개 버터가 기본이 되고 때로 크림이나 우유로 맛을 농후하게 할 수도 있다.

아래는 이 책에 소개한 소스와 다양한 파스타 유형을 빌려 매력적인 조합 몇 가지를 그려본 것이다.

공장제 포장 건조 파스타

파스타 형태	추천하는 소스
부카티니, 페르차텔리 (두껍고 구멍이 있음)	❁ 올리브유와 잘게 썬 채소를 넣은 토마토 소스, 마조람과 두 가지 치즈를 넣어보기, 163쪽 ❁ 올리브유에 볶은 채소 토마토 소스, 164쪽 ❁ 아마트리차나: 판체타와 고추를 넣은 토마토 소스, 167쪽 ❁ 시칠리아식 정어리 소스, 197쪽
로텔로(차바퀴), 콘킬리에 (조개 껍질), 푸실리 (와인 따개, 길이와 굵기는 상관없음)	❁ 올리브유와 잘게 썬 채소를 넣은 토마토 소스, 로즈마리와 판체타를 넣어보기, 164쪽 ❁ 아마트리차나: 판체타와 고추를 넣은 토마토 소스, 167쪽 ❁ 포르치니 버섯을 넣은 토마토 소스, 168쪽 ❁ 햄과 토마토를 넣은 버섯 소스, 169쪽 ❁ 완두콩과 베이컨, 리코타를 넣은 소스, 173쪽 ❁ 브로콜리 안초비 소스, 183쪽 ❁ 소시지를 넣은 크림 소스, 211쪽 ❁ 볼로냐식 미트 소스, 213쪽 ❁ 시칠리아식 가지 리코타 소스, 171쪽
푸실리와 특별히 좋은 소스	❁ 마늘과 바질을 넣은 튀긴 주키니 소스, 177쪽 ❁ 바질과 달걀노른자를 넣은 주키니 소스, 176쪽
마케론치니 (짧고 좁은 튜브형), 펜네(깃펜)	❁ 양파와 버터를 넣은 토마토 소스, 162쪽 ❁ 올리브유와 잘게 썬 채소를 넣은 토마토 소스, 162쪽 ❁ 올리브유에 볶은 채소 토마토 소스, 164쪽 ❁ 아마트리차나: 판체타와 고추를 넣은 토마토 소스, 167쪽

파스타 형태	추천하는 소스
마케론치니, 펜네	❁ 포르치니 버섯을 넣은 토마토 소스, 168쪽 ❁ 햄과 토마토를 넣은 버섯 소스, 169쪽 ❁ 리코타와 햄을 넣은 시금치 소스, 172쪽 ❁ 완두콩, 파프리카, 프로슈토 크림 소스, 174쪽 ❁ 마늘과 바질을 넣은, 구운 붉은색 파프리카와 노란색 파프리카 소스, 175쪽 ❁ 마늘과 고추를 넣은 콜리플라워 오일 소스, 182쪽 ❁ 토마토와 마늘을 넣은 참치 소스, 190쪽 ❁ 생선 소스, 196쪽 ❁ 고르곤졸라 소스, 204쪽 ❁ 햄과 크림을 넣은 아스파라거스 소스, 210쪽 ❁ 프로슈토를 넣은 크림 소스, 211쪽
리가토니 (넓적하고 짧은 튜브형)	❁ 양파와 버터를 넣은 토마토 소스, 162쪽 ❁ 올리브유에 볶은 채소 토마토 소스, 164쪽 ❁ 아마트리차나: 판체타와 고추를 넣은 토마토 소스, 167쪽 ❁ 시칠리아식 가지 리코타 소스, 171쪽 ❁ 리코타와 햄을 넣은 시금치 소스, 172쪽 ❁ 완두콩과 베이컨, 리코타를 넣은 소스, 173쪽 ❁ 마늘과 바질을 넣은 구운 붉은색 파프리카와 노란색 파프리카 소스, 175쪽 ❁ 토마토와 마늘을 넣은 참치 소스, 190쪽 ❁ 생선 소스, 196쪽 ❁ 고르곤졸라 소스, 204쪽 ❁ 소시지를 넣은 붉은색 파프리카와 노란색 파프리카 소스, 207쪽 ❁ 프로슈토를 넣은 크림 소스, 211쪽 ❁ 볼로냐식 미트 소스, 213쪽

파스타 형태	추천하는 소스
스파게티	❁ 양파와 버터를 넣은 토마토 소스, 162쪽 ❁ 올리브유와 잘게 썬 채소를 넣은 토마토 소스, 162쪽 ❁ 시칠리아식 가지 리코타 소스, 171쪽 ❁ 마늘과 바질을 넣은 튀긴 주키니 소스, 177쪽 ❁ 푹 익힌 양파 소스, 178쪽 ❁ 로즈마리 버터 소스, 179쪽 ❁ 로마식 마늘 오일 소스, 180쪽 ❁ 페스토, 185쪽 ❁ 리코타 페스토, 188쪽 ❁ 토마토와 마늘을 넣은 참치 소스, 190쪽 ❁ 올리브유, 마늘, 매운 고추를 넣은 가리비 소스, 195쪽 ❁ 생선 소스, 196쪽 ❁ 파르메산 치즈 버터 소스, 201쪽 ❁ 카르보나라 소스, 212쪽
스파게티니 (가는 스파게티)	❁ 올리브유와 잘게 썬 채소를 넣은 토마토 소스, 162쪽 ❁ 마늘과 바질을 넣은 토마토 소스, 166쪽 ❁ 붉은색 고추와 토마토를 넣은 가지 소스, 170쪽 ❁ 신선한 토마토와 바질을 넣은 익히지 않은 로마식 마늘 오일 소스, 181쪽 ❁ 토마토 안초비 소스, 184쪽 ❁ 검은 송로버섯 소스, 188쪽 ❁ 조개를 넣은 토마토 소스, 190쪽 ❁ 흰조개 소스, 192쪽 ❁ 사르데냐식 보타르가 소스, 193쪽 ❁ 올리브유, 마늘, 매운 고추를 넣은 가리비 소스, 195쪽
치티 (좁고 짧은 튜브형)	❁ 앞의 펜네를 참조.

집에서 직접 만든 신선한* 파스타

* 참고 ❁ 이 책에서 '신선한'이라는 단어가 파스타에 적용될 때는 집에서 만든 파스타를 의미한다. 거의 예외 없이 달걀이 들어간 반죽을 이용해서 말이다. 이것은 옥수수가루를 쓰거나 진공포장을 하거나 다른 방법을 통해 인공적으로 파스타를 부드럽게 유지시킨 것이 아니다. 신선한 파스타는 상당 정도 건조시킬 수 있고, 알맞고 자연스럽게 건조된 신선한 파스타는 억지로 부드러움을 유지시킨 각종 상업화된 파스타보다 압도적으로 낫다.

파스타 형태	추천하는 소스
카펠리 단젤로 (천사의 머리카락)	이탈리아에서 아주 가는 면은 오직 고기 또는 닭육수와 함께 먹는다.
카펠라치, 호박으로 속을 채운 라비올리	❁ 파르메산 치즈 버터 소스, 201쪽 ❁ 크림 버터 소스, 203쪽
페투치네	❁ 마늘과 바질을 넣은 튀긴 주키니 소스, 177쪽 ❁ 로즈마리 버터 소스, 179쪽 ❁ 페스토, 185쪽 ❁ 흰조개 소스, 192쪽 ❁ 분홍 새우 크림 소스, 201쪽 ❁ 세이지 버터 소스, 202쪽 ❁ 크림 버터 소스, 203쪽 ❁ 고르곤졸라 소스, 204쪽 ❁ 버섯과 햄을 넣은 크림 소스, 205쪽 ❁ 프로슈토를 넣은 크림 소스, 211쪽
가르가넬리, 손으로 직접 만 마카로니	❁ 완두콩, 파프리카, 프로슈토 크림 소스, 174쪽 ❁ 고르곤졸라 소스, 204쪽 ❁ 햄과 크림을 넣은 아스파라거스 소스, 210쪽
라자냐	❁ 볼로냐식 미트 소스를 곁들인 초록색, 225쪽 ❁ 버섯 햄, 227쪽 ❁ 아티초크, 229쪽 ❁ 리코타 페스토, 230쪽

파스타 형태	추천하는 소스
말탈리아티 (짧고 불규칙하게 자른 수프용 파스타)	❁ 파스타를 넣는 모든 수프와 특히 112쪽 파스타에 파졸리, 파스타를 넣은 콩 수프에 적절함
오레키에테 파파르델레 (넓은 면)	❁ 브로콜리 안초비 소스, 183쪽 ❁ 포르치니 버섯을 넣은 토마토 소스, 168쪽 ❁ 분홍 새우 크림 소스, 201쪽 ❁ 소시지를 넣은 붉은색 파프리카와 노란색 파프리카 소스, 207쪽 ❁ 크랜베리빈과 세이지, 로즈마리를 넣은 소스, 208쪽 ❁ 닭 간 소스, 215쪽
피초케리 (짧은 메밀면)	❁ 세이지와 마늘을 넣고 버무려 부드러운 치즈를 올려 그라탱처럼 구움, 241~243쪽
탈리아텔레 (페투치네보다 넓은)	❁ 볼로냐식 미트 소스, 213쪽
톤나렐리 (두꺼운 사각형)	❁ 포르치니 버섯을 넣은 토마토 소스, 168쪽 ❁ 푹 익힌 양파 소스, 178쪽 ❁ 로즈마리 버터 소스, 179쪽 ❁ 페스토, 185쪽 ❁ 사르데냐식 보타르가 소스, 193쪽 ❁ 프로슈토를 넣은 크림 소스, 211쪽
토르텔리니	❁ 크림을 넣은 토마토 소스, 165쪽 ❁ 속재료가 생선일 때, 분홍 새우 크림 소스, 201쪽 ❁ 크림 버터 소스, 203쪽 ❁ 초록색 토르텔리니, 프로슈토 크림 소스, 211쪽 ❁ 볼로냐식 미트 소스, 213쪽 ❁ 노란색 반죽에 고기로 속을 채워 만든 전형적인 토르텔리니, 고기육수에 담가 먹는 게 전통적인 방식임.

파스타 형태	추천하는 소스
토르텔로니	❁ 크림을 넣은 토마토 소스, 165쪽
	❁ 파르메산 치즈 버터 소스, 201쪽
	❁ 세이지 버터 소스, 202쪽

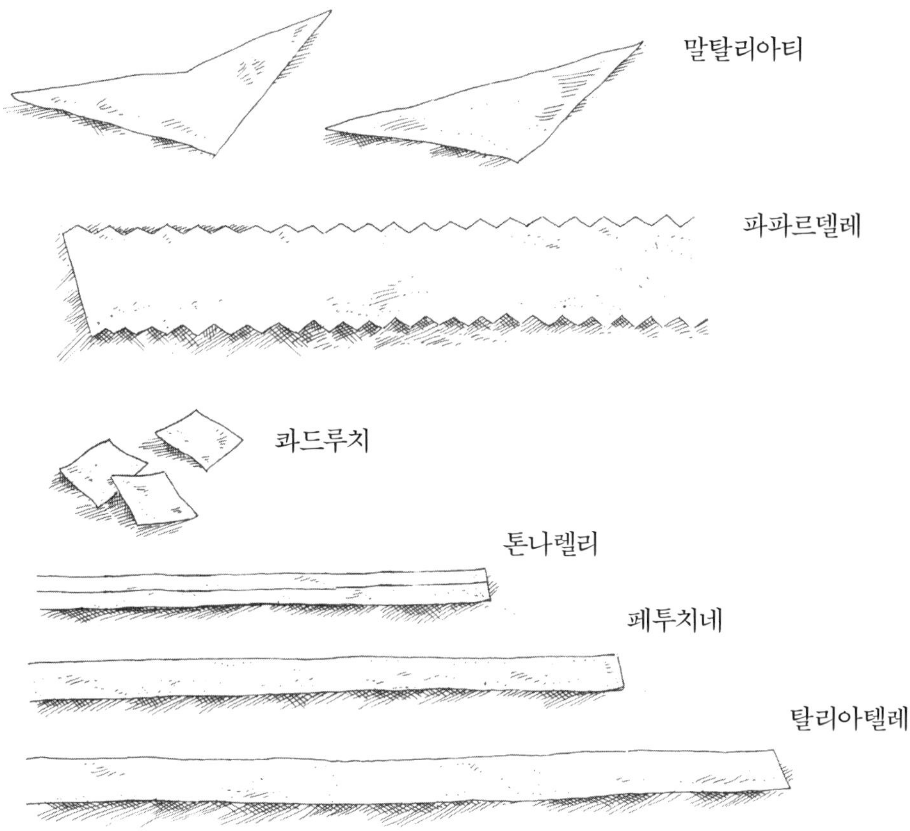

말탈리아티

파파르델레

콰드루치

톤나렐리

페투치네

탈리아텔레

리소토

RISOTTO

리소토 정의하기 ❀ 리소토를 만드는 기술은 일부 이탈리아 쌀 품종이 가진 특별한 성질을 활용하는데, 이 쌀의 낱알은 아밀로펙틴으로 알려진 부드러운 전분으로 싸여 있다. 적절한 레시피로 다루면 전분이 녹으면서 낱알들을 크림처럼 부드럽게 감싸 서로 결합시키고, 동시에 채소, 고기, 생선이나 다른 재료들과 함께 풍미의 바탕을 이룬다.

풍미의 바탕 ❀ 먹을 수 있는 어떤 것이든 리소토의 맛을 내는 재료가 될 수 있다. 치즈, 생선, 고기, 채소, 콩, 심지어 과일도 상관없다. 이런 재료들은 대개 풍미보다는 질감에 기여한다. 풍미는 쌀알의 부드러운 전분이 특별한 조리 과정을 통해 녹으면서 나오는 것이다.

대부분의 경우 쌀을 넣기 전에 기본 재료를 넣는다. 하지만 파르메산이 들어간 리소토를 만들 때에는 익히는 마지막 단계에 치즈를 넣는다. 가끔 과하게 익혀서는 안 될 재료가 있다. 특히 조개류나 홍합이 그렇다. 이 경우 맛의 밑바탕이 될 수 있도록 해산물에서 육수를 미리 뽑아 시작 단계에 넣는다. 반면 조갯살이나 홍합살은 쌀이 거의 다 익었을 때 넣고 저어준다.

조리하는 법 ❀ 리소토 맛의 바탕이 되는 재료는 대개 버터에 볶은 잘게 썬 양파라는 토대 위에 놓인다. 몇몇 드문 경우에 버터 대신 올리브유를 쓰고, 마늘이 추가되기도 한다.

익히지도 씻지도 않은 이탈리아 쌀을 뜨거운 버터나 기름에 넣고 가볍게 볶는다. 그 뒤에 곧바로 조리용 액체를 한 국자 퍼서 냄비에 넣는다. 일부는 흡수되고, 일부는 증발하면서 수분이 없어질 때까지 쌀을 저어준다. 액체를 더 넣고, 쌀이 익을 때까지 이 과정을 반복한다.

적은 양의 액체를 단계적으로 추가해 흡수와 증발이 동시에 일어나게 하면서, 꾸준히 저어준다. 그래야지만 쌀의 부드러운 전분이 점성이 생기면서 쌀알들을 뭉치게 하고 풍미의 바탕이 되는 맛을 쌀알에 붙들어 놓는다. 쌀을 저어주지 않으면 뚜껑을 덮은 냄비 안에서 익는 것처럼 물기가 너무 많은 상태로 끓게 된다. 그럭저럭 먹을 만한 요리지만 그것은 리소토가 아니며 리소토 맛이 나지도 않을 것이다.

조리용 액체 ❀ 모든 리소토의 풍미는 조리용 액체가 증발해 응축되고 짙어지면서 시작된다. 이를 명심하고 레시피에 따라 육수가 필요하면, 소와 송아지고기를 중심으로 끓여 만든 섬세하고 맛이 연한 고기육수를 쓴다. 그다음이 뼈를 넣지 않고 소량의 닭고기로 만든 육수다. 순수 닭고기육수와 프랑스식 레시피로 만든 스톡 둘 다 맛이 지나치게 튀어 리소토용으로는 바람직하지 않다.

해산물 리소토에는 물이 최고의 선택지다. 생선 퓌메(fumets) 또는 갑각류 머리나 껍질을 넣은 진한 육수는 졸아들면 맛이 너무 강해지므로 리소토 맛의 균형을 깨트린다.

조리용 액체의 핵심은 풍미의 바탕이 되는 재료라는 것을 잊지 마라. 조개나 홍합에서 나온 즙, 말린 버섯을 불린 물, 아스파라거스나 다른 푸른 채소를 미리 데쳐 채소의 풍미가 밴 물처럼 말이다.

와인도 넣을 수 있지만, 그것만 단독으로 써서는 안 된다.

참고 ❀ 액체의 양은 레시피에서 제시한 대로 따르면 거의 정확하다. 실제 조리에서는 리소토의 상태에 따라 더 많이, 때로는 더 적게 써야 할 수도 있다. 육수로 조리할 때 쌀이 완전히 익기 전에 육수를 다 썼다면 물을 넣어 계속 익힌다.

조리에 걸리는 시간 ❀ 어떤 이탈리아 요리사들은 리소토의 쌀알이 유난히 단단한 것을 선호해, 익히는 시간을 18~20분으로 잡으라고 조언한다. 이 경우 낟알 가운데가 분필처럼 단단하다. 분필 같은 질감이 마음에 들지 않는다면 내가 하는 것처럼 익히는 시간을 5~10분 더 늘려 총 25~30분으로 잡는다.

하지만 리소토가 익는 속도는 상황에 따라 다르다. 사용하는 쌀의 수분 함량과 한 번에 넣는 액체 양, 액체가 증발하는 속도에 영향을 받기 때문이다.

익히기 시작한 지 20분 뒤부터 쌀을 맛보는 것이 현명한 방법이다. 그러면 얼마나 더 익혀야 할지, 앞으로 액체를 얼마나 더 넣어야 할지 판단할 수 있다. 쌀이 가운데까지 부드러워질 만큼 익혀서는 절대 안 된다. 부드러우면서도, 씹었을 때 여전히 단단함이 있어야 한다.

냄비 ❀ 눌러붙지 않으면서도 아주 재빠른 속도로 쌀을 익히기에 충분한 열을 전달하고 보존해야 한다. 순수 알루미늄을 비롯해 가벼운 중량의 냄비는 적합하지 않다. 강철 합금으로 만든 바닥이 두꺼운 냄비가 가장 견고하고 전문가들이 요리하기에 제일 좋지만, 가정에서는 법랑을 입힌 무쇠냄비가 조리하기에 적당하다.

쌀의 품종 ❀ 이탈리아산 품종들이 완벽하게 성공적인 리소토를 만들 수 있게 해줄 유일한 재료다. 가장 좋은 것은 아르보리오, 비알로네 나노, 카르나롤리다. 각 품종의 특성에 대한 자세한 설명은 40쪽을 참고하라.

리소토 유형 ❀ 모든 리소토는 농도에 따라 두 가지 기본 유형으로 나눌 수 있다. 조밀하고, 짜임새가 더 탄탄하며, 더 진득한 피에몬테, 롬바르디와 에밀리아-로마냐 식의 리소토, 그리고 더 흩어지고 흐르는 베네토의 알론다(all'onda), 즉 '물결치기'로 알려진 유형이 있다. 전자는 쌀이 익는 마지막에 수분을 전부 날려서 만들고, 후자는 쌀이 아직 촉촉한 상태일 때 원하는 정도로 익혀 만든다.

피에몬테, 밀라노, 볼로냐 식은 토대가 되는 치즈, 소시지, 수렵조류, 야생버섯 위에서 바탕이 되는 풍부한 맛이 더 조화를 이루며, 베네치아식 리소토 알론다는 해산물과 봄 채소를 사용해 매우 섬세하다.

차려 내는 온도 ❀ 리소토에 관한 잘못된 믿음 중 하나가 냄비에서 퍼 담자마자, 아주 뜨거울 때 먹어야 한다는 것이다. 그러나 사실 파스타와 달리 리소토는 접시에 1분 내외로 그대로 두었을 때 맛이 더 낫다. 이탈리아 사람들은 리소토를 차려 낼 때, 종종 접시 가운데에서 가장자리 쪽으로 리소토를 펼치는데, 뜨거운 김을 어느 정도 날리기 위해서다.

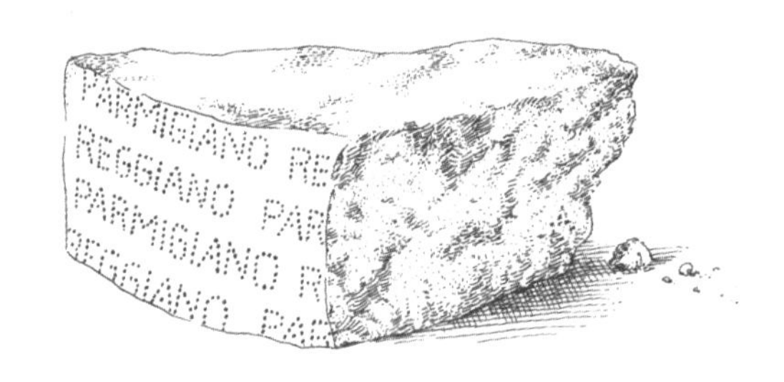

파르메산 치즈 리소토

Risotto with Parmesan Cheese

이 기본 흰색 리소토는 간단하게 많은 양을 만들기에 좋다. 그 자체만으로도 맛있지만, 흰 송로버섯을 얇게 저며 덮어주면 더 나은 맛을 낼 수 있다.

6인분

고기육수 25쪽 설명대로 직접 만든 것으로는 5컵 또는 소고기육수 통조림 1컵을 물 4컵과 섞는다
아르보리오 또는 다른 이탈리아산 리소토용 쌀 2컵
버터 3큰술
식물성기름 2큰술
양파 2큰술, 아주 잘게 다진다
갓 갈아낸 파르미자노 레자노 치즈 가득 채운 ½컵
선택 사항: 흰 송로버섯 15g(또는 그 이상), 신선한 것 또는 통조림에 든 것으로 준비
소금, 필요에 따라

1. 리소토를 조리할 가열기구 가까이에서 육수를 아주 천천히 뭉근하게 계속 끓인다.
2. 바닥이 넓고 견고한 냄비에 버터 1큰술, 식물성기름, 잘게 다진 양파를 넣고 중강불에 올린다. 양파가 투명해질 때까지 저어가며 익힌 다음, 쌀을 넣는다. 낟알에 기름이 고루 입혀지도록 재빠르게 젓는다.
3. 뭉근하게 끓고 있는 육수 ½컵을 넣어 긴 나무 주걱으로 계속 저으면서 쌀을 익힌다. 들러붙지 않도록 냄비 옆면과 바닥을 긁으면서 수분이 없어질 때까지 익힌다. 젓는 것을 절대 멈춰서는 안 된다. 자꾸 문질러서 냄비 바닥이 완전히 깨끗하다고 확신할 수 있어야 한다. 그런 느낌이 아니라면 쌀이 들러붙은 것이다.
4. 냄비 안에 남은 수분이 없을 때 ½컵을 추가로 넣고, 앞에서 설명한 방법에 따라 계속 젓는다. 불의 세기는 동일하게 유지한다.
5. 익히기 시작한 뒤로 20분이 지나면 쌀알을 맛본다. 부드러우면서 씹는 맛이 있으면 된 것이다. 이 단계에서 결과적으로 넣었던 액체가 모두 졸아들어 쌀알이 완전히 익고, 약간 촉촉하되 흐르는 상태는 아니어야 한다.
6. 쌀이 완전히 다 익기 1~2분 전에 간 파르메산 전량과 남은 버터를 넣는다. 치즈가 쌀알 사이를 파고들면서 녹도록 완전히 섞는다. 불에서 내리고 맛을 보고 소금으로 간한다. 소금을 넣은 뒤에는 저어준다.
7. 접시에 옮겨 담아 바로 차려 낸다. 선택에 따라 송로버섯 슬라이서나 세로날 야채 필러로 흰 송로버섯을 얇게 저며 위에 올린다. 별도로 식탁에 낼 얇게 저민 송로버섯을 약간 더 준비한다.

밀라노식 샤프란 리소토

Risotto with Saffron, Milanese Style

6인분

고기육수 25쪽 설명대로 직접 만든 것으로는 5컵 또는 소고기육수 통조림 1컵을 물 4컵과 섞는다
소의 골수 또는 판체타 또는 프로슈토 2큰술, 깍둑썰기한다
버터 3큰술
식물성기름 2큰술
양파 2큰술, 아주 잘게 다진다
아르보리오 또는 다른 이탈리아산 리소토용 쌀 2컵
샤프란 가루 ⅓작은술 또는 잘게 썬 샤프란 가닥 ½작은술을 뜨거운 육수나 물 1컵에 녹여서 준비
갓 갈아낸 검은 후추
갓 갈아낸 파르미자노 레자노 치즈 ⅓컵과 식탁에 놓을 여분의 양
소금, 필요에 따라

1. 리소토를 조리할 가열기구 가까이에서 육수를 아주 천천히 뭉근하게 계속 끓인다.
2. 깍둑썰기한 골수, 판체타 또는 프로슈토, 버터 1큰술, 식물성기름, 그리고 잘게 다진 양파를 넓고 견고한 냄비에 넣고 중강불에 올린다. 양파가 투명해질 때까지 저어가며 익힌 다음, 쌀을 넣는다. 낱알에 기름이 고루 입혀지도록 재빠르게 젓는다.
3. 뭉근하게 끓고 있는 육수 ½컵을 넣고, 255쪽 기본 리소토 레시피의 3번과 4번 단계 설명대로 쌀을 익힌다.
4. 쌀을 익힌 지 15분이 되었을 때 녹인 샤프란 절반을 넣는다. 냄비 안에 수분이 남아 있지 않을 때까지 계속해서 젓고, 남은 샤프란을 넣는다.
5. 쌀이 부드러우면서 씹는 맛이 있는 정도가 되고 냄비 안에 수분이 남아 있지 않으면 익히기를 끝낸다.
6. 불을 끄고, 후추를 살짝 갈아 넣고 남은 버터와 간 파르메산 전량을 넣는다. 치즈가 녹아 쌀알에 들러붙을 때까지 골고루 섞는다. 맛을 보고 소금으로 간한다. 그릇에 옮겨 담고 여분의 간 치즈와 함께 바로 차려 낸다.

포르치니 버섯 리소토

Risotto with Porcini Mushrooms

6인분

고기육수 25쪽 설명대로 직접 만든 것으로는 5컵 또는 소고기육수 통조림 1컵을 물 4컵과 섞는다
버터 2큰술
식물성기름 2큰술
양파 2큰술, 아주 잘게 다진다
아르보리오 또는 다른 이탈리아산 리소토용 쌀 2컵
포르치니 버섯 말린 것으로 30g, 37쪽 설명대로 불린다
버섯 불린 물, 37쪽을 참고해 거른다
갓 갈아낸 검은 후추
갓 갈아낸 파르미자노 레자노 치즈 ⅓컵과 식탁에 놓을 여분의 양
소금, 필요에 따라

1. 리소토를 조리할 가열기구 가까이에서 육수를 아주 천천히 뭉근하게 계속 끓인다.
2. 버터 1큰술, 식물성기름, 그리고 잘게 다진 양파를 넓고 견고한 냄비에 넣고 중강불에 올린다. 양파가 투명해질 때까지 저어가며 익힌 다음, 쌀을 넣는다. 낱알에 기름이 고루 입혀지도록 재빠르게 젓는다.
3. 뭉근하게 끓고 있는 육수 ½컵을 넣고, 255쪽 기본 리소토 레시피의 3번과 4번 단계 설명대로 쌀을 익힌다.
4. 쌀을 익히기 시작해 10분 정도 지나, 불린 버섯과 걸러놓은 버섯 불린 물 ½컵을 넣는다. 수분이 남지 않을 때까지 계속 저으면서 익히다가 버섯 불린 물을 더 넣고 저으면서 수분을 날린다. 버섯 불린 물을 모두 쓸 때까지 반복한다.
5. 육수를 넣어 쌀을 완전히 익힌다. 육수가 남아 있지 않다면 물을 넣는다. 냄비에 수분이 남아 있지 않고 쌀은 부드러우면서 씹는 맛이 있는 정도로 익힌다.
6. 불을 끄고, 후추를 살짝 갈아 넣고 남은 버터 1큰술과 갈아놓은 파르메산 전량을 넣는다. 치즈가 녹아 쌀알에 들러붙을 때까지 골고루 섞는다. 맛을 보고 소금으로 간한다. 그릇에 옮겨 담고 여분의 간 치즈와 함께 바로 차려 낸다.

아스파라거스 리소토

Risotto with Asparagus

6인분

아스파라거스 450g, 신선한 것으로 준비
소금
고기육수 25쪽 설명대로 직접 만든 것으로는 넉넉히 준비 또는 소고기육수 통조림을 물과 섞어서 최소 6컵이 되게 준비, 이때 물은 아스파라거스 데친 물을 추가
버터 3큰술
식물성기름 2큰술
양파 2큰술, 아주 잘게 다진다
아르보리오 또는 다른 이탈리아산 리소토용 쌀 2컵
갓 갈아낸 검은 후추
갓 갈아낸 파르미자노 레자노 치즈 ¼컵
파슬리 1큰술, 아주 잘게 다진다

1. 아스파라거스 줄기의 밑동을 2.5cm 이상 잘라내 촉촉한 부분만 남도록 한다. 그다음 472쪽 설명대로 아스파라거스 껍질을 깎아내고 씻는다.
2. 아스파라거스를 전부 평평하게 놓을 수 있는 크기의 냄비를 고른다. 냄비 높이를 기준으로 5cm 정도 차도록 물을 충분히 넣고 소금 1큰술을 넣는다. 중강불에 올리고 물이 끓으면 아스파라거스를 조심스럽게 넣고 냄비 뚜껑을 덮는다. 물이 다시 끓는 시점부터 4~5분 익히는데, 익는 시간은 아스파라거스의 신선도와 줄기의 두께에 달렸다. 아스파라거스가 부드러우면서도 어느 정도 단단할 때 건지고, 삶은 물은 버리지 않는다. 한편에서 식힌다.
3. 아스파라거스가 손으로 만질 수 있을 정도로 식으면 뾰족한 싹 부분을 끝에서부터 3~4cm 잘라 한편에 둔다. 남은 부분은 1cm 크기로 자르고, 유달리 단단하거나 질겨 보이는 부분은 잘라서 버린다.
4. 아스파라거스 데친 물에 육수를 충분히 부어 6컵 정도 되게 한다. 리소토를 조리할 가열기구 근처에서 아주 천천히 뭉근하게 끓인다.
5. 버터 1큰술, 식물성기름, 그리고 잘게 다진 양파를 넓고 견고한 냄비에 넣고 중강불에 올려 양파가 투명해질 때까지 저어가며 익힌다. 자른 아스파라거스 줄기를 넣는데 뾰족한 싹 부분은 넣지 않는다. 아스파라거스에 골고루 양념이 입혀지도록 저어가며 1분 정도 익힌다.
6. 쌀을 넣고 낱알에 기름이 고루 입혀지도록 재빠르게 젓는다. 육수와 아스파라거스 물을 섞은 것을 ½컵 넣고, 255쪽 기본 리소토 레시피의 3번과 4번 단계 설명대로 쌀을 익힌다.
7. 쌀은 부드럽고 씹는 맛이 있는 정도로 익힌다. 수분은 거의 남아 있지 않되 농

도는 약간 흐르는 상태의 농도여야 한다. 불을 끄고, 남겨놓은 아스파라거스 싹 부분을 넣고, 후추를 약간 갈아 넣는다. 남은 버터 2큰술과 간 파르메산 전량을 넣고 치즈가 녹아 쌀알에 들러붙을 때까지 고루 섞는다. 맛을 보고 소금으로 간한다. 잘게 다진 파슬리를 넣고 섞는다. 접시에 옮겨 담아 바로 차려 낸다.

셀러리 리소토

Risotto with Celery

이 레시피를 따라 할 때는 셀러리 끝의 이파리를 전부 제거하지 말아야 한다. 리소토와 함께 익으면서 셀러리의 향이 강조되기 때문이다. 줄기 부분은 질감이 남아 이후에 씹는 재미를 줄 것이다.

6인분

고기육수 25쪽 설명대로 직접 만든 것으로는 5컵 또는 소고기육수 통조림 1컵을 물 4컵과 섞는다
버터 3큰술
식물성기름 2큰술
양파 ½컵, 잘게 썬다
셀러리 줄기 부분 2컵, 아주 작게 깍둑썰기한다
셀러리 안쪽 줄기의 이파리 부분 1큰술, 잘게 썬다
소금
아르보리오 또는 다른 이탈리아산 리소토용 쌀 2컵
갓 갈아낸 검은 후추
갓 갈아낸 파르미자노 레자노 치즈 ⅓컵
파슬리 1큰술, 잘게 썬다

1. 리소토를 조리할 가열기구 가까이에서 육수를 아주 천천히 뭉근하게 계속 끓인다.
2. 버터 2큰술, 식물성기름, 그리고 잘게 다진 양파를 넓고 견고한 냄비에 넣고 중강불에 올린다. 양파가 투명해질 때까지 저어가며 익힌 다음, 깍둑썰기한 셀러리 줄기의 절반과 잘게 썬 잎을 모두 넣고 소금도 한 자밤 넣는다. 셀러리에 기름이 잘 입혀지도록 자주 저어가며 2~3분 익힌다.
3. 쌀을 넣고 낱알에 기름이 고루 입혀지도록 재빠르게 젓는다. 끓고 있는 육수 ½컵을 더해, 255쪽 기본 리소토 레시피의 3번과 4번 단계 설명대로 쌀을 익힌다.
4. 쌀을 익힌 지 10분이 되었을 때 남아 있는 깍둑썰기한 셀러리를 넣고 계속 저어가며 필요한 만큼 한 번에 조금씩 육수를 추가한다.
5. 쌀은 부드럽고 씹는 맛이 있는 정도로 익힌다. 수분은 거의 남아 있지 않되 농

도는 약간 흐르는 상태의 농도여야 한다. 불을 끄고, 후추를 약간 갈아 넣은 다음 남아 있는 버터 1큰술과 간 파르메산 전량을 넣는다. 치즈가 녹아 쌀알 사이에 들러붙도록 골고루 젓는다. 맛을 보고 소금으로 간한다. 잘게 썬 파슬리를 넣고 섞는다. 접시에 옮겨 담아 바로 차려 낸다.

주키니 리소토

Risotto with Zucchini

6인분

주키니 중간 크기 4개 또는 작은 것 6개
식물성기름 2큰술
양파 3큰술, 굵게 다진다
마늘 ½작은술, 아주 잘게 다진다
고기육수 25쪽 설명대로 직접 만든 것으로는 5컵 또는 소고기육수 통조림 1컵을 물 4컵과 섞는다
버터 2큰술
소금
아르보리오 또는 다른 이탈리아산 리소토용 쌀 2컵
갓 갈아낸 검은 후추
갓 갈아낸 파르미자노 레자노 치즈 ¼컵과 식탁에 놓을 여분의 양
파슬리 1큰술, 잘게 썬다

1. 찬물에 주키니를 담가 문질러서 깨끗하게 씻고, 536쪽에서 훨씬 더 자세히 설명한 대로 양 끝을 자른다. 깨끗한 주키니를 1cm 정도 두께로 동그란 형태가 나오도록 썬다.
2. 넓고 견고한 냄비에 식물성기름과 잘게 썬 양파를 전부 넣고 중강불에 올린다. 양파가 투명해질 때까지 저어가며 익히다가 다진 마늘을 넣는다. 마늘의 색이 살짝 변하면 썰어놓은 주키니를 넣고 불의 세기를 중약불로 줄인다. 주키니를 중간중간 뒤집어주면서 10분간 익히고, 소금을 한 자밤 넣는다. 주키니가 먹음직스러운 노란색이 될 때까지 15분 안팎으로 계속 더 익힌다.

미리 준비한다면 ❀ 이 단계까지 몇 시간 또는 1~2일 전에 미리 준비해둘 수 있다. 같은 날 요리를 만든다면 주키니를 냉장고에 넣지 마라. 냉장고에 넣을 때는 주방용 랩을 단단히 밀착시켜 보관한다.

3. 리소토를 조리할 가열기구 가까이에서 육수를 아주 천천히 뭉근하게 계속 끓인다.
4. 주키니에 버터 1큰술을 넣고 강불에 올린다. 쌀을 넣고 낟알에 기름이 고루

입혀지도록 재빠르게 젓는다.

5. 뭉근하게 끓고 있는 육수 ½컵을 더해, 255쪽 기본 리소토 레시피의 3번과 4번 단계 설명대로 쌀을 익힌다.
6. 쌀은 부드럽고 씹는 맛이 있는 정도로 익힌다. 수분은 거의 남아 있지 않되 약간 흐르는 상태의 농도여야 한다. 불을 끄고, 후추를 약간 갈아 넣은 다음 남아 있는 버터 1큰술과 간 파르메산 전량을 넣는다. 치즈가 녹아 쌀알 사이에 들러붙도록 골고루 젓는다. 맛을 보고 소금으로 간한다. 잘게 썬 파슬리를 넣고 섞는다. 접시에 옮겨 담아 파르메산 간 것과 함께 바로 차려 낸다.

토마토와 바질을 곁들인 봄 채소 리소토

Risotto with Spring Vegetables, Tomato, and Basil

6인분

주키니 중간 크기 1개 또는 작은 것 2개
고기육수 25쪽 설명대로 직접 만든 것으로는 5컵 또는 소고기육수 통조림 1컵을 물 4컵과 섞는다
버터 3큰술
식물성기름 2큰술
양파 ⅓컵, 잘게 썬다
당근 ⅓컵, 아주 작게 깍둑썰기한다
셀러리 ⅓컵, 아주 작게 깍둑썰기한다
소금
아르보리오 또는 다른 이탈리아산 리소토용 쌀 2컵
껍질 벗긴 신선한 어린 완두콩 또는 냉동 완두콩을 해동시켜서 ½컵
토마토 1개, 잘 익은 단단하고 신선한 것으로 날것 그대로 필러로 껍질을 벗기고 씨를 제거한 뒤 잘게 깍둑썰기한다
갓 갈아낸 파르미자노 레자노 치즈 ⅓컵
생바질잎 6장 이상, 씻고 손으로 찢는다

1. 찬물에 주키니를 담가 문질러서 깨끗하게 씻고, 536쪽에서 훨씬 더 자세히 설명한 대로 양 끝을 자른다. 아주 작게 깍둑썰기한다.
2. 리소토를 조리할 가열기구 가까이에서 육수를 아주 천천히 뭉근하게 계속 끓인다.
3. 넓고 견고한 냄비에 버터 2큰술, 식물성기름과 잘게 썬 양파를 전부 넣고 중강불에 올린다. 양파가 먹음직스러운 갈색이 될 때까지 익힌다.
4. 깍둑썰기한 당근과 셀러리를 넣고, 기름이 고루 입혀지도록 한 번씩 저어주며 5분간 익힌다. 깍둑썰기한 주키니와 소금 1~2자밤을 넣고 이따금 저으며 8분 이상 익힌다.

5. 구멍 뚫린 국자나 그물 국자로 채소의 절반을 냄비에서 꺼내 한편에 둔다. 불을 강하게 키운다. 쌀을 넣고 낱알에 기름이 고루 입혀지도록 재빠르게 젓는다. 신선한 완두콩을 쓴다면 이 시점에서 넣는다.
6. 뭉근하게 끓고 있는 육수 ½컵을 더해, 255쪽 기본 리소토 레시피의 3번과 4번 단계 설명대로 쌀을 익힌다.
7. 쌀을 익힌 지 20~25분 지나면, 먼저 한편에 두었던 채소와 깍둑썰기한 토마토, 신선한 완두콩을 쓰지 않는다면 냉동 완두콩을 해동해 넣는다. 쌀은 부드럽고 씹는 맛이 있는 정도로 익히고, 수분은 거의 남아 있지 않되 약간 흐르는 상태의 농도여야 한다. 불을 끄고, 후추를 약간 갈아 넣은 다음 남아 있는 버터 1큰술과 간 파르메산 전량을 넣는다. 치즈가 녹아 쌀알 사이에 들러붙도록 골고루 젓는다. 맛을 보고 소금으로 간한다. 찢어놓은 바질을 넣고 섞는다. 접시에 옮겨 담아 바로 차려 낸다.

파니시아 — 레드 와인 채소 리소토

Paniscia — Risotto with Vegetables and Red Wine

파니시아(paniscia)는 레드 와인을 넣어 만든 리소토와 119쪽에서 설명한 노바라 지역의 아낌없이 풍성한 채소 수프를 결합한 것이다.

노바라에서는 당나귀고기로 만든 부드러운 살라미인 '살람 들라 두자'(salam d'la duja)가 이 요리의 재료 중 하나로 들어간다. 너무 향이 강하지도, 마늘 맛이 많이 나지도 않는 질이 아주 좋고 부드러운 살라미로 대신할 수 있다. 원조 파니시아의 특징을 최대한 가깝게 살려 만들려면, 와인은 반드시 피에몬테의 레드 와인, 네비올로, 바르베라, 돌체토여야 한다. 이 와인들을 구할 수 없다면 진판델, 시라즈 또는 코트 뒤 론을 구하라.

6인분

식물성기름 ¼컵
양파 3큰술, 잘게 썬다
살라미 ¼컵, 부드럽고 맛이 강하지 않은 것으로 잘게 다진다
아르보리오 또는 다른 이탈리아산 리소토용 쌀 2컵
달지 않은 레드 와인 2컵
노바라 지역의 콩과 채소가 든 수프 2½컵, 119쪽 레시피대로 만든다
버터 1큰술
갓 갈아낸 검은 후추
소금
갓 갈아낸 파르미자노 레자노 치즈 식탁에 놓은 만큼의 양

1. 넓고 견고한 냄비에 식물성기름과 잘게 썬 양파, 살라미를 전부 넣고 중강불에 올린다. 양파가 진한 황금색이 될 때까지 이따금 저어가며 익힌다.
2. 쌀을 넣고, 낟알에 기름기가 고루 입혀지도록 전체적으로 재빨리 젓는다. 와인 ½컵을 넣고, 기본 리소토 레시피의 3번과 4번 단계를 따라 쌀을 익힌다. 필요할 때마다 한 번에 조금씩 와인을 추가한다. 와인을 다 넣었으면 따뜻한 물로 교체한다.
3. 쌀을 익힌 지 15분이 되면, 콩과 채소 수프를 넣고 골고루 섞는다. 꾸준히 저으면서 한 번에 ½컵씩 물을 넣어가며 쌀을 계속 익힌다. 쌀은 부드럽고 씹는 맛이 있는 정도로 익힌다. 수분은 거의 남아 있지 않되 약간 흐르는 상태의 농도여야 한다. 불을 끄고 버터 1큰술을 넣고 후추도 넉넉히 갈아 넣는다. 맛을 보고 소금으로 간한 뒤 잘 저어주고 접시에 옮겨 담는다. 그대로 몇 분 두었다가 간 파르메산과 함께 식탁에 차려 낸다.

조개 리소토

Risotto with Clams

6인분

새끼 대합조개 36개, 구할 수 있는 가장 작은 크기로 준비
양파 1큰술, 잘게 다진다
엑스트라버진 올리브유 5큰술
마늘 2작은술, 잘게 다진다
파슬리 2큰술, 잘게 썬다
아르보리오 또는 다른 이탈리아산 리소토용 쌀 2컵
달지 않은 화이트 와인 ⅓컵
매운 붉은색 고추 기호에 따라, 잘게 썬다
소금
갓 갈아낸 검은 후추

1. 조개를 문질러서 씻는다. 건드렸을 때 입을 다물지 않는 것은 버린다. 조개를 넣었을 때 3겹 이상 쌓이지 않을 정도로 충분히 큰 냄비에 조개를 넣고 뚜껑을 덮어 강불에 올린다. 자주 조개의 상태를 확인하며 뒤집어주고, 껍데기가 벌어진 조개를 냄비에서 꺼낸다.
2. 조개가 전부 입을 벌렸으면, 조갯살을 발라낸다. 너무 작은 것은 제외하고 2~3조각으로 자른다. 볼에 조갯살을 담고, 냄비에 남은 조개 국물을 붓는다. 이때 모래 찌꺼기가 따라오지 않도록 냄비를 기울여 국물만 조심스럽게 떠낸다.
3. 20~30분 조개를 그대로 둔다. 그래야 조갯살에 붙어 있던 남은 모래 찌꺼기

가 떨어진다. 그 뒤에 구멍 뚫린 국자로 조심스럽게 꺼낸다. 작은 볼에 담아 한 편에 둔다. 채반에 키친타월을 깔고 그 위에 조개 국물을 부어 걸러 다른 볼에 담는다.

미리 준비한다면 ෧ 이 단계까지 2~3시간 전에 미리 완성해둘 수 있다. 이 경우 걸러놓은 조개 국물을 조갯살 위에 약간 부어 촉촉한 상태를 유지한다.

4. 리소토를 조리할 가열기구 가까이에서 물 5컵을 아주 천천히 뭉근하게 계속 끓인다.
5. 넓고 견고한 냄비에 잘게 다진 양파와 엑스트라버진 올리브유 3큰술을 넣고 중강불에 올린다. 양파가 투명해질 때까지 저으면서 익히다가 마늘을 넣는다. 마늘이 살짝 노릇해지면 파슬리 1큰술을 넣고 저은 다음, 쌀을 넣는다. 낱알에 기름이 골고루 입혀지도록 15~20초 전체적으로 재빨리 저어준다.
6. 와인을 넣고 기본 리소토 레시피의 3번과 4번 단계를 따라 쌀을 익힌다. 와인이 모두 졸아들면 걸러둔 조개 국물을 넣는다. 이것도 모두 졸아들면, 필요할 때마다 한 번에 물을 ½컵씩 추가해가며 계속 뭉근하게 끓인다. 쌀을 익히는 동안 어느 때든 상관없이 잘게 썬 매운 고추와 소금, 검은 후추를 약간 갈아 넣는다.
7. 쌀은 부드럽고 씹는 맛이 있는 정도로 익힌다. 수분은 거의 남아 있지 않되, 약간 흐르는 상태의 농도여야 한다. 조개와 남은 파슬리, 남겨둔 엑스트라버진 올리브유 2큰술을 넣고 리소토와 골고루 섞는다. 접시에 옮겨 담아 바로 차려 낸다.

소고기, 로즈마리, 세이지, 바롤로 와인을 넣은 알바식 리소토

Risotto with Beef, Rosemary, Sage, and Barolo Wine, Alba Style

6인분

고기육수 25쪽 설명대로 직접 만든 것으로는 5컵 또는 소고기육수 통조림 1컵을 물 4컵과 섞는다
버터 3큰술
판체타 3큰술, 아주 잘게 다진다
마늘 1½작은술, 아주 잘게 다진다
로즈마리잎, 신선한 것은 잘게 썰어서 1½작은술, 말린 것은 ¾작은술
세이지잎, 신선한 것은 잘게 썰어서 2작은술, 말린 것은 1작은술
소고기 목심 간 것 115g
소금
갓 갈아낸 검은 후추
바롤로 와인 1⅓컵(아래 참고)
아르보리오 또는 다른 이탈리아산 리소토용 쌀 2컵
갓 갈아낸 파르미자노 레자노 치즈 ⅓컵과 식탁에 놓을 여분의 양

참고 ❀ 이탈리아 최고의 레드 와인이자 깊은 풍미가 인상적인 바롤로를 준비하지 못했다면, 바르바레스코가 가장 적당한 대체재다. 동일한 특색을 가진 가티나라, 스판나, 카레마, 스푸르사트 같은 네비올로 포도로 만든 와인이 대안이 될 수 있다. 다른 품종의 레드 와인으로도 훌륭한 리소토를 만들 수 있겠지만, 바롤로의 도움을 받는 것과 같기는 힘들다.

1. 리소토를 조리할 가열기구 가까이에서 육수를 아주 천천히 뭉근하게 계속 끓인다.
2. 넓고 견고한 냄비에 버터 1큰술, 판체타, 마늘을 넣고 중강불에 올려 이따금 저어주며 익힌다. 마늘이 아주 살짝 노릇해지면 로즈마리와 세이지를 넣고 몇 초간 저으면서 익히다가 소고기 간 것을 넣는다. 포크로 소고기를 부스러뜨리고 갈색이 되고 기름기가 잘 입혀질 때까지 몇 번 뒤집어준다. 소금을 넣고 후추를 넉넉히 갈아 넣는다.
3. 고기가 먹음직스러운 갈색이 되면 레드 와인 1컵을 넣는다. 와인이 증발해 냄비 바닥에 얇은 막처럼 남을 때까지 뭉근하게 끓인다.
4. 불을 세게 키우고 쌀을 넣는다. 낟알에 기름기가 골고루 입혀지도록 재빨리 골고루 젓는다.
5. 뭉근하게 끓고 있는 육수 ½컵을 넣고, 기본 리소토 레시피의 3번과 4번 단계를 따라 쌀을 익힌다. 25분 정도 뒤에 아직은 단단한 상태로 쌀이 익으면, 남

은 와인을 넣고 와인이 졸아들 때까지 계속 저으면서 익히기를 끝낸다.

6. 불을 끄고, 버터 2큰술과 파르메산 간 것을 넣고 골고루 젓는다. 치즈가 녹아 잘 스며들 때까지 리소토를 계속 뒤적인다. 맛을 보고 소금으로 간한다. 접시에 옮겨 담아 여분의 간 치즈와 함께 바로 차려 낸다.

볼로냐식 미트 소스 리소토

Risotto with Bolognese Meat Sauce

6인분

고기육수 25쪽 설명대로 직접 만든 것으로는 5컵 또는 소고기육수 통조림 1컵을 물 4컵과 섞는다
볼로냐식 미트 소스 1¼컵, 213쪽 레시피대로 만든다
아르보리오 또는 다른 이탈리아산 리소토용 쌀 2컵
버터 1큰술
갓 갈아낸 파르미자노 레자노 치즈 ¼컵과 식탁에 놓을 여분의 양
소금, 필요에 따라

1. 리소토를 조리할 가열기구 가까이에서 육수를 아주 천천히 뭉근하게 계속 끓인다.
2. 넓고 견고한 냄비에 미트 소스를 넣고 중불에 올린 다음, 천천히 뭉근하게 끓인다. 쌀을 넣고 낱알에 소스가 고루 입혀지도록 1분간 골고루 저어준다.
3. 뭉근하게 끓고 있는 육수 ½컵을 넣고, 기본 리소토 레시피의 3번과 4번 단계를 따라 쌀을 익힌다.
4. 육수를 넣거나, 육수를 다 썼으면 물을 넣고 쌀을 다 익힌다. 부드러우면서도 씹는 맛이 있는 상태로 익히고, 냄비 안에 수분은 남아 있지 않게 한다.
5. 불을 끄고, 버터 1큰술과 파르메산 간 것을 전부 넣고 둥글게 섞고, 치즈가 녹아 쌀알 사이에 들러붙을 때까지 골고루 저어준다. 맛을 보고 소금으로 간한다. 접시에 옮겨 담아 치즈 간 것과 함께 바로 차려 낸다.

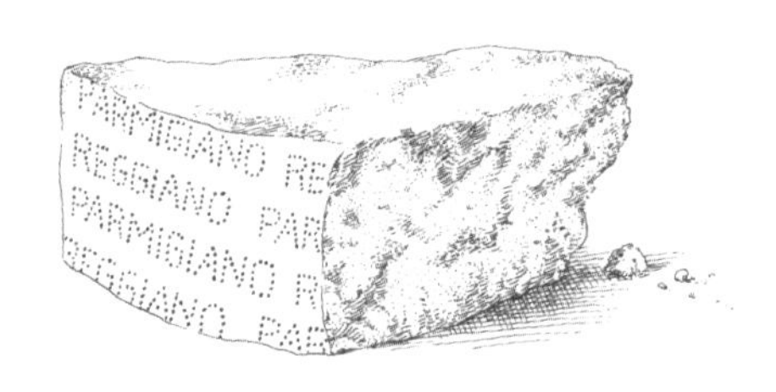

소시지 리소토

Risotto with Sausages

6인분

고기육수 25쪽 설명대로 직접 만든 것으로는 5컵 또는 소고기육수 통조림 1컵을 물 4컵과 섞는다
양파 2큰술, 잘게 다진다
소시지 340g, 부드럽고 단맛이 있는 것으로 0.8cm 정도 두께의 원형으로 잘라서 준비
버터 2큰술
식물성기름 2큰술
달지 않은 화이트 와인 ¼컵
아르보리오 또는 다른 이탈리아산 리소토용 쌀 2컵
갓 갈아낸 검은 후추
갓 갈아낸 파르미자노 레자노 치즈 3큰술과 식탁에 놓을 여분의 양
소금, 필요에 따라

1. 리소토를 조리할 가열기구 가까이에서 육수를 아주 천천히 뭉근하게 계속 끓인다.
2. 넓고 견고한 냄비에 잘게 다진 양파, 버터 1큰술과 식물성기름을 넣고 중강불에 올린다. 양파가 투명해질 때까지 저으면서 익히다가 썰어놓은 소시지를 넣는다. 소시지의 양면이 모두 먹음직스러운 갈색이 될 때까지 익힌 뒤, 와인을 넣고 이따금 젓는다. 와인이 끓어 완전히 졸아들면 쌀을 넣고 재빨리 저어 낱알에 양념이 골고루 입혀지게 한다.
3. 뭉근하게 끓고 있는 육수 ½컵을 넣고, 기본 리소토 레시피의 3번과 4번 단계를 따라 쌀을 익힌다.
4. 육수를 넣거나, 육수를 다 썼으면 물을 넣고 쌀을 다 익힌다. 부드러우면서도 씹는 맛이 있는 상태로 익히고, 냄비 안에 수분은 남아 있지 않게 한다.
5. 불을 끄고, 후추를 약간 갈아 넣고 남은 버터 1큰술, 파르메산 간 것도 모두 넣는다. 치즈가 녹아 쌀알에 들러붙도록 골고루 젓는다. 맛을 보고 소금으로 간한다. 접시에 옮겨 담고 바로 차려 낸다.

반지처럼 모양을 잡아 닭 간 소스를 곁들인 파르메산 리소토

Molded Parmesan Risotto with Chicken Liver Sauce

뷔페식 상차림이나 휴일 저녁식사에 적당한 이 기품 있는 요리는 닭 간 소스 외에도 다음에 제시한 요리들과 다양하게 조합할 수 있다. 볼로냐식 미트 소스

(213쪽)와 세이지와 화이트 와인, 크림을 넣은 송아지고기 스튜(383쪽), 토마토와 완두콩을 곁들여 볶은 홍선(447쪽), 포르치니, 로즈마리와 토마토를 곁들인 신선한 버섯(517쪽)은 그저 몇 가지 준비만으로도 반지처럼 모양을 잡은 흰 리소토 안에 채워 넣어 보기에도 좋고 맛도 있게 만들 수 있다. 6인분

파르메산 치즈 리소토, 254쪽 레시피대로 만들되, 버터 1큰술과 기름 1큰술, 6번 단계에서 버터는 넣지 않는다
닭 간 소스, 215쪽 레시피대로 버터만 1큰술 줄이고 만든다
반지 모양 틀, 용량이 6컵인 것으로 준비
버터, 틀 안쪽에 바를 분량

버터를 반지 모양 틀 안쪽에 얇게 바른다. 리소토가 완성되자마자 틀 안에 모두 퍼서 넣고 아래로 가볍게 친다. 차림용 접시 위에 틀을 뒤집어 놓은 뒤 리소토가 분리되도록 살짝 흔들어 접시에 반지 형태로 담기게 한다. 닭 간 소스 또는 어울리는 다른 요리를 반지의 가운데 빈 공간에 붓고 바로 차려 낸다.

파르메산, 모차렐라, 바질을 넣은 삶은 쌀 요리

Boiled Rice with Parmesan, Mozzarella, and Basil

뜨거운 볼에 녹은 버터와 치즈가 든 삶은 쌀 요리는 이탈리아 가정식 가운데 아직 흔히 알려지지 않은 즐길 거리 중 하나다. 아래의 방식은 버터, 파르메산, 모차렐라와 바질을 넣고 버무린 것이다. 4인분

버터 4큰술
모차렐라 180g, 가급적 물소젖으로 만든 수입 모차렐라로 준비
소금
흰쌀 1½컵, 가급적 아르보리오로 준비
갓 갈아낸 파르미자노 레자노 치즈 ⅔컵
생바질잎 4~6장, 손으로 찢는다

1. 상온에 두었던 버터를 가져와 작은 조각으로 자른다.
2. 강판의 가장 큰 구멍에 모차렐라를 갈거나, 갈기에 너무 부드럽다면 칼로 아주 잘게 다진다.
3. 물을 3L 정도 끓인다. 소금 1큰술을 넣고 물이 다시 끓어오르면 쌀을 넣는다. 즉시 나무 주걱으로 5~10초 저어준다. 냄비 뚜껑을 덮고 보글보글 끓는 상태

로 불의 세기를 약하게 조절해 쌀을 부드러우면서도 씹었을 때 단단한 알덴테 상태로 익힌다. 쌀의 품종에 따라 15~20분 시간이 걸릴 것이다. 쌀이 익는 동안 이따금 저어준다.

4. 쌀을 건져서 따뜻한 차림용 볼에 옮겨 담는다. 갈아놓은 모차렐라를 넣고 쌀의 열에 의해 치즈가 늘어나도록 골고루 재빨리 섞는다. 곧바로 파르메산 간 것을 넣고 치즈가 녹아 쌀에 들러붙도록 잘 저어준다. 버터를 넣고 버터가 녹아 스며들도록 한두 번 저은 뒤, 찢어놓은 바질잎을 넣고 다시 젓고, 바로 차려 낸다.

뇨키
GNOCCHI

이탈리아어 뇨코(gnocco)는 '작은 덩어리'라는 뜻이다. 단단한 물체에 맞아서 머리에 난 혹처럼 말이다. 하지만 뇨키의 맛은 그렇게 볼품없지 않다. 다음의 레시피대로 감자와 세몰리나 가루로 만들든, 아니면 시금치와 리코타로 만들든 간데 잘 만든 뇨키의 핵심적인 특징은 폭신하고 가볍다는 것이다.

감자 뇨키
Potato Gnocchi

부드러운 리소토만큼이나 구름처럼 가벼운 뇨키를 중요한 전통으로 여기는 베네토주의 훌륭한 요리사라면 감자 반죽에 달걀 넣기를 꺼린다. 어떤 사람들은 반죽을 손쉽게 다루기 위해 달걀을 쓰기도 하는데, 알라 파리지나(alla parigina), 즉 '파리 스타일'을 따르면 더 거칠고 질긴 결과물이 만들어진다.

감자는 신중하게 선택해야 한다. 구워 먹는 용도인 아이다호나 햇감자라면 어느 품종도 적합하지 않다. 첫 번째는 너무 파슬파슬하고, 두 번째는 너무 수분이 많아 익히는 동안 뇨키가 풀어지기 쉽다. 뇨키에는 약간 둥글고 대개 '삶는' 감자로 알려진 것만 쓸 만하다. 이탈리아에는 구워 먹는 품종이 없고 표면이 매끈한 품종의 햇감자와 묵은 감자가 있는데, 뇨키를 만들려면 '묵은' 감자를 구하도록 한다.

6인분

삶는 용도의 감자 675g

표백하지 않은 밀가루 1½컵

추천하는 소스 ❁ 뇨키는 많은 소스와 잘 어울리지만, 특별히 좋은 선택지 3가지가 있다. 162쪽의 양파와 버터를 넣은 토마토 소스, 185쪽의 페스토, 204쪽의 고르곤졸라 소스다.

1. 물을 넉넉히 채운 냄비에 감자를 껍질째 넣고 끓인다. 부드러워질 때까지 익힌다. 감자에 물이 들어가기 때문에 너무 자주 포크로 찔러 확인하지 않도록

한다. 다 익으면 건져내 뜨거울 때 껍질을 벗긴다. 감자가 따뜻한 상태에서 푸드밀에 넣어 퓌레로 만들어 작업대 위에 놓는다.

2. 밀가루 대부분을 퓌레로 만든 감자에 넣고 매끈한 혼합물로 반죽한다. 어떤 감자는 밀가루를 덜 흡수하므로 정확히 얼마나 필요할지는 만들면서 가늠해 가며 넣는 게 최선이다. 혼합물이 부드럽고 매끈하면서도 여전히 약간 끈적이면 밀가루를 그만 넣는다.
3. 작업대 위에 덧가루를 얇게 뿌린다. 감자와 밀가루 덩어리를 2등분 또는 그 이상으로 나누어 2.5cm 정도 두께의 소시지 롤 모양으로 만든다. 롤을 2cm 정도 길이로 썬다. 뇨키를 만드는 동안 밀가루를 반복해서 손과 작업대에 덧뿌린다.
4. 이제부터 뇨키를 빚어야 한다. 그래야 더 고루 익고 소스가 더 잘 묻는다. 가능한 한 갈래가 길고 가늘며 둥글게 말린 식사용 포크를 가져온다. 포크를 작업대와 거의 평행하게 들고, 오목한 부분이 만드는 사람 쪽을 향하게 한다.

   다른 쪽 검지로 잘라놓은 조각 하나를 들어 포크의 곡면, 즉 갈래가 시작되는 지점에 놓는다. 동시에 갈래에 대고 반죽 조각을 누르고, 손잡이 방향에서 포크 끝 쪽으로 밀면서 뒤집는다. 밀면서 손가락을 재빨리 뒤집어야지, 죽 끌고 내려오면 안 된다. 갈래에서 멀어지면서 조각이 말리고, 작업대 위로 떨어진다. 정확하게 했다면 한쪽에 포크 갈래 모양으로 골이 파이고, 반대쪽에는 손가락 끝으로 눌린 자국이 생길 것이다. 이 방법으로 뇨키를 빚으면 가운데 부분이 더 얇고 익혔을 때 더 부드럽다. 반면 가장자리는 굴곡이 져 소스를 붙들어두게 된다. 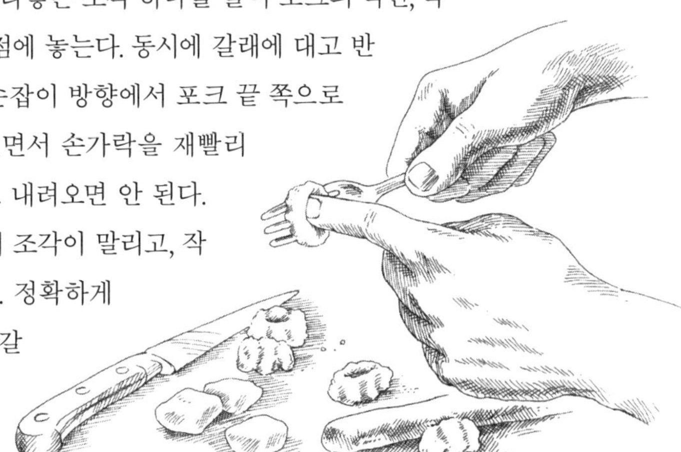
5. 가능하면 용량은 6L 정도에, 지름이 30cm 정도 되는 넓은 냄비를 고른다. 한 번에 많은 뇨키를 넣을 수 있기 때문에 넓을수록 좋다. 물을 4L 정도 넣고 끓인 뒤 소금을 넣는다. 본격적으로 뇨키를 넣어 익히기 전에 2~3개를 먼저 떨어뜨린다. 10초 뒤에 표면에 떠오르면 건져서 맛을 본다. 밀가루 맛이 너무 많이 나면, 익히는 시간을 2~3초 늘린다. 형체가 거의 풀어졌다면 거꾸로 2~3초 줄인다. 한 번에 24개 정도를 넣는다. 잠깐이면 표면에 떠오를 것이다. 상황에 따라 10초 안팎으로 익힌 뒤 구멍 뚫린 국자로 건지고, 따뜻하게 데워놓은 차

림용 접시로 옮긴다. 그 위에 준비한 소스를 뿌리고 간 파르메산을 가볍게 흩뿌린다. 뇨키를 냄비에 더 넣고 전체 과정을 반복한다. 모든 뇨키를 다 익혔으면, 남은 소스를 전부 위에 붓고 파르메산 간 것을 더 뿌려 나무 주걱으로 재빨리 버무리고 바로 차려 낸다.

참고 ❀ 뇨키 반죽을 만들 감자가 익히는 동안 부서진다면, 퓌레로 만들었을 때 달걀 하나를 반드시 넣어야 한다.

시금치 리코타 뇨키

Spinach and Ricotta Gnocchi

다음 레시피대로 만든 시금치 리코타 뇨키를 먹는다면 아마 시금치나 근대로 속을 채운 토르넬로니를 겉의 반죽 없이 먹는 느낌이 들 것이다. 이 요리는 감자 뇨키처럼 차려 내거나, 수프에 띄우거나, 세몰리나 뇨키처럼 그라탱할 수도 있다.

4인분

시금치 신선한 것으로 450g 또는 냉동 시금치 잎이 온전한 것으로 300g, 해동한다
버터 2큰술
양파 1큰술, 아주 잘게 다진다
프로슈토 또는 부드러운 맛의 훈제하지 않고 삶은 햄 2큰술, 잘게 썬다
소금
신선한 리코타 ¾컵
다목적용 밀가루 ⅔컵
달걀노른자 2개분
갓 갈아낸 파르미자노 레자노 치즈 1컵과 식탁에 놓을 여분의 양
너트메그 1알

추천하는 소스 ❀ 165쪽의 크림을 넣은 토마토 소스가 맛으로나 차림새로나 가장 잘 어울릴 것이다. 또 다른 훌륭한 조합은 202쪽의 세이지 버터 소스다. 시금치 리코타 뇨키는 25쪽의 직접 만든 고기육수에 넣어 수프로 먹어도 맛있다.

1. 신선한 시금치를 쓴다면: 물을 몇 번 갈아가며 시금치를 담갔다가, 99쪽 설명대로 소금을 넣고 부드럽게 익힌다. 건져서 만질 수 있을 정도로 식자마자 가능한 한 많은 물이 나오도록 손으로 부드럽게 짠다. 굵게 썰어서 한편에 둔다.
   냉동 시금치를 해동해서 쓴다면: 냄비에 넣고 뚜껑을 닫고 소금과 함께 5분 정도 익힌다. 건져서 식으면 모든 물이 나오도록 최대한 짜고, 굵게 썰어서 한편에 둔다.

2. 작은 스킬렛에 버터와 양파를 넣고 중불에 올린다. 양파가 살짝 노릇해질 때까지 저으면서 익힌 뒤 잘게 썬 프로슈토 또는 햄을 넣는다. 고기에 기름이 고루 입혀지도록 2~3번 저으며 몇 초 동안만 익힌다.
3. 익혀서 썬 시금치와 소금을 약간 넣고 자주 저어가며 5분 정도 익힌다.
4. 스킬렛 안의 모든 내용물을 볼에 담고 시금치가 실온으로 식으면 리코타와 밀가루를 넣고 재료가 잘 섞이도록 나무 주걱으로 젓는다. 달걀노른자, 간 파르메산, 그리고 너트메그를 아주 조금—⅛작은술 정도—갈아 넣고, 모든 재료가 고른 혼합물이 될 때까지 섞는다. 맛을 보고 소금으로 간한다.
5. 혼합물을 손바닥에 놓고 굴려가며 재빨리 모양을 잡아 작고 동그랗게 빚는다. 직경이 약 1cm 보다 크지 않은 것이 좋지만 작게 만들기 힘들다면 1.5cm 정도도 괜찮다. 더 빨리 익고 소스에 어우러졌을 때 더 맛있기 때문에 작을수록 좋다. 혼합물이 들러붙으면 손바닥에 밀가루를 가볍게 묻힌다.
6. 소스와 함께 먹는다면: 소금을 넣은 끓는 물 4~5L에 한 번에 조금씩 뇨키를 넣는다. 물이 다시 끓기 시작하고 3~4분 익힌 뒤 구멍 뚫린 국자나 커다란 구멍 뚫린 국자로 건지고 따뜻하게 데워놓은 차림용 접시에 옮겨 담는다. 그 위로 준비해둔 소스를 조금 뿌린다. 뇨키를 더 넣고 같은 과정을 전체적으로 반복한다. 뇨키를 모두 익혔으면 남은 소스를 붓고 골고루 입혀지도록 재빨리 뒤적여준다. 파르메산 간 것과 함께 바로 차려 낸다.

   수프에 담가 먹는다면: 25쪽 설명대로 직접 만든 고기육수를 2L 정도 끓인다. 뇨키를 전부 넣고 육수가 다시 끓기 시작하고 3~4분 익힌다. 수프 그릇에 퍼 담고 파르메산 간 것과 함께 식탁에 차려 낸다. 수프로 먹을 때 뇨키는 더 많은 사람에게 돌아가는데, 이 레시피를 따르면 6인분까지 충분히 만들 수 있다.

시금치 리코타 뇨키 그라탱

Gratinéed Spinach and Ricotta Gnocchi

4인분

뇨키, 272쪽 레시피대로 준비
바로 차려 낼 오븐용 그릇
버터 3큰술과 그라탱 그릇 안쪽에 바를 양을 추가로 준비
갓 갈아낸 파르미자노 레자노 치즈 ½컵과 식탁에 놓을 여분의 양

1. 오븐을 190°C로 예열한다.

2. 오븐용 그릇 안쪽에 버터를 넉넉히 바른다.
3. 소금을 넣은 끓는 물 4~5L에 한 번에 조금씩 뇨키를 넣는다. 물이 다시 끓기 시작하고 3~4분 익힌 뒤 커다란 구멍 뚫린 국자로 건지고 오븐용 그릇에 옮겨 담는다. 뇨키를 전부 익혀서 오븐용 그릇에 담을 때까지 냄비에 뇨키를 더 넣고 앞에서 설명한 과정을 반복한다.
4. 작은 소스팬에 버터 3큰술을 넣고 녹여 뇨키 위에 고루 붓는다. 그 위에 파르메산 간 것 ½컵을 흩뿌린다.
5. 예열된 오븐의 맨 위에 넣고 치즈가 녹을 때까지 5분 정도 굽는다. 오븐에서 꺼내 몇 분간 두었다가 여분의 간 파르메산과 함께 오븐용 그릇째 바로 차려 낸다.

구운 세몰리나 뇨키

Baked Semolina Gnocchi

이탈리아에서는 보통 '뇨키 알라 로마나'(gnocchi alla romana)라고 부르는 세몰리나 뇨키 반죽은 노랗고 거칠게 간 단단한 밀가루 또는 듀럼밀을 쓴다.

세몰리나 뇨키를 구워서 익힐 때 생기는 문제는 반죽이 서로 붙어 형체가 없어진다는 점이다. 이것은 우유를 충분히 오래 익히지 않을 때 빈번히 발생한다. 반죽을 최소 15분은 저으면서 익혀야 나중에 필요한 점도를 유지할 수 있다.

6인분

우유 약 1L
세몰리나 1컵, 거칠게 간 노란색 경질 밀가루
갓 갈아낸 파르미자노 레자노 치즈 1컵
소금
달걀노른자 3개분, 얕은 접시에 가볍게 푼다
버터 2큰술
바로 차려 낼 오븐용 그릇, 안쪽에 버터를 문질러서 준비
프로슈토나 베이컨 또는 삶은 햄 115g, 작고 가늘게 썬다

1. 바닥이 두꺼운 소스팬에 우유를 붓고 중약불에 올린다. 가능하면 불꽃이 냄비 바닥에 거의 닿지 않도록 조절한다. 우유 거품이 작은 진

주알갱이 방울처럼 생기되 끓어오르기 직전의 상태가 되면 불을 약하게 줄이고 세몰리나 가루를 넣는다. 입구를 꽉 쥐고 아주 조금씩 천천히 부으면서 다른 손으로는 우유에 떨어지는 가루를 휘저어 준다.

2. 세몰리나 가루를 냄비에 전부 넣었으면 긴 나무 주걱으로 젓는다. 혼합물을 바닥에서 위로 끌어올리고 냄비 옆면을 따라 풀어주면서 멈추지 않고 꾸준히 젓는다. 최소 15~20분 미만으로, 혼합물이 한 덩어리가 되어 냄비 옆면에서 깨끗하게 떨어질 때까지다.
3. 불에서 내리고, 1분 정도 잠시 식힌 뒤, 파르메산 간 것의 3분의 2, 소금 2작은술, 달걀노른자와 버터 2큰술을 반죽에 넣는다. 달걀노른자가 익는 걸 막기 위해 즉시 재빨리 섞는다.
4. 합판이나 대리석 작업대를 찬물로 적시고, 뇨키 반죽을 작업대 위에 엎는다. 주걱을 이용해 1cm 정도 두께로 고르게 편다. 주걱을 찬물에 가끔 담갔다가 꺼내서 쓴다. 반죽이 완전히 식게 둔다.
5. 오븐을 200°C로 예열한다.
6. 반죽이 완전히 식으면, 지름이 4cm 정도 크기인 쿠키 틀이나 유리잔을 이용해 원형으로 찍어낸다. 이따금 찬물을 묻혀가며 쓴다. 자투리 조각은 버리지 말고, 276쪽을 참조해 활용한다.
7. 바로 차려 낼 오븐용 그릇 바닥에 버터를 가볍게 문질러 바른다. 바닥에 뇨키를 지붕널 모양으로 겹치면서 한 층으로 깐다. 그 위에 프로슈토나 베이컨 또는 햄 썬 것을 뿌리고, 남은 간 파르메산을 흩뿌린다. 버터도 듬성듬성 올린다. 예열한 오븐의 맨 위 칸에 넣고, 얇고 노릇한 껍질이 생기면서 프로슈토나 베이컨 또는 햄이 바삭해질 때까지 15분간 굽는다. 오븐에서 꺼내 식탁으로 가져가기 전에 5분 정도 그대로 두었다가 오븐용 그릇째 바로 차려 낸다. 뇨키 아랫면이 서로 들러붙었다면 아주 잘된 것이다. 위쪽만 모양을 유지하면 된다.

미리 준비한다면 ❀ 세몰리나 뇨키는 완벽하게 만들어서 오븐용 그릇에 놓는 과정까지 최대 2일 전에 미리 준비해둘 수 있다. 냉장고에 넣기 전에 주방용 랩으로 밀착해 덮는다. 자투리 반죽 역시 단단히 밀봉하여 냉장고에 넣는다.

자투리 반죽으로 프리터 만들기

Making Fritters from the Trimmings

반죽을 사용하기 1~2일 전에 동그란 한 덩어리로 대강 뭉쳐 둔다. 프리터를 만들 준비가 되면 반죽을 크로켓 크기로 나눈다. 소금을 한 자밤 넣고 짧고 볼록하면서 양 끝은 가늘어지게 모양을 잡아 6cm 정도 길이로 만든다. 마르고 양념하지 않은 빵가루를 묻히고 뜨거운 식물성기름에 넣어 모든 면이 얇고 바삭하게 익을 때까지 튀긴다. 크로켓이나 감자튀김을 차릴 때처럼 소스 없이 채소와 함께 식탁에 낸다.

크레스펠레

CRESPELLE

이탈리아 사람들이 크레스펠레(crespelle)라고 부르는 것은 우유와 밀가루, 달걀을 녹인 버터를 넣은 반죽으로 만든 아주 얇은 팬케이크다. 이탈리아에서는 여기에 짭짤한 고기, 치즈 또는 채소로 속을 채워서 먹는다. 크레스펠레 기본 레시피는 아래에 있다. 하지만 얇고 달지 않은 크레페를 만드는 손쉬운 방법을 이미 알고 있다면 어떤 방법이라도 상관없다.

크레스펠레

Crespelle

16~18장

반죽 재료

우유 1컵	달걀 2개
다목적용 밀가루 ¾컵	소금 ⅛작은술

크레스펠레를 굽는 데 필요한 재료

버터 1에서 1½큰술	코팅 처리된 스킬렛, 지름 약 20cm

1. 볼에 우유를 붓고 밀가루를 천천히, 가능하면 체로 쳐서 넣는다. 동시에 덩어리지지 않게 포크로 꾸준히 섞어준다. 밀가루를 다 넣었으면 고루 섞일 때까지 반죽을 풀어준다.
2. 달걀을 한 번에 하나씩 넣고 포크로 재빨리 푼다. 달걀이 모두 반죽에 섞였으면 소금을 넣고 저어서 녹인다.
3. 스킬렛 바닥에 약간의 버터를 가볍게 문질러 바른다. 팬을 중약불에 올린다.
4. 잘 저은 반죽을 2큰술 팬 위에 올린다. 반죽이 고르게 퍼지도록 팬을 기울이며 돌린다.
5. 반죽이 자리 잡자마자 굳으면서 갈색 반점이 생기면, 뒤집개를 반죽 아래에

넣고 뒤집어 다른 쪽 면을 익힌다. 완성된 크레스펠레를 접시 위에 겹쳐 쌓는다.

6. 스킬렛 바닥에 약간의 버터를 입혀 모든 반죽을 다 쓸 때까지 위에서 설명한 과정을 반복한다. 반죽을 팬에 올리기 전에 매번 저어주는 것을 기억하라.

미리 준비한다면 ❀ 크레스펠레는 몇 시간 또는 며칠 전에 미리 만들어둘 수 있다. 며칠 전에 미리 만든다면, 냉장고에 넣기 전에 사이에 유산지를 끼운다. 3일 이상 보관할 거라면 냉동한다.

볼로냐식 미트 소스를 곁들여 구운 크레스펠레

Baked Crespelle with Bolognese Meat Sauce

4~6인분

크레스펠레, 277쪽 레시피대로 만들어 준비
베샤멜 소스, 우유 1컵, 버터 2큰술, 밀가루 1½큰술, 소금 ¼작은술을 써서 49쪽 설명대로 만들어 준비
너트메그 1알
볼로냐식 미트 소스 1¼컵, 213쪽 레시피대로 만들어 준비
바로 차려 낼 오븐용 내열용기
버터, 오븐용 그릇에 문질러 바르고 듬성듬성 올릴 양
갓 갈아낸 파르미자노 레자노 치즈 ⅓컵

1. 베샤멜 소스를 준비하되, 사워크림 농도로 약간 묽게 만든다. 완성되면 불을 아주 약하게 해 중탕 상태로 따뜻하게 유지한다. 쓰기 직전에 젓는다.
2. 미트 소스를 만들거나 다시 데운 뒤, 표면에 떠오른 기름을 숟가락으로 떠낸다. 볼에 소스 1컵을 넣고 베샤멜을 ¼컵과 너트메그를 아주 조금—⅛작은술 정도—갈아 넣는다. 재료를 골고루 잘 섞어준다.
3. 오븐을 230℃로 예열한다.
4. 크레스펠레 롤을 전부 한 층으로 넣을 수 있을 만큼 충분한 크기의 오븐용 그릇을 고른다. 오븐용 그릇 바닥에 버터를 얇게 문질러 바른다. 접시나 깨끗한 작업대 위에 팬케이크를 한 장 놓고, 가장자리 1cm 정도를 남겨두고 미트 소스 한 큰술을 가득 떠서 펴 바른다. 팬케이크를 느슨하고 고르게 접어 돌돌 만다. 겹친 부분이 아래로 가도록 해서 오븐용 그릇에 놓는다. 모든 크레스펠레에 속을 채우고 말 때까지 이 과정을 반복하고 접시에 한 층으로 너무 빽빽하지 않게 놓는다.

5. 남은 미트 소스 ¼컵과 베샤멜 ½컵을 섞어 크레스펠레 위에 펴 바른다. 파르메산 간 것을 흩뿌리고, 약간의 버터를 듬성듬성 올린다.
6. 예열된 오븐의 맨 위 칸에 넣고 5분간 구운 뒤, 브로일러를 켜고 표면이 바삭해질 정도로 1분 미만으로 굽는다. 몇 분 정도 그대로 두었다가 오븐용 그릇째 바로 차려 낸다.

시금치, 프로슈토, 파르메산으로 속을 채워 구운 크레스펠레

Baked Crespelle with Spinach, Prosciutto, and Parmesan Filling

4~6인분

크레스펠레, 277쪽 레시피대로 만들어 준비
시금치 신선한 것으로 450g 또는 냉동 시금치 잎이 온전한 것으로 300g, 해동한다
베샤멜 소스, 우유 2컵, 버터 4큰술, 밀가루 3큰술, 소금 ¼작은술을 써서 49쪽 설명대로 만들어 준비
버터 1큰술과 오븐용 그릇에 바르고 듬성듬성 올릴 양을 추가로 준비
양파 3큰술, 아주 잘게 다진다
프로슈토 ½컵, 잘게 썬다
갓 갈아낸 파르미자노 레자노 치즈 1¼컵
너트메그 1알
소금
바로 차려 낼 오븐용 내열용기

1. 신선한 시금치를 쓴다면: 99쪽 설명에 따라 물을 몇 번 갈아가며 씻고, 소금을 넣어 부드러워질 때까지 익힌다. 건져내 손으로 만질 수 있을 정도로 식자마자 가능한 한 물기가 많이 제거되도록 조심스럽게 짠다. 굵게 썰어서 한편에 둔다.
   냉동시금치를 쓴다면: 소금을 넣고 냄비 뚜껑을 덮어 5분간 익힌다. 꺼내서 식으면 가능한 한 물기를 전부 짜낸다. 칼로 굵게 썬다. 푸드프로세서는 쓰지 않는다.
2. 베샤멜 소스를 준비하되, 사워크림 농도로 약간 묽게 만든다. 완성되면 불을 아주 약하게 해 중탕 상태로 따뜻하게 유지한다. 쓰기 직전에 젓는다.
3. 스킬렛이나 작은 소테팬에 버터와 잘게 다진 양파를 넣고, 중강불에 올린다. 양파가 살짝 노릇해질 때까지 저으면서 익힌 뒤, 잘게 썬 프로슈토를 넣는다. 기름이 골고루 입혀지도록 저으면서 1분 미만으로 익힌다. 썰어놓은 시금치를 넣어 젓고, 기름이 완전히 입혀지도록 2~3번 뒤적이며 2분 내외로 익힌다.

4. 팬 안에 있는 모든 내용물을 볼에 붓고, 파르메산 간 것 1컵, 너트메그를 조금—⅛작은술 정도—갈아 넣고 베샤멜 ⅔컵, 소금 한 자밤을 넣는다. 모든 재료를 고루 잘 섞어준다. 맛을 보고 소금으로 간한다.
5. 오븐을 230°C로 예열한다.
6. 크레스펠레 롤을 전부 한 층으로 넣을 수 있을 만큼 충분한 크기의 오븐용 그릇을 고른다. 오븐용 그릇 바닥에 버터를 얇게 문질러 바른다. 접시나 깨끗한 작업대 위에 팬케이크를 한 장 놓고, 가장자리 1cm 정도를 남겨두고 속을 한 큰술 가득 떠서 펴 바른다. 팬케이크를 느슨하고 고르게 접어 돌돌 만다. 겹친 부분이 아래로 가도록 해서 오븐용 그릇에 놓는다. 모든 크레스펠레에 속을 채우고 말 때까지 이 과정을 반복하고 접시에 한 층으로 너무 빽빽하지 않게 놓는다.
7. 남은 베샤멜을 크레스펠레 위에 펴 바른다. 소스가 팬케이크 롤 끝부분까지 덮고 그 사이 공간을 메우도록 한다. 남은 간 파르메산 ¼컵을 흩뿌리고 약간의 버터를 듬성듬성 올린다.
8. 예열된 오븐에 넣고 5분간 구운 뒤, 브로일러를 켜고 표면이 바삭해질 정도로 1분 미만으로 굽는다. 몇 분 정도 크레스펠레를 그대로 두었다가 오븐용 그릇째로 바로 차려 낸다.

토마토, 프로슈토, 치즈를 얹어 겹겹이 쌓은 크레스펠레

Layered Crespelle with Tomato, Prosciutto, and Cheese

모양은 파이 같지만, 조리 방식은 라자냐처럼 겹겹이 쌓아 만든 얇은 팬케이크다. 크레스펠레의 적당한 섬세함과 소박한 속의 감칠맛이 서로를 뒷받침해준다.

'파이'는 8~9층보다 더 두꺼우면 안 된다. 조리 양을 늘려야 한다면 오븐용 팬을 2개 이상 써 추가로 크레스펠레를 만들도록 한다

4~6인분

크레스펠레 8~9장, 277쪽 레시피의 절반 양을 만들어 준비 또는 다른 편한 방식대로 만든 크레페

속재료

토마토 소스:
엑스트라버진 올리브유 3큰술
마늘 1작은술, 잘게 썬다
파슬리 1½큰술, 잘게 썬다
이탈리아산 플럼토마토 통조림 ⅔컵, 썰어서 즙과 함께 준비
소금

원형 케이크 팬, 23cm 정도 크기
버터, 팬에 바를 정도의 양
프로슈토 ½컵, 아주 가늘게 채 썬다
갓 갈아낸 파르미자노 레자노 치즈 ¼컵
모차렐라 ½컵, 가급적 이탈리아산 물소젖으로 만든 모차렐라를 아주 아주 잘게 깍둑썰기해서 준비

1. 크레스펠레를 만들어 한편에 둔다.
2. 오븐을 200°C로 예열한다.
3. 속 만들기: 작은 소테팬에 올리브유와 마늘을 넣고 중불에 올려 마늘이 살짝 노릇해질 때까지 저어가며 익힌다. 파슬리를 넣는다. 한두 번 저어주며 익힌 뒤, 자른 토마토와 즙, 소금 한 자밤을 넣는다. 불을 조절해 이따금 저어주며 15분 정도 뭉근하게 끓인다. 토마토 즙이 지방에서 분리되고 모두 졸아들면 불에서 내린다.
4. 오븐용 팬에 버터를 얇게 문질러 바른다. 만들어놓은 크레스펠레 중에 가장 큰 것을 골라 팬 바닥에 놓는다. 토마토 소스를 얇게 덮어준다. 8번 반복 작업할 수 있을 정도의 소스가 필요하다는 것을 명심하라. 소스 위에 채 썬 프로슈토, 파르메산 간 것과 깍둑썰기한 모차렐라를 흩뿌리고 다른 팬케이크로 덮는다. 속을 채우며 크레스펠레를 모두 쓸 때까지 반복한다. 팬케이크 맨 위를 가볍게 덮을 정도로만 토마토 소스를 바르고 간 파르메산을 그 위에 흩뿌린다.
5. 예열된 오븐의 맨 위에서 15분간 굽는다. 뒤집개로 분리시켜 팬에서 미끄러뜨려 크레스펠레 '파이'를 뒤집지 않고 차림용 접시에 옮겨 담는다. 잠시 두었다가 식탁에 차려 내도 되고, 상온 상태로 내도 된다.

폴렌타
POLENTA

파스타가 꽤나 일반적으로 이탈리아 대표 요리로 받아들여져 왔기 때문에 두 세대보다 짧은 역사를 가진다는 사실을 믿기 힘들겠지만, 사실 파스타는 이탈리아 최북단에서만큼은 낯선 것이었다. 250년간 롬바르디아의 여러 지역뿐만 아니라 베네토와 프리울리에서 삶을 지탱해준 음식은 폴렌타(polenta)였다. 그것을 준비하는 과정은 의식(儀式)이었고, 그것을 먹는 것은 성체(聖體)를 받아드는 것과 같았다.

오늘날처럼 폴렌타는 매끈한 구리 냄비인 파이올로(paiolo)를 화덕 위 지지대 고리에 걸어 놓고 만들었다. 난로 근처에는 식구들이 앉을 수 있는 의자가 놓여 있곤 했다. 옹기종기 모여, 끓고 있는 냄비 안에서 옥수수가루가 윤기를 내며 흐르고, 금빛 덩어리가 둥그런 접시 위에 부어지는 것을 지켜보았다. 19세기 밀라노의 한 소설가는 그 광경을 안개 속의 만월로 묘사하기도 했다.

갓 끓여 뜨겁고 부드러울 때

❋ 버터와 간 파르메산을 넣고 녹여 그 자체로 먹을 수 있다. 상온에 4~6시간 둔 부드러운 고르곤졸라를 뜨겁고 아주 부드러운 폴렌타에 으깨어 넣고 약간의 버터와 파르메산을 곁들이면 기가 막히다.

❋ 그릇 바닥에 깔고 위에 아주 아주 잘게 다진 생마늘 조금과 엑스트라버진 올리브유에 버무린 찐 새우 또는 다른 해산물을 얹어 낼 수 있다.

❋ 스튜로 만들거나 구워서 졸인(braise) 또는 구운 고기나 가금류와 잘 어울린다. 새끼비둘기, 비둘기 또는 메추라기와 궁극의 조합을 이룬다. 폴렌타가 부드럽고 따뜻할 때 차려 낸다면 고기에서 나온 충분한 육즙과 소스가 폴렌타와 부드럽게 어우러지도록 한다.

차갑게 식었을 때

❋ 베네치아에서처럼 해산물과 채소 모듬 튀김인 '프리토 미스토 디 페세'(fritto misto di pesce) 한편에 곁들임으로 얇게 썰어 구워서 차려 낼 수 있다.

❁ 라자냐처럼 다양한 속재료를 채워 얇게 썰어 구울 수 있다.
❁ 가는 막대나 웨지 모양으로 썰어 식물성기름에 바삭하게 튀겨, 샐러드 또는 444쪽 베네치아식 양파와 송아지 간 볶음 요리에 곁들이거나 저녁식사의 식전주와 함께 차려낼 수 있다.

노란색과 흰색 폴렌타 두 가지가 있는데, 어떤 색 옥수수를 쓰느냐에 달려 있으며 노란색이 좀 더 보편적이다. 옥수수가루 자체를 곱게 갈거나 거칠게 갈 수 있다. 거칠게 간 노란색 옥수수가루는 질감이 잘 느껴지면서 풍미가 더 좋다. 그 예로, 다음 레시피를 추천한다.

폴렌타 만들기

약 4컵 분량

물 7컵
소금 1큰술
옥수수가루 1⅔컵, 거칠게 간 이탈리아산 노란색 옥수수가루로 준비
8~10컵 크기의 볼, 가급적 철이나 구리 재질로 준비

1. 크고 무거운 냄비에 물을 끓인다.
2. 소금을 넣고 중강불에서 물을 계속 끓이면서 옥수수가루를 손으로 움켜쥐고 손가락 굵기에 가깝게 아주 가는 줄기로 조심스럽게 넣는다. 냄비 안에서 알갱이들이 흩어지는 것을 볼 수 있을 것이다. 옥수수가루를 전부 넣는 동안 거품기로 계속 젓고, 물은 내내 끓고 있어야 한다.
3. 가루를 전부 넣었으면 손잡이가 긴 나무 주걱으로 젓기 시작한다. 아래에서 위로 완벽하게 계속 저어주고, 냄비 옆면도 긁어준다. 40~45분 계속 젓는다. 냄비 옆면에서 깨끗하게 떨어져 나와 덩어리가 되면 옥수수가루가 폴렌타가 된 것이다.

농도에 관해 ❁ 차갑게 식기 시작하면 폴렌타는 뻑뻑해지고, 움직이면 흔들릴 정도로 굳는다. 이탈리아 사람의 눈으로 보자면 적어도 아침 식사용 오트밀만큼 흐르는 묽기여야 한다.

4. 볼의 안쪽에 찬물을 바른다. 폴렌타를 냄비에서 볼로 옮겨 담는다. 10~15분

뒤에 나무 도마나 커다란 둥근 접시 위에 볼을 뒤집어 폴렌타를 꺼내 반구형이 나오게 한다.

5. 부드럽고 뜨거울 때 먹을 거라면 바로 차린다. 원한다면 반구형의 윗면 가운데 부분을 둥글게 파내고 폴렌타와 어울리는 속 — 소시지, 송아지고기, 소고기 또는 어린 양고기 스튜, 프리카세한 닭고기 등 — 을 채운다.

참고 ❀ 완전히 차가워지고 굳을 때까지 두었다가 얇게 썰 거라면 뜨거운 폴렌타를 볼에 담지 않는다. 8cm 정도 두께로 도마 위에 평평하게 펼쳐둔다.

미리 준비한다면 ❀ 폴렌타를 얇게 썰어 그릴에 굽거나, 그냥 굽거나 튀길 거라면 반드시 몇 시간 전에 미리 만들어야 한다. 며칠간 냉장 보관할 수도 있다. 며칠간 냉장 보관한다면 전체를 한 덩어리로 만들어 포일이나 주방용 랩으로 단단히 감싼다.

냄비 세척하기 ❀ 냄비에서 폴렌타를 꺼내 비운 뒤에 찬물을 채워 한편에 두고 밤새 불린다. 아침이면 옥수수가루 막이 쉽게 떨어질 것이다. 이탈리아에서 제조한 매끈한 구리 폴렌타 냄비를 쓴다면, 찌꺼기를 모두 긁어내고, 식초 ¼컵과 소금을 약간 넣고 세척한다. 세제를 쓰지 않고 맹물로 헹구고 물기를 닦아낸다. 매끈한 구리냄비로 유지하고 싶다면 언제든 다시 식초와 소금으로 세척하고 매번 사용 전에 맹물로 완벽하게 헹군다.

젓지 않고 만드는 폴렌타

냄비 뚜껑을 덮지 않고 익히는 내내 폴렌타를 저어주는 것이 순수한 향을 살린다는 면에서는 의심할 여지없이 가장 좋은 결과물을 만들지만, 전반적인 풍미는 덜하다. 어쨌든 힘들게 젓지 않고도 아주 맛있는 폴렌타를 만들 수 있다. 걸리는 시간은 같아도, 불 가까이 붙어 있는 시간을 1시간 정도 줄일 수 있다. 앞의 레시피와 정확히 같은 재료를 쓰되, 다음을 따른다.

1. 크고 무거운 냄비에 물을 끓인다.
2. 소금을 넣고 중강불에서 물을 계속 끓이면서 옥수수가루를 손으로 움켜쥐고 손가락 굵기에 가깝게 아주 가는 줄기로 조심스럽게 넣는다. 냄비 안에서 알갱이들이 흩어지는 것을 볼 수 있을 것이다. 옥수수가루를 전부 넣는 동안 거품기로 계속 젓고, 물은 내내 끓고 있어야 한다.

3. 가루를 전부 넣으면 긴 나무 주걱으로 2분간 저은 뒤 냄비 뚜껑을 덮는다. 펄펄 끓이는 것이 아니라 거품이 보글보글 생기며 뭉근하게 끓는 정도로 불의 세기를 조절한다. 폴렌타를 10분간 익히고, 뚜껑을 열어 딱 1분 동안 저은 뒤 뚜껑을 다시 덮는다. 추가로 10분이 지난 뒤에 다시 저은 후 뚜껑을 덮고 10분간 익게 두고, 한 번 더 젓고, 10분간 익히는 과정을 반복한다.
4. 40분이 지나고, 폴렌타 알갱이가 퍼지고 부드럽고 크림 같은 덩어리가 되도록 5분간 더 익힌다. 불을 끄기 직전에 냄비에서 분리되도록 1분 정도 힘 있게 젓는다. 물로 적신 볼에 옮겨 담고 283쪽 기본 레시피 설명대로 진행한다.

인스턴트 폴렌타

인스턴트 제품을 써서 폴렌타를 만들면 쉽고 시간도 적게 걸리기 때문에 긍정적으로 평가하고 싶다. 물론 원래의 느린 방법으로 만든 폴렌타의 질감과 풍미를 얻으려 한다면 이 손쉬운 방법에 따른 결과물로는 만족하기 힘들 것이다.

그럼에도 실망하지 않을 자신이 있다면 인스턴트 폴렌타에 기대는 것을 권한다. 286쪽에 설명한 겹겹이 쌓은 폴렌타처럼 다른 감칠맛 있는 재료나 소시지 육즙이 가득한 요리를 폴렌타와 함께 곁들일 계획이라면 말이다. 이 경우 인스턴트 폴렌타의 단점은 무시해도 좋다. 하지만 질 좋은 메추라기 로스트 옆에 곁들일 때처럼 그 자체로 도드라지는 요리를 차린다면, 전통적인 방식으로 만든 폴렌타가 더 나을 것이다.

4컵 가득 분량

물 6½컵
소금 1큰술
이탈리아산 인스턴트 폴렌타 가루 2컵

1. 물을 끓인다.
2. 소금을 넣고 물이 다시 완전히 끓을 때까지 기다린 뒤, 폴렌타 가루를 가는 줄기로 부어 넣는다. 넣으면서 거품기나 스패출러로 젓는다. 딱 1분 동안 계속 젓고, 냄비 뚜껑을 덮어 15분간 익힌다. 포장에 표기된 설명보다 대개는 더 길게 익혀야 할 것이다. 283쪽 기본 레시피 설명대로 물로 적신 볼에 옮겨 담기 전에 1분 동안 젓는다.

볼로냐식 미트 소스를 곁들여 구운 폴렌타

Baked Polenta with Bolognese Meat Sauce

폴렌타는 이 레시피에서처럼 라자냐 같은 파스타로도 쓰인다. 얇게 썰어서 미트 소스와 베샤멜과 함께 겹겹이 쌓아 굽는다.

6인분

베샤멜 소스, 우유 2컵, 버터 4큰술, 밀가루 3큰술, 소금 ¼작은술을 써서 49쪽 설명을 따라 준비

폴렌타, 285쪽 레시피를 따라 준비, 차갑게 식혀 굳힌 뒤 얇게 썬다

라자냐 팬, 버터를 문질러 발라둔다

볼로냐식 미트 소스 2컵, 213쪽 레시피대로 만들어 준비

갓 갈아낸 파르미자노 레자노 치즈 ⅔컵

1. 베샤멜 소스를 준비하되, 사워크림 농도로 약간 묽게 만든다. 완성되면 불을 아주 약하게 해 중탕 상태로 따뜻하게 유지한다. 쓰기 직전에 젓는다.
2. 오븐을 230℃로 예열한다.
3. 잘랐을 때 고른 크기가 되도록 덩어리 양쪽을 살피면서 차가운 폴렌타를 1cm 정도 두께로 얇게 썬다.
4. 라자냐 팬에 버터를 얇게 문질러 바른다. 폴렌타 층을 덮는데, 필요하다면 폴렌타를 조금 잘라 붙여 빈틈을 메운다. 미트 소스와 베샤멜을 섞어 폴렌타 위에 펴 바른다. 다시 폴렌타 층으로 덮고, 베샤멜과 미트 소스 혼합물과 치즈 간 것이 마지막 폴렌타 층 다음에 가볍게 덮을 수 있을 정도로 남을 때까지 전체 과정을 반복한다. 버터를 듬성듬성 올린다.
5. 예열된 오븐 맨 위에 넣고 표면이 옅은 갈색으로 바삭해질 때까지 10~15분 굽는다. 오븐에서 꺼내 몇 분간 그대로 두었다가 식탁에 차려 낸다.

프리타타

FRITTATA

프리타타란? 프리타타(frittata)는 이탈리아식 펼친 오믈렛이라고 할 수 있다. 오믈렛처럼 다양한 속재료를 섞은 달걀을 버터를 두르고 익힌다. 그러나 프리타타의 질감, 생김새 그리고 조리하는 과정은 여타 오믈렛 종류와는 사뭇 다르다.

프리타타 만들기 다음의 단계대로 조리하는 것이 기본이다.

1. 볼에 달걀을 깨뜨려 넣고 포크나 거품기로 노른자와 흰자가 고루 섞이도록 풀어준다. 채소와 치즈, 또는 특정 레시피에 나온 다른 맛내기 재료를 넣는다. 모든 재료가 골고루 합쳐질 때까지 골고루 섞어준다.
2. 브로일러를 켠다(아래 참고).
3. 가급적 들러붙음 방지 코팅이 된 스킬렛에 버터를 넣고 중불에서 녹인다. 버터의 색이 변하게 두지 말고 거품이 생기자마자 달걀 섞은 것을—포크로 저으면서 볼을 기울여—팬에 붓는다. 불을 아주 약하게 조절한다. 달걀이 굳으면서 되직해지고 표면은 덜 익었을 때 브로일러에 스킬렛을 몇 초간 넣어둔다. 갈색으로 변하기 전 프리타타의 '형태'를 갖추자마자 꺼낸다.

참고 앞에서 설명한 대로 나는 프리타타를 브로일러에 넣고 양면을 다 익히는 방법이 가장 만족스러웠다. 프리타타를 팬케이크처럼 공중에서 뒤집어 스토브 위에서 계속 익히는 사람도 있다. 아니면 접시 위에 뒤집어 놓았다가 다시 팬으로 미끄러트리며 넣기도 한다. 오븐을 선호한다면, 되도록이면 둥근 형태의 오븐용 팬에 버터를 칠한 후 달걀 섞은 것을 붓고, 180°C로 예열한 오븐에 15분간 또는 프리타타가 단단해질 때까지 익힌다.

4. 다 되면 프리타타를 뒤집개로 떼어내고 접시 위로 미끄러트리듯 놓고 파이 조각처럼 자른다.

프리타타 차려 내기 프리타타는 뜨거울 때, 따뜻할 때, 또는 상온일 때 항상 맛이 좋다. 냉장고에서 꺼내 차가울 때 맛이 가장 덜하다. 파이 조각처럼 잘라 프리타타 또는 모듬 프리타타를 풍성한 전채요리로 낼 수 있고, 아주 맛있는 샌드위치를 만들 수도 있으며 소풍에 가져가거나 뷔페용 상차림에도 어울린다.

팬 크기 ❀ 다음의 모든 프리타타는 지름이 약 25cm인 들러붙음 방지 코팅이 된 스킬렛으로 만든다. 팬 손잡이는 반드시 내화성 금속으로 되어 브로일러에 넣을 수 있어야 한다.

치즈 프리타타

Frittata with Cheese

4~6인분

- 달걀 6개
- 소금
- 갓 갈아낸 검은 후추
- 갓 갈아낸 파르미자노 레자노 또는 스위스 치즈 1컵
- 버터 2큰술

볼에 달걀을 풀어 소금과 후추 간 것, 간 파르메산 또는 스위스 치즈를 넣는다. 완전히 골고루 섞는다. 287~288쪽 기본 레시피를 따라, 팬에 버터를 넣어 녹이고, 거품이 생기기 시작하면 달걀 섞은 것을 넣어 프리타타를 만든다.

양파 프리타타

Frittata with Onions

이탈리아 북부 지역의 요리에서 큰 비중을 차지하는 갈색이 될 때까지 조리한 양파가 이 프리타타의 기본이다. 취향이나 재료 사정에 따라 원한다면 채소나 허브, 소시지, 새우를 넣어 만들 수 있다. 어떤 것이든 넣어도 되지만 이 자체만으로 완벽하고 만족스럽기 때문에 굳이 다른 것이 필요하지는 않다.

4~6인분

- 양파 4컵, 아주 얇게 썬다
- 엑스트라버진 올리브유 3큰술
- 소금
- 달걀 5개
- 갓 갈아낸 파르미자노 레자노 치즈 ⅔컵
- 갓 갈아낸 검은 후추
- 버터 2큰술

1. 양파, 올리브유와 약간의 소금을 큰 소테팬에 넣고 약불에 올려 뚜껑을 덮는다. 양파가 숨이 죽고 아주 많이 줄어들 때까지 익힌 다음 뚜껑을 열어 먹음직스러운 갈색이 되도록 계속 익힌다.

미리 준비한다면 ❁ 몇 시간 또는 1~2일 전에 양파를 이 단계까지 미리 조리해 둘 수 있다. 만든 당일에 사용할 거라면 냉장고에 넣을 필요는 없다. 달걀과 섞기 전에 상온에 꺼내둔다.

2. 볼에 달걀을 풀고 양파, 간 파르메산, 소금과 후추를 약간 갈아 넣는다. 양파를 넣을 때는 구멍 뚫린 국자나 뒤집개로 기름을 빼고 냄비에서 양파만 건져낸다. 골고루 섞는다. 287~288쪽 기본 레시피를 따라, 팬에 버터를 넣어 녹이고 거품이 생기기 시작하면 달걀 섞은 것을 넣어 프리타타를 만든다.

주키니 바질 프리타타

Frittata with Zucchini and Basil

4~6인분

양파 1컵, 아주 얇게 썬다
엑스트라버진 올리브유 ¼컵
소금
주키니 3개, 중간 크기로 준비
달걀 5개
버터 2큰술
갓 갈아낸 파르미자노 레자노 치즈 ⅔컵
갓 갈아낸 검은 후추
생바질잎 6~8장, 손으로 찢어서 준비 또는 파슬리 1큰술, 아주 잘게 다진다

참고 ❁ 542쪽의 속을 채운 주키니나 다른 속을 채운 주키니 요리를 갓 만들었다면, 6~8개의 남은 주키니 심을 이 프리타타에 쓰도록 한다.

1. 양파, 올리브유와 약간의 소금을 큰 소테팬에 넣고 약불에 올려 뚜껑을 덮는다. 양파가 숨이 죽고 아주 많이 줄어들 때까지 익힌 다음 뚜껑을 열어 먹음직스러운 갈색이 되도록 계속 익힌다.
2. 양파가 익는 동안 536쪽에서 상세하게 설명했듯 주키니를 찬물에 담가 문질러 씻고, 양 끝을 자른다. 깨끗한 주키니를 0.5cm 정도 두께의 원형으로 썬다. 남은 심을 쓴다면 대강 조각내어 썬다.
3. 양파가 다 익으면 소금과 주키니를 넣는다. 중불에 올리고 주키니가 옅은 밤색이 될 때까지 익히거나, 심을 쓴다면 밝은 갈색이 나는 부드러운 조직이 될

때까지 익힌다. 불을 끄고 팬을 기울여 주키니와 양파를 팬 끝 가장자리로 모으고, 바닥에 고인 기름을 떠서 버린다. 기름을 퍼내면 볼에 채소를 옮겨 담고 열을 식힌다.

4. 달걀 푼 것에 간 파르메산, 주키니와 양파, 소금 한 자밤, 후추를 약간 갈아 넣고 287~288쪽에서 설명한 기본 레시피를 따라 프리타타를 만든다. 재료를 고루 섞은 뒤에 찢은 바질이나 잘게 다진 파슬리를 넣는다.

토마토, 양파, 바질 프리타타

Frittata with Tomato, Onion, and Basil

4~6인분

양파 3컵, 아주 얇게 썬다
엑스트라버진 올리브유 ¼컵
소금
토마토 1컵, 신선하고 잘 익은 것은 필러로 껍질을 벗기고 씨를 파내 썰어서 준비 또는 이탈리아산 플럼토마토 통조림, 건더기만 건져 썬다
달걀 5개
갓 갈아낸 파르미자노 레자노 치즈 2큰술
갓 갈아낸 검은 후추
생바질잎 ½컵, 손으로 찢는다
버터 2큰술

1. 양파, 올리브유와 약간의 소금을 큰 소테팬에 넣고 약불에 올려 뚜껑을 덮는다. 양파가 숨이 죽고 아주 많이 줄어들 때까지 익힌 다음 뚜껑을 열어 먹음직스러운 갈색이 되도록 계속 익힌다.
2. 토마토와 소금을 넣고 재료에 고루 기름이 입혀지도록 뒤적이고, 불의 세기를 조절해 토마토에서 기름이 분리되어 떠오를 때까지 15~20분 뭉근하게 끓인다. 토마토와 양파를 팬 끝 가장자리로 모으고, 팬을 기울여 바닥에 고인 기름을 떠서 버린다. 기름을 퍼내면 볼에 채소를 옮겨 담고 열을 식힌다.

미리 준비한다면 ❁ 몇 시간 또는 1~2일 전에 양파와 토마토를 이 단계까지 미리 조리해둘 수 있다. 만든 당일에 사용할 거라면 냉장고에 넣을 필요는 없다. 냉장 보관했다면 프리타타를 만들기 전에 상온에 꺼내 둔다.

3. 볼에 달걀을 풀고 토마토와 양파, 소금 한 자밤, 간 파르메산과 후추를 약간 갈아 넣는다. 재료가 고루 조합되도록 완전히 섞은 뒤 찢어놓은 바질을 넣는

다. 287~288쪽 기본 레시피를 따라, 팬에 버터를 녹이고 거품이 생기기 시작하면 달걀 섞은 것을 넣고 프리타타를 만든다.

아티초크 프리타타

Frittata with Artichokes

6인분

아티초크 중간 크기 2개
레몬 ½개
마늘 1작은술, 아주 잘게 다진다
엑스트라버진 올리브유 2큰술
파슬리 2큰술, 아주 잘게 다진다
소금
갓 갈아낸 검은 후추
달걀 5개
갓 갈아낸 파르미자노 레자노 치즈 ¼컵
버터 2큰술

1. 67~69쪽의 자세한 설명을 따라 아티초크의 거친 부분을 모두 다듬는다. 다 다듬었으면 아티초크를 레몬으로 문질러 갈변되는 것을 막는다.
2. 아티초크를 세로로 길게 4등분 한다. 아래쪽 부드럽고 꼬불꼬불한 이파리를 떼어내고, 안쪽의 보송보송한 '초크' 부분을 잘라낸다. 세로로 길게 자른 아티초크를 가능한 한 얇게 썰고 그 위로 레몬즙을 짜 촉촉하게 적신다.
3. 스킬렛에 마늘과 올리브유를 넣고 중불에 올린다. 마늘이 살짝 노릇해질 때까지 기름에 볶고 얇게 썬 아티초크, 파슬리, 소금을 넣고 후추를 2~3번 갈아 넣는다. 기름이 고루 입혀지도록 적어도 한 번 이상 아티초크를 뒤집으며 1분 정도 익힌다. 팬 뚜껑을 덮고 아티초크가 아주 부드러워질 때까지 신선도에 따라 15분 또는 그 이상 익힌다. 만일 아티초크가 빨리 부드러워졌다면 팬에 물기기 남아 있을 것이다. 그 경우 뚜껑을 열고 아티초크를 이리저리 움직여 가며 끓여 수분을 날린다. 반면 아티초크를 익히는 데 너무 오래 걸린다면 물기가 충분치 않을 것이고, 이럴 때는 필요에 따라 물을 2~3큰술 넣어주어야 한다. 아티초크를 냄비 끝 가장자리로 모으고, 냄비를 기울여 바닥에 고인 기름을 떠서 버린다. 기름을 퍼내면 볼에 채소를 옮겨 담고 열을 식힌다.

4. 볼에 달걀을 풀고 아티초크 등과 소금 한 자밤, 간 파르메산과 후추를 약간 갈아 넣는다. 287~288쪽 기본 레시피를 따라, 팬에 버터를 녹이고 거품이 생기기 시작하면 달걀 섞은 것을 넣고 프리타타를 만든다.

아스파라거스 프리타타

Frittata with Asparagus

4~6인분

아스파라거스 450g, 신선한 것으로 준비	갓 갈아낸 검은 후추
달걀 5개	갓 갈아낸 파르미자노 레자노 치즈 ⅔컵
소금	버터 2큰술

1. 뾰족한 잎을 다듬고, 줄기 껍질을 벗겨 472쪽 설명에 따라 아스파라거스를 익힌다. 과하게 익히지 말고, 씹었을 때 여전히 단단한 정도에서 건진다. 한편에서 식힌 뒤 1cm 정도 길이로 자른다.
2. 볼에 달걀을 풀고 아스파라거스와 소금 크게 두세 자밤, 후추를 약간 갈아 넣고 간 파르메산을 넣는다. 287~288쪽 기본 레시피를 따라, 팬에 버터를 녹이고 거품이 생기기 시작하면 달걀 섞은 것을 넣고 프리타타를 만든다.

그린빈 프리타타

Frittata with Green Beans

4~6인분

그린빈 225g, 신선한 것으로 준비	갓 갈아낸 검은 후추
소금	갓 갈아낸 파르미자노 레자노 치즈 1컵
달걀 5개	버터 2큰술

1. 그린빈의 양 끝을 부러트려 다듬고 찬물에 헹궈 물기를 뺀다. 물을 3L 정도 끓이고 소금 ½큰술을 넣어 물이 다시 끓어오르면 그린빈을 넣는다. 뚜껑을 연 채로 익히되 그린빈의 질과 여린 정도에 따라 씹는 맛이 있으면서도 부드러워질 때까지 5분 또는 필요에 따라 그 이상 계속 삶는다. 바로 건져 내 대충 조각으로 썬다. 한편에 두고 열을 식힌다.
2. 볼에 달걀을 풀고 썬 그린빈과 소금, 후추를 약간 갈아 넣고 간 파르메산을 넣

는다. 골고루 섞는다. 287~288쪽 기본 레시피를 따라, 팬에 버터를 녹이고 거품이 생기기 시작하면 달걀 섞은 것을 넣고 프리타타를 만든다.

팬에 구운 양파와 감자 프리타타

Frittata with Pan-Fried Onions and Potatoes

양파와 감자를 섞어 넣은 이 프리타타는 526쪽 레시피에 나온 감자가 바탕이 된다. 감자를 아주 작게 깍둑썰기하고 팬에 구워서 겉을 굉장히 바삭하게 만든다. 바삭하게 익은 감자가 기름에 볶은 양파와 어우러지면서 바삭함과 부드러움이 조화를 이루어 특별한 만족감을 준다.

4~6인분

깍둑썰기해 갈색이 되도록 익힌 감자, 526쪽 레시피대로 식물성기름 ¼컵과 아주 작게 깍둑썰기한 감자 2컵으로 만들어 준비
양파 1컵, 아주 얇게 썬다
달걀 5개
소금
갓 갈아낸 검은 후추
버터 2큰술

1. 감자의 모든 면이 황금색이 되면서 바삭해지면 구멍 뚫린 국자나 뒤집개로 건져 키친타월을 깔아놓은 식힘망이나 접시에 옮겨 담는다.
2. 감자를 익힐 때 썼던 기름이 남아 있는 그 팬에 얇게 썬 양파를 넣는다. 약불에 올리고 뚜껑을 덮는다. 양파가 숨이 죽고 아주 많이 줄어들 때까지 익힌 다음 뚜껑을 열어 먹음직스러운 갈색이 되도록 계속 익힌다. 구멍 뚫린 국자나 뒤집개로 볼이나 접시에 옮겨 담고 열을 식힌다. 프리타타를 만들 수 있도록 팬에 남은 오일을 버리고 깨끗하게 닦는다.
3. 볼에 달걀을 풀고 썬 감자와 양파, 소금, 후추를 약간 갈아 넣는다. 골고루 섞는다. 287~288쪽 기본 레시피를 따라, 팬에 버터를 녹이고 거품이 생기기 시작하면 달걀과 감자 섞은 것을 넣고 프리타타를 만든다.

파스타 프리타타

Frittata with Pasta

프리타타를 만드는 데 가장 적합한 파스타는 조직이 단단한 공장제 건조 파스타다. 개중에 스파게티가 제일 적절한 형태인데, 면 가닥이 달걀 푼 것과 접착이

잘 되기 때문이다. 파스타와 소스는 달걀과 섞기 전에 조리해야 한다. 다음의 레시피에서는 버터와 치즈, 파슬리에 버무려 가장 단순하게 조리한 스파게티를 사용한다. 파스타 프리타타를 처음 만들어본다면, 완성되었을 때 보기에도 좋고 맛도 좋은 이 레시피가 좋은 출발이 될 수 있을 것이다. 나중에는 토마토와 바질 또는 튀긴 가지나 튀긴 주키니 소스 스파게티 등 좋아하는 모든 스파게티로 변형할 수 있을 것이다. 쉬이 말라버릴 수 있는 조개나 다른 껍질이 있는 해산물을 넣은 소스를 제외하고는 말이다. 스파게티에 어울리는 소스는 프리타타와도 어울린다.

4인분

스파게티 225g
소금
버터, 스파게티를 버무릴 2큰술,
프리타타 조리용 1큰술
파슬리 2큰술, 잘게 썬다
갓 갈아낸 파르미자노 레자노 치즈 ⅓컵
달걀 3개
갓 갈아낸 검은 후추

1. 소금을 넣은 3~4L의 끓는 물에 스파게티를 넣고 씹었을 때 아주 단단한 정도까지 익힌다. 알덴테보다 조금 덜 익어야 하는데, 프리타타로 만드는 동안 계속 익기 때문이다. 건져서 바로 버터 2큰술, 간 치즈, 파슬리와 골고루 버무린다. 한편에 두고 한 김 식힌다.
2. 풀어놓은 달걀에 소스에 버무린 스파게티, 소금과 후추를 약간 갈아 넣는다. 달걀이 고루 파스타에 입혀지도록 완전히 섞는다. 스킬렛에 버터 1큰술을 넣고, 중불에 올린다. 버터가 녹아내리면서 거품이 생기기 시작하되 색이 짙어지기 전에 파스타와 달걀 섞은 것을 넣는다.
3. 브로일러를 켠다.
4. 스토브 위에서 프리타타를 3~4분 그대로 익힌다. 그다음 팬을 약간 기울여 가장자리를 화구 가까이 가져온다. 팬을 1분 정도 이 상태로 유지한 뒤, 기울인 채로 가장자리를 화구에 가까이 두면서 90°보다 작은 각도로 회전한다. 한 바퀴를 완전히 돌릴 때까지 이 과정을 반복한다. 뒤집개로 가장자리를 조심스럽게 들어 올려 프리타타의 바닥면이 황금색으로 바삭하게 구워졌는지 확인한다. 아니라면 상황을 판단해 조금 더 익힌다.
5. 팬을 브로일러에 넣고 윗면의 색이 살짝 변하면서 바삭해질 때까지 익힌다. 다 되면 뒤집개로 프리타타를 떼어내 접시에 미끄러트리듯 올려 파이 조각 모양으로 잘라 차려 낸다.

토마토와 모차렐라, 햄으로 속을 채운 스파게티 프리타타

Stuffed Spaghetti Frittata with Tomato, Mozzarella, and Ham

이 프리타타는 앞의 요리와는 흥미롭고도 상당한 차이가 있다. 앞의 것이 다른 모든 프리타타와 차이가 있는 만큼 말이다. 여기서는 두 개의 프리타타 층 사이에 토마토와 모차렐라, 햄으로 채운 속을 샌드위치처럼 끼워 넣는다. 4인분

스파게티 225g
소금
버터 3큰술, 스파게티를 버무릴 2큰술, 프리타타 조리용 1큰술
갓 갈아낸 파르미자노 레자노 치즈 ⅓컵
파슬리 2큰술, 잘게 썬다
엑스트라버진 올리브유 2큰술
양파 2큰술, 잘게 썬다
이탈리아산 플럼토마토 통조림 ½컵, 건더기만 잘게 썬다
모차렐라 ½컵, 가급적 물소젖으로 만든 것으로 아주 아주 작게 깍둑썰기한다
훈제하지 않고 삶은 햄 ½컵, 잘게 썰거나 아주 작게 깍둑썰기한다
달걀 3개
갓 갈아낸 검은 후추

1. 293쪽 레시피에서 설명한 대로 익혀서 건진 스파게티를 버터, 치즈, 파슬리와 버무린다.
2. 작은 소스팬에 올리브유와 양파를 넣고 중불에 올린다. 양파가 먹음직스러운 갈색이 될 때까지 저어가며 익힌 뒤, 자른 토마토 건더기와 소금을 넣는다. 토마토에서 기름이 분리되어 나올 때까지 20분 정도 익힌다. 불에서 내린다.
3. 토마토가 식으면 깍둑썰기한 모차렐라와 햄을 섞는다. 팬을 기울여 기름을 대부분 떠낸다.
4. 풀어놓은 달걀에 소스에 버무린 스파게티, 소금와 후추를 약간 갈아 넣는다. 달걀이 고루 파스타에 입혀지도록 완전히 섞는다. 스킬렛에 버터 1큰술을 넣고, 중불에 올린다. 버터가 녹아내리면서 거품이 생기기 시작하되 색이 짙어지기 전에 파스타와 달걀 섞는 것의 절반을 넣고, 팬 바닥에 균일하게 펼친다. 그다음 소스팬에 있는 토마토와 햄을 위에 부어 프리타타의 가장자리를 아주 조금 남겨둔 채 고루 편다. 남은 절반의 스파게티와 달걀 섞은 것을 부어 팬 가장자리까지 펼치면서 팬 안에 있는 프리타타를 덮는다. 293쪽 파스타 프리타타 레시피를 따라 프리타타를 조리한다.

생선, 조개, 그리고 갑각류
FISH AND SHELLFISH

로마냐식 그릴에 구운 생선
Grilled Fish, Romagna Style

북아드리아해 해안에 위치한 나의 고향 로마냐는 해변을 따라 늘어선 마을과 그곳에서 밤새도록 열리는 디스코로 알려지기 한참 전부터 생선으로 유명했다. 로마냐 어부들의 굽기 기술은 그야말로 최고다. 그 비법은 갓 잡아 올린 신선함을 제외하고 생선을 굽기 전에 올리브유, 레몬즙, 소금, 후추, 로즈마리와 빵가루 양념에 1시간 또는 그 이상 푹 담가 마리네이드하는 것이다. 모든 생선에 알맞은 이 방법은 바다 본연의 풍미에 배어 있는 단맛을 살리고 불 위에서 생선살이 마르지 않게 한다.

4인분 또는 그 이상

- 생선 1125~1350g, 통으로 내장과 비늘을 손질해서 준비 또는 생선 스테이크
- 소금
- 갓 갈아낸 검은 후추
- 생로즈마리 작은 줄기 1대 또는 말린 로즈마리잎 ½작은술, 아주 잘게 다진다
- 마른 빵가루 ⅓컵, 양념이 되지 않은 고운 것으로 준비
- 엑스트라버진 올리브유 ¼컵
- 갓 짠 신선한 레몬즙 2큰술
- 선택 사항: 숯이나 나무를 쓰는 그릴
- 선택 사항: 생월계수잎 작은 묶음 하나 또는 말린 월계수잎 몇 장

1. 생선 또는 생선 스테이크를 찬물에 씻은 다음, 키친타월로 가볍게 두드려 물기를 완전히 제거한다.
2. 생선 양면에 소금, 후추를 흩뿌려 큰 접시 위에 놓고, 올리브유, 레몬즙, 로즈마리를 더한다. 이것들이 고루 입혀지도록 생선을 2~3번 뒤집는다. 빵가루를 추가하고, 올리브유를 빨아들인 빵가루가 고루 묻도록 생선을 한두 번 더 뒤집는다. 상온에서 1~2시간 재우되, 이따금 뒤집으며 양념을 끼얹어준다.
3. 숯이나 나무를 쓴다면, 조리하기 전에 숯은 하얀 재가 생기도록 미리 불을 붙

이고, 나무는 타고 남은 불이 뜨겁도록 충분한 시간을 두고 미리 준비해야 한다. 실내 가스 그릴이나 전기 그릴을 쓴다면 조리 전 적어도 15분은 예열한다.

4. 열원에서 10~13cm 떨어뜨려 생선을 놓는다. 양념은 털어내지 않는다. 숯이나 나무로 익힌다면 불에 월계수잎을 던져 넣고, 없으면 생략해도 된다. 다 익을 때까지 생선을 한 번만 뒤집어 양면을 굽는다. 생선 스테이크의 두께나 통생선의 크기에 따라 5~15분 걸린다. 익히는 동안 윗면에 마리네이드했던 재료를 끼얹는다. 그릴에서 꺼내 뜨거울 때 먹는다.

시칠리아 살모릴리오식 황새치 스테이크

Grilled Swordfish Steaks, Sicilian Salmoriglio Style

살모릴리오(salmoriglio)식으로 조리된 생선과 함께라면 전 세계 어디서든 지중해의 톡 쏘는 여름 공기를 마시는 듯한 기분이 들 것이다. 그릴 위에서 뜨겁게 훈연되는 생선에 올리브유와 레몬즙, 오레가노를 바르면 복합적인 향이 뿜어져 나온다. 시칠리아 동쪽 해안에서처럼 생선은 황새치로 하되, 스테이크용으로 손질한 참치, 광어, 청상아리나 옥돔도 충분히 대안으로 쓸 수 있다. 시칠리아식으로 얇게 썰어 쓰는 것이 좋은데, 생선살이 그릴 위에서 말라버리기 전에 단시간에 익히기 위해서다.

4~6인분

선택 사항: 숯 그릴
소금
갓 짠 신선한 레몬즙 2큰술
생오레가노 2작은술, 아주 잘게 다져서 준비 또는 말린 오레가노 1작은술
엑스트라버진 올리브유 ¼컵
갓 갈아낸 검은 후추
신선한 황새치 900g 또는 다른 생선 스테이크, 1cm 미만으로 얇게 썬다

1. 숯을 쓴다면 조리 전에 하얀 재가 생기도록 미리 불을 붙인다. 실내 가스 그릴이나 전기 그릴을 쓴다면 조리 준비 전 적어도 15분은 예열한다.
2. 소금을 1작은술 정도 작은 볼에 넣고, 레몬즙을 넣어 소금이 녹도록 포크로 휘젓는다. 오레가노를 더하고 포크로 섞는다. 레몬즙을 포크로 계속 저으면서 올리브유를 한 방울씩 흘려 넣는다. 후추를 약간 갈아 넣고 잘 섞이도록 고루 젓는다.
3. 브로일러 또는 숯이 준비되면 생선을 열원 가까이 놓아 높은 열에서 재빨리

익힌다. 한 면을 2분 정도 구운 뒤 다른 쪽으로 뒤집어 1분 30초에서 2분 굽는다. 표면이 갈색이 될 필요는 없다.

4. 생선을 따뜻하게 데워놓은 커다란 접시로 옮긴다. 포크로 구운 생선을 몇 군데 찔러 소스가 더 깊숙이 스며들도록 한다. 올리브유와 레몬즙을 섞은 살모릴리오 재료를 스푼으로 휘저으면서 생선 위로 붓고, 전체적으로 고루 펴 바른다. 바로 차려 내며, 각자 분량으로 나눈 뒤 소스를 약간 더 올려준다.

참고 ❀ 살모릴리오 소스가 가진 향의 핵심은 신선함이다. 오래전에 미리 만들어두지 마라. 그릴을 달구는 동안 만들 수 있을 정도로 매우 간단하다.

새우 꼬치 구이

Grilled Shrimp Skewers

이 요리만큼 육즙이 가득한 새우 구이를 만들 수 있는 법을 나는 아직 알지 못한다. 올리브유를 빨아들인 빵가루를 입혀서 만든다. 준비할 때는 올리브유로 새우를 충분히 감싸되 너무 흠뻑 적시면 안 되고, 빵가루는 기름을 충분히 머금어 흘러내리지 않도록 하되 너무 많은 빵가루를 묻혀 껍질이 두꺼워지지 않도록 한다.

4~6인분

중간 크기의 껍질을 벗기지 않은 새우 900g
엑스트라버진 올리브유 3½큰술
식물성기름 3½큰술
마른 빵가루 ⅔컵, 양념이 되지 않은 고운 것으로 준비
마늘 ½작은술, 아주 잘게 다진다
파슬리 2작은술, 아주 잘게 다진다
소금
갓 갈아낸 검은 후추
꼬치
선택 사항: 숯 그릴

1. 새우 껍질을 벗기고 내장을 제거한다. 찬물에 씻고 키친타월로 가볍게 두드려 물기를 완전히 없앤다.
2. 넉넉한 크기의 볼에 새우를 넣는다. 올리브유와 식물성기름을 동량으로 넣고, 빵가루를 새우에 고루 입히되 전체적으로 가볍게 감쌀 정도로 넣는다. 아마 재료 목록에 표시한 기름이 전부 필요하지는 않을 테지만 아주 작은 새우를 여러 마리 쓴다면 기름이 더 필요할 수도 있다. 기름을 추가하려면 올리브유와 식물성기름을 같은 비율로 더한다.

3. 잘게 다진 마늘, 파슬리, 후추를 넣고 새우에 골고루 잘 입혀지도록 버무린다. 그 상태로 최소 20~30분 또는 최대 2시간까지 그대로 상온에 두어 양념이 배게 한다.
4. 적어도 15분 전에 브로일러를 예열하거나, 숯을 쓴다면 조리 전에 하얀 재가 생기도록 미리 불을 붙인다.
5. 새우를 꼬치에 빈틈없이 꿴다. 각각의 새우 끝을 안쪽으로 말아 결과적으로 꼬치가 세 군데를 관통하게 만들면 그릴 위에서 꼬치를 뒤집을 때 새우가 빠질 염려가 없다.
6. 열원 가까이에서 새우를 재빨리 익힌다. 새우 크기와 화력에 따라 다르지만 한쪽 면은 2분, 다른 쪽 면은 1분 30초 정도 걸린다. 얇은 황금색 껍질이 생길 때까지만 익힌다. 아주 뜨거울 때 바로 먹는다.

카노키에처럼 구운 새우

Grilled Shrimp, Cannocchie Style

카노키에(cannocchie)는 넓적하고 평평한 몸체와 사마귀를 닮은 집게발을 가진 새우와 유사한 갑각류로, 내가 알기로 서반구에서 오직 아드리아 해에서만 잡힌다. 가장 유사한 종이 일본 해안에서 잡히는데, 그곳에서는 샤코(蝦蛄)라고 알려져 있다(한국에서는 갯가재라고 부른다 — 옮긴이). 카노이에의 유난히 부드럽고 달고 짭조름한 살을 따라갈 갑각류는 없다. 베네치아 식당에서는 카노키에 껍질을 벗기고 쪄서 올리브유와 레몬즙을 발라서 낸다. 카노키에 콘 올리오 에 리모네(cannocchie con olio e limone)라는 요리로 베네치아를 방문할 식도락가라면 반드시 기억해야 할 이름이다.

우리 마을의 어부들이 카노키에를 다루는 법은 특별하다. 식당 메뉴에서 발견하기도 무척 어렵다. 그들은 등껍질 전체를 길이를 따라 가르고, 올리브유와 빵가루, 소금, 엄청난 양의 검은 후추에 새우를 재우고, 아주 뜨거운 숯이나 나무불 위에서 굽는다. 하지만 이런 조리 과정은 그저 이 이야기의 절반에 불과하다. 나머지 절반은 먹는 방법에 달려 있다. 손으로 집어 입으로 이미 벌어져 있는 껍질을 열고, 새우살을 빨아 먹는다. 로마냐에서는 이렇게 먹는 방식을 콜 바초(col bacio)라고 부르는데, 키스를 한다는 의미다. 그리고 가장 짭짤하고 맛있는 키스는, 후추와 올리브유를 듬뿍 머금은 채 불에 그을린 껍질의 풍미가 더해진 빵가루를 핥을 때다.

이 방법으로 새우를 조리할 때는 먹는 방식도 똑같이 해야 한다. 냅킨을 넉넉히 준비하길 권한다.

4~6인분

중간 크기에서 큰 크기의 껍질을 벗기지 않은 새우 900g	소금
원통형 나무 이쑤시개	엑스트라버진 올리브유 ⅓컵
빵가루 1컵, 양념이 되지 않은 것으로	갓 갈아낸 검은 후추
	선택 사항: 숯이나 나무를 쓰는 그릴

1. 껍질을 벗기지 않은 새우를 찬물에 씻은 뒤, 키친타월로 가볍게 두드려 물기를 완전히 제거한다.
2. 가위로 새우 껍질을 등에서 꼬리를 따라 자른다. 이쑤시개 하나를 새우 배 쪽의 살과 껍질 사이에 넣어 관통시킨다. 이렇게 하면 익는 동안 등이 구부러지지 않아 완성되었을 때 새우가 아닌 카노키에처럼 보인다.
3. 새우가 준비되면 볼에 다른 재료를 모두 넣는다. 소금과 후추는 넉넉해야 한다. 새우를 뒤집어 골고루 입히고 잘린 껍질 안쪽에도 양념을 조금 집어넣는다. 상온에서 적어도 30분에서 최대 2시간까지 이따금 뒤집어주며 재운다.
4. 숯이나 나무를 쓴다면, 숯은 조리 전에 하얀 재가 생기도록 미리 불을 붙이

고, 나무는 타다 남은 불이 뜨겁도록 미리 충분히 오래 태워야 한다. 실내 가스 그릴이나 전기 그릴을 쓴다면 조리 전 적어도 15분은 예열한다.

5. 숯이나 나무를 쓴다면 새우를 접을 수 있는 양면 석쇠 사이에 넣고 그릴에 가깝게 놓는다. 실내용 브로일러를 쓴다면 새우를 브로일러의 그릴 팬 위에 놓는다. 열원 아주 가까이에서 한쪽 면은 2분, 다른 쪽 면은 1분 30초 정도 익히는데 새우가 아주 두껍다면 조금 더 둔다. 다 익으면 넉넉한 양의 냅킨과 함께 바로 차려 낸다.

숙성시킨 반죽을 입힌 새우 튀김

Shrimp Fried in Leavened Batter

무엇을 튀기느냐에 따라 튀김 반죽은 다양하다. 최고의 바삭함을 위해 달걀 껍질처럼 얇은 튀김옷을 만들려면 536쪽에 설명된 밀가루와 물 반죽을 시도해보라. 가볍고 폭신하면서 바삭한 튀김옷을 만들려면 아래의 이스트 반죽을 해보라. 로마에서 팔레르모에 이르기까지 요리사들이 크기가 작은 갑각류와 채소를 튀길 때 선호하는 방법이다.

레시피에서 설명하는 대로 새우를 1마리씩, 아주 작은 경우 2마리씩 이쑤시개에 끼우는 작업은 반드시 해야 할 필요는 없지만 장점이 있다. 이 요리에 가장 적합한 아주 작은 새우를 튀길 때, 이쑤시개에 끼워서 하면 2~3마리가 덩어리지지 않아 모양이 깔끔하고 보기 좋게 유지된다. 그리고 이쑤시개 한쪽 끝을 잡고 새우를 반죽에 담글 수도 있어 유용하다.

4인분

껍질을 벗기지 않은 새우 450g, 가능한 한 작은 크기로 준비
선택 사항: 원통형 나무 이쑤시개
달걀 2개
소금
드라이 이스트 약 1¼작은술, 미지근한 물에 녹인다
밀가루 1컵
식물성기름, 튀김용으로 준비

1. 새우 껍질을 벗기고 내장을 제거한다. 찬물을 몇 번 갈아가며 씻고 키친타월로 가볍게 두드려 물기를 완전히 없앤다.
2. 선택 사항: 새우를 굽은 형태 그대로 구부려 머리와 꼬리가 서로 살짝 겹치게 한다. 꼬리와 머리를 함께 잡고 이쑤시개를 끼운다.
3. 볼에 달걀 2개를 깨 넣고 소금을 크게 한 자밤 넣어 포크로 푼다. 물에 녹인

이스트를 넣고, 포크로 섞은 것을 계속 저으면서 체에 부어 거른다.

4. 튀김용 팬에 0.5cm 정도 높이로 기름을 충분히 붓고 강불에 올린다. 기름이 튀기기 적당하게 뜨거워진 것 같으면 반죽을 한 방울 떨어뜨려본다. 형태가 잡히면서 바로 표면 위로 올라오면 튀길 준비가 된 것이다.
5. 반죽에 새우를 담갔다가 여분의 반죽이 볼에 다시 떨어지도록 기다린 뒤에, 팬에 미끄러트리듯 넣는다. 팬 안이 꽉 차지 않도록 한 번에 많은 새우를 넣지 않는다. 새우의 한쪽 면이 먹음직스럽게 황금빛으로 바삭해지면 뒤집어서 다른 면을 튀긴다. 구멍 뚫린 국자나 뒤집개로 튀긴 새우를 식힘망에 옮겨 기름을 빼거나 키친타월을 깐 접시 위에 놓는다.
6. 포크로 반죽을 젓고 새우를 더 넣어, 모든 새우를 다 튀길 때까지 위 과정을 반복한다. 소금을 흩뿌려 바로 먹는다.

한 입 거리로 튀긴 황새치 또는 다른 생선

Fried Tidbits of Swordfish or Other Fish

쉽게 말라버리는 생선에 적합한 훌륭한 시칠리아식 레시피다. 생선을 올리브유와 레몬즙에 1시간 정도 재운 뒤 튀긴다. 생선을 얇게 썰어 한 입 크기로 작게 조각냈기 때문에 아주 빨리 조리된다. 팬에서 꺼낸 순간에는 바다에서 막 잡혔을 때만큼이나 촉촉하고 부드럽다.

4인분

황새치 또는 다른 생선 스테이크 900g, 1cm 정도 두께로 썬다
소금
갓 갈아낸 검은 후추
엑스트라버진 올리브유 ⅓컵
파슬리 3큰술, 아주 곱게 다진다
갓 짠 신선한 레몬즙 ¼컵
달걀 2개
식물성기름, 튀김용으로 준비
밀가루 1컵, 접시 위에 펼친다

1. 생선 스테이크를 5~7.5cm 길이로 조각내 썬다.
2. 넓은 볼이나 깊이가 있는 접시에 소금과 후추를 넉넉히 넣고 올리브유와 레몬즙을 넣어 재료가 골고루 섞이도록 포크로 풀어준다. 생선을 넣고 몇 번 뒤집어가며 올리브유와 레몬즙 섞은 것이 잘 입혀지게 한다. 양념한 생선을 최소 1시간에서 2시간을 넘기지 않도록 상온에서 이따금 뒤집어가며 재운다.
3. 양념에서 생선을 꺼내고 키친타월로 가볍게 두드려 물기를 완전히 없앤다.

4. 깊은 접시에 달걀을 깨 넣고 포크로 풀어 노른자와 흰자를 합친다.
5. 튀김용 팬에 식물성기름을 깊이가 1cm 안팎이 될 만큼 충분히 붓고, 강불에 올린다.
6. 기름이 데워지는 동안 생선을 몇 조각 달걀 푼 것에 넣는다. 한 조각을 꺼내 여분의 달걀이 접시로 떨어지도록 잠시 멈췄다가, 양면에 밀가루를 묻힌다. 생선 조각 한끝을 손으로 집어 한쪽 끝을 팬에 담근다. 주변 기름에서 즉시 기포가 생기면 충분히 달궈진 것이니 생선 조각을 미끄러트리듯 넣는다. 달걀을 입힌 생선을 더 가져와 밀가루를 묻히고 팬에 넣되 팬 안이 꽉 들어차서는 안 된다.
7. 생선의 한쪽 면이 살짝 노릇하고 바삭하게 튀겨지면 뒤집는다. 다른 쪽 면도 바삭해지면 구멍 뚫린 국자나 뒤집개로 생선을 식힘망에 옮겨 기름을 빼거나 키친타월을 깐 커다란 접시 위에 놓는다. 팬 안에 공간이 생기면 생선을 더 넣는다. 모두 다 튀기면 소금을 흩뿌려 바로 차려 낸다.

로즈마리와 마늘로 양념해 팬에 구운 고등어

Pan-Roasted Mackerel with Rosemary and Garlic

고등어를 이탈리아에서 송아지 로스트를 만들 때와 같은 방법으로 조리하는 이유는 동일하다. 팬 뚜껑을 덮어 천천히 익히면 살이 부드럽고 촉촉해지며, 로즈마리와 마늘의 향이 풍미를 끌어올리기 때문이다.

4인분

작은 크기의 고등어 4마리, 마리당 무게가 340g 정도 되는 것으로 내장과 비늘을 제거하되 머리와 꼬리는 살린다
엑스트라버진 올리브유 ⅓컵
마늘 4쪽, 껍질을 벗긴다
로즈마리 작은 줄기로 1대 또는 말린 잎 1작은술, 잘게 부숴 준비
소금
갓 갈아낸 검은 후추
갓 짠 신선한 레몬즙 ½개 분량

1. 생선을 흐르는 찬물에 씻은 뒤 키친타월로 가볍게 두드려 물기를 제거한다. 생선의 양쪽에 대각선으로 평행하게 3군데 칼집을 내되, 살의 두께보다 깊이 자르지 않도록 한다.
2. 타원형으로 생긴 구이용 팬에 올리브유와 마늘을 넣는다. 생선을 나란히 놓

았을 때 충분히 들어갈 수 있는 크기라면, 소테팬이나 다른 냄비도 괜찮다. 중불에 올리고 마늘이 살짝 노릇해질 때까지 익힌다. 생선과 로즈마리를 넣는다. 생선의 양면을 갈색이 되도록 잘 익힌다. 들러붙지 않도록 금속 뒤집개로 바닥에서 떼어내고, 부스러지지 않게 주의하면서 뒤집는다. 생선 양면을 소금과 후추로 간한다.

3. 레몬즙을 넣고 뚜껑을 꼭 맞춰 닫는다. 약불로 줄여 포크로 살을 찔러 부드럽다고 느껴질 때까지 10~12분간 익힌다. 완성되자마자 바로 먹는다.

버섯을 곁들여 기름에 지진 도미 또는 다른 생선

Sautéed Snapper or Other Whole Fish with Mushrooms

이탈리아에서 생선과 버섯은 굉장히 긴밀하게 얽혀 있다. 마늘과 올리브유를 관습적으로 함께 조리하는 것처럼 말이다. 이 레시피에서는 생선과 버섯 둘 다 꽤나 자연스레 어우러지지만 각각 완전히 따로 익힌다. 버섯을 빼고 싶다면 생선만으로도 좋다.

4인분

버섯용 재료

흰 양송이버섯 225g, 신선하고 단단한 것으로 514쪽 설명에 따라 엑스트라버진 올리브유 2큰술, 다진 마늘 1작은술, 다진 파슬리 2작은술과 소금으로 조리해서 준비

생선용 재료

통생선 900~1125g, 적도미 또는 농어와 같은 종을 내장과 비늘을 제거하되 머리와 꼬리는 살린다
마늘 큰 것 1쪽 또는 작은 것 2쪽
엑스트라버진 올리브유 2큰술
양파 2큰술, 잘게 다진다
당근 2큰술, 잘게 썬다
파슬리 2작은술, 잘게 썬다
신선한 월계수잎 1장 또는 말린 것 ½장을 곱게 부숴 준비
달지 않은 화이트 와인 ⅓컵
안초비 1조각, 아주 잘게 다진다
소금
갓 갈아낸 검은 후추

1. 비늘을 벗기고 내장을 뺀 생선을 흐르는 찬물에 씻은 뒤, 키친타월로 가볍게 두드려 물기를 완전히 제거한다.

2. 무거운 칼 손잡이로 껍질이 갈라질 정도로만 마늘을 살짝 으깨 껍질을 벗긴다.
3. 생선을 모두 넣을 수 있는 충분히 큰 소테팬을 가져와 올리브유와 양파를 넣고 중약불에 올린다. 양파가 투명해질 때까지 저어가며 익히고, 잘게 썬 당근을 넣어 기름이 고루 입혀지도록 잘 저으면서 2분간 익힌다. 마늘을 넣어 색이 살짝 변할 때까지 저으면서 익힌다. 파슬리를 넣고 전체적으로 한두 번 저은 뒤, 월계수잎과 와인, 안초비를 넣는다. 나무 주걱으로 안초비를 팬 안쪽 옆면에 대고 으깨면서, 자주 저어가며 와인이 절반으로 졸아들 때까지 익힌다.
4. 생선을 넣고 생선과 채소 양쪽에 소금과 후추로 간한 다음, 팬 뚜껑을 살짝 비스듬하게 덮는다. 생선을 두께에 따라 8분 정도 익히고, 뒤집개 2개나 커다란 포크와 스푼을 이용해 생선이 부스러지지 않도록 조심스럽게 뒤집는다. 방금 뒤집은 면에 소금과 후추로 간한다. 뚜껑을 비스듬히 덮어 5분 더 익힌 뒤, 선택 사항인 버섯을 넣는다. 뚜껑을 덮고 생선과 버섯을 1분 미만으로 함께 익힌다. 바로 먹는다.

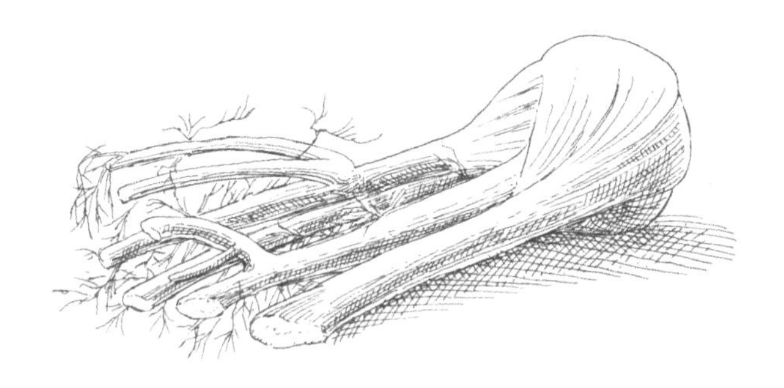

피노키오를 곁들여 기름에 지진 시칠리아식 도미 또는 농어

Sautéed Snapper or Bass with Finocchio, Sicilian Style

4인분

작은 크기의 도미 또는 농어 2마리, 마리당 무게가 565g 정도 되는 것으로 내장과 비늘을 제거해서 준비 또는 동일한 크기의 생선살	엑스트라버진 올리브유 ¼컵
	피노키오 큰 것 2개
	소금
	갓 갈아낸 검은 후추

1. 생선의 겉과 속을 찬물에 씻는다. 뼈를 발라낸 생선살을 쓴다면 2등분하여 잔가시를 제거하고 껍질은 남겨둔다.
2. 피노키오의 윗대를 아래쪽 구근에서 잘라내 버린다. 구근의 시들거나 변색된

부분을 다듬는다. 구근을 세로로 1cm보다 얇게 썬다. 찬물에 몇 분간 담갔다가 헹군다.

3. 생선을 전부 넣기에 충분한 크기의 소테팬을 고른다. 올리브유와 얇게 썬 피노키오, 소금, 물 약 ½컵을 넣고 중불에 올린다. 뚜껑을 덮고 완전히 숨이 죽고 아주 부드러워질 때까지 피노키오의 신선도에 따라 30분 또는 그 이상 익힌다. 20분이 지났을 때 포크로 찔러보고 피노키오가 여전히 단단하다면 물을 ¼컵 넣는다.
4. 피노키오가 부드러워지면 뚜껑을 열고 불을 키워 팬에 남은 수분을 완전히 날려버린다. 얇게 썬 피노키오의 색이 양쪽 모두 짙은 황금색으로 변할 때까지 자주 뒤집어준다. 후추를 살짝 갈아 넣고 중불로 불을 줄이며, 피노키오를 팬 한편으로 몰아 생선이 들어갈 자리를 만든다.
5. 생선을 넣는데, 뼈를 발라낸 생선살을 쓴다면 껍질 쪽이 아래를 향하도록 한다. 소금과 후추를 넉넉히 뿌리고, 팬 안에 있는 기름을 약간 떠서 생선 위로 끼얹는다. 뚜껑을 덮어 6~7분간 익힌다. 그다음 생선을 조심스럽게 뒤집고, 다시 올리브유를 끼얹고 뚜껑을 덮어 생선 두께에 따라 다소 달라지지만 평균 5분 내외로 익힌다.
6. 생선을 접시에 옮겨 담고 팬의 모든 내용물을 그 위에 붓는다. 생선을 통째로 쓴 경우 생선살만 발라 차림용 접시에 올리고 싶다면, 하기 어렵지 않다. 생선을 세로로 길게 반으로 나누고 뼈를 제거한 뒤 스푼으로 머리와 꼬리를 떼어내면 완성이다. 팬의 얇게 썬 피노키오와 즙을 모두 덜어서 생선을 덮어야 한다는 것을 기억하라.

마조람과 레몬으로 양념해 팬에 구운 도미류 또는 작은 생선

Porgies or Other Small Fish Pan-Roasted with Marjoram and Lemon

팬에 굽기는 이탈리아 주방에서 고기, 닭과 작은 가금류뿐 아니라 생선을 조리하는 가장 기본적인 방법이다. 이는 오븐에 굽는 것보다 조절이 쉽고, 건조한 열기로 천천히 풍미를 응축해서 촉촉하면서도 뛰어난 질감을 내는 오븐의 효과를 스토브로도 얻을 수 있다.

다음 레시피는 통째로 쓰는 작은 생선에 가장 적합하지만, 단단하고 껍질이 붙은 두꺼운 생선살로 조리해도 된다.

4~6인분

통생선 작은 크기 4마리 또는 중간 크기 3마리, 도미류, 농어, 전갱이류로 마리당 340~450g 정도 되는 것으로 내장과 비늘은 제거하되 머리와 꼬리는 살린다	식물성기름 2큰술
마늘 3쪽	밀가루 1컵, 접시 위에 펼친다
버터 3큰술	생마조람잎 1작은술 또는 말린 것 ½작은술
	소금
	갓 갈아낸 검은 후추
	갓 짠 신선한 레몬즙 1큰술

1. 생선의 겉과 속을 찬물에 씻은 뒤, 키친타월로 가볍게 두드려 물기를 완전히 제거한다.
2. 무거운 칼 손잡이로 껍질이 갈라질 정도로만 마늘을 살짝 으깨 껍질을 벗긴다.
3. 뚜껑이 있는 소테팬 또는 깊이가 있는 스킬렛을 고른다. 생선이 서로 겹치지 않고 전부 들어갈 정도로 넉넉해야 한다. 버터와 기름을 넣고 중강불에 올린다.
4. 버터와 기름이 뜨거워지면, 생선 양쪽 면에 밀가루를 묻히고 마늘, 마조람과 같이 팬에 넣는다. 두툼한 생선살을 쓴다면 처음에 껍질이 아래쪽을 향하도록 놓는다.
5. 생선의 각 면을 1분 30초 정도 갈색이 되게 굽는다. 소금과 후추를 넉넉히 뿌려 간하고, 레몬즙을 뿌려 뚜껑을 덮고 중불로 불을 줄인다. 생선의 두께에 따라 10분 정도 익히는데, 6분 안팎이 지났을 때 뒤집는다.
6. 금속 뒤집개 2개로 부서지지 않도록 생선을 조심스럽게 들어 따뜻하게 데워 둔 차림용 접시로 옮긴다. 팬에 남은 즙을 전부 그 위에 붓고 바로 차려 낸다.

화이트 와인과 안초비 소스를 곁들인 광어 또는 다른 생선 스테이크

Halibut or Other Fish Steaks Sauced with White Wine and Anchovies

광어 또는 다른 생선 스테이크 900g, 2.5cm 정도 두께로 살을 두껍게 발라낸다
엑스트라버진 올리브유 ½컵
밀가루 ⅔컵, 접시 위에 펼친다
양파 1½컵, 잘게 다진다
파슬리 3큰술, 잘게 썬다
소금
달지 않은 화이트 와인 ⅔컵
안초비 1~2조각(19쪽 설명대로 가급적 직접 만든 것으로), 건더기가 없을 정도로 다진다
갓 갈아낸 검은 후추

1. 생선 스테이크를 찬물에 씻은 뒤 키친타월로 가볍게 두드려 물기를 완전히 제거한다. 생선 껍질을 찢거나 떼어내지 않는다.
2. 생선이 겹치지 않고 전부 들어갈 만큼 넉넉한 소테팬을 고른다. 올리브유의 절반을 붓고 중불에 올린다.
3. 생선의 양쪽 면에 밀가루를 묻힌다. 기름이 뜨거워지면 팬 안으로 미끄러트리듯 넣어 한쪽은 5분, 반대쪽은 4분 미만으로 익힌다. 불을 끄고 팬에 남은 기름을 거의 닦아낸다.
4. 남은 올리브유 ¼컵과 잘게 썬 양파를 작은 소스팬에 넣고 중불에 올려 양파가 아주 살짝 노릇해질 때까지만 저어가며 익힌다. 잘게 썬 파슬리와 소금 한 자밤을 넣고 재빨리 한두 번 저은 뒤 와인과 안초비를 더한다. 나무 주걱으로 계속 저으면서 익히는데, 주걱 뒤쪽을 팬 안쪽 옆면에 대고 안초비를 이따금 으깨준다.
5. 와인이 거의 졸아들면, 소스팬의 내용물을 소테팬에 있는 생선 위에 붓는다. 후추를 약간 친다. 중불에 올려 소스를 생선 위에 한두 번 끼얹으며 2분간 익힌다.
6. 넓은 뒤집개 1개 또는 가능하면 2개, 아니면 양손을 써서, 생선을 들어 올려 따뜻하게 데워놓은 차림용 접시로 부서지지 않도록 조심스럽게 옮긴다. 팬의 모든 내용물을 생선 위에 붓고 바로 차려 낸다.

스팀피라타풍으로 케이퍼 식초를 곁들여 기름에 지진 황새치 또는 연어 스테이크

Sautéed Swordfish or Salmon Steaks with Capers and Vinegar, Stimpirata Style

시칠리아의 시라쿠사에서는 주로 황새치, 때로는 신선한 참치로 이 풍미 가득한 요리를 만든다. 수년 전에 내가 이를 시도했을 당시 시칠리아 밖에서 좀 더 쉽게 구할 수 있는 다른 생선을 찾아봤고, 감칠맛 나는 스팀피라타(stimpirata) 방식에서 답을 얻었다. 가장 적합한 생선은 시칠리아와 가장 어울리지 않을 듯한 연어였다. 돌이켜보면 그리 놀랍지도 않은데, 부드러움과 강렬함을 아우르는 이 소스의 다양한 풍미를 연어만큼 침착하게 다룰 수 있는 생선은 없기 때문이다.

연어로 결정한다면 얇게 썬 생선 스테이크나 저민 살코기로 된 것을 쓴다. 황새치, 참치 또는 상어, 우럭, 옥돔이나 적도미 같은 다른 생선은 스테이크 형태로 아주 얇게 썬다.

4~6인분

엑스트라버진 올리브유 3큰술
양파 ¼컵, 아주 얇게 썬다
셀러리 6큰술, 아주 잘게 다진다
케이퍼 2큰술, 26쪽 설명대로 소금에 절인 것은 물에 담갔다가 헹구고 식초에 담긴 것은 건진다
식물성기름, 생선을 익힐 만큼의 양
밀가루 ⅔컵, 접시 위에 펼친다
황새치나 연어 또는 다른 생선 스테이크(위의 설명 참조) 900g, 1cm 두께로 썰어서 준비 또는 뼈를 바른 연어살
소금
갓 갈아낸 검은 후추
와인 식초 ¼컵, 질이 좋은 것으로 가급적 화이트 와인 식초로 준비

1. 소테팬에 올리브유 3큰술을 넣고 중불에 올린다. 양파가 살짝 노릇해질 때까지 저으면서 익힌 뒤 셀러리를 넣는다. 셀러리가 부드러워질 때까지 이따금 저어주며 5분 이상 익힌다. 케이퍼를 넣고 계속 저으면서 30초 정도 익힌다. 불을 끈다.
2. 튀김용 팬에 1cm 정도 높이로 식물성기름을 넉넉히 붓고 중강불에 올린다. 기름이 달궈지면 생선의 양쪽 면에 밀가루를 묻히고 팬으로 미끄러트리듯 넣는다. 팬 안이 꽉 차지 않으면서 생선이 서로 겹치지 않고 안정적으로 들어가는 만큼만 넣는다. 생선을 재빨리 익히는데, 한 면당 1분 또는 1cm보다 두껍다면 조금 더 오래 걸릴 것이다. 그다음 구멍 뚫린 국자나 뒤집개로 접시에 옮긴다. 생선을 전부 지졌을 때 소금과 후추로 간한다.

3. 셀러리와 케이퍼를 익혔던 소테팬을 다시 중불에 올린다. 팬에 든 내용물이 뭉근하게 끓기 시작하면, 접시에 옮겨두었던 기름에 지진 생선을 가져와 소테팬에 넣고 조심스럽게 뒤집어 소스를 입힌 뒤 준비한 와인 식초를 넣는다. 식초를 1분 내외로 보글보글 끓인 다음 팬의 모든 내용물을 따뜻하게 데워둔 접시로 옮겨 담고 바로 차려 낸다.

트라파니풍 새콤달콤한 참치 스테이크

Sweet and Sour Tuna Steaks, Trapani Style

시칠리아 요리의 훌륭한 해산물 레퍼토리에서 나온 또 다른 감칠맛 나는 요리로, 이 얇게 썬 신선한 참치는 만들기 간단하고 전채로 먹기에 아주 좋다. 단맛과 신맛이 단조롭지도, 지나치게 톡 쏘지도 않으면서 서로 감미롭게 어우러진다.

6인분

참치 1125g, 신선한 것으로 1cm 정도 두께의 스테이크로 준비
양파 3컵, 아주 아주 얇게 썬다
엑스트라버진 올리브유 ⅓컵
소금
밀가루 1컵, 접시 위에 펼친다
갓 갈아낸 검은 후추
흰 설탕 2큰술
레드 와인 식초 ¼컵
달지 않은 화이트 와인 ⅓컵
파슬리 2큰술, 잘게 썬다

1. 참치 스테이크를 둘러싼 껍질을 벗겨 찬물에 씻고, 키친타월로 가볍게 두드려 물기를 완전히 제거한다.
2. 스테이크가 서로 겹치지 않고 한 층으로 전부 들어갈 만큼 넓은 소테팬을 고른다. 얇게 썬 양파, 올리브유 2큰술, 소금 크게 1~2자밤을 넣고 중약불에 올린다. 양파의 숨이 완전히 죽을 때까지 익힌 뒤 중불로 키워 양파가 짙은 황금빛 갈색이 될 때까지 이따금 저어가며 계속 익힌다.
3. 구멍 뚫린 국자나 뒤집개로 양파를 작은 볼에 옮긴다. 남은 올리브유 2큰술을 팬에 넣고 중강불로 키워 양쪽 면에 밀가루를 입힌 참치 스테이크를 팬 안으로 미끄러트리듯 넣는다. 두께에 따라 2~3분간 익힌 다음, 소금과 후추를 흩뿌리고, 설탕, 식초, 와인과 양파를 넣어 강불로 키워 팬 뚜껑을 덮는다. 강불에서 2분 정도 익히고, 뚜껑을 열어 파슬리를 넣고 생선 스테이크를 한두 번 뒤집은 뒤, 따뜻하게 데워놓은 차림용 접시로 옮겨 담는다.
4. 팬에 묽은 즙이 남아 있다면 조리 시 바닥에 들러붙었던 잔여물을 스패출러

로 긁어내면서 졸인다. 반면에 팬에 액체가 남아 있지 않다면 물 2큰술을 넣고 잔여물을 긁어내며 졸인다. 팬의 내용물을 참치 위에 부어 바로 차려 낸다.

토마토와 고추로 양념한 새우

Shrimp with Tomatoes and Chili Pepper

4~6인분

엑스트라버진 올리브유 ¼컵

양파 3큰술, 잘게 썬다

마늘 2작은술, 잘게 썬다

매운 붉은색 고추, 잘게 썰어서 기호에 맞게 준비

파슬리 3큰술, 잘게 썬다

소금

이탈리아산 플럼토마토 통조림 1⅔컵, 썰어서 즙과 함께 준비 (신선한 토마토를 쓴다면 아래 참고)

중간 크기의 껍질을 벗기지 않은 새우 675~900g

얇게 썰어 그릴이나 오븐에서 갈색이 나도록 구운 바삭한 빵

참고 ❀ 제철이고 구할 수 있다면 같은 양의 신선하고 잘 익은 플럼토마토를 필러로 껍질을 벗기고 아주 작게 깍둑썰기해서 쓴다.

1. 소테팬에 올리브유와 양파를 넣고 중불에 올려 양파가 투명해질 때까지 익힌다. 마늘과 잘게 썬 고추를 넣는다. 마늘이 살짝 노릇해지면 파슬리를 넣고 한두 번 저은 뒤 썰어놓은 토마토와 즙, 소금 몇 자밤을 넉넉히 넣는다. 토마토에 기름이 골고루 입혀지도록 잘 젓고 뭉근하게 끓도록 불을 조절한다. 토마토에서 기름이 분리되어 떠오를 때까지 이따금 저어주면서 20분간 익힌다.

미리 준비한다면 ❀ 이 레시피는 몇 시간 또는 하루 전에 이 단계까지 만들어둘 수 있다. 같은 날 사용하지 않는다면 소스는 냉장 보관한다. 새우를 넣을 준비가 되었을 때 뭉근하게 끓인다.

2. 새우의 껍질을 벗기고 내장을 제거한다. 중간 크기보다 크다면 세로로 반을 가른다. 찬물을 몇 번 갈아가며 씻고 키친타월로 가볍게 두드려 물기를 완전히 제거한다.
3. 뭉근하게 끓고 있는 소스에 새우를 넣고 소스가 골고루 입혀지도록 2~3번 뒤적인다. 뚜껑을 덮어 새우 두께에 따라 2~3분간 익힌다. 맛을 보고 소금과 고추로 간한다. 바삭하게 구운 빵을 소스 한편에 빠뜨려 바로 차려 낸다.

참고 ❀ 새우에서 수분이 나와서 소스가 옅고 묽어질 수 있다. 이럴 때는 뚜껑을 열고 새우를 구멍 뚫린 국자나 뒤집개로 따뜻하게 데운 깊이가 있는 차림용 접시에 먼저 옮기고, 팬을 강불에 올려 소스가 원래의 농도가 되도록 졸인다. 새우 위에 부어 바로 차려 낸다.

조갯살로 속을 채워 통으로 구운 바다농어 또는 다른 생선

Baked Sea Bass or Other Whole Fish Stuffed with Shellfish

조개, 양파, 올리브유와 레몬즙으로 속을 채워 통으로 조리한 농어는 알루미늄호일이나 종이호일로 단단히 봉해 오븐에 굽는다. 구워지면서 생선에서 나온 육즙이 속에 채워진 재료로 스며들어, 생선살은 놀라울 정도로 촉촉해지고 조화로운 바다 내음이 가득해진다.

생선의 머리와 꼬리는 그대로 둔 채 뼈는 완전히 발라서 통으로 차려 내는 방식이 가장 좋다. 친절한 생선 가게 주인이라면 어떻게 팔아야 하는지 잘 알고 있을 테다. 훌륭한 생선 가게 주인을 알지 못한다면, 머리와 꼬리를 잘라버리고 반으로 나눠 뼈를 제거해 살만 발라 달라고 하라. 껍질은 남겨 두어야 한다. 다른 방법은 직접 뼈를 바르는 것으로, 아래 설명을 보면 그리 어렵지 않다.

통으로 모양을 살려 뼈 바르기 ❀ 가게에서 내장을 제거한 생선의 배꼽에 구멍이 나 있을 것이다. 잘 벼린 칼로 생선 전체 길이에 걸쳐 머리에서 꼬리까지 그 구멍을 더 크게 만든다. 전체 등뼈가 드러나고, 배 위쪽으로 숨어 있던 갈비뼈가 등뼈를 따라 죽 있을 것이다. 작고 끝이 뾰족한 칼을 써가며 손가락 끝으로 갈비뼈를 전부 느슨하게 들어내고, 떼어서 제거한다. 같은 방법으로 등뼈도 들어낼 수 있는데, 살에 붙은 등뼈를 떼어낸다. 등뼈가 뚝 끊어지도록 조심스럽게 머리만 잡고 꺾는다. 꼬리 끝도 똑같이 한다. 이제 등뼈 전체를 들어낼 수 있게 되었고, 통으로 형태를 유지한 뼈 없는 생선에 속을 채울 준비가 된 것이다.

6인분

조개 12개
홍합 12개
중간 크기의 익히지 않은 새우 6마리
마늘 2쪽
양파 작은 것 1개
파슬리 2큰술, 잘게 썬다
갓 짠 신선한 레몬즙 1개분
엑스트라버진 올리브유 ½컵
소금
갓 갈아낸 검은 후추
마른 빵가루 ⅓컵, 양념이 되지 않은 고운 것으로 준비
농어, 적도미, 또는 작은 연어 또는 비슷한 생선 통으로 1800~2250g, 312쪽 설명대로 뼈를 바른다.
종이호일 또는 알루미늄호일

1. 90쪽 설명대로 조개와 홍합을 문질러서 씻는다. 만졌을 때 입을 다물지 않는 것은 버린다. 전부 넣었을 때 3겹 이상 겹치지 않은 정도로 충분히 넓은 냄비에 넣고 뚜껑을 덮어 강불에 올린다. 홍합과 조개를 자주 확인하며 뒤적이고 입을 벌린 것은 냄비에서 바로 꺼낸다.
2. 조개와 홍합이 전부 입을 벌리면 살을 발라낸다. 조갯살을 볼에 담고 냄비에 남은 조개 국물을 위에 붓는다. 이렇게 할 때 냄비 바닥에 가라앉은 모래 찌꺼기에 유의하라. 냄비를 기울여 국물만 조심스럽게 퍼낸다.
3. 조갯살과 홍합살을 20~30분간 그대로 두어 그때까지 붙어 있던 모래를 가라앉힌 뒤, 구멍 뚫린 국자로 조심스럽게 다시 건져낸다. 이후에 생선을 제외한 모든 재료를 넣을 수 있을 정도로 충분히 큰 볼에 담는다. 체에 키친타월을 깔고 거기에 조개 국물을 걸러 볼에 담기게 한다.

미리 준비한다면 ❀ 위의 단계까지 2~3시간 전에 미리 만들어둘 수 있다.

4. 새우 껍질을 벗기고 내장을 제거한다. 찬물에 씻고 키친타월로 가볍게 두드려 물기를 완전히 제거한다. 아주 큰 새우를 쓴다면 세로로 반을 가른다. 볼에 넣는다.
5. 무거운 칼 손잡이로 껍질이 갈라질 정도로만 마늘을 살짝 으깨 껍질을 벗긴다. 볼에 넣는다.
6. 양파를 가능한 한 얇게 썬다. 볼에 넣는다.
7. 생선을 제외하고 재료 목록에 있는 남은 재료를 모두 볼에 넣는다. 조갯살에 전부 잘 입혀지도록 골고루 버무린다.
8. 오븐을 250℃로 예열한다.
9. 찬물에 생선을 안팎으로 씻은 뒤 키친타월로 가볍게 두드려 물기를 완전히 제거한다.

10. 길고 얕은 오븐용 그릇 바닥에 알루미늄호일이나 종이호일을 두 겹으로 깐다. 이때 오븐용 그릇은 생선이 통으로 들어갈 수 있을 정도로 충분한 길이여야 한다. 재료를 섞어놓은 볼에 있는 액체를 호일 위에 조금 부어주고, 오븐용 그릇을 기울여 고루 퍼지게 한다. 생선을 가운데에 놓고 볼에 있는 모든 내용물로 속을 채우는데, 액체만 조금 남겨둔다. 나뉘어져 있는 생선살을 쓴다면 사이에 볼에 있는 내용물을 샌드위치처럼 끼워 넣는다. 액체를 생선 껍질에 발라 촉촉하게 한다. 알루미늄호일이나 종이호일을 접어서 생선을 덮고 가장자리를 생선 아래로 집어넣어 완전히 밀봉한다.
11. 예열해놓은 오븐 상단에 넣고 생선의 크기에 따라 30~45분간 굽는다. 오븐에서 꺼내 호일이 밀봉된 채로 10분간 그대로 둔다. 오븐용 그릇이 식탁에 차려 내기에 마땅치 않으면 밀봉된 상태로 접시에 옮긴다. 가위로 호일을 잘라서 열고, 접시의 가장자리에 맞춰 다듬는다. 포장을 벗겨 생선을 옮기려 하지 마라. 뼈를 발라냈기 때문에 부서질 것이다. 호일이 있는 상태 그대로 식탁에 차려 내고, 알맞은 양을 잘라 각자 분량에 즙을 살짝 부어서 낸다.

제노바식 감자, 마늘, 올리브유와 구운 전갱이살

Baked Bluefish Fillets with Potatoes, Garlic, and Olive Oil, Genoese Style

제노바식 요리법에는, 주인공으로 등장하는 재료는 매번 다른데 그들을 뒷받침하는 조연은 거의 같은 요리가 많다. 조연은 보통 감자, 마늘, 올리브유와 파슬리가 맡고, 주인공은 생선, 새우, 작은 문어, 고기 또는 신선한 포르치니 버섯이 될 수 있다. 아래의 레시피는 일반적인 과정을 그린 것이다.

제노바에서는 주인공으로 리구리아 바닷가에서 갓 잡은 반짝이는 멸치를 쓰기도 한다. 나는 대서양 전갱이로 대신해 만족스럽게 요리했는데, 사실 멸치보다 나을 정도로 맛있었다. 전갱이를 구할 수 없다면 조직이 단단한 생선살로 대신해도 된다.

6인분

삶은 감자 675g

바로 차려 낼 오븐용 그릇, 가로 40cm와 세로 25cm 크기의 가급적 코팅된 무쇠 재질로 준비

파슬리 ¼컵, 잘게 썬다

껍질이 붙은 전갱이살 2장, 각각 450g 또는 동량의 두툼하고 조직이 단단한 다른 생선살

엑스트라버진 올리브유 ½컵	소금
마늘 1큰술, 잘게 썬다	갓 갈아낸 검은 후추

1. 오븐을 230°C로 예열한다.
2. 감자 껍질을 벗기고 감자칩보다 약간 두꺼운 정도로 아주 얇게 썬다. 찬물에 씻고 키친타월로 가볍게 두드려 물기를 완전히 제거한다.
3. 오븐용 그릇에 감자를 전부 넣고 준비한 분량에서 올리브유 절반, 마늘 절반, 파슬리 절반과 소금을 몇 자밤 넉넉히 넣고 후추도 뿌린다. 감자에 고루 입혀지도록 2~3번 버무린 뒤 그릇 바닥에 고르게 펼쳐 깐다.
4. 오븐이 예열되면 감자를 오븐 상단에 넣고 반쯤 익을 때까지 12~15분간 굽는다.
5. 접시를 꺼내되, 오븐은 끄지 않는다. 생선을 껍질이 아래로 가도록 감자 위에 놓는다. 남은 올리브유, 마늘, 파슬리를 작은 볼에 넣고 섞어 생선 위에 고루 스며들도록 붓는다. 후추와 소금 몇 자밤을 넉넉히 흩뿌린다. 그릇을 다시 오븐에 넣는다.
6. 10분 뒤에 그릇을 꺼내되, 오븐은 끄지 않는다. 스푼으로 그릇 바닥에 있는 기름을 약간 퍼서 생신 위에 끼얹는다. 갈색으로 구워진 감자를 그릇 옆면에서 떼어내 너무 갈색이 되지 않도록 위치를 바꿔준다. 갈색이 나지 않은 감자를 밀어넣어 준다. 그릇을 다시 오븐에 넣고 생선살의 두께에 따라 5~8분간 더 굽는다.
7. 오븐에서 그릇을 꺼내 몇 분간 그대로 둔다. 옆면에 들러붙은 감자는 가장 맛있는 부분이므로 긁어서 떼어내고 그릇째 바로 차려 낸다. 각자 분량으로 나눈 생선과 감자 위에 조리 시 나온 즙을 붓는다.

아티초크와 함께 구운 농어 또는 통생선

Bass or Other Whole Fish Baked with Artichokes

4인분

아티초크 중간 크기로 4개
레몬 ½개
엑스트라버진 올리브유 ¼컵
농어 또는 적도미 또는 비슷한 살을 가진 생선 900~1125g, 비늘과 내장을 제거하되 머리와 꼬리는 살린다
소금
갓 갈아낸 검은 후추
바로 차려 낼 오븐용 그릇, 타원형 또는 직사각형으로 준비
로즈마리 작은 줄기로 1대 또는 말린 잎 1작은술, 잘게 부순다

1. 오븐을 220°C로 예열한다.
2. 67~69쪽 자세한 설명에 따라 아티초크의 거친 부분을 모두 다듬는다. 다듬자마자 검게 변색되지 않도록 레몬으로 잘린 아티초크를 문지른다.
3. 다듬은 아티초크를 세로로 길게 4등분한다. 아래쪽의 부드럽고 꼬불꼬불한 이파리를 떼어내고, 안쪽의 보송보송한 '초크'를 잘라낸다. 나눈 아티초크를 세로로 길게 아주 얇게 자르고, 변색되지 않도록 그 위에 다시 레몬즙을 짜서 적신다.
4. 작은 볼에 올리브유, 레몬즙, 소금 몇 자밤과 간 후추 약간을 넣고, 포크나 거품기로 살짝 풀어 한편에 둔다.
5. 생선의 안팎을 찬물에 씻고, 키친타월로 가볍게 두드려 물기를 완전히 제거해 생선이 다 들어갈 정도로 충분히 큰 오븐용 그릇에 놓는다.
6. 얇게 썬 아티초크, 올리브유와 레몬 섞은 것, 로즈마리를 넣는다. 말린 로즈마리를 잘게 썰어 쓴다면 생선 위에 고루 펴준다. 얇게 썬 아티초크에 올리브유 섞은 것이 잘 입혀지도록 뒤적이고, 액체를 약간 퍼서 생선 위에 끼얹는다. 예열된 오븐 상단에 넣는다.
7. 15분 뒤에 그릇의 액체를 생선에 끼얹고, 얇게 썬 아티초크의 위치를 살짝 옮겨준다. 추가로 10~12분간 계속 굽는다. 오븐에서 꺼내 생선을 몇 분간 그대로 둔다. 오븐용 그릇째 바로 차려 낸다.

참고 재료 목록에 있는 통으로 된 작은 생선을 찾기 힘들거나 더 큰 생선을 사용하면서도 조리 과정을 늘리고 싶지 않다면, 우럭 같은 큰 생선에서 잘라낸

껍질이 붙어 있는 900g짜리 생선살을 구입하라. 처음에는 올리브유, 레몬즙과 얇게 썬 아티초크만 굽는다. 20분 뒤에 껍질이 아래쪽을 향하도록 오븐용 그릇에 생선을 놓고 아티초크를 약간 펴 올려 위를 덮는다. 15분간 익히되, 중간에 그릇에 있는 즙을 끼얹는다.

토마토, 오레가노, 매운 고추와 함께 구운 서대살

Baked Fillet of Sole with Tomato, Oregano, and Hot Pepper

서대를 다루는 가장 이탈리아다운 방식인 그릴에 굽기나 바삭하게 튀기기는 북대서양에서 잡히는 유별나게 작고 살이 단단하며 고소한 유럽 서대에만 적합하다. 대서양과 태평양의 납작한 생선을 그릴에 굽거나 튀기면 쉽게 부서지고 풍미는 약해지므로, 아래의 레시피대로 조리해보길 권한다. 이 방법은 자극적인 소스로 비교적 정적으로 조리하기 때문에 생선살도 풍미도 잃지 않을 수 있다.

6인분

양파 ⅔컵, 아주 얇게 썬다
엑스트라버진 올리브유 3큰술
마늘 ½작은술, 아주 잘게 다진다
이탈리아산 플럼토마토 통조림 1컵, 썰어서 즙과 함께 준비
소금
케이퍼 2큰술, 26쪽 설명대로 소금에 절인 것은 물에 담갔다가 헹구고 식초에 담긴 것은 건진다
생오레가노 2작은술 또는 말린 오레가노 1작은술
갓 갈아낸 검은 후추 또는 잘게 썬 매운 붉은색 고추, 기호에 맞게 준비
회색 서대살 또는 다른 납작한 생선살 900g
바로 차려 낼 오븐용 그릇

1. 오븐을 230℃로 예열한다.
2. 소테팬에 양파와 올리브유를 넣고 중불에 올려 양파가 부드러워지면서 살짝 노릇해질 때까지 익힌다. 마늘을 넣는다. 마늘이 아주 살짝 노릇해지면 썰어 놓은 토마토와 즙을 함께 넣고 소금도 몇 자밤 넣어 잘 섞이도록 골고루 젓는다. 토마토에서 기름이 분리되어 떠오를 때까지 20분 정도 뭉근하게 끓인다. 케이퍼와 오레가노, 간 후추 또는 잘게 썬 매운 고추를 넣고 2~3번 저어 1분 조금 넘게 끓인다. 불을 끈다.

3. 생선살을 찬물에 씻고 키친타월로 가볍게 두드려 물기를 완전히 제거한다. 생선을 가장자리가 살짝 겹치면서 한 층으로 놓을 수 있는 크기의 바로 차려 낼 오븐용 그릇을 고른다. 그릇 바닥에 토마토 소스 1큰술을 펴서 바른다. 생선살을 하나씩 팬 안의 소스에 담가 양쪽 면에 입힌 뒤, 앞에서 설명한 대로 오븐용 그릇에 겹쳐가며 나란히 놓는다. 남은 소스를 생선 위에 붓고, 접시를 예열한 오븐 맨 위에 넣는다. 생선살의 두께에 따라 5분 또는 좀 더 오래 굽되, 과하게 익히지 않도록 주의한다.
4. 만일 오븐에서 그릇을 꺼냈을 때 생선에 물기가 남아 있고 소스가 묽다면, 그릇을 기울여 모든 소스와 물기를 작은 소스팬에 퍼 담고 강불에 올려, 소스가 원래 농도가 되도록 졸인다. 소스를 생선 위에 붓고 오븐용 그릇째 차려 낸다.

내 아버지의 생선 수프

My Father's Fish Soup

이탈리아의 긴 해안선을 따라 늘어선 모든 마을에서는 추파 디 페셰(zuppa di pesce), 즉 생선 수프를 만든다. 아드리아해와 접한 곳에서는 브로데토(brodetto), 토스카나 해안에서는 카추코(caciucco), 리구리아에서는 추핀(ciuppin)이라 부르지만, 이 다양한 요리를 모두 충분히 아우를 만한 명칭은 없다. 마을마다 독특한 방식으로 생선 수프를 만들고, 대개는 집집마다 각자의 방식이 있기 때문이다.

나는 내 아버지가 만들곤 했던 것보다 더 맛있는 추파 디 페셰를 결코 먹어본 적이 없다. 아버지의 비법은 어떤 생선이건 가장 맛있는 부위인 대가리에서 뽑아낸 풍미를 밑바탕으로 삼아 수프를 진하게 하는 것이었다. 우리 가족은 아드리아해에서 가장 어획량이 풍부한 지역과 마주한 마을에 살았고, 아버지는 족히 12가지 이상은 되어 보이는 온갖 종류의 작은 생선과 갑각류를 시장에서 집으로 가져와, 맛의 층위가 겹겹이 쌓인 수프를 만들었다. 요사이 우리는 제한된 품종의 크기가 큰 생선으로 만드는 것이 보통이지만, 그럼에도 이 수프의 기본 원칙은 예나 지금이나 같다. 모든 단단한 흰살 생선과 갑각류의 어떤 조합에도, 심지어 한 종류의 생선만 써도 성공적일 수 있다는 점에서 매우 효과적이다.

참고 ✿ 이 레시피에서는 적어도 3~4개의 대가리가 필요하다. 생선을 통째로 대량으로 구입하고 싶지 않다면 가게 주인에게 남은 머리를 요청해볼 수 있다. 원판을 교체할 수 있는 푸드밀이 필요하고, 머리를 퓌레로 만들려면 구멍이 가장 큰 원판은 필수다.

전갱이나 고등어 같은 붉은 살 생선은 쓰지 마라. 이 레시피에서 섬세한 균형을 맞추기에는 맛이 너무 강하다. 지방이 너무 많은 장어도 안 된다. 언제든 오징어를 조금 쓰면, 깊고 진한 맛을 준다. 살이 단단한 가자미나 광어도 좋은데, 서대, 작은 가자미, 도다리는 수프를 옅게 만들고 맛이 만족스럽지 못하다.

이것은 비록 수프라 부르지만 스튜에 가까우며, 숟가락도 필요 없다. 보통은 얇게 썰어 그릴에 굽거나 살짝 구운 빵을 국물에 적셔서 먹는다. 8인분 정도

갖가지 생선(앞의 설명 참고) 1350~1800g, 비늘과 내장을 제거해서 준비
껍질을 벗기지 않은 새우 225g 이상
통오징어 450g 또는 씻어서 원형으로 썬 오징어 340g
새끼 대합조개 12개
홍합 12개
양파 3큰술, 잘게 썬다
엑스트라버진 올리브유 ⅓컵
마늘 1½작은술, 잘게 썬다
파슬리 3큰술, 잘게 썬다
달지 않은 화이트 와인 ½컵
이탈리아산 플럼토마토 통조림 1컵, 썰어서 즙과 함께 준비
소금
갓 갈아낸 검은 후추 또는 잘게 썬 매운 붉은색 고추, 기호에 맞게 준비
그릴에 굽거나 토스트한 바삭한 빵

1. 모든 생선의 안팎을 찬물에 씻고, 키친타월로 가볍게 두드려 물기를 완전히 제거한다. 머리를 잘라 한편에 둔다. 15~18cm보다 긴 생선은 9cm 정도 길이로 조각내 자른다.
2. 새우 껍질을 벗기고, 찬물에 씻어 내장을 제거하고 두드려 물기를 없앤다.
3. 오징어를 직접 손질한다면 325~327쪽 설명을 따른다. 몸통을 1cm 미만으로 얇게 원형으로 썰고, 다리 부분은 둘로 나눈다. 직접 손질하든 손질되어 있는 것을 쓰든, 모든 부위를 찬물에 씻고 천이나 키친타월로 가볍게 두드려 물기를 완전히 제거한다.
4. 90쪽 설명대로 조개와 홍합을 문질러서 씻는다. 만졌을 때 입을 다물지 않는 것은 버린다. 전부 넣었을 때 3겹 이상 겹치지 않을 만큼 충분히 넓은 냄비에 넣고 뚜껑을 덮어 강불에 올린다. 홍합과 조개를 자주 확인하며 뒤적이고 입을 벌린 것은 냄비에서 바로 꺼낸다.
5. 조개와 홍합이 전부 입을 벌리면 살을 발라낸다. 조갯살을 볼에 담고 냄비에 남은 조개 국물을 위에 붓는다. 이렇게 하면 모래 찌꺼기가 남는데, 냄비를 기울여 국물만 조심스럽게 퍼낸다.

6. 생선을 전부 한 층으로 넣을 수 있는 소테팬을 고른다. 양파와 올리브유를 넣고 중불에 올린다. 양파가 투명해질 때까지 저으면서 익힌 뒤 마늘을 넣는다. 마늘이 살짝 노릇해지면 파슬리를 넣고 2~3번 저은 다음 와인을 붓는다. 와인이 거품을 내면서 끓어올라 절반 정도 졸았을 때 썰어놓은 토마토와 즙을 함께 넣는다. 잘 섞이도록 젓고 불을 줄여 토마토에서 기름이 분리되어 떠오를 때까지 25분 정도 뭉근하게 끓인다.
7. 생선 머리를 팬에 넣고 소금 넉넉히 몇 자밤, 검은 후추 또는 매운 고추를 넣어 팬 뚜껑을 덮고 중불로 조절해 10~12분간 끓인다. 6분이 지났을 때 생선 머리를 뒤집어준다.
8. 머리를 꺼내 접시에 펼쳐놓는다. 크기가 좀 큰 뼈에 붙은 살코기를 모두 떼어내고, 뼈는 버린다. 손으로 할 수밖에 없는 이 작업은 번거롭지만 크고 단단한 뼈를 미리 제거하면 이후에 푸드밀로 머리를 으깨는 게 훨씬 수월해진다. 가능한 한 많은 뼈를 제거한 후, 접시에 남은 잔여물을 가장 큰 구멍으로 조절한 푸드밀에 통과시켜 퓌레로 만든다. 푸드프로세서나 분쇄기는 쓰지 않는다. 퓌레로 만든 생선 머리를 냄비에 넣고 원형으로 썬 오징어의 몸통과 다리를 넣어 뚜껑을 덮고, 불을 약하게 조절해 오징어가 부드럽게 익어 포크로 쉽게 찔러질 때까지 45분 정도 뭉근하게 끓인다. 이 과정에서 팬 안의 수분이 너무 줄어들어 부족해지면 물을 ⅓컵 정도 넣는다.
9. 오징어가 익는 동안 조개 국물에서 조갯살과 홍합살을 구멍 뚫린 국자로 조심스럽게 꺼내 한편에 둔다. 체에 키친타월을 깔고, 거기에 조개 국물을 걸러 볼에 담는다. 조갯살과 홍합살 위에 국물을 조금 떠서 촉촉하게 적셔준다.
10. 오징어가 부드러워지면 팬에 생선을 넣고 불을 가장 약하게 한 채로 2분간 유지한다. 소금을 약간 더 넣고 걸러놓은 조개와 홍합 국물을 전부 넣는다. 뚜껑을 덮고 생선을 한두 번 조심스럽게 뒤집으며 중불에서 5분 정도 익힌다. 껍질을 깐 새우를 넣는다. 2~3분간 더 익힌 뒤 조갯살과 홍합살을 넣고, 생선이 부서지지 않고 조갯살과 홍합살이 수프 안으로 들어가도록 조심스럽게 뒤적이며 1분 더 익힌다.
11. 팬의 내용물을 조심스럽게 차림용 볼이나 깊은 접시에 옮겨 담아 바로 차려낸다. 두툼하게 썰어 그릴에 구운 바삭한 빵을 곁들이면 좋다.

오징어 소스 위에 얹은 광어

Halibut over Squid Sauce

근해에서 잡은 어린 광어는 이루 말할 수 없이 섬세한 질감을 가지고 있다. 하지만 익히는 동안 퍽퍽해지고 풍미가 오래가지 못할 수 있다. 이 레시피에서는 토마토와 화이트 와인을 넣고 푹 익힌 오징어 스튜 위에 생선을 놓고 익힘으로써, 어린 광어 고유의 촉촉함은 온전히 유지하면서 맛의 섬세함도 살린다. 같은 방법을 청상아리나 아귀 같은 다른 생선에 적용해도 성공적인 결과를 얻을 수 있다.

6~8인분

통오징어 900g 또는 손질한 오징어 675g, 원형으로 얇게 썬다
양파 ⅔컵, 잘게 다진다
마늘 2큰술, 잘게 다진다
파슬리 3큰술, 잘게 다진다
토마토 1½컵, 신선하고 잘 익은 단단한 것은 필러로 껍질을 벗겨 잘게 썰어서 준비 또는 이탈리아산 플럼토마토 통조림 건더기는 썰어서 즙과 함께 준비
엑스트라버진 올리브유 ½컵
달지 않은 화이트 와인 ⅔컵
소금
매운 붉은색 고추, 잘게 썰어서 기호에 맞게 준비
광어 1350g, 2.5cm 정도 두께의 스테이크로 자른다(위의 제안처럼 다른 생선도 쓸 수 있다)

1. 오징어를 직접 손질한다면 325~327쪽 설명을 따른다. 몸통을 두께 1cm 미만의 원형으로 썰고, 다리 부분은 둘로 나눈다. 직접 손질하든 이미 손질된 것을 쓰든, 모든 부위를 찬물에 씻고 천이나 키친타월로 가볍게 두드려 물기를 완전히 제거한다.
2. 생선 스테이크를 전부 겹치지 않고 한 층으로 넣을 수 있는 크기의 소테팬을 고른다. 양파와 올리브유를 넣고 중강불에 올린다. 양파가 살짝 노릇해질 때까지 한두 번 저어가며 익힌 뒤, 마늘을 넣는다. 마늘이 아주 살짝 노릇해지면 즉시 파슬리 2큰술을 넣고 한두 번 재빨리 저은 다음 오징어를 전부 넣는다.
3. 양념이 골고루 입혀지도록 오징어를 2~3번 완전히 뒤집어준다. 3~4분간 익힌 뒤 와인을 넣는다. 와인이 어느 정도 증발하도록 20~30초간 뭉근하게 끓이고 토마토와 즙을 함께 넣어 모든 재료를 완전히 섞어준다. 토마토가 끓기 시작하면 중불로 줄이고 팬 뚜껑을 덮는다. 오징어가 부드럽게 익어 포크로 쉽게 찔러질 때까지 1시간 정도 끓인다. 이 과정에서 수분이 부족해지면 물

을 ½컵까지 넣어도 된다. 소금과 매운 고추를 넣고 자주 저어가며 1~2분간 더 둔다.

미리 준비한다면 ❀ 이 단계까지 몇 시간 전에 미리 완성해둘 수 있다. 오징어를 천천히 다시 데우되, 다음 단계로 들어가기 전에 완전히 데워둔다.

4. 오징어 위에 생선 스테이크를 서로 겹치지 않게 한 층으로 놓는다. 소금을 흩뿌리고, 중불로 키워 팬 뚜껑을 덮는다. 3분간 익힌 다음 스테이크를 뒤집어 2분 내외로 더 익힌다. 생선이 속까지 완전히 익어 투명하고 흐물거리지 않되 여전히 촉촉한 상태에서 익히기를 멈춘다. 맛을 보고 소금과 매운 고추로 간한다. 따뜻하게 데워놓은 차림용 접시에 팬 안의 모든 내용물을 옮겨 담고 바로 차려 낸다.

   구워서 얇게 썬 폴렌타가 이 요리와 아주 조합이 좋다. 폴렌타 부분을 참고하라(283쪽).

생선 수프식으로 조리한 생선 한 마리

A Single Fish Cooked Fish-Soup Style

원기를 북돋는 듯한 생선 수프의 강렬한 맛을 좋아하지만, 고작 4명 또는 그보다 적은 사람을 위한 식사여서 생선을 종류별로 많이 조리하고 싶지 않다면, 생선 한 마리로 간단한 추파 디 페셰를 조리하는 방법이 있다. 그 과정은 대가리를 퓌레로 만드는 것을 제외하고는 내 아버지의 생선 수프(318쪽) 레시피와 비슷하다. 결과물은 한 종류의 생선이 가진 개성을 드러내는 신선하면서도 생기 있는 맛이다. 농어, 적도미, 만새기, 아귀, 도다리 같은 거의 모든 흰 살 생선이 적합하다. 또는 광어, 우럭, 옥돔, 청상아리, 황새치를 스테이크로 손질해 써도 좋다.

4인분(2인분은 더 작은 생선에 다른 재료 절반 분량을 쓸 것)

생선 통째 1마리, 1125~1350g으로 비늘과 내장을 제거하되 머리와 꼬리는 살려서 준비 또는 생선 스테이크 675~900g(앞에서 제안한 어종 참고)
엑스트라버진 올리브유 ¼컵
양파 ½컵, 잘게 썬다
마늘 1작은술, 잘게 썬다
파슬리 2큰술, 잘게 썬다
달지 않은 화이트 와인 ½컵
이탈리아산 플럼토마토 통조림 ¾컵, 건더기를 썰어서 즙과 함께 준비
소금
갓 갈아낸 검은 후추 또는 잘게 썬 매운 붉은색 고추, 기호에 맞게 준비

1. 생선을 찬물에 안팎으로 씻은 뒤, 키친타월로 물기를 완전히 제거한다.
2. 통생선이나 생선 스테이크가 한 층으로 들어갈 수 있는 소테팬을 고른다. 먼저 올리브유와 양파를 넣고 중불에 올려 양파가 투명해질 때까지 익힌다. 마늘을 넣는다. 마늘이 살짝 노릇해지면 파슬리를 넣고 한두 번 저은 뒤 화이트 와인을 붓는다.
3. 와인을 1분 정도 뭉근하게 끓인 다음 잘게 썬 토마토와 즙을 넣는다. 팬 뚜껑을 연 채로 토마토에서 기름이 분리되어 떠오를 때까지 이따금 저어주며 일정한 속도로 뭉근하게 15~20분 끓인다.
4. 통생선 또는 스테이크를 서로 겹치지 않게 넣는다. 소금을 넉넉히 흩뿌리고 검은 후추를 갈아 넣거나 매운 고추를 넣어 뚜껑을 덮고, 중약불로 줄인다.
5. 통생선을 쓴다면 10분 정도 익힌 뒤, 뒤집어서 8분 더 익힌다. 생선 스테이크를 쓴다면 한 쪽을 5분씩 익히고, 아주 두껍다면 더 익힌다.
6. 뒤집개 2개 또는 커다란 포크와 스푼으로 생선을 조심스럽게 부서지지 않도록 조심하며 따뜻하게 데워놓은 차림용 접시로 옮긴다. 그 위에 팬 안의 모든 내용물을 붓고, 바로 차려 낸다.

모둠 조개와 오징어 수프

All-Shellfish and Mollusks Soup

6인분

통오징어 900g 또는 손질해서 원형으로 얇게 썬 오징어 675g
새끼 대합조개 24개, 살아 있는 것으로 껍데기째 준비
홍합 12개, 살아 있는 것으로 껍데기째 준비
엑스트라버진 올리브유 ½컵
양파 ½컵, 잘게 썬다
마늘 1큰술, 잘게 썬다
파슬리 3큰술, 잘게 썬다
달지 않은 화이트 와인 1컵
이탈리아산 플럼토마토 통조림 1½컵, 건더기를 썰어서 즙과 함께 준비
껍질을 벗기지 않은 생새우 450g
소금
갓 갈아낸 검은 후추 또는 잘게 썬 매운 붉은색 고추, 기호에 맞게 준비
심해가리비 540g, 신선한 것으로 준비
두툼하게 썰어 그릴이나 오븐에 구운 바삭한 빵

1. 오징어를 직접 손질한다면 325~327쪽 설명을 따른다. 몸통을 폭 1cm 미만의 원형으로 얇게 썰고, 다리 부분은 둘로 나눈다. 직접 손질하든 이미 손질된 것을 쓰든, 모든 부위를 찬물에 씻고 천이나 키친타월로 가볍게 두드려 물기를 완전히 제거한다.
2. 90쪽 설명을 따라 조개와 홍합을 문질러 씻는다. 건드렸을 때 입을 다물지 않는 것은 버린다.
3. 깊이가 있는 소스팬에 올리브유와 양파를 넣고 중강불에 올려 양파가 투명해질 때까지 익힌다. 잘게 썬 마늘을 넣는다. 마늘이 아주 살짝 노릇해지면 잘게 썬 파슬리를 넣는다. 재빨리 한두 번 저어준 뒤 와인을 넣는다. 와인을 30초 정도 거품이 나도록 끓인 다음 썰어놓은 토마토와 즙을 함께 넣는다. 한두 번 저어가며 10분간 뭉근하게 끓인다.
4. 오징어 몸통과 다리를 넣고 뚜껑을 비스듬하게 덮은 채 오징어가 부드럽게 익어 포크로 쉽게 찔러질 때까지 45분간 뭉근하게 끓인다. 오징어가 다 익지 않았는데 팬 안에 수분이 부족해지면 물을 ½컵 정도 넣는다. 하지만 다른 재료들을 추가하기 전에 물이 모두 졸아들어야 함을 명심하라.
5. 오징어가 익는 동안 새우 껍질을 벗기고, 내장을 제거해 찬물에 씻는다. 작거나 중간 크기 새우보다 크다면 세로로 반으로 나눈다.
6. 오징어가 부드러워지면 소금을 몇 자밤 넉넉히 넣고, 후추를 약간 갈아 넣거나 매운 고추를 넣는다. 씻어놓은 조개와 홍합을 껍데기째 넣는다. 홍합과 조

개를 자주 확인하면서 위아래 위치를 바꿔준다. 첫 번째 홍합이나 조개가 입을 열기 시작한 순간, 새우와 가리비를 넣는다. 마지막 조개나 홍합이 입을 열 때까지 익힌다. 차림용 볼에 옮겨 담고 그릴이나 오븐에 구운 빵을 한편에 올리고 바로 차려 낸다.

오징어
Squid

오징어가 대중화되면서 쓰게 된 이탈리아어인 칼라마리(calamari, 오징어를 뜻하는 이탈리아어 — 옮긴이) 튀김은 미식을 신념으로 삼는 거의 모든 레스토랑 메뉴에 등장한다. 그러나 튀김은 칼라마리를 맛있게 하는 수많은 방법 중 단 하나에 지나지 않는다. 바다에서 나는 다른 어떤 식재료도 오징어만큼 다재다능하지 않다. 구울 수도, 데칠 수도, 그릴에 구울 수도 있고, 스튜로 만들거나 수프에 넣을 수도 있다. 감자와 다른 수많은 채소와도 잘 어울린다. 크기가 아주 작으면 통째로 조리할 수 있지만, 더 크면 몸통을 고리 모양으로 얇게 썰어 요리하거나 속재료를 채워 넣을 수 있는 가장 완벽한 천연 피로 쓸 수도 있다. 하지만 먹물은 이탈리아 밖에서만 많이 쓰인다. 이탈리아인의 입맛에 쓰고 톡 쏘는 먹물은 가장 매력이 없는 부위다. 베네치아 요리사들이 보여주듯, 비단처럼 부드러워 입에서 녹아내리고 포근하게 감싸는 맛을 내는 것은 세피(seppie)라고 불리는 갑오징어의 먹물뿐이며, 파스타 소스, 리소토, 다른 검은색 요리에 적합하다.

익히는 시간 ֍ 오징어가 날것일 때 가진 특성 중 가장 잃기 쉬운 것은 부드러움이다. 제대로 조리하지 못하면 쉽게 손상되고 만다. 부드러움을 유지하려면 튀기거나 그릴에 구울 때처럼 오징어를 강불에서 아주 재빨리 익히거나 아주 오래, 즉 45분 또는 그 이상 아주 잔잔한 불에 익혀야 한다. 다른 조리 방식을 쓰면 두꺼운 고무 밴드 마냥 질겨진다.

씻고 손질하는 법 ֍ 요즘에는 생선장수들이 오징어 손질에 능숙하고, 생선 가게에서 손질을 해준다면야 받지 않을 이유가 없다. 그럼에도 불구하고 오징어를 손질하는 법을 이해하는 일은 유용하다. 생선장수가 얼마나 철저하게 했는지를 알 길이 없고, 특히 속을 넣기 위해 오징어 몸통을 통째로 써야 할 때 꼭 해야 하기 때문이다. 게다가 손질된 오징어를 구할 수 없으면 그 작업을 해야 한다.

❁ 오징어를 볼에 넣어 찬물을 채우고, 최소 30분 그대로 불린다.

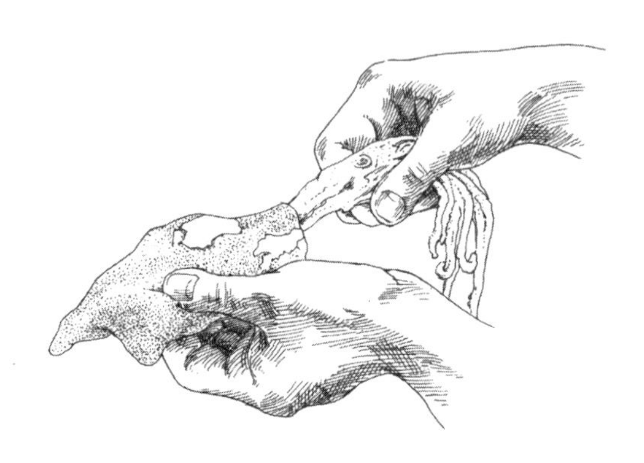

❁ 오징어를 꺼내, 한 손으로 몸통을 들고 다른 쪽 손으로 다리를 꽉 쥔 채 잡아당긴다. 다리와 연결된 오징어의 걸쭉한 내장이 딸려 나올 것이다.

❁ 오징어 눈과 다리 사이를 똑바로 자른다. 눈과 내장은 버린다.

❁ 다리가 시작되는 부분에 달린 작은 물렁뼈를 짜낸다.

❁ 크기가 큰 오징어의 다리라면, 쉽게 벗길 수 있는 껍질을 최대한 벗겨낸다. 찬물에 다리를 씻고 키친타월로 가볍게 두드려 물기를 제거한다.

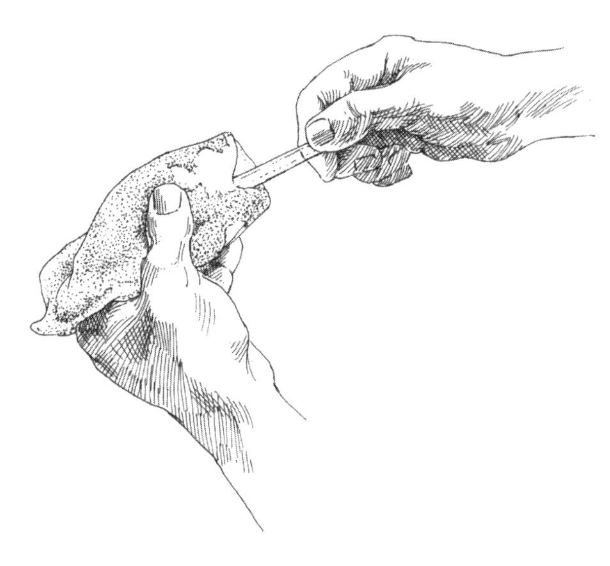

❁ 몸통에 드러나 있는 깃대처럼 생긴 셀로판 두께의 뼈 끝을 잡아당겨 뽑아낸다.

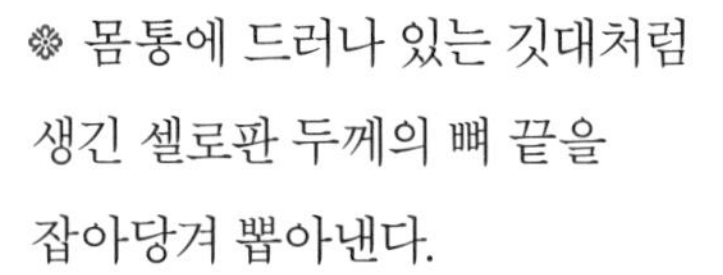

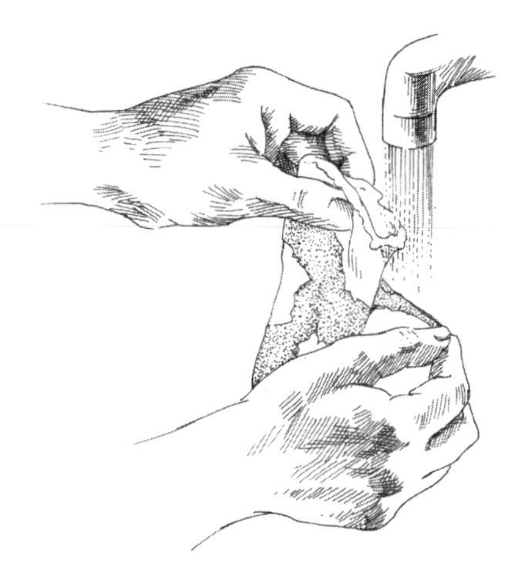

❁ 몸통을 싸고 있는 반점 무늬 껍질을 전부 벗겨낸다. 속을 채운 오징어처럼 통으로 쓴다면 몸통의 뾰족한 쪽을 0.5cm 미만으로 작게 잘라낸다. 수도꼭지 아래에서 구멍이 큰 몸통 끝을 잡고 찬물을 틀어 오징어를 관통해 흐르게 한다. 몸통을 고리 모양으로 쓰길 원한다면 얇게 썬 다음, 찬물에 씻는다. 천이나 키친타월로 가볍게 두드려 몸통의 물기를 완전히 제거한다.

칼라마리 튀김

Fried Calamari

4인분, 전채로 사용한다면 4인 이상 가능

통오징어 1125g 또는 손질한 오징어 900g, 원형으로 썬다
식물성기름, 튀김용으로 준비
밀가루 1컵, 접시 위에 펼친다
기름 튐 방지망
소금

1. 오징어를 직접 손질한다면 325~327쪽 설명을 따른다. 몸통을 폭 1cm 미만의 원형으로 얇게 썰고, 다리 부분은 둘로 나눈다. 직접 손질하든 이미 손질된 것을 쓰든, 모든 부위를 찬물에 씻고 천이나 키친타월로 가볍게 두드려 물기를 완전히 제거한다.
2. 튀김용 냄비에 4cm 정도 높이로 기름을 붓고 강불에 올린다.
3. 기름이 아주 뜨거워지면 원형으로 썬 오징어를 하나 넣어본다. 지글거리면 튀길 준비가 된 것이다. 원형으로 썬 몸통과 다리를 커다란 체에 넣고, 그 위에 밀가루를 붓고 흔들어 여분의 밀가루를 털어낸다. 한 번에 오징어를 한 움큼씩 쥐고 미끄러트리듯 냄비 안으로 넣는다. 냄비가 꽉 차서는 안 된다. 냄비 크기에 따라 오징어를 2번 이상 나누어 튀긴다. 튀기는 동안 오징어에서 뜨거운 기름이 마구 튈 것이므로 안전하게 기름 튐 방지망을 냄비 위에 씌운다.
4. 오징어의 한쪽 면이 황갈색이 되었을 때 뒤집어서 다른 쪽도 같은 색이 나도록 한다. 다 되면 구멍 뚫린 국자나 뒤집개로 식힘망에 올려 기름을 빼거나 키친타월을 깔아놓은 접시 위에 옮긴다. 오징어를 모두 튀겨 냄비에서 꺼내면 소금을 흩뿌려 아주 뜨거운 상태에서 바로 먹는다.

참고 ❀ 원형으로 썬 오징어가 작은 편이면 살짝 노릇해졌을 때가 완전히 익은 것이다. 오징어가 중간에서 큰 크기 사이라면 몇 초만 더 튀긴다.

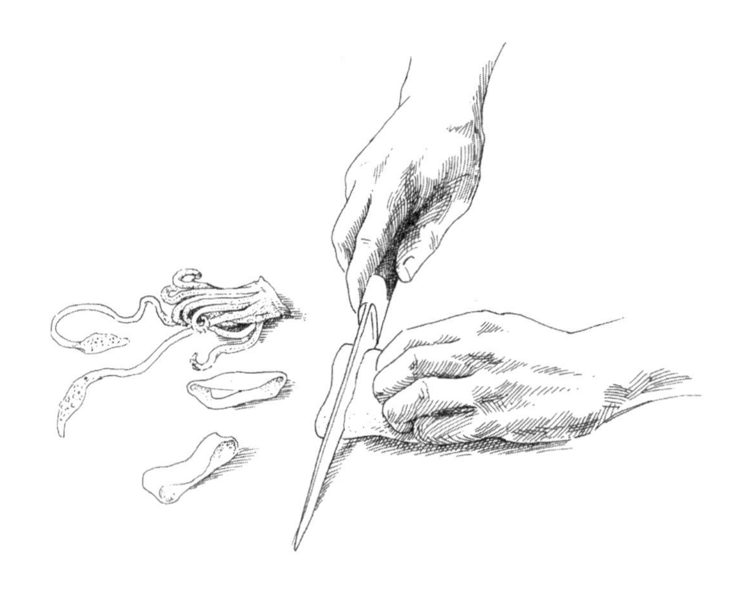

토마토와 완두콩을 곁들인 토스카나식 오징어

Squid with Tomatoes and Peas, Tuscan Style

4~6인분

통오징어 1125g, 작은 크기에서 중간 크기로 준비 또는 손질한 오징어 900g, 원형으로 썬다
양파 1½큰술, 아주 잘게 다진다
엑스트라버진 올리브유 3큰술
마늘 1½작은술, 잘게 다진다
파슬리 1큰술, 잘게 썬다
소금
갓 갈아낸 검은 후추
완두콩 신선한 것으로 꼬투리째 900g 또는 냉동 완두콩 300g, 해동한다
토마토 1½컵, 신선하고 잘 익은 단단한 것은 껍질을 벗겨 대강 썰어서 준비 또는 이탈리아산 플럼토마토 통조림은 대강 썰어서 즙과 함께

1. 오징어를 직접 손질한다면 325~327쪽 설명을 따른다. 몸통을 1cm 미만 두께로 원형으로 썰고, 다리 부분은 둘로 나눈다. 직접 손질하든 이미 손질된 것을 쓰든, 모든 부위를 찬물에 씻고 천이나 키친타월로 가볍게 두드려 물기를 완전히 제거한다.

2. 양파와 올리브유를 커다란 소스팬에 넣고 중불에 올린다. 양파가 살짝 노릇해질 때까지 저어가며 익힌 뒤, 마늘을 더한다. 마늘 색이 살짝 변하면 파슬리를 넣고 한두 번 저은 다음, 토마토를 넣는다. 기름이 잘 입혀지도록 고루 저어주고 10분간 뭉근하게 끓인다.
3. 팬에 오징어를 넣고 뚜껑을 덮어 불의 세기를 조절해 천천히 뭉근하게 35~40분간 익힌다. 소금 몇 자밤과 간 후추 소량을 넣고 고루 젓는다.
4. 신선한 완두콩을 쓴다면: 껍질을 벗겨 팬에 넣고 골고루 저어 뚜껑을 덮는다. 오징어가 부드럽게 익어 포크로 쉽게 찔러질 때까지 계속 천천히 뭉근하게 끓인다. 오징어 크기에 따라 20분 정도 더 걸릴 수도 있다. 원형으로 썬 오징어가 완전히 익었는지 먹어본다.
   냉동 완두콩을 쓴다면: 오징어가 부드러워졌을 때 해동한 완두콩을 넣어 골고루 젓고, 3~4분간 더 익힌다.
5. 맛을 보고 소금과 후추로 간하고, 따뜻하고 깊이가 있는 차림용 접시로 옮겨 담아 바로 차려 낸다.

미리 준비한다면 ❀ 3번 단계까지 몇 시간에서 하루 전에 미리 만들어둘 수 있다. 완두콩을 넣기 전에 뭉근하게 끓인다. 1~2일 전에 미리 요리를 완성해두어도 되고, 식탁에 차리기 직전에 아주 천천히 다시 데운다. 하지만 조리한 날 먹는 것이 가장 맛있다.

토마토와 오징어의 다른 사용법

Alternative Uses for Squid and Tomatoes

위의 레시피에서 완두콩을 생략하고 오징어가 다 익었을 때 푸드프로세서에 넣고 거칠게 간다. 이는 스파게티니나 리가토니 같은 모양의 파스타에 맞는 소스로 쓸 수 있고, 또는 263쪽 조개 리소토에서 설명한 과정을 따라 리소토의 기본 소스로 쓸 수도 있다.

제노바식 오징어와 감자
Squid and Potatoes, Genoa Style

6인분

통오징어 작은 크기에서 중간 크기 1350g 또는 손질한 오징어 1125g, 원형으로 썬다
엑스트라버진 올리브유 5큰술
마늘 2작은술, 잘게 썬다
파슬리 1½큰술, 잘게 썬다
달지 않은 화이트 와인 ⅓컵
이탈리아산 플럼토마토 통조림 1컵, 썰어서 즙과 함께 준비
생마조람 또는 생오레가노 ½작은술, 잘게 썰어서 준비 또는 말린 것 ¼작은술
삶은 감자 565g
소금
갓 갈아낸 검은 후추

참고 ◈ 제노바 요리에서 선호되는 마조람은 가벼운 향을 선호한다면 우선 선택해야 한다. 오레가노를 쓰면 즐길 만한 강한 악센트가 요리에 더해진다.

1. 오징어를 직접 손질한다면 325~327쪽 설명을 따른다. 몸통을 원형으로 1cm보다 얇게 썰고, 다리 부분은 둘로 나눈다. 직접 손질하든 이미 손질된 것을 쓰든, 모든 부위를 찬물에 씻고 천이나 키친타월로 가볍게 두드려 물기를 완전히 제거한다.
2. 소테팬에 올리브유, 마늘, 파슬리를 넣고 강불에 올려 마늘이 옅은 갈색이 될 때까지 익힌다. 오징어를 전부 넣는다. 뜨거운 기름이 마구 튀는 것을 조심하면서 손잡이가 긴 포크로 오징어를 뒤집는다. 팬 쪽으로 몸을 숙이지 마라.
3. 오징어가 투명한 빛을 잃으면서 하얗게 되면 준비한 화이트 와인을 붓고 2분 정도 보글보글 끓여 졸인다. 썰어놓은 토마토와 즙을 함께 더하고, 마조람이나 오레가노를 뿌려 고루 저어준다. 뚜껑을 덮고 불의 세기를 조절해 천천히 뭉근하게 익힌다.
4. 오징어가 익는 동안 감자 껍질을 벗기고 4cm 정도 두께로 불규칙하게 조각내 썬다. 오징어를 45분 정도 익혀 부드러워 졌을때 소금, 감자, 약간의 간 후추를 넣고 양념과 잘 섞이도록 고루 저어 팬 뚜껑을 다시 덮는다. 감자가 부드러워질 때까지 20~30분 계속 천천히 뭉근하게 익힌다. 맛을 보고 소금과 후추로 간하고 바로 차려 낸다.

미리 준비한다면 ◈ 요리를 통째로 미리 완성해 1~2일 정도 보관할 수 있다. 식

탁에 차려 내기 전에 천천히 다시 데운다. 가능하다면 냉장고에 넣어 맛이 변하지 않은 상태인 조리 당일에 먹는다.

토마토와 화이트 와인으로 조리한 속을 채운 통오징어 찜

Stuffed Whole Squid Braised with Tomatoes and White Wine

6인분

통오징어 6마리, 다리를 제외한 몸통 길이만 11~13cm인 것으로 준비

속재료

엑스트라버진 올리브유 약 1큰술
파슬리 2큰술, 잘게 다진다
마늘 ½작은술, 잘게 썬다
갓 갈아낸 파르미자노 레자노 치즈 2½큰술
달걀 1개
마른 빵가루 ¼컵, 양념하지 않은 고운 것으로 준비
소금
갓 갈아낸 검은 후추

꿰맬 수 있는 바늘과 면으로 된 실 또는 튼튼한 이쑤시개

푹 삶을 때 필요한 재료

엑스트라버진 올리브유, 조리용으로 준비
마늘 4쪽, 껍질을 벗긴다
이탈리아산 플럼토마토 통조림 ½컵, 썰어서 즙과 함께 준비
마늘 ½작은술, 잘게 다진다
달지 않은 화이트 와인 ¼컵

1. 오징어 속을 채울 때는 가급적 직접 손질한다. 잘리거나 찢긴 곳 없이 완전히 깨끗하지 않으면 익으면서 터져버릴 수 있기 때문이다. 326쪽 설명대로 다리를 떼어내고 오징어를 손질한다. 손질되어 있는 오징어라면 몸통을 살펴보고 안쪽을 깨끗하게 씻어 남아 있는 껍질도 마저 제거한다. 찬물에 씻고 천이나 키친타월로 가볍게 두드려 물기를 제거한다.
2. 칼이나 푸드프로세서로 다리를 아주 곱게 다져 볼에 담아놓는다.
3. 속 만들기: 얕은 접시에 달걀을 넣어 포크로 가볍게 풀고, 다리가 든 볼에 넣

는다. 같은 볼에 준비한 속재료를 모두 넣고 포크로 균일해질 때까지 섞는다. 올리브유는 섞은 재료에 살짝 윤기가 돌 정도의 양이면 충분하다. 겉으로 보기에 윤기가 나지 않으면 올리브유를 약간 더 넣는다.

4. 속을 정확히 6등분해 오징어 몸통에 넣는다. 꽉 채우면 터지므로 오징어를 3분의 2만 채운다. 바늘과 면실로 입구를 꿰맨다. 바늘로 꿰매는 작업이 끝나면 반드시 바늘을 부엌 밖으로 가지고 나가 소스 안으로 사라져버리지 않게 해라. 꿰매는 것이 오징어 몸통을 봉합하는 가장 좋은 방법이지만, 번거롭다면 열려 있는 가장자리를 뾰족하고 단단한 이쑤시개로 기워도 된다.
5. 오징어 전부를 한 층으로 넣을 수 있는 소테팬을 고른다. 0.5cm 정도의 높이로 올리브유를 충분히 부어 중강불에 올리고 껍질을 벗긴 마늘을 통째로 넣는다. 마늘이 먹음직스러운 갈색이 될 때까지 저으면서 익히다가 팬에서 꺼내고, 속을 채운 오징어를 전부 넣는다. 오징어의 모든 면이 갈색으로 익으면 썰어놓은 토마토와 즙, 다진 마늘, 와인을 추가한다. 뚜껑을 덮고 불의 세기를 약하게 조절해 천천히 뭉근하게 끓인다. 45~50분간 또는 포크로 찔러 오징어가 부드럽다고 느껴질 때까지 익힌다.
6. 다 익었으면, 구멍 뚫린 국자나 뒤집개로 오징어를 도마 위로 옮긴다. 몇 분간 그대로 둔다. 몸통을 꿰맨 실이 보이는 끝부분만 얇게 썰어낸다. 이쑤시개를 썼다면 뽑아낸다. 몸통을 1cm 정도 두께로 썬다. 따뜻하게 데워놓은 차림용 접시에 나란히 놓는다. 팬에 있는 소스를 뭉근하게 끓이고 썰어놓은 오징어 위에 부어 바로 차려 낸다.

미리 준비한다면 ❀ 이 요리는 필요에 따라 3~4일 전에 미리 완성해놓을 수 있다. 다음과 같이 다시 데운다. 오븐을 150℃로 예열한다. 썰어놓은 오징어와 소스를 바로 차려 낼 오븐용 그릇으로 옮겨 담고 물 2~3큰술을 추가해 예열된 오븐의 가운데에 넣는다. 데우면서 부서지지 않도록 조심스럽게 뒤집고 소스를 끼얹어준다. 완전히 데워지면 식탁에 차려 낸다.

포르치니 버섯으로 속을 채운 오징어

Squid with Porcini Mushroom Stuffing

4인분

- 말린 포르치니 버섯 30g, 37쪽 설명대로 불린다
- 버섯 불린 물, 37쪽을 참고해 거른다
- 오징어 몸통만 4개, 다리를 제외한 길이가 11~13cm 되는 것
- 갓 갈아낸 검은 후추
- 소금
- 마늘 2작은술, 잘게 썬다
- 파슬리 2큰술, 잘게 썬다
- 마른 빵가루 ⅓컵, 양념하지 않은 고운 것으로 준비
- 엑스트라버진 올리브유, 속을 만드는 데 넣을 1큰술과 익히는 용도로 3큰술
- 꿰맬 수 있는 바늘과 면으로 된 실 또는 튼튼한 이쑤시개
- 달지 않은 화이트 와인 ½컵

1. 불려놓은 말린 포르치니를 찬물을 몇 번 갈아가며 완벽하게 헹군 뒤 아주 잘게 다진다. 작은 소스팬에 포르치니를 불렸던 물과 함께 넣고 중강불에 올려 물이 전부 졸아들 때까지 끓인다.
2. 330쪽 토마토와 화이트 와인으로 조리한 속을 채운 통오징어 찜 레시피의 설명대로 오징어를 준비한다. 다리는 아주 잘게 다진다.
3. 오징어 다리를 버섯과 함께 볼에 담아 후추를 약간 갈아 넣고 소금, 잘게 썬 마늘, 파슬리, 빵가루와 올리브유 1큰술을 더한다. 모든 재료가 고르게 합해지도록 포크로 완전히 섞어준다.
4. 섞은 속재료 1큰술을 따로 덜어두고 나머지는 4등분해 오징어 몸통에 넣는다. 앞의 레시피 4단계에서 설명한 대로 속을 채운 몸통을 바늘과 실 또는 이쑤시개로 봉합한다. 다 채우고 속이 남았다면 따로 덜어둔 1큰술과 합한다.
5. 속을 채운 오징어를 한 층으로 놓을 수 있는 소테팬을 고른다. 익히면서 줄어들기 때문에 살짝 끼게 놓아도 된다. 팬에 올리브유 3큰술을 넣고 강불에 올

린다. 올리브유가 아주 뜨거워지면 오징어를 넣는다. 모든 면을 갈색이 나도록 익혀 소금 한 자밤과 간 후추 약간을 넣고 화이트 와인과 따로 덜어두었던 속도 넣는다. 오징어 몸통을 재빨리 한두 번 뒤집고 아주 천천히 익도록 불의 세기를 약하게 조절해 뭉근하게 끓게 하고 팬 뚜껑을 덮는다.

6. 오징어 크기와 두께에 따라 이따금 뒤집어가며 45분 또는 그 이상 익힌다. 포크로 조심스럽게 찔러 부드럽다고 느껴지면 오징어가 다 익은 것이다.
7. 도마 위로 옮겨 몇 분간 그대로 둔 다음, 앞선 레시피의 6단계처럼 얇게 썰어 접시에 가지런히 놓는다.
8. 팬에 물을 1~2큰술 넣고 끓여 조리하면서 바닥에 들러붙은 잔여물을 긁어낸다. 도마 위에 남은 즙과 함께 팬의 모든 내용물을 떠서 오징어 위에 올리고, 바로 차려 낸다.

닭, 새끼 비둘기, 오리, 그리고 토끼

CHICKEN, SQUAB, DUCK, AND RABBIT

레몬을 곁들인 로스트 치킨

Roast Chicken with Lemons

이 요리를 정물화로 표현한다면 제목은 '닭과 2개의 레몬'이다. 여기에 들어가는 건 그게 다다. 조리하는 데 기름도 쓰지 않고, 양념을 끼얹을 필요도 없고, 속을 채우지 않아도 되며, 소금과 후추를 제외한 어떤 조미료도 없다. 닭을 오븐에 넣은 뒤 한 번만 뒤집어주면 된다. 나머지는 닭, 레몬 2개, 그리고 오븐이 알아서 한다. 나는 "닭과 레몬 2개는 제가 닭을 가장 촉촉하고도 맛있게 요리할 수 있었던 놀랍도록 간단한 레시피예요"라고 말하는 사람들을 몇 년간 끊임없이 만났다. 그리고 이것은 틀림없는 사실이다.

4인분

- 닭 1마리, 1300~1800g 되는 것으로 준비
- 소금
- 갓 갈아낸 검은 후추
- 레몬 2개, 가급적 작은 크기로 준비

1. 오븐을 180°C로 예열한다.
2. 닭의 겉과 속을 찬물에 완벽하게 씻는다. 헐겁게 붙어 있는 여분의 지방을 모두 제거한다. 닭을 10분 정도 접시에 비스듬하게 기대어놓고 물이 전부 빠져나가게 한다. 천이나 키친타월로 모든 면을 가볍게 두드려 물기를 제거한다.
3. 닭에 소금과 후추를 넉넉히 뿌려 손으로 몸통과 구멍 속까지 전부 문지른다.
4. 찬물에 레몬을 씻고 키친타월로 물기를 닦는다. 작업대 위에 레몬을 놓고 손바닥으로 누르면서 앞뒤로 굴려 부드럽게 만든다. 뾰족한 이쑤시개, 바늘, 끝이 가늘고 뾰족한 포크로 레몬에 적어도 20군데 이상 구멍을 낸다.
5. 닭의 배 속에 레몬 2개를 모두 집어넣는다. 이쑤시개나 바늘과 실을 이용해

봉합한다. 잘 봉합하되, 닭이 터질 수 있으므로 지나치게 밀봉할 필요는 없다. 조리용 실로 한쪽 다리를 다른 쪽 다리에 묶는다. 너무 세게 잡아당기지 말고 원래 모양 그대로 묶는다. 껍질이 찢어지지 않았다면 닭이 익으면서 부풀어 오르기 때문에, 껍질이 갈라지고 허벅지가 서로 벌어지지 않을 정도로만 묶는다.

6. 구이용 팬 위에 가슴이 아래쪽을 향하도록 닭을 놓는다. 어떤 조리용 기름도 넣지 않는다. 닭 자체에서 육즙이 흘러나오기 때문에 팬에 들러붙을 걱정은 하지 않아도 된다. 예열된 오븐의 상단에 넣는다. 30분 뒤에 가슴이 위를 향하도록 닭을 뒤집는다. 뒤집을 때 껍질에 구멍을 내지 않도록 한다. 손상된 곳이 없다면 닭이 풍선처럼 부풀어 올라 나중에 식탁에 차렸을 때 먹음직스러워 보일 것이다. 너무 걱정하지 않아도 되는데, 부풀지 않더라도 맛에는 영향이 없기 때문이다.
7. 30~35분간 더 익힌 뒤, 오븐 온도를 200°C로 올려 추가로 20분 익힌다. 익히는 데 걸리는 시간은 450g당 20~25분으로 계산하면 된다. 닭을 다시 뒤집어 줄 필요는 없다.
8. 닭이 부풀었든 그렇지 않든, 통째로 식탁에 가져와 닭을 해체할 때까지 안에 들어간 레몬을 그대로 둔다. 흘러나오는 즙이 정말로 맛있다. 그 즙을 떠서 얇게 썬 닭 위에 반드시 뿌려줘야 한다. 쪼글쪼글해진 레몬에도 즙이 들어 있다. 즙이 튀므로 짜지는 마라.

미리 준비한다면 ❀ 따뜻할 동안 먹고 싶다면 오븐에서 꺼내는 시점을 계획한다. 요리가 남았다면 차가워도 아주 맛있으니, 조리 시 나온 즙으로 마르지 않게 해야 한다. 냉장고에서 꺼내 바로 먹지 말고 상온에 두었다가 먹는다.

마늘과 로즈마리를 곁들여 오븐에 구운 닭

Oven-Roasted Chicken with Garlic and Rosemary

4인분

닭 1마리, 1575g 정도 되는 것
생로즈마리 2줄기 또는 말린 것 1작은술 가득
마늘 3쪽, 껍질을 벗긴다
소금
갓 갈아낸 검은 후추
식물성기름 2큰술

1. 오븐을 190°C로 예열한다.
2. 닭의 겉과 속을 찬물에 씻고, 천이나 키친타월로 가볍게 두드려 물기를 완전히 제거한다.
3. 생로즈마리 1줄기 또는 말린 잎의 절반을 마늘 전량, 소금, 후추와 함께 닭 속에 넣는다.
4. 닭 껍질에 기름 1큰술을 문질러 바르고 소금과 후추를 뿌린다. 남은 로즈마리 줄기에서 잎을 떼거나 남은 말린 잎을 닭에 뿌린다. 남은 기름 1큰술과 닭을 구이용 팬에 올리고 예열한 오븐 가운데에 넣는다. 15분마다 뒤집고, 익으면서 팬에 모인 지방과 육즙을 끼얹어준다. 포크로 허벅지살을 찔러 아주 부드럽다고 느껴질 때까지 익히는데, 1시간에서 그 이상 흐르면 살점이 뼈에서 쉽게 분리된다.
5. 따뜻하게 데워놓은 차림용 접시로 닭을 옮긴다. 구이용 팬을 기울여 적은 양의 지방만 남기고 퍼낸다. 스토브 위에 팬을 놓고 강불로 켠 다음, 물 2큰술을 넣고 바닥에 들러붙은 잔여물을 나무 주걱으로 긁어가며 졸인다. 팬에 있는 즙을 닭 위에 붓고 바로 차려 낸다.

로즈마리, 마늘, 화이트 와인을 곁들여 팬에 구운 닭

Pan-Roasted Chicken with Rosemary, Garlic, and White Wine

4인분

버터 1큰술
식물성기름 2큰술
닭 1마리, 1575g 정도 되는 것을 4등분한다
마늘 2~3쪽, 껍질을 벗긴다
생로즈마리 1줄기를 반으로 잘라서 준비 또는 말린 것 ½작은술
소금
갓 갈아낸 검은 후추

1. 소테팬에 버터와 기름을 넣고 중강불에 올린다. 가장자리에서 버터 거품이 생기기 시작하면 4등분한 닭을 껍질이 아래쪽을 향하도록 넣는다.
2. 닭의 양면이 갈색으로 익으면 마늘과 로즈마리를 넣는다. 마늘이 살짝 노릇해질 때까지 익히고 소금, 후추, 와인을 더한다. 와인을 30초 정도 팔팔 끓인 뒤 불을 조절해 천천히 뭉근하게 끓게 하고 뚜껑을 살짝 기울여 덮는다. 포크로 닭의 허벅지살을 찔러 아주 부드럽다고 느껴지고 살점이 뼈에서 쉽게 떨어

질 때까지 익히는데, 450g당 20~25분이 걸린다. 닭이 익는 동안 수분이 충분치 않으면 필요에 따라 물을 1~2큰술 보충해준다.

3. 다 되면 구멍 뚫린 국자나 뒤집개를 사용해 닭을 따뜻하게 데워놓은 차림용 접시로 옮긴다. 팬에서 마늘은 꺼낸다. 팬을 기울여 기름을 조금만 남기고 전부 퍼낸다. 강불에 올려 나무 주걱으로 바닥과 옆면에 붙은 잔여물을 긁어내면서 졸인다. 팬의 즙을 닭 위에 부어 바로 차려 낸다.

카차토라풍 닭고기 프리카세

Chicken Fricassee, Cacciatora Style

카차토라(cacciatora)는 '사냥꾼의 방식'이라는 의미다. 이탈리아에서는 거의 모든 집에서 사냥을 해왔으므로 이탈리아의 모든 요리사는 사냥꾼이자 사냥꾼의 방식으로 요리하는 셈이다. 카차토라라는 이름을 가진 요리는 무수한 진화를 관대하게 받아들여왔는데, 일반적으로 토마토, 양파와 다른 야채를 넣은 닭고기 또는 토끼 프리카세다. 카차토라란 정확히 이런 요리인 것이다.

4~6인분

닭 1마리, 1350~1800g 정도 되는 것을 6~8등분한다
식물성기름 2큰술
밀가루, 접시 위에 펼친다
소금
갓 갈아낸 검은 후추
노란색 또는 붉은색 파프리카 1개, 속심과 씨를 제거하고 가는 막대형으로 썬다
양파 ⅓컵, 아주 얇게 썬다
달지 않은 화이트 와인 ⅔컵
당근 1개, 껍질을 벗기고 얇은 원형으로 썬다
셀러리 ½대, 얇게 어슷썰기 한다
마늘 1쪽, 껍질을 벗기고 아주 잘게 다진다
이탈리아산 플럼토마토 통조림 ⅔컵, 대강 썰어서 즙과 함께 준비

1. 닭을 찬물에 씻고 천이나 키친타월로 가볍게 두드려 물기를 완전히 제거한다.
2. 조각낸 닭이 전부 여유 있게 들어갈 만큼 충분히 넓은 소테팬을 고른다. 기름을 넣고 중강불에 올린다. 기름이 뜨거워지면 조각낸 닭의 모든 면에 밀가루를 입히고 여분의 가루는 털어낸 뒤 껍질이 아래쪽을 향하도록 팬에 넣는다. 아래쪽이 갈색으로 잘 구워지면 뒤집어서 다른 쪽도 동일하게 굽는다. 따뜻하게 데워놓은 접시에 옮겨 담고 소금과 후추를 흩뿌린다.
3. 다시 중강불로 켜고, 얇게 썬 양파를 넣어 진한 갈색이 될 때까지 익힌다. 와

인을 붓는다. 나무 주걱으로 팬 바닥과 옆면에 붙은 갈색 잔여물을 긁어내며 30초 정도 팔팔 끓인다. 갈색으로 구운 조각낸 닭을 다시 팬에 넣는데, 익는 속도가 빠른 가슴살을 제일 나중에 넣는다. 파프리카, 당근, 셀러리, 마늘과 썰어놓은 토마토와 즙을 함께 넣는다. 불을 조절해 천천히 뭉근하게 끓게 하고 팬 뚜껑을 완전히 덮는다. 40분 뒤에 가슴살을 넣고 허벅지살을 포크로 찔러 아주 부드럽다고 느껴지면서 살점이 뼈에서 쉽게 떨어질 때까지 적어도 10분 이상 끓인다. 다 익는 동안 가슴살과 조각낸 닭을 이따금 뒤집어준다.

4. 닭이 완성되면 구멍 뚫린 국자나 뒤집개로 따뜻하게 데워놓은 차림용 접시에 옮긴다. 팬 안의 잔여물이 묽고 물기가 많다면 뚜껑을 연 채 강불에 올려 농도가 진해지도록 졸인다. 닭 위에 부어 바로 차려 낸다.

미리 준비한다면 ❁ 이 요리는 하루 전에 미리 완성해둘 수 있다. 냉장고에 넣기 전 팬 안 즙에 든 상태로 닭을 완전히 식힌다. 먹을 때는, 균일하게 따뜻해질 때까지 조각낸 닭을 뒤집어가며 뚜껑을 덮고 천천히 뭉근하게 다시 데운다.

새로운 닭고기 카차토라

Chicken Cacciatora, New Version

카차토라풍에 근접한 이 요리는 앞선 레시피보다 더 간단하다. 와인이 덜 들어가고, 밀가루를 쓰지 않으며, 채소는 토마토와 양파만 들어간다. 이 방식에서 매우 큰 비중을 차지하는 토마토와 양파는 닭에 아주 신선한 파스타 소스 같은 단맛과 과실의 풍미를 가져다준다. 아래 재료에서 올리브유는 식물성기름으로 대체할 수 있다.

4~6인분

- 닭 1마리, 1350~1800g 정도 되는 것을 6~8등분 한다
- 엑스트라버진 올리브유 2큰술
- 양파 1컵, 아주 얇게 썬다
- 마늘 2쪽, 껍질을 벗기고 아주 얇게 썬다
- 소금
- 갓 갈아낸 검은 후추
- 달지 않은 화이트 와인 ⅓컵
- 토마토 1½컵, 신선하고 잘 익어 단단하고 과육이 두꺼운 것은 필러로 껍질을 벗기고 잘게 썰거나, 이탈리아산 플럼토마토 통조림은 잘게 썰어서 즙과 함께 준비

1. 닭을 찬물에 씻고 천이나 키친타월로 가볍게 두드려 물기를 완전히 제거한다.

2. 조각낸 닭이 한 번에 전부 여유 있게 들어갈 수 있는 소테팬을 고른다. 올리브유와 얇게 썬 양파를 넣고 중불에 올린다. 이따금 뒤집어주며 양파가 투명해질 때까지 익힌다.
3. 얇게 썬 마늘과 조각낸 닭을 껍질이 아래쪽을 향하도록 넣는다. 껍질이 노릇하고 바삭해질 때까지 익힌 뒤 뒤집어 반대쪽도 똑같이 익힌다.
4. 소금과 후추를 약간 갈아 넣고 조각낸 닭을 2~3번 뒤집어준다. 와인을 붓고 양이 절반이 될 때까지 뭉근하게 졸인다.
5. 썰어놓은 토마토를 넣고 거품이 간간이 생기면서 뭉근하게 끓도록 불을 줄이고 팬 뚜껑을 비스듬하게 덮는다. 익히는 동안 닭고기 조각을 이따금 뒤집고 양념을 끼얹는다. 팬 안에 물기가 부족한 것 같으면 물 2큰술을 넣는다. 허벅지살을 포크로 찔러 부드럽다고 느껴지고, 살점이 뼈에서 쉽게 떨어져 나올 때까지 40분 정도 익힌다.

미리 준비한다면 ❁ 앞선 카차토라 레시피와 동일한 과정을 권한다.

포르치니 버섯, 화이트 와인, 토마토, 닭고기 프리카세

Chicken Fricassee with Porcini Mushrooms, White Wine, and Tomatoes

4인분

닭 1마리, 1575g 정도 되는 것을 4등분한다
식물성기름 2큰술
달지 않은 화이트 와인 ½컵
말린 포르치니 버섯 30g, 37쪽 설명대로 불린다
버섯 불린 물, 37쪽을 참고해 거른다
이탈리아산 플럼토마토 통조림 ¼컵, 대강 썰어서 즙과 함께 준비
버터 1큰술
소금
갓 갈아낸 검은 후추

1. 닭을 찬물에 씻고 천이나 키친타월로 가볍게 두드려 물기를 완전히 제거한다.
2. 소테팬에 기름을 넣고 중강불에 올려 기름이 아주 뜨거워지면 조각낸 닭고기를 껍질이 아래쪽으로 가도록 넣는다. 갈색으로 잘 익으면 뒤집어서 반대쪽도 갈색으로 익힌다. 소금과 후추를 뿌리고 한 번 뒤집은 다음 와인을 붓는다. 나무 주걱으로 팬 바닥과 옆면에 붙은 갈색 잔여물을 긁어내면서 와인을 30초간 팔팔 끓인다.
3. 불려서 잘게 썬 포르치니와 걸러놓은 버섯 불린 물, 썰어놓은 토마토와 즙을 넣는다. 모든 재료를 뒤집고 천천히 뭉근하게 끓도록 불을 조절하고, 팬 뚜껑을 비스듬하게 덮는다. 닭 허벅지살을 포크로 찔러 부드럽다고 느껴지고, 살점이 뼈에서 쉽게 떨어져 나올 때까지 50분 정도 익힌다. 익히는 동안 닭고기 조각을 이따금 뒤집어준다.
4. 닭고기가 다 익으면 따뜻하게 데워놓은 차림용 접시로 옮긴다. 팬을 기울여 기름을 조금만 남기고 전부 퍼낸다. 즙이 너무 묽으면 강불에서 졸인다. 거기에 버터 1큰술을 넣어 휘저어주고, 팬 안의 모든 내용물을 닭에 부어 바로 차려 낸다.

적양배추 닭고기 프리카세

Chicken Fricassee with Red Cabbage

이 프리카세는 닭고기를 적양배추 안에서 찌듯이 익혀 고기를 부드럽게 해주고 단맛을 끌어낸다. 닭고기가 다 익을 즈음이면 양배추는 점도 있는 진득한 소스가 된다.

4인분

양파 1컵, 아주 얇게 썬다
엑스트라버진 올리브유 ¼컵에 추가로 1큰술
마늘 2쪽, 껍질을 벗기고 각각 4조각으로 썬다
적양배추 4컵, 450g 정도, 가늘게 채 썬다
닭 1마리, 1350~1800g 정도 되는 것을 8등분한다
달지 않은 레드 와인 ½컵
갓 갈아낸 검은 후추
소금

1. 소테팬에 얇게 썬 양파, 올리브유 ¼컵, 마늘을 넣고 중불에 올려 마늘이 짙은 갈색이 될 때까지 익힌다. 가늘게 채 썬 양배추를 넣는다. 기름이 골고루

입혀지도록 저어 소금을 뿌리고, 다시 젓고 뭉근하게 끓도록 불을 조절해 팬 뚜껑을 덮는다. 이따금 뒤집으며 아주 부드러우면서 덩어리로 뭉쳐질 때까지 40분 또는 그 이상 양배추를 익힌다.

미리 준비한다면 ❀ 이 요리는 이 단계까지 2~3일 전에 미리 준비해둘 수 있다. 다음 과정 전에 팬 뚜껑을 덮은 채로 완전히 다시 데운다.

2. 닭을 찬물에 씻고 천이나 키친타월로 가볍게 두드려 물기를 완전히 제거한다.
3. 다른 팬에 올리브유 1큰술을 넣어 중불에 올리고 기름을 살짝 달군 뒤 닭고기 조각을 껍질이 아래를 향하도록 한 층으로 놓는다. 양면이 모두 갈색이 나도록 뒤집으며 어느 정도 구운 뒤, 가슴살은 한편에 따로 두고 나머지 고기를 양배추가 든 팬으로 옮긴다. 양배추 안에 든 닭고기를 뒤집어 와인을 붓고 후추를 갈아 넣어 뚜껑을 비스듬하게 덮은 뒤 천천히 뭉근하게 익힌다. 닭고기를 이따금 뒤집고 소금을 한 번 뿌린다. 40분이 지나면 가슴살을 넣는다. 닭고기가 고루 부드러워지고 살점이 뼈에서 쉽게 분리될 때까지 10분 또는 그 이상 익힌다. 양배추는 마치 닭고기를 감싼 짙은 소스처럼 더 이상 형체를 알아볼 수 없어야 한다. 팬 안의 모든 내용물을 따뜻하게 데워놓은 차림용 접시로 옮기고 바로 차려 낸다.

로즈마리와 레몬즙을 넣은 닭고기 프리카세

Fricasseed Chicken with Rosemary and Lemon Juice

4인분

닭 1마리, 1350~1800g 정도 되는 것을 8등분한다
식물성기름 2큰술
버터 1큰술
생로즈마리 줄기 1대 또는 말린 로즈마리잎 1작은술
마늘 3쪽, 껍질을 벗긴다
소금
갓 갈아낸 검은 후추
달지 않은 화이트 와인 ⅓컵
갓 짠 신선한 레몬즙 2큰술
레몬필, 흰 속껍질이 없도록 가는 막대형 6개로 썬다

1. 닭을 찬물에 씻고 천이나 키친타월로 가볍게 두드려 물기를 완전히 제거한다.

2. 조각낸 닭을 겹치지 않고 전부 넣을 수 있는 소테팬을 고른다. 기름과 버터를 넣고 중강불에 올려 가장자리에서 버터 거품이 생기기 시작하면 껍질이 아래를 향하도록 닭을 넣는다. 닭고기 양면을 모두 갈색이 나도록 구운 뒤 로즈마리, 마늘, 소금과 후추를 넣는다. 닭고기 조각을 이따금 뒤집으며 2~3분간 익힌 다음 가슴살을 꺼내 한편에 둔다.
3. 와인을 붓고, 20초 정도 거품이 생길 만큼 팔팔 끓인 뒤 아주 천천히 뭉근하게 끓도록 불을 조절하고 팬 뚜껑을 비스듬하게 덮는다. 40분 뒤에 가슴살을 다시 팬에 넣는다. 닭 허벅지살을 포크로 찔러 아주 부드럽게 느껴지고 살점이 뼈에서 쉽게 분리될 때까지 10분 또는 그 이상 익힌다. 익히는 동안 팬 안의 수분을 이따금 확인한다. 부족해지면 물을 2~3큰술 보충한다.
4. 닭고기가 다 익으면 불에서 내려 구멍 뚫린 국자나 뒤집개로 따뜻하게 데워 놓은 차림용 접시에 조각들을 옮긴다. 팬을 기울여 기름을 조금만 남기고 퍼낸다. 레몬즙과 레몬필을 넣어 중약불에 올리고 나무 주걱으로 바닥과 옆면에 붙은 잔여물을 긁어낸다. 닭에 팬 안의 즙을 붓고 바로 차려 낸다.

마르케풍으로 달걀과 레몬을 넣은 닭고기 프리카세

Fricasseed Chicken with Egg and Lemon, Marches Style

이 닭고기 역시 419쪽 어린 양고기 촙처럼 익힌 뒤 날달걀노른자와 레몬즙을 섞은 것에 버무리는데, 고기의 열이 이를 들러붙게 해 고기에 윤기를 입혀준다.

4인분

닭 1마리, 1350~1800g 정도 되는 것을 8등분한다
버터 4큰술
양파 3큰술, 아주 잘게 다진다
소금
갓 갈아낸 검은 후추
달걀노른자 2개(51쪽 살모넬라균에 대한 주의 사항 참고)
고기육수 25쪽 설명대로 직접 만든 것으로는 1컵 또는 소고기 고형 육수 1개를 물 1컵에 녹인다
갓 짠 신선한 레몬즙 ¼컵

1. 닭을 찬물에 씻고 천이나 키친타월로 가볍게 두드려 물기를 완전히 제거한다.
2. 조각낸 닭을 겹치지 않고 전부 넣을 수 있는 소테팬을 고른다. 버터와 다진 양파를 넣고 중불에 올려 양파가 살짝 노릇해질 때까지 익힌다. 불을 약간 키워

껍질이 아래쪽을 향하도록 닭고기를 넣는다. 양면을 완전히 갈색이 나도록 굽는다.

3. 소금과 후추를 넣고 닭고기 조각을 뒤집은 뒤 팬에서 가슴살을 꺼낸다. 육수를 전부 붓고 팬 뚜껑을 비스듬하게 덮은 채 아주 천천히 뭉근하게 끓도록 불을 조절해 익힌다. 40분이 지나면 가슴살을 다시 팬에 넣고, 허벅지살을 포크로 찔러 아주 부드럽다고 느껴지면서 살점이 뼈에서 쉽게 분리될 때까지 최소 10분 또는 그 이상 익힌다. 익히는 동안 닭을 이따금 뒤집어준다. 육수가 부족해지면 필요에 따라 물을 2~3큰술 넣는다. 하지만 닭이 다 익었을 때 팬에 물기가 남아 있어서는 안 된다. 팬에 남은 즙이 묽다면 뚜껑을 연 채로 강불에서 가능한 한 닭고기를 자주 뒤집어가며 수분을 날린다. 닭고기를 그대로 둔 상태로 불을 끈다.
4. 작은 볼에 달걀노른자를 넣고 포크나 거품기로 가볍게 풀어주면서 동시에 레몬즙을 천천히 넣는다. 이 혼합물을 닭고기 조각 위에 붓고 고루 버무린다. 따뜻하게 데워놓은 접시에 모든 내용물을 옮겨 담아 바로 차려 낸다.

로마식 그릴에 구운 닭고기 알라 디아볼라

Grilled Chicken alla Diavola, Roman Style

로마에서는 이를 '악마의 닭'이라 부른다. 잘게 부순 검은 후추가 사악해 보일 정도로 많이 쓰이기 때문이다. 사실 이 요리는 정말 '후추 그 자체'로 가장 매력적인 점도 '그 향'이다. 그릴 위에서 검은 후추와 레몬의 향이 서로 조화를 이룬다.

이 요리를 준비하기 위해서 닭을 편평하게 펼쳐야 한다. 정육 전문가라면 손쉽게 할 수 있겠지만 익숙하지 않더라도 다음의 설명을 따라 직접 할 수도 있다. 그릴에 굽기 전에 통후추를 문질러 발라야 하고 레몬즙과 올리브유에 적어도 2시간 이상 재워야 한다. 야외에서 요리하기에 안성맞춤인데, 부엌에서 닭을 손질해 양념이 담긴 비닐에 넣고 단단히 밀봉해 가지고 나간다. 불이 준비되었을 즈음이면 닭고기도 다 재워졌을 것이다.

4~6인분

닭 1마리, 1575g 정도 되는 것	엑스트라버진 올리브유 2큰술
검은색 통후추 1큰술	선택 사항: 숯이나 나무를 쓰는 그릴
갓 짠 신선한 레몬즙 ⅓컵	소금

1. 닭은 직접 손질하거나 정육점에 부탁해서 새라기보다 '나비'에 가까운 모양으로 펼쳐야 한다. 직접 손질하려면, 먼저 작업대에 닭의 가슴이 바닥을 향하도록 닭을 뒤집어 놓는다. 중식칼이나 식칼로 등뼈 전체를 따라 쪼개어 닭을 벌린다. 뒤쪽에서 가슴뼈를 들어내고 손으로 가능한 한 평평하게 펼친다. 그다음, 뒤집어서 가슴이 조리하는 사람 쪽을 향하게 한다. 날개와 다리가 몸통과 연결된 부위를 자르되, 평평하게 펼치는 게 목적이므로 아예 떼어지지 않도록 조심한다. 뒤집어서 가슴 부위가 다시 바닥을 향하도록 하고 최대한 납작해지도록 고기 망치나 중식칼의 평평한 면을 이용해 내리친다.
2. 검은색 통후추를 천으로 감싸 나무 망치, 고기 망치 또는 망치로 부순다. 후추 알갱이를 아주 거칠게 갈 수 있는 후추갈이를 써도 좋다. 깊이가 있는 접시에 닭을 넣고 부순 후추 알갱이를 문질러 발라 닭에 최대한으로 입힌다. 레몬즙과 올리브유를 붓고, 이따금 뒤집고 끼얹어가며 2~3시간 동안 재운다.
3. 실내 브로일러로 닭을 익힌다면 최소 15분 전에 미리 예열한다. 숯을 쓴다면 하얀 재가 생길 때까지 충분한 시간을 두고 불을 피우고, 나무를 쓴다면 타다 남은 불이 넉넉히 있어야 한다.
4. 닭에 소금을 뿌리고 브로일러 팬에 올리되, 실내 그릴이든 야외에서든 껍질이 열원 쪽을 향하도록 놓는다. 껍질이 갈색이 될 때까지 익힌 뒤 재워두었던 양념을 살짝 끼얹어 뒤집는다. 완전히 다 익을 때까지 이따금 닭을 뒤집어준다. 허벅지살을 포크로 찔러 아주 부드럽다고 느껴져야 한다. 조리에 걸리는 시간은 불의 세기와 닭의 크기나 품종에 따라 달라진다. 닭이 익기 전에 재움 양념을 다 썼다면 신선한 올리브유를 발라준다. 다 되면 갓 갈아낸 후추를 뿌려 바로 차려 낸다.

닭가슴살 포 뜨기

Filleting Breasts of Chicken

닭가슴살은 송아지고기 스칼로피네에 견줄 만큼 섬세한 질감과 은은하고 부드러운 풍미를 지녔다. 스칼로피네는 빠르게 익히기 위해 얇게 두드려 편다. 뼈를 바른 닭가슴살은 너무 물러 두드려 펼 수는 없고, 포를 떠서 스칼로피네처럼 얇게 만들어야 한다. 아래 설명을 따르면 닭가슴살은 송아지고기 못지않게 질이 좋으면서도 비싸지 않은 대안이 될 수 있고, 스칼로피네에 쓰는 다양한 방법을 닭가슴살에도 활용해볼 수 있다.

1. 닭가슴살은 기름진 바깥쪽 껍질과 막처럼 아주 얇은 안쪽 껍질로 둘러싸여 있다. 이 껍질을 손가락으로 잡아당겨 떼어내면, 가슴뼈가 붙어 있는 것과 갈비뼈와 연결되어 있는 양쪽 가슴살을 볼 수 있다. 이 껍질들을 양쪽에서 모두 잘라 떼어 버린다.

2. 날개가 붙어 있던 가슴살의 위쪽 부분에 손가락을 밀어 넣는다. 열리는 것을 느낀다. 손가락 끝이 쑥 들어갈 것이다. 큰 살코기와 작은 살코기 사이에 있는 공간이다. 닭 가슴살은 이 두덩이가 서로 포개져 있다. 한 번에 한 쪽씩 둘을 분리한다. 칼로 큰 살코기를 갈비뼈와 붙어 있는 가슴살 옆쪽에서 먼저 떼어낸 뒤, 가슴뼈로부터 잘라 떼어낸다. 작은 살코기 역시 똑같이 작업한 다음, 다른 가슴살 절반도 똑같은 방법으로 뼈를 바른다. 각각의 가슴살에서 2개의 분리된 조각이 나올 것이다. 하나는 더 평평하고 크며 삼각형이고, 다른 하나는 더 작고 가늘면서 둥근 조각이다.
3. 더 작고 가느다란 조각에는 한쪽 끝에 하얀 힘줄이 약간 튀어나와 있다. 그 힘줄을 잡아당겨 뺀다. 미끄럽기 때문에 키친타월 조각이나 천의 끝부분으로 튀어나와 있는 힘줄 끝을 잡으면 좋다. 다른 손으로는 힘줄 가까운 쪽에 칼날을 놓되, 끝이 잘려나가지 않도록 칼날을 비스듬하게 놓고 누른다. 칼을 단단히 누르면서 힘줄을 당기면 쉽게 빠진다. 다른 쪽 작은 살코기도 같은 방법으로 힘줄을 제거한다. 이 조각들은 작업이 끝난 것이다.

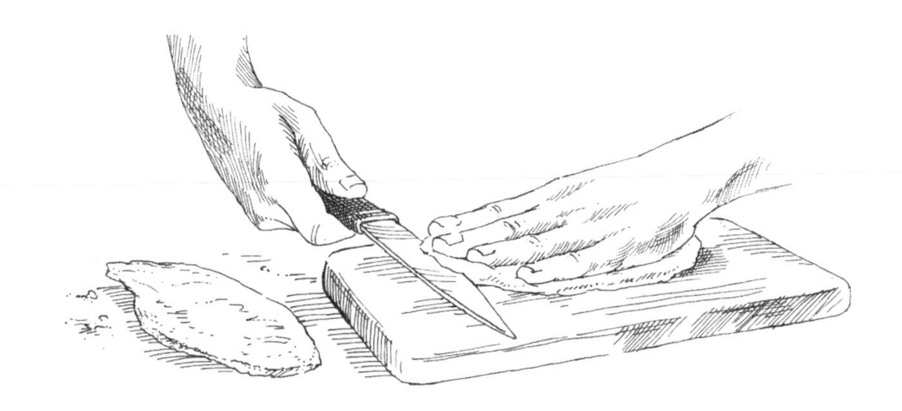

4. 도마 위에 큰 살코기를 놓되, 뼈가 붙어 있던 옆면이 아래를 향하도록 한다. 한쪽 손바닥으로 평평하게 고정한다. 다른 손으로는 날카로운 칼로 가슴살을 저민다. 날이 도마와 평행하도록 썰어, 원래 두께의 절반에 해당하는 똑같은 2조각으로 나눈다. 남은 큰 살코기도 반복해 작업한다. 이렇게 전체 가슴살로 조리를 위한 포를 뜬 살코기 6개로 준비한다.

미리 준비한다면 ❀ 포를 뜬 가슴살은 몇 시간에서 1~2일 전에 미리 준비해둘 수 있다. 주방용 랩에 싸서 냉장 보관한다.

돼지고기와 로즈마리로 속을 채운 닭가슴살 롤

Rolled Fillets of Breast of Chicken with Pork and Rosemary Filling

4~6인분

마늘 2쪽
식물성기름 2큰술
돼지고기 간 것 225g
생로즈마리잎 2작은술 또는 말린 것 1작은술
소금
갓 갈아낸 검은 후추
닭가슴살 통으로 2쪽, 345~347쪽 설명대로 포를 뜬다
버터 2큰술
단단한 이쑤시개
달지 않은 화이트 와인 ½컵

1. 무거운 칼 손잡이로 껍질이 분리될 정도로만 마늘을 가볍게 으깨 껍질을 벗긴다. 스킬렛에 기름과 함께 마늘을 넣고 중불에 올려 마늘이 살짝 노릇해질 때까지 익힌다. 간 돼지고기, 소금, 후추와 로즈마리잎을 넣는다. 포크로 고기를 젓고 작게 부수면서 10분 정도 익힌다. 구멍 뚫린 국자나 뒤집개로 마늘을 꺼내 버리고 고기는 접시에 옮겨 담는다.
2. 작업대 위에 포를 뜬 닭고기를 놓고 소금과 후추를 뿌린다. 돼지고기 속을 닭고기에 펴 바르고 단단하게 돌돌 만다. 롤에 이쑤시개를 세로로 찔러 넣어 고정시킨다.

미리 준비한다면 ❁ 롤은 이 단계까지 몇 시간 전에 미리 만들어둘 수 있다.

3. 돼지고기를 익힌 팬에서 기름을 대부분 퍼낸다. (닭고기 롤을 몇 시간 전에 미리 만든다면 그때 팬의 잔여물을 긁고, 조리를 다시 시작할 때를 위해 팬 안에 즙은 남겨둔다.) 버터를 넣고 중강불에 올려 가장자리에서 버터 거품이 생기기 시작하면 닭고기 롤을 미끄러트리듯 넣는다. 모든 면이 갈색으로 구워지도록 뒤집어가며 통틀어 1분 정도 재빨리 익힌다. 구멍 뚫린 국자나 뒤집개로 따뜻하게 데워놓은 차림용 접시에 옮기고 이쑤시개를 빼낸다.
4. 스킬렛에 와인을 붓고 나무 주걱으로 팬 바닥과 옆면에 붙은 잔여물을 긁으며 30초 정도 팔팔 끓인다. 끓인 즙을 닭고기 롤 위에 붓고 바로 차려 낸다.

시에나식 레몬 파슬리 닭가슴살 볶음

Sautéed Fillets of Breast of Chicken with Lemon and Parsley, Siena Style

4~6인분

- 식물성기름 1큰술
- 버터 4큰술
- 닭가슴살 통으로 3쪽, 345~347쪽 설명대로 포를 뜬다
- 소금
- 갓 갈아낸 검은 후추
- 갓 짠 신선한 레몬즙 1개분
- 파슬리 3큰술, 잘게 썬다
- 장식: 얇게 썬 레몬 1개

1. 기름과 버터 3큰술을 스킬렛에 넣고 중강불에 올린다. 가장자리에서 버터 거품이 생기면 팬이 꽉 차지 않는 선에서 가능한 한 많은 닭가슴살을 미끄러트리듯 넣는다. 통틀어 1분 안으로 양면을 재빨리 익힌다. 따뜻하게 데워놓은

접시에 구멍 뚫린 국자나 뒤집개로 닭가슴살을 옮기고 소금과 후추를 뿌린다. 모든 닭가슴살을 익힐 때까지 이 과정을 반복한다.

2. 스킬렛에 레몬즙을 넣고 나무 주걱으로 바닥과 옆면의 조리 잔여물을 긁어가며 중불에서 20초 정도 팔팔 끓인다. 잘게 썬 파슬리와 남은 버터 1큰술을 넣고 4~5초간 재빨리 저은 뒤, 불을 약하게 줄여 접시에 놓인 닭가슴살과 가슴살에서 나온 즙을 다시 스킬렛에 넣는다. 스킬렛 안에서 2~3번 뒤집은 다음 즙과 함께 따뜻하게 데워놓은 접시로 옮긴다. 얇게 썬 레몬으로 장식해 바로 차려 낸다.

닭 뼈 발라내기

Boning a Whole Chicken

뼈를 온전히 발라낸 통닭은 어떤 속재료든 채울 수 있는 훌륭한 천연 피다. 윤곽이 더 부드럽고 더 둥그렇게 부풀어 있으면서 온전한 형태의 닭을 식탁으로 가져가, 어떤 수고로움도 없이 속이 꽉 찬 완벽하고 뼈 없는 슬라이스로 얇게 썰어내는 재미가 아주 근사하다.

닭 뼈 바르기를 주저할 필요가 전혀 없다. 인내심, 작고 날카로운 칼, 그리고 당연히 닭 1마리만 준비하면 혼자서 쉽게 해낼 수 있다. 거의 모든 조류의 뼈는—등뼈, 갈비뼈, 가슴뼈—살에서 분리시키면 한 번에 한 덩어리로 쉽게 빠져나온다. 넓적다리와 북채뼈는 반드시 분리해서 제거해야 하고 이 부분부터 시작해야 한다. 날개는 굳이 애쓸 필요 없이 그대로 남겨두어도 된다.

반드시 주의하고 명심해야 할 점은 등 아래쪽에 길게 하나 내는 것을 제외하고는 껍질을 자르거나 구멍을 내서는 안 된다는 것이다. 그 구멍은 뼈를 꺼내기 위해 만든 것으로 이후에 꿰맬 것이다. 온전한 상태의 닭 껍질은 놀라울 정도로 탄력이 강하다. 그러나 작은 틈이라도 생기면 크게 벌어지고 만다. 미끄러져서 껍질에 구멍이 나지 않도록 칼을 조심히 다루고, 항상 자르는 칼날의 가장자리를 껍질에서 멀리 돌려 뼈를 향하도록 하면서 작업한다.

뼈 바르기가 끝나면, 닭이 될 가망이 없을 정도로 불분명하며 축 늘어진 덩어리가 된 도무지 닭 같지 않은 무언가를 마주하게 될 것이다. 혼란스러워할 필요 없다. 뼈가 있던 자리에 속을 채우면 닭은 온전한 형태로 커지면서 아주 사랑스러워질 것이다.

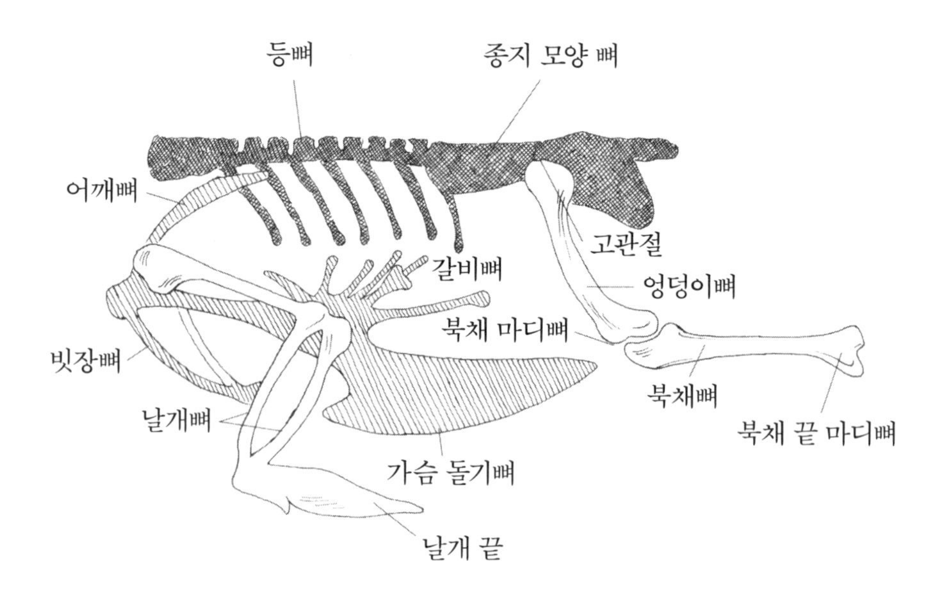

1. 날이 짧고 아주 날카로운, 잘 벼린 칼이 필요하다. 닭을 가슴이 아래를 향하도록 작업대 위에 놓고 등뼈까지 닿도록 깊게 찔러 목에서 꼬리까지 한 번에 직선으로 자른다.
2. 닭의 한쪽 면 전체를 한 번에 작업한다. 목부터 시작해, 손가락으로 훑으면서 뼈에서 살을 떼어낸다. 뼈에서 잘라내야 하는 부위에는 칼을 쓴다. 자르는 칼날은 항상 껍질이 아닌 뼈 쪽을 향한다. 닭의 등을 따라 내려가면서 계속 작업한다.
3. 중간쯤 지났을 때 등의 작은 뼈에 닿는데, 살점에 둘러싸인 종지 모양 뼈다. 그 살점을 손가락으로 잡아떼는데, 필요하면 칼을 써서 자른다. 좀 더 가면 고관절에 닿는다. 손가락으로 고관절을 둘러싼 살점을 가능한 한 많이 떼어낸 뒤, 손질한 닭의 몸통뼈에서 고관절을 잘라낸다. 한 손으로 닭다리의 끝을 잡고, 다른 손으로 고관절에서 고기를 잡아당긴다. 길고 흰 힘줄이 딸려 나오면 뼈에서 칼로 잘라낸다.
4. 다음으로 손질해야 할 관절은 고관절에서 북채로 연결된 것이다. 엉덩이뼈를 한 손으로 잡고 북채를 다른 손으로 잡아 엉덩이뼈를 관절에서 뚝 꺾는다. 이

제 엉덩이뼈를 완전히 제거할 수 있는데, 뼈에 붙어 있는 살점이 분리되도록 칼로 긁어낸다. 손에 칼을 쥐고 있을 때는 언제든 껍질에 대해 생각하면서 찢어지거나 구멍이 나지 않게 주의한다.

5. 다음으로, 북채뼈를 제거해야 한다. 두껍고 살이 많은 끝에서부터 시작해 뼈에서 살점을 떨어트리고, 살점을 잡을 수 있게 되면 손가락으로 잡아당기며 필요하면 칼로 떼어낸다. 뼈에서 살은 그대로 두고 힘줄만 자른다. 껍질이 찢어지지 않도록 주의하면서 차근차근 북채 끝 마디뼈까지 간다. 살점을 뼈에서 계속 잡아당겨 떼다 보면, 닭의 이 부위만 안팎이 뒤집어져 마치 글러브처럼 보일 것이다. 북채 끝 마디뼈까지 1cm 정도 남았을 때 돌려가며 베어내, 껍질, 살점과 힘줄이 뼈에서 깔끔하게 잘리게 한다. 끝 마디뼈를 움켜쥐고 도로 다리 쪽으로 밀어 넣어 다른 쪽 끝이 빠져나오게 한다.
6. 등 위쪽 부위로 돌아간다. 손가락으로 당기면서 칼을 뼈에 대고 긁어 갈비뼈에서 살이 떨어지게 하고 가슴뼈 쪽으로 이동하면서 작업한다. 가슴뼈까지 오면, 가슴 돌기뼈에 붙어 있는 껍질을 잠시 그대로 둔다.
7. 어깨뼈에 날개가 붙어 있는 것이 보일 것이다. 손가락으로 그곳에 있는 살점을 떼어 파내는데, 필요할 때는 칼을 쓴다. 뼈가 날개와 만나는 지점에서 뼈를 잘라내 제거한다. 닭에서 날개 끝부분을 잘라버린다. 몸통에 붙어 있는 날개 부위에서 굳이 뼈를 제거하려고 하지 마라.
8. 위에서 설명한 과정을 반복해 닭의 다른 쪽도 뼈를 발라내, 몸통 중 유일하게 가슴 돌기뼈만 붙어 있게 한다.
9. 닭을 뒤집어 가슴이 위를 향하게 작업대에 놓는다. 닭의 살이 헐렁해진 두 면을 집어 몸통 위로 들어 올리고 한 손으로 잡는다. 들고 있는 가슴 돌기뼈에서 칼로 조심스럽게 껍질을 분리시킨다. 뼈에 붙어 있는 껍질이 아주 얇아 찢어지기 쉽기 때문에 여기서 가장 주의를 기울여야 한다. 가장자리를 계속 자르고 칼끝은 껍질로부터 떨어트린 채 칼날로 뼈의 표면을 따라 긁는다. 살을 완전히 분리하면 닭뼈는 버린다. 뼈를 바른 닭의 속을 채울 준비가 되었다.

미리 준비한다면 ❀ 닭의 속을 채우기 하루 전에 뼈를 바르는 작업 전체를 해둘 수 있다.

소고기와 파르메산으로 속을 채워 팬에 구운 뼈 없는 통닭

Pan-Roasted Whole Boned Chicken with Beef and Parmesan Stuffing

6인분

빵 조각 ⅔컵, 겉껍질 없이 부드러운 속을 2.5cm 크기로 자른다
우유 ½컵
소고기 간 것 450g, 가급적 목심으로
파슬리 2큰술, 아주 잘게 다진다
마늘 ½작은술, 아주 잘게 다진다
소금
갓 갈아낸 검은 후추
갓 갈아낸 파르미자노 레자노 치즈 ⅔컵
닭 1마리, 1350~1800g 정도 되는 것을 349~351쪽 설명대로 뼈를 바른다
조리용 바늘과 조리용 끈 또는 바늘과 튼튼한 면실
식물성기름 ¼컵
버터 1큰술
달지 않은 화이트 와인 ½컵

1. 깊이가 있는 접시에 자른 빵 조각과 우유를 넣고 10~15분간 빵을 적신다.
2. 간 소고기, 파슬리, 마늘, 소금, 후추와 파르메산 간 것을 볼에 넣고 모든 재료가 고루 합해지도록 완전히 섞는다.
3. 불린 빵 조각을 우유가 더 이상 나오지 않을 때까지 손으로 조심스럽게 짠다. 간 소고기 혼합물에 넣고 재료들이 매끈한 반죽이 될 때까지 손으로 부드럽게 치댄다.
4. 뼈를 바른 닭을 껍질이 아래를 향하도록 작업대 위에 놓는다. 섞은 속재료를 다리의 뼈가 있었던 곳에 약간 채워 넣는다. 남은 속재료를 가져와 닭과 비슷한 둥근 덩어리 형태로 빚는다. 닭 가운데에 넣고, 닭껍질이 속재료를 완전히 감싸도록 끌어당긴다. 껍질의 가장자리가 다른 껍질과 2.5cm 정도 겹치게 한다. 껍질 안쪽에 있는 덩어리를 손으로 매만져 가능한 한 원래 닭에 가까운 형태가 되도록 만든다.
5. 목에서 시작해 꼬리까지 따라 내려오며 껍질을 꿰맨다. 껍질 가장자리에서 고리를 만들며 꿰매는 감침질을 해준다. 꼬리까

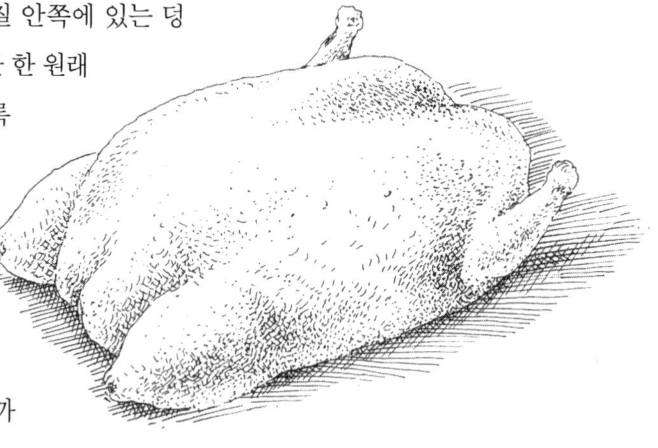

지 꿰맸을 때 완벽하지 않아도 되지만, 할 수 있는 한 벌어진 곳이 없도록 한다. 다 꿰매면 바늘을 안전한 곳에 둔다.

6. 닭이 충분히 들어갈 수 있는 크기의 바닥이 두껍거나 법랑을 입힌 무쇠냄비를 가져온다. 기름과 버터를 넣고 중불에 올린다. 가장자리에서 버터 거품이 생기기 시작하면 꿰맨 부분이 아래를 향하도록 닭을 넣는다. 조심스럽게 뒤집어가며 모든 면을 갈색이 나도록 잘 굽는다. 와인을 넣고 30초간 팔팔 끓이고, 소금과 후추를 뿌린다. 아주 천천히 뭉근하게 끓도록 불의 세기를 조절하고, 냄비 뚜껑을 비스듬하게 덮는다. 속을 채운 닭을 익히는 시간은 450g당 20분으로 계산한다. 익히면서 가끔 닭을 뒤집어준다. 익히는 동안 수분이 부족해지면 필요에 따라 물 1~2큰술을 넣는다.
7. 전용 도마나 큰 접시에 옮겨 담고 몇 분간 그대로 둔다.
8. 냄비에 기름을 약간만 남기고 모두 퍼낸다. 물을 1~2큰술 넣고 강불에 올려 나무 주걱으로 바닥과 옆면에 붙은 조리 잔여물을 긁어내며 졸인다. 냄비의 즙을 따뜻하게 데워놓은 종지나 작은 소스그릇에 담는다.
9. 식탁에서 닭을 목에서부터 얇게 자른다. 각자의 접시로 나눌 때 얇게 썬 조각 위에 따뜻한 즙을 아주 살짝 끼얹는다. 차가울 때나 상온 상태로 먹는다면 즙은 생략한다.

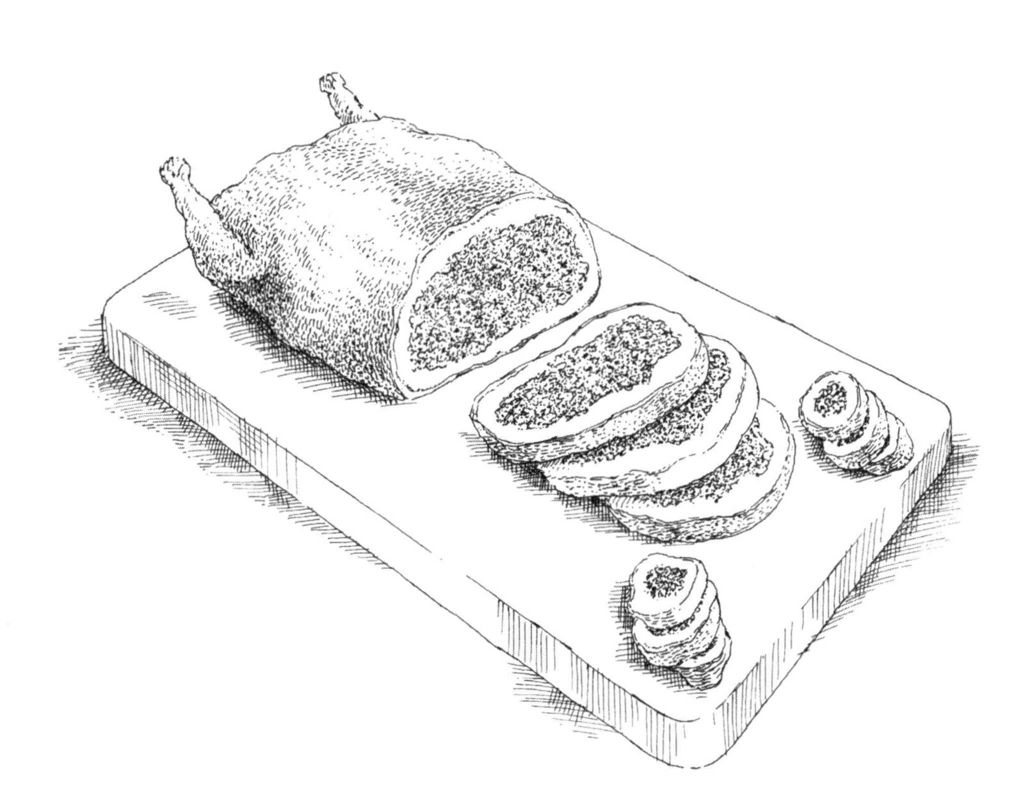

팬에 구운 새끼 비둘기고기

Pan-Roasted Squab Pigeons

깃털이 있는 수렵조류를 조리하기 위한 전통적인 방법은 이 레시피에서처럼 세이지의 강한 향을 활용하는 것이다. 또한 세이지는 속에 채워 넣을 조류의 간이 가진 짙은 풍미와도 어울린다. 조류는 오븐보다는 스토브 위에서 냄비를 일부분만 덮은 채 명백한 이탈리아 방식으로 굽는데, 고기가 깊은 속까지 부드러워져 살점이 뼈에서 떨어져 나올 정도로 익힌다.

4~6인분(1인당 새끼 비둘기 1마리면 넉넉한 양이다.
첫 번째 코스로 낼 때는 반 마리면 되고 남은 것은 두 그릇째로 나누면 된다.)

새끼 비둘기 4마리, 마리당 450g 정도인 신선한 것으로 깃털을 완벽히 손질한다(간이 없는 비둘기라면 신선한 닭 간 4개를 추가로 준비한다)
생세이지잎 12장
판체타 4줄, 길이 4cm, 폭 1cm 정도로 얇게 썬다
소금
갓 갈아낸 검은 후추
버터 1큰술
식물성기름 2큰술
달지 않은 화이트 와인 ⅔컵

1. 비둘기의 안쪽 내장을 제거하는데 심장과 모래주머니는 버리고 간은 보관한다. 흐르는 찬물에 비둘기의 안팎을 씻고 천이나 키친타월로 안쪽과 바깥쪽을 가볍게 두드려 물기를 완전히 제거한다. 새끼 비둘기의 비어 있는 속에 각각 세이지잎 2장, 판체타 1줄, 간 1개, 소금 두 자밤과 간 후추 약간을 넣는다.
2. 새끼 비둘기가 겹치지 않고 모두 들어갈 수 있는 넓은 소테팬을 고른다. 버터와 기름을 넣고 중강불에 올려 가장자리에서 버터 거품이 생기기 시작하면 남은 세이지잎 4장을 넣은 뒤 새끼 비둘기를 넣는다. 비둘기의 모든 면을 갈색이 나도록 굽고 소금과 후추를 뿌려 한두 번 뒤집은 뒤 와인을 붓는다. 와인을 20~30초간 팔팔 끓인 다음 불의 세기를 조절해 팬 뚜껑을 비스듬하게 덮은 채 천천히 뭉근하게 끓인다. 포크로 비둘기 허벅지살을 찔러 부드럽다고 느껴지고 살점이 뼈에서 쉽게 떨어질 때까지 1시간 정도 익힌다. 15분마다 한 번씩 비둘기를 뒤집어준다. 팬에 남은 수분이 부족해지면 필요에 따라 물을 2~3큰술 넣는다.
3. 새끼 비둘기가 다 익으면 따뜻하게 데워놓은 차림용 접시에 옮긴다. 1인당 비

둘기 반 마리씩를 나눈다면 가금류용 가위로 반을 쪼갠다. 팬을 기울여 지방을 약간 남기고 퍼낸다. 물을 2큰술 넣고 강불에 올려 나무 주걱으로 바닥과 옆면에 붙은 조리 잔여물을 긁어내며 졸인다. 새끼 비둘기 고기 위에 팬의 즙을 붓고 바로 차려 낸다.

오리 로스트

Roast Duck

이 레시피의 목표는 이탈리아 오리보다 지방이 더 많은 오리를 쓰더라도 이탈리아에서와 똑같은 감칠맛을 내는 데 있다. 과정의 일부는 중국 요리에서 차용했다. 오리를 잠시 끓는 물에 담갔다가 그 뒤에 헤어드라이어로 완벽하게 말려준다. 첫 번째 과정으로 피부의 털구멍이 넓어지고, 두 번째는 열린 상태 그대로 유지시킨다. 이후에 오븐에서 오리를 구울 때 열린 털구멍을 통해 지방이 녹아 천천히 흘러나오는데, 이로 인해 살이 촉촉하면서도 기름지지 않게 되고 껍질은 맛있게 바삭해진다. 이것은 야생 오리가 아닌, 농장에서 키운 지방층이 두꺼운 어린 오리에 추천하는 방법이다.

그레이비는 세이지, 로즈마리와 으깬 오리 간을 섞어 풍미가 더해진 오리 육즙으로 만든다. 어린 오리 간이 필요한 양만큼 없다면 정육점에서 닭 간을 구할 수 있겠으나, 역시 오리 간이 더 낫긴 하다.

4인분

로즈마리잎, 신선한 것 2작은술 또는 말린 것 1작은술, 아주 잘게 다지거나 부순다
세이지잎, 신선한 것 1큰술 또는 말린 것 1½작은술, 아주 잘게 다지거나 부순다
소금
갓 갈아낸 검은 후추
오리 간 ⅔컵 또는 오리와 닭 간(위의 설명 참조), 아주 잘게 다진다
어린 오리고기 2025~2250g
헤어드라이어

1. 로즈마리, 세이지, 소금과 후추를 섞고 이를 둘로 나눈다.
2. 잘게 다진 간과 위의 허브 양념 절반을 볼에 넣고 포크로 고루 섞는다.
3. 오리고기를 넣고 물에 완전히 잠길 정도로 충분히 큰 냄비에 물을 넉넉히 넣고 끓인다.
4. 오븐을 230°C로 예열한다.
5. 오리에 모래주머니가 달려 있으면 떼어내 버린다. 구멍 쪽에 붙어 있는 지방

도 제거한다. 물이 끓기 시작하면 오리를 넣는다. 물이 다시 끓기 시작한 시점으로부터 5~7분 더 오리를 그대로 두었다가 꺼낸다. 오리의 물기를 잘 빼고 안팎을 키친타월로 가볍게 두드려 물기를 말린다. 헤어드라이어의 뜨거운 바람으로 오리의 껍질 전체에 6~8분간 쐬어준다(이 과정은 앞의 설명 참고).

6. 간과 섞지 않은 남은 허브 양념을 오리 껍질에 문지른다.
7. 허브와 간을 섞은 것을 오리 구멍 안쪽에 바른다.
8. 구이용 망에 가슴살이 위를 향하도록 오리를 놓고, 망을 높이가 낮은 구이용 팬에 놓는다. 꼬리를 이쑤시개로 접어 넣어 채운 속이 구멍으로 빠져나오지 않게 한다. 예열된 오븐 상단에 넣고 굽는다. 30분 뒤에 온도를 190℃로 낮추고 껍질이 바삭해질 때까지 최소 1시간 이상 익힌다.
9. 오븐에서 오리를 꺼내 실온에 둔 깊이가 있는 접시로 옮긴다. 꼬리에서 이쑤시개를 빼 구멍 안에 있던 액체가 접시로 흘러나오게 한다. 이 액체를 모아 작은 소스팬에 넣고 구이용 팬에 떨어져 있던 지방 ¼컵과 합친다. 오리 속에 들러붙어 있는 허브와 간 섞인 것을 긁어내 소스팬에 넣는다. 약불에 올리고 그레이비 농도와 비슷해질 때까지 저으면서 끓인다.
10. 오리의 날개와 허벅지 부위를 잘라내고 가슴살도 4조각으로 나눠 자른다. 얇게 조각내 썰어도 좋다. 따뜻하게 데워놓은 차림용 접시에 오리를 놓고 그레이비를 부어 바로 먹는다. 영국식으로 식탁에서 직접 오리를 썰어내고 싶다면 소스 그릇에 그레이비를 따로 낸다.

로즈마리와 화이트 와인으로 조리한 토끼고기

Rabbit with Rosemary and White Wine

나의 아버지는 시내에 살았지만 많은 이탈리아인들이 그러하듯 농장을 가지고 있었다. 아버지는 관리를 위해 농장을 주기적으로 방문하곤 했는데 아버지가 고용한 소작농, 즉 콘타디니(contadini)는 닭이나 토끼를 잡아 저녁 식사로 요리해 주었다. 이 레시피는 그들이 토끼를 다루던 방법이다. 갈색이 나도록 굽는 대신 토끼가 가진 적은 육즙 등으로 푹 익힌다. 그 뒤에 화이트 와인과 함께 약간의 로즈마리와 토마토를 살짝 넣어 뭉근하게 끓인다.

4~6인분

토끼 1마리, 1350~1575g 정도 되는 것을 8등분한다

생로즈마리 2줄기 또는 말린 잎 1½작은술

엑스트라버진 올리브유 ⅓컵
셀러리 ¼컵, 잘게 깍둑썰기한다
마늘 1쪽, 껍질을 벗긴다
달지 않은 화이트 와인 ⅔컵
소금
갓 갈아낸 검은 후추
고형 육수 1개와 토마토 페이스트 2큰술을 따뜻한 물 ⅓컵에 녹인다

1. 토끼를 넉넉한 양의 찬물에 밤새 담가놓는다. 추운 날씨에 난방하지 않은 공간이나 냉장고에 두어야 한다. 찬물을 몇 번 갈아가며 헹군 뒤 천이나 키친타월로 가볍게 두드려 물기를 완전히 제거한다.
2. 토끼고기를 전부 겹치지 않고 넣을 수 있는 넓은 소테팬을 고른다. 올리브유, 셀러리, 마늘과 토끼고기를 넣고 뚜껑을 완전히 덮어 약불에 올린다. 이따금 고기를 뒤집어주되 뚜껑은 꼭 덮어야 한다.
3. 2시간쯤 지나면 토끼고기에서 수분이 꽤 나왔을 것이다. 팬 뚜껑을 열고 중불로 올려 수분이 전부 날아갈 때까지 토끼고기를 이따금 뒤집어가며 끓인다. 와인, 로즈마리, 소금과 후추를 넣는다. 와인이 모두 졸아들 때까지 팔팔 끓인 뒤 고형 육수와 토마토 페이스트를 섞어 녹인 것을 고기 위에 붓는다. 팬 안의 즙이 소스 농도가 될 때까지 토끼고기를 이따금 뒤집어가며 15분 또는 그 이상 뭉근하게 끓인다. 따뜻하게 데워놓은 차림용 접시에 팬 안의 모든 내용물을 옮겨 담아 바로 먹는다.

미리 준비한다면 ❁ 몇 시간 또는 하루 전에 토끼를 요리해둘 수 있다. 물 2~3큰술을 넣고 약불에서 다시 데운다. 전부 고루 데워질 때까지 토끼를 이따금 뒤집어준다.

송아지고기

VEAL

마늘, 로즈마리, 화이트 와인을 넣은 송아지고기 팬 로스트

Pan-Roasted Veal with Garlic, Rosemary, and White Wine

이탈리아 사람들에게 지극히 간단한 이 요리는 로스트 조리법의 전통적인 방식이다. 집에서 하는 팬 로스팅의 가장 완벽한 실례로, 과정 전체가 버너 위에서 이루어진다. 비법은 천천히 조심스럽게 요리하는 것이다. 냄비 뚜껑을 반쯤 닫고 물의 양을 주의 깊게 살펴, 고기가 냄비에 들러붙지 않을 정도만 유지해야 한다. 물이 많으면 맛이 연해진다. 이보다 감칠맛을 더 끌어올리면서 훌륭한 맛으로 결정짓는 더 나은 기술은 없다. 송아지고기만큼이나 가금류와 어린 양고기에도 성공적으로 활용할 수 있다.

6인분

마늘 3쪽, 중간 크기로 준비
송아지고기 900g, 뼈를 바른 구이용으로 준비(아래 참고)
생로즈마리 1줄기 또는 말린 잎 1작은술
식물성기름 2큰술
버터 2큰술
소금
갓 갈아낸 검은 후추
달지 않은 화이트 와인 ⅔컵

참고 ✿ 이 구이 요리를 위한 부위는 육즙과 풍미가 가득하면서 그다지 비싸지 않은, 뼈를 발라 둥글게 만 송아지 어깨살이다.

1. 칼 손잡이로 껍질이 갈라질 만큼 가볍게 마늘을 으깨 껍질을 벗겨서 버린다.
2. 둥그렇게 말려 있는 고기라면 마늘, 로즈마리를 얹고 후추를 살짝 갈아 뿌려주고, 평평한 고기라면 말아서 단단하게 묶는다. 둥근 고기에서 잘라낸 조각이라면, 좁고 날이 선 칼로 몇 군데를 찔러 마늘을 넣고 몇 조각으로 나눈 로즈마리나 말린 잎도 여기저기에 꽂는다.
3. 고기가 모두 들어갈 만큼 크고 바닥이 두껍거나 법랑을 입힌, 가능하면 타원형의 무쇠냄비를 고른다. 기름과 버터를 두르고 중강불에 올려 가장자리에서

버터 거품이 생기기 시작하면 고기를 넣고 모든 면이 짙은 갈색이 나도록 굽는다. 소금과 후추를 뿌린다.

4. 와인을 넣어 나무 주걱으로 냄비 바닥과 옆면에 들러붙은 갈색 잔여물을 긁어낸다. 와인이 뭉근하게 끓도록 불의 세기를 조절하고 뚜껑을 비스듬하게 덮어, 포크로 찔렀을 때 고기가 아주 부드럽다고 느껴질 때까지 1시간 반에서 2시간 동안 익힌다. 익히는 동안 고기를 이따금 뒤집고 냄비 안에 수분이 부족해지면 필요에 따라 물을 2~3큰술 넣는다.
5. 다 익으면 고기를 도마 위로 옮긴다. 냄비 안에 즙이 남지 않은 상태에서 물을 ¼컵 넣고 강불에 올려 바닥과 옆면에 붙은 조리 잔여물을 긁어가며 졸인다. 반대로 마지막에 냄비에 물기가 너무 많다면—남은 즙은 1인당 1큰술 가득 또는 그것보다 살짝 적은 양이면 된다—강불에서 졸인다. 불을 끈다.

미리 준비한다면 ❀ 이 요리는 이 단계까지 몇 시간 전에 미리 만들어둘 수 있다. 필요하면 물을 1~2큰술 넣고 냄비 뚜껑을 덮은 채 천천히 다시 데운다.

6. 고기를 두께 0.5cm 정도로 얇게 자른다. 따뜻하게 데워놓은 접시에 나란히 올리고 조리 시 나온 즙을 그 위에 부어 바로 차려 낸다.

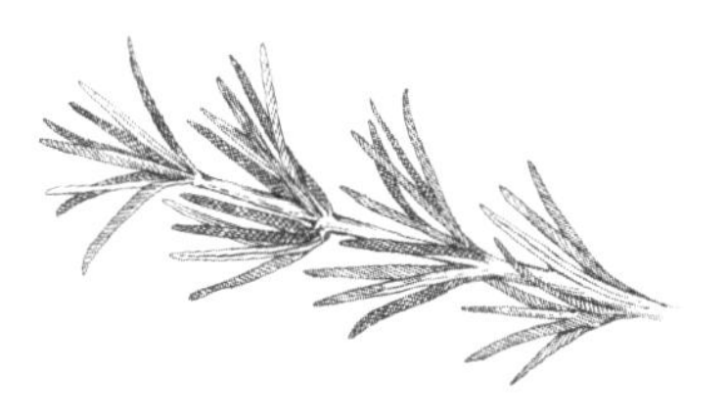

판체타 송아지 가슴살 롤

Rolled-Up Breast of Veal with Pancetta

가슴살은 가장 육즙이 풍부하고 맛있는 부위 중 하나이자, 송아지를 해체했을 때 가장 저렴한 부위 중 하나이기도 하다. 붙어 있는 갈비뼈는 반드시 제거해 고기만 말 수 있어야 하는데, 만일 정육업자에게 부탁할 수 있다면 뼈를 버리지 말고 꼭 챙겨달라고 해라. 고기육수의 훌륭한 재료가 된다.

고기에서 뼈를 직접 발라낼 거라면 다음과 같이 꽤 간단하게 해낼 수 있다. 갈비뼈가 아래를 향하도록 가슴 부위를 작업대 위에 놓고, 날카로운 칼날을 고기와 뼈 사이로 밀어 넣어 고기가 평평한 하나의 덩어리로 떨어지도록 썰어낸다. 작은 연골 조각과 너덜너덜한 껍질 조각을 제거하되, 가슴살을 감싸고 붙어 있는 껍질 한 층은 떼어내지 마라.

4~6인분

송아지 가슴살 한 덩어리, 뼈를 포함해 2025~2250g 정도, 앞의 설명대로 뼈를 바른 살코기 무게는 대략 790g
소금
갓 갈아낸 검은 후추
판체타 115g, 아주 아주 얇게 썬다
마늘 2~3쪽, 껍질을 벗긴다
생로즈마리 1~2줄기 또는 말린 잎 1작은술
조리용 실
식물성기름 1큰술
버터 2큰술
달지 않은 화이트 와인 ½컵

1. 뼈를 바른 고기를 껍질 쪽이 아래를 향하도록 평평하게 놓고 소금과 후추를 뿌려, 얇게 썬 판체타를 그 위에 펼쳐 놓는다. 통마늘을 일정한 간격으로 떨어뜨려 놓고 위에 로즈마리를 올린다. 고기를 롤케이크 모양으로 꽉 말아 조리용 실로 단단히 묶어준다.
2. 고기가 모두 들어갈 정도로 크고 바닥이 두껍거나 법랑이 입혀진, 가능하면 타원형의 무쇠냄비를 고른다. 버터와 기름을 넣고 중강불에 올리고 가장자리에서 버터 거품이 생기기 시작하면 고기를 넣어 모든 면이 짙은 갈색이 나도록 굽는다. 소금을 뿌리고 와인을 넣는다.
3. 와인이 끓으면 안에 있는 고기를 뒤집고 몇 초 뒤에 와인이 아주 천천히 거품을 내면서 뭉근하게 끓도록 불을 낮춘다. 뚜껑을 비스듬하게 덮고, 포크로 찔러 고기가 아주 부드럽다고 느껴질 때까지 1시간 반에서 2시간 동안 익힌다. 익히는 동안 가슴살을 이따금 뒤집고, 냄비 안에 수분이 없어지면 필요할 때마다 물을 2~3큰술 넣는다.
4. 도마 위로 고기를 옮긴다. 냄비에 물을 2큰술 넣고 강불에 올려 나무 주걱으로 바닥과 옆면에 붙은 조리 잔여물을 긁어가며 졸인다. 불을 끈다.

미리 준비한다면 358쪽 마늘, 로즈마리, 화이트 와인을 넣은 송아지고기 팬 로스트 레시피에서 권한 방법을 따른다.

5. 가슴살을 두께 1cm 미만으로 얇게 썬다. 조리용 실을 남겨두었다면 가슴살을 얇게 써는 데 도움이 되겠지만 자른 후에 남은 실 조각을 모두 확실히 제거해야 한다. 마늘을 찾아내 버리고, 따뜻하게 데워놓은 차림용 접시에 얇게 썬 고기를 나란히 놓은 뒤 냄비의 즙을 위에 붓고 바로 차려 낸다.

송아지 갈비 팬 로스트

Pan-Roasted Breast of Veal

오랫동안 내가 좋아해온 고기 요리 중 하나다. 꽤 간단하고 쉬워 대수롭지 않게 여겼고, 레시피를 기록해둘 생각도 없었다. 고인이 된 제임스 비어드(James Beard)가 1970년대 중반 당시 내가 가르치던 강좌를 보기 위해 볼로냐를 방문했을 때 디아나 식당에 가서 나와 함께 이 요리를 먹었다. 그는 요리에 아주 만족한 나머지 나에게 레시피를 적어두도록 강하게 권했다.

뼈를 발라내지 않은 가슴살 전체를 적은 양의 조리용 기름, 약간의 와인, 그리고 육즙만을 이용해 정통 이탈리아 방식으로 스토브 위에서 육수나 물을 넣지 않고 팬 로스트한다. 송아지 가슴살 속을 채우는 다른 화려한 요리에 비해 만들기 더 간단하고, 먹음직스러운 갈색에 놀라우리만치 부드럽고, 고기의 감칠맛이 느껴지는 감동적인 로스트가 만들어진다.

4인분

엑스트라버진 올리브유 3큰술

마늘 3쪽, 껍질을 벗긴다

송아지 갈비 1575g, 갈비뼈가 붙은 것으로 준비

생로즈마리 2줄기 또는 말린 잎 1작은술

소금

갓 갈아낸 검은 후추

달지 않은 화이트 와인 ⅔컵

1. 고기를 평평하게 놓을 수 있을 정도로 충분히 넓은 소테팬을 고른다. 올리브유와 마늘을 넣고 중불에 올린다.
2. 올리브유가 달구어지면 껍질이 아래를 향하도록 갈비를 넣는다. 고기가 들어갔을 때 올리브유가 지글거려야 한다. 로즈마리를 넣는다. 고기의 한쪽 면이 짙은 갈색으로 구워지면 반대쪽도 굽는다. 소금과 후추를 넣고 갈비를 2~3번 뒤집어가며 1~2분 더 구운 뒤 와인을 넣는다. 와인을 20~30초간 팔팔 끓이고, 불을 약하게 낮추고 냄비 뚜껑을 비스듬하게 덮는다.

3. 익히는 동안 고기를 이따금 뒤집어준다. 고기가 들러붙는 것 같으면 물을 2~3큰술 넣어 떼어주고 아주 천천히 익어가도록 불의 세기를 확인한다. 포크로 찔러서 아주 부드럽다고 느껴지고 모든 면이 먹음직스러운 갈색이 나면 송아지고기가 다 익은 것이다. 2시간에서 2시간 반 정도 걸릴 것이다.
4. 갈비뼈가 붙은 쪽이 위를 향하도록 고기를 도마 위에 놓는다. 날카로운 뼈 바르는 칼(boning knife)로 뼈를 분리하고, 들어내 제거한다. 고기를 대각선으로 얇게 썬다. 따뜻하게 데워놓은 차림용 접시에 얇게 썬 고기를 놓는다.

5. 냄비를 기울여 기름을 약간 퍼낸다. 중불에 올리고 물을 2~3큰술 넣고 나무주걱으로 바닥과 옆면에 붙은 조리 잔여물을 긁어가며 졸인다. 냄비의 즙을 송아지고기 위에 부어 식탁으로 바로 가져간다.

오소부코—밀라노식 송아지 정강이 찜

Ossobuco — Braised Veal Shanks, Milanese Style

오소부코(ossobuco) 또는 밀라노 방언으로 오스 부스(oss bus)는 '구멍 난 뼈'라는 의미다. 이 특수한 뼈는 송아지 뒷다리 정강이뼈로, 이 뼈를 둥글게 둘러싼 고기는 모든 동물을 통틀어 가장 달고 부드럽다. 원래 가진 성질대로 접시 위에서 녹아내리듯 부드럽게 하려면 다음 지시 사항을 따르라.

❁ 살점이 더 많은 뒷다리 정강이로만 만든다. 슈퍼마켓에서 사기 미심쩍다면, 전업 정육업자를 찾아가 요청하라.
❁ 오소부코는 4cm 미만으로, 그리 두껍지 않게 썬다. 가장 조리하기 좋은 크기다. 두꺼운 오소부코는 접시 위에서 특별해 보이지만, 오래 천천히 충분

히 조리하기가 좀처럼 어렵고, 결국 잘 씹히지 않게 조리되기 십상이다.

❁ 정육업자가 정강이를 둘러싼 껍질을 제거하지 않게 하라. 껍질은 오소부코가 익는 동안 그 부위가 서로 붙어 있게 해줄 뿐만 아니라, 크림처럼 부드러운 농도는 요리의 마지막 풍미를 돋운다.

❁ 오소부코가 충분히 익을 수 있는 시간을 확보한다. 천천히, 인내심을 가지고 익히는 것이 정강이 본래의 풍부한 육즙을 유지하는 핵심이다.

참고 ❁ 정강이를 통으로 구입했다면 정육점에서 양 끝을 썰어달라고 부탁한다. 그 부위에는 살점이 얼마 없기 때문에 오소부코로는 적당하지 않지만 고기육수를 내기에는 아주 훌륭한 성분이 농축되어 있다.

6~8인분

양파 1컵, 잘게 다진다
당근 ⅔컵, 잘게 다진다
셀러리 ⅔컵, 잘게 다진다
버터 4큰술
마늘 1작은술, 잘게 다진다
레몬필, 흰 속껍질이 없도록 2줄로 썬다
식물성기름 ⅓컵
송아지 뒷다리 정강이 8개, 4cm 정도 두께로 썰어서 가운데를 빙 둘러 단단하게 묶는다
밀가루, 접시 위에 펼친다
달지 않은 화이트 와인 1컵
고기육수 25쪽 설명대로 직접 만든 것으로는 1컵 또는 소고기육수 통조림 ½컵을 물 ½컵과 섞는다
이탈리아산 플럼토마토 통조림 1½컵, 대강 썰어서 즙과 함께 준비
생타임 ½작은술 또는 말린 것 ¼작은술
월계수잎 2장
파슬리 2~3줄기
갓 갈아낸 검은 후추
소금

1. 오븐을 180°C로 예열한다.
2. 송아지 정강이가 모두 한 겹으로 들어갈 만큼 넓은, 바닥이 두껍거나 법랑이 입혀진 무쇠냄비를 고른다(한 겹으로 넣을 수 있을 정도로 충분히 큰 냄비가 없다면, 작은 냄비 두 개를 쓰는데 모든 재료를 똑같이 반으로 나누되 각각의 냄비에 버터 1큰술을 추가로 넣는다). 양파, 당근, 셀러리와 버터를 넣고 중불에 올린다. 6~7분간 익히다가 잘게 다진 마늘과 레몬필을 넣고 채소가 부드러워지고 숨이 죽을 때까지 2~3분간 익힌 뒤, 불에서 내린다.
3. 스킬렛에 식물성기름을 넣고 중강불에 올린다. 송아지 정강이의 모든 면에 밀가루를 입히고, 여분의 가루를 털어낸다.

참고 ✿ 갈색이 나도록 구워야 할 송아지고기나 다른 어떤 고기에도 밀가루를 '미리' 입히지 않는다. 밀가루가 축축해져 표면이 바삭해지지 않기 때문이다.

기름이 뜨거워지면—송아지고기를 넣었을 때 지글거려야 한다—정강이를 미끄러트리듯 넣고 모든 면이 짙은 갈색이 나도록 굽는다. 구멍 뚫린 국자나 뒤집개로 스킬렛에서 고기를 꺼내어 냄비 안에 있는 잘게 썬 채소 위에 나란히 놓는다.

4. 스킬렛을 기울여 기름을 조금만 남겨놓고 전부 퍼낸다. 와인을 붓고, 스패출러로 바닥과 옆면에 들러붙은 갈색 잔여물을 긁어내며 중불에서 뭉근하게 졸인다. 스킬렛의 즙을 냄비 안에 있는 송아지고기에 붓는다.
5. 스킬렛에 육수를 넣고 뭉근하게 끓여 냄비에 붓는다. 썰어놓은 토마토와 즙, 타임, 월계수잎, 파슬리, 후추와 소금도 넣는다. 육수의 높이가 정강이 고기의 3분의 2까지 차올라야 한다. 그렇지 않으면 육수를 추가한다.
6. 뚜껑을 완전히 덮어 냄비 안의 국물을 뭉근하게 끓이고, 예열된 오븐 하단에 넣는다. 포크로 찔러 고기가 아주 부드럽다고 느껴지고 진득하고 부드러운 소스가 만들어질 때까지 2시간 정도 익힌다. 20분마다 정강이 고기에 국물을 끼얹어준다. 오소부코가 익는 동안 냄비 안의 수분이 부족한 것 같으면 필요에 따라 한 번에 물을 2큰술씩 넣는다.
7. 다 익었으면 따뜻하게 데워놓은 접시에 옮기고, 정강이 고기가 흐트러지지 않게 조리용 실을 조심스럽게 제거한다. 냄비 안의 소스를 고기 위에 부어 바로 차려 낸다. 냄비 안의 즙이 너무 옅거나 묽으면 냄비를 강불에 놓고 남은 수분을 날린 뒤, 졸인 소스를 접시 위 오소부코에 붓는다.

그레몰라다 *Gremolada*

오소부코의 전통을 엄격히 따르고 싶다면, 요리가 거의 완성되었을 즈음 그레몰라다(gremolada)라고 불리는 향긋한 소스를 정강이 고기에 더해야만 한다. 나는 결코 그 소스를 더하지 않지만 그걸 좋아하는 사람도 있으니, 원한다면 방법은 다음과 같다.

레몬필 간 것 1작은술, 흰 속껍질이 없도록 준비
마늘 ¼작은술, 아주 아주 잘게 다진다
파슬리 1큰술, 잘게 썬다

재료를 고루 섞어 정강이 고기를 익히는 동안 그 위에 뿌리는데, 그레몰라다를 송아지고기와 함께 익힌 시간이 완성 시점까지 2분을 넘기지 않도록 한다.

미리 준비한다면 ❀ 오소부코는 1~2일 전에 미리 완벽히 조리해둘 수 있다. 필요에 따라 물을 1~2큰술 더해 스토브 위에서 천천히 다시 데운다. 그레몰라다를 쓴다면 고기를 다시 데우기 바로 전에 넣어야만 한다.

오소부코 비안코—토마토를 넣지 않은 송아지 정강이 찜

Ossobuco in Bianco—Tomato-Less Braised Veal Shanks

손쉬우면서도 섬세한 향의 이 오소부코 레시피는 강렬한 밀라노식 방식과는 사뭇 다르다. 일반적으로 예전부터 써오던 토마토와 각종 채소와 허브가 들어가지 않고 처음부터 끝까지 스토브 위에서 은근하게 천천히 팬 로스트하는 이탈리아식 레시피다.

6~8인분

엑스트라버진 올리브유 ¼컵
버터 2큰술
송아지 뒷다리 정강이 8개, 4cm 정도 두께로 썰어서 가운데를 빙 둘러 단단하게 묶는다
밀가루, 접시 위에 펼친다
소금
갓 갈아낸 검은 후추
달지 않은 화이트 와인 1컵
레몬필 2큰술, 흰 속껍질이 없도록 아주 잘게 다진다
파슬리 5큰술, 잘게 썬다

1. 정강이 고기를 전부 겹치지 않고 넣을 수 있는 충분히 넓은 소테팬을 고른다 (넓은 냄비 하나가 없다면 두 개를 쓰되 버터와 올리브유를 반으로 나눈 뒤, 냄비마다 각각 1큰술씩 추가해 넣는다). 올리브유와 버터를 넣고 중강불에 올린다. 가장자리에서 버터 거품이 생기기 시작하면 정강이 고기 양면에 밀가루를 입히고 여분의 가루는 털어내 팬 안에 미끄러트리듯 넣는다.
2. 양면을 짙은 갈색이 나도록 구운 뒤 소금과 후추를 약간 뿌려 정강이 고기를 뒤집고, 와인을 붓는다. 아주 천천히 뭉근하게 끓도록 불의 세기를 조절해 냄비 뚜껑을 비스듬하게 덮는다.
3. 10분 정도 지나면 계속 끓이기에 팬 안의 수분이 부족하지 않은지 확인한다. 부족한 것 같으면 따뜻한 물 ⅓컵을 넣는다. 이따금 냄비를 확인하고 필요에 따라 물을 추가로 넣는다. 익히는 시간은 통틀어 2시간에서 2시간 반 정도 될

것이다. 살점이 쉽게 뼈에서 분리되고 포크로 쉽게 잘라질 정도로 부드러워지면 정강이 고기가 다 익은 것이다. 완성되면 구멍 뚫린 국자나 뒤집개로 따뜻한 접시에 옮긴다.

4. 잘게 다진 레몬필과 파슬리를 팬에 넣고 중불로 켜 나무 주걱으로 바닥과 옆면에 붙은 조리 잔여물을 긁어내며 1분 정도 저으면서 팬 안의 즙을 졸인다. 정강이 고기를 다시 팬으로 옮겨 즙 안에서 잠깐 뒤적이고, 따뜻하게 데워놓은 차림용 접시에 모든 내용물을 옮겨 담아 바로 차려 낸다.

미리 준비한다면 ❁ 가볍고 향긋한 풍미의 이 특별한 오소부코는 냉장 보관하면 맛이 변하기 때문에 한참 전에 미리 만들어둘 수는 없다. 당일 아주 이른 시간에 만들어놓고 먹을 수는 있겠다. 조리했던 팬에 넣고 뚜껑을 덮어 고기가 전체적으로 따뜻해질 때까지 약한 불에서 10~15분간 다시 데운다. 팬 안의 즙이 부족해지면 물 1~2큰술을 보충한다.

스틴코—트리에스테식 통째로 찐 송아지 정강이

Stinco—Braised Whole Veal Shank, Trieste Style

트리에스테식으로 스킨코(schinco)라 부르는 스틴코(stinco)는 송아지 정강이를 천천히 통째로 찐 뒤에 아주 얇게 썬 것이다. 밀라노 사람들이 오소부코에 쓰는 것과 동일하게 육즙이 풍부한 뒷다리 부위로 만들지만, 오소부코와 달리 토마토가 들어가지 않는다. 풍미의 바탕 중 일부를 담당하는 안초비가 흔적도 없이 녹아들어 깊은 맛을 주는 것이 이 요리를 구분 짓는 특징이다. 스틴코 또는 스킨코는 정통 이탈리아 팬 로스팅 방식으로 처음부터 끝까지 스토브 위에서 익혔을 때 가장 맛이 좋다.

8인분

송아지 정강이 통으로 2개(아래 참고)
마늘 2쪽
식물성기름 3큰술
버터 3큰술
양파 ½컵, 잘게 썬다
소금
갓 갈아낸 검은 후추
달지 않은 화이트 와인 ⅓컵
안초비 6조각(9쪽 설명대로 가급적 직접 만든 것으로)

참고 ❁ 정강이는 뒷다리여야만 한다. 정강이의 넓은 쪽 끝 관절을 톱으로 평평하게 잘라낸 상태로 뼈를 작업대 위에 세우고, 뼈를 빙 둘러가며 얇게 썰어낼 수 있어야 한다. 또한 정육업자가 좁은 쪽 끝을 잘라내 골수가 드러나게 해야 식탁에서 가느다란 도구를 이용해 가장 맛있는 골수를 즐길 수 있다.

1. 넓은 쪽 끝을 대고 정강이를 세워 날카로운 칼로 좁은 쪽 끝의 껍질, 살, 힘줄을 끊어준다. 이렇게 해야 익으면서 고기가 뼈의 끝에서 떨어져나와 불룩한 덩어리로 정강이가 시작되는 부분 쪽에 쏠리게 함으로써 스틴코가 거대한 막대사탕 모양이 되게 한다. 날것인 상태에서 이 작업을 하기 힘들다면 10분 정도 익힌 다음에 하라. 훨씬 수월하다.
2. 칼 손잡이로 마늘 껍질이 쪼개질 정도로만 가볍게 으깨 껍질을 벗겨서 버린다.
3. 바닥이 두꺼운 냄비가 필요할 것이다. 가급적 타원형으로, 정강이 고기 두 개가 모두 넉넉히 들어갈 정도여야 한다. 기름과 버터를 넣고 중강불에 올려 가장자리에서 버터 거품이 생기기 시작하면 정강이 두 개를 모두 넣는다.
4. 정강이를 뒤집어 모든 면이 갈색으로 구워지게 한 뒤, 불을 중불로 줄이고 잘게 썬 양파를 넣고 고기와 냄비 바닥 사이에 밀어 넣는다.
5. 양파가 황금색이 될 때까지 저으면서 익힌다. 마늘, 소금, 후추와 와인을 넣는다. 정강이를 한두 번 뒤집으며 와인을 1분 정도 뭉근하게 끓인 뒤, 안초비를 넣고 불을 아주 약하게 줄이고 냄비 뚜껑을 비스듬하게 덮는다. 포크로 찔러 고기가 아주 부드럽다고 느껴질 때까지 2시간 정도 익힌다. 정강이를 이따금 뒤집어준다. 냄비 안에 수분이 너무 조금 남아 고기가 바닥에 들러붙기 시작하면 물을 ⅓컵 넣고 정강이를 뒤집는다.
6. 고기가 다 익으면 도마에 정강이를 놓고 살점을 뼈 쪽으로 비스듬하게 대각선으로 얇게 썰어낸다. 살점을 저민 뼈의 넓은 끝 쪽을 따뜻하게 데워놓은 차림용 접시에 세우고 아래쪽에 얇게 썬 살점을 펼쳐놓는다.
7. 물 ⅓컵을 고기를 익혔던 냄비에 붓고 강불에 올려 나무 주걱으로 바닥과 옆면에 붙은 모든 조리 잔여물을 긁어내며 졸인다. 냄비의 즙을 얇게 썬 송아지 고기에 붓고 바로 차려 낸다.

미리 준비한다면 ֍ 요리 전체를 몇 시간 전에 미리 만들어둘 수 있다. 미리 했을 때는 냄비의 즙을 고기 위에 붓는 대신 얇게 썬 고기와 뼈에 붙은 고기 전체를 다시 냄비 안에 넣고, 식탁에 차리기 직전에 얇게 썬 고기를 뒤집어가며 즙 안에서 천천히 다시 데운다. 그런 다음, 따뜻한 접시에 위에 설명한 대로 가지런히 놓아 바로 차려 낸다. 만든 당일에 먹도록 하는데, 밤새 저장하면 풍미가 나빠지기 때문이다.

마르살라를 곁들인 송아지고기 스칼로피네

Veal Scaloppine with Marsala

4인분

식물성기름 2큰술
버터 2큰술
송아지 스칼로피네 450g, 48쪽
설명대로 위쪽에서 둥글게 썰어내
평평하게 편다
밀가루, 접시 위에 펼친다
소금
갓 갈아낸 검은 후추
달지 않은 마르살라 와인 ½컵

1. 스킬렛에 기름과 버터 1큰술을 넣고 중강불에 올린다.
2. 기름이 달구어지면 스칼로피네의 양면에 밀가루를 입혀 여분의 가루는 털어내고 팬에 미끄러트리듯 넣는다. 양면을 갈색이 나도록 재빨리 굽는데, 기름과 버터가 충분히 달구어졌다면 한 면당 30초 정도씩 걸릴 것이다. 구멍 뚫린 국자나 뒤집개로 따뜻한 접시에 옮기고 소금과 후추를 뿌린다(스칼로피네를 한 번에 팬에 꽉 차고 겹치지 않게 나누어서 넣되, 팬에 넣기 '직전'에 밀가루를 입힌다. 그렇지 않으면 밀가루가 눅눅해져 표면이 바삭해지지 않는다).
3. 불을 강불로 올려 마르살라(이탈리아 주정 강화와인—옮긴이)를 넣고, 끓는 동안 나무 주걱으로 바닥과 옆면에 붙은 갈색 잔여물을 모두 긁어낸다. 남은 버터 1큰술과 접시의 스칼로피네에서 흘러나온 즙을 넣는다. 팬 안의 즙이 더 이상 묽게 흐르지 않고 소스 농도가 되었을 때 불을 약하게 줄이고 스칼로피네를 다시 팬에 넣어 한두 번 뒤집어주며 팬 안의 즙을 끼얹는다. 팬 안의 모든 내용물을 따뜻한 접시로 옮기고 바로 차려 낸다.

마르살라와 크림을 곁들인 송아지고기 스칼로피네

Veal Scaloppine with Marsala and Cream

송아지고기와 마르살라 와인을 주제로 삼은 이 고전적인 변주에서 크림은 와인의 풍미를 손상시키지 않으면서 강렬한 맛을 누그러뜨린다. 정석을 따랐을 때보다 좀 더 부드러운 맛의 요리가 된다.

4인분

소금
갓 갈아낸 검은 후추
달지 않은 마르살라 와인 ½컵
생크림 ⅓컵

식물성기름 1큰술
버터 2큰술
밀가루, 접시 위에 펼친다
송아지 스칼로피네 450g, 48쪽
  설명대로 위쪽에서 둥글게 썰어내
  평평하게 편다

1. 스킬렛에 기름과 버터를 넣고 중강불에 올리고, 가장자리에서 버터 거품이 생기기 시작하면 밀가루를 입힌 스칼로피네를 368쪽 마르살라를 곁들인 송아지고기 스칼로피네의 2단계에서 설명한 대로 조리한다.
2. 강불로 키우고 접시에 흘러나온 스칼로피네 육즙과 마르살라를 팬에 넣는다. 와인을 끓이면서 나무 주걱으로 바닥과 옆면에 붙은 갈색 잔여물을 모두 긁어낸다. 크림을 넣고, 크림이 졸아들면서 팬 안의 즙과 잘 섞여 소스 농도가 될 때까지 고루 젓는다.
3. 중불로 줄이고, 스칼로피네를 팬에 다시 넣고 한두 번 뒤집어 소스가 잘 입혀지게 한다. 따뜻한 접시에 팬의 모든 내용물을 담고 바로 차려 낸다.

레몬을 곁들인 송아지고기 스칼로피네

Veal Scaloppine with Lemon

4인분

식물성기름 1큰술
버터 3큰술
송아지 스칼로피네 450g, 48쪽
  설명대로 위쪽에서 둥글게 썰어내
  평평하게 편다
밀가루, 접시 위에 펼친다
소금
갓 갈아낸 검은 후추
갓 짠 신선한 레몬즙 2큰술
파슬리 2큰술, 아주 잘게 다진다
레몬 ½개, 아주 얇게 썬다

1. 스킬렛에 기름과 버터 2큰술을 넣고 중강불에 올려 가장자리에서 버터 거품이 생기기 시작하면 밀가루를 입힌 스칼로피네를 368쪽 마르살라를 곁들인 송아지고기 스칼로피네의 2단계에서 설명한 대로 조리한다.
2. 불을 끄고 스킬렛에 레몬즙을 넣어 나무 주걱으로 바닥과 옆면에 붙은 갈색 잔여물을 긁어낸다. 남은 버터 1큰술을 넣어 젓고, 접시 안의 스칼로피네에서 흘러나온 육즙, 잘게 다진 파슬리를 넣고 골고루 섞이도록 젓는다.
3. 중불로 켜고 스칼로피네를 팬에 다시 넣는다. 따뜻하게 데워지고 소스가 입힐 정도로만 재빨리 잠깐 뒤적인다. 팬의 모든 내용물을 따뜻한 접시에 담고

얇게 썬 레몬으로 장식해 바로 차려 낸다.

참고 ❀ 가끔 레몬 스칼로피네 위에 잘게 다진 생파슬리를 흩뿌리기도 한다. 소스에 파슬리를 넣지 않았다면 아주 좋은 방법이다. 익힌 파슬리의 색은 신선한 것만큼 식욕을 자극하지는 못한다. 한쪽에 썼다면, 다른 한쪽은 생략한다.

모차렐라 송아지고기 스칼로피네

Veal Scaloppine with Mozzarella

4인분

모차렐라 225g, 가급적 물소젖으로 만든 것으로 준비

송아지 스칼로피네 450g, 48쪽 설명대로 위쪽에서 둥글게 썰어내 평평하게 편다

버터 2큰술

식물성기름 1큰술

소금

갓 갈아낸 검은 후추

1. 모차렐라를 할 수 있는 한 가장 얇게 썰어, 스칼로피네 한 장당 얇은 치즈 한 장이 할당되도록 한다.
2. 스칼로피네가 전부 겹치지 않고 충분히 들어가는 넓은 소테팬을 고른다. (큰 냄비가 없다면 냄비 두 개를 쓰되, 버터와 기름을 반으로 나누고 각 냄비마다 각각을 1큰술씩 추가한다.) 버터와 기름을 넣고 강불에 올린다.
3. 가장자리에서 버터 거품이 생기기 시작하면 스칼로피네를 넣는다. 양면을 갈색이 나도록 재빨리 굽는데, 기름이 충분히 달구어졌다면 통틀어 1분 정도 걸릴 것이다. 소금을 뿌리고 중불로 낮춘다.
4. 각각의 스칼로피네 위에 얇게 썬 모차렐라를 올리고 후추를 뿌린다. 팬 뚜껑을 덮어 모차렐라가 부드러워지도록 몇 초 둔다. 구멍 뚫린 국자나 뒤집개로 따뜻하게 데워놓은 차림용 접시에 모차렐라를 얹은 면이 위를 향하도록 송아지고기를 옮긴다.
5. 팬에 물 1~2큰술을 넣고 강불로 켠 다음, 수분을 날리면서 나무 주걱으로 바닥과 옆면에 붙은 조리 잔여물을 긁는다. 팬의 진한 즙을 스칼로피네에 붓고, 모차렐라 위에 몇 방울 떨어뜨려 바로 차려 낸다.

토마토, 오레가노와 케이퍼를 곁들인 송아지고기 스칼로피네

Veal Scaloppine with Tomato, Oregano, and Capers

4인분

식물성기름 2½큰술
마늘 3쪽, 껍질을 벗긴다
송아지 스칼로피네 450g, 48쪽 설명대로 위쪽에서 둥글게 썰어내 평평하게 편다
밀가루, 접시 위에 펼친다
소금
갓 갈아낸 검은 후추
달지 않은 화이트 와인 ⅓컵
이탈리아산 플럼토마토 통조림 ½컵, 썰어서 즙과 함께 준비
버터 1큰술
생오레가노 1작은술 또는 말린 것 ½작은술
케이퍼 2큰술, 26쪽 설명대로 소금에 절인 것은 물에 담갔다가 헹구고 식초에 담긴 것은 건진다

1. 스킬렛에 기름과 마늘을 넣고 중불에 올려 마늘이 옅은 갈색이 될 때까지 익힌다. 팬에서 꺼내 버린다.
2. 중강불로 키우고 밀가루를 입힌 스칼로피네를 368쪽 마르살라를 곁들인 송아지고기 스칼로피네의 2단계에서 설명한 대로 조리해 완성되면 따뜻한 접시로 옮겨 담는다.
3. 중강불에서 와인을 넣고, 뭉근하게 끓이면서 나무 주걱으로 바닥과 옆면에 붙은 조리 잔여물을 긁어낸다. 썰어놓은 토마토와 즙을 넣어 잘 섞이도록 젓고, 버터와 스칼로피네에서 흘러나온 접시 안의 즙을 넣어 저은 다음, 불을 조절해 천천히 뭉근하게 끓인다.
4. 15~20분이 지나 토마토에서 기름이 분리되어 떠오르면, 오레가노와 케이퍼를 넣고 고루 저은 뒤 스칼로피네를 다시 팬에 넣고 다시 데워질 때까지 1분 정도 토마토 소스 안에서 뒤적인다. 팬 안의 모든 내용물을 따뜻하게 데워놓은 접시로 옮겨 바로 차려 낸다.

햄, 안초비, 케이퍼와 그라파를 곁들인 송아지고기 스칼로피네

Veal Scaloppine with Ham, Anchovies, Capers, and Grappa

4인분

버터 3큰술
안초비 4조각(19쪽 설명대로 가급적 직접 만든 것으로), 아주 잘게 다진다
훈제하지 않고 삶은 햄 115g, 0.5cm 정도 두께로 얇게 썰어 잘게 깍둑썰기한다
케이퍼 2큰술, 26쪽 설명대로 소금에 절인 것은 물에 담갔다가 헹구고 식초에 있는 것은 건져 잘게 썬다
식물성기름 1큰술
밀가루, 접시 위에 펼친다
송아지 스칼로피네 450g, 48쪽 설명대로 위쪽에서 둥글게 썰어내 평평하게 편다
소금
갓 갈아낸 검은 후추
그라파 3큰술(아래 참고)
생크림 ¼컵

참고 ❁ 그라파(grappa)는 와인을 만들고 남은 찌꺼기를 증류해 만든 향이 강한 증류주다. 대개 이탈리아 와인을 취급하는 상점에서 구할 수 있지만, 그라파처럼 만든 프랑스 증류주인 마르(marc)로 대체해도 된다. 또 다른 것으로 프랑스 사과 브랜디인 칼바도스(calvados)나 질 좋은 포도 브랜디를 써도 된다.

1. 작은 소스팬에 버터의 절반을 넣어 아주 약한 불에 올리고, 잘게 다진 안초비를 넣는다. 나무 주걱으로 안초비를 팬 옆면에 대고 죽처럼 되도록 으깨고 고루 저어주며 익힌다. 안초비의 형태가 없어지면 깍둑썰기한 햄과 썰어놓은 케이퍼를 넣고 중불로 키운다. 기름이 잘 입혀지도록 고루 젓고 1분간 익힌 뒤 팬을 불에서 내린다.
2. 기름과 남은 버터를 스킬렛에 넣고 중강불에 올린다. 가장자리에서 버터 거품이 생기기 시작하면 밀가루를 입힌 스칼로피네를 368쪽 마르살라를 곁들인 송아지고기 스칼로피네의 2단계에서 설명한 대로 조리한다.
3. 스킬렛을 기울여 지방을 대부분 퍼낸다. 중강불에 다시 올리고 그라파를 넣어 뭉근하게 끓이면서 동시에 나무 주걱으로 바닥과 옆면에 붙은 조리 잔여물을 전부 재빨리 긁어낸다. 소스팬의 햄과 안초비를 섞은 것과 스칼로피네에서 흘러나온 접시 안의 육즙을 스킬렛에 넣고 모든 재료가 고루 섞이도록 잘 저어준다. 크림을 넣고 저어주면서 잠시 졸인다.
4. 스칼로피네를 다시 스킬렛에 넣고 뜨거운 소스 안에서 완전히 따뜻해질 때까지 1분 정도 뒤적인다. 스킬렛의 모든 내용물을 따뜻한 접시로 옮겨 차려 낸다.

아스파라거스와 폰티나 치즈를 곁들여 유산지 위에서 구운 송아지고기 스칼로피네

Veal Scaloppine in Parchment with Asparagus and Fontina Cheese

4인분

아스파라거스 225g, 신선한 것으로
버터 2큰술과 요리에 마무리로
  듬성듬성 올릴 양을 추가로 준비
식물성기름 1½큰술
송아지 스칼로피네 450g, 48쪽
  설명대로 위쪽에서 둥글게 썰어내
  평평하게 편다
밀가루, 접시 위에 펼친다
오븐용 그릇
유산지 또는 튼튼한 쿠킹호일
소금
갓 갈아낸 검은 후추
폰티나 치즈 170g
달지 않은 마르살라 와인 ⅓컵

1. 아스파라거스의 뾰족한 끝을 자르고, 대의 껍질을 벗기고 472쪽 설명대로 익힌다. 너무 많이 익지 않도록, 씹어서 여전히 단단한 정도일 때 건진다. 이후에 이 레시피의 설명대로 자를 때까지 한편에 둔다.
2. 소테팬에 버터와 기름을 넣고 강불에 올린다. 가장자리에서 버터 거품이 생기기 시작하면 스칼로피네의 양면에 밀가루를 입히고 여분의 가루는 털어내, 한 번에 팬 안이 꽉 들어차지 않을 정도의 양을 미끄러트리듯 넣는다. 송아지고기의 양면을 갈색이 나도록 재빨리 굽는데, 기름이 충분히 뜨겁다면 양쪽 합쳐서 1분 또는 그 미만이 걸릴 것이다. 다 되면 구멍 뚫린 국자나 뒤집개로 접시에 옮긴다. 다음 분량의 송아지고기를 냄비에 넣고, 모든 고기를 갈색으로 구울 때까지 위의 과정을 반복한다.
3. 오븐을 200˚C로 예열한다.

4. 스칼로피네가 전부 겹치지 않고 충분히 들어갈 수 있는 오븐용 그릇을 고른다. 유산지 또는 튼튼한 쿠킹호일을 그릇 가장자리 위로 올라올 정도로 넓게 깐다. 찢어지거나 구멍이 나지 않도록 주의하며 호일을 깐다. 접시 위에 스칼로피네를 평평하게 놓고 소금과 후추를 뿌린다.
5. 아스파라거스를 스칼로피네보다 짧은 길이로 대각선으로 자른다. 줄기가 1cm 이상 두껍다면 반으로 가른다. 각각의 스칼로피네 위에 자른 아스파라거스를 한 층으로 올린다. 소금으로 살짝 간한다.
6. 치즈를 최대한 얇게 썬다. 치즈가 녹으면 형태가 없어지므로 얇게 썬 치즈의 모양이 불규칙적이어도 상관없다. 얇게 썬 치즈 한 장으로 아스파라거스 층을 덮는다.
7. 송아지고기를 갈색이 나도록 구운 팬에서 지방을 전부 퍼내는데, 팬을 닦아내지는 않는다. 스칼로피네에서 흘러나와 접시에 고인 육즙과 마르살라를 넣는다. 중강불로 켜고, 나무 주걱으로 바닥과 옆면의 갈색 잔여물을 긁어내면서 팬 안에 즙이 3큰술 정도가 되도록 졸인다.
8. 치즈층 위에 즙을 떠서 골고루 뿌린다. 버터를 가볍게 군데군데 올린다. 오븐용 그릇의 가장자리보다 큰 유산지 또는 호일 한 장을 스칼로피네 위에 평평하게 놓는다. 먼저 깐 아래쪽 유산지나 호일의 가장자리와 위쪽의 가장자리를 모아서 접어 단단하게 봉한다. 예열한 오븐의 맨 위에 오븐용 그릇을 넣고 치즈가 녹을 정도로만 15분간 익힌다.
9. 그릇을 오븐에서 꺼내 감싸져 있던 유산지 또는 호일을 연다. 뿜어져 나오는 수증기에 데지 않도록 주의한다. 유산지 또는 호일을 접시 가장자리에 맞춰 잘라내 바로 차려 내거나 넓은 금속 뒤집개로 스칼로피네를 조심스럽게 꺼내 따뜻한 차림용 접시에 뒤집지 않고 그대로 옮긴다. 오븐용 그릇 안의 즙을 퍼서 위에 뿌려주고 바로 차려 낸다.

메시카니—햄, 파르메산, 너트메그와 화이트 와인으로 속을 채운 송아지고기 롤

Messicani—Stuffed Veal Rolls with Ham, Parmesan, Nutmeg, and White Wine

4인분

빵가루 ⅓컵, 빵의 껍질이 아닌 부드러운 부분으로 만든 것으로 가급적 질 좋은 이탈리아 또는 프랑스 빵으로 준비
우유 ⅓컵
훈제하지 않고 삶은 햄 60g, 작게 깍둑썰기한다
돼지고기 60g, 갈거나 잘게 다진다
달걀 1개
갓 갈아낸 파르미자노 레자노 치즈 ⅓컵
소금
갓 갈아낸 검은 후추
너트메그 1알
송아지 스칼로피네 450g, 48쪽 설명대로 위쪽에서 둥글게 썰어내 평평하게 편다
단단한 이쑤시개
버터 2큰술
식물성기름 1큰술
밀가루, 접시 위에 펼친다
달지 않은 화이트 와인 ⅓컵
고기육수 25쪽 설명대로 직접 만든 것으로는 ½컵 또는 고형 육수 ½개를 물 ½컵에 녹인다

1. 작은 볼에 빵가루와 우유를 넣는다. 빵가루가 우유에 적셔지면 포크로 부드러운 질감이 되도록 으깨고, 남는 우유는 따라 버린다.
2. 깍둑썰기한 햄, 돼지고기, 달걀, 간 파르메산, 소금, 후추, 너트메그는 아주 조금—⅛작은술 정도—넣고 빵가루와 우유 섞은 것과 함께 포크로 균일하게 섞는다. 섞은 것을 작업대 위에 쏟아놓고 스칼로피네 개수만큼 나눈다.
3. 스칼로피네를 작업대 위에 평평하게 놓는다. 각각의 한쪽 면 위에 섞은 속재료를 올리고 고르게 펴 바른다. 송아지고기를 소시지롤처럼 돌돌 말아 이쑤시개를 수직으로 관통해 고정시켜, 익힐 때 뒤집기 쉽게 만든다.
4. 송아지고기 롤이 전부 한 층으로 충분히 들어갈 수 있을 정도의 넓은 소테팬을 고른다. 버터와 기름을 넣고 중강불에 올린다. 롤에 전체적으로 밀가루를 입히고 가장자리에서 버터 거품이 생기면 미끄러트리듯 냄비 안에 넣는다.
5. 모든 면을 짙은 갈색으로 구운 뒤 와인을 붓는다. 1분 내외로 와인을 끓인 다음 소금을 뿌리고, 육수를 넣어 뚜껑을 덮고 불을 약하게 줄여 천천히 뭉근하게 익힌다.

6. 20분 정도가 지나 송아지고기 롤이 전체적으로 익으면 따뜻한 접시에 옮겨 담는다. 팬 안의 즙이 옅거나 묽으면 강불로 키우고 나무 주걱으로 바닥과 옆면에 붙은 조리 잔여물을 긁으며 졸인다. 너무 되거나 팬에 부분적으로 들러붙었다면 물을 1~2큰술 넣고 조리 잔여물을 긁으며 수분을 날린다. 냄비 안의 즙을 송아지고기 롤에 부어 바로 차려 낸다.

판체타 파르메산 송아지고기 롤

Veal Rolls with Pancetta and Parmesan

4인분

송아지 스칼로피네 450g, 48쪽 설명대로 위쪽에서 둥글게 썰어내 평평하게 편다
판체타 115g, 아주 아주 얇게 썬다
갓 갈아낸 파르미자노 레자노 치즈 5큰술
단단한 이쑤시개
버터 2큰술
식물성기름 2큰술
소금
갓 갈아낸 검은 후추
달지 않은 화이트 와인 ½컵
토마토 ⅔컵, 신선하고 잘 익은 것을 껍질을 벗기고 깍둑썰기한다 또는 이탈리아산 플럼토마토 통조림 썰어서 즙과 함께 준비

1. 스칼로피네를 대략 길이 13cm, 폭 9~10cm로 다듬는다. 쓸모 없는 남은 고기 조각이 생기지 않도록 한다. 몇몇 조각이 불규칙한 것은 전혀 문제가 되지 않는다. 버리는 것보다 쓰는 게 낫다.
2. 스칼로피네를 평평하게 놓고 판체타를 펼쳐서 각각 덮어준다. 파르메산 간 것을 뿌리고 스칼로피네를 단단하게 돌돌 만다. 이쑤시개를 수직으로 관통시켜 롤을 고정해 고기를 팬에서 뒤집기 쉽게 한다. 판체타가 남았다면 아주 잘게 다져서 한편에 둔다.
3. 버터 1큰술과 기름 전량을 스킬렛에 넣고 중강불에 올린다. 가장자리에서 버터 거품이 생기기 시작하면 송아지고기 롤을 넣어 모든 면을 짙은 갈색이 나도록 굽는다. 구멍 뚫린 국자나 뒤집개로 따뜻한 접시에 옮겨 이쑤시개를 모두 빼내고, 송아지고기에 소금과 후추를 뿌린다.
4. 잘게 다진 판체타가 있으면 스킬렛에 넣고 중불에서 1분 정도 익힌 뒤 와인을 붓는다. 나무 주걱으로 팬의 바닥과 옆면에 붙은 조리 잔여물을 긁으면서 1분 30초에서 2분 정도 뭉근하게 끓인다. 토마토를 넣어 골고루 젓고, 불을 조

절해 토마토에서 기름이 분리되어 나올 때까지 뭉근하게 끓인다.

5. 송아지고기 롤을 다시 팬에 넣어 소스 안에서 이따금 뒤집어가며 몇 분 정도 데운다. 불을 끄고 남은 버터 1큰술을 넣고 휘저은 뒤, 팬 안의 모든 내용물을 따뜻한 접시에 부어 바로 차려 낸다.

미리 준비한다면 ❀ 송아지고기 롤은 만드는 데 그렇게 오래 걸리지 않고 만들자마자 먹었을 때 맛이 가장 좋다. 어쩔 수 없이 미리 만들어야 한다면 몇 시간 전에 완성해두었다가 소스 안에서 천천히 다시 데운다.

안초비 모차렐라 송아지고기 롤

Veal Rolls with Anchovy Fillets and Mozzarella

6인분

안초비 8조각(19쪽 설명대로 가급적 직접 만든 것으로)
버터 3큰술
파슬리 ¼컵, 잘게 썬다
이탈리아산 플럼토마토 통조림 ⅓컵, 건더기만 건져서 준비
모차렐라 225g, 가급적 물소젖으로 만든 것
갓 갈아낸 검은 후추
송아지 스칼로피네 675g, 48쪽 설명대로 위쪽에서 둥글게 썰어내 평평하게 편다
소금
가는 조리용 실
밀가루, 접시 위에 펼친다
달지 않은 마르살라 와인 ½컵

1. 안초비를 아주 아주 잘게 다져 버터 1큰술과 함께 작은 소스팬에 넣고 아주 약한 불에 올린다. 나무 주걱을 팬 옆면에 대로 안초비를 으깨 죽처럼 되게 만든다.
2. 잘게 썬 파슬리, 토마토, 후추를 살짝 갈아 넣고 중불로 키운다. 토마토가 되직해지고 버터가 분리되어 떠오를 때까지 자주 저어주며 뭉근하게 끓인다.
3. 모차렐라를 할 수 있는 한 가장 얇게 써는데, 가능하면 3mm 정도가 좋다.
4. 접시 또는 작업대 위에 스칼로피네를 평평하게 놓고 소금을 아주 조금 집어 뿌린다. 토마토와 안초비 소스를 그 위에 펴서 바르되, 가장자리를 0.5cm 정도 비워두고 바른다. 얇게 썬 모차렐라를 위에 올린다. 스칼로피네의 양 끝을 접어 넣고 돌돌 말아, 조리용 실로 롤의 가운데를 한 번 둘러 감고, 수직으로 다시 감아 서로 만난 실 끝을 묶는다.

5. 롤을 전부 넣었을 때 꽉 들어차지 않고 충분히 들어갈 수 있는 스킬렛을 고른다. 남은 버터 2큰술을 넣고 중강불에 올린다. 가장자리에서 버터 거품이 생기기 시작하면 송아지고기 롤에 밀가루를 입혀 여분의 가루는 털어내고 팬에 미끄러트리듯 넣는다. 1~2분간 익히고 뒤집어 모든 면을 짙은 갈색이 나도록 굽는다. 롤 밖으로 녹은 치즈가 약간 삐져나와도 아무런 문제 없다. 소스 맛을 살려주기 때문이다. 따뜻한 접시에 고기를 옮기고, 롤이 풀리지 않도록 조심스럽게 실을 잘라 제거한다.
6. 팬에 마르살라를 부어 나무 주걱으로 바닥과 옆면에 붙은 잔여물을 긁으며 2분 정도 팔팔 끓인다. 송아지고기 롤을 다시 팬에 넣고 소스 안에서 2~3분간 천천히 데운 뒤, 모든 내용물을 따뜻한 차림용 접시에 옮기고 바로 차려 낸다.

시금치와 프로슈토로 속을 채운 송아지고기 롤

Veal Roll with Spinach and Prosciutto Stuffing

크게 한 장으로 얇게 썬 송아지고기를 시금치, 기름에 볶은 양파와 프로슈토로 덮어 단단하게 말아 화이트 와인과 함께 팬에 굽는다. 고기를 얇게 썰어 송아지고기 층과 채운 속이 서로 겹치면 매력적인 나선형 무늬를 만들어낸다. 그러나 더 중요한 것은, 풍부한 즙과 감칠맛으로 보기에 좋은 만큼 맛도 좋다는 사실이다.

이 요리를 만들기 위해서는 450g짜리 송아지고기 한 덩어리가 필요한데, 가급적 맨 위 둥근 부분의 가장 넓은 면을 잘라서 쓰고 정육점에서 1cm보다 얇은 두께로 평평하게 펴달라고 한다. 대개 커다란 롤을 만들 때 사용하는 송아지의 가슴살은 두께가 고르지 않기 때문에 그 자체로는 쓰기 힘들다.

4인분

- 시금치 675g, 신선한 것으로 준비
- 소금
- 버터 3큰술
- 식물성기름 2큰술
- 양파 2큰술, 아주 잘게 다진다
- 프로슈토 또는 판체타 115g, 아주 잘게 다진다
- 갓 갈아낸 검은 후추
- 송아지고기 450g짜리 한 덩어리, 가급적 맨 위 둥근 부분(위의 설명)을 1cm 두께로 평평하게 편다
- 가는 조리용 실
- 달지 않은 화이트 와인 ½컵
- 생크림 ⅓컵

1. 시금치잎을 떼어내고 줄기는 모두 제거한다. 찬물을 넣은 대야에 시금치를 여러 차례 밀어 넣으며 담근다. 시금치를 조심스럽게 건져 내고 바닥에 흙이 가라앉은 대야의 물을 비워 깨끗한 물로 다시 채우고 시금치에서 흙이 완전히 없어질 때까지 이 과정을 반복한다.
2. 시금치를 냄비에 넣고 뚜껑을 덮어 중불에 올린다. 익히는 데 필요한 것은 잎에 남은 수분과 초록색을 유지시켜줄 소금 1큰술이면 된다. 시금치에서 나온 물이 끓기 시작하고 2분간 익힌 뒤 한 번에 꺼낸다. 손으로 만질 수 있을 정도로 식자마자 가능한 한 많은 물기를 짜내고, 푸드프로세서가 아닌 칼로 아주 잘게 다져 한편에 둔다.
3. 버터 1큰술, 기름 1큰술, 양파 전량과 프로슈토 또는 판체타를 전부 작은 소스팬에 넣고 중불에 올린다. 양파가 먹음직스러운 갈색이 될 때까지 익으면 한편에 준비해둔 다진 시금치를 넣고, 후추를 약간 갈아 넣는다. 잘 섞이도록 골고루 저어 20~30초간 익힌 뒤 불에서 내린다. 맛을 보고 소금으로 간한다.
4. 작업대 위에 송아지고기 썬 것을 평평하게 놓는다. 3번에서 준비한 시금치 섞은 것을 그 위에 고루 펴서 바른다. 고기의 결 방향을 살피고 한쪽 끝을 들어 올려 단단하게 돌돌 마는데, 롤의 긴 쪽을 고기의 결과 평행하게 한다. 익힌 뒤에 결과 수직으로 자르게 되기 때문에, 이렇게 해야 롤을 균일하고 풀어지지 않게 썰기 쉽다. 조리용 실로 롤을 살라미처럼 튼튼하게 묶는다.
5. 가능하면 타원형으로, 롤이 충분히 들어갈 수 있는 냄비를 고른다. 남은 버터와 기름을 넣고 중강불에 올려 가장자리에서 버터 거품이 생기기 시작하자마자 송아지고기 롤을 넣는다. 모든 면을 짙은 갈색이 나도록 굽고 소금과 후추를 뿌려 한두 번 뒤집은 뒤 와인을 넣는다. 와인을 15~20초간 팔팔 끓이고 약불로 낮춰 냄비 뚜껑을 비스듬하게 덮는다.
6. 롤을 이따금 뒤집어가며 포크로 고기를 찔러 아주 부드럽다고 느껴질 때까지 1시간 반 정도 익힌다.

미리 준비한다면 이 단계까지 몇 시간 전에 미리 만들어둘 수 있다. 다음으로 넘어가기 전에 필요에 따라 물을 1큰술 넣고 천천히 다시 데운다. 냉장 보관하면 시금치에서 신맛이 생기기 때문에 절대로 냉장 보관하면 안 된다.

냄비 뚜껑을 열어 크림을 넣고 불을 키워 나무 주걱으로 바닥과 옆면에 붙은 조리 잔여물을 떼어낸다. 크림이 되직해지면서 옅은 갈색이 되자마자 불을 끈다.

7. 따뜻한 접시에 롤을 옮긴다. 조리용 실을 잘라 제거한다. 롤을 얇게 썰고 냄비의 즙을 부어 바로 차려 낸다.

빵가루를 입힌 밀라노식 송아지 촙

Sautéed Breaded Veal Chops, Milanese Style

몇몇 이탈리아 요리 이름은 탄생한 지역과 깊이 연관되어 있다. 이탈리아인들에게 피오렌티나(fiorentina)란 '티본 스테이크'이고, 빵가루를 입힌 송아지 갈비살은 우나 밀라네제(una milanese)다. 다른 설명이 필요 없다. 논란의 여지가 있는 오소부코나 송아지 촙 밀라네제는 밀라노 미식에서 가장 널리 알려진 명물이다. 후자는 다른 수많은 요리에 전수되었는데, 이 우나 밀라네제에서 뼈를 제거해 만드는 오스트리아의 비너 슈니첼(wiener schnizel)이 가장 대표적인 예다.

전통적인 밀라노식 촙은 갈비 한 대에서 뼈를 전체적으로 깨끗하게 다듬어 손잡이 모양으로 남겨두고, 살코기는 아주 얇게 두드려 편다(뼈에서 떨어져 나온 조각들은 버리지 않는다. 다른 고기와 모아서 육수를 만들 때 넣거나 양이 많다면 갈아서 미트볼을 만든다.) 밀라노의 정육점에서는 촙을 평평하게 펴기 전에 갈비와 등뼈가 만나는 지점을 절단한다. 단골 정육점이 있다면 일이 더 쉬워지겠지만, 직접 할 수도 있다. 고기망치로 만나는 지점을 단번에 내리치고, 48쪽에서 설명한 스칼로피네 펴는 법을 따라 둥근 갈비살을 얇게 두드려 편다.

6인분

달걀 2개
송아지 촙 6개, 크기에 따라 6개 또는 3개로 뼈를 깨끗하게 손질하고 살점을 평평하게 편다(위의 설명 참고)
마른 빵가루 1½컵, 양념이 되지 않은 고운 것을 접시에 펼친다
버터 2큰술
식물성기름 3큰술
소금

1. 깊이가 있는 접시에 달걀을 깨 넣고 포크나 거품기로 가볍게 푼다.
2. 각각의 갈비를 달걀에 담가 양면에 달걀을 입히고 갈비를 들어 올려 여분의 달걀은 다시 접시로 떨어지게 한다. 다음과 같이 고기에 빵가루를 입힌다. 빵가루 위에서 손바닥으로 갈비를 세게 누른다. 2~3번 눌렀다가 뒤집어서 반복한다. 손바닥에서 물기가 없어져야만 고기에 빵가루가 잘 묻은 것이다.
3. 갈비가 겹치지 않고 충분히 들어갈 수 있는 넓은 소테팬을 고른다. 충분히 큰 팬이 없다면 작은 것을 쓰되, 갈비를 2~3번으로 나눠 조리한다. 버터와 기름을 넣고 중강불에 올려 가장자리에서 버터 거품이 생기기 시작하면 갈비를 미끄러트리듯 넣는다. 한쪽 면이 짙은 갈색으로 바삭하게 구워지면 뒤집어서 다른 쪽도 굽는데, 갈비의 두께에 따라 총 5분 정도 걸린다. 따뜻한 접시에 옮기고 소금을 뿌린다. 갈비를 전부 익히자마자 즉시 차려 낸다.

시칠리아식으로 마늘과 로즈마리를 넣어보기

Variation in the Sicilian Style, with Garlic and Rosemary

380쪽의 빵가루를 입힌 밀라노식 송아지 촙 레시피 재료에 다음을 추가한다.

로즈마리잎, 신선한 것 1큰술 또는 말린 것 2작은술, 아주 잘게 다진다

마늘 4쪽, 칼손잡이로 가볍게 으깨 껍질을 벗긴다

기본 레시피를 쓰되, 다음과 같이 바꾼다:

1. 갈비를 달걀에 담근 다음 빵가루를 입히기 전, 잘게 다진 로즈마리를 뿌린다.
2. 버터와 기름과 마늘을 동시에 냄비에 넣고, 기름에 갈비를 굽기 전이든 굽고 나서든 마늘이 옅은 갈색으로 변하자마자 꺼내 버린다.

밀라노식 송아지고기와 다른 커틀릿

Adapting the Milanese Style to Veal and Other Cutlets

이탈리아어로 커틀릿인 코톨레타(cotoletta)는 고기의 종류가 아니라 요리하는 방법을 뜻한다. 그 방법 중 하나가 380쪽 빵가루를 입힌 밀라노식 송아지 촙이다. 코톨레타—또는 커틀릿—를 만들기 위해서는 이 방법을 정확히 따르되, 간단하게는 갈비살을 송아지고기 스칼로피네, 또는 얇게 썬 소고기, 또는 얇게 썬 닭이나 칠면조 가슴살, 심지어 얇게 썬 가지로도 대체할 수 있다. 고기를 쓸 때는 스칼로피네처럼 아주 얇게 썰어야 하고, 커틀릿의 양면이 가볍게 바삭해질 정도로만 매우 재빠르게 익혀야 한다.

빵가루를 입힌 송아지고기 커틀릿 차려 내기 ❁ 뜨거울 때나 상온일 때나 모두 맛있기 때문에, 마찬가지로 뜨거울 때와 상온일 때가 모두 맛있는 499쪽의 튀긴 가지와 533쪽의 오븐에 오래 구운 토마토를 곁들인다.

세이지와 화이트 와인을 넣어 익힌 송아지 촙

Sautéed Veal Chops with Sage and White Wine

4인분

식물성기름 3큰술
송아지 등심 촙 4덩이, 2.5cm 이하로 얇게 준비
밀가루, 접시 위에 펼친다
말린 세이지잎 12장
소금
갓 갈아낸 검은 후추
달지 않은 화이트 와인 ⅓컵
버터 1큰술

1. 촙이 전부 겹치지 않고 한 층에 충분히 들어갈 수 있을 정도의 스킬렛을 고른다. 충분히 큰 팬이 없다면 조금 작은 것을 고르되 촙을 2번에 나눠 조리한다. 식물성기름을 넣고 중강불에 올린다.
2. 기름이 달궈지면 촙의 양면에 밀가루를 입히고 여분의 가루는 털어낸 뒤 세이지잎과 함께 팬에 미끄러트리듯 넣는다. 촙을 2~3번 뒤집어가며 양면이 고루 익도록 8분 정도 굽는다. 연분홍색이 되면 다 익은 것이다. 너무 오래 익게 두거나 수분이 마르도록 오래 조리하지 않도록 유의하라. 구멍 뚫린 국자나 뒤집개로 따뜻한 접시에 옮기고 소금과 후추를 뿌린다.
3. 스킬렛을 기울여 기름을 대부분 퍼낸다. 와인을 붓고 중강불에서 어느 정도 퓌레 같은 농도가 될 때까지 졸이며 끓인다. 끓이는 동안 나무 주걱으로 냄비의 바닥과 옆면에 붙은 조리 잔여물을 긁어낸다. 와인이 거의 다 졸여졌으면 약불로 줄여 버터를 넣고 젓는다. 촙을 다시 팬에 넣고 즙 안에서 잠시 뒤적인 뒤, 팬의 모든 내용물을 따뜻한 접시에 옮겨 바로 차려 낸다.

마늘과 안초비, 파슬리를 곁들여 익힌 송아지 촙

Sautéed Veal Chops with Garlic, Anchovies, and Parsley

4인분

버터 2큰술
마늘 1작은술, 굵게 다진다
안초비 2조각(19쪽 설명대로 가급적 직접 만든 것으로), 아주 아주 곱게 다진다
파슬리 2큰술, 잘게 썬다
식물성기름 3큰술
송아지 등심 촙 4덩이, 2.5cm 이하 두께로 얇게 썬다
밀가루, 접시 위에 펼친다
소금
갓 갈아낸 검은 후추

1. 작은 소스팬에 버터와 마늘을 넣고 중불에 올린다. 마늘이 살짝 노릇해질 때까지 익히 뒤 불을 아주 약하게 줄여 곱게 다진 안초비를 넣는다. 나무 주걱으로 냄비 옆면에 대고 안초비를 으깨고 저으면서 익혀 죽처럼 되게 한다. 잘게 썬 파슬리를 넣고 20초간 저으면서 익힌 뒤 불에서 내린다.
2. 촙이 전부 겹치지 않고 들어갈 수 있을 정도로 충분히 넓은 소테팬을 고른다. 식물성기름을 넣고 중강불에 올린다. 기름이 달궈지면 촙의 양면에 밀가루를 입혀 여분의 가루는 털어내고, 미끄러트리듯 팬 안에 넣는다. 촙을 2~3번 뒤집어가며 양면을 8분 정도 고루 익힌다. 고기가 연분홍색이 되면 촙이 다 익은 것이다. 너무 오래 익게 두거나 수분이 마르지 않도록 유의하라. 구멍 뚫린 국자나 뒤집개로 따뜻한 접시에 옮기고 소금과 후추를 뿌린다.
3. 중불로 켜고 물을 2~3큰술 넣어 팬 안의 잔여물을 긁으면서 졸인다. 촙을 다시 팬에 넣고 안초비와 파슬리 소스를 그 위에 바로 붓는다. 촙을 한두 번 정도만 뒤집은 뒤, 팬 안의 모든 내용물을 따뜻한 접시에 옮겨 바로 차려 낸다.

세이지와 화이트 와인, 크림을 넣은 송아지고기 스튜

Veal Stew with Sage, White Wine, and Cream

이탈리아식 송아지고기 스튜에 가장 적합한 부위는 어깨살과 정강이살이다. 지방이 없어 스튜로 조리하는 데 오래 걸려 마르고 질겨지는 우둔살이나 등심은 피한다.

4~6인분

식물성기름 1큰술	양파 2큰술, 잘게 썬다
버터 1½큰술	말린 세이지잎 18장
송아지 어깨살 또는 정강이살 675g, 뼈를 바르고 대략 4cm 크기로 깍둑썰기한다	달지 않은 화이트 와인 ⅔컵
	소금
	갓 갈아낸 검은 후추
밀가루, 접시 위에 펼친다	생크림 ⅓컵

1. 기름과 버터를 소테팬에 넣고 강불에 올린다. 가장자리에서 버터 거품이 생기기 시작하면 깍둑썰기한 송아지고기의 모든 면에 밀가루를 고루 입히고 여분의 가루를 털어내 팬에 넣는다. 겉면이 전부 짙은 갈색이 될 때까지 뒤집어가며 굽는다. 구멍 뚫린 국자나 뒤집개로 접시에 옮긴다. (고기가 한 번에 넉넉히 냄비 안에 들어가지 않는다면 나눠서 굽되, 냄비에 바로 넣을 준비가 되었을 때 고기에 밀가루를 입힌다.)
2. 중불로 줄이고 잘게 썬 양파를 세이지잎과 함께 팬에 넣는다. 양파가 살짝 노릇해질 때까지 익히고 와인을 붓는다. 나무 주걱으로 팬 바닥과 옆면을 긁어 갈색으로 변한 잔여물을 떼어내며 팔팔 끓인다. 30초 내외가 지나면 불을 줄여 천천히 뭉근하게 끓이고 소금, 후추를 약간 갈아 넣고 뚜껑을 덮는다. 이따금 고기에 즙을 끼얹어가며 45분간 익힌다. 팬 안에 수분이 부족하다면 필요할 때마다 물을 1~2큰술 보충한다.
3. 생크림을 넣어 고기에 고루 입혀지도록 뒤적인 다음, 다시 냄비 뚜껑을 덮고 불을 약하게 줄여 30분, 또는 포크로 찔렀을 때 송아지고기가 아주 부드럽다고 느껴질 때까지 익힌다. 맛을 보고 소금으로 간한다. 팬 안의 모든 내용물을 따뜻한 접시에 옮겨 담아 바로 차려 낸다.

미리 준비한다면 ❁ 대부분의 스튜처럼 이 요리 역시 며칠 전에 미리 만들어 필요할 때까지 냉장 보관 할수 있다. 스토브 또는 160°C로 예열한 오븐에서 고기가 속까지 따뜻해지도록 천천히 다시 데운다. 다시 데울 때는 물을 2큰술 넣는다.

토마토와 완두콩을 넣은 송아지고기 스튜

Veal Stew with Tomatoes and Peas

4~6인분

식물성기름 1큰술

버터 1½큰술

송아지 어깨살 또는 정강이살 675g, 뼈를 바르고 대략 4cm 크기로 깍둑썰기한다

밀가루, 접시 위에 펼친다

양파 2큰술, 잘게 썬다

소금

갓 갈아낸 검은 후추

이탈리아산 플럼토마토 통조림 1컵, 굵게 다져서 즙과 함께 준비

완두콩 신선한 것으로 꼬투리째 900g(아래 참고), 또는 냉동 완두콩 300g, 해동한다

참고 ❀ 신선한 완두콩을 쓴다면 껍질을 이용해 스튜에 단맛을 더할 수 있다. 선택사항이므로 건너뛰어도 된다.

1. 바닥이 두껍거나 법랑이 입혀진 무쇠냄비에 기름과 버터를 넣고 강불에 올린다. 기름이 뜨거워지면 깍둑썰기한 송아지고기의 모든 면에 밀가루를 입히고 여분의 가루는 털어내 냄비에 넣는다. 뒤집어가며 겉면을 전부 짙은 갈색이 나도록 굽는다. 구멍 뚫린 국자나 뒤집개로 접시에 옮긴다. (고기가 한 번에 넉넉히 냄비 안에 들어가지 않는다면 나눠서 갈색이 나도록 굽되, 냄비에 바로 넣을 준비가 되었을 때 고기에 밀가루를 입힌다.)
2. 중불로 줄이고 잘게 썬 양파를 냄비에 넣는다. 양파가 살짝 노릇해질 때까지 익히다가 고기를 다시 냄비에 넣고 소금, 후추, 썰어놓은 토마토와 즙을 넣는다. 토마토가 보글보글 끓기 시작하면 불을 조절해 천천히 뭉근하게 끓게 하고 냄비 뚜껑을 덮는다. 고기를 이따금 뒤집어준다.
3. 신선한 완두콩을 쓴다면: 껍질을 벗기고, 103쪽 설명대로 안쪽의 막을 벗겨 약간의 껍질을 준비한다. 전부 또는 대부분을 쓸 필요는 없지만, 인내심이 허락하는 한 많이 준비한다. 고기를 익힌 지 50분 정도 되었을 때 완두콩과 껍질을 넣는다.

   냉동 완두콩을 쓴다면: 고기를 익힌 지 1시간 정도 지났을 즈음 냄비에 넣는다.

   냄비 뚜껑을 다시 덮고, 송아지고기를 포크로 찔러 아주 부드럽다고 느껴질 때까지 1시간에서 1시간 반 정도 계속 익힌다. 신선한 콩을 쓴다면 콩이 다 익었는지 맛을 본다. 더 오래 익혀도 문제는 없다. 냉동 완두콩은 많이 익

힐 필요가 없지만 오래 익히면 송아지고기와 함께 어우러져 스튜에 녹아들면서 더 좋은 맛을 낸다. 맛을 보고 소금으로 간하고 바로 차려 낸다.

미리 준비한다면 ❀ 384쪽의 제안을 따른다.

버섯을 넣은 송아지고기 스튜

Veal Stew with Mushrooms

4~6인분

버터 3큰술
식물성기름 2½큰술
송아지 어깨살 또는 정강이살 675g, 뼈를 바르고 대략 4cm 크기로 깍둑썰기한다
밀가루, 접시 위에 펼친다
양파 ½컵, 잘게 썬다
마늘 큰 것 1쪽, 껍질을 벗기고 잘게 다진다
달지 않은 화이트 와인 ½컵
이탈리아산 플럼토마토 통조림 ½컵, 대강 썰어서 즙과 함께 준비
생로즈마리 1~2줄기 또는 말린 것 1작은술, 잘게 다진다
생세이지잎 4~5장 또는 말린 잎 2~3장
파슬리 2큰술, 잘게 썬다
소금
갓 갈아낸 검은 후추
양송이버섯 225g, 신선한 것으로 준비

1. 중간 크기의 소테팬에 버터 2큰술과 식물성기름 2큰술을 넣고 중강불에 올린다. 가장자리에서 버터 거품이 생기기 시작하면 깍둑썰기한 송아지고기의 모든 면에 밀가루를 입히고 여분의 가루는 털어내 냄비에 넣는다. 뒤집어가며 겉면을 전부 짙은 갈색이 나도록 굽는다. 구멍 뚫린 국자나 뒤집개로 접시에 옮긴다. (고기가 한 번에 넉넉히 냄비 안에 들어가지 않는다면 나눠서 갈색이 나도록 굽되, 냄비에 바로 넣을 준비가 되었을 때 고기에 밀가루를 입힌다.)
2. 중불로 줄이고 잘게 썬 양파를 넣어 투명해질 때까지 저어가며 익힌 뒤, 마늘을 넣는다. 마늘의 색이 살짝 변하면 와인을 붓고 몇 초간 보글보글 끓인다. 고기를 다시 팬에 넣고 자른 토마토와 즙, 로즈마리, 세이지와 파슬리, 소금 넉넉히 몇 자밤, 그리고 후추를 약간 갈아 넣는다. 불을 조절해 천천히 뭉근하게 끓게 하고 뚜껑을 덮는다. 고기를 이따금 뒤집어가며 포크로 부드럽게 잘라질 때까지 1시간 15분 내외로 익힌다.
3. 고기가 익는 동안 버섯을 준비한다. 차가운 흐르는 물에 재빨리 씻어 부드러

운 천으로 가볍게 두드려 물기를 제거한 뒤 1cm 정도의 조각으로 불규칙하게 썬다.

4. 버섯이 겹치지 않고 충분히 들어갈 수 있을 정도로 넓은 스킬렛이나 소테팬을 고른다. 남은 버터 1큰술과 식물성기름 ½큰술을 넣고 중불에 올린다. 가장자리에서 버터 거품이 생기기 시작하면 썰어놓은 버섯을 넣고 강불로 키운다. 버섯에서 더 이상 물이 나오지 않고 흘러나온 수분이 모두 증발할 때까지 자주 뒤적이며 익힌다. 이제 스튜에 들어갈 준비가 되었다.
5. 스튜를 익힌 지 적어도 1시간이 지났을 때 버섯을 넣어 고기와 고루 버무리고 팬 뚜껑을 비스듬하게 덮는다. 포크로 확인해 고기가 부드럽다고 느껴질 때까지 30분 내외로 더 익히고 팬 안의 모든 내용물을 따뜻한 접시에 옮겨 담아 바로 차려 낸다.

미리 준비한다면 먹기 몇 시간 전에 미리 완성해 둘 수 있고, 차리기 바로 전에 천천히 다시 데운다.

세이지와 화이트 와인으로 양념해 팬 로스트한 송아지고기와 돼지고기 소시지 꼬치

Skewered Veal Cubes and Pork Sausage Pan-Roasted with Sage and White Wine

이 맛있는 꼬치를 꿰는 방법을 '작은 새'라는 뜻의 알루첼레토(all'uccelletto)라 부르는데, 판체타와 세이지를 곁들여 팬에서 굽는 요리인 우첼레티(uccelletti)에서 레시피를 빌려온 데서 유래했다. 이 요리 역시 우첼레티처럼 뜨겁고 부드러운 폴렌타 위에 올려 차려내는 것이 가장 좋다.

6인분

돼지고기 소시지 565g, 강한 향신료나 허브가 첨가되지 않은 순한 맛으로 준비
세이지잎 20장, 가급적 신선한 것으로 준비
송아지 어깨살 또는 정강이살 450g, 뼈를 바르고 대략 4cm 크기로 깍둑썰기한다
판체타 225g, 한 장으로 얇게 썬 것을 4cm 길이로 썬다
꼬치 12개 정도, 15~20cm 길이로 준비
식물성기름 3큰술
달지 않은 화이트 와인 ⅔컵

1. 소시지를 4cm 정도 길이로 썬다. 소시지 1조각, 생세이지잎 1장, 송아지고기 1조각과 판체타 1조각을 번갈아가며 꼬치에 꿴다. 막바지에 어떤 재료가 부족할 수도 있지만 모든 꼬치에 각 재료가 적어도 하나 이상은 들어가도록 한다. 말린 세이지잎을 쓴다면 부서지므로 꼬치에 끼우지 마라. 다음 단계의 설명에 따라 이후에 냄비 안에 넣는다.
2. 꼬치가 충분히 들어갈 수 있을 정도로 넓은 소테팬을 고른다. 기름을 넣고 중불에 올려 기름이 달궈지면 꼬치를 넣는다. 말린 세이지잎을 쓴다면 이때 전부 넣는다. 꼬치를 뒤집어가며 고기의 겉면을 모두 갈색으로 굽는다. 꼬치를 겹쳐 쌓지 않고 전부 넣을 수 있는 냄비가 없다면 나눠서 넣되 1회 분량을 갈색으로 구워 꺼낸 다음에 다음 분량을 넣는다.
3. 꼬치를 나누어서 구웠다면, 필요에 따라 겹쳐서 냄비에 맞춰 전부 다시 넣는다. 와인을 붓고 와인이 보글보글 끓을 정도로 불을 조절해 15~20초간 재빨리 끓인 뒤, 약불로 낮추고 팬 뚜껑을 비스듬하게 덮는다.
4. 바닥에 있던 것이 위로 올라오도록 꼬치를 이따금 뒤집고, 포크로 찔러 송아지고기가 충분히 부드럽게 느껴질 때까지 25분 내외로 익힌다. 스튜에 들어간 송아지고기나 오소부코만큼 부드럽지는 않아도 된다. 다 익으면 꼬치를 집게나 구멍 뚫린 국자 또는 뒤집개로 따뜻한 차림용 접시에 옮긴다.
5. 팬을 기울여 기름을 2큰술 정도 남기고 전부 퍼낸다. 팬에 물을 ⅓컵 붓고 나무 주걱으로 바닥과 옆면의 조리 잔여물을 긁으며 강불에서 졸인다. 졸인 즙을 꼬치 위에 부어 바로 차려 낸다.

비텔로 톤나토—참치 소스를 곁들인 얇게 썬 차가운 송아지고기

Vitello Tonnato — Cold Sliced Veal with Tuna Sauce

이탈리아에서 가장 유명한 차가운 요리인 비텔로 톤나토(vitello tonnato)는 환상적인 맛만큼이나 다재다능한 요리다. 여름 코스 메뉴에서 가장 적합한 고기 요리이자, 화려한 저녁식사에서는 아주 고급스러운 전채가 되며, 크고 작은 뷔페에서 가장 성공적인 파티 음식이다.

얇게 썬 송아지고기를 곱게 펼쳐 놓고 약간의 소스를 옆에 두고 비텔로 톤나토라는 이름으로 차려진 요리를 본 적이 있다. 그것은 이 요리의 가장 중요한 취지를 깨트려버린 것이었다. 충분히 시간을 들여 참치 소스가 송아지고기에 배어들게 함으로써 그 풍미와 동시에 섬세한 질감을 완벽하게 결합시키지 못했기 때문이다. 고기는 차려 내기 최소 24시간 전에 반드시 소스에 담가놓아야 한다.

어떤 요리사는 화이트 와인을 넣어 송아지고기를 졸이기도 하지만, 여기에서 와인은 필요 이상의 떫은 맛을 준다. 송아지고기가 건조해질 수 있으니, 부드러움과 육즙을 유지하려면 뚜껑을 덮고 충분한 양의 끓는 물로 익히면 된다. 레시피에서 설명한 대로 이 단순한 처방에 필요한 정확한 물의 총량을 미리 알아둔다. 고기를 촉촉하게 유지하기 위해 기억해두어야 할 다른 중요한 포인트 3가지는, 첫째, 물이 완전히 끓을 때 송아지고기를 넣는다. 둘째, 물에 소금을 첨가하지 않는다. 셋째, 고기를 그 육수에 담근 채로 완전히 식힌다.

풍미와 질감의 섬세함을 가장 중요하게 생각한다면, 쓸 수 있는 고기는 송아지고기뿐이다. 하지만 더 저렴하게 해야 한다면 칠면조 가슴살이나 돼지 등심이 훌륭한 대안이 될 수 있다.

6~8인분

고기 익히기 재료

송아지고기 900~1125g, 기름기 없는 구이용으로 원통형을 실로 단단히 묶어서 준비 또는 칠면조 가슴살 또는 돼지고기 등심

당근 1개, 중간 크기로 껍질을 벗긴다

셀러리 1대, 잎이 없는 부분

양파 1개, 중간 크기로 껍질을 벗긴다

파슬리 4줄기

말린 월계수잎 1개

참치 소스 재료

마요네즈, 50쪽 설명에 따라 달걀노른자 2개, 엑스트라버진 올리브유 1¼컵(아래 참고), 갓 짠 신선한 레몬즙 2큰술과 소금 ¼작은술로 만든다

참치 통조림 1개, 210g짜리 올리브유에 저장된 수입산으로 준비

안초비 5조각(19쪽 설명대로 가급적 직접 만든 것으로)

엑스트라버진 올리브유 1컵

갓 짠 신선한 레몬즙 3큰술

케이퍼 3큰술, 26쪽 설명대로 소금에 절인 것은 물에 담갔다가 헹구고 식초에 담긴 것은 건진다

참고 ❀ 이것은 올리브유로 만든 마요네즈가 훨씬 더 잘 어울리는 보기 드문 요리 중 하나다. 이 마요네즈의 강한 풍미가 요리에 깊이를 더한다. 51쪽의 살모넬라균에 관한 경고를 유의하길 바란다. 마요네즈를 생략하고 싶다면, 안초비 1조각, 올리브유 1컵, 레몬즙 2큰술을 추가해 참치 소스의 양을 두 배로 늘려서 만든다.

제안하는 장식

얇게 썬 레몬	케이퍼 알갱이
좁은 웨지 모양으로 자른 씨를 뺀 검은 올리브	파슬리 이파리
	안초비 조각

1. 송아지고기(칠면조 가슴살 또는 돼지고기 등심)가 들어갈 만큼 충분히 큰 냄비 안에 고기, 당근, 셀러리, 양파, 파슬리, 월계수잎을 넣고 물을 재료가 잠길 정도로만 넣는다. 이제 고기를 꺼내 한편에 둔다. 냄비 뚜껑을 덮고 물을 끓인 뒤, 물이 끓기 시작할 때 고기를 넣고 냄비 뚜껑을 덮어 불을 조절해 천천히 뭉근하게 2시간 동안 익힌다. (칠면조 가슴살을 쓴다면 1시간 미만으로 익힌다.) 냄비를 불에서 내려 육수 안에서 그대로 식힌다.
2. 마요네즈를 만든다.
3. 통조림에서 참치를 건져 안초비, 올리브유, 레몬즙, 케이퍼와 함께 푸드프로세서에 넣는다. 크림처럼 부드럽게 섞인 소스가 될 때까지 간다. 푸드프로세서에서 소스를 꺼내 마요네즈와 골고루 섞는다. 안초비와 케이퍼 둘 다 소금기가 있기 때문에 소금은 필요 없지만 간을 보고 정확히 판단한다.
4. 고기가 꽤 차가워지면 육수에서 건져 도마 또는 작업대 위에 놓고, 묶어두었던 실을 자른 뒤 일정하게 얇게 썬다.
5. 참치 소스를 조금 덜어 차림용 접시 바닥에 얇게 펴서 바른다. 그 위에 얇게 썬 송아지고기(칠면조 또는 돼지고기)를 한 층으로 펴서 올리는데, 가장자리가 서로 만나되 겹치지는 않게 한다. 소스로 덮고 얇게 썬 고기를 다시 올리고, 다시 소스로 덮는다. 모든 고기를 다 쓸 때까지 작업을 반복하고, 맨 위에 덮어줄 소스는 충분히 남겨둔다.
6. 주방용 랩으로 덮어 적어도 24시간 동안 냉장고에 넣어둔다. 일주일 정도는 보관할 수 있다. 차리기 전에 상온에 꺼낸다. 주방용 랩을 벗겨낼 때 뒤집개로 윗면을 다듬어주고, 제안한 장식 재료 중 일부 또는 전부를 써서 보기 좋은 무늬를 만든다.

소고기

BEEF

라 피오렌티나—피렌체식으로 그릴에 구운 티본 스테이크

La Fiorentina—Grilled T-Bone Steak, Florentine Style

상을 받은 이탈리아 도축용 소 두 품종 가운데 하나는 토스카나 출신의 키아니나(Chianina)이다. 그 품종의 유일한 경쟁 상대는 피에몬테의 라차 피에몬테스(Razza Piemontese)다. 둘 중에서는 후자가 더 부드럽고 크림 같은 단맛이 있으며, 토스카나 품종은 더 단단하고 감칠맛이 있다. 키아니나는 성장속도가 빠르고 수컷이 송아지, 이탈리아어로는 비텔로네(vitellone)가 되면 도축된다. 고기를 매우 좋아하는 이탈리아인들에게 피렌체식으로 그릴에 구운 티본은 궁극의 스테이크다. 이 스테이크의 매력은 물론 차원이 다른 고기의 풍미에 일부 빚을 지고 있지만, 질 좋고 잘 숙성된 스테이크라면 어디서든 성공적으로 적용할 수 있는 피렌체식 레시피 덕분이기도 하다.

2인분

- 숯이나 나무를 쓰는 그릴
- 검은색 통후추, 절구와 공이로 아주 거칠게 갈거나 빻는다
- 티본 스테이크 1덩이, 4cm 정도 두께를 상온 상태로 준비
- 천일염
- 선택 사항: 가볍게 으깨 껍질을 벗긴 통마늘
- 엑스트라버진 올리브유

1. 조리하기 전 숯은 하얀 재가 생기면서 달아오르도록, 나무는 타다 남은 불이 뜨겁도록 미리 충분히 오래 태워 둔다.
2. 거칠게 갈거나 빻은 통후추를 고기 양면에 문지른다.
3. 스테이크 굽기 정도를 아주 레어로 하길 원한다면 한 면을 대략 5분간 굽고 다른 쪽 면을 3분간 굽는다. 스테이크를 뒤집은 후에 그릴 자국이 남은 면에 소금을 뿌린다. 다른 면이 다 되었을 때 뒤집어서 그 위에 소금을 뿌린다.
4. 스테이크가 취향에 맞게 구워졌고 아직 그릴 위에 있는 상태일 때 선택 사항

인 마늘을 양면의 뼈에 문지른 다음, 고기의 양면에 올리브유를 몇 방울 아주 살짝 떨어트린다. 따뜻한 접시에 옮겨 바로 차려 낸다.

참고 ❀ 스테이크를 그릴에 올리기 전에 올리브유를 발라본 적이 있는데, 불에 그을린 기름이 소의 지방 맛에 영향을 주어 기피하게 되었다.

마르살라와 매운 고추를 곁들여 구운 스테이크

Pan-Broiled Steaks with Marsala and Chili Pepper

4인분

엑스트라버진 올리브유
꽃등심 스테이크 또는 뼈 없이 자른 같은 부위 4덩이, 2cm 정도 두께로 조리 전 상온 상태로 준비
소금
갓 갈아낸 검은 후추
달지 않은 마르살라와인 ½컵
달지 않은 레드 와인 ½컵
마늘 1½작은술, 잘게 다진다
펜넬씨 1작은술
토마토 페이스트 1큰술, 물 2큰술에 녹인다
매운 붉은색 고추, 잘게 썰어 기호에 맞게 준비
파슬리 2큰술, 잘게 썬다

1. 스테이크가 한 층으로 다 들어가는 스킬렛을 고른다. 올리브유를 넉넉히 붓고 바닥에 기름이 고루 펼쳐지도록 팬을 여러 방향으로 기울인다. 강불에 올리고 기름이 충분히 뜨거워져 위로 연기가 살짝 올라오면 스테이크를 미끄러트리듯 넣는다. 기호에 맞게 익히되 가급적 레어가 좋으니, 한쪽 면을 대략 3분 정도 익히고 다른 쪽 면을 2분 정도 익힌다. 다 되면 불을 끄고 스테이크를 따뜻한 접시에 옮겨 소금과 후추를 약간 갈아서 뿌린다.
2. 스킬렛을 중강불에 올려 마르살라와 레드 와인을 넣는다. 나무 주걱으로 바닥과 옆면에 들러붙은 조리 잔여물을 떼어가며 와인을 30초 정도 끓인다.
3. 마늘을 넣어 2~3번 정도만 저으며 익히고, 펜넬씨를 넣어 몇 초간 저은 뒤 물에 녹인 토마토 페이스트와 잘게 썬 매운 고추를 기호에 맞게 넣는다. 중불로 줄여 자주 저어주면서 농도가 생겨 퓌레 같은 소스가 될 때까지 1분 내외로 끓인다.
4. 스테이크를 다시 팬에 넣어 더 길게도 말고, 소스 안에서 딱 2~3번만 뒤집어 준다. 따뜻한 차림용 접시에 스테이크와 소스를 옮기고 위에 잘게 썬 파슬리를 올려 바로 차려 낸다.

토마토와 올리브를 곁들여 구운 얇은 소고기 스테이크

Pan-Broiled Thin Beef Steaks with Tomatoes and Olives

이 요리는 익히는 시간을 최소화하기 위해 아주 얇게 썬 소고기 스테이크를 두드려 펴서 더 얇게 만든다. 대부분의 정육점에서 요청하면 고기를 얇게 펴주는데, 꼭 직접 펴야겠다면 48쪽 송아지고기 스칼로피네 부분에서 설명한 방법을 따르라. 두드려 편 뒤에 가장자리에 칼집을 내주면 팬에서 구웠을 때 고기가 말리지 않는다.

4인분

양파 중간 크기 ½개, 아주 아주 얇게 썬다
올리브유 2큰술
마늘 중간 크기 2쪽, 껍질을 벗기고 아주 얇게 썬다
토마토 ⅔컵, 신선하고 잘 익은 것으로 껍질을 벗기고 잘게 썰거나, 이탈리아산 플럼토마토 통조림, 대강 썰어서 즙과 함께 준비
오레가노, 신선한 것이라면 ½작은술, 말린 것은 ¼작은술
소금
갓 갈아낸 검은 후추
검고 둥근 그리스 올리브 12개, 씨를 빼고 4등분한다
식물성기름
뼈 없는 소고기 스테이크 450g, 가급적 목심으로 1cm 미만으로 얇게 썰어 위의 설명대로 평평하게 펼치고 조리 전에 반드시 상온 상태로 둔다

1. 소테팬에 얇게 썬 양파와 올리브유를 넣고 중약불에 올려 양파의 숨이 서서히 죽도록 그대로 두며 익힌다. 양파가 아주 살짝 노릇해지면 마늘을 넣는다. 마늘 색이 아주 살짝 변할 때까지 익히다가 토마토와 즙, 그리고 오레가노를 넣는다. 골고루 섞이도록 잘 저어주고 토마토가 뭉근하게 익도록 불을 조절해 기름이 분리되어 떠오를 때까지 15분 정도 익힌다. 소금과 후추를 약간 갈아 넣고 올리브를 넣어 고루 젓고 1분 정도 더 익힌다. 불을 가장 약하게 줄인다.

미리 준비한다면 ❁ 이 단계까지 몇 시간에서 하루 전에 미리 완성해둘 수 있다. 올리브를 넣는 시점에서 멈췄다가, 스테이크와 합치기 전에 소스를 다시 데우고 나서 넣는다.

2. 가급적 무쇠 재질의 바닥이 두꺼운 스킬렛을 불 위에 올린다. 뜨거워지면 재빨리 천으로 식물성기름을 발라 바닥에 기름을 먹인다. 얇게 썬 소고기를 넣

고 갈색이 날 정도로만 몇 초간 양면을 굽는다. 뒤집을 때마다 소금과 후추를 뿌린다.

3. 토마토 소스가 있는 냄비에 스테이크를 옮기고 2~3번 뒤집는다. 따뜻한 차림용 접시에 스테이크를 놓고 그 위에 소스를 부어 바로 차려 낸다.

카차토라풍 얇은 소고기 스테이크

Pan-Fried Thin Beef Steaks, Cacciatora Style

4인분

엑스트라버진 올리브유 3큰술
양파 ½컵, 아주 얇게 썬다
소고기 스테이크 4덩이, 목심 또는 설도를 1cm 미만으로 얇게 썬다
밀가루, 접시 위에 펼친다
소금
갓 갈아낸 검은 후추
말린 포르치니 버섯 30g, 37쪽 설명대로 불려서 굵게 다진다
버섯 불린 물, 37쪽을 참고해 거른다
달지 않은 레드 와인 ½컵
이탈리아산 플럼토마토 통조림 ½컵, 썰어서 즙과 함께 준비

1. 스테이크를 전부 겹치지 않고 넣을 수 있을 정도로 충분히 넓은 소테팬을 고른다. 올리브유와 얇게 썬 양파를 넣고 중불에 올린다.
2. 양파가 투명해질 때까지 익힌 뒤 스테이크 양면에 밀가루를 입혀 팬에 넣고 불을 강하게 키운다. 고기의 각 면을 1분 정도 굽고 소금과 후추를 약간 갈아서 뿌린 다음 구멍 뚫린 국자로 따뜻한 접시에 옮긴다.
3. 썰어놓은 불린 버섯과 불린 물을 팬에 넣고 중불로 줄여 수분이 완전히 없어질 때까지 졸인다. 한 번씩 저어준다.
4. 와인을 붓고 자주 저어가며 1분 내외로 뭉근하게 졸인 뒤, 토마토와 즙을 넣고 불을 줄여 계속 천천히 뭉근하게 끓인다. 맛을 보고 소금과 후추로 정확히 간을 맞추고 한 번씩 저어준다. 토마토에서 기름이 분리되어 떠오를 때까지 10~15분간 끓인다.
5. 불을 강하게 키우고 접시에 흘러나온 육즙과 함께 스테이크를 다시 팬에 넣는다. 소스를 다시 데우면서 스테이크를 한두 번 뒤집되 20~30초를 넘기지 않도록 한다. 냄비 안의 고기와 모든 내용물을 따뜻한 접시에 옮겨 바로 차려 낸다.

치즈와 햄으로 속을 채운 소고기 브라촐라

Pan-Fried Beef Braciole Filled with Cheese and Ham

아주 얇게 썬 소고기 2장 사이에 치즈와 햄을 넣어 서로 겹친다. 밀가루, 달걀과 빵가루를 입혀 익히면 가장자리가 붙어 고정되고 소고기 2장이 모양을 유지하게 된다. 속에 넣은 치즈도 녹으면서 고기가 들러붙는 데 일조한다. 4인분

브라촐라 스테이크 450g, 가능한 한 얇게 썬다(아래 참고 사항을 확인할 것)
소금
갓 갈아낸 검은 후추
폰티나 치즈 4장, 아주 얇게 썬다
달걀 1개
프로슈토 또는 훈제하지 않고 삶은 햄 4장
너트메그 1알
식물성기름
밀가루, 접시 위에 펼친다
마른 빵가루, 양념하지 않은 고운 것을 접시 위에 펼친다

참고 ❀ 브라촐라 스테이크는 설도 중 보섭살이나 도가니살의 가운데 부분을 쓴다. 설도에서 가장 넓은 부분을 얇게 자른다면 25~30cm로 꽤 길다. 이 요리에서는 4조각만 필요하다. 긴 덩어리를 각각 반으로 나눈다. 이보다 좁은 아래쪽에서 얇게 썰어내면 8조각이 필요한데, 통째로 쓴다. 0.5cm보다 두껍다면 정육점에 부탁하거나, 48쪽 설명에 따라 직접 얇게 편다.

1. 모양과 크기가 가장 비슷한 브라촐라 조각끼리 짝을 짓는다. 1장 위에 다른 1장을 놓고 필요시 가장자리를 다듬어 윗조각과 아랫조각이 큰 차이가 나거나 튀어나오지 않고 가능한 한 비슷해지게 만든다.
2. 각 브라촐라 한 쌍 사이에 소금과 후추를 뿌리고 얇게 썬 폰티나 1장과 프로슈토 1장을 올린다. 폰티나를 가운데 놓아 고기의 가장자리와 너무 가까워지지 않게 한다. 필요시 프로슈토는 접어서 브라촐라 가장자리 밖으로 튀어나오지 않게 한다. 고기 각 쌍의 위쪽 장과 아래쪽 장을 나란히 놓아 가능한 한 일치하게 만든다.

미리 준비한다면 ❀ 브라촐라를 조리하기로 계획한 당일 몇 시간 전에 이 단계까지 미리 준비해둘 수 있다.

3. 작은 볼에 달걀을 깨뜨려 넣어 포크로 가볍게 풀어주고, 너트메그 아주 조금—⅛작은술 정도—과 소금 한 자밤을 넣는다.
4. 브라촐라가 전부 겹치지 않고 들어갈 정도로 넓은 스킬렛을 골라, 0.5cm 정

도 높이로 기름을 충분히 넣고 강불에 올린다.

5. 짝지어놓은 각각의 브라촐라에 밀가루를 입히되, 분리되지 않도록 한다. 가장자리가 밀가루로 인해 붙었다면, 풀어둔 달걀에 담갔다가 빵가루를 입힌다.
6. 기름이 뜨거워지면 곧바로 브라촐라를 팬에 미끄러트리듯 넣는다. 브라촐라 한쪽 끝을 기름에 담갔을 때 지글거린다면 알맞은 것이다. 한쪽 면을 갈색이 나도록 잘 익힌 뒤, 조심스럽게 뒤집어서 다른 쪽도 익힌다. 양쪽 면을 완전히 갈색으로 익혔을 때 건져서 식힘망이나 키친타월을 깐 접시 위에 잠시 올려 두었다가 따뜻한 접시에 옮겨 바로 차려 낸다.

파르수마우로—속을 채운 시칠리아식 대형 브라촐라

Farsumauro—Stuffed Large Braciole, Sicilian Style

이탈리아 남쪽 지역과 시칠리아에는 여러 다양한 형태의 파르수마우로(farsumauro)가 있는데, 다양한 소시지, 치즈와 허브를 자유롭게 선택해 속을 채워 조리하기 때문이다. 아래 레시피는 시칠리아에서 내가 해온 방식에 비하면 사정과 필요에 따라 부분적으로—시칠리아 밖에서는 시칠리아 치즈와 돼지고기를 만족스럽게 대체할 만한 것이 없다—절제해 선택한 것이다. 다행히 원래보다 단순하게 바꾼 이 레시피로도 풍부함과 감칠맛은 충분한 것 같다.

속을 채워 감싸는 데 쓰는 크고 얇게 썬 고기는 롤케이크처럼 돌돌 말거나 칼초네(calzone)처럼 덩어리로 만들어 가장자리를 꿰매어 붙일 수 있다. 나는 후자를 추천하는데 속재료를 부드럽게 하고 즙을 가두어주기 때문이다. 6인분

소고기 브라촐라 약 675g, 우둔이나 설도 살을 크고 얇게 1cm 정도 두께로 썰어서 1장 또는 더 작은 덩어리라면 같은 두께로 썰어서 2장
바늘과 가는 실
돼지고기 간 것 340g, 기름기 없는 부위로 준비
마늘 중간 크기 1쪽, 껍질을 벗기고 잘게 다진다
파슬리 2큰술, 다진다
달걀 1개
갓 갈아낸 파르미자노 레자노 치즈 2큰술
소금
갓 갈아낸 검은 후추
버터 2큰술
식물성기름 2큰술
밀가루, 접시 위에 펼친다
달지 않은 화이트 와인 1컵

1. 크고 얇게 썬 고기 한 장을 쓴다면 반으로 접어 속재료를 넣을 수 있을 정도의 구멍만 남겨두고 가장자리를 함께 꿰맨다. 얇게 썬 고기 2장을 쓴다면 한 장 위에 다른 장을 올려 베개보처럼 3면만 꿰매고 좁은 한쪽 면은 열릴 수 있게 남겨둔다. 바늘을 조리하는 곳에서 멀찍이 안전하게 둔다.
2. 볼에 돼지고기 간 것, 마늘, 파슬리, 달걀, 간 파르메산, 소금과 후추를 넣고 균일하게 합쳐지도록 포크로 섞는다.
3. 꿰매놓은 브라촐라 주머니에 섞은 속재료를 고루 펼쳐가며 집어 넣는다. 바늘과 실로 남은 구멍을 꿰맨다. 이 단계에서는 파르수마우로가 헐렁해 보일 수도 있지만 익히는 동안 팽팽해질 것이다. 바늘을 부엌에서 멀찍이 안전하게 둔다.
4. 가급적 타원형으로 고기롤이 넉넉히 들어갈 수 있을 정도의 소테팬 또는 구이용 팬을 가져온다. 버터와 기름을 넣고 중강불에 올린다.
5. 고기 전체에 밀가루를 고루 입혀 가장자리에서 버터 거품이 생기기 시작하면 고기를 팬에 넣는다. 고기롤의 겉면을 모두 갈색이 나도록 굽는다.
6. 고기가 갈색으로 구워지면 소금과 후추를 뿌리고 와인을 붓는다. 와인을 30초 정도 끓도록 둔 뒤 중약불로 줄이고 뚜껑을 비스듬하게 덮는다. 한 번씩 뒤집어가며 1시간에서 1시간 반 정도 익힌다. 냄비 안에 수분이 충분해 고기가 들러붙지 않아야 한다. 필요에 따라 물을 2~3큰술 넣는다. 익히는 데 걸리는 전체 시간이 이상하리만치 길게 느껴질 수도 있겠지만, 천천히 오래 익혀야 농축되고 복합적인 풍미를 얻으면서 아주 부드러워지는 팟 로스트(pot roast)와 비교해 생각해보라.
7. 구멍 뚫린 국자나 뒤집개로 파르수마우로 롤을 도마로 옮긴다. 파르수마우로를 1cm 정도 폭으로 썬다. 실 조각을 뽑아낸다(또는 먹는 사람이 직접 하도록 둔다). 썰어놓은 조각을 따뜻한 접시 위에 펼쳐 놓는다.
8. 팬 안에 남아 있는 즙 위에 기름이 떠 있을 것이다. 팬을 기울여 기름의 3분의 2를 퍼 낸다. 반대로 즙이 너무 되직하면 물 1~2큰술을 팬에 넣어 강불에 올려 나무 주걱으로 바닥과 옆면에 붙은 조리 잔여물을 긁어가며 수분을 날린다. 즙이 너무 옅거나 묽으면 강불에 올려 팬 바닥과 옆면에 붙은 조리 잔여물을 떼어가며 졸인다. 팬의 내용물을 얇게 썬 파르수마우로 위에 부어 바로 차려 낸다.

적양배추와 키안티 와인을 넣은 소고기 롤

Beef Rolls with Red Cabbage and Chianti Wine

4인분

엑스트라버진 올리브유 3큰술
마늘 1큰술, 아주 잘게 다진다
적양배추 4~5컵, 아주 가늘게 채 썬다
소금
갓 갈아낸 검은 후추
소고기 설도 450g, 가급적 기계를 이용해 아주 얇게 썬다
훈제하지 않고 삶은 햄 170g 얇게 썬다
이탈리아산 폰티나 170g, 또는 유사하게 부드럽고 풍미가 좋은 치즈, 얇게 썬다
단단한 이쑤시개
키안티 ⅔컵 또는 과실향이 풍부한 풀바디의 달지 않은 레드 와인

1. 소고기 롤이 전부 겹치지 않고 충분히 들어갈 수 있을 정도로 넓은 소테팬을 고른다. 올리브유 2큰술과 마늘을 넣고 중불에 올린다. 가끔씩 저어주며 마늘이 아주 옅은 황금색이 될 때까지 익힌다.
2. 채썰기한 양배추, 소금과 후추를 넉넉히 갈아서 넣고 양배추에 기름이 고루 입혀지도록 몇 번 뒤적인 뒤, 뚜껑을 덮고 불을 아주 약하게 줄인다. 이따금 저어가며 양배추가 아주 부드러워지고 부피가 절반으로 줄어들 때까지 대략 45분 정도 익힌다.
3. 양배추가 익는 동안 소고기 롤을 만든다. 고기가 아주 얇지 않다면 고기망치로 좀 더 두드려 펴준다. 얇은 고기를 길이가 8~11cm 되는 사각형이 되게 모양을 다듬고, 접시나 작업대 위에 평평하게 놓는다. 사각형 소고기 위에 얇은 햄 한 장과 얇은 치즈 한 장을 올리되, 소고기 가장자리로 튀어나오지 않게 한다. 사각형의 고기를 각각 단단하게 말아 이쑤시개 1~2개 또는 실로 묶어 작은 소고기 로스트처럼 고정시킨다.
4. 양배추가 다 익으면 구멍 뚫린 국자나 뒤집개로 접시에 옮긴다. 그 팬에 남은 올리브유 1큰술을 넣고 강불에 올려 소고기롤을 넣는다. 겉면을 전부 갈색이 나도록 뒤집어가며 굽는다.

미리 준비한다면 ❀ 고기롤을 이 단계까지 몇 시간 전에 미리 만들어둘 수 있고, 다음 단계를 진행하기 전에 재빨리 다시 데운다. 요리를 끝까지 완성해둘 수도 있는데, 몇 시간 뒤에 차려 낼 준비가 되면 즙 안에 넣고 천천히 다시 데운다.

5. 양배추를 팬에 다시 넣어 와인을 붓고, 소금과 후추도 더 넣는다. 와인을 15초 정도 보글보글 끓이고 약불로 낮춰 뚜껑을 덮는다. 와인이 전부 졸아들 때

까지 10분 정도 끓인다. 팬 안의 즙까지 전부 따뜻한 접시에 담아 바로 차려 낸다.

참고 ❀ 익히는 동안 치즈가 소고기롤 밖으로 빠져나올 수 있다. 개의치 않아도 된다. 치즈가 양배추와 섞이면서 고기의 소스 맛을 돋운다.

레드 와인으로 조린 소고기 팟 로스트

Pot Roast of Beef Braised in Red Wine

6인분

식물성기름
뼈 없는 소고기 로스트 1800g, 가급적 목심으로 준비
양파 3큰술, 아주 잘게 다진다
당근 3큰술, 아주 잘게 다진다
셀러리 2큰술, 아주 잘게 다진다
고기육수 25쪽 설명대로 직접 만든 것으로는 1컵 또는 소고기육수 통조림 ½컵을 물 ½컵 또는 그 이상과 섞는다
이탈리아산 플럼토마토 통조림 1½큰술, 잘게 썬다
말린 타임 한 자밤
생마조람 ¼작은술 또는 말린 것 ⅛작은술
소금
갓 갈아낸 검은 후추
달지 않은 레드 와인(아래 참고)
버터 1큰술

와인 노트 ❀ 이 요리는 피에몬테의 스트라코토 알 바롤로(stracotto al Barolo)를 변형한 것으로 최고로 이상적인 조합은 와인잔에 근사하게 따라 마시는 수준의 바롤로를 냄비에 넣는 것이다. 대체 와인을 찾아야겠다면, 바르바레스코나 질 좋은 바르베라 같은 피에몬테의 다른 레드 와인을 써보라. 적당한 다른 선택지로는 론 와인, 캘리포니아 쉬라 또는 진판델, 또는 호주나 남아프리카산 쉬라가 있다.

1. 오븐을 180°C로 예열한다.
2. 스킬렛에 식물성기름을 충분히 넣고 이리저리 기울여 바닥에 기름이 잘 입혀지도록 한다. 강불로 켜고 기름이 충분히 뜨거워져 가장자리에서 연기가 살짝 올라오면 고기를 미끄러트리듯 넣는다. 겉면을 전부 갈색이 나도록 구운 뒤 접시에 옮겨 한편에 둔다. 이후에 다시 쓸 것이기 때문에 스킬렛을 닦지 말고 한편에 둔다.
3. 딱 맞는 뚜껑이 있고 나중에 고기가 들어갈 수 있을 정도로 충분히 큰 냄비

를 고른다. 식물성기름 2큰술, 버터와 양파를 넣고 중불에 올려 양파가 살짝 노릇해질 때까지 익힌다. 당근과 셀러리를 넣는다. 기름이 잘 입혀지도록 골고루 저어 4~5분간 익힌 뒤 갈색으로 구운 고기를 넣는다.

4. 고기를 갈색으로 구웠던 스킬렛에 와인을 붓고 중강불에 올려, 나무 주걱으로 바닥과 옆면에 붙은 조리 잔여물을 떼어가며 1분 안으로 팔팔 끓인다. 스킬렛의 내용물을 고기가 든 냄비에 넣는다.
5. 직접 만든 육수 또는 희석시킨 통조림 육수를 냄비에 넣는다. 고기 높이의 3분의 2 정도 차올라야 하는데, 그렇지 않다면 직접 만든 육수나 물을 추가한다. 토마토, 타임, 마조람, 소금과 후추를 약간 갈아 넣는다. 강불로 켜 냄비 안의 내용물을 끓어오르게 한 다음, 냄비 뚜껑을 덮어 예열된 오븐의 중간에 넣는다. 고기를 20분 정도마다 뒤집어주고 냄비 안의 즙을 끼얹어가며 3시간 정도 천천히 뭉근하게 계속 익힌다. 뭉근하게 끓고 있지 않다면 오븐 온도를 높인다. 이따금 냄비 안의 모든 수분이 졸아버렸거나 고기가 다 익기 전에 말라버릴 수 있다. 이때는 물을 3~4큰술 넣는다. 포크로 찔러 고기가 아주 부드럽다고 느껴질 때까지 익힌다.
6. 고기를 꺼내 도마 위에 올린다. 냄비 안의 즙이 너무 묽거나 ⅔컵보다 적은 양으로 졸아들지 않았다면 화구 위에 올려 강불로 켜고, 냄비 바닥에 붙은 조리 잔여물을 긁어가며 즙을 끓인다. 즙을 맛보고 소금과 후추로 간한다. 고기를 얇게 썰어, 비스듬하게 겹치도록 따뜻한 접시에 나란히 놓고, 냄비 즙을 위에 부어 바로 차려 낸다.

아마로네 와인으로 조린 소고기 팟 로스트

Pot Roast of Beef Braised in Amarone Wine

아마로네(Amarone)는 베로나의 특별하고 훌륭한 레드 와인이다. 이 와인은 수확 후 으깨기 전에 3~4개월 동안 쪼글쪼글하게 말린 포도로 만든다. 이 말린 포도의 농축된 즙은 강렬한 풍미를 지닌 달지 않은 와인을 만들어내, 고기 요리가 중심인 메뉴에 곁들이면 아주 훌륭하고, 식사의 마지막에 단독으로 조금씩 마셔도 호화로우며, 소고기 팟 로스트를 졸이는 술로서도 뛰어나다. 유사한 맛을 느끼게 해줄 와인은 어디에도 없다. 질 좋은 이탈리아 와인을 취급하는 상점이라면 이 와인을 어렵지 않게 구할 수 있지만, 대안을 찾아야만 한다면 강화 와인이 아니면서 적어도 알코올 도수가 14퍼센트 이상인 달지 않은 레드와인을 구해야 한다.

4~6인분

판체타 2큰술, 잘게 썬다
엑스트라버진 올리브유 2큰술
소고기 목심 900g
양파 ¾컵, 아주 잘게 다진다
셀러리 ½컵, 잘게 다진다
마늘 2쪽, 가볍게 으깨 껍질을 벗긴다
소금
갓 갈아낸 검은 후추
아마로네 와인 1¾컵(앞의 설명 참고)

1. 딱 맞는 뚜껑이 있고 바닥이 두꺼우며 나중에 고기가 들어갈 수 있을 정도로 충분히 큰 냄비를 고른다. 잘게 썬 판체타와 올리브유를 넣어 중강불에 올리고 한두 번 저어주며 1분 정도 판체타를 익힌다. 고기를 넣고 겉면을 전부 갈색으로 구운 뒤 냄비에서 꺼낸다.
2. 잘게 다진 양파를 냄비에 넣어 한두 번 저어주며 살짝 노릇해질 때까진 익힌다.
3. 고기를 다시 냄비에 넣고 셀러리, 마늘, 소금과 후추를 넉넉히 갈아 넣고 아마로네 ½컵을 붓는다. 냄비 뚜껑을 비스듬하게 덮고 불을 가장 약하게 줄인다. 3시간 동안 아주 천천히 가열하며 익힌다. 고기를 이따금 뒤집어주고 남은 아마로네를 한 번에 조금씩 넣는다. 3시간이 되기 전에 와인이 전부 증발했다면, 필요에 따라 물을 2~3큰술 넣어 고기가 들러붙지 않게 한다. 포크로 찔러보고 고기가 아주 부드러워졌다고 느껴진다면 완전히 익은 것이다.
4. 냄비에서 고기를 꺼내 도마 위에 10분 정도 그대로 올려둔다. 아주 얇게 썬 뒤, 다시 냄비에 넣어 적은 양의 소스가 입혀지도록 뒤집는다.

미리 준비한다면 ❁ 차려 내기 몇 시간 전에 이 단계까지 완성해둘 수 있다. 차려낼 준비가 되었을 때 고기를 소스에 넣고 아주 약한 불 위에서 데운다. 고기가 소스를 전부 흡수했다면 다시 데우면서 물 1~2큰술을 추가한다.

양파와 함께 조린 소고기 로스트

Beef Roast Braised with Onions

이 로스트의 특이한 점은 밑에 깐 양파에서 흘러나온 즙으로만 고기를 조린다는 것이다. 결과적으로 즙이 없어지면서 양파의 단맛이 고기에 부드럽게 스며들고, 양파는 먹음직스러운 갈색으로 변한다.

여기에 쓰이는 지방은 오직 소고기에 끼우면서 함께 조리되는 판체타뿐이다. 라딩 니들(돼지기름 등의 지방을 고기에 삽입하는 도구 — 옮긴이주)이 없다면 연약하고 부서지기 쉬운 일본 젓가락보다 단단한 중국 전통 젓가락으로 판체타 가닥을 고기에 밀어 넣는다. 또는 다른 굵은 바늘, 좁은 막대나 비슷하게 생긴 물체를 이용한다. 고기의 결 방향대로 구멍을 뚫어라.

4~6인분

- 판체타 또는 소금에 절인 돼지고기 115g, 한 덩어리로 준비
- 뼈 없는 소고기 로스트 1800g, 가급적 양지머리로 준비
- 정향 5개
- 양파 중간 크기 4개, 아주 아주 가늘게 채 썬다
- 소금
- 갓 갈아낸 검은 후추

1. 오븐을 160°C로 예열한다.
2. 판체타 또는 소금에 절인 돼지고기를 0.5cm 정도의 좁은 폭으로 썬다. 절반은 라딩 니들로 고기에 집어넣거나, 앞에서 제안한 대안을 따른다.
3. 판체타의 지방을 끼운 다섯 곳에 정향을 끼워 넣는다.
4. 로스트가 넉넉히 들어갈 수 있을 정도로 충분히 크고 바닥이 두꺼운 냄비를 고른다. 냄비 바닥에 얇게 썬 양파를 펼쳐 깔고 남은 판체타 또는 소금에 절인 돼지고기 썬 것을 올린 뒤 고기를 넣는다. 소금과 후추를 넉넉히 넣어 간하고 뚜껑을 딱 맞춰 덮는다. 뚜껑이 딱 맞지 않다면 냄비와 뚜껑사이에 쿠킹호일 한 장을 올린다. 예열한 오븐 맨 위칸에 넣는다.
5. 포크로 찔러 고기가 아주 부드럽다고 느껴질 때까지 3시간 반 정도 익힌다. 첫 30분이 지났을 때와 그 이후 매 30~40분마다 고기를 뒤집는다. 처음에는 고기색이 둔탁하고 먹음직스러워 보이지 않지만 조리를 마쳤을 때는 양파색이 짙은 갈색이 되면서 풍부하고 짙은 색으로 변한다.
6. 다 익으면 고기를 얇게 썰어 따뜻한 접시에 나란히 놓는다. 냄비의 내용물과 도마 위에 남은 즙을 고기 위에 부어 바로 차려 낸다.

레드 와인을 넣은 소고기 안심

Beef Tenderloin with Red Wine

4인분

마늘 3쪽
식물성기름 1큰술
버터 2큰술
포를 뜬 소고기 4장, 2.5cm 두께로 준비
밀가루 ⅔컵, 접시 위에 펼친다
소금
갓 갈아낸 검은 후추
달지 않은 풀바디 레드 와인 ⅔컵 (399쪽 레드 와인으로 조린 소고기 팟 로스트 레시피에서 제안한 '와인 노트' 참고)

1. 칼 손잡이로 마늘을 껍질이 분리될 정도로만 가볍게 으깨 껍질을 벗겨 버린다.
2. 이후에 포를 뜬 소고기 4덩이가 겹치지 않고 충분히 들어가는 넓은 소테팬을 고른다. 기름과 버터를 넣고 중강불에 올린다.
3. 고기 양면에 밀가루를 입힌다. 가장자리에서 버터 거품이 생기자마자 고기와 껍질을 벗긴 통마늘을 넣는다. 고기 양면을 짙은 갈색이 나도록 구운 뒤 구멍 뚫린 국자나 뒤집개를 써서 접시로 옮긴다. 소금 그리고 후추는 넉넉히 뿌려 간한다.
4. 같은 냄비에 와인을 붓고, 나무 주걱으로 팬 바닥과 옆면에 붙은 조리 잔여물을 떼어가며 완전히 졸인다. 와인이 다 졸았으면 고기를 다시 팬에 넣는다. 팬 안의 즙에서 각면을 1분씩 익힌 뒤, 고기와 즙을 전부 따뜻한 접시에 옮겨 바로 차려 낸다.

레드 와인과 채소를 넣은 소고기 스튜

Beef Stew with Red Wine and Vegetables

신선하고 깔끔한 맛의 이 스튜는 허브보다는 소금과 후추로 양념해 단순한 맛을 낸다. 이 스튜를 만들기 위해서는 질 좋은 레드 와인, 올리브유, 그리고 몇 가지 채소가 필요하다. 레시피를 읽으면 눈치챌 수 있겠지만, 채소를 넣는 시점이 다르다. 양파를 가장 먼저 넣는데, 처음부터 고기와 함께 익혀야 단맛이 퍼지기 때문이다. 잠시 뒤에 당근을 넣고, 셀러리는 그 이후에 넣어 생기로운 셀러리의 향이 묻혀버리지 않게 한다. 그리고 가장 마지막에 완두콩을 넣는다.

4~6인분

식물성기름
뼈 없는 소고기 목심 900g, 4~5cm
크기의 스튜용으로 깍둑썰기한다
견고한 레드 와인 1½컵, 가급적
피에몬테산 바르베라로 준비
작고 흰 양파 450g
당근 4개, 중간 크기로 준비
셀러리 4대, 굵은 것으로 준비
완두콩 신선한 것으로 꼬투리째 675g,
또는 냉동 완두콩 300g, 해동한다
엑스트라버진 올리브유 ¼컵
소금
갓 갈아낸 검은 후추

1. 작은 소테팬에 식물성기름을 높이가 0.5cm 정도 차오르도록 넉넉히 부어 중강불에 올린다. 기름이 꽤 뜨거워지면 고기를 넣되, 팬 안이 들어차지 않도록 나눠 넣는다. 고기의 겉면을 모두 짙은 갈색으로 굽고, 구멍 뚫린 국자나 뒤집개로 접시에 옮긴 뒤, 다음 분량의 고기를 냄비에 넣어 고기가 모두 갈색으로 잘 구워질 때까지 앞의 과정을 반복한다.
2. 팬 안에 있던 기름을 부어 버리고, 와인 ½컵을 넣어 나무 주걱으로 바닥과 옆면에 붙은 갈색 잔여물을 떼어가며 잠시 뭉근하게 끓인다. 불에서 내린다.
3. 양파 껍질을 벗기고 뿌리 끝을 붙인 채로 4등분한다. 당근 껍질을 벗기고 찬물에 씻어 두께 1cm, 길이 4cm 막대 모양으로 썬다. 셀러리 대를 7.5cm 정도 길이로 자르고 세로로 길게 반으로 쪼개, 섬유줄기를 벗겨내거나 아래로 떼어낸다. 셀러리를 찬물에 씻는다. 완두콩 껍질을 벗긴다.
4. 딱 맞는 뚜껑이 있고 바닥이 두꺼우며 이후에 레시피의 모든 재료가 들어갈 수 있을 정도로 넉넉한 냄비를 고른다. 갈색으로 구운 깍둑썰기한 고기를 넣고, 고기를 구운 팬에 있는 내용물과 양파, 올리브유, 남은 와인 1컵을 넣는다. 뚜껑을 완전히 덮어 약불에 올린다.
5. 고기를 익힌 지 15분이 지나면 당근을 넣어 다른 재료들과 함께 뒤적인다. 45분이 더 지나면 셀러리를 넣어 냄비 안의 내용물을 완전히 뒤적여준다. 신선한 완두콩을 쓴다면 이 시점에서 45분 더 지난 뒤에 넣는다. 냄비에 수분이 아주 조금 남았다면 물을 ½컵에서 ⅔컵 넣어 완두콩이 익는 것을 돕는데, 특별히 어리고 신선한 콩이라면 수분이 덜 필요할 것이다. 15분 뒤에 소금 몇 자밤과 후추를 넉넉히 갈아 넣고, 냄비 안의 내용물을 뒤적인다. 포크로 찔러 고기가 부드럽다고 느껴질 때까지 계속 익힌다. 냉동 완두콩을 쓴다면 고기가 이미 부드러워진 시점에 해동한 콩을 넣고 스튜에서 15분 정도 익힌다. 고기의 질에 달려 있지만, 모두 합하면 스튜를 익히는 데 2시간 정도 걸릴 것이다. 차려 내기 전에 맛을 보고 소금과 후추로 간을 맞춘다.

미리 준비한다면 ❀ 모든 스튜가 그렇듯 이 요리 역시 하루나 이틀 전에 미리 준비해두면 훌륭한 풍미를 낼 수 있다. 차려 내기 전에 천천히 다시 데운다.

미트볼과 토마토

Meatballs and Tomatoes

4인분

맛있는 흰 빵 1쪽
우유 ⅓컵
소고기 간 것 450g, 가급적 목심으로 준비
양파 1큰술, 아주 곱게 다진다
파슬리 1큰술, 잘게 썬다
달걀 1개
엑스트라버진 올리브유 1큰술
갓 갈아낸 파르미자노 레자노 치즈 3큰술
너트메그 1알
소금
갓 갈아낸 검은 후추
마른 빵가루, 양념하지 않은 고운 것을 접시 위에 펼친다
식물성기름
토마토 1컵, 신선하고 잘 익은 것으로 껍질을 벗기고 잘게 썰거나, 이탈리아산 플럼토마토 통조림, 썰어서 즙과 함께 준비

1. 빵의 가장자리를 잘라내고 작은 소스팬에 우유와 빵을 넣어 약불에 올린다. 빵이 우유를 전부 흡수하면 포크로 죽처럼 으깬다. 불에서 내려 완전히 차갑게 식힌다.
2. 볼에 소고기 간 것, 양파, 파슬리, 달걀, 올리브유 1큰술, 파르메산 간 것, 너트메그 아주 조금—⅛작은술 정도—, 우유에 빵을 으깬 것, 소금과 후추를 약간 갈아 넣는다. 쥐어짜지 말고 손으로 부드럽게 반죽한다. 모든 재료가 고루 합쳐지면 지름이 2.5cm 정도 되는 공 모양으로 살살 빚는다. 미트볼을 빵가루 위에서 가볍게 굴린다.
3. 미트볼이 전부 한 층으로 들어갈 수 있을 정도의 소테팬을 고른다. 0.5cm 정도 높이로 식물성기름을 넉넉히 붓는다. 중강불에 올리고 기름이 뜨거워지면 미트볼을 미끄러트리듯 넣는다. 뒤집개로 슬며시 넣어 기름이 팬 밖으로 튀지 않게 한다. 부서지지 않도록 조심스럽게 뒤집으며 미트볼의 겉면을 모두 갈색이 나도록 굽는다.
4. 불에서 내리고 팬을 기울여 스푼으로 표면에 떠 있는 기름을 가능한 한 많이 퍼낸다. 팬을 다시 화구로 가져가 중불로 켜고, 잘게 썬 토마토와 즙, 소금 한

자밤을 넣어 미트볼에 잘 입혀지도록 한두 번 뒤적인다. 팬 뚜껑을 덮고 불을 꽤 줄여 토마토에서 기름이 분리되어 떠오를 때까지 20~25분 정도 뭉근하게 익힌다. 맛을 보고 소금과 후추로 간하고 바로 차려 낸다.

미리 준비한다면 ✿ 이 요리는 전체를 미리 조리해 밀봉한 상태로 며칠간 냉장 보관할 수 있다. 차려 내기 전에 천천히 다시 데운다.

사보이 양배추를 곁들인 겨울철 미트볼

Winter Meatballs with Savoy Cabbage

4~6인분

우유 ⅓컵
맛있는 흰 빵 1쪽, 가장자리를 잘라내고 준비
소고기 간 것 450g, 가급적 목심으로 준비
판체타 60g, 아주 잘게 다진다
달걀 1개
소금
갓 갈아낸 검은 후추
파슬리 1큰술, 잘게 썬다
양파 2큰술, 아주 곱게 다진다
갓 갈아낸 파르미자노 레자노 치즈 3큰술
마른 빵가루 1컵, 양념하지 않은 고운 것을 접시 위에 펼친다
식물성기름
사보이 양배추 565~675g
엑스트라버진 올리브유 2큰술
마늘 2작은술, 잘게 썬다
이탈리아산 플럼토마토 통조림 ⅔컵, 건더기만 대충 조각으로 썬다

1. 작은 소스팬에 우유와 빵을 넣어 약불에 올린다. 빵이 우유를 전부 흡수하면 포크로 죽처럼 으깬다. 불에서 내려 완전히 차갑게 식힌다.
2. 간 고기, 잘게 다진 판체타, 달걀, 소금, 후추, 파슬리, 양파, 파르메산 간 것, 그리고 우유에 빵을 으깬 것을 볼에 넣는다. 쥐어짜지 말고 손으로 부드럽게 반죽한다. 모든 재료가 고루 합쳐지면 지름이 2.5cm 정도 되는 공 모양으로 살살 빚는다. 미트볼을 빵가루 위에서 가볍게 굴린다.
3. 미트볼이 전부 한 층으로 들어갈 수 있을 정도의 소테팬을 고른다. 0.5cm 정도 높이로 식물성기름을 넉넉히 붓는다. 중강불에 올리고 기름이 뜨거워지면 미트볼을 미끄러트리듯 넣는다. 뒤집개로 슬며시 넣어 기름이 팬 밖으로 튀지 않게 한다. 부서지지 않도록 조심스럽게 뒤집으며 미트볼의 겉면을 모두 갈색이 나도록 굽는다. 미트볼이 다 익으면 구멍 뚫린 국자나 뒤집개로 팬에서 꺼

내 식힘망에 올려 기름을 빼거나 키친타월을 깐 접시 위에 놓는다. 팬 안의 기름을 부어버리고, 마른 키친타월로 팬을 닦는다.

4. 양배추의 상처가 나거나 시든 잎을 모두 떼어낸다. 심은 버리고 신선한 잎을 0.5cm 정도 폭으로 채 썰기한다.
5. 소테팬에 올리브유와 잘게 썬 마늘을 넣고 중불에 올린다. 마늘이 노릇해질 때까지 저어가며 익힌 뒤 채 썬 양배추를 전부 넣는다. 기름이 고루 입혀지도록 2~3번 뒤적이고 뚜껑을 덮은 다음 불을 가장 약하게 줄인다.
6. 양배추를 이따금 뒤적여가며 아주 부드러워지면서 처음 부피의 3분의 1로 줄어들 때까지 40분에서 1시간 정도 익힌다. 양배추가 아주 달기 때문에 이를 고려해 간을 할 필요가 있다. 소금과 후추를 넉넉히 갈아 넣는다. 맛을 보고 간을 맞춘다.
7. 중불로 키워 뚜껑을 열고 양배추를 계속 익힌다. 양배추의 색이 밝은 갈색이 되면 썰어놓은 토마토를 넣어 잘 저어주고 15분간 익힌다. 미트볼을 다시 냄비에 넣어 양배추와 토마토 안에서 2~3번 뒤적인다. 뚜껑을 덮어 불을 약하게 줄이고, 내용물을 한 번씩 뒤적이며 10~15분간 익힌다. 냄비의 모든 내용물을 따뜻한 접시에 옮기고 바로 차려 낸다.

안초비와 모차렐라를 곁들여 구운 소고기 패티

Beef Patties Baked with Anchovies and Mozzarella

6인분

맛있는 흰 빵 1쪽, 가장자리를 잘라내고 준비

우유 3큰술

소고기 간 것 675g, 가급적 목심으로 준비

달걀 1개

소금

마른 빵가루 1컵, 양념하지 않은 고운 것을 접시 위에 펼친다

식물성기름

식탁에 차려 낼 오븐용 그릇

버터, 접시에 바를 양

이탈리아산 플럼토마토 홀 통조림 즙 없이 건더기 6개 또는 신선한 토마토(408쪽 참고)

오레가노 신선한 것은 1작은술, 말린 것은 ½작은술

모차렐라 6장, 0.5cm 정도 두께로 얇게 썬다

안초비 12조각(19쪽 설명대로 가급적 직접 만든 것으로)

참고 ❀ 한창 제철일 때 아주 잘 익고 과육이 풍부한 플럼토마토라면 신선한 것을 써도 된다.

1. 오븐을 200°C로 예열한다.
2. 빵의 가장자리를 잘라내고 작은 소스팬에 우유와 빵을 넣어 약불에 올린다. 빵이 우유를 전부 흡수하면 포크로 죽처럼 으깬다. 불에서 내려 완전히 차갑게 식힌다.
3. 잘게 다진 고기를 볼에 넣고 식혀놓은 우유에 빵 으깬 것, 달걀, 소금 약간을 더해 쥐어짜지 말고 손으로 부드럽게 반죽한다. 모든 재료가 고루 합쳐지면 높이가 4cm 정도인 패티 6개로 살살 빚는다. 패티에 빵가루를 입힌다.
4. 패티가 전부 한 층으로 들어갈 수 있을 정도의 소테팬을 고른다. 0.5cm 정도 높이로 식물성기름을 넉넉히 붓는다. 중강불에 올리고 기름이 뜨거워지면 패티를 미끄러트리듯 넣는다. 뒤집개로 슬며시 넣어 기름이 팬 밖으로 튀지 않게 한다. 패티의 양면을 모두 갈색이 나도록 굽는데, 한 면을 2분 정도 굽고 다른 면을 1분 정도 굽는다. 부서지지 않도록 조심스럽게 뒤집는다.
5. 고기를 갈색으로 굽는 동안 식탁에 차려 낼 오븐용 그릇에 버터를 얇게 문질러 바른다. 패티가 준비되면 구멍 뚫린 국자나 뒤집개로 접시에 옮긴다.
6. 신선한 토마토를 쓴다면 날것 상태에서 필러로 껍질을 벗긴다. 세로로 길게 반으로 갈라 씨를 파내고, 토마토 하나마다 장식용 토마토를 0.5cm 폭으로 길게 썰어 한편에 둔다. 반으로 가른 토마토 2개로 패티 위를 덮고 소금과 오레가노를 뿌린다. 그 위에 얇게 썬 모차렐라를 올리고, 그 위에 안초비 2조각을 십자 모양으로 놓는다. 안초비가 서로 교차하는 지점에 길게 썰어둔 토마토를 놓는다.

미리 준비한다면 ❀ 마지막 단계를 거치기 전, 오븐용 그릇에 패티를 놓는 것까지 몇 시간 전에 미리 만들어둘 수 있다.

7. 예열해둔 오븐의 맨 위에 오븐용 그릇을 넣고 모차렐라가 녹을 때까지 10분 내외로 굽는다. 그릇째 바로 식탁에 차려 낸다.

화이트 와인과 포르치니 버섯을 곁들인 토스카나식 고기 롤

Tuscan Meat Roll with White Wine and Porcini Mushrooms

4~6인분

맛있는 흰 빵 1쪽, 가장자리를 잘라내고 가로세로 5cm 크기로 준비
우유 2큰술
소고기 간 것 450g, 가급적 목심으로 준비
양파 1큰술, 아주 아주 잘게 다진다
소금
갓 갈아낸 검은 후추
프로슈토 또는 판체타 또는 훈제하지 않고 삶은 햄 2큰술, 잘게 썬다
갓 갈아낸 파르미자노 레자노 치즈 ⅓컵
마늘 1작은술, 잘게 썬다
달걀노른자 1개분
마른 빵가루, 양념하지 않은 고운 것을 접시 위에 펼친다
버터 1큰술
식물성기름 2큰술
달지 않은 화이트 와인 ⅓컵
말린 포르치니 버섯 30g, 37쪽 설명대로 불려서 대강 썬다
버섯 불린 물, 37쪽을 참고해 거른다
토마토 ⅔컵, 이탈리아산 플럼토마토 통조림은 썰어서 즙과 함께 준비 또는 신선하고 잘 익은 토마토는 껍질을 벗기고 썬다

1. 작은 소스팬에 우유와 빵을 넣어 약불에 올린다. 빵이 우유를 전부 흡수하면 포크로 죽처럼 으깬다. 불에서 내려 완전히 차갑게 식힌다.
2. 볼에 간 소고기를 넣고 포크로 잘게 부스러트린다. 빵을 우유에 불려 으깬 것, 잘게 다진 양파, 소금, 후추, 잘게 썬 프로슈토 또는 판체타 또는 햄, 간 파르메산, 마늘, 달걀노른자를 더해 쥐어짜지 말고 손으로 부드럽게 반죽한다.
3. 모든 재료가 고루 합쳐지면 하나로 둥글게 단단히 뭉친다. 둥글게 빚은 고기를 평평한 작업대 위에 놓고 살라미처럼 7.5cm 정도 두께의 원통형으로 만든다. 손바닥으로 몇 군데를 재빠르고 세게 내리쳐 공기가 빠져나오게 한다. 모든 면에 빵가루를 고루 묻힌다.
4. 원통형 고기가 충분히 들어갈 수 있는 바닥이 두꺼운 냄비—가능하면 타원형 또는 직사각형의 로스트용 팬—를 고른다. 버터와 기름을 넣고 중불에 올린다. 가장자리에서 버터 거품이 생기기 시작하면 고기를 넣는다. 부서지지 않도록 뒤집개 두 개를 써서 모든 면을 갈색이 나도록 잘 굽는다.
5. 고기를 갈색이 나도록 구웠으면 와인을 넣고 원래 양의 절반이 될 때까지 보

글보글 끓이며 졸인다. 이 과정에서 고기를 한두 번 조심스럽게 뒤집는다.

6. 중약불로 줄이고 잘게 썬 불린 포르치니 버섯을 넣는다. 토마토와 즙을 버섯 불린 물과 함께 냄비에 넣는다. 뚜껑을 완전히 덮고 불을 조절해 천천히 뭉근하게 끓이는데, 이따금 고기를 뒤집고 즙을 끼얹어준다. 30분이 지나면 냄비 뚜껑을 비스듬하게 덮고, 고기를 한두 번 뒤집으며 30분간 더 익힌다.
7. 원통형 고기를 도마 위로 옮긴다. 몇 분간 그대로 두었다가, 1cm보다 살짝 더 얇은 두께로 썬다. 냄비 안에 남은 즙이 너무 묽으면, 나무 주걱으로 바닥과 옆면에 들러붙은 조리 잔여물을 떼고 냄비를 긁어가며 강불에서 끓인다. 조리하면서 나온 즙을 1큰술 가득 퍼서 차림용 접시 바닥에 깔아주고, 그 위에 얇게 썬 고기를 조금씩 겹치게 하면서 나란히 놓는다. 냄비 안의 남은 즙을 고기 위에 부어 바로 차려 낸다.

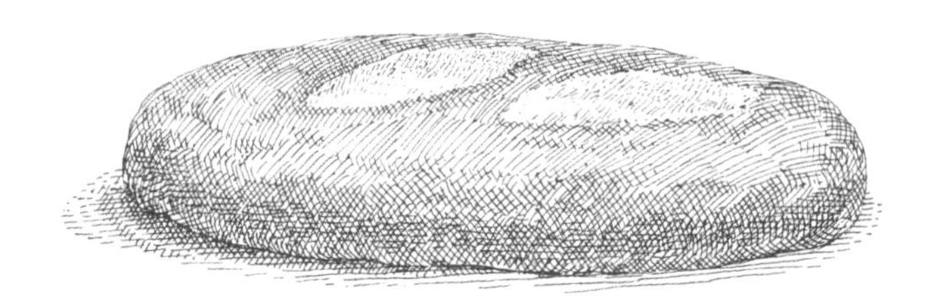

볼리토 미스토—삶은 고기 모둠

Bollito Misto—Mixed Boiled Meat Platter

볼리토 미스토(bollitp misto)가 우리 과거의 영웅적인 전설로 남아 문헌으로만 접하게 될 때가 올지도 모른다. 그리고 우리가 그저 읽는 것으로 만족해야 할 때, 마르셀 루프(Marcel Rouff)의 『열정적인 미식가』(*The Passionate Epicure*)와 거기에 실린 에피소드 '도딘 부팡의 유라시아 왕자를 위한 저녁식사'로 언급된 삶은 소고기보다 더 나은 것은 없을 것이다.

이런 일이 벌어지는 동안, 우리가 이탈리아 북쪽 지역을 여행한다면 여전히 김이 모락모락 나는 음식 수레가 우리 식탁까지 굴러 와서 김이 나는 촉촉한 소고기 덩어리, 버터를 바른 통닭, 송아지 가슴살 또는 윤기 나는 정강이, 자른 혀, 또는 코테키노(cotechino)—크림처럼 부드러운 속이 가득 찬 장밋빛 돼지고기 소시지—를 웨이터가 나누어 주는 몇몇 식당을 방문해보는 것도 좋을 것이다. 또는 대식가들을 집으로 불러 모아 직접 볼리토 미스토를 만들 수도 있다.

다음의 레시피로 완성한 볼리토는 적어도 18명을 먹일 수 있다. 간단하게 혀와 코테키노를 빼고 절반보다 조금 더 많은 양을 만들 수도 있다. 고기의 어떤 부위든 남은 것은 샐러드에 넣어 먹을 수 있다. 남은 소고기는 사실 어떤 것이건, 냄비에서 막 꺼냈을 때보다 더 맛있기조차 하다. 574쪽 레시피를 보라. 그리고 모든 것을 통틀어 가장 엄청난 보너스는 어마어마한 육수다. 25쪽에서 설명한 대로 냉동해 몇 주 동안 지금껏 먹어본 적 없는 최고의 리소토와 수프를 만드는 데 쓸 수 있다.

레시피를 완벽하게 따른다면 18인분 또는 그 이상

당근 2개, 껍질을 벗긴다
셀러리 2대
양파 1개, 껍질을 벗긴다
붉은색 또는 노란색 파프리카 ½개,
씨와 속심을 제거한다
감자 1개, 껍질을 벗긴다
우설 1개, 대략 1350~1575g
뼈 없는 소고기 양지머리 또는 목심
900~1350g
이탈리아산 플럼토마토 통조림
¼컵, 건더기만 썰어서 준비 또는
신선하고 잘 익은 토마토 통으로 1개
짧은 갈빗대가 붙어 있는 송아지
가슴살 1350g
닭 한 마리, 1575g 정도
소금
코테키노 소시지 1개, 438쪽 설명대로
따로 삶아서 그 물에 넣은 채로
따뜻하게 준비

1. 코테키노를 제외한 위의 모든 재료가 전부 들어갈 수 있는 육수용 냄비를 고른다. 훌륭한 볼리토 미스토—그리고 이 요리의 중요한 육수—의 깊은 맛과 향은 모든 고기가 함께 익으면서 나온다. 모두 넣을 만한 커다란 냄비 하나가 없다면 모든 채소를 둘로 나누어, 냄비 하나에 소고기와 우설을 채소 절반과 함께 익히고, 나머지 반은 송아지고기, 닭고기와 함께 두 번째 냄비에서 익힌다.

   냄비 하나를 쓴다면 토마토를 제외한 채소들을 넣고, 이후에 고기를 넣어 충분히 잠길 정도로 물을 충분히 붓고 끓인다. 냄비 2개를 쓴다면 소고기와 우설을 넣을 냄비를 먼저 끓인다.
2. 물이 팔팔 끓으면 우설과 소고기를 넣고 냄비 뚜껑을 덮는다. 물이 다시 끓어오르면 불의 세기를 조절해 천천히 뭉근하게 끓인다. 처음 몇 분 동안 표면에 떠오른 거품을 걷어낸 다음, 토마토를 넣는다. (냄비 두 개를 쓴다면 토마토의 절반을 넣는다.)
3. 천천히 뭉근하게 끓인 지 1시간이 지나면 우설을 꺼내 껍질을 벗긴다. 우설이

아주 뜨겁지만, 할 수만 있으면 이때 껍질을 까는 것이 한결 수월하다. 우설의 가장자리를 둘러싼 모든 껍질을 갈라서 벗겨낸다. 안쪽에 있는 두 번째 껍질은 벗겨지지 않을 것이나, 우설을 완전히 익혀 얇게 썰어 각자의 접시에 나누어준 뒤에는 쉽게 잘라낼 수 있다. 우설의 뿌리 쪽에 붙은 연골과 지방을 잘라내고 제거해 다시 냄비에 넣는다.

4. 냄비 하나를 쓴다면 송아지고기를 추가한다. 냄비 2개를 쓴다면 남은 채소와 물을 넣고 끓인 후, 송아지고기를 넣고 뚜껑을 덮어 물이 완전히 다시 끓어오르면 불을 조절해 천천히 뭉근하게 끓인다. 처음 몇 분 동안 표면에 거품이 떠오르면 걷어낸다. 냄비 2개를 써 송아지고기를 익히는 경우 남은 토마토를 넣는다.
5. 1시간 45분 동안 아주 천천히 뭉근하게 끓는 상태를 계속 유지하면서 익힌 뒤, 닭고기를 넣는다. 냄비를 따로 쓴 경우 송아지고기와 함께 들어가야 한다. 한 냄비 또는 양쪽 냄비에 소금 몇 자밤을 넉넉히 넣는다. 닭의 허벅지 살을 포크로 찔러 아주 부드럽다고 느껴질 때까지 1시간 정도 익힌다.

   1시간 안에 볼리토를 차려 낸다면 불을 끄고 냄비 뚜껑을 덮어 육수 안에 고기가 그대로 있게 하는데, 먹을 때까지 충분히 따뜻할 것이다. 한참 뒤에 차려 낸다면 육수 안에 고기가 있는 채로 두었다가 10~15분 전에 아주 천천히 뭉근하게 다시 데운다.

차림 노트 ❁ 삶은 고기가 접시에 한가득 쌓여 있는 모습이 장관을 이루겠지만 볼리토는 육수에 담겨져 있어야 훨씬 더 촉촉하다. 차림용 볼이나 튜린에 옮기되 바로 먹을 분량만 꺼내 잘라서 곧바로 차려 낸다. 코테키노는 그것을 삶은 물에 따로 넣어두어야 한다. 이 육수가 다른 고기와 서로 섞이지 않아야 하고 소시지를 먹을 때 삶았던 물은 버려야 한다.

볼리토 미스토는 다음과 같은 소스와 곁들일 수 있다.

❁ 따뜻한 레드 소스, 53쪽

❁ 톡 쏘는 그린 소스, 52쪽과 이를 변형한 소스, 53쪽

❁ 호스래디시 소스, 54쪽

❁ 당신이 가는 이탈리아 식재료 전문 상점에 있거나 이탈리아에 갈 예정이라면, 머스터드 열매로 달콤하고 매콤한 맛을 낸 모스타르다 디 크레모나(mostarda di Cremona) 한 병을 집어 들어라.

미리 준비한다면 ❀ 다음 날 차려낼 예정이라면 볼리토 미스토는 육수에 담겨진 상태로 냉장 보관할 수 있다. 25쪽의 3일 이상 육수 보관하는 법을 보길 바란다.

어린 양고기

LAMB

화이트 와인을 넣어 구운 부활절 어린 양고기

Roast Easter Lamb with White Wine

이탈리아에서 어린 양고기를 먹는 것은 겨울의 끝을 반기고, 봄이 오는 것을 알리며, 새로운 시작을 축하하고, 다시 태어나는 부활절 정신을 기리는 의미다. 이탈리아인의 미각뿐만 아니라 그들의 영혼에도 구운 어린 양고기만큼 부드러운 고기는 없다.

아래의 레시피는 에밀리아-로마냐에서 어린 양고기가 처음으로 나오는 철인 부활절에 쓰는 단순하고 유쾌한 방법이다. 모든 지역에는 그들만의 전통적인 방식이 있고, 또 다른 레시피로는 415쪽의 로마식을 주목할 만하다.

4인분

어린 양고기(spring lamb, 아래 참고) 900~1125g, 가급적 어깨살로 준비
식물성기름 2큰술
버터 1큰술
마늘 3쪽, 껍질을 벗긴다
생로즈마리 2~3줄기, 또는 말린 잎 ½작은술
소금
갓 갈아낸 검은 후추
달지 않은 화이트 와인 ⅔컵

참고 ◉ 아래 레시피는 어떤 어린 양고기에도 적합하지만, 아주 어리고 작은 것에 가장 잘 어울린다.

1. 고기를 구울 바닥이 두껍거나 법랑이 입혀진 무쇠냄비가 필요하다. 고기 한 덩이를 통째로 넣을 만한 냄비가 없다면 양고기를 2~3조각으로 나눈다. 흐르는 찬물에 씻고 천이나 키친타월로 가볍게 두드려 물기를 완전히 제거한다.
2. 기름과 버터를 냄비에 넣고 중강불에 올려 가장자리에서 버터 거품이 생기기 시작하면 양고기, 마늘 그리고 로즈마리를 넣는다. 고기의 모든 겉면, 특히 껍질 쪽을 짙은 갈색이 나도록 굽는다. 마늘을 확인한다. 색이 아주 짙어졌다면 냄비 바닥에서 꺼내 양고기 위에 올린다.

3. 소금, 후추와 와인을 넣는다. 고기를 한두 번 뒤집으며 와인을 15~20초 잠시 뭉근하게 끓인 뒤, 불을 조절해 아주 천천히 뭉근하게 끓도록 하고 냄비 뚜껑을 비스듬하게 덮는다. 양고기가 전체적으로 고루 익고 뼈에서 떨어지기 시작할 때까지 1시간 반에서 2시간 정도 익힌다. 익히는 동안 고기를 이따금 뒤집어주고, 냄비 안에 수분이 부족하다면 필요에 따라 물을 2~3큰술 보충해 준다.
4. 다 익었으면 따뜻한 차림용 접시에 양고기를 옮긴다. 냄비를 기울여 아주 적은 양의 지방만 남기고 모두 퍼낸다. 물 2큰술을 넣고 강불에 올려 나무 주걱으로 바닥과 옆면에 붙은 조리 잔여물을 긁어가며 수분을 날린다. 냄비의 즙을 양고기 위에 부어 바로 차려 낸다.

아바키오—로마식으로 팬 로스트한 어린 양고기

Abbacchio—Baby Lamb, Pan-Roasted Roman Style

로마식으로 조리하는 이 요리는 한 달 된 어린 양 아바키오(abbacchio)로 가장 잘 알려져 있다. 로마 밖 정육점에서는 젖을 떼지 않았을 정도로 어린 양을 거의 팔지 않지만 요청하면 구할 수는 있다. 북미에서는 약간 더 성장했지만 아주 부드러운 핫하우스 램(hothouse lamb, 가을에서 초겨울 사이에 태어나 특별히 사육된 9~16주 사이의 어린 양—옮긴이)을 말할 때도 있다. 로마식 아바키오의 특별한 맛을 따라 하고 싶다면 그 양고기를 구해야만 한다. 더 자란 어린 양고기를 써야 하더라도 여전히 이 레시피에서 훌륭한 결과를 얻을 수 있을 것이다. 3~5개월령 양만 쓰지만 않으면 된다.

6인분

조리용 지방 2큰술(416쪽 참고)
어깨살 1350g, 아주 어린 양고기의 등심이 약간 붙어 있는 부위를 7.5cm 크기로 썰고 큰 뼈는 제거한다
소금
갓 갈아낸 검은 후추
마늘 ½작은술, 잘게 썬다
생세이지잎 6~8장 또는 말린 잎 ½작은술, 잘게 다진다
생로즈마리 1줄기, 또는 곱게 다진 말린 잎 1작은술
밀가루 1큰술
와인 식초 ½컵
안초비 4조각(19쪽 설명대로 가급적 직접 만든 것으로), 죽처럼 다진다

참고 ❀ 로마에서 아바키오 로스팅에 전통적으로 쓰는 기름은 '라드'인데, 다른 어떤 것도 이와 비슷한 섬세한 맛 그리고 얇고 바삭한 표면을 만들어주지 못한다. 라드를 쓸 수 없다면 올리브유 또는 버터와 식물성기름을 섞은 것이나 식물성기름으로 대체할 수 있다.

1. 고기를 전부 넉넉하게 넣을 수 있는 바닥이 두껍거나 법랑이 입혀진 무쇠냄비를 고른다. 라드(또는 앞서 설명한 다른 조리용 기름)를 넣고 중강불에 올린다. 라드를 썼다면 라드가 녹자마자 양고기를 넣는다. 버터라면 가장자리에서 거품이 생기면 넣고, 식물성기름만 쓴다면 충분히 뜨거워져 고기 한 조각을 넣었을 때 지글거리는지 확인한다. 고기의 겉면만 모두 짙은 갈색이 나도록 구운 뒤, 소금, 후추, 마늘, 세이지 그리고 로즈마리를 넣는다. 모든 재료에 기름이 고루 입혀지도록 2~3번 뒤적인다.
2. 1분 정도 익힌 뒤, 밀가루 1큰술을 체 또는 금속채반으로 체 쳐서 양고기에 가볍게 뿌린다. 밀가루가 고기에 고루 묻게 한다. 고기 조각을 각각 한 번씩만 뒤집으며 충분히 오래 익힌 뒤 식초를 넣는다. 식초를 15~20초 잠시 뭉근하게 끓이고 물 ⅓컵을 넣어 끓기 시작하면 불을 조절해 아주 천천히 뭉근하게 끓게 하고 냄비 뚜껑을 비스듬하게 덮는다.
3. 이따금 고기를 뒤집어주며 양고기가 뼈에서 쉽게 떨어져 나오고, 포크로 찔러 아주 부드럽다고 느껴질 때까지 익힌다. 아주 어린 양이라면 1시간이 채 안 걸릴 것이다. 익히는 동안 수분이 부족해지면 필요에 따라 물을 2~3큰술 보충해준다.
4. 양고기가 거의 다 익었을 때쯤 작은 중탕기 아래 칸에 물을 절반 넣고 끓인다. 중탕기 위쪽에는 양고기를 넣는다. 여기에 조리하면서 나온 냄비 안의 즙을 1큰술 내외로 넣고, 물 ½큰술과 잘게 다진 안초비를 추가한다. 나무 주걱으로 고루 젓고 옆면에 대고 으깨면서 죽처럼 될 때까지 안초비를 익힌다. 양고기가 다 익으면 안초비 등을 넣고 고기를 1~2분간 뒤적인 다음, 냄비 안의 모든 내용물을 따뜻한 접시에 옮겨 바로 차려 낸다.

미리 준비한다면 ❀ 이 요리는 완성되자마자 바로 먹었을 때 가장 맛이 좋지만, 몇 시간 전에 미리 만들어둘 수도 있는데 안초비는 미리 넣으면 안 된다. 즙이 너무 적다면 물을 아주 조금 넣어 천천히 다시 데운다. 전체적으로 고루 데워지면 안초비를 넣는 4단계부터 진행한다.

주니퍼 베리를 곁들여 팬 로스트한 어린 양고기

Pan-Roasted Lamb with Juniper Berries

이 오래된 롬바르디아 레시피는 대부분의 이탈리아 로스트와 전혀 다른 과정이다. 고기를 갈색으로 익히지 않고 조리용 지방도 사용하지 않는데, 고기 자체에서 나온 육즙으로 조리하기 때문이다. 채소들도 미리 기름에 볶는 과정 없이 처음부터 양고기 옆에서 익힌다.

익히는 과정 초반에 양고기가 회색으로 보인다고 해서 실망하지 마라. 애초에 갈색으로 익히지 않았기 때문에 처음에는 회색이지만, 시간이 지나면서 그 어떤 로스트보다 아름답고 윤기 나며 먹음직스러운 갈색으로 익을 것이다. 이 특별한 조리 방법이 더 자란 양의 고기도 부드럽고 진한 풍미를 지니면서 입에서 녹아내리게 한다는 것을 알게 될 것이다. 조리 시간은 3시간 반에서 4시간 정도 걸린다.

4인분

양의 어깨살 1125g, 뼈가 붙은 채로 7.5~10cm 크기로 조각내어 준비
당근 1큰술, 잘게 썬다
양파 2큰술, 잘게 썬다
셀러리 1큰술, 잘게 썬다
달지 않은 화이트 와인 1컵
마늘 2쪽, 칼 손잡이로 가볍게 으깨 껍질을 벗긴다
생로즈마리 1줄기 또는 잘게 썬 말린 잎 ½작은술
주니퍼 베리 1½작은술, 살짝 부순다
소금
갓 갈아낸 검은 후추

1. 모든 재료가 다 들어갈 수 있는 바닥이 두껍거나 법랑이 입혀진 무쇠냄비를 고른다. 모든 재료를 넣고 냄비 뚜껑을 덮어 중약불에 올린다. 1시간에 두 번 양고기를 뒤집어준다.
2. 2시간이 지나면 재료에서 꽤 많은 즙이 흘러나왔을 것이다. 냄비 뚜껑을 비스듬하게 덮고 불을 약간 키워 계속 익힌다. 고기를 이따금 뒤집어준다. 1시간 반이 더 지나고 포크로 양고기를 찔러보면 아주 부드러워졌을 것이다. 냄비 안에 여전히 수분이 너무 많다면 뚜껑을 열고 불을 키워 농도가 진해지도록 졸인다. 고기를 먹어보고 소금으로 간을 맞춘다.
3. 냄비를 기울여 액체화된 양고기 기름을 가능한 많이 걷어낸다. 냄비의 모든 내용물을 따뜻한 접시에 옮기고 바로 차려 낸다.

미리 준비한다면 ❀ 저녁에 먹을 거라면 그날 아침에 만들어둬도 된다. 하루 전까지는 미리 만들어둘 수 있으나, 자극적인 풍미가 강해질 수 있다. 미리 만들어둘 때는 즙을 졸이거나 기름을 걷어내는 것은 다시 데우고 난 뒤에 한다.

파르메산 반죽을 입혀 튀긴 얇은 양고기 촙

Thin Lamb Chops Fried in Parmesan Batter

반죽을 입혀 튀기는 과정은 양고기 촙이 육즙을 가장 많이 머금게 할 수 있는 방법 중 하나다. 바삭하고 맛있는 튀김옷은 양고기의 육즙과 단맛을 모두 가둔다. 당신이 쓸 양고기가 더 어리다면 풍미와 요리에서 낼 수 있는 질감이 더 섬세해지겠지만, 보통의 어린 양고기로도 충분히 성공적으로 조리할 수 있다.

양고기를 재빨리 튀기려면, 촙이 갈비뼈 하나의 두께보다 더 두꺼워서는 안 된다. 정육업자에게 둥글게 꺾어지는 뼈를 자르고 등뼈를 제거해 갈비만 남겨달라고 한다. 그가 협조적이라면 각 촙의 동그란 눈알처럼 붙은 살코기를 평평하게 펴줄 것이다. 아니라면 48쪽의 스칼로피네를 평평하게 만드는 설명을 따라 집에서 직접 고기망치로 편다.

6인분

양갈비 12대, 위의 설명대로 부분적으로 뼈를 바르고 펼친다
갓 갈아낸 파르미자노 레자노 치즈 ½컵, 접시 위에 펼친다
달걀 2개, 깊이가 있는 접시에 가볍게 푼다
마른 빵가루 1컵, 양념하지 않은 고운 것을 접시 위에 펼친다
식물성기름
소금
갓 갈아낸 검은 후추

1. 갈비를 간 파르메산 가루에 대고 고기에 치즈가 들러붙도록 손바닥으로 꾹꾹 눌러 양면에 입힌다. 접시 위에서 갈비를 가볍게 톡톡 두드려 여분의 치즈를 털어낸다. 이것을 풀어놓은 달걀에 담갔다 꺼내 여분의 달걀을 다시 접시 안으로 떨어트린다. 그다음에 갈비의 양면에 빵가루를 고루 입히고, 살짝 두드려 여분의 가루를 털어낸다.

미리 준비한다면 ❀ 이 단계까지 1시간 정도 미리 준비해둘 수 있는데, 냉장 보관한다면 3~4시간도 가능하다. 냉장고에 넣었던 고기는 조리하기 전에 다시 꺼내 충분한 시간을 들여 상온에 둔다.

2. 스킬렛에 0.5cm 정도 높이로 기름을 넉넉히 부어 중불에 올린다. 기름이 아주 뜨거워지면 팬 안에 가능한 한 많은 갈비를 미끄러트리듯 넣는다. 가득 들어차지는 않도록 한다. 한 면이 멋진 황금색으로 바삭하게 익자마자 소금과 후추를 뿌리고 뒤집고, 다른 쪽에도 소금과 후추를 뿌린다. 두 번째 면의 겉이 바삭해지면 구멍 뚫린 국자나 뒤집개로 따뜻한 접시에 옮긴다. 팬 안에 빈 공간이 생기면 갈비를 미끄러트리듯 더 넣고 이 과정을 반복한다. 양갈비가 전부 익으면 바로 먹는다.

참고 ❦ 갈비가 바로 익을 정도로 얇다면, 양면이 바삭해지면 다 익은 것이다. 좀 더 두껍다면 약간 더 오래 익혀야 한다.

화이트 와인으로 팬 로스트하고 달걀과 레몬을 곁들여 마르케식으로 마무리한 어린 양고기 촙

Lamb Chops Pan-Roasted in White Wine, Finished Marches Style with Egg and Lemon

343쪽의 프리카세한 닭고기처럼 이 요리는 익히지 않은 달걀노른자와 레몬즙을 섞는 것으로 마무리하는데, 이것은 뜨거운 고기와 만나면서 되직해진다. 이 레시피는 이탈리아 중부 마르케 지역에서 유래한 것이다. 4~6인분

양파 1컵, 아주 얇게 썬다
판체타 ⅓컵, 약 45g, 가는 막대형으로 썬다
라드 또는 식물성기름 1큰술
양고기 등심 촙 1125g
너트메그 1알
소금
갓 갈아낸 검은 후추
달지 않은 화이트 와인 1컵
달걀노른자 1개분(51쪽 살모넬라균에 대한 주의 사항 참고)
갓 짠 신선한 레몬즙 2큰술

1. 촙이 겹치지 않고 전부 들어갈 수 있을 정도로 충분히 넓은 소테팬을 골라 양파, 판체타, 라드 또는 식물성기름을 넣어 중불에 올린다. 양파가 살짝 노릇해질 때까지 저으면서 익히다가 양고기 촙을 넣고 중강불로 키운다. 촙의 양면을 짙은 갈색이 나도록 굽는데, 이 과정에서 양파도 어두운 갈색으로 변할 것이다.
2. 너트메그를 아주 조금—⅛작은술 정도—갈아 넣고, 소금, 후추도 넉넉히 갈

아 넣는다. 화이트 와인을 넣어 나무 주걱으로 냄비 바닥에 붙은 갈색 잔여물을 재빨리 떼어내며 10~15분 정도 뭉근하게 끓인다. 천천히 뭉근하게 끓도록 불을 약하게 조절하고 냄비 뚜껑을 비스듬하게 덮는다.

3. 포크로 양고기를 찔러 아주 부드럽다고 느껴질 때까지 1시간 정도 익힌다. 이 과정에서 냄비 안에 수분이 부족해진 것 같으면 필요에 따라 물을 2~3큰술 넣는다.
4. 촙이 다 익으면 불에서 내리고 냄비를 기울여 양고기에서 나온 지방을 1~2큰술만 남기고 모두 퍼낸다. 작은 볼에 달걀노른자를 넣고 레몬즙과 함께 가볍게 푼 뒤 촙 위에 붓는다. 촙의 양면에 입혀지도록 뒤집은 다음 냄비 안의 모든 내용물과 함께 따뜻한 접시에 옮겨 담아 바로 차려 낸다.

식초와 그린빈을 넣은 어린 양고기 스튜

Lamb Stew with Vinegar and Green Beans

6인분

그린빈 450g, 신선한 것으로 준비
엑스트라버진 올리브유 ¼컵
양고기 어깨살 1350g, 뼈가 붙은 채로 5cm 크기로 깍둑썰기한다
양파 ½컵, 잘게 썬다
소금
갓 갈아낸 검은 후추
레드 와인 식초 ½컵, 질 좋은 것으로 준비

1. 그린빈의 양 끝을 잘라내 찬물에 씻고 건져서 한편에 둔다.
2. 고기와 그린빈이 전부 들어갈 수 있을 정도로 충분히 크고, 바닥이 두껍거나 법랑이 입혀진 무쇠냄비를 고른다. 올리브유를 넣고 중강불에 올려 기름이 뜨거워지면 냄비 안에 가능한 한 많은 양고기를 미끄러트리듯 넣는다. 들어차지는 않도록 한다. 고기의 겉면을 모두 짙은 갈색이 나도록 구운 뒤 구멍 뚫린 국자나 뒤집개로 접시에 옮기고, 양고기를 더 넣는다.
3. 고기를 전부 갈색이 나도록 구웠다면 접시로 옮기고, 같은 냄비에 양파를 넣는다. 양파가 살짝 노릇해질 때까지 저으면서 익히고, 양고기를 다시 냄비에 넣은 뒤 소금, 후추, 식초를 넣는다. 나무 주걱으로 고기를 뒤집고, 냄비 바닥과 옆면에 붙은 갈색 잔여물을 긁어가며 식초를 30초 정도 팔팔 끓인다. 천천히 뭉근하게 끓도록 불을 낮추고 약간의 소금, 후추와 함께 그린빈을 넣은 다

음, 냄비 뚜껑을 비스듬하게 덮는다.

4. 포크로 찔러 고기가 아주 부드럽다고 느껴질 때까지 1시간 반 정도 익힌다. 냄비 안에 즙이 충분히 남아 있어야 하는데, 너무 졸아버렸으면 물을 2~3큰술 보충해준다. 마지막에 냄비 안에 남은 액체는 기름과 조리하면서 나온 순수한 즙이어야 한다. 양고기가 다 익으면 냄비 안의 모든 내용물을 따뜻한 접시에 옮겨 담아 바로 차려 낸다.

미리 준비한다면 ❀ 이 요리를 미리 준비했다면 차려 내기 바로 전에 천천히 다시 데운다. 초록색 채소가 들어가는 다른 요리들과 마찬가지로 이 요리 역시 만든 당일에 냉장고에 들어가지 않은 상태로 먹었을 때 가장 맛이 좋다.

햄과 붉은색 파프리카를 넣은 어린 양고기 스튜

Lamb Stew with Ham and Red Bell Pepper

뜨거운 지방에 고기를 넣는 대부분의 이탈리아식 스튜와 달리, 이것은 마늘과 허브를 곁들여 고기와 기름을 함께 가열하는 크루도(a crudo)에서 시작한다. 마무리도 다르다. 양고기가 부드러워졌을 때 길게 썬 햄과 생파프리카를 추가하고, 파프리카의 신선한 향이 누그러지지 않으면서 부드러워질 정도로만 익혀 낸다.

6인분

식물성기름 ¼컵
양고기 어깨살 1350g, 뼈가 붙은 채로 5cm 크기로 깍둑썰기한다
마늘 중간 크기 2쪽, 껍질을 벗긴다
생로즈마리 1줄기 또는 말린 로즈마리잎 ½작은술
생세이지잎 4~5장 또는 말린 것 2~3장
달지 않은 화이트 와인 ½컵
소금
갓 갈아낸 검은 후추
붉은색 또는 노란색 파프리카 1개
훈제하지 않고 삶은 햄 115g, 가는 막대형으로 썬다

1. 소테팬에 기름, 양고기, 마늘, 로즈마리와 세이지를 넣고 중강불에 올린다. 고기를 몇 번 뒤집어가며 겉면이 모두 짙은 갈색이 될 때까지 15분 정도 익힌다. 와인을 붓고 양고기 조각을 완전히 뒤집으며 15~20초간 팔팔 끓인다. 소금과 후추를 넣고 천천히 뭉근하게 끓도록 불을 조절해 팬 뚜껑을 비스듬하게 덮는다.

2. 포크로 질러 고기가 아주 부드럽다고 느껴질 때까지 1시간 반 정도 익힌다. 중간에 팬 안에 즙이 부족해지면 물을 2~3큰술 보충한다.

미리 준비한다면 이 이 스튜는 이 단계까지 몇 시간에서 하루 전에 미리 준비해 둘 수 있다. 천천히 다시 데우되, 다음 단계를 진행하기 전에 완전히 데워야 한다.

3. 양고기가 익는 동안 세로날 필러로 익히지 않은 상태의 파프리카 껍질을 벗긴다. 세로로 반을 쪼개 모든 씨와 속심을 제거하고 폭 0.5cm, 길이 4cm의 짤막한 막대형이 되게 세로로 썬다.
4. 양고기가 완전히 부드럽게 익으면, 막대형으로 썬 파프리카와 햄을 스튜에 넣고 팬 안의 모든 내용물을 뒤집는다. 뚜껑을 덮고 약불에서 파프리카가 부드러워질 때까지 10~15분 정도 계속 익힌다. 이 시점에 냄비 안에 남은 즙이 묽으면 냄비 뚜껑을 열고 불을 키워 재빨리 끓여 졸인다. 따뜻한 접시에 냄비의 내용물을 담고 바로 차려 낸다.

돼지고기
PORK

볼로냐식으로 우유에 조린 돼지고기 등심
Pork Loin Braised in Milk, Bolognese Style

이탈리아에는 지역성이 담긴 레퍼토리로 기록되며 이어져온 수천수만 개의 요리가 있다. 요리의 천재성이 가장 분명하게 드러난 요리 하나를 골라야 한다면, 나는 이 레시피를 고를 것이다. 고기를 갈색으로 구울 때 쓰는 최소한의 지방을 제외하고는 돼지고기 등심과 우유, 두 가지가 재료의 전부다. 천천히 함께 익히면 주 재료인 돼지고기와 우유가 서서히 변하는데, 돼지고기는 송아지고기로 착각할 만큼 질감과 맛이 섬세해지고, 우유는 졸아들면서 먹음직스러운 갈색 소스로 변한다.

6인분

버터 1큰술
식물성기름 2큰술
등심이 붙어 있는 돼지고기 립 1125g(아래 참고 사항을 확인할 것)
소금
갓 갈아낸 검은 후추
우유 2½컵 또는 그 이상

참고 ꕥ 위에서 설명한 고기 부위는 갈비뼈가 붙어 있는 돼지고기 등심으로 특정한다. 정육점에서 갈비에 붙은 고기 한 덩이를 2~3조각으로 나누어 달라고 하라. 뼈에 붙은 고기로 더 깊숙이 갈색으로 구울 수 있고, 뼈와 함께 조리하면 뼈에서 나오는 묵직한 풍미가 구운 고기에 전해지는 장점이 있다.

이 요리에 적합한 다른 돼지고기 부위는 뼈가 없이 둥글게 말린 목 아래 근육 부위로, 돼지 목살(Boston butt)로 알려져 있다. 목살 가운데에는 근육의 길이를 따라 형성된 지방층이 하나 있다. 이것이 목살의 촉촉함과 풍미를 담당한다. 하지만 칼로 얇게 썰면서 살점과 지방의 연결 부위가 쉽게 떨어지는 경향이 있다. 별 문제가 안 된다면 훌륭한 맛과 육즙을 가진 목심을 쓰는 것도 고려해보라. 이 경우 구이용 갈비 1125g을 목살 900g 한 덩이로 대체한다.

어떤 부위를 쓰든 지방을 손질해 떼어내지 말라. 익히는 과정에서 대부분의 지방이 녹아 살코기에 스며들면서 퍽퍽해지지 않게 해준다. 로스트가 완성되고 난 다음에 냄비에서 건져내 버리면 된다.

1. 나중에 돼지고기를 넉넉히 넣을 수 있는 크기의 바닥이 두꺼운 냄비를 골라 버터와 기름을 넣고 중강불에 올린다. 가장자리에서 버터 거품이 생기기 시작하면 지방이 붙은 면이 아래쪽으로 가도록 고기를 넣는다. 갈색이 나도록 구워지면 고기를 뒤집고, 매번 갈색이 나도록 굽고 뒤집기를 계속하며 모든 면을 고루 굽는다. 버터색이 아주 짙어지는 듯하면 불을 약하게 줄인다.
2. 소금, 후추, 우유 1컵을 넣는다. 우유는 끓어 넘치지 않도록 천천히 넣는다. 우유를 20~30초간 뭉근하게 끓이고 불을 가장 약하게 조절한 뒤 냄비 뚜껑을 비스듬하게 덮는다.
3. 고기를 이따금 뒤집어가며 우유가 졸아 되직해지고 갈색 소스로 변할 때까지 아주 천천히 뭉근하게 대략 1시간 정도 익힌다.(정확한 시간은 화력과 냄비 바닥의 두께에 따라 유동적이다.) 우유가 딱 이 단계에 이르면 1컵을 더 붓고 10분 정도 더 뭉근하게 끓인 다음 냄비 뚜껑을 완전히 덮는다. 돼지고기를 이따금 확인하고 뒤집는다.
4. 30분 뒤에 뚜껑을 비스듬하게 열어준다. 가장 약한 불에서 계속 익히되, 냄비 안에 더 이상 액체 상태의 우유가 없어 보이면 우유 ½컵을 추가한다. 포크로 찔렀을 때 고기가 아주 부드럽게 느껴지고 우유가 응고되어 갈색 덩어리로 뭉쳐질 때까지 계속 익힌다. 통틀어 2시간 반에서 3시간 사이로 걸릴 것이다. 고기가 완전히 익기 전에 냄비 안의 액체가 다 졸았다면 우유를 ½컵 더 넣고 필요할 때마다 이 과정을 반복한다.
5. 돼지고기가 부드러워지고 냄비 안의 우유가 되직해져 짙은 갈색으로 덩어리지면, 고기를 도마에 옮긴다. 몇 분간 그대로 두었다가 1cm 미만으로 얇게 썰고, 따뜻한 차림용 접시에 가지런히 놓는다.
6. 냄비를 기울여 응고된 우유 덩어리는 남겨두면서 조심스럽게 기름만 대부분—1컵 정도 될 것이다—걷어낸다. 물을 2~3큰술 넣고 나무 주걱으로 냄비 바닥과 옆면에 붙은 조리 잔여물을 긁어가며 강불에서 졸인다. 냄비의 즙을 전부 퍼내 돼지고기에 올리고 바로 차려 낸다.

식초와 월계수잎을 곁들인 로스트 포크

Roast Pork with Vinegar and Bay Leaves

6인분

버터 2큰술
식물성기름 1큰술
뼈가 없는 돼지고기 등심 또는 목살 900g, 한 덩어리로 준비
소금
검은색 통후추 1작은술
월계수잎 3장
레드 와인 식초 ½컵, 질 좋은 것으로 준비

1. 돼지고기가 넉넉히 들어갈 수 있는 크기의 바닥이 두껍거나 법랑이 입혀진 무쇠냄비를 고른다. 버터와 기름을 넣고 중강불에 올려 가장자리에서 버터 거품이 생기기 시작하면 지방이 있는 쪽이 아래를 향하도록 고기를 넣는다. 적절히 뒤집어가며 고기의 전면이 짙은 갈색이 나도록 굽는다. 버터가 너무 짙은 갈색이 되는 듯하면 불을 약간 줄인다.
2. 고기를 뒤집어가며 모든 면에 소금을 뿌린다. 나무망치 또는 고기 망치 또는 진짜 망치로 통후추를 살짝 부순 뒤, 월계수잎, 식초와 함께 냄비에 넣는다. 나무 주걱으로 재빨리 냄비의 바닥과 옆면에 붙은 갈색 조리 잔여물을 긁어내되, 식초를 너무 오래 끓여 졸아들지 않도록 한다. 불을 약하게 줄이고 냄비 뚜껑을 완전히 덮는다. 돼지고기를 가끔씩 뒤집어가며 포크로 찔러 아주 부드럽다고 느껴질 때까지 고기를 익힌다. 이 과정에서 냄비 안에 수분이 부족해지면 물 2~3큰술을 보충한다.
3. 돼지고기를 도마로 옮긴다. 몇 분간 그대로 두었다가 1cm보다 살짝 더 얇은 두께로 썰어 따뜻한 차림용 접시에 가지런히 놓는다.
4. 냄비를 기울여 기름을 대부분 퍼내고, 월계수잎도 건져낸다. 물 2큰술을 추가해 강불에 올리고 나무 주걱으로 바닥과 옆면에 붙은 조리 잔여물을 긁어가며 졸인다. 냄비 즙을 돼지고기 위에 부어 바로 차려 낸다.

술 취한 로스트 포크

Drunk Roast Pork

이 술에 취한 로스트는 레드 와인을 충분히 넣고 뚜껑을 덮어 오랫동안 익히는데, 극도로 부드러워지면서 아름답고 윤기가 흐르는 짙은 마호가니 색으로 변한다. 선택할 와인에 대해 고민하지 말고, 이 조리 과정에서 결정적인 역할을 할 수

있는 것이면 된다. 피에몬테산 바르베라 또는 돌체토가 그 일을 완벽하게 해낼 것이다. 산지오베제(sangiovese) 포도 백퍼센트로 만들어진 토스카나 와인도 좋다. 또는 다른 나라의 와인으로는, 호주 또는 남아프리카의 쉬라, 또는 품질이 좋은 캘리포니아 진판델, 또는 프랑스산 코트 뒤 론이 있다. 1~2병을 더 준비해 돼지고기와 함께 차려 내도 좋다.

6~8인분

당근 3개, 중간 크기로 준비
돼지고기 중간 등심 또는 목살 1575~1800g, 실로 단단하게 묶는다
식물성기름 1큰술
버터 2큰술
그라파, 마르, 칼바도스 또는 포도로 만든 브랜디 2큰술(372쪽 참고 사항을 확인할 것)
밀가루, 접시 위에 펼친다
달지 않은 레드 와인 1½컵(앞에서 제안한 내용을 볼 것)
너트메그 1알
월계수잎 2장
소금
갓 갈아낸 검은 후추

1. 당근의 껍질을 벗기고 씻은 뒤, 1cm 정도 두께 또는 그보다 가는 막대형으로 세로로 길게 썬다.
2. 길고 뾰족하며 일정한 두께를 가진 도구, 예를 들어 고기 전용 온도계, 가느다란 쇠로 된 칼갈이, 단단한 중국식 젓가락, 또는 송곳도 괜찮고, 이것으로 고기의 양 끝에 구멍을 뚫는다. 썰어놓은 당근의 개수만큼 뚫되, 구멍 사이의 간격은 4cm 정도로 한다. 구멍에 당근 막대를 끼운다.
3. 바닥이 두껍거나 법랑이 입혀진 무쇠냄비를 고른다. 가급적 타원형이면 좋고, 이후에 고기를 넉넉히 넣을 수 있도록 충분히 커야 한다. 기름과 버터를 넣고 중강불에 올린다. 가장자리에서 버터 거품이 생기기 시작하면 고기에 전체적으로 밀가루를 입혀 냄비에 넣는다. 고기를 뒤집어가며 겉면을 모두 짙은 갈색이 나도록 굽는다.
4. 고기를 모두 갈색으로 구웠으면, 그라파 또는 다른 브랜디를 넣는다. 몇 초간 뭉근하게 끓인 뒤 고기를 살짝 덮을 정도로 와인을 붓는다. 1½컵으로 부족하면—사용하는 냄비의 크기에 달려 있다—추가로 넣는다.
5. 간 너트메그 아주 조금—⅛작은술 정도—과 월계수잎, 소금 몇 자밤, 후추를 넉넉히 갈아 넣는다. 돼지고기를 한두 번 뒤집는다. 와인이 부글부글 끓기 시작하면 불을 조절해 천천히 뭉근하게 끓게 하고, 냄비 뚜껑을 완전히 덮는다. 이때 두꺼운 쿠킹호일을 2장으로 겹쳐 냄비와 뚜껑 사이에 끼워 넣으면 좋다.

6. 가끔 고기를 뒤집으며, 포크로 찔러 아주 부드럽다고 느껴질 때까지 3시간 또는 그 이상 천천히 가열한다. 익힌 지 2시간 반이 지나면 냄비 안에 수분이 얼마나 남았는지 확인해본다. 충분히 남았다면 쿠킹호일을 제거하고 뚜껑을 비스듬하게 덮어 불을 약간 키운다.
7. 다 익으면 돼지고기 색은 꽤 짙고, 냄비에는 퓌레 같은 소스가 조금 남아 있을 것이다. 고기를 도마로 옮기고 얇게 썰어 따뜻한 차림용 접시에 가지런히 놓는다. 고기에서 빠진 당근 막대와 함께 냄비 즙을 모두 퍼서 고기 위에 올리고 바로 차려 낸다.

미리 준비한다면 ❁ 이 요리는 몇 시간 전에 미리 완성해둘 수 있는데, 저녁에 차려 낼 계획이라면 당일에 일찍 만드는 것도 가능하다. 냄비 뚜껑을 완전히 덮고, 고기가 완전히 고루 따뜻해지도록 충분히 오랜 시간을 들여 천천히 다시 데운다. 필요하다면 물을 2~3큰술 추가한다.

토마토, 크림, 포르치니 버섯과 조린 돼지고기 촙

Braised Pork Chops with Tomatoes, Cream, and Porcini Mushrooms

4~6인분

식물성기름 ¼컵
돼지고기 촙 900g, 가급적 중간 등심 부위로 2cm 두께로 썬다
달지 않은 화이트 와인 ½컵
이탈리아산 플럼토마토 통조림 ½컵, 건더기만 썬다
생크림 ½컵
소금
갓 갈아낸 검은 후추
말린 포르치니 버섯 30g, 37쪽 설명대로 불려 썬다
버섯 불린 물, 37쪽을 참고해 거른다
양송이버섯 225g, 신선한 것으로 준비

1. 돼지고기 촙이 겹치지 않고 전부 들어갈 수 있을 정도로 충분히 큰 소테팬을 고른다. 식물성기름 2큰술을 넣고 중강불에 올려 기름이 뜨거워지면, 돼지고기 촙을 미끄러트리듯 넣는다. 고기 한쪽 면을 짙은 갈색이 나도록 구운 뒤, 다른 쪽도 굽는다.
2. 화이트 와인을 넣고, 나무 주걱으로 팬 안의 갈색 잔여물을 긁어가며 15~20초 팔팔 끓인다. 토마토, 생크림, 소금과 후추를 넉넉히 갈아 넣은 뒤, 불려서 썰

어 놓은 포르치니 버섯을 넣는다. 불을 줄여 아주 천천히 뭉근하게 끓게 하고 팬 뚜껑을 비스듬하게 덮는다.

3. 돼지고기 촙의 정확한 두께와 상태에 따라 포크로 찔러 고기가 부드럽게 느껴질 때까지 45분 또는 그 이상 익힌다. 이따금 촙을 뒤집어준다.
4. 돼지고기 촙이 익는 동안, 포르치니 버섯을 불렸다가 걸러 놓은 물을 작은 소스팬에 넣고 ⅓컵으로 줄어들 때까지 끓인다.
5. 신선한 양송이 버섯을 흐르는 찬물에 재빨리 씻고 부드러운 천으로 닦아 물기를 완전히 없앤다. 버섯 갓과 자루가 붙어 그대로 모양이 나게끔 세로 방향으로 아주 얇게 썬다.
6. 신선한 버섯을 꽉 들어차지 않게 넣을 수 있는 소테팬을 고른다. 남은 기름 2큰술을 넣고 강불에 올린다. 기름이 뜨거워지면 버섯을 넣는다. 자주 저어주고 소금과 후추를 넣는다. 버섯에서 나온 물이 모두 졸아들면 포르치니 버섯 불린 물을 넣고 졸인다. 자주 저으면서 냄비 안에 액체가 남아 있지 않을 때까지 계속 익힌다. 불을 끈다.
7. 돼지고기 촙이 부드러워지면 익힌 버섯을 고기가 담긴 팬에 넣는다. 돼지고기 촙과 버섯을 뒤적이고 뚜껑을 다시 덮어 일정한 세기로 5~8분 익힌다. 따뜻한 접시에 팬 안의 모든 내용물을 옮겨 담아 바로 차려 낸다.

모데나식으로 세이지와 토마토를 넣고 조린 돼지고기 촙

Braised Pork Chops with Sage and Tomatoes, Modena Style

이탈리아 사람들은 그 나라에서 가장 맛있는 돼지고기 요리로 에밀리아-로마냐의 요리법을 쳐주며, 에밀리아-로마냐에서는 모데나를 꼽는다. 다음은 신선한 돼지고기 촙을 조리해 맛있게 먹는 방법으로 모데나식으로 솜씨를 부린 한 예다.

4인분

버터 2큰술
식물성기름 1큰술
돼지고기 등심 촙 4쪽, 가급적 아래등심을 2cm 정도 두께로 준비
밀가루, 접시 위에 펼친다
생세이지잎 6~8장 또는 말린 것 3~4장
소금
갓 갈아낸 검은 후추
이탈리아산 플럼토마토 통조림 ¾컵, 썰어서 즙과 함께 준비 또는 신선하고 잘 익은 토마토, 껍질을 벗기고 썬다

1. 나중에 돼지고기 촙을 전부 겹치지 않고 넣을 수 있는 소테팬을 고른다. 버터와 기름을 넣고 중강불에 올린다. 가장자리에서 버터 거품이 생기기 시작하면 촙의 양면에 밀가루를 입히고 여분의 가루는 털어내, 세이지잎과 함께 팬 안에 미끄러트리듯 넣는다. 촙의 양면을 먹음직스러운 갈색이 나도록 한 면당 1분 30초에서 2분 정도 굽는다.
2. 소금과 약간의 간 후추를 넣고 썰어놓은 토마토와 즙을 넣는다. 천천히 뭉근하게 끓도록 불을 조절하고 팬 뚜껑을 비스듬하게 덮는다. 포크로 찔러 고기가 부드럽다고 느껴질 때까지 1시간 정도 익힌다. 익는 동안 촙을 이따금 뒤집어준다.
3. 돼지고기가 다 익었을 때 냄비 안의 소스는 걸쭉해야 한다. 너무 묽으면 돼지고기 촙을 따뜻한 차림용 접시에 옮기고 냄비 안의 즙은 강불에서 잠시 졸인다. 팬을 기울여 기름은 되도록 전부 퍼낸다. 팬의 내용물을 돼지고기 촙 위에 부어 바로 차려 낸다.

두 가지 와인으로 조린 돼지고기 촙

Braised Pork Chops with Two Wines

여기서는 마르살라와 어린(young) 와인, 2가지가 필요한데, 전자의 향기로운 강인함과 후자의 생기로운 예리함이 어우러진다. 레드 와인으로는 피에몬테의 바르베라 또는 발폴리첼라 또는 논 리제르바(non-riserva) 키안티 같은 중부 이탈리아산 어린 와인 중에 어느 것이라도 좋다. 같은 와인을 돼지고기 촙과 함께 차려 내면 잘 어울릴 것이다.

4인분

엑스트라버진 올리브유 3큰술
돼지고기 등심 촙 4쪽, 가급적 아래등심을 2cm 정도 두께로 준비
토마토 페이스트 1큰술, 달지 않은 마르살라 ½컵과 달지 않은 어린 레드 와인 ½컵과 섞는다(위 설명 참고)
밀가루, 접시 위에 펼친다
마늘 1작은술, 잘게 다진다
소금
갓 갈아낸 검은 후추
펜넬씨 ¼작은술
파슬리 1큰술, 잘게 썬다

1. 나중에 돼지고기 촙이 전부 겹치지 않고 들어갈 수 있는 소테팬을 고른다. 올리브유를 넣고 중불에 올린다. 올리브유가 뜨거워지면 촙의 양면에 밀가루를

입히고 여분의 가루는 털어내 팬 안에 미끄러트리듯 넣는다. 촙의 양면을 먹음직스러운 갈색이 나도록 한 면당 1분 30초에서 2분 정도 굽는다.

2. 잘게 다진 마늘을 냄비 바닥에 넣고 올리브유와 함께 젓는다. 마늘이 살짝 노릇해지면 2가지 와인과 토마토 페이스트 섞은 것을 넣는다. 넉넉한 양의 소금과 후추를 뿌리고 펜넬 씨를 넣는다. 와인을 20초 정도 팔팔 끓이고, 천천히 뭉근하게 끓도록 불의 세기를 조절한 다음 팬 뚜껑을 비스듬하게 덮는다.
3. 포크로 고기를 찔러 부드럽다고 느껴질 때까지 1시간 정도 익힌다. 익히는 동안 고기를 이따금 뒤집는다. 다 익으면 파슬리를 넣고 고기를 2~3번 뒤집은 다음, 구멍 뚫린 국자나 뒤집개로 따뜻한 차림용 접시에 옮긴다.
4. 팬을 기울여 적은 양의 기름만 남기고 전부 퍼낸다. 물 ½컵을 넣고 강불에 올려 물이 끓는 동안 나무 주걱으로 팬의 바닥과 옆면에 붙은 조리 잔여물을 긁어낸다. 팬 안의 즙이 걸쭉해지면 촙 위에 부어 바로 차려 낸다.

포르치니 버섯과 주니퍼를 넣은 돼지고기 스튜

Stewed Pork with Porcini Mushrooms and Juniper

숲과 허브의 정원에서 풍겨 나오는 향기의 합창—포르치니 버섯, 주니퍼 베리, 마조람, 월계수잎—이 인상적인 이 스튜는 수렵육과 잘 어울린다. 그리고 수렵육 요리처럼 부드러운 찐 폴렌타를 곁들여 차려 내야 한다(283쪽을 볼 것). 이 레시피에 가장 적합한 돼지고기 부위는 어깨살이다.

4인분

주니퍼 베리 20개
뼈를 바른 돼지고기 어깨살 675g, 두께 2.5cm, 폭 5cm 크기로 썬다
엑스트라버진 올리브유 ⅓컵
양파 2큰술, 잘게 썬다
버섯 불린 물, 37쪽을 참고해 거른다
안초비 3조각(19쪽 설명대로 가급적 직접 만든 것으로), 죽처럼 다진다
생마조람 ½작은술 또는 말린 것 ¼작은술

달지 않은 화이트 와인 ½컵
질 좋은 레드 와인 식초 2큰술
말린 포르치니 버섯 30g, 37쪽
설명대로 불려 썬다
월계수잎 2장, 신선한 것은 잘게 썰고
말린 것은 작게 부순다
소금
갓 갈아낸 검은 후추

1. 주니퍼 베리를 천으로 감싸 나무망치 또는 고기 망치 또는 진짜 망치로 살짝 부순다. 천에 감싼 채 한편에 둔다.
2. 돼지고기 조각을 2층 이상으로 겹치지 않고 넣을 수 있는 소테팬을 고른다. 올리브유를 넣고 중강불에 올린다. 올리브유가 뜨거워지면, 꽉 들어차지 않으면서 가능한 한 많은 고기 조각을 넣고 뒤집어가며 겉면이 전부 짙은 갈색이 나도록 굽는다. 구운 고기는 구멍 뚫린 국자나 뒤집개로 접시에 옮긴다. 고기 전부를 갈색으로 구울 때까지 과정을 반복한다.
3. 양파를 넣고 짙은 황금색이 될 때까지 저어가며 익힌 다음, 고기를 다시 팬에 넣는다. 와인과 식초를 넣고 30초 정도 팔팔 끓인 뒤, 썰어놓은 버섯과 버섯 불린 물, 잘게 다진 안초비, 마조람, 월계수잎 그리고 부숴 놓은 주니퍼 베리를 넣는다. 아주 천천히 뭉근하게 끓도록 불을 조절하고, 팬 안의 모든 재료를 뒤적여준다. 소금 몇 자밤과 약간의 후추를 갈아 넣고 다시 한번 재료들을 뒤적여 팬 뚜껑을 완전히 덮는다.
4. 포크로 찔러 고기가 부드럽다고 느껴질 때까지 1시간 반에서 2시간 동안 익힌다. 다 익으면 구멍 뚫린 국자로 따뜻한 접시에 옮긴다. 팬 안의 즙이 너무 옅고 묽으면, 불을 키워 졸인다. 팬 안에 돼지고기에서 나온 기름이 너무 많으면, 팬을 기울여 맛있는 즙은 남기고 기름만 대부분 퍼낸다. 팬 안에 남아 있는 내용물을 돼지고기에 부어 바로 차려 낸다.

미리 준비한다면 ❀ 이 요리는 2~3일 전에 미리 만들어둘 수 있지만, 즙을 졸이거나 기름을 제거하는 일은 나중에 스튜를 천천히, 그리고 완전히 다시 데우고 난 뒤에 한다.

트레비소식 세이지와 화이트 와인을 넣고 팬 로스트한 돼지갈비

Spareribs Pan-Roasted with Sage and White Wine, Treviso Style

동부 베네토(Veneto)와 프리울리(Friuli) 같은, 한때 가난했던 북부 이탈리아 지역에서는 가장 저렴한 고기 덩어리에서 포만감과 영양분을 얻었다. 베네토에 이제 더 이상 굶주리는 사람은 없지만, 세이지와 화이트 와인을 넣고 천천히 팬 로스트한 트레비소식 갈비의 맛은 예전에 그랬듯 지금도 깊은 만족감을 준다. 남은 즙은 523쪽 볼로냐식 으깬 감자나 283쪽 뜨겁고 부드러운 폴렌타 위에 뿌려서 함께 차려 낸다.

4인분

- 갈빗대가 붙은 돼지갈비 1350g, 한 대씩 쪼갠다
- 식물성기름 ¼컵
- 마늘 3쪽, 껍질을 벗기고 아주 얇게 썬다
- 생세이지잎 2큰술 또는 통으로 말린 잎 2작은술, 잘게 썬다
- 달지 않은 화이트 와인 1컵
- 소금
- 갓 갈아낸 검은 후추

1. 갈비가 꽉 들어차지 않고 넉넉히 들어갈 수 있는 소테팬을 고른다. 기름을 넣고 중강불에 올린다. 기름이 뜨거워지면 갈비를 넣고 짙은 갈색으로 구워질 때마다 뒤집으며 모든 면을 익힌다.
2. 마늘과 세이지를 넣는다. 마늘이 아주 옅은 황금색이 될 때까지 저어가며 익힌 뒤, 와인을 붓는다. 와인을 15~20초 팔팔 끓이고, 아주 천천히 뭉근하게 끓도록 불을 조절한 뒤 소금과 후추를 넣고 팬 뚜껑을 비스듬하게 덮는다. 돼지갈비를 가끔 뒤집어가며 포크로 살점이 가장 많은 부위를 찔러 아주 부드럽게 느껴지고 뼈에서 쉽게 떨어져 나올 때까지 40분 정도 익힌다. 이따금 팬 안의 수분이 부족해 보이면 물을 2~3큰술 넣어 돼지갈비가 마르지 않도록 한다.
3. 구멍 뚫린 국자나 뒤집개로 갈비를 따뜻한 접시에 옮긴다. 팬을 기울여 액체화된 돼지기름 중 3분의 1을 퍼낸다. 평소 디글레이즈(deglaze, 재료를 볶거나 구우면서 바닥에 눌어붙은 잔여물을 물이나 술 같은 액체를 넣고 긁어내며 끓이는 레시피) 할 때보다 더 많은 지방을 남겨두는데, 함께 곁들일 으깬 감자 또는 폴렌타에 쓸 양념으로 필요하기 때문이다. 물 ½컵을 더해 강불에 올리고 나무 주걱으로 팬 바닥과 옆면에 붙은 조리 잔여물을 긁어가며 졸인다. 짙고 걸쭉한 즙을 갈비 위에 부어 바로 차려 낸다.

폴렌타를 위한 토마토와 채소를 곁들인 돼지갈비

Spareribs with Tomatoes and Vegetables for Polenta

이 돼지갈비는 폴렌타 없이 으깬 감자만으로도 입을 아주 즐겁게 해주지만, 거기에서 나온 즙을 맛본다면 틀림없이 부드럽고 뜨거운 폴렌타 한 덩이를 간절히 원하게 될 것이다.

6인분, 폴렌타에 넉넉히 곁들일 경우

엑스트라버진 올리브유 3큰술
양파 ⅔컵, 잘게 썬다
갈빗대가 붙은 돼지갈비 1350g, 정육점에서 손가락만 한 크기로 자른다
당근 ⅔컵, 잘게 썬다
셀러리 ⅔컵, 잘게 썬다
이탈리아산 플럼토마토 통조림 1½컵, 썰어서 즙과 함께 준비 또는 신선하고 잘 익은 토마토, 껍질을 벗기고 썬다
소금
갓 갈아낸 검은 후추

1. 갈비를 2겹 이상 겹치지 않고 전부 충분히 넣을 수 있는 넓이의 소테팬을 고른다. 올리브유와 잘게 썬 양파를 넣고 중불에 올려 양파가 살짝 노릇해질 때까지 가끔 저어가며 익힌다. 갈비를 넣고 몇 번 뒤집어 기름이 골고루 입혀지게 하고 겉면이 모두 갈색이 되도록 충분히 오래 구워준다.
2. 당근과 셀러리를 넣어 2~3번 뒤적이며 거의 부드러워질 때까지 익힌다.
3. 토마토, 소금과 후추를 넉넉히 갈아 넣고 뚜껑을 비스듬하게 덮어, 고기가 아주 부드러워져 뼈에서 쉽게 떨어질 때까지 1시간에서 1시간 반 정도 천천히 계속 뭉근하게 끓인다. 팬을 한 번씩 확인한다. 익히는 수분이 부족하고 갈비가 바닥에 들러붙으면 필요에 따라 물 ½컵을 추가한다. 반면 갈비가 다 익었을 때 팬의 즙이 너무 묽으면, 뚜껑을 열고 불을 키워 지방이 떠오를 때까지 졸인다.

미리 준비한다면 ❀ 갈비를 여기까지 하루 전에 미리 조리해둘 수 있다. 차려 내기 전에 천천히 그리고 완전히 데운다.

참고 ❀ 소시지를 좋아한다면, 갈비의 절반을 소시지 450g으로 대체해 함께 조리할 수 있다. 아주 맛있는 요리가 될 것이다. 펜넬 씨, 커민, 매운 고추나 다른 향신료가 들어가지 않은, 구할 수 있는 것 중 가장 순수한 돼지고기 소시지를 쓰고, 반으로 잘라서 익힌다.

양념에 재워 그릴에 구운 돼지갈비

Grilled Marinated Spareribs

그릴에 구운 이 돼지갈비의 탁월한 감칠맛은 올리브유, 마늘, 로즈마리 양념 덕분인데, 익히기 최소 1시간 전에는 반드시 재워두어야 한다. 4인분

엑스트라버진 올리브유 ¼컵
마늘 1큰술, 아주 잘게 다진다
생로즈마리잎 1큰술, 아주 곱게 다진다
또는 말린 것 2작은술, 잘게 썬다
소금
갓 갈아낸 검은 후추
갈빗대가 붙은 돼지갈비 1350g, 통으로 준비
선택 사항: 숯을 쓰는 그릴

1. 작은 볼에 올리브유, 마늘, 로즈마리, 소금 넉넉히 몇 자밤 그리고 검은 후추를 갈아 넣고 포크로 모든 재료를 고루 섞는다.
2. 접시 위에 갈빗대를 놓고 볼에 담긴 양념을 부어 손끝 또는 제과용 붓으로 고기에 문질러 바른다. 이따금 갈비를 뒤적여 양념에 잠긴 고기에 향과 맛이 잘 배도록 상온에서 최소 1시간 동안 둔다.
3. 그릴에 갈비를 올리기 전에 브로일러를 15분 예열한다. 숯을 쓴다면, 숯 표면이 하얗게 될 때까지 시간을 들여 예열한다.
4. 브로일러용 팬—조절 가능한 그릴용 받침—을 열원에서 20cm 정도 떨어진 높이에 놓는다. 돼지갈비를 팬 또는 그릴에 놓고 접시에 남아 있는 양념을 발라준다. 갈빗대를 3~4번 뒤집어가며 25분간 굽는다. 고기는 육즙이 가득하면서 부드럽되, 완전히 익혀 분홍색이 아니어야 한다. 다 익으면 바로 차려 낸다.

적양배추를 곁들인 돼지고기 소시지

Pork Sausages with Red Cabbage

양배추는 고기, 특히 소시지에 환상적인 재료다. 여기서는 양배추와 돼지고기를 처음에는 따로 조리하는데, 양배추는 올리브유로, 소시지는 자체 지방만으로 익힌다. 함께 익히면 서로의 맛이 배어 풍미가 배가된다. 4인분

마늘 1큰술, 잘게 썬다
엑스트라버진 올리브유 ¼컵
적양배추 675g, 가늘게 채썰어 8컵 정도 준비

돼지고기 소시지 450g, 허브나 강한 향신료가 들어 있지 않은 것으로 준비

소금

갓 갈아낸 검은 후추

1. 커다란 소테팬에 마늘과 올리브유를 넣고 중불에 올려 마늘이 살짝 노릇해질 때까지 저으면서 익힌 뒤, 양배추를 넣고 기름이 잘 입혀지도록 몇 번 뒤적인다. 소금과 후추를 넣고 뚜껑을 연 채로 양배추를 몇 번 뒤집어가며 익히면서, 다음 조리 단계에 들어간다.
2. 작은 스킬렛에 소시지를 넣고 끝이 뾰족한 포크로 몇 군데를 찌른다. 조리에 필요한 지방 전부가 소시지가 익으면서 흘러나올 것이다. 중불로 켜고 소시지를 뒤집어가며 겉면을 모두 갈색이 나도록 굽는다. 구멍 뚫린 국자나 뒤집개로 접시에 옮긴다.
3. 양배추가 거의 완성되면—45분 정도가 지나 처음 부피의 반으로 줄면서 늘어지지만, 완전히 부드러워지지는 않은—소금과 후추를 넉넉히 뿌리고 갈색으로 구운 소시지를 넣는다. 양배추가 아주 부드러워질 때까지 팬 안 내용물을 이따금 전체적으로 뒤적여주며 20분 내외로 더 익힌다. 따뜻한 접시에 옮겨 담아 바로 차려 낸다.

푹 익힌 양파와 토마토를 곁들인 돼지고기 소시지

Pork Sausages with Smothered Onions and Tomatoes

4인분

엑스트라버진 올리브유 3큰술

양파 2컵, 아주 아주 얇게 썬다

이탈리아산 플럼토마토 통조림, 썰어서 약간의 즙과 함께 준비 또는 신선하고 잘 익은 토마토, 껍질을 벗기고 썰어서 1컵

소금

갓 갈아낸 검은 후추

노란색 또는 붉은색 파프리카 1개

돼지고기 소시지 450g, 허브나 강한 향신료가 들지 않은 것으로 준비

1. 소테팬에 올리브유와 양파를 넣고 뚜껑을 덮어 중불에 올린다. 양파가 숨이 죽어 부피가 많이 줄어들면 뚜껑을 열고 중강불로 키워, 이따금 뒤집어가며 아주 짙은 황금색이 될 때까지 양파를 익힌다.

2. 토마토, 소금과 후추를 넣고 고루 젓고, 불을 줄여 뚜껑을 연 채로 천천히 뭉근하게 20분 또는 토마토에서 기름이 분리되어 떠오를 때까지 익힌다.
3. 익히지 않은 파프리카의 껍질을 세로날 필러로 벗기고 쪼개 씨앗과 속심을 제거하고 가늘고 긴 막대형으로 썬다.
4. 파프리카를 토마토와 양파에 더한다. 포크로 껍질을 찔러 몇 군데 구멍을 낸 소시지를 넣는다. 팬 뚜껑을 덮고, 이따금 소시지와 토마토를 뒤적여주며 중불에서 20분간 익힌다.
5. 팬을 기울여 기름을 대부분 걷어낸다. 기름은 버리지 않는다. 소시지가 남았다면 다른 요리에 이 기름이 필요하다(아래 참고). 팬의 내용물을 따뜻한 접시에 옮겨 담아 바로 차려 낸다.

남은 요리 노트 ❀ 소시지가 남으면 작은 조각으로 잘라 한편에 두었던 기름과 합쳐, 252쪽을 참고해 리소토의 풍미를 내는 바탕으로 활용한다. 또는 소시지를 잘게 부숴 보관해둔 기름을 약간 더해 다시 데우고 파스타와 버무린다. 또는 287쪽을 참고해 기름을 빼고 간 파르메산 치즈와 섞어 프리타타에 넣는다.

미리 준비한다면 ❀ 소시지의 전 과정을 몇 시간 또는 1~2일 전까지 미리 조리해둘 수 있다. 다시 데울 때까지 기름은 걷어내지 않는다.

동부콩과 토마토를 곁들인 돼지고기 소시지

Pork Sausages with Black-Eyed Peas and Tomatoes

4인분

양파 2큰술, 잘게 썬다
엑스트라버진 올리브유 3큰술
마늘 ¼작은술, 잘게 썬다
당근 ⅓컵, 잘게 썬다
셀러리 ⅓컵, 잘게 썬다
이탈리아산 플럼토마토 통조림, 대강 썰어서 즙과 함께 준비 또는 신선하고 잘 익은 토마토, 껍질을 벗기고 썰어서 1컵

돼지고기 소시지 450g, 허브나 강한 향신료가 들지 않은 것으로 준비
마른 동부콩 1컵, 따뜻한 물에 최소 1시간 이상 불린다
소금
갓 갈아낸 검은 후추

1. 바닥이 두껍거나 법랑이 입혀진 무쇠냄비에 양파와 올리브유를 넣고 중불에 올린다. 양파가 살짝 노릇해질 때까지 저어가며 익힌 뒤 마늘을 넣고 마늘이 옅은 황금색이 되면 당근과 셀러리를 더해 기름이 고루 입혀지도록 저어 5분간 익힌다. 썰어놓은 토마토와 즙을 넣고 잘 저은 다음, 불을 조절해 토마토에서 기름이 분리되어 떠오를 때까지 천천히 뭉근하게 20분 정도 끓인다.
2. 포크로 몇 군데 구멍을 낸 소시지를 냄비에 넣는다. 소시지를 이따금 뒤집어가며 15분 정도 뭉근하게 끓인다.
3. 콩을 건져 냄비에 넣고, 생수를 충분히 부어 잠기게 한다. 꾸준히 뭉근하게 끓도록 하며 냄비 뚜껑을 완전히 덮는다. 콩이 부드러워질 때까지 1시간 반 정도 익힌다. 조리 시간은 유동적인데, 어떤 콩은 다른 것들보다 빨리 익기도 하기 때문이다. 냄비 안에 액체가 남은 정도를 확인한다. 부족하면 필요에 따라 물 ⅓컵을 보충한다. 반면 콩이 다 익었을 때 냄비 안의 즙이 너무 묽으면 뚜껑을 열고 불을 강하게 키우고 재빨리 수분을 날려 알맞은 농도가 되도록 졸인다.
4. 냄비를 기울여 가능한 한 많은 기름을 퍼낸다. 입맛에 맞게 소금과 후추를 넣고, 골고루 저어 바로 차려 낸다.

오븐 노트 ꩜ 오븐을 쓰고 싶다면 콩을 넣은 뒤에 내용물을 뭉근하게 끓이는 3번 단계에서 180°C로 예열한 오븐의 중간 칸에 냄비를 넣는다. 오븐에 넣어도 되는 냄비여야 한다. 콩이 다 익었을 때 즙을 졸여야 하는 상황이라면 스토브 위로 옮겨 같은 과정을 거친다.

미리 준비한다면 ꩜ 이 요리는 전체 과정을 며칠 전에 미리 조리해둘 수 있다. 즙을 졸여야 할 때는 소시지와 콩을 전체적으로 다시 데우고 난 뒤에 졸인다.

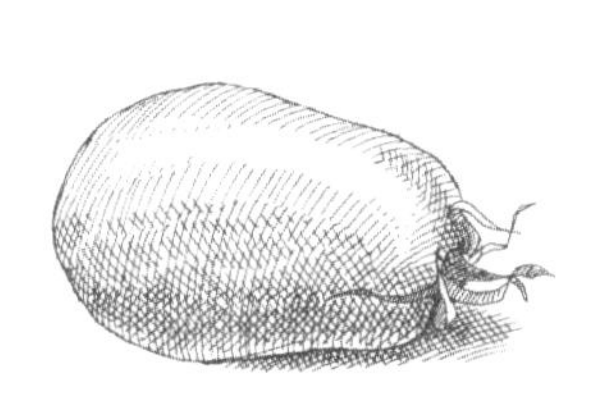

레드 와인과 포르치니 버섯을 곁들인 돼지고기 소시지

Pork Sausages with Red Wine and Porcini Mushrooms

4~6인분

엑스트라버진 올리브유 1큰술
돼지고기 소시지 675g, 허브나 강한 향신료가 들지 않은 것으로 준비
달지 않은 레드 와인 ½컵
말린 포르치니 버섯 30g, 37쪽 설명대로 불린다
버섯 불린 물, 37쪽을 참고해 거른다

1. 소시지 전량을 겹치지 않고 충분히 넣을 수 있는 소테팬을 고른다. 올리브유와 소시지를 넣어 포크로 소시지를 몇 군데 찌르고, 중불에 올려 소시지를 뒤집어가며 겉면을 모두 짙은 갈색으로 익힌다.
2. 레드 와인을 넣고 불을 조절해 천천히 뭉근하게 익힌다. 이따금 소시지를 뒤집어가며 와인을 완전히 증발시킨다. 와인이 완벽하게 졸아들면, 불려놓은 버섯과 버섯 불린 물을 넣는다. 이따금 소시지를 뒤집어주고 나무 주걱으로 팬 바닥과 옆면에 붙은 조리 잔여물을 긁어가며 버섯 물이 전부 증발할 때까지 뭉근하게 끓인다.
3. 으깬 감자나 폴렌타를 곁들이지 않는다면 팬을 기울여 가능한 한 모든 기름을 퍼내고, 곁들인다면 일부만 건어낸다. 바로 차려 낸다.

코테키노—렌틸콩과 함께 삶은 대형 소시지

Cotechino—Boiled Large Sausage with Lentils

에밀리아-로마냐, 특히 모데나의 특산품인 코테키노는 지름 7.5cm에 길이는 20~23cm인 신선한 돼지고기 소시지다. 이 명칭은 주재료인 돼지 껍데기, 코티카(cotica)에서 왔다. 코테키노용 껍데기는 주둥이와 볼 부위의 것으로, 여기에 어깨살과 목살 약간을 더하고 소금, 후추, 너트메그, 정향을 넣는다. 양념 종류와 비율은 만드는 사람의 방식에 따라 다양하다. 동일한 혼합물을 돼지 족발로 만든 껍질에 속으로 채우면 잠포네(zampone)가 된다. 베네토에서는 비슷한 것을 무제토(musetto)라고 부른다.

제대로 조리해 솜씨 좋게 만든 코테키노는 거의 크림에 가까운 촉촉한 질감으로 지극히 부드럽고, 상상할 수 있는 그 어떤 돼지고기 소시지보다도 맛이 달다.

정육업자들과 이탈리아 식품 전문 판매상들이 코테키노를 팔지만, 이탈리아 밖의 소시지 제조업자들은 전형적인 모데나산보다 기름기가 더 적고 건조하고 더 짠 프랑스식 소시송(saucisson)에 가깝게 만든다. 그럼에도 불구하고 아래 설명대로 조리하면 놀라우리만치 기운을 북돋우는 요리가 될 것이다. 이탈리아에서는 새해 첫날 코테키노와 렌틸콩을 곁들여 먹는데, 이 요리가 복을 가져다준다고 믿기 때문이다.

6인분

- 코테키노 소시지 1개
- 양파 1큰술, 잘게 썬다
- 식물성기름 2큰술
- 셀러리 1큰술, 잘게 썬다
- 렌틸콩 1컵, 찬물에 씻어 건진다
- 소금
- 갓 갈아낸 검은 후추

1. 코테키노 익히기: 이 소시지를 충분한 양의 찬물에 최소 4시간 담가둔다. 밤새 담가두면 더 좋다.
2. 조리할 준비가 되면 코테키노를 건져 널찍한 냄비에 넣고, 최소 3L 정도, 필요하다면 더 많은 양의 찬물을 코테키노가 잠길 만큼 붓는다. 2시간 반 정도 천천히 보글보글 끓인다. 포크로 찌르면 안 된다. 익는 동안 껍질에 구멍이 뚫리면 안 되기 때문이다. 다 익으면 불을 끄고 익힌 물 안에서 코테키노를 잠시 그대로 두되, 차려 내기 전 15분을 넘겨선 안 된다. 얇게 썰 준비가 되기 전에 꺼내서도 안 되는데, 소시지를 차려 낼 때 여전히 뜨거워야 하기 때문이다.
3. 렌틸콩 익히기: 소시지를 삶은 지 1시간 반이 지나길 기다렸다가, 소스팬에 물 1L를 넣고 뭉근하게 끓인다.
4. 바닥이 두껍거나 법랑이 입혀진 무쇠냄비에 잘게 썬 양파와 기름을 넣고 중강불에 올린다. 양파가 살짝 노릇해질 때까지 저어가며 익힌 다음, 잘게 썬 셀러리를 넣고 기름이 고루 입혀지도록 젓고 1~2분 익힌다.
5. 렌틸콩을 양파와 셀러리에 넣고 잘 섞이도록 골고루 젓는다. 소스팬에서 끓고 있는 물을 렌틸콩이 잠길 만큼 충분히 붓고 뭉근하게 끓도록 불을 조절해 냄비 뚜껑을 완전히 덮어 30~40분 익힌다. 렌틸콩이 완전히 잠긴 상태를 유지하도록 한 번씩 물을 추가한다. 좀 더 풍미를 내려면 코테키노를 익힌 물을 약간 넣는다.
6. 렌틸콩이 부드러워지기 시작하되, 아직 완전히 익지는 않았을 때 물을 그만 넣는다. 차려 낼 때 모든 수분을 흡수한 상태여야 하기 때문이다. 충분히 부드러워졌을 때도 냄비에 수분이 여전히 남아 있다면 뚜껑을 열고 강불로 키워

렌틸콩을 저어가며 수분을 날린다. 껍질이 터지거나 으깨진 렌틸콩이 있어도 걱정하지 마라. 소금과 후추를 넣어 간을 맞춘다.

7. 코테키노와 렌틸콩 합치기: 소시지를 도마로 옮겨 1cm 정도 두께로 얇게 썬다. 데워놓은 접시 위에 렌틸콩을 펴 담아 펼친 뒤, 그 위에 얇게 썬 코테키노를 가지런히 놓아 바로 차려 낸다.

피자 루스티카—아브루초식 돼지고기 치즈 파이

Pizza Rustica—Pork and Cheese Pie, Abruzzi Style

이탈리아에서 익숙한 그 어떤 피자의 모습과도 비슷하지 않은데도 피자라고 불리는 훌륭한 요리들이 있다. 그중 하나가 이탈리아식 달콤한 달걀 페이스트리인 파스타 프롤라(pasta frolla)로 감싼 아브루초식 고기 치즈 파이다. 달콤한 페이스트리와 짭짤한 속을 조합하는 것은 세기를 거슬러 올라가는 레시피이자, 매력적이고 생동감 있는 풍미를 서로 결합시키는 방식이다. 나는 전통적인 페이스트리 공식에서 설탕을 훨씬 더 적게 넣어 내 입맛에 맞게 변형했다. 그리고 많은 이가 속재료로 넣는 완숙 달걀도 쓰지 않았는데, 돼지고기와 치즈만으로도 충분히 만족스러웠기 때문이다. 다른 이들은 거의 신성시하는 재료지만 나는 딱 질색인 시나몬도 넣지 않았다.

6인분

달콤한 달걀 페이스트리, 파스타 프롤라 재료

다목적용 밀가루 2컵	버터 8큰술, 작은 조각으로 썬다
달걀노른자 2개분	얼음물 3큰술
소금	흰 설탕 2큰술

가급적 표면이 차가운 대리석 같은 작업대 위에서 모든 재료를 합치고 함께 반죽한다. 재료들이 부드럽게 하나로 뭉친 반죽이 되면 유산지로 감싸 냉장고에 넣는다. 다음 조리 과정을 진행하기 전까지 최소 1시간에서 4~5시간까지 냉장고에 넣어 휴지시킨다.

푸드프로세서를 쓴다면: 섞고 반죽하는 모든 과정을 할 수 있는데, 켰다 끄기를 반복해 둥근 반죽이 될 때까지 돌린다. 푸드프로세서 볼에서 반죽을 꺼내, 둥근 반죽 한 덩어리로 뭉쳐 모양을 잡고 유산지로 감싸 냉장고에 넣는다.

파이 속재료

달걀노른자 2개분
신선한 리코타 340g
프로슈토 또는 시골햄 또는 훈제하지 않고 삶은 햄 115g, 아주 굵게 썬다
모르타델라 115g, 굵게 썬다
모차렐라 115g, 가급적 물소젖으로 만든 모차렐라를 작은 조각으로 썬다
갓 갈아낸 파르미자노 레자노 치즈 2큰술
소금
갓 갈아낸 검은 후추
수플레 용기, 도자 재질에 용량이 1L 정도인 것으로 준비
버터, 그릇에 바를 만큼의 양
차갑고 달콤한 달걀 페이스트리, 앞선 설명대로 만들어 준비

1. 오븐을 190°C로 예열한다.
2. 볼에 달걀노른자를 넣고 거품기로 재빨리 푼다. 리코타를 넣어 크림처럼 될 때까지 풀어준다. 잘게 썬 차가운 고기류, 썰어놓은 모차렐라, 간 파르메산, 소금 그리고 후추를 넣어 모든 재료를 골고루 섞는다.
3. 수플레 용기 안쪽 면에 버터를 두껍게 바른다.
4. 페이스트리 반죽 3분의 1을 잘라 주방용 코팅 종이나 유산지 위에 놓는다. 수플레 용기의 바닥면을 덮고 옆면으로 살짝 올라올 만큼 충분히 크고 얇은 원형으로 민다. 얇게 민 원형 반죽을 뒤집어서 용기 바닥에 놓고 코팅 종이 또는 유산지를 벗긴다. 손가락으로 고루 펼쳐가며 반죽을 용기 바닥에 맞춘다.
5. 남은 반죽을 두 덩이로 자르고, 위에서 설명한 방법대로 하나를 밀어 수플레 용기의 깊이와 같은 폭의 직사각형 띠 모양으로 만든다. 필요하다면 반죽을 겹쳐가며 용기 옆면에 직사각형 띠를 두르고 빈틈이 생기지 않도록 한다. 고르지 못한 곳은 손가락으로 매만져 평평하게 한다. 옆면과 바닥면이 만나는 곳은 단단히 접착되도록 바닥면 반죽의 가장자리를 전체적으로 눌러준다.
6. 볼에 있는 혼합물을 용기에 붓고, 숟가락으로 가볍게 두드려 안에 있는 공기가 빠져나오게 한다.
7. 남은 페이스트리 반죽을 파이의 윗면을 충분히 덮을 수 있는 크기로 얇게 민다. 속재료 위에 올리고 옆면과 맞닿는 부분을 손가락으로 눌러 단단히 봉한다. 용기를 덮은 반죽의 가장자리를 용기 테두리보다 1cm 이상 벗어나지 않게 다듬는데, 그보다 길게 내려간 부분은 접어 올린다. 매끈하지 않은 연결부위는 손가락에 물을 묻혀 다시 매만져준다.
8. 예열한 오븐의 위 칸에 수플레 용기를 넣어 윗면이 바삭해지면서 황금빛 갈색이 될 때까지 45분 정도 굽는다. 45분이 되었을 때에도 윗면의 색이 덜 난다

면 오븐 온도를 200°C로 올려 알맞은 색이 날 때까지 몇 분 더 굽는다.

9. 수플레 용기에서 바로 스푼으로 먹을 수 있으니 파이를 틀에서 꺼내지 않고 차려 낼 수 있다. 틀에서 꺼내고 싶다면, 용기를 오븐에서 꺼내 10분간 두었다가 칼로 용기의 옆면을 둥글게 따서 떼어낸다. 수플레 용기 위에 접시를 뒤집어 놓고, 접시와 용기가 서로 단단하게 고정되도록 붙든 뒤 용기가 위로 올라오도록 뒤집는다. 파이 모양이 무너지지 않도록 조심스럽게 용기를 들어 올린다. 최소 5분에서 10분간 더 식혀서 차려 내거나, 상온과 거의 비슷한 상태로 몇 시간 뒤에 차려 내도 된다.

고기 부속
VARIETY MEATS

피카타풍 레몬을 넣고 볶은 송아지 간
Sautéed Calf's Liver with Lemon, Piccata Style

피카타(piccata)는 식당에서 쓰는 용어로, 기름에 볶은 다음 레몬즙을 넣은 소스를 곁들인 송아지고기 스칼로피네를 설명하기 위해 자주 쓰인다. 여기서는 비슷한 과정으로 송아지 간을 요리한다. 잘만 한다면 스칼로피네로 만든 버전보다 더 세련된 요리다. 간으로 만들 수 있는 가장 신선하고 가벼운 요리 중 하나임에 틀림없다.

4인분

송아지 간 450g, 옅은 분홍색의 질이 좋은 것으로 0.6cm 이하로 얇게 썬다
식물성기름 1큰술
버터 3큰술
밀가루, 접시 위에 펼친다
소금
갓 갈아낸 검은 후추
갓 짠 신선한 레몬즙 3큰술
파슬리 1큰술, 잘게 썬다

1. 간에 붙어 있는 얇고 질긴 막을 제거한다. 얇은 막은 익으면서 쪼그라들기 때문에, 간이 냄비 안에서 평평한 모양을 유지할 수 없게 한다. 연골 같은 커다란 흰색 관이 있다면 그것도 떼어낸다.
2. 기름과 버터 2큰술을 커다란 소테팬에 넣고 중강불에 올린다. 가장자리에서 버터 거품이 생기기 시작하면 간 양면에 재빨리 밀가루를 입혀 팬 안에 미끄러트리듯 넣되, 한 번에 팬 안이 꽉 들어차지 않고 겹치지도 않을 정도의 가능한 한 많은 양을 넣는다. 간의 각 면을 30초 정도 익힌 뒤, 구멍 뚫린 국자나 뒤집개로 따뜻한 접시에 옮겨 담고 소금과 후추를 뿌린다. 간을 전부 구워 접시로 옮길 때까지 과정을 반복한다.
3. 레몬즙과 버터 1큰술을 팬에 넣고 중강불에 올린다. 나무 주걱으로 팬 바닥과 옆면의 조리 잔여물을 긁어가며 재빨리 2~3번 젓는다. 간을 전부 한 번에

다시 팬에 넣고 겉이 잘 입혀지도록 충분히 오래 두었다가 뒤집은 뒤, 간과 팬 안의 즙을 따뜻한 접시에 옮기고 파슬리를 뿌려 바로 차려 낸다.

베네치아식 양파와 송아지 간 볶음

Sautéed Calf's Liver and Onions, Venetian Style

베네치아식 간 요리인 페가토 알라 베네치아나(fegato alla veneziana)는 그냥 간과 양파가 들어가는 게 아니다. 양파는 물론 이 요리의 핵심이지만, 정말 중요한 문제는 간이 옅은 분홍색에, 크림처럼 부드럽고, 연골 같은 것이나 질긴 관이 없어야 한다는 점이다. 아주 어린 송아지의 간을 쓰기 때문에 절대 0.5cm 보다 두껍게 썰어서는 안 되며, 강하고 높은 열에서 볶아야 한다. 간을 알맞게 익히기 위해서는 팬에 한 번에 한 층만 넣어야 하는데, 겹겹이 쌓이면 스튜가 되어 뻣뻣하고 맛이 써지며 회색이 된다. 팬에 넓게 펼쳐 강불에서 재빨리 익혀 달콤한 육즙이 흘러나올 틈을 주지 말아야 한다.

페가토 알라 베네치아나의 전통적인 특징 중 하나는 탁월한 이 요리의 장점을 훼손시키므로 무시해도 좋다. 베네치아의 정육업자들은 얇게 썬 간을 다시 4cm 폭의 한 입 크기로 썬다. 저녁식사에 베네치아 사람을 초대한다면 당신도 그렇게 해야 할지 모른다. 나는 얇게 썬 그대로 두는 게 더 실용적이라고 생각한다. 익힐 때 뒤집기 더 쉽고 간이 전체적으로 더 고루 익게 조절할 수 있기 때문이다.

6인분

송아지 간 675g, 옅은 분홍색의 질이 좋은 것으로 0.5cm 이하로 얇게 썬다
식물성기름 3큰술
양파 3컵, 아주 아주 얇게 썬다
소금
갓 갈아낸 검은 후추

1. 간에 붙어 있는 얇게 질긴 막을 제거한다. 얇은 막은 익으면서 쪼그라들기 때문에, 간이 냄비 안에서 평평한 모양을 유지할 수 없게 한다. 연골 같은 커다란 흰색 관이 있다면 그것도 떼어낸다.
2. 가지고 있는 것 중에 가장 큰 스킬렛 또는 소테팬에 기름과 양파, 소금을 넣고 중약불에 올린다. 양파가 완전히 흐물흐물해지고 밤색이 될 때까지 20분 또는 그 이상 익힌다.

미리 준비한다면 이 단계까지 몇 시간 전에 미리 만들어둘 수 있다.

3. 구멍 뚫린 국자나 뒤집개로 스킬렛에서 양파를 꺼내 한편에 둔다. 기름기를 제

거하지 않는다. 강불로 기름을 아주 뜨겁게 해, 꽉 들어차지 않고 겹치지도 않을 정도로 얇게 썬 간을 가능한 한 많이 넣는다. 한 번에 다 들어가지 않으면 나눠서 넣는다. 간에서 날것의 빛깔이 사라지면, 뒤집어 몇 초 더 익힌다. 처음 분량을 다 익히면, 구멍 뚫린 국자나 뒤집개로 따뜻한 접시로 옮겨 소금과 후추를 뿌린다. 모든 간을 익힐 때까지 이 과정을 반복한 뒤, 간을 다시 팬에 넣는다.

4. 불을 켜둔 상태에서 재빨리 양파를 다시 팬에 넣는다. 양파와 간을 한번 완전히 뒤집은 다음, 모든 내용물을 차림용 접시에 옮겨 바로 차려 낸다.

빵가루를 입힌 송아지 간

Breaded Calf's Liver

이탈리아식으로 얇게 썬 송아지 간을 조리하는 가장 바람직한 방법 중 하나는 빵가루를 입히는 것이다. 완벽하게 조리했을 때, 손상되기 쉬운 간의 수분을 유지해주고, 바삭한 겉면은 어린 간의 부드러움과 기분 좋은 대비를 이룬다. 6인분

송아지 간 675g, 옅은 분홍색의 질이 좋은 것으로 0.5cm 이하 두께로 썬다
마른 빵가루 ¾컵, 양념하지 않은 고운 것을 오븐이나 스킬렛에서 살짝 구워 준비
식물성기름 2큰술
버터 2큰술
소금
갓 갈아낸 검은 후추
레몬, 웨지 모양으로 썰어 식탁에 둔다

1. 간에 붙어 있는 얇고 질긴 막을 제거한다. 얇은 막은 익으면서 쪼그라들기 때문에, 간이 냄비 안에서 평평한 모양을 유지할 수 없게 한다. 연골 같은 커다란 흰색 관이 있다면 그것도 떼어낸다.
2. 커다란 소테팬에 기름과 버터를 넣고 중강불에 올린다. 얇게 썬 간을 빵가루 위에 올리고 손바닥으로 눌러가며 양면에 빵가루를 입히고, 여분의 가루는 털어낸다. 팬 가장자리에서 버터 거품이 생기자마자 팬 안에 미끄러트리듯 넣는다. 한 번에 겹치지 않고 꽉 차지 않게 넣는다.
3. 간의 한쪽 면이 갈색을 띠면서 바삭하게 익으면 뒤집어서 반대쪽도 동일하게 익힌다. 통틀어 1분 정도 걸릴 것이다. 한 번의 분량을 다 익히면 구멍 뚫린 국자나 뒤집개로 식힘망에 옮기거나 키친타월을 싼 접시 위에 놓아 기름을 뺀다. 소금과 후추를 뿌리고 다음 번 분량을 팬에 넣어 같은 과정을 반복해 얇게 썬 간을 전부 익힌다. 따뜻한 접시에 옮겨 담아 바로 차려 낸다.

대망막으로 감싸 그릴에 구운 송아지 또는 돼지 간

Grilled Calf's or Pork Liver Wrapped in Caul

대망막(caul)은 돼지 창자를 둘러싸고 있는 부드럽고 그물처럼 생긴 조직이다. 뜨거운 불 위에서 천천히 녹아 결국에는 거의 완전히 사라지는데, 고기에 천연 그대로 육즙을 발라주는 역할을 함으로써 고기가 건조해지는 것을 막는다. 대망막으로 싸서 그릴에 구운 간은 육즙과 단맛이 남다르다.

대망막은 신선한 돼지고기를 전문으로 취급하는 정육점에 있다. 값이 싸고 냉동 보관할 수 있으니 일단 발견하면 충분히 사두는 것이 좋다. 소분해서 냉동해 필요할 때 쉽게 쓸 수 있도록 준비한다.

6인분

대망막 450g 정도, 신선한 것이나 해동시킨 것
송아지 또는 돼지 간 675g, 두께 2.5cm, 길이 7.5cm, 폭 5cm 크기로 썬다
소금
갓 갈아낸 검은 후추
월계수잎 여러 장
단단한 이쑤시개
가급적 숯 그릴 또는 가스를 연료로 하는 용암석(lava rock grill) 그릴

1. 실내용 브로일러를 쓴다면 조리 15분 전에 미리 예열해둔다. 숯을 쓰는 그릴이라면 조리 전에 숯 표면이 하얗게 될 때까지 충분한 시간을 들여 불을 만든다.
2. 대망막이 부드러워지고 늘어지도록 따뜻한 물에 5분 정도 담가둔다. 물을 몇 번 갈아가며 헹군다. 마른 천 위에 놓고 조심스럽게 열어 펼친다. 가장 좋은 부분을 가로 13cm, 세로 18cm 크기의 사각형으로 자른다. 작은 조각은 굳이 크기를 맞추려고 애쓰지 마라.
3. 간의 껍질이나 튀어나온 관을 제거한다. 찬물에 씻어 천이나 키친타월로 가볍게 두드려 물기를 제거한다. 소금과 후추를 넉넉히 뿌린다. 각 조각 위에 월계수잎을 1장씩 놓고, 직사각형의 대망막 1장으로 간을 감싸고, 끝부분은 말아 넣는다. 이쑤시개로 간을 싼 대망막을 고정한다.
4. 간과 대망막 묶음을 브로일러 또는 그릴 위에 놓는다. 화력에 따라 2~3분 뒤에 뒤집고, 다른 면을 2분 더 익힌다. 간이 여전히 분홍빛이면서 안쪽이 촉촉할 때가 다 익은 것이다. 의심스러우면 하나를 골라 잘라서 살펴본다. 뜨거운 상태에서 바로 차려 내고, 손님이 직접 이쑤시개를 빼도록 둔다.

세이지와 화이트 와인을 곁들여 볶은 닭 간

Sautéed Chicken Livers with Sage and White Wine

6인분

닭 간 675g
버터 2큰술
양파 2큰술, 아주 잘게 다진다
생세이지잎 12장
달지 않은 화이트 와인 ⅓컵
소금
갓 갈아낸 검은 후추

1. 닭 간에 초록색 담즙이 있는지 주의 깊게 살펴 있으면 그 부위는 잘라낸다. 지방 덩어리도 제거하고, 찬물에 간을 씻은 뒤 천이나 키친타월로 가볍게 두드려 물기를 완전히 제거한다.
2. 버터와 양파를 스킬렛에 넣고 중불에 올린다. 양파가 살짝 노릇해질 때까지 저어가며 익힌다. 강불로 키워 세이지잎과 닭 간을 넣는다. 닭 간을 자주 뒤적이며 날것의 붉은 기가 없어질 때까지 1~2분 익힌다. 구멍 뚫린 국자나 뒤집개로 따뜻한 접시에 옮긴다.
3. 스킬렛에 와인을 붓고, 나무 주걱으로 팬의 바닥과 옆면에 붙은 조리 잔여물을 긁어가며 20~30초 팔팔 끓인다. 닭 간에서 흘러나와 접시에 고인 육즙을 팬에 더해 졸인다.
4. 닭 간을 재빨리 팬에 다시 넣어 한두 번 신속하게 뒤집는다. 소금과 후추를 넣어 다시 한번 뒤집은 뒤, 팬 안의 즙을 전부 따뜻한 접시에 옮겨 담아 바로 차려 낸다.

토마토와 완두콩을 곁들여 볶은 흉선

Sautéed Sweetbreads with Tomatoes and Peas

흉선은 한 입 거리라고 불리는데, 동물의 부위 중 가장 맛있는 이 부분에 대한 정확한 표현이다. 때로는 거칠고 힘줄이 많은 췌장이 흉선 행세를 하기도 하지만, 진짜배기는 역시 흉선이다. 이는 어린 동물의 목구멍과 가슴에 있는 분비기관으로, 성체가 되면 사라진다. 흉선은 '목구멍'과 '심장'에 있으며, 후자가 더 크고 모양이 일정하며 지방이 더 적기 때문에 선호되는 편이다. 그러나 '목구멍' 흉선도 훌륭하다.

이 레시피에서는 데친 흉선을 버터와 기름에 볶은 뒤 토마토와 완두콩과 함께 조리한다. 다양한 채소가 이 크림 같은 고기와 잘 어울리지만, 완두콩보다 더 알맞은 것은 없다. 완두콩이 가진 여린 맛과 단맛이 흉선의 맛과 자연스럽게 어우러지기 때문이다.

4~6인분

송아지 흉선 675g	양파 2½큰술, 잘게 썬다
당근 작은 것 1개, 껍질을 벗긴다	이탈리아산 플럼토마토 통조림 ⅔컵, 굵게 썰어서 즙과 함께 준비
셀러리 1대	완두콩 신선한 어린 콩으로 꼬투리째 900g 또는 작고 어린 냉동 완두콩 300g, 해동한다
와인 식초 1큰술	갓 갈아낸 검은 후추
소금	
버터 3큰술	
식물성기름 1큰술	

1. 흐르는 찬물 아래에서 흉선을 감싸고 있는 막을 최대한 많이 벗긴다. 약간의 인내심이 필요한데, 거의 전부 벗겨야 한다. 껍질을 벗긴 흉선을 찬물에 헹구고 건진다.
2. 흉선을 넣었을 때 잠길 정도로 충분한 물을 소스팬에 붓는다. 당근과 셀러리, 식초, 소금을 넣고 끓인다. 흉선을 넣고 불을 조절해 가장 천천히 뭉근하게 끓인다. 5분 뒤에 흉선을 꺼내, 여전히 따뜻하되 손으로 만질 수 있을 정도가 되면 남은 약간의 막을 떼어낸다. 식어서 굳으면, 2.5cm 정도 두께의 작은 한 입 크기로 썬다.

미리 준비한다면 ❀ 이 단계까지 하루 전에 미리 완성해둘 수 있는데, 흉선을 작게 자르기 전에 멈춘다. 주방용 랩으로 단단히 밀봉하거나 지퍼백에 넣어 냉장 보관한다. 냉장고에서 꺼내 차가운 상태에서 작게 썰되, 다음 단계를 진행하기 전까지 상온 상태가 되어야 한다.

3. 소테팬에 버터와 기름, 양파를 넣고 중불에 올려 양파가 살짝 노릇해질 때까지 저어가며 익힌 다음, 흉선을 넣는다. 모든 면이 밝은 갈색이 될 때까지 뒤집어가며 익힌다. 소금과 썰어놓은 토마토와 즙을 넣고 불을 조절해 아주 천천히 뭉근하게 끓인다.
4. 신선한 완두콩을 쓴다면 껍질을 벗기고 토마토를 뭉근하게 끓인 지 15분이 되었을 때 넣는다. 냉동 완두콩을 쓴다면 토마토를 뭉근하게 끓인 지 30분이 되었을 때 해동한 콩을 넣는다. 후추를 넣고 전체적으로 모든 재료를 고루 뒤적인다. 팬 뚜껑을 완전히 덮어 천천히, 계속 뭉근하게 끓인다. 신선한 콩이라면 부드러워질 때까지, 냉동 콩이라면 5분 정도다.

5. 팬 안의 모든 내용물을 따뜻한 접시에 옮겨 담아 바로 차려 낸다. 팬 안의 즙이 너무 묽으면 구멍 뚫린 국자나 뒤집개로 홍선만 옮겨 담고 팬 뚜껑을 연 채로 강불에서 재빨리 즙을 졸인 뒤, 팬 안의 모든 내용물을 홍선 위에 붓는다.

트레비소식으로 양파를 곁들인 어린 양 신장 볶음

Sautéed Lamb Kidneys with Onion, Treviso Style

트레비소의 요리사들은 관습에서 조금 벗어나 유달리 단순하고 가벼운 방법으로 신장을 조리한다. 신장을 양파와 기름에 볶기 전에 신장만 냄비 안에서 재빨리 데우는 것이다. 그들은 이 방법으로 톡 쏘는 맛이 나게 하는 액체를 추출하고 제거한다.

4인분

어린 양 신장 16개
와인 식초 ⅓컵
식물성기름 1큰술
버터 3큰술
양파 ½컵, 잘게 다진다
파슬리 3큰술, 아주 잘게 다진다
소금
갓 갈아낸 검은 후추

1. 신장을 반으로 갈라 찬물에 씻는다. 식초와 함께 볼에 담아 신장이 완전히 잠기도록 찬물을 충분히 붓는다. 최소 30분간 담가놓은 뒤 건진다.
2. 얇게 썬 버섯 갓과 비슷하게 신장을 아주 얇게 썬다. 썰다가 희끄무레한 심이 나오면, 둘러가며 얇게 썰고 심은 버린다.
3. 소테팬에 신장을 넣어 중불에 올린다. 날것의 빛깔을 잃고 회색빛을 띠게 되면서 짙은 붉은색 액체가 흘러나올 때까지 2분 정도 계속 저으면서 익힌다. 신장을 팬에서 꺼내고 액체는 전부 버린다. 신장을 콜랜더에 담아 세게 흐르는 찬물에 헹군다. 건져서 키친타월로 가볍게 두드려 물기를 완전히 제거한다.
4. 소테팬을 헹구고 닦아서 물기를 없앤다. 기름과 버터, 양파를 넣고 중불에 올린다. 양파가 살짝 노릇해질 때까지 저으면서 익힌다. 신장을 넣고 2~3번 저어 기름을 고루 입힌 다음 파슬리를 넣는다. 자주 저어가며 1~2분간 익힌다. 소금과 후추를 넣어 다시 젓고 신장을 완전히 뒤적인 뒤, 냄비 안의 모든 즙과 함께 따뜻한 접시에 옮겨 담아 바로 차려 낸다.

양파와 마늘, 화이트 와인을 곁들인 어린 양 신장 볶음

Sautéed Lamb Kidneys with Onion, Garlic, and White Wine

6인분

어린 양 신장 24개

와인 식초 ⅓컵

엑스트라버진 올리브유 ¼컵

양파 3큰술, 잘게 다진다

마늘 ½작은술, 아주 잘게 다진다

파슬리 3큰술, 아주 잘게 다진다

소금

갓 갈아낸 검은 후추

옥수수전분 ½작은술을 달지 않은 화이트 와인 ¾컵과 섞는다

1. 신장을 반으로 갈라 찬물에 씻는다. 식초와 함께 볼에 담아 신장이 완전히 잠기도록 찬물을 충분히 붓는다. 최소 30분간 담가놓은 뒤 건져서, 키친타월로 가볍게 두드려 물기를 완전히 제거한다.
2. 얇게 썬 버섯 갓과 비슷하게 신장을 아주 얇게 썬다. 썰다가 희끄무레한 심이 나오면, 둘러가며 얇게 썰고 심은 버린다.
3. 올리브유와 양파를 소테팬에 넣고 중강불에 올려 양파가 살짝 노릇해질 때까지 볶는다. 마늘을 넣는다. 재빨리 2~3번 젓고 파슬리를 넣어 한 번 저은 뒤, 신장을 넣는다. 잘 저어 신장에 기름을 고루 입히고, 소금과 후추를 넣어 다시 젓는다. 신장은 강불에서 재빨리 익혀야만 질겨지지 않는다. 날것의 붉은색이 가시자마자 구멍 뚫린 국자나 뒤집개로 따뜻한 접시에 옮겨 담는다.
4. 와인과 옥수수전분을 냄비에 넣고, 나무 주걱으로 냄비 바닥과 옆면에 붙은 조리 잔여물을 긁어가며 15~20초 팔팔 끓인다. 냄비 안의 즙이 되직해지기 시작하면, 신장에서 흘러나온 액체는 남기고 구멍 뚫린 국자나 뒤집개로 신장만 다시 팬 안에 넣는다. 즙이 고루 입혀지도록 한두 번 잘 뒤적인 다음, 팬 안의 모든 즙과 함께 따뜻한 접시에 옮겨 담아 바로 차려 낸다.

송아지 뇌 튀김

Fried Calf's Brains

이것은 이탈리아에서 뇌를 조리하는 가장 일반적인 방법이다. 처음에는 뇌를 채소와 함께 데치고, 식으면 얇게 썰어 달걀과 빵가루 반죽을 입혀 튀긴다. 튀김은 뇌의 섬세한 질감을 두드러지게 한다. 씹으면 얇고 바삭한 황금빛 튀김옷이 느껴지면서, 맛있고 부드러운 속이 나온다.

4인분

송아지 뇌 한 덩이, 약 450g
당근 중간 크기 1개, 껍질을 벗긴다
양파 ½개, 껍질을 벗긴다
셀러리 ½대
와인 식초 1큰술
소금
달걀 1개
마른 빵가루 ¾컵, 양념하지 않은 고운 것을 오븐이나 스킬렛에서 살짝 구워 접시 위에 펼친다
레몬, 웨지 모양으로 썰어 식탁에 놓을 것

1. 송아지 뇌를 흐르는 찬물 아래에서 꼼꼼하게 씻은 뒤 찬물이 담긴 볼 안에 10분간 담가둔다. 건져서 노출된 혈관과 함께 뇌 표면의 막을 인내심을 가지고 가능한 한 많이 제거한다.
2. 소스팬에 당근, 양파, 셀러리, 식초와 소금 1작은술을 물 6컵과 함께 넣고 끓인다. 송아지 뇌를 넣고 물이 다시 끓어오르면 불을 조절해 아주 천천히 뭉근하게 냄비 뚜껑을 연 상태로 끓인다.
3. 20분이 지나면 뇌를 건지고 완전히 식힌다. 차가워지면 주방용 랩으로 감싸 아주 단단하게 굳을 때까지 냉장고에 15분간 넣어둔다.

미리 준비한다면 ♦ 여기까지 송아지 뇌를 튀기기 몇 시간 전에 미리 준비해둘 수 있다. 또한 튀김의 대안으로 452쪽의 데친 뇌 요리를 참고하라.

4. 깊이가 있는 접시 또는 작은 볼에 달걀을 넣고, 소금 1작은술과 함께 포크나 거품기로 가볍게 풀어준다.
5. 뇌가 식어 꽤 단단해지면 1cm 정도 두께로 썬다. 썬 뇌를 달걀 푼 것에 담갔다가 들어 달걀물이 다시 접시나 볼에 떨어지게 한 다음, 겉면에 모두 빵가루를 고루 입힌다.
6. 스킬렛에 높이가 0.5cm 정도 차오르도록 식물성기름을 넉넉히 붓고 강불에 올린다. 기름이 아주 뜨거워지면 뇌 조각을 미끄러트리듯 팬에 넣되, 한 번에 꽉 들어차지 않을 정도만 넣는다. 먹음직스러운 황금빛으로 바삭하게 한쪽

면이 익으면 뒤집어서 다른 쪽도 익힌다. 식힘망에 옮겨 기름을 빼거나 키친 타월을 깐 접시 위에 놓는다. 전부 익힐 때까지 남은 조각들도 이 과정을 반복한다. 웨지 모양의 레몬을 곁들여 바로 차려 낸다.

올리브유와 레몬즙을 곁들인 데친 뇌 요리

Poached Brains with Olive Oil and Lemon Juice Variation

올리브와 레몬이라는 진정한 지중해의 과실은 데친 뇌에 매력적인 향을 입힌다. 앞에서 설명한 대로 데친 뇌를 건져서 어느 정도 식게 둔다. 냉장고에 넣지는 마라. 뇌가 상온보다 약간 더 따뜻할 때 얇게 썰어 엑스트라버진 올리브유와 갓 짜낸 레몬즙을 뿌린다. 소금과 거칠게 간 검은 후추를 뿌리고 바로 차려 낸다.

바치나라식 소꼬리

Oxtail, Vaccinara Style

바치나리(vaccinari)는 옛 로마어로 정육업자를 뜻하며, 그들이 자기네가 먹으려고 만든 이 소꼬리 요리는 알라 바치나라(alla vaccinara), 즉 정육업자의 방식으로 알려져 있다. 그들이 소꼬리를 선호한 것은 놀랍지 않다. 단순히 저렴한 부위였기 때문만이 아니라, 뼈 옆에 붙은 고기가 가장 맛있다는 속설을 입증하는 것이기도 하다.

참고 ✿ 전통 레시피의 재료엔 돼지 볼에 붙은 껍데기가 포함된다. 이는 요리의 바탕이 되는 풍미뿐 아니라 구성을 다채롭게 하지만 절대적으로 필요한 것은 아니므로, 구할 수 없다면 소꼬리 요리 만들기를 포기하기보다는 그 재료를 생략하는 쪽을 택하라. 또한 이와 관련해 116쪽의 사우어크라우트 콩 수프 레시피 앞쪽의 설명을 보라.

4~6인분

선택 사항: 신선한 돼지 항정살 또는 족발 또는 정강이 부위 115g(앞의 설명 참고)
엑스트라버진 올리브유 ¼컵과 라드 또는 햄 지방 또는 올리브유 추가로 1큰술
파슬리 ¼컵, 잘게 썬다
마늘 ½작은술, 잘게 썬다
양파 ⅔컵, 잘게 썬다
당근 ⅔컵, 잘게 썬다
소꼬리 1125g(냉동이라면 해동해서), 각 관절마다 끊는다
달지 않은 화이트 와인 1½컵
이탈리아산 플럼토마토 통조림 ½컵, 건더기만 아주 굵게 썬다
소금
갓 갈아낸 검은 후추
셀러리 1½컵, 아주 굵게 썬다

1. 신선한 항정살 또는 다른 돼지껍데기를 쓴다면: 수프용 냄비에 돼지껍데기를 1L정도의 물과 함께 넣고 끓인다. 5분간 끓이고 건져서 익혔던 물은 버리고 껍데기를 2~2.5cm 폭의 막대형으로 썬다. 껍데기가 질기더라도 개의치마라. 조리하는 과정에서 부드러워져 크림 같은 질감이 될 것이다.
   신선한 돼지족발 또는 돼지 정강이 부위를 쓴다면: 돼지고기를 수프용 냄비에 넣고 물을 충분히 부어 고기 위로 5cm 정도 차오르게 해, 뚜껑을 덮고 물이 보글거리며 천천히 끓도록 불을 조절해 1시간 동안 꾸준히 익힌다.
   돼지고기를 냄비에서 꺼내고 뼈를 발라 1cm 정도의 막대형으로 썬다.
2. 모든 재료를 넣을 수 있는 바닥이 두껍거나 법랑이 입혀진 무쇠냄비를 고른다. 올리브유, 라드 또는 햄 지방 중 선택한 것을 넣고, 파슬리, 마늘, 양파와 당근도 넣어 중불에 올린다. 자주 저어가며 10분간 익힌다.
3. 중강불로 키우고 소꼬리와 돼지고기를 넣는다. 소꼬리 조각의 모든 면이 갈색이 되도록 뒤집어가며 굽는다. 와인을 붓고 20~30초 팔팔 끓인 뒤 썰어둔 토마토와 물 1컵, 소금과 후추를 넣는다. 모든 재료가 잘 섞이도록 뒤적인다. 냄비 뚜껑을 비스듬하게 덮고, 소꼬리를 20분마다 뒤집어가며 1시간 반 동안 계속 뭉근하게 끓인다.

참고 ❁ 오븐을 쓰고 싶다면 토마토를 넣고 뭉근하게 끓인 뒤에 180°C로 예열한 오븐에 넣는다.

4. 고기를 익힌 지 1시간 반 정도 지나, 썰어둔 셀러리를 넣고 다른 재료와 함께 골고루 젓는다. (오븐으로 익힌다면 냄비를 오븐으로 다시 넣는다.) 포크로 찔러 고기가 아주 부드럽게 느껴지고 뼈가 쉽게 떨어져 나올 때까지 45분간 또는 그 이상 더 익힌다. 익히는 동안 소꼬리 조각들을 이따금 뒤집어준다.

5. 냄비를 기울여 가능한 한 많은 기름을 걷어내고, 소꼬리를 냄비의 모든 내용물과 함께 따뜻한 접시에 옮겨 담아 바로 차려 낸다.

미리 준비한다면 ❀ 이 요리는 몇 시간 또는 2~3일 전에 미리 완성해둘 수 있다. 냄비 뚜껑을 덮어 고기가 속까지 아주 따뜻해지도록 스토브 위에서 천천히 다시 데운다. 차가운 소꼬리는 별로 매력적이지 않다. 고기가 남으면 즙과 함께 파스타 소스로 활용할 수 있다.

파르메산 치즈를 곁들인 벌집양

Honeycomb Tripe with Parmesan Cheese

한때 양(胖)은 전문 식당이 있을 정도로 꽤나 대중적이었다. 양이 이처럼 드문 재료가 된 것은 요즘 사람들이 그것을 어떻게 손질하는지 알지 못하기 때문일 터이다. 어떻게 하는지 안다면, 양은 그 어떤 값비싼 고기 부위도 필적할 수 없는 육즙을 듬뿍 머금은 부드러움과 식욕을 돋우는 향으로 보답할 것이다.

다행히도, 우리는 더 이상 24시간에 걸쳐 양을 미리 불리고 문지르고 데치는 과정을 겪을 필요가 없어졌다. 이제는 신선한 것이든 냉동된 것이든, 정육 코너에서 손질된 양을 쉽게 구할 수 있다.

6인분

벌집양 900g, 손질된 것으로 냉동이라면 해동한다
버터 3큰술
식물성기름 ⅓컵
양파 ½컵, 잘게 다진다
셀러리 ½컵, 잘게 다진다
당근 ½컵, 잘게 다진다
마늘 중간 크기 2쪽, 칼 손잡이로 살짝 으깨 껍질을 벗긴다
파슬리 1큰술, 잘게 썬다
로즈마리잎, 신선한 것은 1작은술, 말린 것은 ½작은술, 잘게 썬다
달지 않은 화이트 와인 1컵
매운 붉은색 고추, 잘게 썰어서 기호에 맞게 준비
갓 갈아낸 검은 후추
소금
고기육수, 25쪽 설명대로 직접 만든 것으로는 1컵 또는 통조림 소고기육수 ½컵에 물 ½컵을 탄다
갓 갈아낸 파르미자노 레자노 치즈 ¾컵
이탈리아산 플럼토마토 통조림, 잘라서 즙과 함께 준비 또는 잘 익은 단단하고 신선한 토마토, 껍질을 벗기고 썰어서 1컵

1. 양을 흐르는 찬물 아래에서 아주 꼼꼼하게 씻은 뒤, 건져서 폭 1cm 정도, 길이는 7.5cm보다 길지 않은 막대형으로 썬다.
2. 나중에 모든 재료를 넣을 수 있는 법랑이 입혀진 무쇠냄비 또는 다른 바닥이 두꺼운 냄비를 고른다. 버터 1큰술, 기름 전량과 잘게 썬 양파를 넣고 중불에 올린다. 양파가 살짝 노릇해질 때까지 저으면서 익힌 다음, 잘게 썬 셀러리와 당근을 넣고 기름이 고루 입혀지도록 저으며 1분 정도 익힌다.
3. 마늘, 파슬리와 로즈마리를 넣고 한두 번 저으면서 1분 더 익히고, 썰어놓은 양을 더해 뒤적이며 기름을 고루 입힌다. 한두 번 저으며 5분 정도 익힌 뒤 와인을 붓는다. 와인을 20~30초 팔팔 끓이고, 토마토와 즙, 매운 고추, 검은 후추, 소금 그리고 육수를 넣어 모든 재료를 완전히 뒤적이며 냄비 안의 액체를 천천히 끓인다.
4. 냄비 뚜껑을 덮어 2시간 반 정도 익힌다. 양이 포크로 쉽게 잘릴 만큼 부드러우면서도 맛을 봤을 때 기분 좋은 쫀득한 식감이어야 한다. 불을 조절해 천천히 계속 끓는 상태를 유지한다. 양을 익히는 동안 한 번씩 냄비 안의 수분을 확인한다. 부족하면 물을 2~3큰술 보충한다. 반면에 너무 옅거나 묽으면 뚜껑을 비스듬하게 덮어서 계속 끓인다.
5. 양이 아주 부드러워지면 따뜻한 볼에 옮긴다. 냄비 안의 즙이 너무 묽으면, 양을 옮겨 담은 뒤 강불로 키워 적절한 농도가 되도록 졸인다. 냄비 안의 내용물을 양에 붓고 남은 버터와 파르메산 간 것을 둘러 바로 차려 낸다.

미리 준비한다면 ❀ 긴 조리 시간을 고려하면 다행스럽게도, 양은 익힌 지 하루가 지나면 더 맛있어진다. 며칠 전에 미리 준비해둘 수 있으며 밀폐용기에 담아 냉장 보관한다. 차려 내기 전에, 냄비 뚜껑을 비스듬하게 덮고, 양이 다시 뜨거워질 때까지 스토브 위에서 데운다. 조리에 필요한 수분이 부족한 것 같으면 물을 2~3큰술 넣는다. 식탁에 내기 직전에 신선한 버터와 간 파르메산을 두른다.

콩을 곁들인 벌집양 요리 *Tripe with Beans Variation*

6인분

앞의 양 레시피 재료에 추가한다:

크랜베리빈, 신선한 것으로 꼬투리까지 675g 또는 마른 크랜베리빈이나 흰색 카넬리니빈 ¾컵,	23쪽 설명대로 불리고 삶아서 준비 또는 통조림에 든 크랜베리빈이나 흰색 카넬리니빈 물기를 빼고 2¼컵

1. 신선한 콩을 쓴다면: 껍질을 벗기고 찬물에 씻어 냄비에 넣고, 그 위로 4cm 높이로 물이 차오르도록 충분히 붓는다. 소금은 넣지 마라. 냄비 뚜껑을 덮고 아주 천천히 끓인다. 콩이 아주 신선하다면 45분 정도, 그렇지 않다면 1시간 반 정도 걸릴 것이다. 맛을 보고 정확히 판단한다. 완전히 부드러워지면 불을 끄고 냄비 뚜껑을 덮은 채 익힌 물 안에 그대로 둔다. 양을 익히기 시작할 때 콩을 삶기 시작하면 된다.
   마른 콩을 익혀서 쓴다면: 익힌 물 안에서 그대로 한편에 두었다가 다음 단계를 진행한다.
   통조림 콩을 쓴다면: 다음 단계를 진행한다.
2. 앞의 레시피에 적힌 대로 양을 익히고, 버터와 치즈 간 것을 두르는 단계에서 잠시 멈춘다.
3. 완전히 익은 양을 냄비 안에 둔 상태에서 콩을 넣는다. 신선한 콩이나 마른 콩을 쓴다면 콩을 익힌 물 ½컵을 함께 넣는다. 통조림 콩을 건져서 쓴다면 물 ¼컵을 넣는다. 뚜껑을 비스듬하게 덮어 스토브 위에 냄비를 둔 채로, 이따금 전체적으로 뒤적여가며 뭉근하게 10분 동안 끓인다.
4. 앞의 레시피대로 남은 버터 2큰술과 간 파르메산을 두르고 따뜻한 볼에 옮겨 담아 바로 차려 낸다.

미리 준비한다면 455쪽 양 레시피에 덧붙인 설명이 여기에도 적용된다. 신선한 버터와 치즈 간 것은 데운 뒤 차려 내기 직전에 두른다.

채 소

VEGETABLES

아티초크 완두콩 조림

Braised Artichokes and Peas

4~6인분

아티초크 큰 것 2개 또는 중간 크기 3~4개
레몬 ½개
잘게 썬 양파 2큰술
엑스트라버진 올리브유 3큰술
아주 잘게 다진 마늘 ½작은술
완두콩 신선한 것은 꼬투리째 900g 또는 냉동 완두콩 300g, 해동한다
잘게 썬 파슬리 1큰술
소금
갓 갈아낸 검은 후추

1. 67~69쪽의 자세한 설명을 따라 아티초크의 거친 부분을 전부 다듬는다. 작업이 끝나자마자 자른 아티초크를 레몬으로 문질러 갈변되는 것을 막는다.
2. 손질한 아티초크를 각각 세로로 4등분한다. 부드럽고 꼬불꼬불하며 끝에 가시가 있는 아래쪽의 이파리를 떼고, 안쪽의 보송보송한 '초크'를 잘라낸다.

   줄기를 떼어내되 버리지 않는다. 적절히 손질만 하면 안쪽 심은 맛이 좋기 때문이다. 짙은 초록색 껍질을 깎아내 옅은 색의 부드러운 심이 나오게 한 뒤, 세로로 2등분하거나 아주 두껍다면 4등분한다.

   4등분한 아티초크를 세로로 길게 웨지 모양으로 써는데, 가장 넓은 부분의 두께가 2.5cm 정도 되게 한다. 레몬즙을 짜서 절단면에 전체적으로 발라 변색되는 것을 막는다.
3. 모든 재료가 충분히 들어갈 만큼 크고 바닥이 두껍거나 법랑이 입혀진 무쇠 냄비를 골라 잘게 썬 양파와 올리브유를 넣어 중강불에 올리고 양파가 아주 살짝 노릇해질 때까지 저어가며 익힌 뒤, 마늘을 넣는다. 마늘이 옅은 황금색이 될 때까지 익힌 다음, 웨지 모양 아티초크와 물 ⅓컵을 더하고 불을 조절해 뚜껑을 완전히 덮은 채 꾸준히 뭉근하게 끓인다.
4. 신선한 완두콩을 쓴다면: 껍질을 벗기고, 103쪽 설명대로 안쪽 막을 벗겨 함께

익힐 꼬투리를 약간 준비한다. 꼬투리 전부나 대부분을 쓸 필요는 없지만 인내심이 허락하는 한 많이 준비한다(꼬투리는 콩과 요리 전체의 단맛을 끌어올리지만, 사용 여부는 선택 사항이므로 싫으면 생략한다).

5. 아티초크를 익힌 지 10분이 되면 껍질을 벗긴 콩과 선택 사항인 꼬투리, 잘게 썬 파슬리, 소금, 후추를 넣고, 냄비의 수분이 부족하면 물을 ¼컵 붓는다. 콩에 기름이 고루 입혀지도록 뒤적인다. 다시 뚜껑을 꽉 덮고 포크로 아티초크의 가장 두꺼운 부분을 찔러 아주 부드러울 때까지 계속 익힌다. 맛을 보고 소금으로 간한다. 콩도 맛을 보고 완전히 익었는지 확인한다. 아티초크와 완두콩을 익히는 동안 수분이 충분치 않으면 물을 2~3큰술 더한다.
   냉동 완두콩을 쓴다면: 아티초크가 부드러워졌거나 거의 다 부드러워진 마지막 단계에서 해동한 콩을 넣고 골고루 뒤적여 아티초크와 함께 5분간 익힌다.
6. 두 가지 채소가 모두 완전히 익었을 때 냄비의 즙을 확인해 묽어 보이면 뚜껑을 열고 불을 강불로 키워 재빨리 졸인다.

미리 준비한다면 ❀ 요리를 차려 낼 당일에는 언제든 미리 만들어도 된다. 맛이 변할 수 있으므로 냉장고에는 넣지 않는다. 필요에 따라 물을 1큰술 넣고 뚜껑을 덮어 약불로 다시 데운다.

아티초크 리크 조림

Braised Artichokes and Leeks

6인분

아티초크 큰 것 3개 또는 중간 크기 5~6개
레몬 ½개
리크 두께 4.5cm의 큰 것 4대 또는 그보다 작은 것 6대
엑스트라버진 올리브유 ¼컵
소금
갓 갈아낸 검은 후추

1. 457쪽 설명대로 다듬은 아티초크를 두께 2.5cm 정도의 웨지 모양으로 썰고 줄기는 껍질을 벗겨 쪼갠다. 손질이 끝나면 썬 아티초크를 레몬으로 문질러 갈변되는 것을 막는다.
2. 리크의 뿌리와 시든 잎을 잘라내고, 맨 위 초록색 부분도 2.5cm 정도 잘라 버린다. 리크를 세로로 길게 2등분한 뒤 5~7.5cm 길이로 썬다.

3. 모든 재료가 충분히 들어갈 만큼 크고 바닥이 두껍거나 법랑이 입혀진 무쇠 냄비를 고른다. 리크, 올리브유를 넣고 냄비에 2.5cm 정도 높이로 물을 넉넉히 붓는다. 중불에 올려 뚜껑을 완전히 덮고 리크가 부드러워질 때까지 꾸준히 뭉근하게 끓인다.
4. 웨지 모양 아티초크, 소금, 후추를 넣고 필요하다면 물을 2~3큰술 넣는다. 다시 뚜껑을 덮고 포크로 아티초크의 가장 두꺼운 부분을 찔러 부드러울 때까지 30분 또는 그 이상 익히는데, 그 시간은 전적으로 아티초크 상태에 달려 있다. 아티초크를 익히는 동안 수분이 충분치 않으면 물 2~3큰술을 추가한다. 다 익으면 맛을 보고 소금으로 간을 맞춘다. 아티초크가 익었을 때 냄비의 즙이 묽어 보이면 뚜껑을 열어 강불로 키우고 재빨리 졸인다.

미리 준비한다면 458쪽 아티초크 완두콩 조림과 같다.

아티초크 감자 조림

Braised Artichokes and Potatoes

4~6인분

아티초크 큰 것 2개
레몬 ½개
감자 450g
굵게 다진 양파 ⅓컵
엑스트라버진 올리브유 ¼컵
아주 잘게 다진 마늘 ¼작은술
소금
갓 갈아낸 검은 후추
잘게 썬 파슬리 1큰술

1. 457쪽 설명대로 다듬은 아티초크를 두께 2.5cm 정도의 웨지 모양으로 썰고 줄기는 껍질을 벗겨 쪼갠다. 손질이 끝나면 썬 아티초크를 레몬으로 문질러 갈변되는 것을 막는다.
2. 감자는 껍질을 벗기고 찬물에 씻어, 가장 넓은 쪽의 폭이 1.5cm 정도 되도록 작은 웨지 모양으로 썬다.
3. 모든 재료가 충분히 들어갈 만큼 크고 바닥이 두껍거나 법랑이 입혀진 무쇠 냄비를 골라, 양파와 올리브유를 넣고 중강불에 올린다. 양파가 투명해질 때까지 저으면서 익히되 색이 변하면 안 된다. 그다음에 마늘을 넣는다. 마늘이 살짝 노릇해질 때까지 익힌 뒤 감자, 웨지 모양 아티초크와 줄기, 소금, 후추, 파슬리를 더하고 모든 재료를 2~3번 뒤적여 충분히 오래 익힌다.

4. 물 ¼컵을 부은 후 뭉근하게 끓도록 불을 조절하고 뚜껑을 꽉 덮는다. 포크로 찔러 부드러울 때까지 감자와 아티초크 모두를 40분 정도 익히는데, 그 시간은 감자의 상태에 따라 달라진다. 익히는 동안 냄비에 수분이 충분치 않으면 물 2~3큰술을 추가한다. 차려 내기 전에 맛을 보고 소금으로 간을 맞춘다.

미리 준비한다면 458쪽 아티초크 완두콩 조림과 같다.

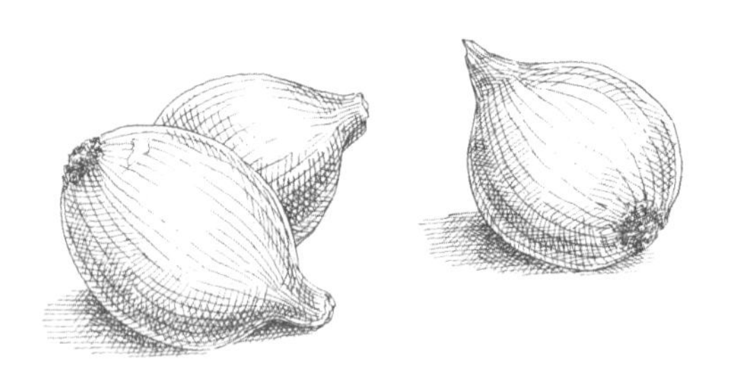

라 프리테다—팔레르모식 펜넬을 곁들인 아티초크, 누에콩, 완두콩 찜

La Frittedda—Smothered Artichokes, Fava Beans, and Peas with Fennel, Palermo Style

4~5월 사이 봄철의 딱 6주간 시칠리아 사람들은 프리테다를 만들기에 적합한 어린 채소들을 구한다. 갓 수확한 아티초크, 누에콩, 완두콩의 신선함은 이 궁극의 요리에 가장 적합한 주연들이다. 나는 팔레르모에서 프리테다를 만드는 과정을 본 적이 있는데, 채소들이 무척이나 연해서 익히는 데 걸리는 시간이 냄비에 넣고 저어서 섞는 잠깐 수준이었다.

채소를 직접 재배하거나 좋은 농산물 직판장에 갈 수만 있다면, 이 요리가 지닌 부드러운 시칠리아의 맛에 매우 근접할 수 있다. 그러나 평범한 채소 가게를 이용할 수밖에 없다 할지라도, 필요한 채소가 가장 어린 시기에만 이 요리를 하거나 아래 제시된 절충안을 따르거나 하면 시도해볼 가치가 충분한 마법 같은 프리테다가 완성될 것이다.

다른 여러 시칠리아 요리에서처럼, 신선한 야생 펜넬의 향은 이 조리 과정에서 큰 비중을 차지한다. 이 허브를 구할 수 없다면 신선한 딜(dill)을 쓰거나, 단골 채소 가게에 대개 잘라 버리는 피노키오의 잎이 난 윗부분을 부탁해볼 수 있다.

6인분

아티초크 중간 크기 3개 또는 작은 것 5개, 검은 점이나 다른 변색이 없는 아주 신선한 것으로 준비
레몬 ½개
엑스트라버진 올리브유 3큰술
누에콩 900g, 크기가 작고 신선하고 알이 작은 것으로 꼬투리째 900g 또는 '초록색 누에콩' 통조림 건더기만 건져서 285g
소금
완두콩 신선하고 알이 작은 것으로 꼬투리째 450g 또는 냉동 완두콩 질 좋고 알이 작은 것으로 150g, 해동한다
야생 펜넬 신선한 것으로 1컵 또는 피노키오 맨 위 이파리 부분 1½컵 또는 신선한 딜 ⅔컵
생양파 1½컵, 단맛 있는 품종을 아주 얇게 썬다(아래 참고 사항을 확인할 것)

참고 ❁ 선택 가능한 양파 중에 가장 단 품종을 쓴다. 비데일리아(Vidalia), 마우이(Maui), 버뮤다(Bermuda) 등이 있는데, 이 가운데 어떤 것도 구할 수 없다면 얇게 썬 노란 양파를 찬물을 몇 번 갈아가며 30분 동안 물에 담가두는데, 물을 갈 때마다 손으로 부드럽게 짠다. 쓰기 전에 건진다.

1. 457쪽 설명대로 다듬은 아티초크를 두께 1cm 정도의 웨지 모양으로 썰되, 다듬은 줄기는 쪼개지 않는다. 손질이 끝나면 썬 아티초크를 레몬으로 문질러 갈변되는 것을 막는다.
2. 신선한 누에콩을 쓴다면 껍질을 벗기고 꼬투리를 제거한다.
3. 신선한 완두콩을 쓴다면 껍질을 벗기고 103쪽 설명대로 안쪽의 얇은 막을 벗긴 꼬투리를 일부 준비한다. 꼬투리 전부나 대부분을 쓸 필요는 없지만, 많이 준비할수록 프리테다의 맛은 더 달아진다.
4. 야생 펜넬 또는 피노키오 윗부분 또는 딜을 찬물에 씻은 뒤 큼직하게 썬다.
5. 모든 재료가 충분히 들어갈 만큼 크고 바닥이 두껍거나 법랑이 입혀진 무쇠 냄비를 골라, 얇게 썬 양파와 올리브유를 넣고 중약불에 올린다. 양파가 부드럽고 투명해질 때까지 익힌다.
6. 야생 펜넬 또는 피노키오 윗부분 또는 딜과 웨지 모양 아티초크와 줄기를 넣고 고루 저어 기름을 잘 입히고 뚜껑을 꽉 닫는다. 5분 뒤에 아티초크를 확인한다. 적당한 상태라면 촉촉하고 윤기가 나 보일 것이고, 기름과 양파, 펜넬에서 나온 증기가 아티초크를 계속 익히기에 충분할 것이다. 그러나 물기가 부족해 보이면 물 3큰술을 추가한다. 맛을 크게 해치지는 않으므로 확신이 없어도 물을 추가한다. 냄비를 확인할 때를 제외하면 뚜껑은 단단히 덮어둔다.
7. 신선한 누에콩과 완두콩을 쓴다면: 아티초크가 반 정도 익었을 때 콩을 넣는

데, 아주 어리고 신선하다면 15분 정도 걸린다. 냄비의 수분이 콩을 익히기에 충분한지 불확실하다면 물 2~3큰술을 더한다. 모든 재료를 고루 잘 뒤적인다.
신선한 누에콩과 냉동 완두콩을 쓴다면: 누에콩이 아주 작다면 그 콩을 먼저 넣고 10분간, 그보다 크다면 15~20분간 익힌 뒤, 해동한 완두콩을 넣고 아티초크와 누에콩이 모두 부드러워질 때까지 5분 더 익힌다.
신선한 완두콩과 통조림 누에콩을 쓴다면: 아티초크가 반 정도 익었을 때 완두콩과 손질한 꼬투리를 넣는다. 완두콩과 아티초크가 모두 부드러워질 때까지 익힌다. 필요하면 물을 2~3큰술 추가한 뒤, '초록색 누에콩' 통조림 건더기를 넣고 5분 더 익힌다.
냉동 완두콩과 통조림 누에콩을 쓴다면: 포크로 찔러 아티초크가 이제 막 부드럽게 익은 시점에 해동한 완두콩과 통조림에서 건진 누에콩을 동시에 추가한다. 5분 더 익힌다.

8. 내기 전에 맛을 보고 소금으로 간한다. 식탁에 차리기 전, 열기가 올라오면서 풍미가 도드라지도록 프리테다를 몇 분간 그대로 두되, 차갑게 식지는 않게 한다. 가능하면 다시 데우지 않고 완성되었을 때 낼 수 있게 준비한다.

바삭하게 튀긴 아티초크 웨지

Crisp-Fried Artichoke Wedges

냉동 채소를 쓰는 데 너무 거부감을 느낄 필요가 없음을 보여주는 한 가지 사례다. 냉동 아티초크 하트는 잘 튀겨질뿐더러, 그 부드러운 속과, 바삭한 달걀과 빵가루 껍질 사이의 대비가 꽤나 매력적이다. 신선한 아티초크를 그냥 지나쳐도 된다는 말은 아니다. 특히 아주 어리고 부드러운 아티초크라면 말이다. 4~6인분

아티초크 중간 크기 3개 또는 냉동 아티초크 하트 300g, 해동한다
신선한 아티초크를 쓴다면: 레몬 ½개와 갓 짠 신선한 레몬즙 1큰술
달걀 1개
마른 빵가루 1컵, 양념 안 된 고운 것을 접시 위에 펼친다
식물성기름
소금

1. 신선한 아티초크를 쓴다면: 457쪽 설명대로 다듬은 아티초크를 두께 2.5cm 정도의 웨지 모양으로 썰고 줄기는 껍질을 벗겨 쪼갠다. 손질이 끝나면 썬 아티초크를 레몬으로 문질러 갈변되는 것을 막는다.

물 3L를 끓인다. 아티초크와 함께 레몬즙 1큰술을 넣고, 물이 다시 끓어오른 뒤 5분 또는 그 이상 익힌다. 아티초크의 부드러우면서 가장 두꺼운 부분을 포크로 찔렀을 때 어느 정도 단단함이 느껴져야 한다. 건져서 식히고 가볍게 두드려 물기를 제거한다.

냉동 아티초크를 쓴다면: 해동한 후, 통아티초크라면 반으로 갈라 키친타월로 가볍게 두드려 물기를 완전히 제거한다.

2. 작은 볼이나 깊이가 있는 작은 접시에 달걀을 가볍게 푼다.
3. 아티초크를 달걀에 담갔다가 꺼내 여분의 계란물이 다시 볼에 떨어지도록 잠시 기다린 뒤, 빵가루가 고루 입혀지도록 굴린다.

미리 준비한다면 ❀ 이 단계까지 몇 시간 전에 미리 완성해둘 수 있다. 다만 빵가루를 입힌 채소를 냉장고에 넣었다면, 완전히 상온 상태가 되도록 충분한 시간을 두고 꺼내놓는다.

4. 스킬렛에 1.5cm 정도 높이로 기름을 넉넉히 붓고 중강불에 올린다. 기름이 충분히 뜨거워져 연기가 살짝 올라오면 빵가루를 입힌 아티초크를 스킬렛 안으로 미끄러트리듯 넣는다. 한쪽 면이 충분히 바삭하게 튀겨지면, 뒤집어서 다른 쪽도 튀긴다. 아티초크 전부를 한 번에 팬에 여유 있게 넣을 수 없다면, 2번 이상 나눠서 튀긴다. 각 분량을 다 튀기면 구멍 뚫린 국자나 뒤집개로 식힘망에 옮겨 기름을 빼거나 키친타월을 깐 접시에 놓는다. 전부 다 튀기면 소금을 뿌려 바로 차려 낸다.

아티초크 그라탱

Gratin of Artichokes

4인분

아티초크 큰 것 4개 또는 중간 크기 6개
레몬 ½개
갓 짠 신선한 레몬즙 1큰술
식탁에 차려 낼 오븐용 그릇
버터, 접시에 바르고 듬성듬성 올릴 양
소금
갓 갈아낸 파르미자노 레자노 치즈 ½컵

1. 457쪽 설명대로 다듬은 아티초크를 두께 2.5cm 정도의 웨지 모양으로 썰고 줄기는 껍질을 벗겨 쪼갠다. 손질이 끝나면 썬 아티초크를 레몬으로 문질러 갈변되는 것을 막는다.

2. 오븐을 190°C로 예열한다.
3. 물 3L를 끓인다. 아티초크와 함께 레몬즙 1큰술을 넣고, 물이 다시 끓어오른 뒤 5분 또는 그 이상 익힌다. 아티초크의 부드러우면서도 가장 두꺼운 부분을 포크로 찔렀을 때 어느 정도 단단함이 느껴져야 한다. 건져서 식힌다.
4. 웨지 모양 아티초크를 세로로 아주 얇게 썬다.
5. 오븐용 그릇 바닥에 버터를 문질러 바르고 얇게 썬 아티초크와 줄기를 한 층으로 깐다. 소금과 파르메산 간 것을 뿌리고 버터를 듬성듬성 올린다. 준비된 양을 모두 쓸 때까지 아티초크 층을 쌓으며 과정을 반복한다. 맨 위층에는 치즈 간 것을 넉넉히 뿌리고 버터도 듬성듬성 올린다.
6. 예열한 오븐의 상단에 넣고 윗부분에 얇고 바삭한 껍질이 생길 때까지 15~20분간 굽는다. 몇 분간 그대로 두었다가 차려 낸다.

감자와 양파를 곁들인 아티초크 그라탱

Gratin of Artichokes, Potatoes, and Onions

아티초크를 얇게 썬 생감자, 볶은 양파와 함께 오븐에 넣기 전에 완전히 익힌다. 감자가 익는 동안 얇게 썬 아티초크가 아주 부드러워져, 어느 정도 무너진 질감으로 풍미를 더욱 풍부하게 느낄 수 있다.

6인분

아티초크 큰 것 2개 또는 중간 크기 4개
레몬 1개, 반으로 자른다
버터 2큰술과 오븐용 그릇에 듬성듬성 올릴 양을 추가로 준비
얇게 썬 양파 1컵
소금
감자 중간 크기 3개, 껍질을 벗겨 감자칩 두께로 얇게 썬다
식탁에 차려 낼 오븐용 그릇
갓 갈아낸 검은 후추
갓 갈아낸 파르미자노 레자노 치즈 ½컵

1. 457쪽 설명대로 다듬은 아티초크를 두께 2.5cm 정도의 웨지 모양으로 썰고 줄기는 껍질을 벗겨 쪼갠다. 자른 단면을 레몬 ½개의 즙으로 바로 촉촉하게 적신다. 웨지 모양 아티초크와 줄기를 볼에 담아 재료가 충분히 잠기도록 찬물을 붓고 나머지 레몬 ½개의 즙을 짜 넣는다. 저어서 한편에 둔다.
2. 모든 재료가 충분히 들어가는 큰 소테팬을 골라 버터 2큰술과 양파를 넣고 중불에 올린다. 느린 속도로 양파를 이따금 저어가며 아주 부드러워지고 짙은 황금색이 될 때까지 익힌 후에 불을 끈다.

3. 웨지 모양 아티초크와 줄기를 건져, 담가두었던 물의 산성이 씻기도록 찬물에 헹군다. 웨지 모양 아티초크를 최대한 얇게 썰어 줄기와 함께 양파가 담긴 팬에 넣는다. 소금과 물 ½컵을 추가해 중불에 올린 뒤, 뚜껑을 비스듬하게 덮는다. 아티초크를 이따금 뒤집으며 포크로 찔러 부드러울 때까지 뭉근하게 익히는데, 아티초크의 발육 상태와 신선도에 따라 15분 또는 그 이상이 걸린다.
4. 아티초크를 익히는 동안 오븐을 200℃로 예열한다.
5. 아티초크가 다 익으면, 팬에 얇게 썬 감자를 넣고, 기름이 고루 입혀지도록 2~3번 뒤적인 뒤 불에서 내린다.
6. 팬의 내용물을 오븐용 그릇에 담는다. 그릇은 가급적 재료를 모두 넣어도 그 높이가 4cm를 넘지 않는 것으로 준비한다. 후추를 약간 갈아 넣고 소금도 조금 더 더한 후 숟가락 뒷면이나 뒤집개로 아티초크와 감자 섞은 것을 고루 펼쳐준다. 맨 위에 버터를 듬성듬성 올리고 예열한 오븐의 위쪽에 넣는다.
7. 15분 뒤에 오븐에서 접시를 꺼내 내용물을 2~3번 뒤집고 다시 고르게 펼쳐 오븐에 넣는다. 감자가 부드러워질 15분 안팎이 지나면 꺼내, 맨 위에 간 파르메산을 뿌리고 치즈가 녹아 얇고 바삭한 껍질이 생길 때까지 오븐에서 굽는다. 열기가 진정되도록 몇 분간 두었다가 차려 낸다.

얇고 바삭한 껍질의 아티초크 토르타

Artichoke Torta in a Flaky Crust

페이스트리 껍질이 특별한 채소 파이다. 얇게 벗겨지는 이탈리아식 페이스트리에 으레 들어가는 달걀 대신 리코타를 쓰기 때문이다. '얇게 벗겨진다'는 말 그대로 질감이 아주 가볍다.

풍미 넘치는 속의 주인공은 당근과 양파 위에 가늘게 썰어 브레이징한 아티초크로, 그 주변을 달걀, 리코타, 파르메산이 가득 채운다.

6인분

속재료

아티초크 중간 크기 4개
레몬 1개, 반으로 자른다
엑스트라버진 올리브유 3큰술
잘게 썬 양파 2큰술
잘게 썬 당근 3큰술
잘게 썬 파슬리 1큰술
소금
갓 갈아낸 검은 후추
신선한 리코타 ¾컵
갓 갈아낸 파르미자노 레자노 치즈 ½컵
달걀 2개

1. 67~69쪽의 자세한 설명을 따라 아티초크의 거친 부분을 전부 다듬는다. 작업이 끝나자마자 자른 아티초크를 레몬으로 문질러 갈변되는 것을 막는다. 손질한 아티초크를 반으로 갈라 드러난 초크와 안쪽의 꼬불꼬불한 이파리를 제거한 뒤, 세로 방향으로 가능한 한 얇게 썬다. 볼에 아티초크를 넣고 이것이 잠길 만큼 찬물을 부어준 뒤 남은 레몬 ½개의 즙을 넣는다.
2. 아티초크 줄기의 질긴 바깥 껍질을 457쪽 설명대로 벗기고 세로 방향으로 아주 얇게 썬다. 얇게 썬 아티초크가 들어 있는 볼에 함께 담는다.
3. 소테팬에 올리브유, 양파와 당근을 넣고 중불에 올린다. 양파가 살짝 노릇해질 때까지 저어가며 익힌다. 그다음 파슬리를 넣고 재빨리 2~3번 젓는다.
4. 아티초크를 건져 레몬이 씻기도록 흐르는 찬물에 헹구고 천으로 가볍게 두드려 물기를 제거한 뒤, 팬에 넣는다. 기름이 고루 입혀지도록 2~3번 뒤집고, 소금과 후추를 더해 다시 2~3번 뒤적인 다음, 물 ½컵을 붓고 팬 뚜껑을 덮는다. 부드러워질 때까지 5~15분간 익히는데, 아티초크의 발육 상태와 신선도에 따라 시간이 달라진다. 익히는 동안 팬에 수분이 부족해지면 물 2~3큰술을 필요에 따라 추가한다. 단 아티초크가 다 익었을 때는 팬 안에 물기가 없어야 한다. 물기가 남아 있다면 뚜껑을 열고 불을 강불로 키워 재빨리 수분을 날린다. 팬의 모든 내용물을 볼에 붓고 완전히 식힌다.
5. 식으면 리코타와 파르메산 간 것과 함께 섞는다.
6. 깊이가 있는 접시에 달걀을 가볍게 푼 뒤, 볼에 빙 둘러 넣는다. 맛을 보고 소금과 후추로 속재료의 간을 맞춘다.

토르타를 감싸는 페이스트리 껍질에 필요한 재료

밀가루 1½컵
버터 8큰술, 상온의 부드러운 상태로 준비
신선한 리코타 ¾컵
소금 ½작은술
주방용 코팅종이 또는 유산지
바닥과 옆면이 분리되는 원형 틀, 지름 20cm 크기로 준비
틀에 바를 버터와 밀가루

1. 오븐을 190°C로 예열한다.
2. 밀가루, 버터, 리코타, 소금을 볼에 넣어 손가락이나 포크로 섞는다.
3. 섞은 것을 작업대 위에 꺼내 놓고, 반죽이 부드러워질 때까지 5~6분간 치댄다. 반죽을 하나의 크기가 다른 하나의 2배가 되도록 2개로 나눈다.
4. 더 큰 반죽 덩이를 두께 0.8cm 이하로 얇게 원형으로 민다. 틀로 옮기기 쉽게

하려면 주방용 코팅종이나 유산지에 밀가루를 가볍게 뿌린 뒤 그 위에서 반죽을 민다.

5. 원형 틀 안에 버터를 얇게 바르고 밀가루를 덧입힌 뒤, 뒤집어서 그대로 작업대를 두드려 밀가루를 털어낸다.
6. 얇게 민 반죽을 올린 주방용 코팅종이 또는 유산지를 들고, 틀 위에 뒤집어서 반죽이 바닥을 덮고 옆면으로도 올라오게 한다. 주방용 코팅종이 또는 유산지를 벗기고, 특별히 뭉친 곳은 손가락으로 매만져 반죽을 평평하고 고르게 한다.
7. 아티초크 속재료를 틀 안에 붓고 뒤집개로 고르게 다진다.
8. 남은 반죽 덩이를 앞의 방법과 동일하게 민다. 속재료가 완전히 덮이도록 위에 놓는다. 위에 놓인 얇은 페이스트리 반죽의 가장자리를 틀 옆면에 올라와 있는 반죽 가장자리에 대고 누른다. 가장자리를 전부 단단히 봉하고, 남은 반죽은 가운데 쪽으로 접는다.
9. 예열한 오븐의 맨 위에 넣고 윗면이 옅은 갈색이 될 때까지 45분 정도 굽는다. 오븐에서 꺼내 잠금 장치를 풀고 고리를 떼어낸다. 바닥면을 떼기 전에 몇 분간 토르타를 그대로 두었다가 차림용 접시로 옮긴다. 미지근하거나 상온인 상태에서 차려 낸다.

예루살렘 아티초크 또는 선초크

JERUSALEM ARTICHOKE OR SUNCHOKES

세상에 알려지지 못하는 것은 흔히 혼란스러운 이름을 가지고 탄생한 작물의 운명과도 같다. 훌륭하지만 부당하게 방치된 이 채소의 원산지는 예루살렘이 아닌 북아메리카다. 게다가 이름과는 달리, 실은 아티초크가 아니라 해바라기과 식물의 먹을 수 있는 뿌리다. 이탈리아어로 해바라기를 뜻하는 단어인 지라솔레(girasole)는 이탈리아어를 할 줄 모르는 사람의 귀에는 확실히 예루살렘처럼 들린다. 더 이상한 것은 이탈리아어 명칭이 지라솔레 또는 해바라기와 조금도 관련이 없다는 점이다. 그 이름은 토피남부르(topinambur)로, 이 뿌리 채소가 알려지던 시기에 이탈리아를 순회하던 브라질 공연단의 이름에서 따왔다. 이 불운한 뿌리 채소는 마침내 생산자들이 붙여준 '선초크'라는 이름으로 영어권에 더 잘 알려지게 되었고, 이 책에서도 '선초크'로 부르기로 한다(한국에서는 '돼지감자'로 불린다 — 옮긴이).

사용하는 법 ❀ 아주 얇게 썬 선초크는 아삭하면서도 촉촉하며 고소한 풍미를 지니기 때문에 샐러드에 제격이다. 기름에 볶거나 그라탱으로 먹으면 걸쭉하며 부드러운 질감이 어우러지고 아티초크 하트의 맛이 어렴풋이 나기도 하지만, 아티초크에 깔려 있는 쓴맛이 없이 더 달다. 날것으로 먹을 때는 얇은 껍질을 그대로 두어도 되지만 익히면 단단해지므로 반드시 벗겨야 한다.

구입하는 법 ❀ 선초크는 가을에서 이른 봄까지 제철이다. 매우 단단할 때가 최상의 상태다. 신선함을 잃으면 푸석푸석해진다.

기름에 볶은 선초크

Sautéed Sunchokes

6인분

선초크 675g	아주 잘게 다진 마늘 1작은술
소금	갓 갈아낸 검은 후추
엑스트라버진 올리브유 ¼컵	아주 잘게 다진 파슬리 1큰술

1. 작고 끝이 뾰족한 칼이나 세로날 필러로 선초크의 껍질을 벗긴다. 물 3L를 끓이고 소금을 더해 껍질을 벗긴 선초크를 넣는다. 크기가 큰 것을 먼저 넣고 잠시 간격을 두어 더 작은 것을 넣는다. 물이 다시 끓어오르면 선초크를 꺼낸다. 손으로 만질 수 있을 만큼 식자마자 두께 0.5cm 내외로 썬다. 선초크가 여전히 꽤 단단해야 한다.
2. 스킬렛에 올리브유와 마늘을 넣고 중불에 올린다. 마늘이 살짝 노릇해질 때까지 저어가며 익힌 뒤, 얇게 썬 선초크를 넣고 기름이 잘 입혀지도록 고루 뒤적인다. 소금, 후추, 그리고 잘게 다진 파슬리를 넣고 다시 한번 완전히 뒤적인다. 포크로 찔러 선초크가 아주 부드러울 때까지 이따금 뒤집어가며 익힌다. 맛을 보고 소금으로 간을 맞춰 바로 차려 낸다.

선초크 그라탱

Sunchoke Gratin

4인분

선초크 450g
소금
식탁에 차려 낼 오븐용 그릇
버터, 오븐용 그릇에 바르고 듬성듬성 올릴 만큼의 양
갓 갈아낸 검은 후추
갓 갈아낸 파르미자노 레자노 치즈 ¼컵

1. 오븐을 200℃로 예열한다.
2. 선초크 껍질을 벗기고, 468쪽 설명대로 소금을 넣은 끓는 물에 삶는다. 포크로 찔렀을 때 부드럽되 으깨지지 않는 상태가 될 때까지 익힌다. 아주 단단하다가도 갑자기 아주 부드러워지기 때문에 물이 다시 끓어오르고 10분이 지나면 자주 확인한다. 다 익으면 건져서 손으로 만질 수 있을 만큼 식자마자 두께 1cm 정도로 썬다.
3. 오븐용 그릇 바닥에 버터를 칠한 다음 얇게 썬 선초크를 기와지붕 모양처럼 서로 살짝 겹쳐지게 나란히 놓는다. 소금, 후추와 파르메산 간 것을 뿌리고 버터를 듬성듬성 올려 예열한 오븐 맨 위에 넣는다. 윗면에 얇고 바삭한 황금색 껍질이 생길 때까지 굽는다. 오븐에서 꺼내고 몇 분간 그대로 두었다가 차려 낸다.

토마토와 양파를 곁들인 선초크 찜

Smothered Sunchokes with Tomato and Onion

6인분

선초크 675g
엑스트라버진 올리브유 ¼컵
아주 얇게 썬 양파 1컵
잘게 썬 마늘 ½작은술
잘게 썬 파슬리 2큰술
이탈리아산 플럼토마토 통조림 ⅔컵, 썰어서 즙과 함께 준비
소금
갓 갈아낸 검은 후추

1. 작고 끝이 뾰족한 칼이나 세로날 필러로 선초크 껍질을 벗겨 찬물에 씻고 두께 2.5cm 정도로 썬다.
2. 올리브유와 양파를 소테팬에 넣고 중강불에 올린다. 양파가 짙은 황금색이

될 때까지 저어가며 익혀 마늘을 넣는다. 재빨리 젓고 파슬리를 더해 2~3번 빨리 저은 다음, 토마토와 즙을 넣는다. 고루 섞이도록 젓고 불을 조절해 뭉근하게 끓인다.

3. 토마토를 뭉근하게 5분 정도 익힌 뒤 썰어놓은 선초크, 소금, 후추를 넣는다. 고루 섞이도록 완전히 한두 번 뒤적인 다음, 불을 조절해 아주 천천히 뭉근하게 끓인다. 가끔 저어주며 선초크를 포크로 찔러 아주 부드러울 때까지 30~45분 익힌다.

미리 준비한다면 ❁ 마지막 단계까지 몇 시간 또는 하루 전에 미리 조리해둘 수 있다. 2번 이상 다시 데우지 않는다.

선초크 파 조림

Braised Sunchokes and Scallions

6인분

선초크 450g
파(scallion) 8대
버터 3큰술
소금
갓 갈아낸 검은 후추

1. 작고 끝이 뾰족한 칼이나 세로날 필러로 선초크 껍질을 벗겨 찬물에 씻고, 키친타월로 가볍게 두드려 물기를 완전히 제거한다. 선초크를 아주 얇게, 가급적 두께 0.5cm를 넘지 않게 썬다.
2. 파 뿌리와 시든 잎을 잘라내되, 위쪽의 초록색 잎은 잘라내지 않는다. 찬물에 씻은 후 가볍게 두드려 물기를 말리고, 각각의 파를 반으로 가로질러 썰어 짧은 2조각으로 만든다. 두꺼운 부분은 세로로 반을 가른다.
3. 소테팬에 버터를 넣고 중강불에 올린다. 버터가 녹으면서 거품이 생기면 파를 넣고 뒤적여 기름을 고루 입힌 뒤, 중불로 줄이고 물 ½컵을 붓는다. 물이 모두 증발할 때까지 파를 이따금 뒤집어가며 끓인다.
4. 얇게 썬 선초크, 소금과 후추를 넣고 기름이 고루 입혀지도록 전체적으로 뒤적인다. 물 ½컵을 추가하고, 물이 완전히 증발할 때까지 파와 선초크를 이따금 뒤집으며 뭉근하게 계속 끓인다. 익히는 동안 포크로 선초크를 확인한다. 아주 신선한 선초크는 물이 다 졸아들기 전에 부드러워질 것이다. 그러면 불을 강불로 키워 수분을 재빨리 날린다. 반면 물이 다 졸았을 때도 선초크가

완전히 부드럽지 않다면 물을 2~3큰술 추가해 계속 익힌다. 대부분 20~25분 안에 전부 익을 것이다. 맛을 보고 소금으로 간을 맞춰 바로 차려 낸다.

튀긴 선초크 칩

Fried Sunchoke Chips

4인분

선초크 450g
소금
식물성기름

1. 작고 끝이 뾰족한 칼이나 세로날 필러로 선초크 껍질을 벗기고, 가능한 한 가장 얇은 두께로 썬다. 찬물을 몇 번 갈아가며 씻어 흙 찌꺼기와 전분을 헹군다. 키친타월로 가볍게 두드려 물기를 완전히 제거한다.
2. 스킬렛에 0.5cm보다 살짝 높은 높이로 기름을 충분히 부어 강불에 올린다. 기름이 뜨거워지면, 팬이 꽉 차지 않을 만큼만 얇게 썬 선초크를 미끄러트리듯 넣는다. 선초크의 한쪽 면이 먹음직스러운 적갈색으로 변하면 뒤집어서 다른 쪽도 똑같이 튀긴다. 구멍 뚫린 국자 또는 뒤집개로 식힘망에 옮겨 기름을 빼거나 키친타월을 깐 접시 위에 올린다. 다음 분량을 넣어 선초크를 모두 튀길 때까지 과정을 반복한다. 소금을 뿌려 바로 차려 낸다.

아스파라거스

ASPARAGUS

구입하는 법 ◎ 먼저 줄기의 뾰족한 끝 또는 봉오리를 확인한다. 이것이 단단히 오므라져 있고 꼿꼿해야 하며, 벌어지거나 처져 있으면 안 된다. 아스파라거스의 초록 색조가 생생하고 밝게 빛나되 누런 기미가 없어야 한다. 흰색 아스파라거스는 깨끗하고 일정한 크림 같은 색이어야 한다. 대는 단단함이 느껴지면서도 전체적으로 촉촉해 보여야 한다. 다른 모든 작물처럼 아스파라거스도 지금은 연중 판매되지만, 4월에서 6월 초에 해당하는 봄에 가장 신선하다. 두꺼운 아스파라거스가 가느다란 것보다 반드시 더 맛있다고 할 수는 없지만 보통 더 비싸다. 아스파라거스를 썰어서 파스타 소스나 리소토, 또는 프리타타에 넣을 거라면 굳이 크기에 웃돈을 줄 필요가 없다. 하지만 아스파라거스를 줄기째 차려 낸다면 대가 두툼한 것이 때로는 더 큰 만족감을 줄 수도 있다.

보관하는 법 ❀ 아스파라거스를 시장에서 냄비로 곧바로 가져가는 것이 이상적이겠지만, 몇 시간 또는 하루 정도는 최대한 신선한 상태로 보관하고 싶을 것이다. 아스파라거스가 흐트러져 있다면 한데 모아, 찬물을 2.5~5cm 높이로 채운 통 안에 밑동을 담가 세워 놓는다. 냉장 보관하지 말고 서늘한 장소에 두면 하루에서 그다음 날 한나절까지 보관할 수 있다.

손질하는 법 ❀ 아스파라거스를 적절하게 손질하면 줄기 맨 아래 나무 같은 작은 부분만 빼고 전부 먹을 수 있다. 두꺼운 밑동 끝에서 2.5cm 정도 잘라내는 것부터 시작한다. 잘라낸 줄기의 끝이 몹시 말라 있거나 섬유질이 지나치게 많아 보이면, 촉촉한 부분만 남을 때까지 좀 더 잘라낸다. 아스파라거스가 어릴수록 잘라내야 할 밑동 부분이 적다.

줄기의 가운데가 촉촉하고 부드러울지라도 짙은 녹색 섬유질로 둘러싸여 있다면 벗겨내야 한다. 아스파라거스의 뾰족한 끝이 손질하는 사람 쪽을 향하게 잡고, 작고 날카로운 칼로 밑동에서부터 질기고 얇은 줄기 바깥쪽 겹을 두께 0.5mm 정도로 벗기는데, 봉오리 아래 줄기가 좁아지는 쪽으로 칼날을 움직이며 다 벗겨낸다. 아스파라거스를 둘러싼 면을 전부 손질할 때가지 줄기를 조금씩 돌려가며 이 과정을 반복한다. 그다음 뾰족한 봉오리 아래로 튀어나온 작은 잎들을 제거한다. 손질한 아스파라거스를 찬물을 가득 채운 주방용 대야에 10분 동안 담갔다가 물을 2~3번 갈아가며 씻는다.

조리하는 법 ❀ 이후 손질한 아스파라거스 전체를 평평하게 놓을 수 있는 냄비를 고른다. 먼저 물을 붓고 끓인다. 아스파라거스 450g당 소금 1큰술을 넣고, 물이 다시 세차게 끓어오르면 아스파라거스를 넣는다. 냄비 뚜껑을 덮어 물을 빨리 끓어오르게 한다. 물이 끓으면 뚜껑을 연다. 10분 뒤에, 아스파라거스의 가장 두꺼운 부분을 포크로 찔러 확인하기 시작한다. 포크가 쉽게 들어가면 다 된 것이다(아주 가늘거나 매우 신선하다면 1~2분도 채 안 걸린다). 익으면 곧바로 건져낸다.

파르메산을 올린 아스파라거스 그라탱

Gratinéed Asparagus with Parmesan

4인분

아스파라거스 신선한 것으로 900g
소금
식탁에 차려 낼 오븐용 그릇
버터, 접시에 바르고 군데군데 올릴 양
갓 갈아낸 파르미자노 레자노 치즈 ⅔컵

1. 오븐을 230°C로 예열한다.
2. 472쪽 설명대로 아스파라거스를 다듬고 데친다.
3. 직사각형 또는 타원형 오븐용 그릇 바닥에 버터를 문질러 바른다. 데친 아스파라거스를 그릇 바닥에 나란히 부분적으로 겹치면서 줄지어 놓되 봉오리는 모두 같은 방향을 향하게 한다. 위 줄의 뾰족한 봉오리가 그 아래 줄 줄기의 밑동과 겹치게 놓아야 한다. 각 줄마다 소금과 파르메산 간 것을 뿌리고 버터를 군데군데 올린 뒤, 그 위에 다음 줄을 놓는다.
4. 예열한 오븐 맨 위에서 바삭한 황금색 껍질이 위에 생길 때까지 굽는다. 구운 지 15분 후에 확인한다. 오븐에서 꺼내 몇 분간 그대로 두었다가 차려 낸다.

달걀 프라이를 곁들여보기

4인분

앞 레시피의 재료에 추가한다.

버터 2큰술
달걀 4개
소금
갓 갈아낸 검은 후추

1. 앞의 레시피에 따라 아스파라거스 파르메산 그라탱을 준비한다.
2. 오븐에서 접시를 꺼내고 아스파라거스를 4등분해서 따뜻하게 데운 둥글고 큰 접시에 각각 놓는다.
3. 스킬렛에 버터를 넣고 중강불에 올려 가장자리에 버터 거품이 생기기 시작하면 팬에 달걀을 깨트려 넣고 소금을 뿌린다. 달걀을 서로 겹치지 않을 만큼만 넣는다. 한 번에 다 넣을 수 없다면 2번 이상 나눠서 프라이를 만든다.
4. 각 아스파라거스 분량에 달걀 프라이 하나를 조심스럽게 올린 뒤, 오븐용 그릇에 남아 있는 즙을 떠서 달걀마다 올린다. 후추를 뿌려 바로 차려 낸다.

프로슈토로 감싼 아스파라거스

Asparagus and Prosciutto Bundles

6인분

아스파라거스 신선하고 줄기가 두꺼운 것으로 18대
폰티나 치즈 이탈리아산으로 225g, 얇게 썬다(아래 참고 사항을 확인할 것)
프로슈토 얇고 넓적한 것으로 6장
버터 2큰술과 오븐용 그릇에 바르고 군데군데 올릴 양
식탁에 차려 낼 오븐용 그릇

참고 ❀ 이탈리아에서 수입된 진짜 폰티나를 구할 수 없다면, 그 대신 파르미자노 레자노 치즈를 길고 얇은 조각으로 저며 사용하는 게 낫다. 이 경우 프로슈토 대신에 훈제하지 않고 삶은 햄을 쓴다. 단, 파르메산과 프로슈토 모두 소금기가 있어 둘이 합쳐지면 아스파라거스 묶음이 너무 짜질 수 있다.

1. 472쪽 설명대로 아스파라거스를 다듬고 데치는데, 부드럽기보다는 단단하게 익힌다.
2. 오븐을 200°C로 예열한다.
3. 얇게 썬 폰티나 12장(또는 길게 저민 파르메산 12장)을 한편에 두고, 남은 치즈를 6등분 내외의 같은 양으로 나눈다.
4. 얇은 프로슈토(또는 삶은 햄)를 펼쳐 놓고 그 위에 아스파라거스 3대를 놓는다. 줄기 사이에 6등분한 치즈 한 덩이를 맞춰 넣는다. 버터 1작은술을 추가한 뒤, 아스파라거스 줄기를 프로슈토로 단단히 감싼다. 아스파라거스와 치즈를 감싼 프로슈토 또는 햄 말이를 6개 만든다.

5. 묶음이 겹치지 않고 모두 들어가는 오븐용 그릇을 고른다. 접시 바닥에 버터를 얇게 바르고 아스파라거스 묶음을 놓는다. 한편에 따로 두었던 얇게 썬 폰티나 또는 저민 파르메산 2개를 각 묶음 위에 교차시켜 놓는다. 묶음마다 버터를 약간씩 올려 예열한 오븐 맨 위에 넣는다. 치즈가 녹아 살짝 얼룩덜룩하면서 바삭해질 때까지 20분 정도 충분히 굽는다.
6. 오븐에서 꺼내, 차려 내기 전에 몇 분간 그대로 둔다. 아스파라거스 묶음을 각자의 접시에 나눠줄 때는 오븐용 그릇에 남은 즙을 살짝 끼얹고, 거기에 적셔 먹을 수 있는 바삭하게 구운 맛있는 빵을 함께 곁들인다.

누에콩

FAVA BEANS

미 대륙을 탐험한 이들이 금과 은과 함께 콩을 가지고 집으로 돌아오기 전까지, 유럽에 알려진 유일한 콩은 누에콩 또는 잠두였다. 희안하게도 5000년 가까이 이 콩이 재배되고 소비되어왔음에도 이탈리아 남부와 중부에서만 대중화되었다. 토스카나에서는 누에콩을 대규모로 키우고 대량으로 소비했는데, 심지어 익히지 않은 날것을 소금에 절여 양젖 치즈인 페코리노와 함께 먹기도 했나. 반면 이탈리아 북부에서는 대부분이 누에콩을 먹어본 적이 없으며 조리해 먹는 방법도 전혀 모를 것이다.

구입 시기와 방법 ❀ 제철은 4월 말에서 6월이지만, 가장 이른 시기의 제일 어린 콩이 최고다. 껍질을 벗겼을 때 크기는 리마콩 정도이거나 약간 더 커야 한다. 그보다 큰 누에콩은 더 질기고, 건조하며, 전분기가 많다. 꼬투리가 웃자라 너무 불룩하거나 두툼하지 않은 것을 고른다.

조리하는 법 ❀ 신선한 누에콩을 익히는 최선의 방법은 로마 사람들의 방식을 따르는 것이다. 봄이면 도시의 모든 트라토리아에서 볼 수 있는 로마의 전통적인 레시피는 훌륭한 콩 요리 중에서 대적할 상대가 거의 없다. 이 콩 요리를 적어도 5~6번은 하지 않고서 보낸 봄이 한 차례도 없다. 또한 이 요리는 내가 차려 낸 어떤 음식보다도 따뜻한 환영을 받았다. 로마에서는 이 요리가 파베 알 관찰레(fave al guanciale)로 알려져 있는데, 콩을 돼지 볼살인 관찰레와 함께 조리하기 때문이다. 여기서는 구하기 훨씬 쉬운 판체타로 돼지 볼살을 성공적으로 대체한 레시피를 소개한다.

로마식 누에콩

Fava Beans, Roman Style

4인분

판체타 1장, 두께 1cm로 얇게 썬다
누에콩 신선하고 어린 것을 껍질째 1350g
엑스트라버진 올리브유 2큰술
잘게 다진 양파 2큰술
갓 갈아낸 검은 후추
소금

1. 판체타를 펼쳐서 폭 0.5cm 정도의 막대형으로 썬다.
2. 콩 껍질을 벗기고, 꼬투리는 버린다. 찬물에 누에콩을 씻는다.
3. 소테팬에 올리브유와 양파를 넣고 중불에 올린다. 양파가 투명해질 때까지 저으면서 익힌 뒤, 막대형으로 썬 판체타를 넣는다. 2~3분간 익힌 다음, 콩과 후추를 더하고 기름이 고루 묻도록 젓는다. 물 ⅓컵을 붓고 불을 조절해 가장 천천히 끓게 하고, 팬 뚜껑을 덮는다. 콩이 아주 신선하고 어리다면 익는 데 8분 정도 걸리겠지만, 최상의 상태가 아니라면 15분 또는 그 이상이 걸릴 수 있다. 한 번씩 포크로 찔러 확인한다. 익히는 동안 수분이 부족해지면 물 3~4큰술을 보충한다. 부드러워지면 소금을 넣어 골고루 저어주고, 1~2분 더 익힌다. 팬에 물기가 남아 있다면 뚜껑을 열고 불을 강불로 키워 재빨리 수분을 날린다. 두껍게 썬 바삭한 빵과 함께 바로 차려 낸다.

그린빈

GREEN BEANS

봄과 여름은 채소를 아낌없이 선사하지만, 이탈리아인의 식탁에서 제철의 어린 그린빈만큼 귀중하고 특별한 것은 없다. 6월에 이탈리아에 있다면, 이탈리아식 식사 리듬에 자기 자신을 내맡겨보라. 파스타를 먹고 나면 아마도 스칼로피네나 닭고기 또는 생선이 나오고, 다음으로 올리브유와 레몬즙으로 윤기를 더한 아직 온기가 남아 있는 삶은 그린빈이 뒤따라 나올 것이다. 이 그린빈을 한 입 먹고 나면, 이보다 더 맛있는 것은 없다고 생각하게 될지도 모른다.

간소한 삶은 그린빈 요리를 근사해 보이고 환상적인 맛이 나게 만드는 마법은 없다. 물론 올리브유의 질이 엄청나게 중요하긴 하다. 그러나 진정 중요한 것은 그린빈을 어떻게 고르고 익히느냐 하는 것이다.

구입하는 법 ❁ 지금은 비록 연중 그린빈을 구할 수 있지만, 봄과 여름에 현지에서 재배한 것이 여전히 최고로 좋다. 연하든 짙든 일정한 초록색을 띠되, 점이나 누렇게 시든 부분이 없어야 한다. 껍질은 보기에도 신선해 보이며 거의 촉촉해야 하고 축 늘어져서는 안 된다. 또한 대부분 일정한 크기로 여러 크기가 많이 섞여 있지 않아야 하고, 가급적 너무 두꺼운 것도 제외한다. 할 수 있다면 바구니에서 하나를 꺼내 꺾어보라. 순간적으로 깔끔하게 톡 꺾여야 한다.

조리하는 법 ❁ 그린빈은 균형 잡힌 고소하고 단 맛과 향이 살아나도록 충분히 오래 익혀야 한다. 과하게 익히거나, 너무 덜 익혀도 안 된다. 덜 익으면 그린빈의 맛이 아닌 풋내가 난다. 그린빈을 삶을 때 밝은 초록색을 유지하려면 콩을 넣기 전에 반드시 끓는 물에 소금을 넣어야 한다. 이는 모든 녹색 채소에, 특히 시금치와 근대에도 해당된다. 사실상 소금은 전부 물에 녹아 있기 때문에 채소는 짜지지 않는다.

그린빈 450g 삶기

❁ 그린빈의 양 끝을 자른 뒤, 주방용 대야에 찬물을 채워 10분간 담가둔다.

❁ 물 4L를 끓인다. 소금 1큰술을 넣는데, 그러면 순간적으로 끓는 속도가 잦아들 것이다. 물이 다시 빠르게 끓어오르는 즉시 그린빈을 대야에서 건져서 넣는다. 물이 다시 끓어오르면 중간 속도로 끓도록 불을 조절한다. 조리 시간은 그린빈의 발육 정도와 신선도에 크게 좌우된다. 아주 어리고 신선한 것은 6~7분, 아니라면 10~12분 또는 그보다 좀 더 오래 걸릴 수도 있다. 6분이 지난 시점부터 그린빈을 확인한다. 단단하면서도 부드럽고 풋내가 사라졌을 때 건진다.

파르메산 치즈를 올린 볶은 그린빈

Sautéed Green Beans with Parmesan Cheese

6인분

그린빈 신선하고 아삭한 것으로 450g
버터 3큰술
갓 갈아낸 파르미자노 레자노 치즈 ¼컵
소금

1. 위의 설명에 따라 그린빈을 다듬고, 담가두었다가, 데치고, 건진다.
2. 스킬렛에 그린빈과 버터를 넣고 중불에 올린다. 버터가 녹고 거품을 일으키기 시작하면 그린빈을 뒤적여 기름을 고루 입힌다. 간 치즈를 넣고 그린빈을 골고루 뒤적인다. 그린빈을 맛보고 소금으로 간을 맞춘다. 한두 번 더 뒤적인 후 따뜻한 접시에 옮겨 바로 차려 낸다.

당근 스틱과 모르타델라
또는 햄과 찐 그린빈

Smothered Green Beans with Carrot Sticks
and Mortadella or Ham

6인분

그린빈 450g, 어리고 신선한 것으로 준비
당근 중간 크기 3~4개
소금
모르타델라(29쪽 참조) 또는 훈제하지 않고 삶은 햄 115g, 0.5cm 크기로 깍둑썰기한다
버터 3큰술

1. 477쪽 설명에 따라 그린빈을 다듬고, 담가두었다가, 데치고, 건진다. 이후 냄비에 넣고 익히는 과정을 거치므로 꽤 단단할 때 건진다.
2. 당근 껍질을 벗겨 찬물에 씻고 그린빈보다 살짝 더 얇은 두께의 막대형으로 썬다.
3. 모든 재료를 넣어도 꽉 차지 않는 넓은 소테팬을 고른다. 그린빈, 당근, 소금과 깍둑썰기한 모르타델라 또는 햄, 버터를 넣는다. 중강불에 올리고 기름이 고루 입혀지도록 그린빈과 당근을 자주 뒤적이며 익힌다. 버터에서 거품이 생기기 시작하면 팬 뚜껑을 덮는다. 당근이 부드러워질 때까지만 익히되, 5~6분이 지난 뒤에 확인한다. 익히면서 재료들과 그린빈을 이따금 뒤적인다. 맛을 보고 소금으로 간을 맞춰 곧바로 차려 낸다.

제노바식 그린빈 감자 파이

Green Beans and Potato Pie, Genoa Style

이탈리아에서 제노바 해안 지역만큼 채소를 높은 수준으로 끌어올려 요리하는 곳은 없다. 이 지역의 레시피를 특징짓는 향과 깊은 풍미는 그린빈을 감자, 마조람, 파르메산과 조합한 이 감칠맛 나는 파이에서 잘 드러난다. 이 요리는 메뉴의 어떤 단계에도 적합한데, 전채, 채소 곁들임 요리, 가벼운 여름 오찬 코스, 또는 뷔페 요리 중 하나로도 좋다.

6인분

삶은 감자 225g
그린빈 신선한 것으로 450g
달걀 2개
갓 갈아낸 파르미자노 레자노 치즈 1컵
소금
갓 갈아낸 검은 후추
마조람 신선한 것은 2작은술 또는 말린 것은 잘게 썰어서 1작은술
원형 케이크 틀, 지름 23cm 크기로 준비
엑스트라버진 올리브유
빵가루, 양념 안 된 것을 살짝 굽는다

1. 감자를 씻어 껍질이 있는 상태로 냄비에 넣고 감자가 잠길 만큼 충분히 물을 부어 끓인다.
2. 477쪽 설명에 따라 그린빈을 다듬고, 담가두었다가, 데치고, 건진다. 이후 오븐에 넣고 익히는 과정을 거치므로 꽤 단단할 때 건진다.
3. 그린빈을 아주 잘게 다지되, 푸드프로세서에 넣어 죽처럼 만들어서는 안 된다. 또는 푸드밀의 가장 큰 구멍을 통과시켜 볼에 떨어지게 한다.
4. 오븐을 180°C로 예열한다.
5. 감자를 포크로 찔러보고 부드러울 때 건진다. 껍질을 벗긴 감자를 푸드밀이나 포테이토 라이서에 넣고 으깨 그린빈이 있는 볼에 떨어지게 한다. 감자를 끈적하게 만드는 푸드프로세서는 쓰지 않는다.
6. 볼에 달걀을 깨트려 넣고 파르메산 간 것과 소금, 후추 간 것, 마조람을 더한다. 모든 재료가 고루 합해지도록 완전히 섞어준다.
7. 케이크 팬에 올리브유를 가볍게 문질러 바른다. 팬 안쪽 면에 전체적으로 빵가루를 뿌리고, 작업대 위에서 거꾸로 뒤집어 여분의 빵가루를 털어낸다.
8. 그린빈과 감자 섞은 것을 팬에 넣고 뒤집개로 윗면을 고르고 평평하게 해준다. 맨 위에 빵가루를 흩뿌리고 올리브유를 가늘고 일정하게 흘려 붓는다. 예열된 오븐의 상단에 넣고 1시간 굽는다. 몇 분간 그대로 두었다가, 칼날을 가장자리에 넣고 둥글게 따라 움직여 파이가 팬에서 분리되게 한다. 파이를 접

시 위에 뒤집고 다른 접시에 다시 뒤집어 올린다. 따뜻하게 또는 상온에서 차려 낸다.

미리 준비한다면 ❁ 레시피대로 몇 시간 전에 미리 완성해둘 수 있다. 냉장고에 넣지는 않는다. 만들기를 시작한 날에 완성해 차려 낸다.

노란색 파프리카, 토마토, 매운 고추를 곁들인 그린빈

Green Beans with Yellow Peppers, Tomatoes, and Chili Pepper

4~6인분

그린빈 신선한 것으로 450g
노란색 파프리카 1개
이탈리아산 플럼토마토 통조림 ⅔컵, 썰어서 즙과 함께 준비 또는 신선하고 잘 익은 단단한 것을 껍질을 벗기고 썬다
엑스트라버진 올리브유 3큰술
양파 중간 크기 1개, 아주 얇게 썬다
소금
매운 붉은색 고추, 잘게 썰어서 기호에 맞게 준비

1. 그린빈의 양 끝을 잘라내고, 찬물을 채운 주방용 대야에 10분간 담가두었다가 건져서 한편에 둔다.
2. 파프리카를 찬물에 씻어 홈을 따라 세로로 쪼개서 씨와 속심을 제거하고, 세로날 필러를 이용해 껍질을 벗긴다. 폭이 1cm보다 좁게 긴 막대형으로 썬다.
3. 올리브유와 양파를 소테팬에 넣고 중불에 올려 양파가 투명해질 때까지 저어가며 익힌다. 막대형으로 썬 파프리카, 썰어놓은 토마토와 즙을 추가한다. 모든 재료에 기름이 고루 입혀지도록 뒤적이고, 천천히 뭉근하게 끓도록 불을 조절해, 토마토에서 기름이 분리되어 떠오를 때까지 20분간 익힌다.
4. 날그린빈을 넣고 고루 섞이도록 2~3번 뒤적인 다음, 물 ⅓컵 또는 수분이 더 많은 신선한 토마토를 썼다면 더 적은 양의 물을 붓고, 소금과 매운 고추도 더한다. 뚜껑을 덮어 부드러워질 때까지 뭉근하게 계속 익히는데, 그린빈의 발육 정도와 신선도에 따라 20~30분이 걸린다. 익히는 동안 수분이 부족해지면 물 1~2큰술을 필요에 따라 더한다. 그린빈이 다 익었을 때 팬에 수분이 많으면, 뚜껑을 열고 불을 세게 키워 재빨리 졸인다. 맛을 보고 소금과 매운 고추로 간을 맞추고 곧바로 차려 낸다.

미리 준비한다면 ❁ 이 요리는 마지막 단계까지 몇 시간 전에 미리 만들어둘 수 있고 차려 내기 전에 천천히 다시 데운다. 냉장고에는 넣지 않는다.

그린빈 파스티초

Green Beans Pasticcio

파스티초는 이탈리아에서 둘 중 하나를 의미한다. 일상에서 그것은 '엉망진창인 상태'를 뜻하는데, 예를 들어 '어떻게 하다가 이렇게 엉망진창이 됐지?'처럼 활용할 수 있다. 하지만 요리에서 의도적으로 쓸 때는 치즈와 채소, 고기, 또는 익힌 파스타를 달걀이나 베샤멜, 또는 둘 다를 이용해 한데 섞은 것을 뜻한다. 때때로 그것을 페이스트리 껍질에 넣어 굽기도 한다. 아래 레시피는 껍질에 넣어 만들 수 있지만 그렇게 하지 않는 편이 더 가볍고 맛있다고 생각한다. 6인분

그린빈 신선한 것으로 450g
버터 3큰술
소금
베샤멜 소스, 우유 1¼컵, 버터 2큰술, 밀가루 2큰술, 소금 ⅛작은술을 써서 49쪽 설명대로 준비한다
달걀 3개
갓 갈아낸 파르미자노 레자노 치즈 3큰술
너트메그 1알
수플레 용기, 6~8컵 용량으로 준비
빵가루 ½컵, 양념 안 된 것을 살짝 굽는다

1. 그린빈의 양 끝을 잘라내고, 찬물을 채운 주방용 대야에 10분간 담가두었다가 건져서 2.5cm 정도 길이로 썬다.
2. 그린빈이 전부 겹치지 않고 넉넉하게 들어가는 소테팬을 고른다. 버터 2큰술과 그린빈, 소금 2~3자밤, 재료가 잠길 만큼의 물을 넣고 중강불에 올린다. 물이 전부 졸아들 때까지 그린빈을 이따금 뒤적이며 익힌다. 그린빈을 버터에

뒤적이며 1~2분 더 익힌 다음 불을 끈다.

3. 오븐을 190˚C로 예열한다.
4. 베샤멜 소스를 중간 농도로 만든다.
5. 볼에 달걀을 가볍게 풀고 파르메산 간 것을 둘러 넣고 너트메그를 ⅛작은술 정도 소량 넣는다. 그린빈과 베샤멜을 넣고 모든 재료가 균일하게 혼합될 때까지 고루 섞는다.
6. 수플레 용기 안쪽에 남은 버터 1큰술을 문질러 바르고 빵가루를 바닥과 옆면에 충분히 입혀지도록 뿌린다. 작업대 위에서 용기를 뒤집어 남는 가루를 털어낸다. 볼의 내용물을 용기에 붓는다.
7. 예열한 오븐의 맨 위에 수플레 용기를 넣고 윗면이 바삭해질 때까지 45분 정도 굽는다.
8. 틀에서 꺼내려면 파스티초가 뜨거울 때, 파스티초의 옆면을 따라 칼날을 움직여 용기에서 분리시킨다. 몇 분간 그대로 두었다가, 수플레 용기 위에 크고 둥근 접시를 바닥이 위를 향하게 덮는다. 접시와 용기를 모두 수건으로 단단히 붙들고, 수플레 용기가 위로 가도록 뒤집는다. 살짝 흔들어 파스티초가 접시 위로 쉽게 빠져나오게 한다. 그릭 원래 방향으로 다른 접시에 올리려면, 두 접시 사이에 파스티초를 샌드위치처럼 끼워 넣고 뒤집는다. 몇 분간 그대로 두었다가 차려 낸다.

브로콜리

BROCCOLI

우리는 브로콜리가 1년 내내 시장에 나온다고 생각하지만, 제철은 늦가을에서 맛이 가장 좋은 시기인 겨울까지이다. 구입할 때는 송이 또는 봉오리가 신선함을 나타내는 가장 좋은 척도가 된다. 단단히 오므라져 있고, 짙은 청록색에 누런 부분이 없어야 한다. 브로콜리에서 가장 두툼하고 맛있는 부분은 줄기로, 바깥쪽의 질긴 껍질만 다듬으면 탁월한 먹을거리가 된다. 케일 같은 맛이 나는 이파리 역시 훌륭한데, 브로콜리를 갓 따서 이파리로 감싸 시장에 내놓는 이탈리아에서는 이 잎이 귀중하다. 애석하게도 이파리는 상하기 매우 쉬워서 보통 북미에서는 판매 시 잎을 떼어 버린다. 브로콜리를 직접 기른다면 이파리를 채소나 콩 수프에 넣어보라.

올리브유와 마늘을 넣은 브로콜리 볶음

Sautéed Broccoli with Olive Oil and Garlic

데친 녹색 채소를 올리브유와 마늘에 볶는 기술은 시금치와 근대에도 비슷하게 쓰이고, 브로콜리를 가장 맛있게 조리하는 방법 중 하나다.

6인분

브로콜리 신선한 것으로 1송이(450~675g) 준비
소금
엑스트라버진 올리브유 ¼컵
아주 잘게 썬 마늘 2작은술
잘게 썬 파슬리 2큰술

1. 줄기의 뭉툭한 끝부분을 1~1.5cm 잘라낸다. 작고 끝이 뾰족한 날카로운 칼로 가운데 줄기의 부드러운 심을 둘러싸고 있는 짙은 초록색 껍질을 얇게 벗겨내고 줄기를 나눈다. 자루가 가장 넓게 퍼진 부분은 깊게 찔러 넣어 자르는데, 그 부분의 껍질이 더 두껍기 때문이다. 큰 줄기는 2개, 꽤 크다면 4개로 쪼개는데, 송이를 잘라선 안 된다. 찬물을 갈아가며 3~4번 씻는다.
2. 물 4L 팔팔 끓인다. 소금 1큰술을 넣고 물이 다시 끓으면 브로콜리를 넣는다. 중간 속도로 끓도록 불을 조절해, 브로콜리 줄기에 포크로 구멍을 낼 수 있을 때까지 5분 정도 익힌다. 그 시간은 브로콜리의 발육 정도와 신선도에 따라 다르다. 다 익으면 한 번에 건진다.

미리 준비한다면 ❁ 브로콜리를 이 단계까지 차려 내기 몇 시간 전에 미리 준비해둘 수 있지만 냉장고에는 넣지 않는다.

3. 브로콜리를 전부 넉넉하게 넣을 만큼 넓은 소테팬이나 스킬렛을 고른다. 올리브유와 마늘을 더하고 중불에 올린다. 마늘이 살짝 노릇해질 때까지 저으면서 익힌 뒤 브로콜리, 소금, 잘게 썬 파슬리를 넣는다. 브로콜리에 기름이 잘 입혀지도록 2~3번 골고루 뒤적인다. 2분 정도 익힌 뒤 팬의 내용물을 전부 따뜻한 접시에 옮겨 담아 바로 차려 낸다.

버터와 파르메산 치즈를 넣어보기

6인분

브로콜리 신선한 것으로 1송이, 위의 설명대로 다듬고, 씻어서, 익히고, 건진다
버터 3큰술
소금
갓 갈아낸 파르미자노 레자노 치즈 ½컵

브로콜리를 전부 넉넉하게 넣을 수 있는 스킬렛 또는 소테팬을 골라 버터를 넣고 중불에 올린다. 가장자리에 버터 거품이 생기기 시작하면, 익혀서 건진 브로콜리와 소금을 넣는다. 브로콜리를 2~3번 완전히 뒤적이고, 2분 정도 익힌 뒤 파르메산 간 것을 넣는다. 브로콜리를 다시 뒤적인 다음 팬의 모든 내용물을 따뜻한 접시에 옮겨 담아 바로 차려 낸다.

브로콜리 송이 튀김

Fried Broccoli Florets

튀기기에 가장 적합한 브로콜리 송이만 쓰는 요리다. 그렇지만 줄기 역시 그냥 버리기엔 너무 맛있으므로, 잘라낸 다음에 익힌 샐러드 또는 채소 수프에 쓰거나 483쪽 설명대로 마늘과 함께 올리브유에 볶는다.

6인분

브로콜리 중간 크기의 신선한 것으로 1송이(450g 정도)
소금
달걀 2개
마른 빵가루 1컵, 양념 안 된 고운 것을 접시 위에 펼친다
식물성기름

참고 ❀ 이 레시피에서는 달걀과 빵가루로 만든 반죽을 쓴다. 브로콜리 송이와 훌륭하게 어울리는 또 다른 반죽은 밀가루와 물로 만든 파스텔라(pastella)로, 536쪽 주키니 튀김에 사용된다.

1. 송이를 꽃대와 줄기가 만나는 지점에서 자른다. 대는 따로 보관하는데, 483쪽 설명대로 바깥쪽의 질긴 껍질을 다듬어 앞서 제안한 것처럼 다른 요리에 쓴다.
2. 찬물을 2~3번 갈아가며 송이를 씻는다. 물 2L를 팔팔 끓이고 소금을 크게 한 자밤 넣어 물이 다시 끓으면 송이를 넣는다. 이따금 수면으로 떠오르는 송이를 가라앉혀서 누렇게 변색되는 것을 막는다. 물이 완전히 다시 끓으면 송이를 구멍 뚫린 국자로 떠서 한편에 두고 식힌다. 송이가 식으면 큰 것은 2.5cm 정도 두께로 세로로 썬다. 모든 조각을 비슷한 크기로 만들어 고루 튀겨지게 한다.
3. 수프용 접시에 달걀을 깨트려 넣고 포크로 가볍게 푼다.
4. 브로콜리를 하나씩 풀어놓은 달걀에 담갔다가 꺼내, 여분의 달걀물이 다시 접시에 떨어지게 잠시 기다린다. 빵가루를 묻히는데, 브로콜리를 굴려가며 전

체에 고루 입히고 손가락 끝으로 가볍게 눌러 빵가루가 확실히 들러붙게 한다. 달걀물에 담갔다가 빵가루를 입힌 조각을 전부 접시에 놓아, 튀길 준비를 마친다.

5. 스킬렛 또는 튀김용 냄비에 1cm 정도 높이로 기름을 넉넉히 붓고, 중강불에 올린다. 기름이 아주 뜨거워지면, 브로콜리 조각을 한 번에 팬이 꽉 차지 않을 만큼만 미끄러트리듯 넣는다. 한쪽 면이 노릇하고 바삭해지면 뒤집어서 다른 쪽도 튀긴다. 식힘망에 옮겨 기름을 빼거나 키친타월을 깐 접시에 놓는다. 다음 분량을 튀기고, 브로콜리를 전부 튀길 때까지 위의 과정을 반복한다. 소금을 넉넉히 뿌려 바로 차려 낸다.

베네치아식 양배추 찜

Smothered Cabbage, Venetian Style

사보이 양배추, 적양배추, 또는 보통의 옅은 녹색 양배추 등 어떤 종류의 양배추라도 이 레시피에 적합하다. 양배추를 매우 가늘게 채 썰기해서 양배추에서 나온 수분과 올리브유와 소량의 식초가 섞인 증기로 아주 천천히 찌듯이 익힌다. 이 방법을 베네치아 말로는 소페가오(sofegao) 또는 찜이라고 한다.

6인분

양배추 900g, 초록색 양배추, 적양배추 또는 사보이 양배추로 준비
잘게 썬 양파 ½컵
엑스트라버진 올리브유 ½컵
잘게 썬 마늘 1큰술
소금
갓 갈아낸 검은 후추
와인 식초 1큰술

1. 양배추 바깥쪽 잎을 몇 장 떼어 버린다. 남은 잎의 뿌리 쪽은 아주 가늘게 채썰기해야 한다. 손으로 직접 한다면, 뿌리 쪽 전체를 얇게 썰어내고 이파리를 가늘게 채썰기한다. 뿌리 쪽을 뒤집어서 결국 심이 드러날 때까지 단면을 얇게 썰고, 심은 버린다. 푸드프로세서를 쓰고 싶다면 단면에 있는 심에서 잎을 썰어 심은 버리고, 얇게 써는 기능으로 잎만 갈아낸다.
2. 양파와 올리브유를 커다란 소테팬에 넣고 중불에 올린다. 양파가 짙은 황금색이 될 때까지 저어가며 익힌 뒤 마늘을 더한다. 마늘이 아주 옅은 황금색이 될 때까지 익히고 채썰기한 양배추를 넣는다. 양배추를 2~3번 뒤집어 기름을 고루 입히고 숨이 죽을 때까지 익힌다.
3. 소금, 후추와 와인 식초를 넣는다. 양배추를 전체적으로 한 번 뒤집어주고 불을 가장 약하게 줄여 팬 뚜껑을 완전히 덮는다. 최소 1시간 반, 또는 아주 부드러워 질 때까지 이따금 뒤적이며 익힌다. 익히는 동안 팬에 수분이 부족해지면 필요에 따라 물 2큰술을 더한다. 다 익으면 맛을 보고 소금과 후추로 간을 맞춘다. 불을 끄고 몇 분간 두었다가 차려 낸다.

파르메산 치즈를 더한 당근 조림

Braised Carrots with Parmesan Cheese

이탈리아식 레퍼토리나 다른 요리법에서 당근에 잠재돼 있는 깊은 풍미를 이보다 더 성공적으로 끌어내는 레시피는 보지 못했다. 당근을 그것을 계속 조리하는 데 필요한 만큼만 물을 더해 은근히 익힘으로써, 결과적으로 본질적인 맛의 요소만 남겨두고 조려낸다. 다 익으면, 간 파르메산과 함께 불 위에서 잠깐 버무린다.

6인분

당근 675g	설탕 ¼작은술
버터 4큰술	갓 갈아낸 파르미자노 레자노 치즈
소금	3큰술

1. 당근 껍질을 벗기고 찬물에 씻어 두께 1cm 이하의 원형으로 썬다. 가늘어지는 끝부분은 조금 더 두껍게 썰어도 된다. 둥근 당근이 전부 겹치지 않고 한 층으로 들어가는 넓은 소테팬을 골라, 0.5cm 정도 높이로 물을 충분히 붓는다. 충분히 큰 하나의 팬이 없다면 2개의 팬을 써서 당근과 버터를 똑같이 나누어 담는다. 중불에 올리고 뚜껑은 덮지 않는다.

2. 물이 모두 증발할 때까지 익힌 뒤, 소금과 설탕 ¼작은술을 더한다. 필요에 따라 물 2~3큰술을 더해가며 계속 익힌다. 이 단계를 거쳐 먹음직스러운 갈색으로 쪼글쪼글해진 당근에 깊은 풍미와 질감이 응축되어 있어야 한다. 1시간에서 1시간 반이 걸리는데, 그동안은 부엌에서 다른 일을 하더라도 당근을 지켜봐야 한다. 당근이 쪼글쪼글해지고 갈색빛을 내기 시작하면 물을 더 이상 넣지 않는다. 조리가 끝났을 때 수분이 남아 있으면 안 되기 때문이다. 30분 또는 그보다 좀 더 지나면 당근의 부피가 많이 줄어들어서 팬 2개를 썼다면 하나로 합칠 수 있을 것이다.
3. 완성된 당근은 아주 부드러워야 한다. 파르메산 치즈를 갈아 더하고 당근을 한두 번 완전히 뒤적인 다음 따뜻한 접시에 옮겨 담아 바로 차려 낸다.

미리 준비한다면 ❀ 전 단계를 미리 해둘 수 있다. 단 파르메산은 예외로 반드시 다시 데워 차려 내기 직전에 추가한다.

케이퍼를 곁들인 당근 조림

Braised Carrots with Capers

4인분

- 당근 450g, 어린 당근으로 고른다
- 엑스트라버진 올리브유 3큰술
- 잘게 썬 마늘 1작은술
- 잘게 썬 파슬리 2큰술
- 소금
- 갓 갈아낸 검은 후추
- 케이퍼 2큰술, 26쪽 설명대로 소금에 절인 것은 물에 담갔다가 헹구고 식초에 담긴 것은 건진다

1. 당근 껍질을 벗기고 찬물에 씻는다. 당근이 새끼손가락보다 두꺼우면 안 된다. 크기가 크다면, 필요에 따라 세로로 2등분 또는 4등분한다.
2. 당근을 전부 넉넉히 넣을 수 있는 소테팬을 고른다. 올리브유와 마늘을 넣고 중강불에 올린다. 마늘이 옅은 황금색이 될 때까지 저어가며 익힌 뒤 당근과 파슬리를 넣는다. 당근에 기름이 고루 입혀지도록 한두 번 버무린 다음, 물 ¼컵을 넣는다. 물이 전부 졸아들면 ¼컵을 다시 넣는다. 당근이 다 익을 때까지 이 속도로 물을 졸이고 다시 추가한다. 당근을 포크로 찔렀을 때 부드러우면서도 단단해야 한다. 이따금 상태를 확인한다. 20~30분 걸리는데, 그 시간은 당근의 발육 상태와 신선도에 따라 달라진다. 다 익었을 때 팬에 수분이 없어야 한다. 남아 있다면 재빨리 졸이고, 당근은 옅은 갈색이 되게 한다.
3. 후추와 케이퍼를 넣고 당근과 한두 번 버무린다. 1~2분 더 익힌 뒤 다시 한번 저어, 따뜻한 접시에 옮겨 담고 바로 차려 낸다.

콜리플라워

CAULIFLOWER

구입하는 법 ❀ 콜리플라워 송이는 반드시 아주 단단해야 하고, 잎은 신선하며 아삭거리고 시들어 있지 않아야 한다. 송이는 촘촘하고 가능한 한 흰색이어야 한다. 누렇거나 얼룩덜룩하다면 괜찮아 보이는 부분만 쓰거나 버린다.

삶는 법 ❀

❀ 안쪽에 난 작고 부드러운 잎을 제외하고 대부분의 이파리를 떼어낸다. 안쪽 잎은 샐러드로 요리하면 아주 먹기 좋다. 뿌리 끝은 열십자로 깊게 자른다.

❀ 물 4~5L를 팔팔 끓인다. 물을 많이 쓸수록 콜리플라워가 달아지고 빨리 익는다. 콜리플라워를 넣고 물이 다시 끓으면 불을 조절해 중간 속도로 끓게 한다.

❀ 포크로 찔러 콜리플라워가 아주 부드러울 때까지 뚜껑을 열고 20분 또는 그 이상 익히는데, 그 시간은 신선도와 봉오리의 크기에 따라 달라진다. 익으면 곧바로 건진다.

미리 준비한다면 ❀ 온기가 남아 있는 삶은 콜리플라워를 샐러드로 내지 않고, 그라탱에 쓰거나 튀겨 먹을 계획이라면 하루 전까지 미리 익혀둘 수 있다.

버터와 파르메산 치즈를 올린 콜리플라워 그라탱

Gratinéed Cauliflower with Butter and Parmesan Cheese

6인분

콜리플라워 중간 크기 1송이(약 900g)
소금
갓 갈아낸 파르미자노 레자노 치즈 ⅔컵
버터, 오븐용 그릇 안쪽에 바르고 군데군데 올릴 양
식탁에 차려 낼 오븐용 그릇

1. 오븐을 200℃로 예열한다.
2. 488쪽 설명대로 콜리플라워를 삶아서 건진다. 손으로 만지기 충분할 만큼 식으면 작은 송이들로 나눈다.
3. 자른 송이들이 넉넉히 들어갈 만한 오븐용 그릇을 고른다. 바닥에 버터를 문질러 바르고 콜리플라워 송이를 기와지붕 모양으로 살짝 겹치게 가지런히 놓는다. 소금과 간 파르메산을 뿌리고 버터를 군데군데 듬뿍 올린다. 예열한 오븐 맨 위에 넣고 바삭한 껍질이 만들어질 때까지 15~20분 굽는다. 오븐에서 꺼내 콜리플라워를 몇 분간 그대로 두었다가 차려 낸다.

베샤멜 소스를 곁들인 콜리플라워 그라탱

Gratinéed Cauliflower with Béchamel Sauce

6인분

콜리플라워 1송이(약 900g), 중간 크기로 준비
소금
베샤멜 소스, 우유 2컵, 버터 4큰술, 밀가루 3큰술, 소금 ¼작은술을 써서 49쪽 설명대로 준비
갓 갈아낸 파르미자노 레자노 치즈 ¾컵
너트메그 1알
식탁에 차려 낼 오븐용 그릇
버터, 오븐용 그릇 안쪽에 바르고 군데군데 올릴 양

1. 488쪽 설명대로 콜리플라워를 삶아서 건지되, 이후에 베샤멜과 함께 구울 때 부드러워지므로 물이 다시 끓어오른 뒤 10분만 익힌다. 송이들을 두께 1cm 정도의 한 입 크기로 얇게 썬다. 볼에 담고 소금을 약간 쳐서 버무린다.
2. 오븐을 200℃로 예열한다.

3. 49쪽 설명대로 베샤멜 소스를 만든다. 중간 농도가 되었을 때 불에서 내려 파르메산 간 것 3큰술과 너트메그를 ⅛작은술 정도 소량을 갈아 넣어 섞는다.
4. 베샤멜을 콜리플라워가 담긴 볼에 붓고, 송이에 잘 입혀지도록 부드럽게 접어 올리듯 섞는다.
5. 오븐용 그릇 바닥에 버터를 문질러 바른다. 볼에 담긴 콜리플라워와 베샤멜을 전부 넣는다. 접시는 콜리플라워 조각을 한 겹으로 넣었을 때 그 높이가 4cm를 넘지 않아야 한다. 위에 남아 있는 간 파르메산 3큰술을 뿌리고 버터를 군데군데 가볍게 올린다. 예열한 오븐 맨 위에 넣고 윗면이 바삭해질 때까지 15~20분 굽는다. 오븐에서 꺼내, 콜리플라워를 몇 분간 그대로 두었다가 차려 낸다.

달걀과 빵가루 반죽으로 튀긴 웨지 콜리플라워

Fried Cauliflower Wedges with Egg and Bread Crumb Batter

6인분 또는 그 이상

콜리플라워 중간 크기 1송이(약 900g)
달걀 2개
식물성기름
마른 빵가루 1컵, 양념하지 않은 것을 살짝 구워 접시 위에 펼친다
소금

1. 488쪽 설명대로 콜리플라워를 삶아서 건진다. 손으로 만질 수 있을 만큼 식으면 봉오리에서 송이를 떼어내 가장 넓은 부분이 2.5cm 정도 되는 웨지 모양으로 썬다.
2. 작은 볼에 달걀을 깨트려 넣고 가볍게 푼다.
3. 웨지 모양 콜리플라워를 달걀에 담갔다가 꺼내, 여분의 달걀이 다시 볼에 떨어지게 잠시 기다린 뒤, 빵가루를 전체적으로 골고루 입힌다.
4. 튀김용 냄비에 1cm 정도 높이로 기름을 충분히 붓고 강불에 올려 기름이 아주 뜨거워지면, 냄비가 꽉 차지 않을 만큼의 콜리플라워를 미끄러트리듯 넣는다. 한쪽 면이 멋진 황금색으로 바삭하게 익으면 뒤집어서 다른 쪽도 튀긴다. 구멍 뚫린 국자나 뒤집개로 식힘망에 옮겨 기름을 빼거나 키친타월을 깐 접시에 놓는다. 튀겨낼 콜리플라워 조각이 남아 있다면 이 과정을 반복한다. 모두 튀기면 소금을 뿌려 바로 차려 낸다.

파르메산 치즈 반죽을 입혀 튀긴 콜리플라워

Fried Cauliflower with Parmesan Cheese Batter

진짜 파르미자노 레자노 치즈로 기가 막힌 튀김 반죽을 만들 수 있다. 파르미자노 레자노가 묽게 흐르지도, 끈끈하지도, 늘어지지도 않게 녹아 이상적인 접착제 역할을 하기 때문이다. 물론 특유의 풍미도 더한다. 이 반죽이 만들어내는 폭신하고 부드러운 껍질은 콜리플라워 같은 채소 조각에 아주 알맞다. 이 요리가 만족스럽다면, 미리 데친 브로콜리나 피노키오로도 시도해보길 바란다.

6인분 또는 그 이상

어린 콜리플라워 1송이(900g 내외)
소금
미지근한 물 ½컵
밀가루 ⅓컵
갓 갈아낸 파르미자노 레자노 치즈 ⅓컵
달걀 1개
식물성기름

1. 488쪽 설명대로 콜리플라워를 삶아서 건진다. 손으로 충분히 만질 수 있을 만큼 식으면 송이 다발을 대와 봉오리가 붙어 있는 지점에서 떼어낸다. 송이를 따로따로 떼어 각각을 세로로 2등분한다. 소금을 살짝 뿌린다.
2. 볼에 미지근한 물을 담고, 밀가루를 구멍이 작지 않은 크기가 큰 체로 걸러 서서히 넣는다. 밀가루를 넣으면서 동시에 포크로 풀어준다. 파르메산 간 것과 소금 한 자밤을 더해 잘 섞는다.
3. 깊은 수프용 볼에 달걀을 깨어 넣고, 포크로 가볍게 푼 뒤, 밀가루와 파르메산 혼합물에 넣고 골고루 섞는다.
4. 스킬렛에 0.5cm 정도 높이로 식물성기름을 넉넉히 붓고 강불에 올린다. 팬에 반죽을 한 방울 떨어트렸을 때 반죽이 모양이 잡히면서 표면으로 바로 떠오르면 기름이 충분히 달궈진 것이다.
5. 반죽에 송이를 2~3개 담갔다가 꺼내 여분의 반죽이 다시 볼에 떨어지게 잠시 기다린 뒤, 미끄러트리듯 팬 안으로 넣는다. 반죽을 입힌 조각을 몇 개 더 팬에 넣되, 기름 온도가 낮아질 정도로 한 번에 너무 많이 넣지 않는다.
6. 콜리플라워 한쪽 면이 멋진 황금색으로 바삭해지면 뒤집어서 다른 쪽도 튀긴다. 양면을 다 튀겼으면 구멍 뚫린 국자나 뒤집개로 식힘망에 옮겨 기름을 빼거나 키친타월을 깐 접시에 올린다. 팬에 공간이 생기면 콜리플라워 조각을 더 넣는다. 전부 튀기면 소금을 뿌려 바로 차려 낸다.

파르메산 치즈를 올려
조린 셀러리대 그라탱

Braised and Gratinéed Celery Stalks with Parmesan Cheese

먼저 색을 유지하기 위해 셀러리를 데치고, 풍미의 바탕이 되는 양파와 판체타를 볶은 뒤 부드러워지도록 육수를 부어 조리고, 마지막으로 감칠맛 나는 마무리를 위해 파르메산 간 것을 뿌려 오븐에서 노릇노릇하게 구워낸다. 이런 순서로 이루어진 레시피지만 직접 해보기에 아주 복잡하지 않다. 이런 수단과 방법이 그야말로 합당했다는 것을 그저 맛있는 결과물만으로 깨닫게 될 것이다.

6인분

셀러리 큰 묶음 2개, 아삭하고 신선한 것으로 준비
잘게 다진 양파 3큰술
버터 2큰술
판체타 또는 프로슈토 ¼컵, 잘게 썬다
고기육수 25쪽 설명대로 직접 만든 것 2컵 또는 소고기육수 통조림 ½컵, 물 1½컵을 탄다
식탁에 차려 낼 오븐용 그릇
갓 갈아낸 파르미자노 레자노 치즈 1컵

1. 이파리가 붙은 셀러리 윗부분을 잘라내고, 뿌리 부분에서 줄기를 모두 떼어낸다. 속심은 샐러드 또는 558쪽 핀치모니오에 찍어 먹을 용도로 보관해둔다. 세로날 필러로 섬유질을 대부분 벗겨내고, 줄기를 7.5cm 정도 길이로 썬다.
2. 물 2~3L를 팔팔 끓여 셀러리를 넣어 물이 다시 끓기 시작하면 1분간 익힌 뒤 건져서 한편에 둔다.
3. 오븐을 200°C로 예열한다.
4. 소스팬에 양파와 버터를 넣고 중불에 올린다. 양파가 투명해질 때까지 저어가며 익힌 뒤, 잘게 썬 판체타 또는 프로슈토를 더한다. 고루 저으며 1분간 익힌 다음, 셀러리, 소금과 후추를 넣어 셀러리에 기름이 고루 입혀지도록 버무리고, 이따금 저어가며 5분간 익힌다.
5. 육수를 붓고, 천천히 뭉근하게 끓도록 불을 조절해 뚜껑을 덮는다. 셀러리를 포크로 찔러 부드러울 때까지 익힌다. 거의 다 익었다는 느낌이 들면 셀러리가 부드러우면서 약간 단단한 상태인지 이따금 포크로 확인한다. 팬의 뚜껑을 열고 불을 강하게 키워 수분을 전부 날린다.

미리 준비한다면 셀러리는 이 단계까지 요리를 완성하기 몇 시간 전에 미리 준비해둘 수 있다.

6. 셀러리만 꺼내 오븐용 그릇에 나란히 놓는데, 줄기의 오목하게 파인 쪽이 위

를 향하게 한다. 팬에 남아 있는 양파와 판체타 또는 프로슈토 혼합물을 펴서 셀러리에 올리고, 위에 파르메산 간 것을 올린다. 예열된 오븐 맨 위에 넣고 치즈가 녹아 바삭한 껍질이 만들어질 때까지 몇 분간 굽는다. 오븐에서 접시를 꺼내 몇 분간 그대로 두었다가 식탁으로 가져간다.

올리브유와 레몬즙에 조린 셀러리와 감자

Celery and Potatoes Braised in Olive Oil and Lemon Juice

4~6인분

감자 중간 크기 5개
셀러리 큰 묶음 1단
엑스트라버진 올리브유 ⅓컵
소금
갓 짠 신선한 레몬즙 2큰술

1. 감자 껍질을 벗기고 찬물에 씻어 2등분하거나 크기가 크면 4등분한다.
2. 492쪽 1번 단계 설명에 따라 셀러리 줄기를 다듬는다.
3. 모든 재료가 충분히 들어갈 만큼 크고 바닥이 두껍거나 법랑이 입혀진 무쇠 냄비를 고른다. 셀러리, 올리브유, 소금을 넣고, 재료가 충분히 잠기도록 물을 부어 중불에 올리고 냄비 뚜껑을 덮는다.
4. 셀러리를 10분간 뭉근하게 익힌 뒤 감자, 소금 한 자밤, 레몬즙을 더하고 뚜껑을 다시 덮는다. 셀러리와 감자를 이따금 포크로 찔러보고, 둘 다 부드러워질 때까지 25분 정도 더 익힌다(가끔 감자가 다 익었지만 셀러리는 덜 익을 수 있다. 이런 경우 구멍 뚫린 국자로 감자를 따뜻한 접시에 옮겨 덮어 두고, 셀러리를 부드러워질 때까지 계속 익힌다).
5. 셀러리와 감자가 모두 익었을 때, 냄비에 남은 액체는 기름뿐이어야 한다. 물이 남아 있다면 뚜껑을 열고 불을 키워 졸인다(감자를 냄비에서 먼저 꺼냈다면 물을 졸인 후에 다시 넣는다. 냄비 뚜껑을 덮고 중불로 줄여 감자를 2분 정도 데운다). 맛을 보고 소금으로 간을 맞추고, 곧바로 차려 낸다.

양파, 판체타, 토마토를 곁들인 셀러리대 조림

Braised Celery Stalks with Onion, Pancetta, and Tomatoes

4~6인분

셀러리 약 900g

엑스트라버진 올리브유 ¼컵

아주 얇게 썬 양파 1½컵

판체타 ⅔컵, 가는 막대형으로 썬다

이탈리아산 플럼토마토 통조림 ¾컵, 굵게 다져 즙과 함께 준비

소금

갓 갈아낸 검은 후추

1. 492쪽 1번 단계 설명에 따라 셀러리 줄기를 다듬는다.
2. 소테팬에 올리브유와 양파를 넣고 중불에 올린다. 양파가 완전히 숨이 죽고 밝은 황금색이 될 때까지 저어가며 익힌 뒤, 막대형으로 썬 판체타를 넣는다.
3. 몇 분 뒤 판체타 지방이 익지 않은 하얀색에서 투명해지면, 토마토와 즙, 셀러리, 소금과 후추를 더해 기름이 고루 배이도록 버무려준다. 천천히 뭉근하게 끓도록 불을 조절하고 팬 뚜껑을 덮는다. 15분 뒤에 셀러리를 확인하고 포크로 찔러 아주 부드럽다고 느껴질 때까지 익힌다. 셀러리를 익히는 동안 팬 안의 즙이 부족해지면, 물 2~3큰술을 필요에 따라 보충한다. 반대로 셀러리가 다 익었을 때 팬 안의 즙이 너무 묽으면 뚜껑을 열고 불을 강불로 키워 재빨리 즙을 졸인다. 다 되면 곧바로 차려 낸다.

근대

SWISS CHARD

이탈리아 요리에서 근대만큼 쓸모 있는 푸른 잎채소는 없다. 근대의 넓고 짙은 초록색 잎은 시금치보다 더 달고 여리며, 파스타 반죽을 초록으로 물들이는 데 쓸 수 있고, 또는 속을 채우는 다양한 파스타에 치즈와 함께 넣을 수도 있다. 잎은 수프에 넣으면 좋고, 삶아서 올리브유와 레몬즙을 곁들여 내거나, 마늘과 함께 올리브유로 볶아도 맛있다. 넓적하고 단맛이 나는 다 자란 근대의 줄기는 그라탱에 넣어도 탁월하고 볶거나 튀겨도 훌륭하다.

파르메산 치즈를 올린 근대 줄기 그라탱

Swiss Chard Stalks Gratinéed with Parmesan Cheese

4인분

다 자란 근대 2단, 넓적하고 흰 줄기를 쓴다
식탁에 차려 낼 오븐용 그릇
버터, 오븐용 그릇 안쪽에 바르고 군데군데 올릴 만큼의 양
소금
갓 갈아낸 파르미자노 레자노 치즈 ⅔컵

참고 ❀ 근대잎을 파스타, 수프 또는 익힌 샐러드에 쓰려면 이 훌륭한 레시피를 반드시 기억해두어야 한다. 다듬은 줄기는 2~3일간 냉장 보관할 수 있다. 혹은 이 요리를 만들고 남은 이파리는 앞서 예로 든 방법 중 하나로 24시간 안에 쓰도록 한다.

1. 근대 줄기를 길이 10cm 정도로 조각내 자르고, 찬물에 씻는다. 물 3L를 끓여 근대를 넣고, 포크로 찔러 부드러울 때까지 중간 속도로 끓이며 익힌다. 30분 정도 걸리는데, 시간은 줄기에 따라 다르다. 건져서 한편에 둔다.
2. 오븐을 200℃로 예열한다.
3. 오븐용 접시 바닥과 옆면에 버터를 문질러 바르고, 바닥에 근대 줄기를 한 겹으로 놓는다. 끝에서 끝까지 오게 눕히는데, 필요하다면 바닥 길이에 맞게 다듬는다. 소금과 치즈 간 것을 살짝 뿌리고 버터를 아주 조금씩 군데군데 올린다. 이 과정을 반복하며 근대를 모두 쓸 때까지 층을 쌓아 올린다. 맨 위에는 파르메산을 넉넉하게 뿌리고 버터도 군데군데 두툼하게 올린다.
4. 예열한 오븐 맨 위에 넣고 치즈가 녹아 얇고 바삭한 황금색 껍질이 생길 때까지 굽는다. 10~15분 후부터 확인에 들어가야 한다. 오븐에서 꺼낸 뒤 몇 분간 그대로 두었다가 식탁으로 가져간다.

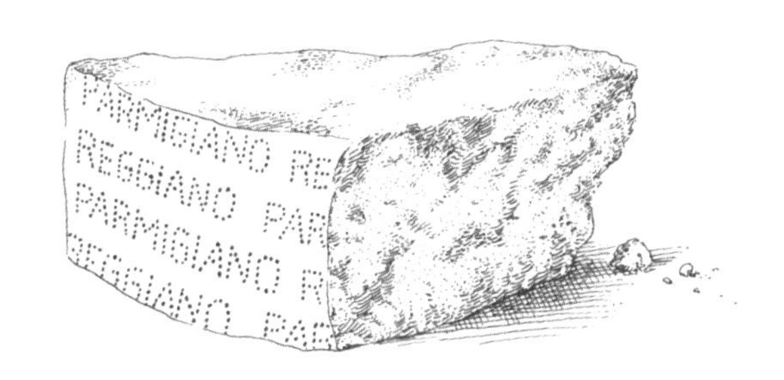

올리브유, 마늘, 파슬리, 근대 줄기 볶음

Sautéed Swiss Chard Stalks with Olive Oil, Garlic, and Parsley

4인분

근대 줄기 2½컵, 1cm 길이로 썬다
엑스트라버진 올리브유 3큰술
잘게 썬 마늘 1½작은술
잘게 썬 파슬리 2큰술
소금
갓 갈아낸 검은 후추

1. 근대 줄기를 찬물에 씻는다(495쪽 근대잎의 쓰임을 참고한다). 물 3L를 끓이고, 근대 줄기를 넣어 중간 속도로 끓이며 포크로 찔러 부드러울 때까지 익힌다. 30분 정도 걸리는데, 줄기의 상태에 따라 다르다. 건져서 한편에 둔다.
2. 소테팬에 올리브유와 마늘을 넣고 중불에 올린다. 마늘을 색이 아주 살짝 변할 때까지 저어가며 익힌 뒤, 삶은 근대, 파슬리, 소금과 후추를 넣는다. 불을 중강불로 키우고 근대 줄기에 기름이 고루 입혀지도록 뒤적인다. 5분 정도 익힌 다음, 팬의 내용물을 따뜻한 접시에 옮겨 담아 바로 차려 낸다.

텔리아타 디 비에테—건포도와 잣을 넣은 근대 파이

Tegliata di Biete—Swiss Chard Torte with Raisins and Pine Nuts

베네치아가 동방 제국과의 무역과 전쟁으로 가져온 보물에는 비단과 대리석, 보석과 공예품뿐 아니라, 서방에는 없던 새로운 재료와 레시피도 포함되어 있었다. 개중에 72쪽의 인 사오르 소스에 절인 생선 요리와 같은 몇 가지 사례는 여전히 베네치아의 일상식을 이루고 있다. 반면에, 훌륭한 맛을 내는데도 좀처럼 세상에 드러나지 않은 베네치아 요리도 있다. 어린 근대, 양파, 잣, 건포도와 파르메산 치즈로 만든 이 채소 파이처럼 말이다.

4~6인분

근대 줄기가 다 자라지 않은 어린 것으로 1125g 또는 다 자란 것으로 1465g
소금
엑스트라버진 올리브유, 근대 익히는 용 ¼컵과 추가로 팬 윗면에 바를 양
잘게 다진 양파 ⅔컵
갓 갈아낸 파르미자노 레자노 치즈 1컵
달걀 2개, 가볍게 푼다
잣 ¼컵
씨 없는 건포도 ⅓컵, 가급적 머스캣 품종으로, 물을 자작하게 부어서 준비
갓 갈아낸 검은 후추
바닥과 옆면이 분리되는 원형 틀, 지름 24~25cm 크기로 준비
빵가루 가득 채운 ⅔컵, 양념 안 된 것을 살짝 굽는다

1. 다 자란 근대를 쓴다면 넓은 줄기를 잘라 따로 보관해, 채소 수프나 495쪽 설명대로 조리해 쓴다. 이파리와 아주 가는 줄기를 0.5cm 두께로 가늘게 채썰기한다. 채 썬 근대를 주방용 대야에 담가 찬물을 몇 번 갈아가며 흙이 완전히 깨끗하게 씻기도록 한다.
2. 근대를 전부 넣을 수 있는 크기의 냄비에 물 1L를 넣고 끓인다. 소금을 넉넉히 넣고 물이 다시 팔팔 끓기를 기다렸다가 근대를 넣는다. 부드러워질 때까지 15분 정도 익히는데, 그 시간은 근대의 발육 정도와 신선도에 따라 달라진다. 건져서 한편에 두고 식힌다.
3. 손으로 충분히 만질 수 있을 만큼 식으면, 쥘 수 있는 최대한의 근대를 들고 최대한 물기를 짜낸다. 물기를 전부 짠 다음, 크기가 0.5cm를 넘지 않도록 칼로 잘게 다진다. 푸드프로세서는 쓰지 않는다.
4. 오븐을 180°C로 예열한다.
5. 근대를 전부 넣을 수 있는 소테팬을 골라 올리브유 ¼컵과 잘게 다진 양파를 넣고 중불에 올린다. 양파가 옅은 갈색이 될 때까지 자주 저어가며 익힌다.
6. 잘게 썬 근대를 넣고 불을 강불로 키운다. 근대가 팬 바닥에 들러붙지 않게 하기가 힘들어질 때까지 자주 뒤적이며 익힌 다음, 팬의 내용물을 전부 볼에 옮겨 담아 한편에 두고 식힌다.
7. 근대가 상온으로 식으면 간 파르메산, 달걀 푼 것, 잣을 더한다. 건포도를 담가두었던 물에서 건져 손으로 물기를 짜고, 후추를 약간 갈아 볼에 더한다. 모든 재료가 고루 합쳐질 때까지 섞어, 맛을 보고 소금과 후추로 간을 맞춘다.
8. 원형 틀의 바닥과 옆면에 올리브유 1큰술을 문질러 바른다. 빵가루를 절반보다 약간 더 많은 양을 넣어 팬의 바닥과 옆면에 입힌다. 근대 혼합물을 넣어 윗면을 고르게 펴되, 억지로 눌러서는 안 된다. 맨 위에 남은 빵가루를 올리고

올리브유 1큰술을 조금씩 흩뿌려준다. 예열한 오븐에 넣고 40분간 굽는다.

9. 틀을 꺼내고 나서 칼날로 파이의 가장자리를 둘러가며 틀의 옆면과 분리한 다음, 잠금 장치를 풀어 틀 옆면을 제거한다. 5~6분 뒤에 뒤집개로 틀의 바닥에서 파이를 떼어내 뒤집지 말고 그대로 차림용 접시에 미끄러트리듯 올린다. 상온에서 차려 낸다. 냉장고에 넣지 않는다.

가지
EGGPLANT

구입 시기와 방법 ❁ 연중 거의 어느 때나 시장에 가서 가지를 구할 수 있지만, 한여름에서 늦여름까지인 제철만큼 맛있는 시기는 결코 없다. 가지는 따고 난 뒤에 최상의 맛을 내는 상태가 그리 오래가지 않는다. 그때를 지나면 밑에 깔려 있는 쓴맛이 더 강해져서 대부분 소금에 절여 그 맛을 없앤다(아래 '가지 손질하기' 참조). 부드럽고 스펀지 같은 느낌이 나거나, 껍질이 얼룩덜룩하고 광택이 없거나, 주름진 것은 피한다. 손으로 만졌을 때 단단해야 하고, 껍질에서 윤기가 나고 매끈하며 흠집이 없어야 한다.

전형적인 이탈리아 가지는 짙은 자주색의 길고 가느다란 것이지만, 이탈리아인들도 북미에서 널리 쓰이는 통통하고 서양배처럼 생긴 품종을 사용하며, 드물게 하얀 가지를 쓰기도 한다. 이 모든 가지들은 다양한 식료품점에서 한 번쯤 봤을 법한 것들이고, 대부분의 레시피에서 서로 교체될 수 있다. 나는 대개 부드러운 맛과 단단한 조직을 갖고 있는 하얀 가지를 신뢰하는 편이다. 여러 품종 가운데 고를 수 있다면 내가 선택할 만한 품종이다. 동양 식료품점에서 구할 수 있는 옅은 자주색의 중국 가지는 맛은 있지만 이탈리아 요리에 썼을 때는 그 단맛에 물릴 수 있다.

가지 손질하기 ❁ 가지의 거친 부분을 다듬는 과정은 때로 상당한 일이 될 수 있고, 레시피 대부분의 준비 단계이다. 그 과정은 다음과 같다.

- 가지의 뾰족한 초록색 꼭지를 잘라내고 껍질을 벗긴다. '꼬마' 가지로도 알려진 어리고 가느다란 이탈리아 품종이라면 껍질을 벗기지 않아도 된다.
- 두께 1cm가 채 안 되게 세로로 얇게 썬다.
- 파스타 콜랜더 안에 얇게 썬 가지를 반듯이 세워서 한 층을 만들고, 소금을 뿌린다. 또다시 한 층을 세워 소금을 뿌리며, 손질해놓은 가지에 전부 소금을 뿌릴 때까지 이 과정을 반복한다.

❁ 깊이가 있는 접시를 콜랜더 아래에 받쳐 떨어지는 물기를 모으며 가지를 소금에 30분 또는 그 이상 절인다.

❁ 조리하기 전에 얇게 썬 가지를 키친타월로 가볍게 두드려 물기를 완전히 제거한다.

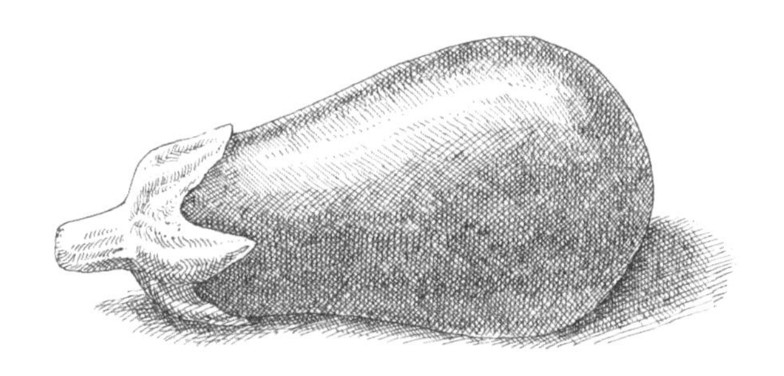

튀긴 가지

Fried Eggplant

얇게 썰어 튀긴 가지는 그 자체로 맛있는 전채 또는 채소 요리이자, 500쪽 가지 파르메산, 170쪽과 171쪽의 가지를 넣은 파스타 소스, 그리고 채소와 고기가 특별히 조화를 이루는 요리에서 없어서는 안 될 요소이다. 가지를 기름에 흠뻑 적시지 않고 튀기려면 팬에 아주 뜨겁게 달군 기름이 많아야 한다.

곁들임 채소 또는 전채로 낼 경우 6~8인분

가지 1350~2025g
소금
식물성기름

1. 얇게 썬 가지를 위의 설명에 따라 소금에 절인다.
2. 커다란 튀김용 냄비를 골라 4cm 정도 높이로 기름을 넉넉히 붓고 강불에 올린다. 키친타월로 가지의 물기를 완전히 제거해, 얇게 썬 가지 하나의 끝을 기름에 담가본다. 기름이 지글거리면 튀길 준비가 된 것이다. 가지가 냄비에 겹치지 않고 여유 있게 들어갈 만큼의 얇게 썬 가지를 미끄러트리듯 넣는다. 한쪽 면이 황금빛 갈색으로 튀겨지면 뒤집어서 다른 쪽도 튀긴다. 가지는 한 번만 뒤집는다. 양면을 다 튀겼으면 구멍 뚫린 국자나 뒤집개로 식힘망에 옮겨 기름을 빼거나 키친타월을 깐 접시에 놓는다. 가지를 전부 튀길 때까지 이 과정을 반복한다. 기름이 너무 뜨거워진 것 같으면 불을 살짝 줄이되, 냄비에 기름을 더 넣지 않는다.

가지만 차려 낸다면, 아직 뜨거운 상태에서 곧바로 낼 수도 있고, 혹은 식혀서 맛이 더 좋아지는 상온 상태에서 낼 수도 있다. 먹어보고 소금이 필요한지 판단한다. 준비 단계에서 충분히 절였기 때문에 가지가 이미 짭짤할 수 있다.

가지 파르메산

Eggplant Parmesan

한두 세대에게는 토마토 소스를 넣은 스파게티 다음으로 가장 친숙한 이탈리아 음식일 만한 요리다. 아마 어떤 요리사들의 식견으로는 이 요리가 너무 진부할지도 모르지만, 나는 꾸준히 집에서 이 요리를 만들어왔고, 이탈리아에서 피자 가게뿐 아니라 세련된 레스토랑에서도 가지 파르메산이 여전히 등장하는 것을 보면 기쁘기까지 하다. 이보다 더 만족스럽게 여름의 맛을 표현해내는 요리는 없으며, 이탈리아 음식 신에 등장한 수많은 새로운 요리들과 맞서며 오랜 시간을 견뎌온 이 요리의 인기 역시 의심의 여지가 없는 것이다.

6인분

가지 1350g
식물성기름
밀가루, 접시 위에 펼친다
이탈리아산 플럼토마토 통조림 2컵, 잘 건져서 굵게 썬다
엑스트라버진 올리브유 1큰술
소금
모차렐라 340g, 가급적 물소젖으로 만든 것으로 준비
생바질잎 8~10장
식탁에 차려 낼 오븐용 그릇, 가로 28cm, 세로18cm 크기 또는 비슷한 크기로 준비
버터, 오븐용 그릇에 바르고 군데군데 올릴 양
갓 갈아낸 파르미자노 레자노 치즈 ½컵

1. 498쪽 설명대로 가지를 얇게 썰어 소금에 절인다.
2. 커다란 튀김용 냄비를 골라 4cm 정도 높이로 기름을 넉넉히 붓고 강불에 올린다. 키친타월로 가지의 물기를 완전히 제거해, 양면에 밀가루를 입힌다. 튀길 준비가 되면 한 번에 얇게 썬 가지 몇 개에만 밀가루를 입혀야 한다. 그렇지 않으면 입혀진 밀가루가 눅눅해진다. 밀가루를 입힌 뒤에, 499쪽의 기본 레시피에서 설명한 대로 가지를 튀긴다.
3. 다른 스킬렛에 토마토와 올리브유를 넣고 중강불에 올린다. 소금을 더해 젓고 토마토가 반으로 줄 때까지 익힌다.

4. 오븐을 200°C로 예열한다.
5. 모차렐라를 최대한 얇게 썬다. 바질을 씻어 1장을 2조각 이상으로 찢는다.
6. 오븐용 그릇 바닥과 안쪽에 버터를 문질러 바른다. 튀긴 가지를 그릇 바닥에 한 겹으로 깔고, 그 위에 익힌 토마토를 펴 바른다. 모차렐라를 한 층 덮고 파르메산 간 것을 넉넉히 뿌려 찢어놓은 바질 몇 조각을 올린 다음, 위에 튀긴 가지 한 겹 다시 올린다. 이 과정을 반복하되, 맨 위 층이 가지로 끝나야 한다. 파르메산 간 것을 뿌려 그릇을 예열한 오븐의 상단에 넣는다.
7. 가끔 가지 파르메산이 구워지면서 생각보다 많은 수분이 나올 수 있다. 오븐에 넣고 나서 20분 뒤에 숟가락 뒷면으로 가지 층을 눌러 여분의 수분이 떨어지게 한다. 15분 더 익힌 후 오븐에서 꺼내 몇분간 그대로 두었다가 식탁으로 가져간다.

미리 준비한다면 ❁ 가지 파르메산은 만든 지 얼마 되지 않았을 때가 가장 맛있지만, 미리 만들어야 한다면 몇 시간부터 최대 2~3일 전에 완성해둘 수 있다. 식으면 주방용 랩으로 싸서 냉장 보관한다. 200°C로 예열한 오븐 맨 위에 넣어 데운다.

빵가루를 입힌 가지 커틀릿

Breaded Eggplant Cutlets

4~6인분

가지 565~675g짜리 1개
소금
달걀 1개
빵가루 2컵, 양념 안 된 것을 살짝 구워 접시 위에 펼친다
식물성기름

1. 가지를 다듬고 껍질을 벗겨 두께 0.3cm 정도로 세로로 얇게 썰어 498쪽 설명대로 소금에 절인다.
2. 깊이가 있는 접시나 작은 볼에 달걀을 가볍게 푼다.
3. 얇게 썬 가지를 다 절이면 키친타월로 가볍게 두드려 물기를 완전히 제거한다. 가지를 각각 달걀 푼 것에 담갔다가 꺼내 여분의 달걀물이 볼에 다시 떨어지도록 잠시 기다렸다가, 양면에 고루 빵가루를 입힌다. 손에서 물기가 사라진 느낌이 들 때까지 손바닥으로 가지의 양면을 눌러 빵가루가 가지 표면에 단단히 접착되도록 한다.
4. 튀김용 냄비에 4cm 정도 높이로 기름을 충분히 붓고 중강불에 올린다. 기름

이 꽤 뜨거워진 것 같으면 얇게 썬 가지 하나의 끝을 담가본다. 기름이 지글거리면 튀길 준비가 된 것이다. 냄비에 겹치지 않으면서 여유 있게 들어갈 만큼의 얇게 썬 가지를 미끄러트리듯 넣는다. 한쪽 면이 황금빛 갈색으로 튀겨지면 뒤집어서 다른 쪽도 튀긴다. 양면을 다 튀겼으면 구멍 뚫린 국자나 뒤집개로 식힘망에 옮겨 기름을 빼거나 키친타월을 깐 접시에 놓는다. 가지를 전부 튀길 때까지 이 과정을 반복한다. 소금을 뿌려 바로 차려 낸다.

깍둑썰기한 가지, 알 푼게토

Eggplant Cubes, Al Funghetto

이탈리아 메뉴 목록에서 알 푼게토는 가지를 마늘, 파르메산과 함께 올리브유를 뿌려 익힌 음식을 의미하는데, 익힌 버섯을 넣던 전통적인 레시피를 변형한 것이다. 가지의 조직이 스펀지 같기 때문에 처음에는 기름을 대부분 빨아들이는 것처럼 보이겠지만 걱정할 필요는 없다. 익히면서 계속 열을 가하면 스펀지 같은 조직에 갇혀 있던 기름이 전부 빠져나온다. 익히는 동안 절대로 기름을 추가해서는 안 되므로 처음부터 기름을 넉넉히 써야 한다.

6인분

가지 1350g
소금
마늘 1~2쪽, 칼 손잡이로 가볍게 으깨 껍질을 벗긴다
엑스트라버진 올리브유 ⅓컵
아주 잘게 다진 파슬리 2큰술
갓 갈아낸 검은 후추

1. 가지를 다듬고 껍질을 벗겨 2.5cm 크기로 깍둑썰기한다. 파스타 콜랜더에 깍둑썰기한 가지를 담아 소금을 넉넉히 뿌리고 소금이 고루 스며들도록 버무린 다음, 깊이가 있는 접시에 받쳐둔다. 1시간 정도 절인 뒤 콜랜더에서 가지 조각들을 꺼내 키친타월로 가볍게 두드려 물기를 완전히 제거한다.
2. 스킬렛 또는 소테팬에 마늘과 올리브유를 넣고 중불에 올린다. 마늘이 살짝 노릇해질 때까지 저어가며 익힌다. 마늘을 꺼내고 가지를 넣어 불을 중강불로 올린다. 처음에 가지가 올리브유를 전부 빨아들였을 때 자주 저어준다. 열

에 의해 가지가 기름을 뱉어내면 다시 중불로 줄인다. 가지를 익힌 지 15분 정도 되었을 때 파슬리와 후추를 더한다. 고루 버무린 후 포크로 가지를 찔러 아주 부드러울 때까지 20분 내외로 더 익힌다. 맛을 보고 소금으로 간을 맞춘다. 구멍 뚫린 국자나 뒤집개로 떠내 차림용 접시에 옮긴다.

모차렐라를 곁들여 반으로 자른 꼬마 가지 볶음

Sautéed Baby Eggplant Halves with Mozzarella

이 레시피에 가장 알맞은 가지는 달고 가늘며 주키니보다 크지 않되, 너무 작아서도 안 된다. 자주색 품종이든 하얀색 품종이든 상관없다.

8인분

'꼬마' 가지 가늘고 긴 것으로 8개
아주 잘게 다진 마늘 2작은술
아주 잘게 다진 파슬리 2큰술
소금
갓 갈아낸 검은 후추
엑스트라버진 올리브유 ⅓컵
빵가루 ¼컵, 양념 안 된 것을 살짝 굽는다
모차렐라 225g, 가급적 물소젖으로 만든 것을 두께 0.5cm를 넘지 않게 얇게 썬다

1. 가지의 초록색 꼭지를 잘라내고, 찬물에 씻어 세로로 길게 2등분한다. 가지 속살에 열십자 무늬를 깊이 새기되, 껍질을 뚫지 않도록 주의한다.
2. 반으로 자른 가지가 겹치지 않고 전부 들어갈 만큼 크고 넓은 소테팬을 고른다. 팬 2개를 써야 한다면 올리브유 양을 ½컵으로 늘린다. 껍질이 바닥을, 십자 무늬를 새긴 쪽이 위를 향하도록 팬에 가지를 넣는다.
3. 마늘, 파슬리, 소금, 후추, 빵가루와 올리브유 1큰술을 작은 볼에 넣고 재료가 고루 합쳐지도록 섞는다. 섞은 재료를 숟가락으로 떠서 반으로 자른 가지에 올리고 잘린 틈새로 스며들도록 눌러준다.
4. 남은 올리브유를 일부는 가지 위에, 일부는 바로 팬에 가늘게 뿌린다. 팬 뚜껑을 덮어 중약불에 올리고 포크로 가지를 찔러 아주 부드러울 때까지 20분 내외로 익힌다. 반으로 자른 가지마다 얇게 썬 모차렐라를 한 겹 덮어주고, 불을 중불로 키워 뚜껑을 다시 덮은 다음 모차렐라가 녹을 때까지 익힌다.

파슬리, 마늘, 파르메산을 넣은 가지 패티

Eggplant Patties with Parsley, Garlic, and Parmesan

구운 가지의 부드러운 속살을 잘게 썰고 빵가루, 파슬리, 마늘, 달걀, 파르메산과 섞어 패티를 빚는다. 패티에 밀가루를 입혀 뜨거운 기름에 갈색이 되게 익히면 너무나도 맛있는 요리가 완성된다.

4~6인분

가지 약 900g
빵가루 ⅓컵, 양념 안 된 것을 살짝 굽는다
아주 잘게 다진 파슬리 3큰술
마늘 2쪽, 껍질을 벗기고 아주 잘게 다진다
달걀 1개
갓 갈아낸 파르미자노 레자노 치즈 3큰술
소금
갓 갈아낸 검은 후추
식물성기름
밀가루, 접시 위에 펼친다

1. 오븐을 200°C로 예열한다.
2. 오븐이 예열되면, 가지를 씻어 다듬지 않고 통째로 둔다. 예열된 오븐 맨 위에 가지를 넣되, 베이킹팬을 그 아래 받침대에 놓아 떨어지는 수분을 모은다. 가지가 부드러워지고, 이쑤시개로 찔러 저항 없이 쑥 들어갈 때까지 40분 정도 굽는데, 가지 크기에 따라 시간이 달라진다.
3. 오븐에서 가지를 꺼내 손으로 만질 수 있을 만큼 충분히 식으면 바로 껍질을 벗기고 크게 몇 조각으로 썬다. 그것을 깊이가 있는 접시를 받친 파스타 콜랜더에 넣어 수분이 대부분 배출되게 한다. 15분 정도 걸리며 부드럽게 손으로 짜주면서 수분이 더 빨리 빠지게 할 수도 있다.
4. 가지 속살을 아주 곱게 다져 빵가루, 파슬리, 마늘, 달걀, 파르메산 간 것, 소금과 후추와 함께 볼에 넣고 섞는다. 모든 재료를 고르게 섞는다. 맛을 보고 소금과 후추로 간한다. 혼합물을 지름 5cm, 두께 1cm 정도 되는 패티로 빚어, 작업대 또는 접시 위에 펼쳐 놓는다.
5. 튀김용 냄비에 1cm 정도 높이로 식물성기름을 넉넉히 붓고 강불에 올린다. 기름이 아주 뜨거워지면 패티 양면에 밀가루를 입혀 냄비에 미끄러트리듯 넣는다. 한 번에 냄비 안이 여유 있을 만큼만 넣어야 한다. 패티가 먹음직스러운 짙은 갈색으로 바삭하게 익으면 뒤집어서 다른 면도 익힌 뒤, 구멍 뚫린 국자나 뒤집개로 식힘망에 옮겨 기름을 빼거나 키친타월을 깐 접시에 놓는다. 맛을 보고 소금으로 간한다. 뜨거울 때나 미지근할 때 차려 낸다.

1. 양파와 토마토를 넣어보기

앞의 기본 레시피대로 만든 튀긴 패티
아주 가늘게 채 썬 양파 1½컵
엑스트라버진 올리브유 ⅓컵
소금
이탈리아산 플럼토마토 통조림 1½컵, 썰어서 즙과 함께 준비
갓 갈아낸 검은 후추

1. 패티를 전부 넉넉하게 넣을 수 있는 넓은 소테팬을 고른다. 양파와 올리브유를 넣고 중약불에 올린다. 양파가 짙은 황금색이 될 때까지 저어가며 익힌 뒤 썰어놓은 토마토를 더한다. 토마토에서 기름이 분리되어 떠오를 때까지 계속 20분 정도 익힌다. 소금과 후추를 뿌리고 고루 저어준다.
2. 튀긴 가지 패티를 팬에 담는다. 양파와 토마토 소스 안에서 몇 번 뒤집고, 패티가 속까지 완전히 데워지면, 냄비의 내용물을 전부 따뜻한 접시에 옮겨 담아 바로 차려 낸다.

2. 모차렐라와 구워보기

앞의 기본 레시피대로 만든 튀긴 패티
식탁에 차려 낼 오븐용 그릇
버터, 오븐용 그릇에 바를 양
모차렐라, 가급적 물소젖으로 만든 것을 두께 0.5cm로 얇게 썰어 가지 패티를 덮을 만큼 준비

1. 오븐을 200℃로 예열한다.
2. 패티가 전부 겹치지 않고 들어가는 오븐용 그릇을 골라 버터를 바르고 튀긴 가지 패티를 놓는다. 각각의 패티를 얇게 썬 모차렐라로 덮는다.
3. 그릇을 예열한 오븐 맨 위에 넣는다. 모차렐라가 녹으면 그릇을 오븐에서 꺼내 곧바로 식탁에 낸다.

구운 에스카롤 토르타

Baked Escarole Torta

이탈리아어로는 이 요리를 피자, 정확히는 피차 디 스카롤라(pizza di scarola)라고 부를지도 모르지만 토르타(torta), 즉 '파이'가 더 정확한 명칭이다.

에스카롤은 아삭아삭하고 벌어져 있는 꼬불꼬불한 잎을 가진 치커리 종류로, 주름진 끝부분은 옅은 녹색이다가 밑으로 갈수록 흰색으로 변한다. 날것일 때는 특별한 맛이 없으나 익히면 매력적인 흙냄새를 품은 시큼한 맛을 낸다(100쪽 수프 참조). 이 토르타는 에스카롤을 마늘, 올리브, 케이퍼와 함께 올리브유에 볶은 뒤, 안초비와 잣을 더해 속을 채운다. 파이 껍질은 깔끔하고 짭짤한 맛이 나는 빵 반죽을 한 번 발효시켜서 쓴다. 반죽에 넣는 지방으로는 전통적으로 섬세한 질감을 내는 라드를 쓰지만, 라드가 꺼려진다면 올리브유로 대체할 수 있다. 지름 25cm인 팬을 사용해 높이 5cm 정도 되는 토르타를 만든다.

8인분

반죽 재료

밀가루 표백하지 않은 것으로 2⅔컵
소금 1작은술
드라이 이스트 ⅓봉지, 미지근한 물 1컵에 녹인다
갓 갈아낸 검은 후추
라드 2큰술, 상온에서 부드러워진 상태로 준비 또는 엑스트라버진 올리브유 3큰술

속재료

에스카롤 신선한 것으로 1350g
소금
엑스트라버진 올리브유 ⅓컵
잘게 썬 마늘 2작은술
케이퍼 3큰술, 26쪽 설명대로 소금에 절인 것은 물에 담갔다가 헹구고 식초에 담긴 것은 건진다
그리스 올리브 검고 둥근 것으로 10개, 씨를 빼고 4등분한다
안초비 7조각(19쪽 설명대로 가급적 직접 만든 것으로), 1cm 크기로 썬다
잣 3큰술

토르타 굽기

주방용 코팅종이 또는 유산지
바닥과 옆면이 분리되는 원형 틀, 지름 25cm 크기로 준비
버터, 틀에 바를 양

1. 반죽을 만들기 위해 작업대 위에 밀가루를 부어 산봉우리 모양을 잡는다. 가운데 구멍을 파 소금과 후추 간 것을 약간 넣고, 물에 녹인 이스트, 부드러워진 라드 또는 올리브유도 더한다. 8분 정도 치댄다. 반죽이 부드러우면 가장 좋지만, 손으로 다루기 힘들다면 밀가루를 1~2큰술 추가하거나 푸드프로세서로 반죽한다.
2. 치댄 반죽을 둥글게 뭉쳐 밀가루를 살짝 입힌 볼에 넣는다. 축축하게 적신 천을 2겹으로 접어 볼 위에 덮고, 반죽이 2배로 부풀어 오를 때까지 1시간에서 1시간 반 따뜻하고 안정적인 환경의 주방 한편에 둔다.
3. 오븐을 190°C로 예열한다.
4. 반죽이 부풀어 오르는 동안 속을 준비한다. 시들거나 색이 변한 바깥쪽 잎을 다듬은 에스카롤을 5cm 길이로 썬다. 찬물을 채운 주방용 대야에 담갔다가 들어 올리고, 물을 버리고 다시 깨끗한 물을 채워 담그는 과정을 3~4번 반복한다.
5. 물 3~4L를 끓여 소금을 넣고, 에스카롤도 빠트린다. 부드러워질 때까지 15분 정도 익히는데, 발육 정도와 신선도에 따라 시간이 달라진다. 건져서 손으로 만질 수 있을 만큼 충분히 식으면 바로 최대한 물기를 부드럽게 짜낸 후 한편에 둔다.
6. 올리브유와 마늘을 커다란 소테팬에 넣고 중불에 올려 마늘이 살짝 노릇해질 때까지 저어가며 익힌다. 에스카롤을 더해 기름이 고루 입혀지도록 한두 번 뒤적인다. 불을 중약불로 줄여 에스카롤을 이따금 뒤적여가며 10분간 익힌다. 팬에 물기가 너무 많으면 불을 키워 재빨리 졸인다. 케이퍼를 더해 에스카롤과 함께 뒤적인 뒤, 올리브를 넣고 다시 뒤적인 다음 불에서 내린다. 안초비와 잣을 더해 섞는다. 맛을 보고 소금으로 간을 맞추고 팬의 내용물을 전부 볼에 부어 한편에 두고 식힌다.
7. 반죽이 2배로 부풀면 크기가 다른 두 덩어리로 나누는데, 하나의 크기가 다른 하나의 2배가 되게 한다. 더 큰 반죽을 원형 틀의 바닥과 옆면을 충분히 덮을 수 있는 크기의 둥글고 얇은 1장으로 민다. 대략 0.5cm 두께가 나와야 한다. 틀까지 쉽게 옮기려면, 밀가루를 살짝 뿌린 주방용 코팅종이나 유산지 위에서 반죽을 민다.
8. 원형 틀 안쪽에 버터를 문질러 바르고, 얇게 민 반죽을 올린 주방용 코팅종이나 유산지를 들어 틀 위에 뒤집어 반죽이 바닥을 덮고 옆면까지 올라오게 한다. 주방용 코팅종이나 유산지를 벗겨내고, 특별히 뭉친 곳을 손가락으로 매만져 반죽을 평평하고 고르게 한다.

9. 볼에 담긴 에스카롤 속을 틀에 붓고 뒤집개로 평평하게 고른다.
10. 남은 반죽을 앞선 방법과 동일하게 민다. 속재료가 완전히 덮히도록 위에 놓는다. 위에 놓인 빵 반죽의 가장자리를 원형 틀 옆면에 올라와 있는 반죽 가장자리에 대고 누른다. 전체적으로 단단히 봉하고, 남은 반죽은 가운데 쪽으로 접는다.
11. 예열한 오븐 맨 위에 넣어 토르타가 살짝 볼록해지고 윗면이 옅은 황금색으로 변할 때까지 45분 정도 굽는다. 오븐에서 꺼내면 잠금 장치를 풀어 틀 옆면을 제거한다. 바닥면을 떼어내기 전에 토르타를 몇 분간 그대로 두고, 차림용 접시로 옮긴다. 미지근할 때나 상온에서 차려 낸다.

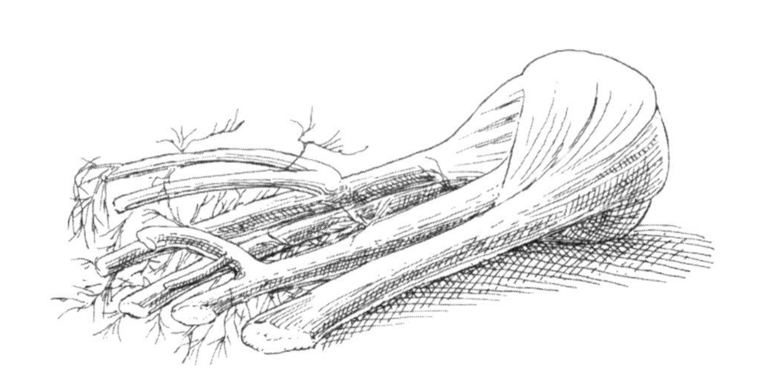

피노키오

FINOCCHIO

피노키오에 해당하는 영어 단어인 플로렌스 펜넬(Florence fennel)이 있음에도 많은 요리사들이 피노키오라는 이탈리아어를 일상적으로 사용한다. 펜넬은 아니스(anise)의 일종이지만, 아니스과에 속하는 친족관계인 채소들(감초, 회향, 팔각 등)에 흔한 톡 쏘는 맛이 없고 시원하고 순한 향을 지녔다. 피노키오를 생으로 샐러드에 넣어서 먹는 경우가 많지만, 피노키오는 브레이징하거나, 볶거나, 그라탱에 넣거나, 튀겨서 먹기에도 좋은 채소다. 볼록하고 빵빵한 아랫부분을 쓰고, 줄기와 잎은 보통 제거한다. 야생 펜넬이 필요한데 구할 수 없을 때 피노키오의 잎이 난 윗부분을 꽤 괜찮은 대안으로 쓸 수 있다.

구입 시기와 방법 ❁ 피노키오가 가장 즙이 많고 달콤하며 신선한 향을 풍기는 제철은 가을에서 봄이지만, 여름에도 구할 수 있다. 이탈리아인들은 피노키오를 암수로 구분하는데, 수피노키오는 밑동이 땅딸막하고 둥글며 빵빵하고, 암피노키오는 납작하고 길다. '수놈'이 더 아삭거리고 섬유질이 덜하며, 향과 질이 더 좋아 특히 날로 먹기에 더 적합하다. 익힐 때는 납작한 밑동도 괜찮지만, 신선도가 같기만 하다면 더 두툼하고 둥근 것이 언제나 더 맛있다.

올리브유에 조린 피노키오

Braised Finocchio with Olive Oil

4인분

피노키오 큰 것 3개 또는 그보다 작은 것 4~5개	엑스트라버진 올리브유 ⅓컵
	소금

1. 피노키오의 줄기가 시작되는 윗부분을 구근과 만나는 지점에서 자른다. 구근 바깥쪽의 시들거나 변색된 부분도 잘라 버린다. 밑동을 0.3cm 정도 두께로 얇게 썰어낸다. 구근을 1cm보다 얇게 수직 방향으로 썬다. 얇게 썬 조각을 찬물을 몇 번 갈아가며 씻는다.

2. 피노키오와 올리브유를 커다란 소스팬에 넣고 재료가 잠길 만큼만 물을 부어 중불에 올린다. 팬 뚜껑은 덮지 않는다. 이따금 얇게 썬 조각을 뒤적이며 피노키오가 윤기가 나면서 살짝 노릇해지고, 포크로 찔러 아주 부드러울 때까지 익힌다. 얇게 썬 밑동 부분은 더 부드러운 위쪽에 비해 단단할 것이다. 25~40분 걸리는데, 그 시간을 피노키오의 신선도에 따라 달라진다. 익히는 동안 팬의 수분이 부족한 것 같으면 물 ⅓컵을 추가한다. 피노키오가 다 익었을 때는 물을 모두 빨아들였어야 한다. 소금을 넣고 한두 번 뒤적인 다음, 팬의 내용물을 따뜻한 접시에 옮겨 담아 바로 차려 낸다.

버터와 파르메산을 곁들여보기

앞선 레시피의 재료 목록에서 올리브유를 생략하고 버터 ¼컵과 갓 갈아낸 파르미자노 레자노 치즈 3큰술을 추가한다. 올리브유를 버터로 대체해 앞에서 설명한 조리 과정을 따른다. 피노키오가 익으면 소금을 뿌리고 파르메산 간 것을 추가해 3~4번 버무린 뒤 바로 차려 낸다.

빵가루를 입혀 튀긴 피노키오

Breaded Fried Finocchio

4~6인분

피노키오 3개
달걀 2개
빵가루 1½컵, 양념 안 된 것을 살짝 구워 접시에 펼친다
식물성기름
소금

1. 509쪽 설명대로 피노키오를 다듬고 얇게 썰어 씻는다.
2. 물 3L를 끓인 뒤, 얇게 썬 피노키오를 넣는다. 얇게 썬 피노키오 밑동이 포크로 찔러 부드러우면서도 단단함이 느껴질 때까지 중간 속도로 끓인다. 건져서 한편에 두고 식힌다.
3. 깊이가 있는 접시 또는 작은 볼에 달걀을 넣고 포크로 푼다.
4. 살짝 익혀서 식힌 피노키오를 풀어놓은 달걀에 담갔다가 꺼내 여분의 달걀물이 다시 그릇에 떨어지게 기다린 뒤, 빵가루를 양면에 입힌다. 얇게 썬 피노키오에서 물기가 없어지는 느낌이 들 때까지 손바닥으로 빵가루를 눌러, 피노키오에 빵가루를 단단하게 묻힌다.
5. 튀김용 냄비에 1cm 정도 높이로 기름을 충분히 붓는다. 기름이 꽤 달궈진 것 같으면 피노키오 하나를 집어 끝을 담가본다. 기름이 지글거리면 튀길 준비가 된 것이다. 피노키오가 겹치지 않고 널찍하게 들어갈 만큼의 피노키오 조각을 미끄러트리듯 냄비에 넣는다. 한쪽 면이 황금빛 갈색으로 바삭하게 튀겨지면 뒤집어서 다른 쪽도 튀긴다. 양면을 다 튀기면 구멍 뚫린 국자나 뒤집개로 식힘망에 옮겨 기름을 빼거나 키친타월을 깐 접시에 놓는다. 피노키오를 전부 튀길 때까지 이 과정을 반복한다. 소금을 뿌려 바로 차려 낸다.

마늘과 함께 올리브유에 볶은 푸른 잎채소 모둠

Sautéed Mixed Greens with Olive Oil and Garlic

이 요리는 흔히 번철에서 납작하게 부친 빵인 646쪽의 피아디나(piadina) 조각에 발라 먹는 것으로 알려져 있지만, 소시지 또는 돼지고기 로스트에 곁들여 내도 아주 만족스러운 부드러운 채소 모둠이다.

모둠이 성공적인 맛의 균형을 내려면 부드러운 맛과 약간의 쓴맛이 반드시 서로 조화를 이루어야 한다. 사보이 양배추와 시금치가 부드러움을, 치메 디 라파(cime di rapa)가 씁쓸함을 담당한다. 시금치 대신 근대를 써도 된다. 치메 디 라파는 기다란 줄기와 가느다란 잎이 다발을 이루고 끝에는 옅은 노란색 봉오리가 달려 있는 채소로 가을에서 봄까지 나는데, 카탈루냐 치커리나 민들레류, 또는 구할 수 있는 다른 쓴맛 나는 야생 푸성귀류로 대체할 수 있다. 6인분

시금치 또는 근대 신선한 것으로 450g
치메 디 라파 225g(라피니 또는 브로콜레티 디 라파라고도 불림)
사보이 양배추 450g
소금
엑스트라버진 올리브유 ¼컵
잘게 썬 마늘 1큰술
갓 갈아낸 검은 후추

1. 시금치의 두껍고 오래된 줄기를 꺾어내거나 근대의 가장 넓고 큰 줄기를 떼어낸 후, 어느 쪽이건 찬물을 채운 주방용 대야에 담근다. 시금치 또는 근대를 들어 올려 흙이 남은 물을 버리고 깨끗한 찬물을 채워 다시 담근다. 대야 바닥에 더 이상 흙이 남지 않을 때까지 이 작업을 몇 번 반복한다.
2. 다른 대야에 치메 디 라파를 똑같은 방식으로 담근다.
3. 사보이 양배추의 변색된 바깥쪽 잎을 떼어낸다. 줄기의 밑동을 자르고 송이를 4등분한다.
4. 물 3~4L 끓이고, 소금 1큰술을 더해 치메 디 라파를 넣는다. 냄비 뚜껑을 비스듬하게 덮어 부드러워질 때까지 8~12분간 익히는데, 신선도와 발육 정도에 따라 시간이 달라진다. 건져서 한편에 둔다. 냄비에 깨끗한 물을 다시 채우고,

근대를 쓴다면 같은 방식으로 조리한다. 근대를 건진 뒤에 냄비에 물을 다시 채워 같은 과정으로 양배추도 익히는데, 소금은 절대 넣지 않는다. 양배추 송이의 가장 두꺼운 부분이 포크로 쉽게 찔러질 때까지 15~20분 익힌다.

5. 시금치를 쓴다면 소금 ½큰술을 넣고 냄비 뚜껑을 덮어 익히는데, 시금치를 담갔다 꺼내 잎에 맺힌 수분으로만 익힌다. 부드러워질 때까지 시금치에 따라 10분 내외로 익힌다. 꺼내서 한편에 둔다.
6. 모든 초록색 채소의 물기를 가능한 한 많이 부드러우면서도 강하게 짜낸다. 모두 함께 듬성듬성 썬다.

미리 준비한다면 ❀ 차려 내기 몇 시간 전에 초록색 채소들을 이 단계까지 미리 익히고 준비해둘 수 있다. 밤새 두거나 냉장고에 넣어서는 안 된다.

7. 커다란 소테팬에 올리브유와 마늘을 넣고 중불에 올린다. 마늘이 살짝 노릇해질 때까지 저어가며 익힌 뒤, 썰어놓은 초록색 채소들을 전부 넣는다. 소금과 후추를 더하고 기름이 고루 입혀지도록 3~4번 완전히 뒤적인다. 채소를 자주 뒤적이며 10~15분간 익힌다. 맛을 보고 소금으로 간을 맞춘다. 곧바로 차려 낸다.

파르메산 치즈를 넣고 조린 리크

Braised Leeks with Parmesan Cheese

로마시대, 그리고 그 이전부터 이탈리아 사람들에게 사랑받아온 리크는 수프에 넣거나 다른 고기 요리에 곁들이는 채소 정도였다. 양파, 마늘과 은근히 비교되는 이 채소는, 그러나 아래 레시피에서처럼 특별한 역할을 맡기에 충분한 가치가 있다. 맛에 변화를 주고 싶다면 리크 대신 파로 똑같이 조리한다. 4인분

리크 큰 것 4대 또는 중간 크기 6대
버터 3큰술
소금
갓 갈아낸 파르미자노 레자노 치즈 3큰술

1. 노랗게 변색되거나 시든 잎을 떼어낸다. 구근 끝에서 뿌리를 잘라낸다. 초록색 윗부분은 자르지 않는다. 리크를 세로로 길게 둘로 가른다. 흐르는 찬물에서 손으로 윗부분을 펼쳐가며 숨어 있는 찌꺼기까지 확실히 씻어낸다.
2. 리크를 직선으로 곧게 놓을 수 있을 만큼 넓고 긴 냄비에 넣는다. 버터와 소금

을 더하고 재료가 충분히 잠길 정도로 물을 붓고 뚜껑을 덮어 중약불에 올린다. 리크의 가장 두꺼운 부분을 포크로 찔러 부드러울 때까지 15~20분 정도 익히는데, 리크의 발육 정도와 신선도에 따라 그 시간이 달라진다. 익히는 동안 이따금 뒤집어준다.

3. 다 익으면 냄비 뚜껑을 열고 불을 강불로 키워 냄비의 수분을 전부 날린다. 이 과정에서 리크는 밝은 갈색이 되어야 한다. 불에서 내리기 전에 파르메산 간 것을 더해 리크를 한두 번 뒤적인 뒤, 따뜻한 접시에 옮겨 담아 바로 차려 낸다.

판체타를 곁들인 보스턴 상추찜

Smothered Boston Lettuce with Pancetta

4인분

보스턴 상추 675g
식물성기름 2큰술
잘게 다진 양파 ½컵
판체타 ⅓컵, 잘게 다진다
소금

1. 포기 상추에서 잎을 전부 떼어내고, 속심은 생으로 먹을 샐러드용으로 보관한다. 주방용 대야에 찬물을 채워 잎을 담근다. 상추를 들어 올리고, 흙이 남은 물을 버리고 다시 대야를 깨끗한 찬물로 채워 상추를 다시 담근다. 대야 바닥에 흙이 더 이상 남지 않을 때까지 이 동작을 몇 번 반복한다.
2. 마지막으로 잎을 건져내, 채소 탈수기를 쓰거나 잎을 모아 천으로 감싸고 3~4번 탁탁 두드려 물기를 털어낸다.
3. 각 잎을 크기에 따라 2~3조각으로 찢고, 한편에 둔다.
4. 기름, 양파와 판체타를 소테팬에 넣고 중불에 올려, 양파가 짙은 황금색이 될 때까지 이따금 저어가며 익힌다.
5. 상추를 팬이 넘치지 않을 정도로 가능한 한 많이 넣는다. 처음에 다 들어가지 않으면 첫 분량을 잠시 익혀 부피를 줄이고 남은 분량을 추가한다. 소금을 넣고 팬 뚜껑을 덮어 가운데 잎맥이 부드러워질 때까지만 30~40분 익힌다. 익히는 동안 상추를 이따금 뒤적인다. 다 익었을 때 팬의 즙이 너무 묽으면 뚜껑을 열고 불을 강불로 키워 재빨리 졸인다. 곧바로 차려 낸다. 다시 데우거나 냉장고에 넣지 않는다.

버섯
MUSHROOMS

오늘날 요리에 쓸 수 있는 신선한 버섯은 거의 모두 재배된 것이다. 야생 그물버섯, 다시 말해 이탈리아의 값비싼 포르치니는 버섯 중에서도 가장 깊은 풍미를 내지만, 이탈리아나 프랑스를 벗어나면 시장에서 신선한 상태로 구하기가 좀처럼 쉽지 않다. 하지만 말린 것은 유통되어 있으며, 37쪽 설명대로 적절하게 불리면 그물버섯의 강렬한 향이 소스, 몇몇 수프와 고기, 그리고 재배된 신선한 버섯을 넣은 요리의 풍미에 활력을 불어넣는다. 신선한 상태로 이용할 수 있는 재배버섯 품종 가운데, 이탈리아 요리에서 가장 쓰임새가 큰 것들을 소개한다.

 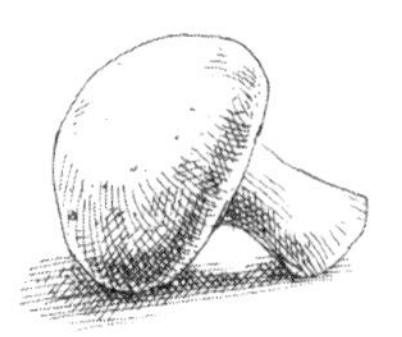

양송이 ❀ 압도적인 차이로 가장 흔하게 판매되는 버섯이다. 이탈리아에서는 프랑스어 명칭인 '샹피뇽'(champignon), 또는 이탈리아어로 '프라타욜로'(prataiolo)로 불리는데, 두 단어 모두 '초원의'라는 의미다. 양송이의 크기가 맛에 영향을 주지 않는다고들 하지만, 나는 '버튼'이라 불리는 작고 어린 버섯의 질감이 더 자란 큰 것보다 확실히 더 뛰어나다고 생각한다.

크레미니 ❀ 옅은 갈색에서 짙은 갈색을 띠는 이 버섯은 흰 버섯이 개발되기 오래전부터 재배했던 품종이다. 흰 것보다 풍미가 더 깊지만, 더 비싸기도 하다. 가격이 부담스럽다면, 어떤 레시피에서건 흰 버튼 양송이버섯을 대신 써도 된다.

표고버섯 ❀ 일본 품종인 이 갈색 버섯의 자루 부분은 너무 질겨 쓰기 어렵지만, 갓은 이탈리아에서 신선한 포르치니에 쓰는 방법으로 요리하면 놀랄 만큼 맛있다.

구입하고 저장하는 법 ❀ 신선함을 나타내는 단단한 정도를 확인하고, 축 늘어져 있는 것은 부패의 신호이니 피한다. 버튼 양송이 또는 크레미니 버섯을 구입할 때는 매끄럽고 갓이 오므라진 것을 골라야 하는 반면에 표고버섯은 항상 갓

이 벌어져 있다. 버섯을 플라스틱 재질의 용기에 보관하지 않는다. 수분 손실과 부패를 앞당기므로 종이봉투에 넣는다. 아주 신선하다면 냉장고 또는 겨울의 찬 공간에서 2~3일 괜찮은 상태를 유지할 것이다.

올리브유, 마늘, 파슬리를 곁들인 버섯 볶음 : 두 가지 방법

Sautéed Mushrooms with Olive Oil, Garlic, and Parsley : Two Methods

이탈리아에서 버섯을 쓸 때 맛의 밑바탕은 전통적으로 올리브유, 마늘, 파슬리로 낸다. 버섯이나 다른 채소들을 얇게 썰어 밑바탕에 더해 익히는데, 송로버섯 방식으로 다룬다는 뜻의 트리폴라티(trifolati, 파슬리와 마늘을 올리브유에 볶는 조리 방법인 'trifolato'의 복수형. 저자는 또 다른 저서 『정통 이탈리아 요리책』에서 이를 롬바르디아와 피에몬테에서 송로버섯의 방언인 'trifola'에서 유래한 레시피라고 말한다 — 옮긴이)로 알려져 있다.

아래 두 가지 방법은 모두 같은 전통적인 맛의 바탕에 기초해 있지만 그 목적과 결과에는 차이가 있다. 첫째는 비교적 보수적인 접근으로 단단함과 질감을 유지한다. 두 번째는 더 혁신적인 방법으로, 흰 버섯에 말린 포르치니를 섞어 천천히 익힘으로써 전형적인 시판 버섯에 포르치니의 짙은 흙내음과 비단 같은 부드러움을 주어 신선한 야생 그물버섯처럼 느껴지게 한다.

방법 1

6인분

양송이 또는 크레미니 버섯 675g, 신선하고 단단한 것으로 준비
아주 잘게 다진 마늘 1½작은술
엑스트라버진 올리브유 ½컵
소금
갓 갈아낸 검은 후추
아주 잘게 다진 파슬리 3큰술

1. 버섯의 갓에서 자루가 떨어지지 않게 밑동 끝을 아주 얇은 원형으로 잘라낸다. 버섯이 물을 빨아들이지 않도록 흐르는 찬물에 재빨리 씻는다. 부드러운 천으로 살살 가볍게 두드려 물기를 완전히 제거한다. 갓과 자루가 붙어 있게 0.5cm 정도 두께로 세로로 얇게 썬다.
2. 버섯이 여유 있게 전부 들어가는 소테팬을 골라 마늘과 올리브유를 넣고 중강불에 올린다. 마늘이 약간 노릇해질 때까지 저어가며 익힌 뒤, 버섯을 넣고 불을 강불로 키운다.
3. 버섯이 기름을 전부 흡수하면 소금과 후추를 뿌리고 불을 약하게 줄여 팬을 흔들거나 나무 주걱으로 버섯을 뒤집는다. 매우 빠르게 버섯에서 즙이 흘러나오는데, 그러자마자 불을 세게 키워 4~5분간 자주 저어가며 즙을 졸인다.
4. 맛을 보고 소금으로 간을 맞춘다. 다진 파슬리를 넣고 한두 번 잘 저어준 뒤, 팬의 내용물을 따뜻한 접시에 옮겨 담아 바로 차려 낸다.

방법 2

6인분

앞의 레시피 재료에 추가한다.

말린 포르치니 버섯 30g, 37쪽 설명대로 불려서 썬다

버섯 불린 물, 37쪽을 참고해 거른다

1. 앞의 레시피 1번 단계 설명대로 양송이버섯을 다듬고 씻어 천으로 물기를 제거하고, 얇게 썬다.
2. 모든 재료가 여유 있게 들어갈 만큼 넓은 소테팬을 골라 마늘과 올리브유를 넣고 중불에 올린다. 마늘이 살짝 노릇해질 때까지 저어가며 익힌 뒤, 다진 파슬리를 넣는다. 재빨리 한두 번 젓고, 불려서 썬 포르치니를 더해 기름이 고루 입혀지도록 다시 한두 번 저은 다음, 걸러낸 포르치니 불린 물을 붓는다. 불을 키워 수분이 전부 날아갈 때까지 팔팔 끓인다.
3. 얇게 썬 신선한 버섯을 소금, 후추와 함께 팬에 넣어 한두 번 완전히 뒤적이고, 불을 약하게 줄이고 팬 뚜껑을 덮는다. 가끔 저어주며 신선한 버섯이 아주 부드러워지면서 색이 짙어질 때까지 25~30분간 익힌다. 다 익었을 때 팬 안의 즙이 여전히 묽다면 불을 세게 키워 재빨리 졸인다. 팬의 내용물을 따뜻한 접시에 옮겨 담고 바로 차려 낸다.

포르치니, 로즈마리, 토마토를 곁들인 신선한 버섯

Fresh Mushrooms with Porcini, Rosemary, and Tomatoes

4~6인분

양송이 또는 크레미니 버섯 450g, 신선하고 단단한 것으로 준비
엑스트라버진 올리브유 ⅓컵
잘게 썬 마늘 1작은술
로즈마리잎 신선한 것은 1작은술 또는 말린 것은 잘게 썰어서 ½작은술
말린 포르치니 버섯 30g, 37쪽 설명대로 불려서 썬다
버섯 불린 물, 37쪽을 참고해 거른다
소금
갓 갈아낸 검은 후추
이탈리아산 플럼토마토 통조림 ½컵, 썰어서 즙과 함께 준비

1. 515쪽 레시피의 1번 단계 설명대로 양송이버섯을 다듬고 씻어 천으로 물기를 제거한다. 갓과 자루가 붙어 있는 채로 세로로 2등분하거나, 크기가 크다면 4등분한다.
2. 모든 재료가 여유 있게 들어가는 소테팬을 골라 올리브유와 마늘을 넣고 중강불에 올린다. 마늘이 살짝 노릇해질 때까지 저어가며 익힌 뒤, 로즈마리와 불려서 썰어놓은 포르치니를 넣는다. 기름이 고루 입혀지도록 한두 번 저은 다음, 걸러낸 포르치니 불린 물을 붓는다. 불을 키워 수분이 전부 날아갈 때까지 팔팔 끓인다.
3. 토마토와 즙을 넣어 고루 버무리고, 팬 뚜껑을 덮어 불을 약하게 줄인다. 10분 정도 익힌다. 익히는 동안 버섯이 바닥에 들러붙지 않을 만큼 팬에 수분이 충분치 않다면 필요에 따라 물을 1~2큰술 추가한다. 완성되면 팬의 내용물을 따뜻한 접시에 옮겨 담아 바로 차려 낸다.

토스카나식으로 빵가루를 입혀 튀긴 버섯

Fried Breaded Mushrooms, Tuscan Style

4인분

양송이 또는 크레미니 버섯 340g, 신선하고 단단한 것으로 준비
달걀 대란으로 1개 또는 그보다 작은 것 2개
갓 갈아낸 검은 후추
빵가루 1½컵, 양념 안 된 것을 살짝 구워 접시에 펼친다
식물성기름
소금

1. 515쪽 레시피의 1번 단계 설명대로 양송이버섯을 다듬고 씻어 천으로 물기를 제거한다. 갓과 자루가 붙어 있는 상태를 유지하면서 세로로 2cm 정도 두께로 썰거나, 아주 작다면 반으로 썬다.
2. 깊이가 있는 접시 또는 작은 볼에 달걀을 깨트려 넣고 후추를 살짝 갈아 넣은 다음 포크로 가볍게 푼다.
3. 버섯 조각을 달걀 푼 것에 담갔다가 꺼내 여분의 달걀물이 다시 그릇으로 떨어지게 한 뒤, 양면에 빵가루를 입힌다.
4. 튀김용 냄비에 1cm 정도 높이로 기름을 넉넉히 붓는다. 기름이 꽤 뜨거워진 것 같으면 버섯 하나를 담가본다. 기름이 지글거리면 튀길 준비가 된 것이다. 겹치지 않고 여유 있게 들어갈 만큼의 버섯을 미끄러트리듯 넣는다. 한쪽 면이 바삭하게 황금빛 갈색으로 튀겨지면 뒤집어서 다른 면도 튀긴 뒤, 구멍 뚫린 국자나 뒤집개로 식힘망에 옮겨 기름을 빼거나 키친타월을 깐 접시에 놓는다. 버섯을 전부 튀길 때까지 이 과정을 반복한다. 소금을 뿌려 바로 차려낸다.

포르치니처럼 볶은 표고버섯갓

Sautéed Shiitake Mushroom Caps, Porcini Style

표고버섯 갓을 아래 설명대로 올리브유, 마늘과 함께 천천히 볶으면, 다른 시판 버섯보다 나은 표고버섯은 신선한 포르치니의 숲 내음과 흡사한 풍미를 낸다.

메인 요리로는 4인분, 곁들임 요리로는 6~8인분

표고버섯 신선하고 갓이 큰 것으로 900g
엑스트라버진 올리브유 ⅓컵
소금
갓 갈아낸 검은 후추
잘게 썬 마늘 1큰술
잘게 썬 파슬리 2큰술

1. 버섯갓에서 자루를 떼어내 버린다. 갓이 물기를 흡수하지 않도록 흐르는 찬물에 재빨리 씻는다. 주방용 천으로 가볍게 두드려 물기를 완전히 제거한다.
2. 버섯이 전부 겹치지 않고 여유 있게 들어가는 스킬렛을 고른다(필요하다면 팬을 2개 사용하되 올리브유 양을 ½컵으로 늘린다). 올리브유를 몇 방울 떨어트리고 스킬렛을 기울여 기름을 고루 퍼뜨려 바닥에 입힌다. 버섯갓을 윗면이 위를 향하도록 넣고 중약불에 올린다.
3. 대략 8분 뒤에 버섯을 뒤집고 소금과 후추를 뿌린다. 버섯에서 수분이 나오면 날아갈 때까지 불을 키워둔다. 팬에 묽은 즙이 더 이상 없을 때 불을 다시 줄인다. 버섯갓에 마늘과 파슬리를 뿌리고 남은 올리브유를 위에 부어, 포크로 찔러 버섯이 부드러울 때까지 5분 이상 계속 익힌다. 팬에 남은 올리브유, 마늘, 파슬리와 함께 곧바로 차려 낸다.

버섯 팀발로

Mushroom Timballo

팀발로(timballo)는 북처럼 생긴 이탈리아의 전통적인 틀이다. 그 틀에서 익히는 요리의 명칭 또한 같은데, 다지고, 소스를 입히고, 구울 수 있는 것 등 다양한 종류의 팀발로가 있다.

이 고급스럽고 감칠맛이 풍부한 유례없는 버섯 요리에서 갓과 자루는 따로 익힌다. 갓은 빵가루를 입혀 바삭하게 튀기고, 일부는 틀의 바닥에 한 층으로 깔고, 일부는 팀발로에 뚜껑으로 씌우고, 또 다른 일부는 사이에 끼운다. 자루는 토마토, 불려놓은 말린 포르치니와 익혀, 튀긴 갓과 치즈와 층층이 번갈아가며 속으로 쓰인다.

6~8인분

말린 포르치니 버섯 30g, 37쪽
설명대로 불린다
버섯 불린 물, 37쪽을 참고해 거른다
양송이 또는 크레미니 버섯 900g,
신선하고 단단하며 적당한 크기에
갓이 벌어지지 않은 것으로 준비
달걀 2개
빵가루, 양념 안 된 것을 살짝 구워
접시에 펼친다
식물성기름 1¼컵
엑스트라버진 올리브유 ⅓컵
잘게 다진 마늘 ½작은술
잘게 썬 파슬리 2큰술
소금
갓 갈아낸 검은 후추
이탈리아산 플럼토마토 통조림 ½컵,
건더기만 잘게 다진다
도자 수플레 용기, 용량 1L짜리로 준비
버터, 용기에 문질러 바를 양
폰티나 또는 그뤼에르 치즈 225g,
수입산을 얇게 썬다
갓 갈아낸 파르미자노 레자노 치즈 ½컵

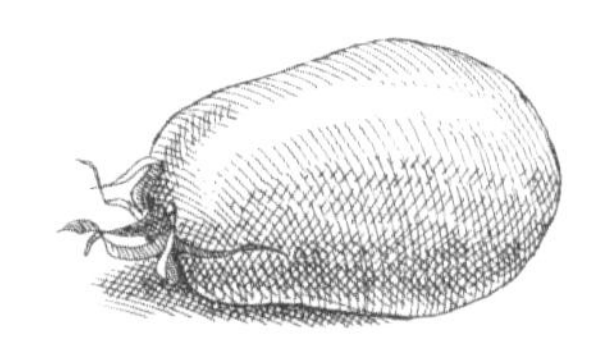

1. 불린 버섯과 걸러낸 불린 물을 작은 소스팬에 넣고 중불에 올린다. 수분이 모두 날아가면 불에서 내려 한편에 둔다.
2. 신선한 버섯을 흐르는 찬물에 재빨리 씻고 갓과 자루를 분리한다. 둘 다 부드러운 천으로 가볍게 두드려 물기를 완전히 제거한다.
3. 갓의 높이를 맞추고 바닥면을 평평하게 하기 위해 아랫부분을 가로로 얇게 자른다. 얇게 잘라낸 조각은 고리 모양이 된다. 이것을 둘로 썰어 한편에 두고, 갓은 통째 남긴다. 자루는 가능한 얇게 세로로 썰어, 갓의 바닥면을 얇게 썬 조각과 함께 섞어 한편에 둔다.
4. 깊이가 있는 접시에 달걀을 깨어 넣고 포크로 가볍게 푼다. 버섯갓을 달걀에 담갔다가 꺼내 여분의 달걀물이 접시로 다시 떨어지게 한다. 펼쳐 놓은 빵가루에 뒤적여 전체에 고루 입히고, 빵가루를 손가락으로 버섯에 대고 두드려 단단하게 들러붙게 한다.
5. 갓 전부에 빵가루를 입히면 작은 튀김용 냄비에 식물성기름의 절반을 붓고 중강불에 올린다. 기름이 뜨거워지면 냄비로 갓을 미끄러트리듯 넣는다. 한 번에 널찍하게 들어갈 만큼만 넣는다. 한쪽 면이 보기 좋게 황금색으로 바삭하게 튀겨지면 뒤집어서 다른 쪽도 튀긴 뒤, 식힘망에 옮겨 기름을 빼거나 키친타월을 깐 접시에 놓는다. 갓을 절반쯤 튀기면 아마 기름이 빵가루로 검게 변할 것이다. 불을 끄고 폐기름 보관 통에 뜨거운 기름을 조심스럽게 부어버

리고 냄비를 키친타월로 깨끗하게 닦는다. 남은 식물성기름을 부어 다시 중강불에 올리고 갓을 마저 튀긴다.

6. 오븐을 180℃로 예열한다.
7. 소테팬에 올리브유와 마늘을 넣고 중불에 올린다. 마늘이 살짝 노릇해질 때까지 저어가며 익힌 뒤, 얇게 썬 버섯자루와 잘게 썬 파슬리를 넣는다. 불을 중강불로 키워 버섯을 자주 뒤집어가며 5분 정도 익힌다.
8. 익혀놓은 불린 포르치니 버섯, 소금 몇 자밤, 후추 간 것을 약간 넣는다. 한두 번 저은 다음 다진 토마토를 넣는다. 토마토에서 기름이 분리되어 떠오를 때까지 이따금 저어주며 계속 익힌다. 맛을 보고 소금과 후추로 간하고 불을 끈다.

미리 준비한다면 ❀ 팀발로는 이 단계까지 몇 시간 전에 준비해둘 수 있다. 다음 단계를 진행하기 전에 버섯자루와 토마토를 살짝 데운다.

9. 수플레 용기 바닥에 버터를 문질러 바르고, 튀긴 버섯갓을 바닥면(아랫면)이 위를 향하도록 해 한 층으로 용기 바닥을 덮는다. 소금을 뿌리고, 얇게 썬 폰티나 또는 그뤼에르를 한 층으로 덮고 버섯자루와 토마토 섞은 것을 약간 펴 바른 다음, 맨 위에 파르메산 간 것을 뿌린다. 버섯갓, 폰티나 또는 그뤼에르, 버섯자루와 토마토 섞은 것 순으로 이 과정을 반복한다. 바닥면이 위를 향하도록 팀발로 맨 위에 올릴 버섯갓을 충분히 남겨둔다. 이후에 팀발로를 뒤집으면 방향이 똑바로 바뀔 것이다.
10. 용기를 예열한 오븐 상단에 넣고 25분간 굽는다.
11. 용기를 오븐에서 꺼내 10분간 그대로 두었다가 칼로 용기의 옆면을 따라가면서 팀발로를 떼어낸다. 크고 둥근 접시를 아랫부분이 위를 향하도록 뒤집어 수플레 용기 위에 놓는다. 접시와 용기를 함께 천으로 단단히 붙들어 잡고 용기를 뒤집는다. 팀발로가 용기에서 떨어져 나와 접시에 서 있게 한다. 5~10분을 식혔다가 차려 낸다.

새콤달콤한 양파

Sweet and Sour Onions

새콤함과 달콤함의 매력적인 조합을 낳는 비밀 재료는 인내심뿐이다. 양파를 1시간 또는 그 이상 지켜보며 천천히 뭉근하게 익히는 데 필요한 인내심 말이다. 실제 과정은 더 단순하다. 주방에서 다른 일을 하는 동안 양파를 올려두면, 그 정도의 시간을 들일 가치가 충분하다는 걸 알게 될 것이다. 이처럼 다양한 미각을 만족시켜주고, 다종다양한 고기류와 가금류를 두루 꾸며주는 채소 요리는 몇 없기 때문이다.

6인분

양파 1350g, 작고 하얀 보통 품종의 양파로 준비
버터 4큰술
질 좋은 와인 식초 2½큰술
설탕 2작은술
소금
갓 갈아낸 검은 후추

1. 물 3L를 끓여 양파를 넣고 15까지 센 다음에 건진다. 손으로 만질 수 있을 만큼 충분히 식으면 바로 바깥 껍질을 벗기고 뿌리를 떼고 밑동 끝부분을 썰어낸다. 더 이상 벗겨내거나 윗부분을 다듬지 않는 등 오래 익히는 동안 그대로 유지되도록 최소한의 손질만 한다.
2. 양파를 전부 겹치지 않고 넉넉히 넣을 수 있는 소테팬을 고른다. 양파, 버터를 넣고 팬에 2.5cm를 넘지 않는 높이로 물을 충분히 부어 중불에 올린다. 양파를 익히면서 이따금 뒤집어주고 팬에 수분이 부족해지면 언제든 물을 2큰술 추가한다.
3. 20분 내외가 지나 양파가 부드러워지면 식초, 설탕, 소금과 후추를 넣고 양파를 한두 번 완전히 뒤집어준 뒤, 불을 약하게 줄인다. 필요할 때 물을 1~2큰술 더해가며 1시간 또는 그 이상 은근히 익힌다. 양파를 한 번씩 뒤집는다. 전체적으로 짙은 황금빛 갈색으로 변하고 포크로 찔렀을 때 쉽게 들어가면 다 익은 것이다. 팬의 즙과 함께 곧바로 차려 낸다.

미리 준비한다면 조리해서 차려 내기 직전에 양파의 맛이 가장 좋지만 몇 시간 전에 완성해둘 수도 있다. 필요에 따라 물을 1~2큰술 더해 천천히 다시 데운다.

올리브유와 프로슈토를 곁들인 피렌체식 어린 완두콩 볶음

Sautéed Early Peas with Olive Oil and Prosciutto, Florentine Style

4~6인분

완두콩 어리고 신선한 것은 껍질째 900g 또는 냉동 완두콩 300g 해동해서 준비
엑스트라버진 올리브유 2큰술
프로슈토 또는 짠맛이 덜한 판체타 2큰술, 0.5cm 크기로 깍둑썰기한다

마늘 2쪽, 껍질을 벗긴다	소금
아주 잘게 다진 파슬리 2큰술	갓 갈아낸 검은 후추

1. 신선한 완두콩을 쓴다면: 103쪽 설명대로 껍질을 벗기고 안쪽 막을 벗겨낸 꼬투리를 약간 준비한다. 꼬투리는 1컵 정도 되게 한다.
   냉동 완두콩을 쓴다면: 다음 단계부터 진행한다.
2. 마늘과 올리브유를 소테팬에 넣고 중강불에 올린다. 마늘이 밝은 갈색이 될 때까지 저어가며 익힌 뒤 꺼내고, 깍둑썰기한 프로슈토 또는 판체타를 넣는다. 5~6번 재빨리 저은 다음, 신선한 완두콩과 손질한 꼬투리, 또는 해동한 냉동 완두콩을 넣고 기름이 고루 입혀지도록 한두 번 완전히 뒤적인다. 파슬리와 후추 간 것 약간을 더하고, 신선한 콩을 쓴다면 물 ¼컵을 붓는다. 불을 중불로 줄여 팬 뚜껑을 덮는다. 냉동 콩을 쓴다면 5분간 익힌다.
   신선한 콩을 쓴다면 15~30분 정도 걸리는데, 전적으로 콩의 발육 정도와 신선도에 달려 있다. 팬에 수분이 부족해지면 필요에 따라 물을 1~2큰술 보충한다. 콩이 다 익었을 때 팬에 물이 남아 있으면 안 된다. 콩이 익었는데 즙이 묽다면 뚜껑을 열고 불을 키워 즙을 졸인다.
   맛을 보고 소금으로 간을 맞춰 잘 저은 뒤 팬의 내용물을 모두 따뜻한 접시로 옮겨 바로 차려 낸다.

우유와 파르메산 치즈를 넣은 볼로냐식 으깬 감자

Mashed Potatoes with Milk and Parmesan Cheese, Bolognese Style

4~6인분

감자 450g, 둥글고 반질반질한 묵은 것으로 준비	우유 ½컵 또는 필요에 따라 추가
중탕기	갓 갈아낸 파르미자노 레자노 치즈 ⅓컵
버터 3큰술, 작게 썬다	소금
	너트메그 1알

1. 껍질을 깎지 않은 감자를 커다란 소스팬에 넣고 물을 충분히 붓는다. 팬 뚜껑을 덮고, 포크로 찔러 부드러울 때까지 일정한 세기로 감자를 삶는다. 감자가 물을 잔뜩 머금게 될 수 있으니 너무 자주 찔러보지 않는다. 건져서 뜨거울 때 껍질을 벗긴다.

2. 중탕기의 아래쪽에 물을 넣고 뭉근하게 끓인다. 위쪽에 버터를 넣는다. 푸드 밀이나 포테이토 라이서로 감자를 으깨 버터 위로 바로 떨어지게 한다.
3. 작은 소스팬에 우유를 넣고 끓어오르기 직전, 즉 아주 작은 진주 같은 거품이 생기기 시작하는 때까지 가열한다. 끓기 전에 불을 끈다.
4. 뜨거운 우유를 한 번에 2~3큰술 넣으면서 거품기 또는 포크로 감자를 계속 휘저어 섞는다. 우유의 절반을 넣었을 때 파르메산 간 것을 전부 넣고 섞는다. 치즈가 감자와 부드럽게 융화되면 다시 우유를 넣는다. 이따금 팔을 반드시 쉬여야 할 몇 초를 제외하고는 멈추지 말고 휘저어야 한다.

   감자는 아주 부드럽고 폭신한 덩어리로 변해야 하는데, 이는 끊임없이 휘젓고 감자가 묽어지고 흐르기 전에 최대한 많은 우유를 흡수한 상태다. 어떤 감자는 다른 것보다 우유를 덜 흡수하므로 충분히 넣었으면, 눈에 보이는 상태와 맛을 보고 판단한다.
5. 우유를 전부 넣었거나 감자가 더 이상 흡수할 수 없다고 판단되면 소금과 너트메그를 ⅛작은술 정도 소량 갈아 넣고 고루 스며들도록 저어준다. 따뜻한 접시에 으깬 감자를 펴 담아 바로 차려 낸다.

미리 준비한다면 ❀ 가장 맛이 좋을 때는 단연 완성된 그 순간이다. 그러나 으깬 감자를 바로 차려 내는 것이 정말로 불가능하다면, 최대 1시간 전까지 미리 만들어둘 수 있다. 낼 준비가 되면, 중탕기의 물을 뭉근하게 끓이고 아주 뜨거운 우유를 2~3큰술 더해 휘저으면서 다시 데운다.

아래 크로켓 레시피 중 하나를 시도한다면 몇 시간 또는 꼬박 하루 전에 만들어둘 수 있다.

바삭하게 튀긴 면을 곁들인 감자 크로켓

Potato Croquettes with Crisp-Fried Noodles

작은 으깬 감자볼에 조각낸 가는 면을 입혀 튀겨내면 흡사 엉겅퀴처럼 보인다. 겉의 바삭한 면과 속의 부드러운 감자가 이루는 대비로 크로켓은 생김새만큼이나 매력적인 맛을 얻는다.

6인분

아주 가는 면 1컵, 엔젤헤어 또는 그보다 얇은 면을 0.3cm 크기로 손으로 부순다
밀가루 ⅓컵
달걀노른자 1개분
으깬 감자, 523쪽 레시피대로 만든다(523쪽 '미리 준비한다면' 또한 참고)
식물성기름

1. 조각낸 면과 밀가루를 접시에 합친다.
2. 달걀노른자를 으깬 감자에 넣고 섞는다. 2.5cm 정도 크기로 둥글게 빚어 조각낸 면과 밀가루 위에서 굴린다.
3. 스킬렛에 0.5cm 정도 높이로 기름을 충분히 붓고 강불에 올린다. 기름이 꽤 뜨거워지면 크로켓 하나를 넣어보고 기름이 지글거리는지 확인한다. 둥글게 빚은 감자를 한 번에 팬 안이 여유 있게 찰 만큼만 미끄러트리듯 넣는다. 전체적으로 바삭하게 황금빛 갈색이 될 때까지 뒤집어가며 익힌다. 구멍 뚫린 국자나 뒤집개로 식힘망에 옮겨 기름을 빼거나 키친타월을 깐 접시에 놓는다. 크로켓을 전부 튀길 때까지 이 과정을 반복하고 아주 뜨거운 상태로 차려낸다.

로마냐식 햄 감자 크로켓

Potato and Ham Croquettes, Romagna Style

6인분

으깬 감자, 523쪽 레시피대로 만든다(523쪽 '미리 준비한다면' 또한 참고)
달걀 1개와 노른자 1개분
프로슈토 180g, 아주 잘게 다진다
식물성기름
밀가루, 접시에 펼친다

1. 으깬 감자와 달걀, 추가로 노른자, 그리고 잘게 다진 프로슈토를 섞어서 고른 혼합물을 만든다.
2. 이 혼합물을 지름 5cm, 두께 1cm를 넘지 않는 크기의 작은 패티로 빚는다.
3. 스킬렛에 0.5cm 정도 높이로 기름을 충분히 부어 강불에 올린다.
4. 한 번에 패티 하나의 양면에 밀가루를 묻히는데, 손바닥으로 밀가루에 패티를 가볍게 눌러가며 입히고 여분의 가루는 털어낸다. 크로켓 하나를 빠트렸을 때 지글거릴 만큼 기름이 뜨거워지면, 감자 패티를 한 번에 스킬렛이 여유 있게 찰 만큼만 미끄러트리듯 넣는다. 전체적으로 바삭하게 황금빛 갈색이

될 때까지 뒤집어가며 익힌다. 구멍 뚫린 국자나 뒤집개로 식힘망에 옮겨 기름을 빼거나 키친타월을 깐 접시에 놓는다. 크로켓을 전부 튀길 때까지 이 과정을 반복하고 아주 뜨거운 상태로 차려 낸다.

팬에 구운 깍둑썰기한 감자

Pan-Roasted Diced Potatoes

이상적인 구운 감자는 얇고 바삭바삭한 껍질이 부드러운 속을 감싸고 있다. 이 레시피에서처럼 한 입 크기보다 작게 깍둑썰기한 감자는 조리 시간을 줄이고, 감자 각각이 중심부까지 아주 부드러워지면서 겉은 완벽하게 바삭해지도록 하여 강점을 늘린다.

4~6인분

감자 450g, 둥글고 반질반질한 것으로 준비

식물성기름

소금

1. 감자 껍질을 깎고, 1cm 정도 크기의 주사위 모양으로 깍둑썰기한다. 찬물을 2번 갈아가며 씻은 다음 주방용 천으로 가볍게 두드려 물기를 없앤다.
2. 감자가 전부 여유 있게 들어가는 스킬렛을 골라, 1cm 정도 높이로 기름을 충분히 부어 중강불에 올린다. 감자 하나를 빠뜨려 지글거릴 만큼 기름이 충분히 뜨거워지면 바로 깍둑썰기한 감자를 전부 넣는다. 불을 중불로 줄이고, 포크로 찔러 부드럽지만, 여전히 옅은 색으로 아직 바삭한 껍질이 생기지 않은 상태일 때까지 일정한 속도로 익힌다. 불을 끄고 구멍 뚫린 국자나 뒤집개로 팬에서 감자를 꺼내 완전히 식힌다. 팬의 기름은 버리지 않는다.

미리 준비한다면 ❀ 감자는 이 단계까지 1~2시간 전에 만들어둘 수 있다.

3. 차려 낼 준비가 거의 되었을 때 기름이 든 스킬렛을 강불에 올리고, 기름이 아주 뜨거워지면 감자를 다시 넣는다. 겉면이 모두 밝은 갈색으로 바삭해질

때까지 익히고, 소금을 뿌린 뒤 구멍 뚫린 국자나 뒤집개로 따뜻한 접시에 옮겨 담아 바로 차려 낸다.

풀리아식 감자, 양파, 토마토 구이

Baked Potatoes, Onion, and Tomatoes, Apulian Style

6인분

감자 900g
아주 얇게 썬 양파 2컵
토마토 신선하고 잘 익은 단단한 것으로 450g, 날것 상태로 필러로 껍질을 벗기고 씨를 제거해 작게 깍둑썰기한다
갓 갈아낸 로마노 치즈 ¾컵(42쪽 참조)
오레가노 신선한 것은 1½작은술 또는 말린 것은 ¾작은술
소금
갓 갈아낸 검은 후추
엑스트라버진 올리브유 ⅓컵
식탁에 차려 낼 오븐용 그릇, 가로 33, 세로 23cm 크기 또는 비슷한 크기로 준비

1. 오븐을 200°C로 예열한다.
2. 감자는 껍질을 깎아 찬물에 씻고, 두께 0.5cm를 넘지 않게 얇게 썬다.
3. 볼에 양파, 토마토, 간 치즈, 오레가노, 소금, 후추 그리고 물 ½컵과 함께 감자를 넣는다. 재료가 잘 섞이도록 몇 번 버무린다.
4. 오븐용 그릇에 올리브유 1큰술을 문질러 바른다. 볼에 있는 재료를 전부 그릇에 담고 평평하게 고른다. 남은 올리브유를 붓는다.
5. 예열한 오븐 맨 위에 그릇을 넣고, 감자를 포크로 찔러 아주 부드러울 때까지 1시간 정도 굽는다. 대략 20분마다 감자를 뒤집어준다. 오븐에서 그릇을 꺼내, 차려 내기 전 10분 정도 그대로 둔다. 델 정도로 뜨겁지 않은 따뜻한 상태에서 감자를 차려 내야 한다.

리구리아식으로 포르치니와 신선한 재배 버섯을 곁들여 구운 얇게 썬 감자

Sliced Potatoes Baked with Porcini and Fresh Cultivated Mushrooms, Riviera Style

4인분

말린 포르치니 버섯 30g, 37쪽 설명대로 불린다
버섯 불린 물, 37쪽을 참고해 거른다
감자 450g, 작고 반질반질한 보통 품종의 햇감자로 준비
양송이 또는 크레미니 버섯 225g, 신선하고 단단한 것으로 준비
엑스트라버진 올리브유 ⅓컵
식탁에 차려 낼 오븐용 그릇, 가로 28, 세로 18cm 크기 또는 그보다 작은 크기로 준비
아주 잘게 다진 마늘 2작은술
잘게 썬 파슬리 2큰술
갓 갈아낸 검은 후추
소금

1. 작은 소스팬에 불려놓은 버섯과 걸러낸 버섯 불린 물을 넣고 중강불에 올려 수분이 모두 날아갈 때까지 익힌다. 한편에 둔다.
2. 오븐을 200°C로 예열한다.
3. 감자 껍질을 깎거나, 갓 수확한 감자라면 껍질을 문질러 벗긴 뒤 찬물에 씻고 0.5cm 두께로 얇게 썬다.
4. 신선한 버섯을 갓과 줄기가 붙어 있는 상태로 자루의 밑동 끝부분을 얇은 원형으로 썰어 버린다. 버섯이 물을 흡수하지 않도록 흐르는 찬물에 재빨리 씻는다. 부드러운 천으로 가볍게 두드려 물기를 완전히 제거한다. 감자와 같은 두께로 갓과 자루가 함께 붙어 있도록 세로로 얇게 썬다.
5. 모든 재료가 4cm보다 높게 쌓이지 않고 들어가는 크기의 오븐용 접시를 고른다. 올리브유, 마늘, 감자, 포르치니와 얇게 썬 신선한 버섯, 파슬리를 추가하고 후추도 약간 갈아 넣는다. 재료들이 고르게 섞이도록 몇 번 버무리고, 뒤집개나 숟가락 뒷면으로 평평하게 고른다. 예열한 오븐 맨 위에 그릇을 넣는다. 15분간 구운 다음, 소금을 더해 잘 버무리고 그릇을 다시 오븐에 넣어 감자가 부드러워 질 때까지 15분 정도 더 굽는다.
6. 오븐에서 그릇을 꺼내, 식탁에 차려 내기 전 몇 분간 그대로 둔다. 그릇에 원하는 것보다 기름이 더 많다면 내기 전에 숟가락으로 떠낸다.

양파, 토마토, 파프리카를 곁들인 감자

Potatoes with Onions, Tomatoes, and Sweet Pepper

고기가 들어가지 않아도 고기 스튜만큼 푸짐하고 포만감이 느껴지는 요리다. 질 좋은 바삭한 빵을 준비해 맛있는 즙에 적셔 먹기를 추천한다. 6인분

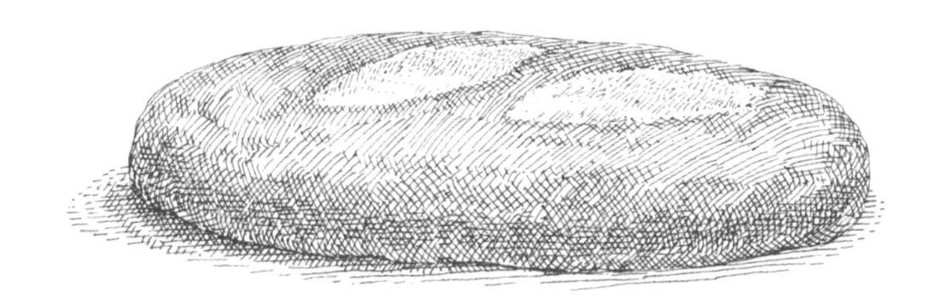

노란색 파프리카 1개
아주 얇게 썬 양파 2컵
토마토 1½컵, 신선하고 잘 익은 단단한 것은 껍질을 벗기고 잘게 썰어서 준비 또는 이탈리아산 플럼토마토 통조림은 썰어서 즙과 함께 준비
엑스트라버진 올리브유 ⅓컵
감자 675g, 둥글고 반질반질한 것으로 준비
갓 갈아낸 검은 후추
소금

1. 파프리카를 쪼개서 열고 씨와 속심을 제거해, 세로날 필러로 껍질을 벗긴다. 폭 1cm 정도의 막대형으로 세로로 길게 썬다.
2. 모든 재료가 충분히 들어가는 소테팬을 골라 양파와 올리브유를 넣고 중불에 올린다. 양파가 살짝 노릇해질 때까지 저어가며 익힌 뒤, 노란색 파프리카를 넣는다. 파프리카를 이따금 저어가며 3~4분간 익힌 다음, 썰어놓은 토마토와 즙을 더해 뭉근하게 끓도록 불을 조절한다.
3. 토마토를 익히는 동안, 감자 껍질을 깎고 찬물에 씻어 2.5cm 정도 크기로 깍둑썰기한다.
4. 토마토에서 기름이 분리되어 떠오르면 감자를 넣고 불을 아주 약하게 줄여 팬 뚜껑을 덮는다. 감자를 포크로 찔러 부드러울 때까지 30분 정도 익히는데, 감자에 따라 다르다. 익히는 동안 팬의 내용물을 이따금 뒤적여준다. 후추를 약간 갈아 넣고 맛을 본 뒤 간을 맞춰 바로 차려 낸다.

미리 준비한다면 마지막 단계까지 하루 전에 미리 완성해둘 수 있다. 팬 뚜껑을 덮고 천천히, 그리고 완전히 다시 데운다.

제노바식으로 안초비와 함께 팬에 구운 감자

Pan-Roasted Potatoes with Anchovies, Genoa Style

6인분

감자 675g, 둥글고 반질반질한 것으로 준비
안초비 2조각(19쪽 설명대로 가급적 직접 만든 것으로)
엑스트라버진 올리브유 3큰술
버터 2큰술
갓 갈아낸 검은 후추
소금
잘게 썬 마늘 1작은술
잘게 썬 파슬리 3큰술

1. 감자 껍질을 깎아 0.5cm 정도 두께로 얇게 썬다. 찬물이 담긴 볼에 얇게 썬 감자를 15분간 담갔다가 건져서 천으로 가볍게 두드려 물기를 완전히 제거한다.
2. 얇게 썬 감자를 4cm 정도 높이로 쌓을 수 있는 넓이의 소테팬을 고른다. 안초비를 죽처럼 아주 잘게 다져 올리브유, 그리고 버터와 함께 팬에 넣어 아주 약한 불에 올린다. 나무 주걱 뒷면을 팬의 안쪽 면에 대고 안초비를 으깨면서 녹기 시작할 때까지 익힌다.
3. 얇게 썬 감자를 더하고 후추를 약간 갈아 넣는다. 기름이 잘 입혀지도록 완전히 2~3번 뒤집는다. 불을 중불로 올려 팬 뚜껑을 덮고 가끔 감자를 뒤적이며 익힌다. 8분 뒤에 뚜껑을 열고, 감자가 부드러워지고 아주 밝은 갈색의 바삭한 껍질이 생길 때까지 이따금 뒤적이며 15분 내외로 더 익힌다.
4. 맛을 보고 소금으로 간을 맞추고, 마늘과 파슬리를 더해 감자를 몇 번 더 뒤집는다. 팬의 내용물을 따뜻한 접시에 옮겨 담아 바로 차려 낸다.

베이컨을 곁들인 트레비소 라디키오

Treviso Radicchio with Bacon

붉은 라디키오의 몇 가지 품종에 대해서는 38~40쪽에서 자세히 설명했다. 단맛이 제일 강해서 요리에 가장 적합한 라티키오는 늦게 수확한 것으로, 창처럼 삐죽삐죽한 줄기가 있으며 제철의 후반기인 11월에 나온다. 이탈리아 밖에서는 보기 힘든데 아주 귀하고 꽤 비싸기 때문에 대개의 경우 작은 로메인 상추를 닮은 길쭉한 바리에가토 디 트레비소(variegato di Treviso)를 쓸 수밖에 없다. 이런 종류도 구할 수 없다면 좀 더 흔한 둥근 키오자(Chioggia) 품종을 쓸 수 있는데, 쓴맛이 덜한 연말 무렵 수확한 것이 낫다.

라디키오를 날것으로 맛봤을 때 선호하는 맛보다 더 쓰다면, 벨기에 엔다이브 225g과 라디키오 450g을 함께 사용한다. 이 조합은 맛의 균형을 좀 더 부드러운 방향으로 기울일 수 있다.

4인분

라디키오 675g
엑스트라버진 올리브유 1큰술
베이컨 115g, 가는 막대형으로 썬다
소금
갓 갈아낸 검은 후추

1. 라디키오 뿌리가 아주 길다면, 잘라내고 남은 뿌리를 전체적으로 깎아 부드러운 속심이 나오게 한다. 시든 바깥쪽 잎은 떼어낸다. 가늘고 긴 품종 또는 벨기에 엔다이브를 쓴다면 세로로 길게 반으로 자르고, 동그란 라디키오를 쓴다면 웨지 모양으로 4등분한다. 뿌리 끝은 세로로 길고 평행하게 3~4조각으로 자른다. 찬물을 몇 번 갈아가며 씻고, 털고 흔들어 물기를 없앤다.
2. 라디키오와 엔다이브가 전부 한 층으로 넉넉하게 들어가는 소테팬 또는 스킬렛을 고른다. 올리브유와 베이컨을 넣고 중불에 올린다. 베이컨을 이따금 뒤집어가며 지방이 녹되, 바삭해지지는 않을 때까지 익힌다.
3. 라디키오와 선택 사항인 엔다이브를 넣어 기름이 잘 입혀지도록 몇 번 뒤적이고, 약불로 줄여 팬 뚜껑을 덮는다. 포크로 밑동을 찔러 부드러울 때까지 25~30분 익히는데, 신선도에 따라 다르다. 익히는 동안 한 번씩 뒤집는다.
4. 다 익으면, 소금과 후추를 넣고 2~3번 뒤집은 다음, 팬의 내용물을 전부 따뜻한 접시에 옮겨 담아 바로 차려 낸다.

미리 준비한다면 ◈ 마지막 단계까지 몇 시간 전에 미리 조리둘 수 있다. 차리기 전에 냄비나 오븐으로 천천히, 그렇지만 완전히 다시 데운다.

구운 라디키오

Baked Radicchio

라디키오를 익히는 전통적인 방식은 숯불 위 또는 브로일러에서 그릴로 굽는 것인데, 546~547쪽에서 벨기에 엔다이브를 그릴에 구울 때 하는 방법대로다. 그러나 그릴에 구우면 이 채소의 쓴맛이 더 두드러지므로, 39쪽에 설명한 더 부드럽고, 길쭉하며, 겨울 늦게 수확한 품종으로 제한해야 한다. 반면 올리브유를 넣어 굽는 것이 라디키오에는 더 적합해서, 둥글고 양배추처럼 생긴 것까지 적절하게 조리할 수 있다.

원한다면 벨기에 엔다이브를 함께 써서 라디키오의 쓴맛을 누그러트릴 수 있다. 라디키오를 2, 엔다이브를 1의 비율로 하되, 바로 앞인 531쪽 레시피대로 한다. 물론 라디키오를 전부 벨기에 엔다이브로 대체할 수도 있는데, 이런 방식으로 익혔을 때 꽤 맛있다는 것을 깨달을 것이다. 6인분

라디키오 900g, 위 제안대로 가급적 긴 트레비소종 또는 라디키오와 엔다이브를 함께
소금
갓 갈아낸 검은 후추
엑스트라버진 올리브유 ⅓컵

1. 요리할 준비가 되기 30분 전에, 오븐을 200℃로 예열한다.
2. 531쪽 레시피의 설명대로 라디키오 또는 벨기에 엔다이브를 자르고 쪼개어, 다듬고 씻은 뒤 물기를 턴다.
3. 준비한 채소가 전부 한 층에 들어가는 오븐용 냄비를 고른다. 자른 단면이 아래를 향하도록 넣고 소금과 후추, 올리브유 전부를 더한 뒤 고루 묻게 한다.
4. 예열한 오븐에 냄비를 넣는다. 라디키오와 선택적으로 넣은 엔다이브를 10분 뒤에 뒤집고 6~7분 더 익혀 다시 뒤집는다. 포크로 뿌리 쪽을 찔러 부드러울 때까지 10분 정도 더 익힌다. 차려 내기 전에 몇 분 그대로 둔다. 상온 상태로 먹어도 좋다.

미리 준비한다면 구운 라디키오는 몇 시간 전에 미리 만들어둘 수 있고 차려 내기 전에 오븐에서 다시 데운다.

마늘과 함께 올리브유에 볶은 시금치

Spinach Sautéed with Olive Oil and Garlic

전통으로 불릴 만한 단 하나의 이탈리아 채소 요리가 있다면, 바로 이 시금치 요리다. 지역을 불문한 단순함, 명료함, 호탕함을 드러내는 본보기이자 이탈리아 전역에서 바람직한 가정식 요리의 특성 또한 지녔다.

이 요리가 낼 수 있는 풍미를 실연하기 위해서는 신선한 시금치가 꼭 필요하므로 그 외의 것에 쉽게 만족해선 안 된다. 안타깝게도 질 좋은 신선한 시금치가 없

다면 냉동 시금치잎을 써도 된다. 만족도는 어느 정도 떨어지겠지만 그럭저럭 나쁘지 않은 대안이다.

6인분

시금치 신선하고 아삭한 것으로 900g 또는 냉동 통시금치잎 600g, 해동한다
소금
마늘 큰 것 2쪽, 껍질을 벗긴다
엑스트라버진 올리브유 ¼컵

1. 신선한 시금치를 쓴다면: 아주 어린 것이라면 줄기의 질긴 끝부분만 꺾어서 버린다. 다 자란 것이거나 그런 것 같다면 줄기 전체를 잘라 버린다. 99쪽 설명대로 찬물을 몇 번 갈아가며 시금치를 담갔다가 헹군다.

   색을 선명하게 해줄 소금을 1큰술 넣고 냄비 뚜껑을 덮어 시금치잎을 익힌다. 물에 담갔을 때 묻은 물이면 된다. 시금치에 따라 부드러워질 때까지 10분 정도 익힌다. 잘 건져서 짜지 말고 한편에 둔다.

   냉동 시금치를 쓴다면: 소금 한 자밤과 함께 냄비 뚜껑을 덮어 1분간 익힌다. 건져서 한편에 둔다.
2. 스킬렛에 마늘과 올리브유를 넣고 중강불에 올린다. 마늘이 갈색이 될 때까지 저어가며 익힌 뒤 꺼낸다. 시금치를 넣고 맛을 보아 소금으로 간을 맞춘다. 시금치에 기름이 골고루 입혀지도록 몇 번 완전히 뒤적인다. 시금치와 풍미가 베인 기름을 전부 따뜻한 접시에 옮겨 담아 바로 차려 낸다.

오븐에 오래 구운 토마토

Oven-Browned Tomatoes

이탈리아 요리사들이 집에서 토마토를 어떻게 굽는지 본 적이 없다면, 오래 구워 오그라들고 가장자리가 까맣게 변한 채로 오븐에서 나오는 토마토들을 보고는 깜짝 놀랄지도 모른다. 하지만 이 토마토들은 타지도 마르지도 않았다. 토마토는 풍미를 희석시키는 여분의 수분을 배출했고 그 즙은 토마토의 순수한 진액이다. 그것만 먹거나 다른 여름 채소들과 함께, 또는 간단한 고기 요리에 곁들여 먹으면 맛있다. 381쪽 차려 내는 방법을 참고하라.

4~6인분

- 토마토 중간 크기 9개, 신선하고 잘 익은 둥근 것으로 준비
- 아주 잘게 다진 파슬리 3큰술
- 아주 잘게 다진 마늘 2작은술
- 소금
- 갓 갈아낸 검은 후추
- 엑스트라버진 올리브유 3큰술

1. 오븐을 160℃로 예열한다.
2. 토마토를 씻고 지름이 가장 넓은 지점에서 반으로 자른다.
3. 반으로 자른 토마토가 겹치지 않고 전부 들어가는 오븐용 그릇을 고른다. 줄어들 것을 감안해 토마토를 찌그러질 정도로 꽉 끼게 넣는다. 자른 단면이 위를 향하도록 가지런히 놓고 파슬리, 마늘, 소금을 더하고 후추도 약간 갈아 뿌린다. 토마토 위에 올리브유를 뿌리고 예열한 오븐 맨 위에 넣는다.
4. 토마토가 원래 크기의 절반보다 조금 더 줄어들 때까지 1시간 또는 그 이상 익힌다. 토마토 껍질과 그릇의 옆면이 부분적으로 검게 변하되 타서는 안 된다. 익혔던 기름은 그대로 두고 구멍 뚫린 국자나 뒤집개로 차림용 접시에 옮겨 담는다. 뜨겁거나 미지근하거나 상온일 때 차려 낸다.

토마토 튀김

Fried Tomatoes

튀김에 부적합한 채소란 없고, 그중에서 토마토를 능가하는 것도 없다. 모든 조리 기법을 통틀어 익히는 속도가 가장 빠른 튀기기를 통해서만 얻을 수 있는 바삭한 겉과 촉촉한 속의 조합은 완벽하게 튀겨낸 토마토에서 이상적으로 조화를 이룬다.

4인분

- 토마토 신선하고 잘 익은 매우 단단하고 둥근 것으로 2~3개
- 달걀 1개
- 밀가루, 접시 위에 펼친다
- 빵가루, 양념 안 된 것을 살짝 구워 접시에 펼친다
- 식물성기름
- 소금

1. 토마토를 찬물에 씻어 1cm 정도 두께로 수평으로 얇게 썰고 꼭지는 제거한다. 얇게 썬 조각을 짜지 말고 씨만 조심스럽게 파낸다.
2. 깊이가 있는 접시나 작은 볼에 달걀을 가볍게 푼다.
3. 얇게 썬 토마토에 밀가루를 입히고 달걀에 담갔다가 꺼내 여분의 달걀물이

다시 그릇에 떨어지게 기다린 뒤, 양면에 빵가루를 입힌다.

4. 스킬렛에 2.5cm 정도 높이로 기름을 넉넉히 붓고 강불에 올린다. 기름이 아주 뜨거워지면 빵가루를 입힌 토마토를 여유 있게 들어갈 만큼 넣는다. 한 면이 짙은 황금색으로 바삭하게 튀겨지면 뒤집어서 다른 쪽도 튀긴다. 구멍 뚫린 국자나 뒤집개로 식힘망에 옮겨 기름을 빼거나 키친타월을 깐 접시에 놓는다. 토마토를 전부 튀길 때까지 이 과정을 반복한다. 소금을 뿌려 아주 뜨거울 때 차려 낸다.

주키니

ZUCCHINI

겉으로 보기에 주키니는 가장 차분한 채소다. 감각적으로 갈라진 파프리카의 홈도, 잘 익은 토마토의 부풀어 오른 풍만함도, 무성한 푸른 잎채소의 발랄한 주름 장식도 없다. 하지만 주키니의 수없이 다양한 변신은 미각을 자꾸만 끌어당기는 묘한 매력을 발산한다. 이탈리아 요리책을 넘기다 보면 어디에서나 주키니가 나온다. 전채, 파스타, 수프에서, 리소토와 프리타타에서, 스튜에서, 그리고 채소 요리에서 주키니는 요리사가 알고 있는 모든 방법으로 조리된다. 주키니는 삶을 수도, 구울 수도 있고, 튀기거나, 볶거나, 스튜로 끓이거나, 그릴에 구울 수도 있다. 막대형이나 둥근 형태로, 납작하고 길며 얇게 썰 수도 있고, 가늘게 채썰기하거나, 깍둑썰기하거나, 갈거나, 으깨거나, 또는 구멍을 파내 속을 채울 수도 있다. 주키니를 조리하는 모든 방법에 도전한다는 것은, 이탈리아 요리를 구성하는 대부분의 조리 과정에 손을 뻗어 자신의 것으로 가져올 수 있는 기회라고 말해도 과장이 아니다.

구입하는 법 ❀ 연중 거의 어느 때고 좋은 주키니를 구할 수 있지만, 본래 가장 맛있는 철은 늦봄에서 초여름까지다. 주키니는 크기가 고른 것들로 채워진 바구니나 채소 상자에서 고르는 편이 좋다. 이는 신선도와 자란 정도가 서로 다른 주키니가 섞여 있지 않은 단일한 묶음에서 나왔다는 걸 의미하기 때문이다. 이탈리아에서는 꽃이 붙은 채 시장에 나오기도 한다. 꽃은 금방 시들고 떨어지므로, 꽃이 아직 붙어 있고 멀쩡해 보인다면 그야말로 주키니의 신선도를 증명하는 것이다.

신선한 주키니의 색은 옅은 것부터 진한 것까지 다양하다. 껍질에 윤기가 나고 흠집이 없는 것이 중요하다. 손으로 만졌을 때 단단함이 느껴져야 한다. 물렁하고 힘을 가했을 때 구부러진다면 신선하지 않은 것이다.

어리고 작은 주키니가 대체로 더 훌륭한데, 조직이 촘촘하고 씨가 적으며 부드럽고 달기 때문이다. 그러나 작다는 것이 손가락 크기만 하다는 뜻은 아니다. 어린 채소와 덜 자란 채소는 다르다. 소형 주키니는 다른 소형 채소들처럼 덜 자란 것이고 아무 맛도 나지 않는다.

씻는 법 ❁ 얇은 주키니 껍질에는 흙이 쉽게 박힐 수 있는데, 먹을 때까지 알아차리기 힘들 정도다. 가끔 주키니에 흙이 묻지 않았더라도 흙 알갱이가 껍질에 박혀 있다고 가정하고, 아래 설명대로 제거하는 과정을 신중하게 거쳐야 한다.

- ❁ 커다란 볼이나 주방용 대야에 찬물을 채워 최소 20분간 담가둔다.
- ❁ 흐르는 찬물에 주키니를 깨끗이 헹구는데, 손이나 거친 천으로 힘차게 문질러가며 껍질에 박혀 있는 흙 찌거기까지 제거한다.
- ❁ 양 끝을 자르고 레시피에 맞게 주키니를 썬다. 주키니를 삶는다면 이 단계는 생략하고 끝을 남겨놓는다.

밀가루와 물 반죽을 입혀 튀긴 주키니

Fried Zucchini with Flour and Water Batter

이탈리아 사람들은 밀가루와 물로 만든 이 튀김 반죽을 '라 파스텔라'라고 부른다. 튀긴 채소의 얇고 맛있게 바삭거리는 껍질을 좋아한다면, 스펀지처럼 기름을 빨아들이지도 절대 떨어지지도 않는 파스텔라만 한 것이 없다. 주키니에 딱이지만, 아래 레시피로 아스파라거스와 브로콜리 또는 둥글게 썬 양파 같은 다른 채소로도 도전해보라.

4~6인분

주키니 신선한 것으로 450g,
밀가루 ⅔컵
식물성기름
소금

1. 위의 설명대로 주키니를 담갔다가 씻고, 끝을 다듬어 0.3cm 정도 두께로 세로로 얇게 썬다.
2. 물 1컵을 수프용 그릇에 붓고, 밀가루를 체로 쳐 천천히 더해가며 서로 섞이도록 포크로 고르게 풀어준다. 밀가루를 물과 전부 섞었을 때 반죽의 농도가 사워크림과 같아야 한다. 묽다면 밀가루를 약간 더 넣고, 되직하다면 물을 조금 더 넣는다.
3. 스킬렛에 2cm 정도 높이로 기름을 충분히 붓고 강불에 올린다. 기름이 꽤 뜨거워지면, 주키니를 한 번에 조금씩 반죽에 넣는다. 한 번에 하나씩 주키니 아래에 포크를 밀어 넣어 들어 올리고, 팬에 미끄러트리듯 넣는다. 주키니와 닿

앉을 때 지글거릴 정도로 기름이 충분히 뜨거워야 한다. 주키니는 한 번에 팬 안이 여유로울 만큼만 넣는다.

4. 한쪽 면을 먹음직스러운 황금빛으로 바삭해질 때까지 튀긴 다음, 뒤집어서 다른 쪽도 튀긴다. 구멍 뚫린 국자나 뒤집개로 주키니를 식힘망에 옮겨 기름을 빼거나 키친타월을 깐 접시에 놓는다. 주키니를 전부 튀길 때까지 이 과정을 반복한다. 소금을 뿌려 아주 뜨거울 때 차려 낸다.

식초와 마늘에 절인 튀긴 주키니

Fried Zucchini in Vinegar and Garlic

4~6인분

주키니 신선한 것으로 450g
소금
마늘 2쪽
식물성기름
밀가루
와인 식초 2~3큰술, 질 좋은 것으로 준비

1. 536쪽 설명대로 주키니를 담갔다가 씻고, 양 끝을 잘라내 0.5cm 정도 두께의 막대형으로 썬다. 소금을 뿌려 파스타 콜랜더 안에 세워두고 30분 또는 그 이상 절인다. 콜랜더를 접시 위에 놓아 떨어지는 물기를 모은다. 주키니에서 상당한 수분이 빠져나오면 콜랜더에서 꺼내 마른 천이나 키친타월로 가볍게 두드려 물기를 완전히 제거한다.
2. 칼 손잡이로 껍질이 분리될 정도로만 마늘을 가볍게 으깨 껍질을 까서 버리고, 마늘은 한편에 둔다.
3. 스킬렛에 0.5cm 정도 높이로 기름을 넉넉히 붓고 강불에 올린다. 기름이 꽤 뜨거워지면, 막대형으로 자른 주키니를 한 번에 조금씩 채반에 넣고 밀가루를 약간 부어 흔든다. 여분의 밀가루를 모두 털어내고 팬에 미끄러트리듯 넣는다. 주키니와 닿으면 지글거릴 정도로 기름이 충분히 뜨거워야 한다. 한 번에 여유 있게 들어갈 만큼만 넣는다.
4. 주키니를 지켜보다가 한쪽 면이 갈색이 되면 뒤집는다. 겉면이 모두 갈색으로 변하면 구멍 뚫린 국자나 뒤집개로 깊이가 있는 접시에 옮겨 담는다. 식초를 조금 뿌리는데 치직거리는 소리가 날 것이다. 남은 주키니를 같은 방법으로 튀기고 식초를 더하는 과정을 반복한다.
5. 주키니를 전부 튀겼으면, 주키니 중간에 마늘을 찔러 넣고 후추를 살짝 뿌려 2~3번 버무린 다음, 한편에 두고 상온으로 식힌 뒤에 차려 낸다.

참고 ❀ 식초와 마늘은 입맛에 맞게 조절한다. 마늘을 오래 둘수록 향이 더 짙게 밴다. 나는 주키니와 함께 10분 이상 절이지 않고 꺼내는 걸 선호한다.

양파를 곁들인 동그란 주키니 볶음

Sautéed Zucchini Rounds with Onions

6인분

주키니 신선한 것으로 675g	양파 1컵, 아주 얇게 썬다
버터 3큰술	소금

1. 536쪽 설명대로 주키니를 담갔다가 씻고, 양 끝을 잘라내 둥근 모양을 살려 최대한 얇게 썬다.
2. 소테팬에 버터와 양파를 넣고 중불에 올린다. 팬 뚜껑을 덮지 않은 채 양파가 황금빛 갈색으로 변할 때까지 가끔씩 저어가며 익힌다.
3. 둥글게 썬 주키니, 소금 몇 자밤을 더하고 기름이 고루 입혀지도록 뒤적이며 불을 세게 키운다. 자주 젓는다. 주키니가 부드러워지고 가장자리가 옅은 갈색이 될 때까지 익힌다. 시간은 5~15분으로 폭이 넓은데, 주키니의 발육 정도와 신선도에 따라 다르다. 맛을 보고 소금으로 간을 맞춘다. 팬의 내용물을 따뜻한 접시에 옮겨 담아 곧바로 차려 낸다.

미리 준비한다면 ❀ 완성된 순간 차려 내는 것이 좋지만, 꼭 미리 준비해두어야 한다면 몇 시간 전에 조리해두고 차려 내기 전에 천천히 다시 데운다. 하루를 넘겨서는 안 되고, 냉장 보관해서도 안 된다.

오레가노를 넣은 동그란 주키니 볶음

Sautéed Zucchini Rounds with Oregano

6인분

주키니 신선한 것으로 675g	갓 갈아낸 검은 후추
엑스트라버진 올리브유 ¼컵	오레가노 신선한 것은 ½작은술 또는 말린 것은 ¼작은술
굵게 다진 마늘 1큰술	
소금	

1. 536쪽 설명대로 주키니를 담갔다가 씻고, 양 끝을 잘라내 둥근 모양을 살려 최대한 얇게 썬다.
2. 주키니를 2.5cm 이상 쌓아 올리지 않고 전부 넣을 수 있는 크기의 소테팬을 고른다. 올리브유와 마늘을 넣고 중불에 올린다. 마늘이 살짝 노릇해질 때까지 저어가며 익힌 뒤, 주키니를 소금, 후추, 오레가노와 함께 넣는다. 기름이 잘 입혀지도록 골고루 버무리고, 불을 중강불로 키워 둥글게 썬 주키니가 부드럽되 씹었을 때 약간 단단할 때까지 익힌다. 익히는 동안 이따금 뒤적인다. 다 익으면 기름을 약간만 퍼낸 다음, 팬의 내용물을 전부 따뜻한 접시에 옮겨 담아 바로 차려 낸다.

미리 준비한다면 ❀ 앞선 레시피에서 미리 준비할 경우와 같다.

토마토와 마조람을 넣은 주키니 그라탱

Zucchini Gratin with Tomato and Marjoram

6인분

주키니 신선한 것으로 675g
엑스트라버진 올리브유 ¼컵
마늘 ½작은술, 잘게 썬다
양파 ½컵, 잘게 썬다
이탈리아산 플럼토마토 통조림 1컵, 썰어서 즙과 함께 준비
잘게 썬 파슬리 1큰술
마조람 신선한 것은 ½작은술 또는 말린 것은 ⅛작은술
소금
갓 갈아낸 검은 후추
식탁에 차려 낼 오븐용 그릇
갓 갈아낸 파르미자노 레자노 치즈 3큰술

1. 536쪽 설명대로 주키니를 담갔다가 씻고, 양 끝을 잘라내 아주 얇은 원반으로 썬다.
2. 오븐을 200°C로 예열한다.
3. 소테팬에 올리브유 절반과 마늘을 넣고 중강불에 올려 색이 거의 변하려 할 때까지 저어가며 익힌다. 원반으로 썬 주키니를 넣는다. 기름을 고루 입도록 한두 번 완전히 뒤적이고, 흐물흐물해질 때까지 가끔씩 저어가며 익힌다. 불을 끈다.
4. 양파와 남은 올리브유를 작은 소스팬에 넣고 중불에 올린다. 양파가 투명해질 때까지 저어가며 익힌 뒤 토마토와 즙, 마조람을 추가한다. 기름을 고루 입

도록 토마토를 한두 번 완전히 뒤적이고, 토마토에서 기름이 분리되어 떠오를 때까지 20분 정도 천천히 뭉근하게 익힌다. 불을 끄고 파슬리, 소금, 약간의 간 후추를 빙 둘러 넣는다.

5. 오븐용 그릇 바닥에 소스팬에 있는 올리브유를 조금 문질러 바른다. 그릇 바닥에 주키니의 절반을 한 층으로 펼쳐 깔고, 소스팬의 토마토 절반으로 덮어 그 위에 간 파르메산 1큰술을 뿌린다. 남은 주키니로 다음 층을 쌓고, 나머지 소스와 파르메산 2큰술을 올린다.
6. 예열한 오븐 맨 위에 그릇을 넣고, 치즈가 녹고 윗면이 갈색으로 변할 때까지 15분 또는 그 이상 굽는다. 오븐에서 그릇을 꺼내 10분 정도 그대로 두었다가 식탁으로 가져간다.

미리 준비한다면 ❁ 차려 내기 몇 시간 전에 주키니를 굽는 단계까지 미리 해둘 수 있다. 냉장 보관하면 안 된다. 오븐으로 그릇째 다시 데운다.

토마토와 바질을 곁들인 주키니

Zucchini with Tomato and Basil

6인분

주키니 신선한 것으로 675g
가늘게 썬 양파 ½컵
엑스트라버진 올리브유 ¼컵
굵게 다진 마늘 1½작은술
잘게 썬 파슬리 2큰술
이탈리아산 플럼토마토 통조림 ⅔컵, 굵게 썰어서 즙과 함께 준비
소금
갓 갈아낸 검은 후추
생바질잎 6장 또는 그 이상

1. 536쪽 설명대로 주키니를 담갔다가 씻고, 양 끝을 잘라내 1cm보다 조금 얇게 원형으로 썬다.
2. 오븐을 180°C로 예열한다.
3. 가급적 무쇠 재질로, 오븐에 넣었다가 바로 차려 낼 수 있는 팬을 고른다. 양파와 올리브유를 넣고 중불에 올린다. 양파가 옅은 황금색이 될 때까지 저어가며 익힌 뒤, 마늘을 넣는다. 마늘이 아주 옅은 황금색이 되면 파슬리를 더해 재빨리 한두 번 저은 다음, 토마토와 즙을 넣는다. 토마토에서 기름이 분리되어 떠오를 때까지 20분 정도 천천히 뭉근하게 익힌다.
4. 얇게 썬 주키니, 소금, 후추를 넣고 주키니에 기름이 잘 입혀지도록 한두 번

뒤적인다. 스토브 위에서 5분간 익힌 다음, 예열한 오븐 맨 위에 넣는다. 주키니에서 흘러나온 물기가 마르고 부드러워질 때까지 익힌다.

미리 준비한다면 ❀ 이 단계까지 차려 낼 당일 내기 몇 시간 전에 완성해둘 수 있다. 냉장 보관하면 안 된다. 다음 단계를 진행하기 전에 뜨거운 오븐에서 다시 데운다.

5. 오븐에서 팬을 꺼낸다. 바질을 찬물에 씻고, 손으로 1~2조각으로 찢어 주키니 위에 뿌린 뒤 식탁으로 가져간다.

햄과 치즈로 속을 채워 구운 주키니

Baked Zucchini Stuffed with Ham and Cheese

6인분 또는 전채로 차린다면 그 이상

주키니 신선한 것으로 8~10개
버터 1큰술
식물성기름 1큰술
잘게 다진 양파 1큰술
햄 훈제하지 않고 삶은 것으로 115g, 잘게 다진다
소금
갓 갈아낸 검은 후추
너트메그 1알
베샤멜 소스, 우유 1컵, 버터 2큰술, 밀가루 1½큰술, 소금 ⅛작은술을 써서 49쪽 설명대로 준비
달걀 1개
갓 갈아낸 파르미자노 레자노 치즈 ¼컵
식탁에 차려 낼 오븐용 그릇
버터, 오븐용 그릇 안쪽에 바르고 군데군데 올릴 양
빵가루, 양념 안 된 것을 살짝 굽는다

1. 536쪽 설명대로 주키니를 담갔다가 씻되, 양 끝은 잘라내지 않는다.
2. 물 3~4L를 끓여 주키니를 넣고 어느 정도 부드러우면서도 포크로 찔렀을 때 여전히 약간의 저항이 느껴질 때까지 익힌다. 건져내고 손으로 충분히 만질 수 있을 만큼 식으면 바로 양 끝을 잘라내고 각 주키니를 2개의 짧은 조각으로 썬 뒤, 각 조각을 세로 방향으로 반으로 가른다. 티스푼으로 껍질이 찢어지지 않도록 조심스럽게 주키니의 속을 파낸다. 파낸 속을 절반은 버리고, 나머지 절반은 잘게 썬다. 잘게 썬 속과 속을 파낸 주키니 모두 한편에 둔다.
3. 오븐을 200°C로 예열한다.
4. 버터, 기름, 양파를 스킬렛에 넣고 중불에 올려 양파가 투명해질 때까지만 볶

는다. 잘게 다진 햄을 넣고 한두 번 저어가며 1분 정도 익힌다. 잘게 썬 주키니 속을 넣어 기름이 잘 입혀지도록 뒤적이고, 불을 세게 키운다. 주키니가 진한 황금빛을 띠면서 크림처럼 부드러워질 때까지 이따금 저어가며 익힌다. 소금과 후추를 넣고 재빨리 한두 번 저은 다음, 구멍 뚫린 국자나 뒤집개로 스킬렛의 내용물을 작은 볼로 옮겨 담는다.

5. 베샤멜을 준비하되, 충분히 오래 끓여서 되직하게 만든다. 주키니 속이 담긴 볼에 베샤멜을 붓고 섞은 뒤 파르메산 간 것, 너트메그 ⅛작은술 정도와 달걀을 더해 모든 재료가 균질하게 합해질 때까지 재빨리 섞는다.
6. 오븐용 그릇 바닥에 버터를 문질러 바른다. 속을 파낸 주키니를 껍질이 아래를 향하도록 그릇에 놓는다. 각각에 베샤멜과 주키니 속 혼합물을 채워 빵가루를 뿌리고, 버터도 듬성듬성 올린다.

미리 준비한다면 ❁ 이 단계까지 차려 내기 몇 시간 전에 미리 완성해둘 수 있다. 냉장 보관하면 안 된다.

7. 예열한 오븐 맨 위에 그릇을 넣고, 윗면이 옅은 황금색으로 바삭해질 때까지 15~20분간 굽는다. 오븐에서 그릇을 꺼내, 5~10분간 그대로 두었다가 식탁으로 가져간다.

속을 파내 소고기, 햄과 파르메산 치즈로 채운 주키니

Hollowed Zucchini Stuffed with Beef, Ham, and Parmesan Cheese

6인분

주키니 신선한 것으로 10개, 지름 3~3.5cm인 것으로 준비
양파 3컵 가늘게 썬다
식물성기름 3큰술
잘게 썬 파슬리 2큰술
토마토 페이스트 2큰술, 미지근한 물 1컵에 녹인다
우유 3큰술 또는 그 이상
흰 빵 ⅔쪽, 맛있고 단단한 것으로 바삭한 가장자리를 잘라서 준비
소고기 간 것 225g, 가급적 목심으로 준비
달걀 1개
갓 갈아낸 파르미자노 레자노 치즈 3큰술
프로슈토 또는 훈제하지 않고 삶은 햄 1큰술, 잘게 썬다
소금
갓 갈아낸 검은 후추

1. 536쪽 설명대로 주키니를 담갔다가 씻고 양 끝을 얇게 썰어내고, 각각의 주키니를 2개의 짧은 조각으로 자른다. 채소 심을 파내는 도구나 필러 날, 또는 좁고 끝이 뾰족한 도구로 조각낸 주키니의 가운데에 구멍을 내 파낸다. 옆면에 구멍이 나지 않도록 조심한다. 구멍을 둘러싼 주키니의 두께가 적어도 0.5cm는 되게 한다. 이 레시피에서는 파낸 속을 쓰지 않지만 리소토나 프리타타에 사용할 수 있다.
2. 주키니가 전부 넉넉하게 들어가는 소테팬을 고른다. 양파와 기름을 넣고 중약불에 올려 양파의 숨이 죽고 부드러워질 때까지 저어가며 익힌다. 파슬리를 더해 2~3번 저은 다음 물에 녹인 토마토 페이스트를 넣어 양파와 함께 골고루 뒤적이고 15분 또는 그 이상 계속 익힌다.
3. 동시에 작은 소스팬에 우유를 부어 끓지 않도록 하면서 따뜻하게 데운다. 빵을 넣고 으깨 한편에 두고 식힌다.
4. 소고기 간 것, 달걀, 파르메산 간 것, 잘게 썬 프로슈토 또는 햄, 빵과 우유 섞은 것, 소금, 후추를 볼에 넣고 균일하게 섞일 때까지 손으로 치댄다.
5. 가운데를 파낸 주키니에 혼합물을 꽉 채워 넣되, 부서지기 쉬운 주키니의 옆면이 찢어지지 않도록 주의한다. 속을 채운 주키니를 양파와 토마토가 든 팬에 담아 뚜껑을 덮고 중약불에 올려 주키니가 부드러워질 때까지 40분 정도 익히는데, 그 시간은 주키니의 발육 정도와 신선도에 따라 달라진다. 익히면서 이따금 뒤집어준다.
6. 다 익었을 때 팬의 즙이 묽다면 뚜껑을 열고 불을 세게 키워 졸인다. 맛을 보고 소금으로 간을 맞춘다. 한두 번 주키니를 뒤집은 뒤 팬의 내용물을 차림용 접시로 옮기고, 몇 분간 그대로 두었다가 식탁으로 가져간다.

미리 준비한다면 완성된 직후에 차려 내면 득이 될 게 없는 요리 중 하나다. 몇 시간 또는 하루가 지난 후에 차려 낼 때 풍미가 증폭된다. 팬 뚜껑을 덮어 천천히 다시 데우고 김이 날 정도로 뜨겁지 않은 따뜻한 상태에서 차려 낸다.

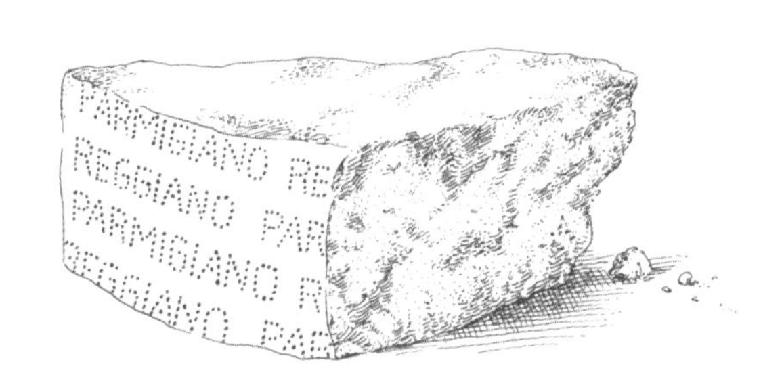

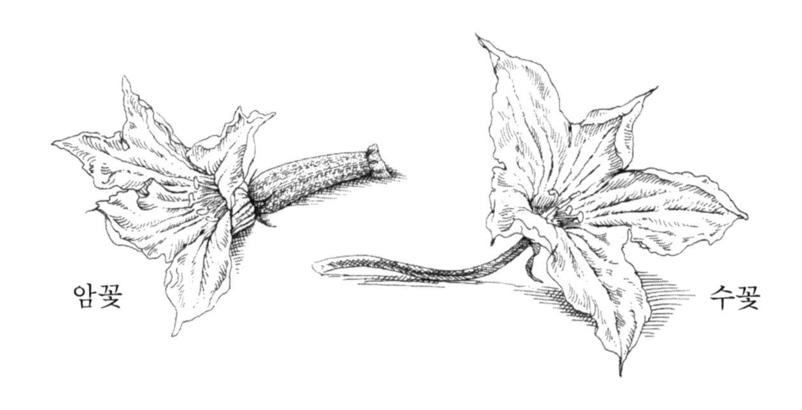

바삭한 주키니 꽃 튀김

Crisp-Fried Zucchini Blossoms

주키니의 감미로운 붉은빛을 띠는 노란색 꽃송이는 워낙 금새 시들어서, 주키니가 제철에 지역에서 재배되어 나오는 잠깐 동안만 시장에서 볼 수 있을 것이다. 수꽃과 암꽃이 있는데, 줄기가 달린 수꽃만이 먹기 좋다. 주키니에 붙어 있는 암꽃은 무르고 맛이 없다.

4~6인분

주키니 수꽃 12개	536쪽 밀가루와 물 반죽인 파스텔라
식물성기름	소금

1. 꽃송이가 물을 흡수하지 않도록 흐르는 찬물에 재빨리 씻는다. 부드러운 천이나 키친타월로 부드럽고 가볍게 두드리되 물기는 완전히 제거한다. 꽃대가 아주 길면 아래쪽을 2.5cm 정도 잘라낸다. 각각의 꽃받침 한쪽을 잘라서 꽃을 평평하게 나비 모양으로 펼친다.
2. 튀김용 냄비에 1.5cm 정도 높이로 기름을 붓고 강불에 올린다. 기름이 아주 뜨거워지면, 꽃자루를 잡고 반죽에 재빨리 담갔다가 꺼내 냄비로 미끄러트리듯 넣는다. 여유 있게 들어갈 만큼만 넣는다. 한쪽 면이 황금빛 갈색으로 바삭해지면 뒤집어서 다른 쪽도 튀긴다. 구멍 뚫린 국자나 뒤집개로 식힘망에 옮겨 기름을 빼거나 키친타월을 깐 접시에 놓는다. 꽃송이를 전부 튀길 때까지 이 과정을 반복한다. 소금을 뿌려 곧바로 차려 낸다.

모둠 채소 구이 플래터

Mixed Baked Vegetable Platter

6인분

감자 중간 크기 4개 둥글고 반질반질한 보통 품종으로 준비
파프리카 3개, 가급적 노란색으로 준비
토마토 신선하고 잘 익은 둥근 것으로 3개 또는 플럼토마토 6개
노란 양파 중간 크기 4개
얕은 오븐용 그릇
엑스트라버진 올리브유 ¼컵
소금
갓 갈아낸 검은 후추

1. 오븐을 200°C로 예열한다.
2. 감자 껍질을 깎고 2.5cm의 웨지 모양으로 썰어 찬물에 씻고, 천으로 가볍게 두드려 물기를 제거한다.
3. 파프리카의 주름진 부분을 따라 세로로 긴 단면으로 자른다. 속심과 씨를 전부 파내 제거한다. 세로날 필러로 파프리카 껍질을 벗긴다.
4. 둥근 토마토를 쓴다면 6~8개의 웨지 모양으로 썰고, 플럼토마토를 쓴다면 세로로 길게 반으로 썬다.
5. 양파 껍질을 벗기고 각각을 4개의 웨지 모양으로 썬다.
6. 양파와 이미 씻어놓은 감자를 제외한 채소를 전부 찬물에 씻어 잘 건져 놓는다.
7. 오븐용 그릇에 감자와 모든 채소를 넣는다. 너무 빽빽하게 채우지 않는데, 각 채소에서 나온 증기로 눅눅해질 수 있기 때문이다. 올리브유, 소금을 뿌리고 후추도 약간 갈아 넣고 한두 번 버무린다. 그릇을 예열한 오븐의 상단에 넣는다. 채소를 약 10분마다 뒤집어준다. 감자가 부드러워지면 요리가 완성되는데, 25~30분이 걸린다. 20분 후에 토마토에서 많은 수분이 나왔다면 남은 시간 동안 오븐 온도를 230°C 또는 그 이상으로 올려 익힌다. 몇 개의 채소 가장자리가 약간 검게 타더라도 신경 쓸 필요 없다. 꽤 올바로 조리된 것이며 바람직하기까지 하다.
8. 완성되면 채소들을 구멍 뚫린 국자나 뒤집개로 기름에서 건져 따뜻한 접시에 옮겨 담는다. 오븐용 그릇의 옆면과 바닥에 들러붙은 특히 맛있는 조각들을 긁어내 접시에 더한다. 바로 차려 낸다.

숯불에 구운 채소들

Charcoal-Grilled Vegetables

요리를 시작하기 전에 이 레시피를 쭉 읽어보길 바란다. 어느 때고 조리 과정에서 각기 다른 단계에 있는 몇 종류의 채소를 다루어야 함을 알 수 있다. 이것은 의욕을 꺾는 과정이 결코 아니며, 오히려 재밌는 일이 될 수도 있다. 처음에 리듬감을 익히면 모든 단계가 더 원만하게 진행될 것이다.

4~6인분

- 주키니 중간 크기 2개, 신선하고 윤기 나는 것으로 준비
- 스페인 양파 크고 납작한 것으로 1개
- 소금
- 노란색 또는 붉은색 파프리카 2개
- 토마토 2개, 신선하고 잘 익은 크고 단단하며 둥근 것으로 준비
- 가지 중간 크기 1개
- 벨기에 엔다이브 2송이
- 엑스트라버진 올리브유
- 거칠게 빻은 검은 후추 알갱이
- 잘게 썬 파슬리 1작은술
- 잘게 썬 마늘 ⅛작은술
- 빵가루 ½작은술, 양념 안 된 것을 살짝 굽는다
- 숯 또는 가스를 연료로 용암석을 쓰는 그릴
- 조리용 집게

1. 주키니를 찬물에 20분간 담가두었다가, 물을 몇 번 갈아가며 껍질을 문질러 깨끗이 씻는다. 양 끝을 얇게 잘라내고 1cm보다 얇은 두께로 세로로 썬다.
2. 양파를 가운데에서 반으로 자르고, 자른 면에 마름모 모양이 나오도록 방향을 바꿔가며 사선으로 칼집을 2번 내되, 껍질까지 잘리지 않도록 한다. 얇은 바깥쪽 껍질을 벗기거나 양파의 뾰족한 끝과 뿌리를 잘라내지 않는다. 자른 단면에 소금을 뿌린다.
3. 찬물에 파프리카를 씻고, 통째로 둔다.
4. 찬물에 토마토를 씻고 가운데에서 2등분한다.
5. 가지를 찬물에 씻는다. 초록색 꼭지를 썰어낸다. 세로로 길게 둘로 자르고, 껍질은 그대로 두면서 자른 면에 전부 마름모 모양이 생기도록 방향을 바꿔가며 사선으로 칼집을 2번 얕게 낸다. 자른 면에 소금을 넉넉히 뿌려 문지른다.
6. 엔다이브 송이를 세로로 둘로 쪼갠다. 밑동의 2~3군데에 칼집을 깊게 낸다.
7. 숯에 불을 붙이거나 가스불 그릴을 아주 뜨겁게 해둔다.
8. 숯에 하얀 재가 생기거나 용암석이 아주 뜨거워지면, 양파를 자른 면을 아래로 향하게 해 그릴에 놓는다. 파프리카도 함께 놓는다. 몇 분 뒤에 파프리카를 확인한다. 불에 닿은 쪽 껍질이 검게 그을고 파프리카가 쪼그라들면 집게로

뒤집고, 서로 가까이 붙여 아래 설명대로 다른 채소들을 위한 공간을 만든다. 불에 닿는 쪽 껍질이 검게 그을 때마다 파프리카를 계속 뒤집고, 마지막에는 똑바로 세운다. 겉면이 전부 검게 그을면, 비닐봉투에 넣어 단단히 봉한다.

9. 파프리카를 굽는 동안 양파를 확인한다. 불에 닿은 쪽이 검게 그을면 양파 고리가 풀어지지 않도록 조심하면서 뒤집개로 뒤집는다. 그을린 쪽에 올리브유를 바르되, 잘라낸 면 사이에도 바르고 소금을 뿌린다. 포크로 찔러 부드러우면서도 단단함이 느껴질 때까지 15~20분 더 양파를 그대로 익힌다. 검게 그을린 바깥쪽 껍질을 벗겨내 다른 채소들이 완성될 때까지 차림용 접시에 놓아두었다가, 각각의 절반을 4등분하고 올리브유를 두르고 소금과 거칠게 빻은 후추를 뿌린다.
10. 파프리카를 처음 뒤집고 그러모아 생긴 그릴의 남은 공간에 토마토를 자른 면이 아래를 향하도록 놓는다. 몇 분 뒤에 토마토를 확인하고 약간 검게 그을렸다면 뒤집는다. 절반으로 자른 각각의 토마토에 올리브유, 소금, 파슬리 약간, 마늘, 빵가루로 양념한다. 토마토가 원래 크기의 절반에 가깝게 쪼그라들 때까지 다른 조리는 하지 않아도 된다. 그 뒤에 차림용 접시로 옮겨 담는다.
11. 토마토를 놓을 때 가지도 함께 그릴에 놓는데, 칼집을 낸 면이 아래를 향하도록 한다. 아래쪽 면이 밝은 갈색으로 변하면 뒤집는다. 칼집 사이에 스며들도록 올리브유를 넉넉히 붓으로 발라준다. 올리브유가 곧 지글거리는 것을 볼 수 있을 것이다. 이따금 자른 면에 올리브유 몇 방울을 뿌려준다. 가지 살이 포크로 찔러 크림처럼 부드러워졌으면 완성이다. 차림용 접시에 옮겨 담는다.
12. 가지를 그릴에 놓는 동시에 엔다이브도 자른 면이 아래를 향하도록 놓는다. 공간이 없으면, 생기자마자 놓는다. 엔다이브의 자른 면이 살짝 그을되 아주 검게 그을지는 않은 상태에서 뒤집는다. 소금을 뿌리고, 잎 사이사이에 붓으로 올리브유를 넉넉히 발라준다. 포크로 찔러 확인하는 것을 제외하고는 엔다이브에 다른 조리를 할 필요가 없다. 아주 아주 부드러워졌을 때 접시로 옮겨 담는다.
13. 가지가 거의 완성된 것 같을 때 그릴에 공간이 생기면 얇게 썬 주키니를 놓는다. 주키니는 쉽게 타기 때문에 잘 살펴야 한다. 불에 닿은 쪽 면에 갈색 점이 생기기 시작하면 뒤집고, 다른 쪽도 비슷한 자국이 생기면 접시에 옮겨 담는다. 곧바로 소금, 거칠게 빻은 후추, 올리브유로 양념한다.
14. 이제 비닐봉투에 넣어두었던 파프리카의 껍질을 벗길 준비가 되었을 것이다. 파프리카가 아주 축축하기 때문에 손에 키친타월을 넉넉히 쥔 채로 봉투에서 꺼낸다. 검게 그을린 껍질을 벗겨내고 파프리카를 쪼개 속심과 씨를 모두

제거해서 접시에 놓는다. 소금과 약간의 올리브유로 양념한다.

미리 준비한다면 ◈ 모든 그릴에 구운 채소는 상온 또는 따뜻한 날 야외의 온도로 먹으면 좋다. 그러므로 그릴에서 고기나 생선 같은 것을 굽기 전에 조리해둘 수 있다.

샐러드

SALADS

샐러드 코스 ❀ 이탈리아어에서 샐러드를 뜻하는 '우니살라타'(un'insalata)는 문자 그대로 '소금이 가미된 것'을 의미하지만 보통은 은유적으로 쓰인다. 예를 들어 인테리어 장식이나 일련의 생각이 혼란스러워 보이는 상태를 비꼬아 말할 때 쓴다. 그에 반해 같은 단어에 정관사 '라'(la)를 붙인 린살라타(L'insalata)는 콕 집어 '샐러드 코스'를 일컫는다. 순서가 정해진 전통적인 이탈리아식 식사에서 그 역할이 매우 분명한 '린살라타'는 예외 없이 두 번째 코스 다음에 나와, 식사가 끝나간다는 것을 알린다. '린살라타'에서 요리사는 마침내 그들이 통제하고 있던 미각을 느슨하게 풀어주며 차갑고 신선한 감각으로 인도하는 동시에, 공을 최소한으로 들인 음식의 가치를 재발견하게 한다.

샐러드 코스의 주요하면서 대개 유일한 구성 요소는 채소와 푸성귀로, 날것 또는 삶은 것 중 하나만 쓰거나 섞어서 쓰기도 한다. 재료의 선택지는 철에 따라 달라진다. 가을과 겨울에는 생피노키오 또는 채썰기한 사보이 양배추 또는 삶은 브로콜리를 고를 수 있다. 봄에는 삶은 아스파라거스와 그린빈이 있고 주키니 또는 햇감자가 뒤를 잇는다. 여름이 한창 무르익었을 때에는 토마토, 파프리카, 오이, 상추와 여러 가지 작은 푸성귀 등 생으로 먹는 재료가 풍성하다. 연중 대부분 쓸 수 있는 채소의 범위가 넓어지면서 채소의 제철 구분이 불분명해지긴 했지만, 우리는 여전히 계절이 느껴지는 재료로 구성된 샐러드 코스를 원한다.

쌀과 닭고기 샐러드, 쌀과 갑각류, 참치와 콩, 또는 차가운 고기, 생선이나 닭고기를 콩이나 다른 생채소 혹은 익힌 채소와 섞은 여러 샐러드처럼 정말이지 수많은 각기 다른 종류의 샐러드가 존재한다. 이런 샐러드는 전채, 파스타나 리소토를 대신한 첫 번째 코스, 가벼운 식사에서 중심이 되는 코스, 또는 뷔페의 일부로 낼 수 있다. 사실상 샐러드 코스인 린살라타를 제외한 어떤 코스로든 차려 낼 수 있다.

샐러드 코스의 드레싱 ❀ 이탈리아식 드레싱은 엑스트라버진 올리브유, 소금, 그리고 와인 식초다.

다양하게 변주되는 한 속담이 완벽한 샐러드를 위한 공식을 전해준다. 한 가지 버전은 이런 것이다. "좋은 샐러드를 위해서는 네 사람이 필요하다. 소금을 넣을 신중한 사람, 올리브유를 넣을 호탕한 사람, 식초를 넣을 인색한 사람, 그리고 그것들을 버무릴 참을성 있는 사람." 올리브유는 주된 재료로, 제대로 만든 샐러드라면 올리브유의 고유한 맛을 숨김없이 드러내야 한다. 이탈리아인들은 맛있게 잘 버무려진 샐러드를 먹었을 때 절대로 "훌륭한 드레싱이야!"라고 말하지 않는다. 그들은 "멋진 올리브유인데!"라고 말한다.

샐러드에 들어갈 익히지 않은 푸성귀를 씻을 때는 처음에 흔들어서 물기를 완전히 제거해야 한다. 푸성귀에 남아 있는 물기가 드레싱을 묽게 하기 때문이다. 채소 탈수기로 쓰거나 커다란 천으로 푸성귀를 감싸 천의 네 귀퉁이를 한데 모아서 잡고, 싱크대 위에서 몇 번 재빨리 흔들어서 물기를 없앤다.

샐러드 코스는 상에 낼 준비가 되었을 때 식탁에서 드레싱을 입힌다. 절대 미리 해두면 안 된다. 식탁 전체에 대접할 샐러드라면 채소를 전부 완전히 움직여 버무리기에 충분히 커다란 볼 하나에 담아야 한다. 드레싱 재료도 절대 미리 섞어서는 안 되고, 각각 따로 샐러드 위에 붓는다.

맨 처음에 소금을 넣는다. '신중함'이 아주 적은 양의 소금을 의미하지 않는다는 걸 명심하라. 신중함이란 너무 많지도, 너무 적지도 않다는 뜻이다. 소금이 침투해 녹게끔 재빨리 한 번 버무린 다음, 올리브유를 넉넉히 붓는다. 관찰한 바에 따르면, 이탈리아 밖의 사람들은 절대 올리브유를 충분히 쓰지 않았다. 채소 표면이 윤기가 날 정도로 충분히 넣어야 한다. 식초는 마지막에 넣는다. 향을 내는데 필요한 몇 방울만 쓰면 되는데, 이 인색한 식초의 양이 넉넉한 올리브유 양의 3분의 1을 넘어서는 안 된다. 식초는 적은 양으로도 알아차리기에 충분하며, 약간이라도 너무 많이 쓰면 나머지 모든 재료의 단점을 더 두드러지게 한다. 또한 레몬의 산과 같은 식초의 산성이 샐러드를 '조리한다'는 점을 명심하라. 이는 왜 올리브유를 처음에 부어 푸성귀를 보호하는지를 설명해준다. 식초를 넣자마자 버무리기 시작한다. 좀 더 골고루 샐러드가 버무려지면, 소금과 올리브유, 식초가 모든 잎과 채소에 더욱 고르게 배고 맛이 더 좋아질 것이다. 푸성귀에 흠집이 나거나 변색되지 않도록 섬세하게 뒤적이고 부드럽게 버무린다.

다른 양념들 ❀ 갓 짜낸 신선한 레몬즙은 경우에 따라 식초를 적절히 대신할 수 있다. 삶은 근대 같은 익힌 샐러드에 탁월하게 어울리고, 알라그로(all'agro), 즉 신맛을 준 방식이라고 일컬어진다. 레몬은 또한 아주 가늘게 채썰기한 당근이나 여름에 토마토와 오이와도 궁합이 좋다.

우발적이면서 충동적으로 상황을 급변하게 만드는 마늘은 분명 흥미로운 재료이지만, 기본적으로는 상당히 거슬리는 재료다. 556쪽 채썰기한 사보이 양배추 샐러드나 554쪽 토마토 샐러드에서처럼 마늘은 무대 뒤에 존재해야 한다.

후추는 공통적으로 쓰이는 재료가 아니다. 예전에는 샐러드처럼 매일 먹는 소박한 요리에 넣기에는 꽤나 비싼 향신료였을 것이다. 후추를 즐긴다면 분명히 이탈리아 샐러드에도 넣을 수 있다고 본다. 가능한 한 흰 후추보다 향이 좋은 검은 후추를 쓴다.

모데나에서는 기본 샐러드 드레싱의 풍미를 끌어올리는 데 수백 년 동안 발사믹 식초를 사용해왔지만 사실 최근까지도 이탈리아의 다른 지역에서는 이 식초에 익숙하지 않았다. 또한 모데나 사람이라고 해서 결코 그것을 매일 사용하지 않는다. 나 역시 마찬가지다. 발사믹 식초의 단맛과 농후한 향은 혀의 미각세포를 자극하기 위해 필요한 특성을 갖추었지만, 너무 자주 쓰면 질려버리고 만다. 샐러드 드레싱으로서 발사믹 식초는 평범한 와인 식초를 보강할 수 있지만, 그것을 대체할 수는 없다.

바질과 파슬리도 대부분의 샐러드에 좋은 맛을 낸다. 마조람과 오레가노 같은 민트의 쓰임은 이 장에서 설명할 레시피에서처럼 훨씬 제한적이다.

얇게 썬 양파는 생으로 먹는 많은 샐러드의 풍미를 빠르게 돋우는데, 특히 토마토에 곁들이면 더욱 그렇다. 양파의 날카로운 맛을 누그러트리려면, 샐러드의 다른 재료를 준비하기 30분 또는 그 이전에 반드시 아래처럼 손질해야 한다.

❁ 양파 껍질을 벗기고, 고리 모양으로 아주 얇게 썰어 볼에 넣고 양파가 잠기도록 찬물을 충분히 붓는다.
❁ 고리 모양으로 썬 양파를 손으로 2~3초간 짜는데, 손을 꽉 쥐었다 풀기를 7~8회 반복한다. 양파에서 짜낸 산성으로 인해 물이 살짝 우윳빛을 띠게 된다.
❁ 구멍 뚫린 국자나 채반으로 양파를 건지고, 볼에서 물은 따라 버린 다음 새로운 물을 넣는다. 양파를 다시 볼에 넣고 위의 과정을 2~3번 반복한다.
❁ 양파를 마지막으로 짠 뒤에 물을 다시 갈아주고 양파를 넣어 불린다. 샐러드를 만들 준비가 될 때까지 10분마다 건지고 새로운 물로 갈아준다.
❁ 샐러드 볼에 양파를 넣기 전에 천에 양파를 모아 놓고 물기를 최대한 짜낸다.

라 그란데 인살라타 미스타 — 생으로 먹는 다양한 믹스 샐러드

La Grande Insalata Mista — Great Mixed Raw Salad

8인분

양파 중간 크기 ½개, 가급적 버뮤다 레드, 비달리아 또는 마우이 같은 단맛 나는 품종을 551쪽 설명대로 얇게 썰어 물에 담가서 준비, 또는 파(scallion) 3~4대
당근 작은 것 2개
피노키오 1개, 땅딸막하고 둥근 것으로 준비(508쪽 참고)
노란색 또는 붉은색 파프리카 ½개
셀러리 심 1개
치커리 ½장, 잎이 꼬불꼬불한 것, 보스턴 상추 또는 에스카롤, 또는 비브 상추(버터처럼 부드러운 맛이 나 버터 상추라고도 불리는 양상추류—옮긴이) 1통
마셰, 즉 필드 상추(콘샐러드, 상치아재비로도 불리는 한해살이 풀—옮긴이) ½작은 다발
루콜라 ½작은 다발
아티초크 중간 크기 1개
레몬 ½개
토마토 중간 크기 2개, 신선하고 잘 익은 단단하고 둥근 것으로 준비
소금
엑스트라버진 올리브유
레드 와인 식초, 질 좋은 것으로 엄선한다

참고 이탈리아식 믹스 샐러드는 시장에서 구할 수 있는 최대한으로 아주 다양한 식감과 맛을 내야 한다. 위에서 제시한 재료는 연중 구할 수 있는 많은 채소를 활용한 것이다. 선택된 재료들은 깊이 숙고해 추천하는 것이지만, 이를 지침으로 삼아 입맛에 맞거나, 시장에서 또는 제철에 구할 수 있는 채소로 대체해볼 수 있다.

믹스 샐러드에는 사보이, 적양배추 또는 초록색 양배추, 아주 가늘게 채썰기한 라디키오, 로메인 또는 다른 상추류 같은 재료도 쓸 수 있는데, 맛이 아주 이탈리아스럽지 않은 아이스버그는 피한다. 붉은색 또는 흰색의 작은 래디시를 얇게 원형으로 썰어 쓰거나, 오이 또는 당근을 쓰되 둘을 함께 넣지는 않는다. 아주 어린 주키니를 536쪽 설명대로 물에 담갔다가 씻고 다듬어 성냥개비 굵기로 가늘게 썰어서 생으로 샐러드에 넣어도 좋다.

1. 제시한 대로 양파를 준비하거나, 파를 쓴다면 아래쪽을 얇게 썰어 뿌리를 잘라내고 위쪽도 얇게 썰어내며 시들거나 변색된 잎을 떼어낸 다음, 파 전체를

고리 모양으로 얇게 썬다. 찬물에 몇 분간 담갔다가 건져서 천에 물기를 털어 낸다. 양파나 파가 준비되면 커다란 차림용 볼에 넣는다.

2. 당근을 씻어 꼭지와 뿌리 끝을 얇게 썰어내고 껍질을 벗긴 뒤, 강판의 가장 큰 구멍이나 푸드프로세서로 채를 치거나, 가능한 한 가늘게 썬다. 썬 당근을 볼에 추가한다.
3. 피노키오 윗부분을 둥근 구근과 만나는 지점에서 잘라 버린다. 구근 바깥 쪽의 시들거나 변색된 부분은 떼어 버린다. 아랫부분을 끝에서 0.3cm 정도 두께로 얇게 썰어낸다. 구근을 가로 방향으로 아주 얇은 고리 모양으로 썬다. 고리 모양으로 썬 것을 찬물을 2~3번 갈아가며 담갔다가 천이나 채소 탈수기에 넣고 물기를 털어낸다. 볼에 피노키오를 추가한다.
4. 파프리카 안쪽의 속심과 씨를 긁어내 제거한다. 생것 그대로 세로날 필러로 껍질을 벗겨낸 뒤, 세로로 길게 아주 가는 막대형으로 썰어 볼에 추가한다.
5. 셀러리 가운데 심의 잎이 난 윗부분을 잘라내고 뿌리 쪽은 얇게 썬 다음, 결의 수직 방향으로 0.5cm 두께의 좁은 고리 모양으로 썰어 볼에 넣는다.
6. 잎이 꼬불꼬불한 치커리, 보스턴 상추, 또는 에스카롤을 쓴다면 짙은 초록색의 바깥쪽 잎은 모두 제거한다. 남은 이파리를 심에서 모두 분리해 한 입 크기로 손으로 찢는다. 찬물을 한두 번 갈아가며 물에 남은 흙 찌꺼기가 보이지 않을 때까지 15~20분 담근다. 건져서 채소 탈수기 또는 천으로 물기를 털어낸다. 비브 상추를 쓴다면 앞의 설명대로 준비하되, 쉽게 시들고 변색되기 때문에 특별히 손질해줄 필요가 있다. 볼에 추가한다.
7. 마셰 혹은 필드 상추와 루콜라는 줄기를 떼어내고, 큰 이파리는 2조각 이상으로 찢어 물에 담가 건졌다가 상추처럼 물기를 제거한다. 볼에 넣는다.
8. 아티초크 줄기를 떼어 버리고, 67~69쪽 설명대로 단단한 부분을 전부 다듬어 맨 위의 잎을 평소 조리하는 것보다 조금 더 많이 잘라낸다. 아티초크를 반으로 쪼개 초크와 뾰족한 안쪽 잎이 드러나면 긁어내 버린다. 아티초크를 세로 방향으로 가능한 한 얇게 썬다. 레몬 ½개에서 즙을 약간 짜내 자른 모든 부분이 변색되지 않게 하고 다른 재료가 담긴 볼에 추가한다.
9. 생토마토 껍질을 세로날 필러로 벗기고 웨지 모양으로 썬다. 씨를 어느 정도 제거하고 샐러드 볼에 넣는다.
10. 소금을 알맞게 뿌려 한 번 버무린 뒤 모든 채소에 고루 입혀질 만큼 올리브유를 충분히 붓고, 식초를 몇 방울 추가해 여러 번 골고루 버무리되, 거칠게 다뤄서는 안 된다. 바로 차려 낸다.

마늘로 향을 낸 토마토 샐러드

Garlic-Scented Tomato Salad

롱아일랜드의 브리지햄프턴이라는 마을에서 수업을 했던 어느 여름, 나는 학생들이 롱아일랜드의 농장과 물이 키워낸 특별한 산물을 활용하는 흥미롭고도 적합한 방법을 찾길 바라며, 파스타 소스, 리소토, 생선 요리에 대한 교육 과정을 짰다. 이후에 생각이 나서 이 토마토 샐러드를 메뉴에 포함시켰다. 내가 어렸을 적 아버지가 만들어주시곤 했던 방식으로 말이다. 파스타와 생선 요리에 대한 반응은 기대했던 대로 열광적이었지만, 관심을 독차지한 것은 샐러드였다. 토마토 샐러드가 다 떨어지자, 학생들은 차림용 접시로 샐러드 즙에 빵을 찍어 먹으려고 싸웠다. 아무래도 이 토마토 샐러드를 충분할 만큼 만들기는 어려워 보이니, 껍질이 바삭한 맛있는 빵을 풍성하게 함께 차려 내면 유용할 것이다. 4~6인분

마늘 4~5쪽
소금
토마토 신선하고 잘 익은 단단한 둥근 것 또는 플럼토마토 900g
레드 와인 식초, 질 좋은 것으로 엄선한다
생바질잎 12장
엑스트라버진 올리브유

1. 마늘의 껍질을 벗기고 단단한 칼 손잡이로 으깬다. 작은 볼이나 종지에 소금 1~2작은술, 식초 2큰술과 함께 넣는다. 저어준 뒤 최소 20분간 그대로 절인다.
2. 생토마토를 세로날 필러로 껍질을 벗겨 얇게 썰고, 깊이가 있는 차림용 접시에 펼쳐 놓는다.

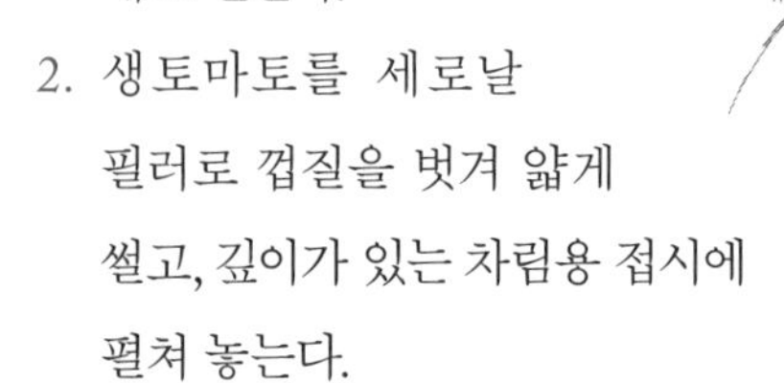

3. 샐러드를 차릴 준비가 되면 찬물에 바질잎을 씻고 물기를 턴다. 손으로 각각 2~3조각으로 찢어 토마토 위에 뿌린다.
4. 마늘을 절여둔 식초를 체에 걸러 토마토에 붓는다. 토마토에 잘 입혀지도록 올리브유를 넉넉히 뿌리고 버무린다. 맛을 보고 필요하다면 소금과 식초로 간을 맞춰 바로 차려 낸다.

당근채 샐러드
Shredded Carrot Salad

레몬즙을 넣은 채 썬 당근은 가장 깔끔하고 상큼한 샐러드 중 하나로 만들기도 아주 쉽다.

4인분

당근 중간 크기 5~6개, 씻고 다듬어 껍질을 벗기고, 552쪽 생으로 먹는 다양한 믹스 샐러드 레시피 설명대로 채 썬다
소금
엑스트라버진 올리브유
갓 짠 신선한 레몬즙 1큰술

모든 재료를 합하고, 당근에 고루 입혀지도록 올리브유를 넉넉히 넣어준다. 골고루 버무린 후 맛을 보고 소금과 레몬즙으로 간을 맞춰 바로 차려 낸다.

루콜라로 넣어보기
앞선 레시피의 재료에 신선한 루콜라 225g을 더하고, 레몬즙을 레드 와인 식초로 대체한다. 552쪽 생으로 먹는 다양한 믹스 샐러드 레시피 설명대로 루콜라를 다듬고 물에 담갔다가 건져 물기를 없앤다. 앞에서 설명한 방법대로 모든 재료를 합한다.

피노키오 샐러드
Finocchio Salad

크기가 큰 피노키오를 쓴다면 4인분

피노키오 땅딸막하고 둥근 것으로 1개 (508쪽 참고)
소금
엑스트라버진 올리브유
갓 갈아낸 검은 후추

참고 생으로 먹는 피노키오를 단독으로 차려 낼 때는 식초나 레몬즙을 쓰지 않는다.

1. 552쪽 생으로 먹는 다양한 믹스 샐러드 레시피 설명대로 피노키오를 다듬고 아주 얇게 썰어 물에 담갔다가 물기를 제거한다.
2. 식탁에 차려 낼 볼에 소금과 함께 넣고 올리브유를 피노키오에 고루 입히기에 충분한 만큼 더해 버무리고, 검은 후추를 넉넉히 갈아 넣는다.

선초크 시금치 샐러드

Sunchoke and Spinach Salad

4인분

선초크 225g
시금치 225g, 신선하고 아주 어리며 아삭거리는 것으로 준비
소금
갓 갈아낸 검은 후추
엑스트라버진 올리브유
레드 와인 식초, 질 좋은 것으로 엄선한다

1. 선초크를 15분 동안 찬물에 담근 뒤, 흐르는 물에서 거친 천이나 솔을 이용해 전체적으로 문질러 닦는다. 종잇장 두께로 썰어 차림용 볼에 담는다.
2. 시금치는 잎의 가장 부드러운 부분을 줄기와 질긴 잎맥에서 떼어내면 훨씬 더 먹기 좋을 것이다. 한 손으로는 잎을 세로로 잡고, 표면을 안쪽으로 접는다. 다른 손으로는 줄기를 잎의 뒷면에 튀어나온 가느다란 잎맥과 함께 잡아당긴다. 다듬은 시금치를 시금치가 충분히 잠길 만큼 찬물을 채운 대야에 담근다. 건지고 흙 찌꺼기가 남아 있지 않을 때까지 깨끗한 물을 다시 채워가며 반복한다. 채소 탈수기에 넣거나 잎을 털어서 물기를 가능한 없애고 2~3조각으로 더 작게 찢어 볼에 담는다.
3. 소금, 후추와 시금치에 고루 입히기에 충분한 기름, 식초 몇 방울과 함께 버무린다. 곧바로 차려 낸다.

채썰기한 사보이 양배추 샐러드

Shredded Savoy Cabbage Salad

오직 마늘 향만 이용하는 또 하나의 이탈리아 샐러드다. 또한 554쪽 토마토 샐러드를 참고하라.

6인분 이상

사보이 양배추 1통(900g 정도)
껍질이 딱딱한 빵 1쪽
갓 갈아낸 검은 후추
엑스트라버진 올리브유

마늘 2쪽
소금
레드 와인 식초, 질 좋은 것으로 엄선한다

1. 양배추의 바깥쪽 초록색 잎을 떼어 버리거나 채소 수프용으로 따로 보관한다. 흰색 이파리를 전부 아주 가늘게 채썰기해 차림용 볼에 담는다.
2. 빵의 말랑한 부분을 잘라 버리고, 껍질을 2.5cm 정도 길이의 조각 2개로 썬다.
3. 칼 손잡이로 마늘을 가볍게 으깨 분리된 껍질을 벗긴다. 빵 껍질 2조각에 모두 마늘을 박박 문질러 볼에 넣고 마늘은 버린다. 골고루 버무리고 45분에서 1시간 동안 그대로 둔다.
4. 차려 낼 준비가 되면 소금, 후추와 양배추에 고루 입히기에 충분한 올리브유, 식초 몇 방울을 볼에 넣는다. 드레싱이 양배추에 고루 입혀질 때까지 여러 차례 버무린다. 빵 껍질을 꺼내서 버린다. 맛을 보고 양념으로 간을 맞춰 바로 차려 낸다.

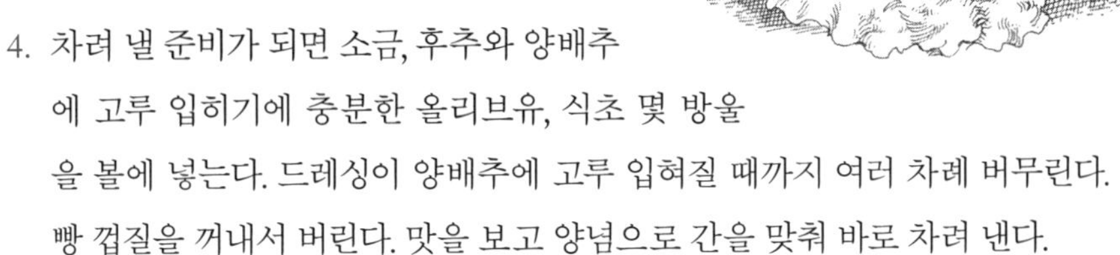

고르곤졸라 치즈와 호두를 곁들인 로메인 샐러드

Romaine Lettuce Salad with Gorgonzola Cheese and Walnuts

6~8인분

로메인 상추 1통
엑스트라버진 올리브유 5큰술
레드 와인 식초 1큰술, 엄선해서 준비
소금
갓 갈아낸 검은 후추
고르곤졸라 치즈 수입산으로 115g, 쓰기 전 실온에 3~4시간 꺼내둔다
호두 ½컵, 껍데기를 깐 것으로 아주 굵게 다진다

1. 로메인의 변색된 바깥쪽 잎을 떼어 버린다. 남은 잎을 심에서 떼어내 한 입 크기로 손으로 찢는다. 찬물을 몇 번 갈아가며 담갔다가, 채소 탈수기에 넣거나 천으로 감싸 물기를 털어낸다.

2. 올리브유, 식초, 소금 한 자밤과 간 후추 소량을 차림용 볼에 넣는다. 포크로 양념이 고루 섞이도록 풀어준다.
3. 고르곤졸라의 절반을 더해 포크로 완전히 으깬다. 굵게 다진 호두의 절반, 로메인 전량을 추가해 드레싱이 고루 입혀지도록 버무린다. 맛을 보고 양념으로 간을 맞춘다.
4. 남은 고르곤졸라를 부숴 샐러드 위에 올리고, 남은 호두도 넣는다. 바로 차려 낸다.

오렌지 오이 샐러드

Orange and Cucumber Salad

6인분

오이 1개
오렌지 3개
빨간색 래디시 작은 것 6개
생민트잎
소금
엑스트라버진 올리브유
갓 짠 신선한 레몬즙, 레몬 ½개 분량

1. 오이에 왁스칠이 되어 있거나 껍질이 두껍다면 껍질을 벗긴다. 아니라면 흐르는 찬물에서 문질러 씻는다. 오이를 원형으로 아주 얇게 썰고 차림용 볼에 담는다.
2. 오렌지 껍질을 벗기고 껍질 안쪽의 흰색 속껍질도 전부 제거한다. 둥근 모양을 살려 얇게 썰고 씨를 빼내어 접시에 담는다.
3. 래디시잎을 잘라 버리고 찬물에 씻는다. 껍질을 벗기지 않은 채 원형으로 얇게 썰어 접시에 더한다.
4. 작은 민트잎 6장을 씻어 각각 2~3조각으로 찢고, 얇게 썬 오렌지, 래디시, 오이 위에 뿌린다.
5. 소금, 올리브유, 레몬즙을 더해 잘 입혀지도록 고루 버무린 뒤 바로 차려 낸다.

핀치모니오 — 올리브유, 소금, 검은 후추 소스에 찍어 먹는 생채소

Pinzimonio — Olive Oil, Salt, and Black Pepper Dip for Raw Vegetables

핀치모니오라는 단어는 꼬집는다는 뜻의 핀차레(pinzare)와, 결혼을 뜻하는 마트리모니오(matrimonio)의 장난스러운 줄임말에서 비롯되었는데, 아주 오래 이 음식을 칭하는 데 쓰여왔다. 엄지와 검지로 생채소를 집는 것을 '꼬집기'에, 올리브유, 소금, 후추 소스에 찍는 것을 '결혼'으로 묘사하는 것이다.

식당에서는 앉자마자 메뉴판을 보기도 전에 핀치모니오를 식탁에 내오기도 한다. 하지만 이것을 가장 적절하면서도 상쾌하게 쓰는 방법은 양이 많고 미각을 많이 쓰는 식사의 고기 또는 생선 코스 이후에 내는 것이다.

핀치모니오에 흔히 곁들이는 생채소 모둠은 당근, 파프리카, 피노키오, 아티초크, 셀러리, 오이, 래디시, 파(scallion)를 전부 또는 대부분 포함한다. 손질하는 법은 다음과 같다.

1. 당근을 씻어 껍질을 벗긴다. 당근이 작고, 꼭지에 신선한 이파리가 달려 있다면 꼭지를 그대로 살려둔다. 더 큰 당근이라면 꼭지를 얇게 썰어내고 당근을 세로로 2등분한다.
2. 파프리카를 반으로 쪼개 드러난 속심과 씨를 전부 제거한다. 4cm 정도 두께의 막대형으로 세로로 길게 썬다.
3. 피노키오의 잎이 달린 윗부분을 잘라내고 뿌리 쪽도 얇게 썰어내며, 시들거나 변색된 바깥쪽 부분을 제거한다. 웨지 모양이 4개 나오도록 세로로 썰어 찬물을 몇 번 갈아가며 씻는다.
4. 아티초크의 줄기를 잘라 버린다. 67~69쪽 설명대로 질긴 부분을 전부 다듬는다. 4개의 웨지 모양이 나오도록 세로로 썰고 초크와 뾰족하고 꼬불거리는 안쪽 잎을 제거한다. 잘린 면 전부에 레몬즙 몇 방울을 짜내 변색되지 않게 한다.
5. 셀러리 줄기는 따로 떼어내고, 속심은 통째 세로로 2등분한다. 속심의 뿌리 쪽 끝을 얇고 둥글게 썰어낸다. 속심의 이파리 부분을 그대로 남겨두되, 다른 이파리들은 전부 제거한다. 찬물을 몇 번 갈아가며 씻는다.
6. 오이를 씻고 세로로 2등분하거나, 아주 두껍다면 4등분한다.
7. 래디시를 씻고 다른 손질은 하지 않은 채, 보기에도 좋고 잡고 먹기에도 편하도록 이파리가 난 꼭지 부분을 남겨둔다.
8. 두껍고 구근이 둥근 파를 골라 바깥 쪽 잎은 떼어내고, 뿌리와 위에서 1cm 정도를 잘라 낸다. 찬물에 씻는다.
9. 알맞은 크기의 볼이나 단지에 채소를 모두 담는다.

올리브유, 소금과 넉넉한 양의 부순 후추가 든 종지를 모든 손님을 위해 준비해야 한다. 손님이 각자의 취향에 맞게 볼에서 채소를 가져와 종지에 찍어 먹음으로써 핀치모니오를 할 수 있게 한다.

판차넬라—빵 샐러드

Panzanella—Bread Salad

피렌체에서 로마에 이르기까지, 중부 이탈리아에서 가장 포만감을 안겨주는 샐러드는 오랜 가난의 현명한 구원자인 빵과 물이 바탕이 된다. 묵은 빵을 찬물로 축축하지 않게 적당히 적시고, 아래 샐러드의 다른 재료들을 더해 올리브유와 식초로 버무린다. 샐러드의 양념과 즙을 흠뻑 머금은 빵은 흐물거리면서도 거친 폴렌타처럼 알갱이가 느껴지는 상태로 녹는다. 슈퍼마켓에서 파는 흰 빵이 아니라, 토스카나나 아브루초에서 볼 수 있는 투박한 시골 빵과 같은 알맞은 빵을 넣으면, 전통적인 방식을 변형시키지 않고서도 맛있게 만들 수 있다. 그런 빵을 구할 수 있거나 641쪽 올리브유 빵을 만들고 남았다면, 방금 설명한 방법으로 샐러드를 만들어보라. 보통의 시판 빵을 써야 한다면, 레시피에 안내된 대안을 따라 기분 좋은 결과를 얻길 바란다.

4~6인분

마늘 ½쪽, 껍질을 벗긴다
안초비 2~3조각(19쪽 설명대로 가급적 직접 만든 것으로), 잘게 다진다
케이퍼 1큰술, 26쪽 설명대로 소금에 절인 것은 물에 담갔다가 헹구고 식초에 담긴 것은 건진다
노란색 파프리카 ¼개
엑스트라버진 올리브유 ¼컵
단단하고 맛있는 빵 2컵, 가장자리를 잘라내고 브로일러에 구워 1cm 크기의 사각형으로 썬다(빵가루도 보관한다)
토마토 3개, 신선하고 잘 익은 단단한 둥근 것으로 준비
오이 1컵, 껍질을 벗기고 0.5cm 크기로 깍둑썰기한다
양파 중간 크기 ½개, 가급적 버뮤다 레드, 비달리아 또는 마우이 같은 단맛 나는 품종을 551쪽 설명대로 얇게 썰어 물에 담가서 준비
레드 와인 식초 1큰술, 질 좋은 것으로 엄선한다
갓 갈아낸 검은 후추
소금

1. 마늘, 안초비, 케이퍼를 숟가락 뒷면을 볼의 옆면에 대고 누르거나, 절구와 공이 또는 푸드프로세서를 이용해 죽처럼 으깬다.
2. 파프리카의 속심과 씨를 함께 긁어내고 0.5cm 정도 크기로 깍둑썰기한다. 파프리카와 마늘, 안초비를 섞은 것을 차림용 볼에 담고 소금, 올리브유, 식초를 더해 골고루 버무린다.
3. 사각형 빵 조각과 빵을 다듬는 과정에서 나온 빵가루를 함께 작은 볼에 담는다. 토마토 1개를 푸드밀에 넣고 퓌레로 만들어 빵에 더한다. 소금을 약간 넣

어 함께 버무리고, 스며들도록 그대로 15분 또는 그 이상 둔다.

4. 세로날 필러로 남은 토마토 2개의 껍질을 벗기고 1cm 정도 크기로 써는데, 씨가 너무 많다면 약간 덜어낸다. 절여놓은 빵 조각과 썬 토마토를 깍둑썰기한 오이, 얇게 썰어 물에 담가둔 양파와 간 검은 후추 약간과 함께 차림용 볼에 추가한다. 골고루 버무려 맛을 보고 양념으로 간을 맞춰 차려 낸다.

카넬리니빈 샐러드

Cannellini Bean Salad

콩을 제외한 이 샐러드의 모든 재료는 크림처럼 되도록 아주 잘게 다지고 고루 섞어 소스 같은 농도로 만들어 콩에 들러붙게 해야 한다. 손으로 직접 할 수 있지만, 도구의 도움이 필요하다면 푸드프로세서를 써도 된다.

샐러드 재료를 콩이 아직 따뜻할 때 버무리면 풍미가 한층 더 좋아진다. 가능하다면, 콩을 익히는 시간을 맞춰 샐러드를 만들기 직전에 콩이 준비되도록 해 보라.

6인분

잘게 썬 양파 2큰술
생세이지잎 3장
안초비 2~3조각(19쪽 설명대로 가급적 직접 만든 것으로)
엑스트라버진 올리브유 ⅓컵
레드 와인 식초 1큰술
완숙 달걀노른자 2개분
잘게 썬 파슬리 1큰술
소금
마른 흰 카넬리니빈 1컵, 23쪽 설명대로 불리고 삶아서 물기를 뺀다(아래 참고 사항을 확인할 것)
갓 갈아낸 검은 후추

참고 콩을 오래전에 미리 익힌다면, 삶은 물에 그대로 보관하고 사용 전에 천천히 따뜻하게 데운다.

1. 콩과 검은 후추를 제외한 모든 재료를 푸드프로세서에 넣고 크림 같은 상태로 간다.
2. 가급적 콩이 따뜻할 때 건져서 간 재료와 함께 버무린다. 검은 후추를 더해 다시 버무리고, 맛을 보고 소금과 다른 양념으로 간을 맞춘다. 상온에서 1시간 보관할 수 있으며 차려 내기 직전에 다시 버무린다. 냉장 보관하지 않는다.

라디키오와 따뜻한 콩 샐러드

Radicchio and Warm Bean Salad

이 샐러드의 이상적인 재료는 긴 트레비소 라디키오(38쪽 참조)와 신선한 크랜베리빈(112쪽 참조)이지만, 둘 다 다른 재료로 충분히 대체할 수 있다. 트레비소 라디키오 대신 더 흔한 둥근 것을 써도 되고, 같은 식구인 벨기에 엔다이브도 좋다. 신선한 콩 대신 말린 것을 써도 되고, 신선한 것이든 말린 것이든 크랜베리빈을 구할 수 없다면 말린 카넬리니빈을 쓰면 된다.

4~6인분

크랜베리빈 신선한 것은 900g 또는 마른 것은 1컵을 23쪽 설명대로 불리고 익혀서 준비
라디키오 450g, 잎이 긴 트레비소 종류나 송이가 둥근 것 또는 벨기에 엔다이브
소금
엑스트라버진 올리브유
레드 와인 식초, 질 좋은 것으로 엄선한다
갓 갈아낸 검은 후추

1. 신선한 콩을 쓴다면: 껍질을 벗겨 냄비에 담고, 소금을 넣지 않은 찬물을 재료 위 5cm 정도 높이로 충분히 붓는다. 냄비 뚜껑을 덮은 채 콩이 부드러워질 때까지 꾸준한 속도로 45분에서 1시간 동안 천천히 끓인다. 샐러드에 넣을 때 콩이 여전히 따뜻하도록 준비하는 시간을 맞춘다.
   마른 콩을 쓴다면: 샐러드에 넣을 때 여전히 따뜻하도록 23쪽 설명대로 익히는 시간을 계산한다.
2. 라디키오를 쓴다면: 송이에서 이파리들을 떼어내 변색된 것은 버린다. 0.5cm 정도 폭으로 채썰기하고 찬물에 몇 분간 담갔다가 건져 채소 탈수기나 천으로 물기를 털어낸다.
   엔다이브를 쓴다면: 색이 변한 잎을 제거하고 뿌리 쪽 끝을 얇게 썰어내 0.5cm 정도 폭으로 가로질러 얇게 썬다. 앞의 설명대로 씻고 물기를 턴다.
3. 콩을 건져서 따뜻한 상태로 라디키오 또는 엔다이브가 담긴 차림용 볼에 담는다. 소금을 더해 한 번 버무리고, 고루 입혀질 정도로 올리브유를 충분히 붓고 식초도 몇 방울 추가한다. 검은 추후를 양껏 갈아 넣고 골고루 버무려 바로 차려 낸다.

아스파라거스 샐러드

Asparagus Salad

이탈리아에서 제철 아스파라거스를 먹는 가장 일반적인 방법은 삶아서 샐러드로 내는 것이다. 아직 온기가 남아 있거나 상온보다 차지 않을 때 차려 낸다. 일반적인 드레싱보다 식초가 조금 더 들어간다. 아스파라거스를 신선하게 보관하려면 472쪽을 참고하라.

4~6인분

아스파라거스 900g, 신선한 것을 472쪽 설명대로 껍질을 벗기고 익힌다
소금
갓 갈아낸 검은 후추
엑스트라버진 올리브유
레드 와인 식초, 질 좋은 것으로 엄선한다

1. 아스파라거스를 부드러우면서도 단단할 때까지 익히고 건져서 긴 접시에 놓되, 한쪽 끝이 접시 밖으로 나오게 한다. 반대쪽 끝을 받쳐 수분이 아스파라거스를 타고 내려와 접시에 모이게 한다. 15~20분 뒤에 고인 물을 부어 버리고 아스파라거스를 다시 가지런히 놓는다.
2. 소금과 후추를 더하고, 올리브유를 듬뿍 입힌 뒤 식초를 양껏 뿌린다. 여러 방향으로 접시를 기울여 양념이 고루 스며들게 하고, 바로 차려 낸다.

그린빈 샐러드

Green Bean Salad

4인분

그린빈 450g, 477쪽 설명대로 삶는다
소금
엑스트라버진 올리브유
엄선한 질 좋은 레드 와인 식초 또는 갓 짠 신선한 레몬즙

살짝 단단하면서도 부드럽되, 아삭하지는 않을 때 그린빈을 건진다. 차림용 볼에 넣고 소금을 더해 한 번 버무린다. 올리브유를 충분히 부어 윤기가 돌도록 입혀준다. 취향에 맞게 식초 또는 레몬즙을 몇 방울 추가한다. 골고루 버무려 맛을 보고 양념으로 간을 맞추어 미지근할 때 차려 낸다.

붉은색 비트 구이

Baked Red Beets

비트를 조리하는 가장 좋은 방법은 굽는 것이다. 이 과정을 거치면서 비트의 풍미가 강렬한 단맛으로 농축되어 입 안 가득 퍼지는데, 처음 먹어보는 이의 정신을 빼앗을 만하다. 삶기, 전자레인지에 돌리기 등 다른 어떤 방법도 오븐에 굽기에 비할 바가 못 된다. 통조림에 든 것을 구입하는 것은 비교조차 불가하다. 시간이 걸리기는 하지만, 지켜보지 않아도 되니 자유롭게 다른 일을 할 수 있다. 구운 비트를 얇게 썰어 올리브유, 소금, 식초로 양념하기만 해도 가장 맛있는 샐러드 한 가지가 완성된다.

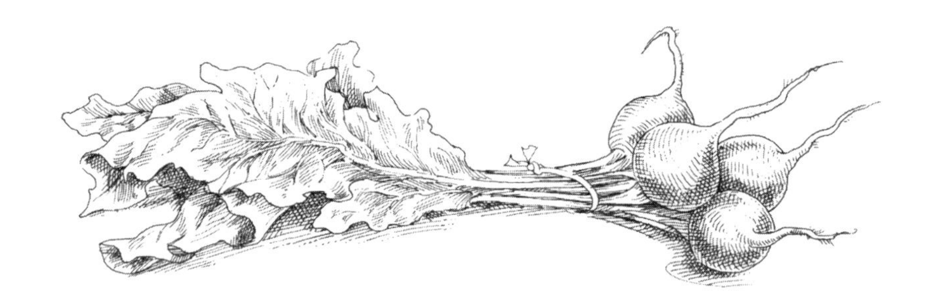

생비트를 사면 따라오는 한 가지 덤은 바로 윗부분이다. 줄기와 잎 모두 삶아서 샐러드로 내놓으면 훌륭하다. 고를 때는 가장 작은 잎을 가진 것을 찾는다. 그것이 곧 어리고 부드럽다는 표시다. 무성한 푸른 잎 사이에 흩어져 있는 가느다란 붉은 줄기는 보기에도 좋고, 줄기의 아삭함과 잎의 부드러움이 이루는 대조는 맛도 좋다.

4인분

붉은색 생비트 1다발, 잎이 달려 있고 비트가 크기에 따라 4~6개인 것으로 준비
소금
엑스트라버진 올리브유
레드 와인 식초, 질 좋은 것으로 엄선한다

1. 오븐을 200°C로 예열한다.
2. 비트 윗부분을 줄기가 시작되는 곳에서 잘라내고, 이 다음 레시피에 따라 요리하기 위해 보관한다. 비트 구근의 뿌리 끝을 다듬어낸다.
3. 찬물에 비트를 씻은 다음 유산지 또는 쿠킹호일로 모두 함께 감싸 유산지 또는 호일의 가장자리를 접어서 단단히 봉한다. 오븐의 위쪽에 넣는다. 포크로

찔러 부드러우면서도 단단하게 느껴질 때까지 비트 크기에 따라 1시간 반에서 2시간 굽는다.
4. 아직 따뜻하되 손으로 충분히 만질 수 있을 만큼 식으면 검게 변한 껍질을 벗긴다. 얇게 썬다.
5. 차릴 준비가 되면 소금, 넉넉한 양의 올리브유, 그리고 식초 몇 방울과 함께 버무린다.

미리 준비한다면 ❀ 구운 비트는 만든 당일, 오븐에서 꺼내 따뜻한 기운이 아직 남아 있을 때 차려 내면 가장 맛있다. 하지만 하루나 이틀 두어도 아주 좋은 상태가 유지된다. 껍질을 벗기지 않고 통째로 비닐에 넣고 단단히 밀봉해 냉장 보관한다. 냉장고에서 꺼내 충분한 시간을 두고 상온 상태가 되면 차려 낸다.

비트잎과 줄기 샐러드

Beet Tops Salad

줄기와 잎의 신선함은 수명이 아주 짧아, 가능한 한 구입한 당일에 조리해 먹어야 한다. 삶은 잎줄기와 구워서 얇게 썬 비트를 조합해 멋진 믹스 샐러드를 만들 수 있다. 또는 비교적 잘 상하지 않는 비트 밑동은 2~3일간 보관해두고, 잎줄기만 싱싱할 때 샐러드에 넣는다.

4인분

생비트 3다발 또는 그 이상에서 따낸 줄기와 잎
소금
엑스트라버진 올리브유
갓 짜낸 신선한 레몬즙

참고 ❀ 잎줄기와 얇게 썬 비트를 함께 차려 낸다면 레몬즙 대신 식초를 쓴다.
1. 줄기에서 잎을 떼어낸다. 줄기를 2~3토막으로 꺾어, 섬유질을 할 수 있는 만큼 당겨서 들어낸다. 줄기와 잎을 모두 찬물에 씻는다.
2. 물을 3~4L 끓여 소금을 더하고 물이 다시 끓어오르자마자 줄기만 넣는다. 8분 또는 줄기가 두껍다면 그 이상 지났을 때 잎을 넣는다. 5분 정도 지나서 부드러우면서도 씹는 맛이 있으면 다 된 것이다. 잘 건져서 물기를 털어낸다.
3. 식었지만 따뜻한 기운이 아직 남아 있을 때 소금, 올리브유, 레몬즙 몇 방울을 넣어 버무린다. 바로 차려 낸다.

따뜻한 콜리플라워 샐러드
Warm Cauliflower Salad

6인분 이상

콜리플라워 1송이(약 900g), 488쪽 설명대로 조리한다
소금
엑스트라버진 올리브유
레드 와인 식초, 질 좋은 것으로 엄선한다

참고 ◉ 1송이를 전부 샐러드로 쓸 수 없다면 필요한 만큼만 양념하고 남은 것은 보관한다. 냉장고에 넣었다가 하루 또는 이틀 뒤에 버터와 파르메산 치즈를 얹은 콜리플라워 그라탱, 베샤멜 소스를 곁들인 콜리플라워 그라탱, 달걀과 빵가루 반죽으로 튀긴 웨지 콜리플라워, 파르메산 치즈 반죽을 입혀 튀긴 콜리플라워를 만들 수 있다.

1. 부드러우면서도 여전히 살짝 단단할 때 콜리플라워를 건지고 식기 전에 전체에서 작은 송이들을 떼어내되, 아주 작은 것은 2~3송이씩 묶어서 뗀다.
2. 송이들을 차림용 볼에 담고 소금, 올리브유, 식초를 넣어 충분히 양념한다. 콜리플라워에는 세 가지 재료를 모두 넉넉하게 넣어야 한다. 송이들이 으깨지지 않도록 부드럽게 버무려 맛을 보고 간을 맞춰 바로 차려 낸다.

이탈리아식 감자 샐러드
Italian Potato Salad

맛있는 가정식 요리의 판단 기준에 감자 샐러드의 수준이 포함되어야 한다는 데 많은 이탈리아인이 동의할 것이다. 감자 샐러드에 무엇이 들어가는지에 관해서는 그 어떤 수수께끼도 없다. 그저 감자, 소금, 올리브유와 식초다. 양파, 달걀, 마요네즈, 허브나 다른 비밀 재료는 들어가지 않는다. 그러나 반드시 올바른 감자를 골라야 한다. 감자알은 윤기가 나고 매끄럽고 단단해야 하며, 푸석푸석해서는 안 된다. 익히면 옥수수나 시골 버터처럼 따뜻한 황금빛이 나야 한다. 신선하고, 달고, 고소한 맛이 나되 퀴퀴한 냄새가 조금도 나서는 안 된다. 완전히 부드러워

지게 삶되 눅눅해진 부분이 있어서는 안 된다. 부서진 곳 없이, 감자를 통째로 얇게 썰어내야 한다. 감자가 뜨거울 때 질 좋은 와인 식초를 뿌려서 향을 흡수하는 한편 열기가 식초의 날카로운 신맛을 누그러뜨리게 한다. 4~6인분

감자 삶아 먹는 품종으로 675g, 햇감자 또는 묵은 감자를 크기에 상관없이 준비
소금
레드 와인 식초, 질 좋은 것으로 엄선한다
엑스트라버진 올리브유

1. 감자를 찬물에 씻는다. 껍질을 벗기지 않은 상태로 냄비에 넣고 감자 위로 최소 5cm가 올라오도록 물을 충분히 채운다. 천천히 끓이면서 부드럽되 너무 물러지지 않을 때까지 삶는다. 35분 정도 걸리는데 크기가 작은 햇감자를 쓴다면 그보다 덜 걸린다. 물을 많이 머금거나 이후에 얇게 썰었을 때 부스러지지 않게 포크로 너무 자주 찔러보지 않는다.
2. 다 익으면 냄비의 물을 부어 버리고 감자만 남긴다. 중불에서 냄비를 아주 잠깐 흔들어 감자를 이리저리 움직여서 남은 수분이 날아가도록 한다.
3. 아직 뜨거울 때 감자 껍질을 벗긴다.
4. 날카로운 칼로 아주 약하게 눌러 감자를 0.5cm 정도 두께로 얇게 썰고, 따뜻하게 데워놓은 차림용 접시에 펼쳐 놓는다. 곧바로 식초 3큰술을 뿌린다. 감자를 조심스럽게 뒤집는다.
5. 차려 낼 준비가 되면 소금과 아주 질 좋은 올리브유를 양껏 더한다. 맛을 보고 양념으로 간을 맞추며, 필요하다면 식초도 추가한다. 여전히 미지근하거나 상온보다 차갑지 않을 때 차려 낸다. 하룻밤을 넘기지 않으며, 냉장고에 넣어서도 안 된다.

삶은 근대 샐러드

Boiled Swiss Chard Salad

어린 근대의 가는 줄기는 반드시 제거해야 하지만, 다 자란 근대의 넓고 두툼한 줄기는 먹으면 아주 맛있다. 이 샐러드에서는 잎과 줄기를 모두 쓴다. 하지만 495쪽에서 볼 수 있듯 그라탱 같은 요리에 줄기만 따로 활용하고 싶다면, 줄기는 한편에 두고 잎으로만 샐러드를 만든다. 4~6인분

근대 2단
소금
엑스트라버진 올리브유
갓 짜낸 신선한 레몬즙

1. 줄기가 여린 어린 근대라면 줄기를 떼어 버린다. 대가 큰 다 자란 근대는 대에서 잎을 떼어내고 변색되거나 시든 것은 버린다. 대를 세로로 폭이 1cm보다 좁은 막대형으로 썰고, 이를 다시 길이가 10cm보다 짧게 자른다. 찬물을 몇 번 갈아가며 흙이 남지 않을 때까지 대야에 담가 씻는다.
2. 근대잎만 쓴다면: 잎을 물기가 남아 있는 상태로 냄비에 넣고, 소금 2작은술을 더해 중불에 올린다. 뚜껑을 덮고 냄비의 수분이 끓기 시작한 시점부터 15~18분 완전히 부드러워질 때까지 익힌다.
   대와 잎을 모두 쓴다면: 냄비에 물을 5~7.5cm 높이로 채우고 손질한 대를 넣어 중불에 올린다. 뚜껑을 덮고 물이 끓기 시작한 시점부터 2~3분간 익힌다. 그 다음에 잎과 소금 2작은술을 넣고 부드러워질 때까지 삶는다.
3. 콜랜더에 부어 근대를 건지고, 포크 뒷면으로 부드럽게 눌러 물기를 최대한 짜낸다. 차림용 접시에 옮긴다. 미지근하거나 상온보다 차갑지 않을 때 소금과 올리브유, 레몬즙 1큰술 또는 그 이상을 더해 버무린다. 바로 차려 낸다.

삶은 주키니 샐러드
Boiled Zucchini Salad

6인분

주키니 6개, 어리고 단단하며 윤기 나는 것으로 준비
마늘 큰 것 3쪽
엑스트라버진 올리브유
소금
잘게 썬 파슬리 2큰술
갓 갈아낸 검은 후추
레드 와인 식초, 질 좋은 것으로 엄선한다

1. 536쪽 설명대로 주키니를 담가서 씻되 양 끝은 아직 잘라내지 않는다.
2. 물 3~4L를 끓여 주키니를 넣는다. 포크로 찔렀을 때 부드러우면서도 약간 단단함이 느껴질 때까지 주키니의 어린 정도와 신선도에 따라 15분 또는 그 이상 익힌다. 건져서 손으로 만질 수 있게 되자마자 양 끝을 자르고 각각 세로로 2등분한다.
3. 주키니를 익히는 동안 마늘을 칼 손잡이로 으깨 껍질을 분리시켜 벗긴다. 익혀서 건진 주키니를 반으로 가른 뒤 곧바로 여전히 뜨거운 자른 단면 각각에

으깬 마늘을 문지른다.

4. 긴 접시에 주키니를 접시 밖으로 튀어나오지 않게 놓는데, 한쪽 끝을 향해 모은다. 그 끝을 들어올려 수분이 주키니를 타고 흘러내리게 한다. 15~20분 뒤에 모인 수분을 부어 버리고 주키니를 다시 나란히 펼쳐 놓는다.
5. 넉넉한 양의 올리브유, 식초 몇 방울, 파슬리, 그리고 후추를 갈아 넣어 양념한다. 주키니에서 다시 수분이 배어나지 않도록 차려 내기 직전에 소금을 추가한다.

알라그로, 레몬즙 넣어보기

알라그로로 차려 낼 때 주키니는 앞선 레시피를 정확히 따라 익히되, 길게 반으로 썰지 않고 얇은 원형으로 자른다. 마늘은 생략하고 식초 대신 레몬즙으로 맛을 낸다. 소금을 포함한 모든 조미 재료와 얇게 썬 주키니를 차려 낼 준비가 되었을 때만 가급적 미지근한 상태에서 함께 버무린다. 이탈리아에서는 늦봄과 여름에 둥글게 썬 주키니와 477쪽의 삶은 그린빈 또는 566쪽의 삶아서 얇게 썬 햇감자를 조합해 샐러드로 즐겨 먹는다. 이때 레몬즙을 곁들여 알라그로로 낸다.

인살라토네—익힌 채소 믹스 샐러드

Insalatone—Mixed Cooked Vegetable Salad

근사한 익힌 샐러드를 구성하는 모든 재료를 합치려면 오랜 시간이 걸리지만, 주로 익히는 데 필요한 시간이지 지켜보고 있는 것이 아니다. 때문에 팟 로스트처럼 화구에서 오래 익혀야 하는 다른 요리를 할 때, 동시에 이 샐러드를 만들 계획도 세워볼 수 있다. 이 샐러드는 냉장고에 넣지 않고 만든 당일에 차려 내며, 몇 가지 재료가 여전히 약간 따뜻한 상태라면 더욱 좋다.

재료 준비는 어쩔 수 없이 순차적으로 적어놨지만, 사실 하루나 이틀 전에 준비해도 되는 비트를 순서에 크게 구애받지 않아도 된다.

6인분

감자 중간 크기 3개, 삶아 먹는 품종으로 준비
양파 중간 크기 5개
노란색 또는 붉은색 파프리카 2개
비트 중간 크기 3개 또는 큰 것 2개, 564쪽 설명대로 굽는다
그린빈 225g
소금
엑스트라버진 올리브유
레드 와인 식초, 질 좋은 것으로 엄선한다
갓 갈아낸 검은 후추

1. 오븐을 200℃로 예열한다.
2. 566쪽 설명대로 감자를 껍질째 삶는다. 부드러워지면 건져서 뜨거울 때 껍질을 벗기고 0.5cm 정도 두께로 얇게 썬다. 차림용 접시에 담는다.
3. 그동안 예열한 오븐 위쪽에 유산지를 깔고 껍질을 까지 않은 양파를 넣어 굽는다. 포크로 찔러 전부 골고루 부드러워질 때까지 익힌다. 껍질을 벗기고 반으로 썰어 접시에 추가한다.
4. 64쪽 설명대로 파프리카를 검게 그을려 껍질을 벗기고, 갈라서 속심과 씨를 전부 제거한 다음 2.5cm 정도 폭의 막대형으로 세로로 썬다. 샐러드 접시에 추가한다.
5. 477쪽 설명대로 그린빈을 삶고 건져서 접시에 넣는다.
6. 구운 비트의 질어진 껍질을 떼어내고 얇게 썰어 샐러드에 추가한다.
7. 소금, 모든 재료에 입히기에 충분한 올리브유, 식초 몇 방울, 그리고 넉넉히 간 후추를 샐러드와 버무린다. 맛을 보고 양념으로 간을 맞춰 바로 차려 낸다.

콩과 참치 샐러드

Beans and Tuna Salad

기본적으로 콩 샐러드에 참치로 맛을 돋우고 양파로 향을 더한 요리다. 하지만 재료의 비율은 개인의 입맛에 맞게 조절할 수 있다. 균형을 참치의 풍미에 기울이고 싶다면, 특히 대량으로 판매하는 올리브유에 담긴 아주 맛있는 참치를 쓰면 된다. 양파 반 개 대신 하나를 통째로 써도 샐러드를 망치는 것은 아니다. 샐러드용 양파를 준비하는 기본 방법에서 설명한 대로 아주 아주 얇게 썰어야 한다는 것을 명심하라.

4인분

마른 흰 카넬리니빈 1컵, 23쪽 설명대로 불리고 삶아 건져서 준비 또는 카넬리니빈 통조림 3컵, 건더기만 건져서 준비

양파 중간 크기 ½개, 가급적 버뮤다 레드, 비달리아, 또는 마우이 같은 단맛 나는 품종을 551쪽 설명대로 얇게 썰어 물에 담가서 준비

소금

참치 통조림 210g짜리 1개, 올리브유에 저장된 수입산으로 준비

엑스트라버진 올리브유

레드 와인 식초, 질 좋은 것으로 엄선한다

갓 갈아낸 검은 후추

콩과 양파를 차림용 볼에 넣고 소금을 넉넉히 뿌려 버무린다. 참치를 건져서 볼에 더하고, 포크로 큰 조각으로 부스러트린다. 올리브유를 넉넉히 부어 고루 입히고 식초 몇 방울을 더하고 후추를 양껏 갈아 넣어 재료들을 몇 번 뒤집어가며 골고루 버무린다. 맛을 보고 양념으로 간을 맞춰 바로 차려 낸다.

해산물 샐러드
Seafood Salad

여름의 이탈리아에는 모든 뷔페 식탁에, 모든 해산물 식당의 메뉴 어디에나 해산물 샐러드가 있다. 이것을 지나치기란 좀체 쉽지 않은데 해산물이 맛있을 철이기도 하고, 샐러드가 실제로 너무너무 맛있기 때문이다. 애석하게도 때로는 해산물이 예상보다 더 자주 냉장고에 들어갔다가 나오고, 그 주된 존재 이유인 생생하고 신선한 맛이 전반적으로 부족할 때도 있다. 해산물 샐러드가 가야 할 유일한 길은 부엌에서 식탁으로 곧장 이어진 길로, 밤새 그대로 머무르거나 아이스박스를 거쳐 가면 안 된다. 집에서 직접 샐러드를 만들어서 가장 좋은 이유는 그저 이런 상황을 통제할 수 있다는 것이다.

6~8인분

통오징어 225g
문어 다리 450g(572쪽 참고 사항을 확인할 것)
당근 중간 크기 2개
양파 중간 크기 2개
셀러리 2대
새우 중간 크기로 껍질째 340g
와인 식초
소금
심해가리비 115g
새끼 대합조개 12개
홍합 12개
붉은색 파프리카 1개
마늘 큰 것 1쪽
검고 둥근 그리스 올리브 6개와 녹색 올리브 6개, 소금물에 담긴 것을 씨를 빼고 4등분한다
갓 짜낸 신선한 레몬즙 ¼컵
엑스트라버진 올리브유
갓 갈아낸 검은 후추
마조람 신선한 것은 ½작은술 또는 말린 것은 ¼작은술

참고 ❀ 재료 목록 중 문어 다리만 대개의 생선 가게에서 정기적으로 구하기 어렵다. 이탈리아 사람이 밀집한 지역의 생선 가게나 동양 음식점에 문어를 공급하는 생선 가게에는 있다. 가능하면 이것을 샐러드에 넣어본다. 문어 다리의 훌륭하고 단단한 질감이 더해져 요리가 훨씬 풍부해질 것이다. 하지만 반드시 들어가야 할 재료는 아니므로 구할 수 없다면 제외한다.

1. 325~327쪽 설명대로 오징어를 씻은 뒤, 몸통을 폭 1cm 내외의 고리 모양으로 썬다. 다리는 2등분한다.
2. 문어 다리를 하나씩 떼어내 찬물에 담그고 껍질을 최대한 벗겨낸다. 폭이 1cm보다 약간 좁게 원형으로 썬다.
3. 당근은 껍질을 벗겨 씻고, 양파는 껍질을 벗기고, 셀러리는 씻는다.
4. 새우를 찬물에 씻되 껍질은 까지 않는다.
5. 냄비 2개에 각각 물 1L와 식초 2큰술, 소금 1작은술, 당근 1개, 양파 1개, 셀러리 1대를 넣고 뚜껑을 덮어 끓인다. 물이 빠른 속도로 끓으면 냄비 한쪽에 고리 모양으로 썬 오징어와 다리를 넣고, 다른 하나에는 문어를 넣는다. 오징어가 윤기가 사라지고 불투명해져 하얗게 변하면 건지는데, 몇 분밖에 걸리지 않을 것이다. 문어는 조금 더 오래 걸린다. 완전히 흰색으로 변하면 건지는데, 처음에 두꺼운 조각 하나를 잘라 속까지 하얗게 변한 것을 확인해본다.
6. 소스팬에 물 2L와 함께 식초 2큰술과 소금 1작은술을 넣고 뚜껑을 덮어 끓인다. 새우를 넣고 물이 다시 끓어오른 시점에서 1분간 익힌다. 크기가 아주 작다면 몇 초 덜 익힌다. 건져서 손으로 만질 수 있게 식자마자 껍질을 벗기고 내장을 제거한다. 아주 작으면 통째로 쓰고, 작지 않다면 1cm 정도 두께로 둥글게 썬다.
7. 가리비를 찬물에 씻는다. 작은 소스팬에 물 2컵과 식초 1큰술, 소금 ½작은술을 함께 넣고 뚜껑을 덮어 끓여 가리비를 넣는다. 물이 다시 끓어오르고 나서부터 크기에 따라 1분 30초에서 2분간 익힌다. 건져서 1cm 크기로 깍둑썰기한다.
8. 조개와 홍합을 90쪽 설명대로 문질러 씻는다. 건드렸을 때 입을 다물지 않는 것은 버린다. 3겹 이상 겹치지 않을 만큼 넓은 냄비에 넣고 뚜껑을 덮어 강불에 올린다. 홍합과 조개를 뒤집어가며 자주 확인하고, 껍데기가 벌어질 때마다 곧바로 냄비에서 꺼낸다.
9. 조개와 홍합이 모두 입을 벌리면, 껍데기에서 살을 발라낸다. 구멍 뚫린 국자로 조갯살을 볼로 옮긴다. 냄비를 기울여 바닥을 젓지 않고 조심스럽게 위쪽

국물을 퍼내 조갯살과 홍합살 위에 붓는다. 잠길 정도로 충분히 담아준다.

10. 20~30분간 조개와 홍합을 그대로 두어 붙어 있던 모래 찌꺼기가 볼 바닥으로 떨어지게 한다. 그동안 파프리카와 마늘을 손질한다. 파프리카를 쪼개 안의 속심과 씨를 전부 제거한다. 생파프리카 그대로 세로날 필러를 이용해 껍질을 벗기고, 폭 1cm, 길이 2.5cm 정도의 막대형으로 썬다. 칼 손잡이로 마늘을 으깨 껍질을 분리시키고, 벗긴다.
11. 구멍 뚫린 국자로 조갯살과 홍합살을 다시 건져서 차림용 볼에 새우, 오징어, 문어, 가리비와 함께 담는다. 파프리카, 4등분한 올리브, 레몬즙과 고루 입히기에 충분한 올리브유를 넣고 골고루 버무린다. 맛을 보고 소금과 레몬즙으로 간을 맞춘 다음, 후추를 약간 갈아 넣고 으깬 통마늘과 마조람을 더한다. 다시 아주 고르게 버무린다. 상온에서 최소 30분간 절인다. 마늘을 꺼내고, 모든 재료를 뒤집어가며 한두 번 버무린 다음에 차려 낸다.

쌀과 닭고기 샐러드

Rice and Chicken Salad

4~6인분

소금
장립종 쌀 1컵
디종 또는 잉글리시 머스터드 1작은술
레드 와인 식초 2작은술, 질 좋은 것으로 엄선한다
엑스트라버진 올리브유 ⅓컵
수입산 폰티나 치즈 또는 스위스 치즈 ½컵, 아주 작게 깍둑썰기한다
녹색 올리브 2큰술, 소금물에 담긴 것으로 씨를 빼고 작게 깍둑썰기한다
검고 둥근 그리스 올리브 ½컵, 씨를 빼고 작게 깍둑썰기한다
붉은색 또는 노란색 파프리카 1개, 속심과 씨를 제거하고 작게 깍둑썰기한다
새콤한 오이 피클(가급적 코니숑으로) 3큰술, 작게 깍둑썰기한다
닭가슴살 통째로 1쪽, 삶아서 껍질을 벗기고 1cm 크기로 깍둑썰기한다

1. 물 2L를 끓여 소금을 뿌린 다음, 쌀을 넣는다. 물이 다시 끓어오르면 뚜껑을 덮고 천천히 뭉근하게 끓도록 불을 조절해 익힌다. 이따금 쌀을 저어주며, 부드러우면서도 씹었을 때 단단함이 느껴질 때까지 10~12분 익힌다. 쌀을 건져 찬물에 헹구고, 한 번 더 잘 따라낸다.

2. 차림용 볼에 머스터드, 소금, 식초를 넣는다. 포크로 잘 섞은 뒤, 올리브유를 추가해 잘 어우러지도록 포크로 풀어준다.
3. 건진 쌀을 더해 양념과 버무린다. 다른 모든 재료를 넣어 4~5번 뒤집어가며 골고루 버무리고 맛을 본 뒤 양념으로 간을 맞춘다. 상온에서 시원하게 식혀서 차려 내는데, 냉장고에 넣었다가 꺼내서는 안 된다.

남은 삶은 소고기로 만든 샐러드

Leftover Boiled Beef Salad

개인적으로 차가워진 남은 삶은 소고기보다 더 맛있는 소고기 요리는 없다고 생각한다. 삶은 소고기는 갈비구이, 티본 스테이크 또는 같은 부위를 육수에 익힐 때와 동일한 만족감을 주지 못할 수도 있지만, 맛이 가볍고 신선하며, 풍미는 환상적이다.

4인분

삶은 소고기 남은 것 450g
소금
엑스트라버진 올리브유 3큰술
와인 식초 또는 갓 짜낸 신선한 레몬즙 1큰술
갓 갈아낸 검은 후추

1. 고기에서 떼어낼 수 있는 지방과 껍질을 전부 다듬는다. 넉넉한 크기의 밀폐 용기에 고기를 넣고, 냉장고에 넣는다. 이미 얇게 썰려 있다면 한 조각을 다른 조각 위에 모양을 거의 맞춰 올려서 공기에 노출되어 마르는 표면을 최소화한다. 최대 3일까지 보관할 수 있다.
2. 사용하기 적어도 2시간 전에 냉장고에서 소고기를 꺼내둔다. 고기가 한 덩어리라면 최대한 얇게 썬다. 차림용 접시에 얇게 썬 고기를 펼쳐 놓고 소금, 올리브유로 양념해 고루 입혀지도록 뒤집고, 기호에 따라 식초나 레몬즙을 더하고 검은 후추를 살짝 갈아서 뿌린다. 고기를 다시 뒤집어, 완전히 상온 상태가 되었을 때 차려 낸다.

남은 삶은 소고기를 얇게 썰어 차려 내는 다른 방법

❁ 피노키오 또는 셀러리를 아주 아주 얇게 썰어 바닥에 깔고 그 위에 놓는다. 위의 설명대로 양념한다.

❁ 루콜라와 껍질을 벗겨 과육을 발라낸 오렌지 또는 자몽을 바닥에 깔고 그 위에 놓는다. 레몬즙을 써서 위의 설명대로 양념한다.

❁ 미지근한 카넬리니빈을 곁들인다. 식초와 레몬즙은 생략하고 앞의 설명대로 양념한다.

❁ 388쪽을 보고 참치 ¼컵과 케이퍼 마요네즈를 곁들여 비텔로 톤나토풍으로 만든다.

❁ 52쪽과 53쪽의 그린 소스 또는 54쪽 호스래디시 소스 중 하나를 곁들인다. 차려 내기 전 2~3시간 동안 소스에 고기를 절인다.

❁ 마요네즈와 머스터드를 곁들인다.

디저트
DESSERTS

크로칸테—이탈리아식 프랄린
Croccante—Italian Praline

크로칸테(croccante)는 가장 진하고, 바삭하며, 단맛이 적은 프랄린이다. 대부분의 디저트를 무색케 하는 거부할 수 없는 이 사탕은 집에서 만들기도 놀라우리만치 쉽다. 저녁식사 후 커피에 곁들여 내거나, 불쑥 방문한 손님에게 대접하거나, 여행을 떠날 때 가방에 조금 챙겨가거나, 부수거나 가루를 내서 아이스크림 위에 올려도 되고, 디저트의 프로스팅에 섞어도 된다. 밀폐된 유리병에 넣거나 쿠킹호일로 싸서 몇 주간 저장할 수 있지만, 야금야금 먹기 시작하면 오래가지 못할 것이다.

사탕처럼 먹는다면 4~6인분, 잘게 부수면 2½컵

- 아몬드 170g, 약 1½컵, 단단한 겉껍질은 까고 속껍질은 있는 상태로 준비
- 흰 설탕 1컵 가득
- 튼튼한 쿠킹호일 큰 것 1장을 작업대 위에 평평하게 깔고 식물성기름 1작은술을 펴 바른다
- 껍질을 깎은 감자 1개

1. 냄비에 물을 끓여 아몬드를 넣는다. 2분 뒤에 건져 거친 천으로 감싸 찬물에 넣고 식히고, 1~2분간 세게 문지른다. 천을 펼쳐 떨어진 껍질을 버리고, 껍질이 붙은 게 남아 있다면 모두 깨끗하게 벗겨질 때까지 작업을 반복한다. 벗겨진 껍질을 모두 버리고, 아몬드를 푸드프로세서가 아닌, 칼로 아주 잘게 쌀알 반 정도 크기로 다진다.
2. 작고 가급적 무게가 가벼운 소스팬에 설탕과 물 ¼컵을 넣는다. 중강불에서 젓지 않고 설탕을 녹이되 이따금 팬을 기울여준다. 설탕이 녹아 짙은 황갈색이 되면 잘게 다진 아몬드를 넣고 아몬드와 캐러멜화된 설탕이 섞여 황금빛 갈색이 될 때까지 꾸준히 젓는다. 곧바로 즉시 기름을 바른 쿠킹호일 위에 붓는다. 감자를 반으로 갈라 평평한 면을 이용해 뜨거운 프랄린을 두께 0.3cm 정도로 아주 얇게 펼친다.

3. 사탕처럼 만든다면: 식기 전에 5cm 크기의 마름모 형태로 자른다. 완전히 식으면 쿠킹호일에서 조각을 떼어내 뚜껑이 있는 병에 담거나 호일로 감싸 밀봉한 다음 건조하고 시원한 찬장에 보관한다.
   토핑으로 쓴다면: 완전히 식으면 조각내 부수고, 푸드프로세서로 곱게 간다. 공기가 통하지 않는 병에 넣어 보관하되 냉장고에 넣어서는 안 된다.

볼로냐식 쌀 케이크

Bolognese Rice Cake

볼로냐에서는 쌀 케이크를 부활절에만 만들곤 했는데, 가문들이 서로 가장 맛있고 전통적인 레시피라 주장하며 치열한 경쟁을 벌였다. 여기에 소개하는 이 레시피는 유명한 볼로냐의 제빵사인 시밀리 자매(The Simili sisters)로부터 전수받은 것으로, 그들은 자신들의 레시피가 가장 맛있고 정통적인 방식이라고 내게 단호하게 장담했다. 사소한 의문이 여전히 남아 있긴 하지만, 기꺼이 인정할 만하며 그것보다 더 맛있는 쌀 케이크를 먹어본 적이 없다는 것만은 사실이다. 6~8인분

우유 약 1L
소금 ¼작은술
레몬필 2~3줄기, 흰색 속껍질 없는 겉껍질만 준비
흰 설탕 1¼컵
쌀 ⅓컵, 가급적이면 이탈리아산 아르보리오 쌀로 준비
달걀 4개에 노른자 1개분을 추가로 준비
아몬드 ½컵, 576쪽 설명대로 데쳐서 껍질을 까고 잘게 썬다
설탕에 조린 감귤류 ⅓컵, 잘게 썬다
정사각형 또는 사각형 케이크 틀, 6컵 분량
버터, 틀에 바를 만큼의 양
마른 빵가루, 양념이 되지 않은 고운 것으로 준비
럼 2큰술

1. 우유, 소금, 레몬필과 설탕을 소스팬에 넣고 일정한 속도로 끓인다.
2. 우유가 끓기 시작하자마자 쌀을 넣고 나무 주걱으로 재빨리 젓는다. 불의 세기를 조절해 가장 천천히 뭉근하게 끓는 상태로 이따금 저어가며 2시간 반 동안 익힌다. 옅은 갈색이 나면서 되직한 죽이 되면 다 익은 것이다. 입자가 작은 레몬필은 대부분 녹겠지만 남은 조각이 보인다면 꺼낸다. 쌀죽을 한편에 두고 식힌다.
3. 오븐을 180°C로 예열한다.

4. 커다란 볼에 달걀을 넣고 흰자와 노른자가 골고루 섞이도록 푼다. 쌀죽을 한 번에 한 숟가락 가득 넣고 달걀과 섞어 푼다. 잘게 썬 아몬드와 설탕에 조린 감귤류를 더하면서 골고루 섞는다.
5. 케이크 틀의 바닥과 옆면에 버터를 고루 문질러 바른다. 틀에 빵가루를 뿌린 뒤 작업대 위로 틀을 뒤집고 톡톡 두드려 여분의 가루를 털어낸다. 볼에 담긴 혼합물을 틀에 붓고 표면을 고르게 한다. 예열한 오븐의 중간에 틀을 넣고 1시간 동안 굽는다.
6. 오븐에서 틀을 꺼내자마자 케이크가 뜨거운 상태에서 포크로 몇 군데 구멍을 내고 그 위에 럼을 붓는다. 케이크가 미지근해지면 차림용 접시 위에 틀을 뒤집어 놓고, 흔들거나 톡톡 쳐서 케이크가 분리되게 한다. 쌀 케이크는 만든 지 24시간이 지난 뒤에 차려 낸다. 2~3일 더 숙성시키면 풍미가 더 깊어지고 풍부해질 것이다. 전통적인 볼로냐식으로 차려 내려면, 케이크를 사선으로 교차되게 잘라 7.5cm 정도 길이의 마름모 형태의 조각으로 식탁에 차려 낸다.

글레이즈를 입힌 세몰리나 푸딩

Glazed Semolina Pudding

6~8인분

흰 설탕, 캐러멜용으로 ½컵과 푸딩용 ⅔컵
둥근 내열 금속 틀, 6컵 분량
우유 2컵
소금 ¼작은술
세몰리나 ⅓컵
버터 1큰술
럼 1큰술
갖은 과일 조림 ¼컵, 0.5cm 크기로 썬다
오렌지필 간 것 1개 분량
씨 없는 건포도 ⅓컵 가득, 가급적 머스캣 종류로 물을 잠기도록 부어 충분히 불린다
다목적용 밀가루
달걀 2개

1. 틀에 설탕 ½컵과 물 2큰술을 넣고 스토브 위에서 중불로 끓인다. 젓지 말고 앞뒤로 기울여 설탕이 밝은 갈색이 될 때까지 녹인다. 곧바로 불을 끄고 모든 방향으로 틀을 재빨리 기울여 캐러멜화된 설탕이 액체 상태에서 틀에 고루 입혀지게 한다. 캐러멜이 굳을 때까지 틀을 돌린 뒤, 한편에 둔다.
2. 오븐을 180°C로 예열한다.
3. 소스팬에 우유와 소금을 넣고 약한 불에 올린다. 우유 가장자리에 거품이 생

기기 시작하면 거품기로 재빨리 저으면서 세몰리나를 가는 줄기로 부어 넣는다. 세몰리나와 우유 섞은 것이 팬의 옆면에서 쉽게 떨어질 때까지 계속 저어가며 익힌다. 불을 끄되, 세몰리나 반죽이 팬에 들러붙지 않을 때까지 30초 내외로 더 젓는다.

4. 설탕 ⅔컵을 더해 저은 다음, 버터와 럼을 넣고 고루 젓는다. 과일 조림과 오렌지필 간 것을 넣고 고루 섞이도록 젓는다.
5. 건포도를 건져 천으로 가볍게 두드려 물기를 없앤다. 체에 넣고, 체를 흔들면서 건포도 위에 밀가루를 뿌린다. 건포도에 밀가루가 골고루 얇게 입히면, 팬 안에 있는 반죽에 넣는다.
6. 세몰리나 반죽에 달걀을 깨어 넣고, 거품기로 재빨리 푼다. 이것을 캐러멜을 입힌 틀에 붓고 예열한 오븐의 가운데에 넣는다. 40분간 굽는다.
7. 오븐에서 틀을 꺼내 푸딩을 식힌다. 식으면 밤새 냉장고에 넣어둔다. 다음 날 틀을 스토브 위 약불에 캐러멜이 부드러워질 정도로만 잠시 올려둔다. 불을 끄고 틀 위에 접시를 뒤집어 놓고, 행주로 둘을 동시에 단단히 붙들고 뒤집는다. 푸딩이 분리된 것 같을 때까지 접시 위에 뒤집은 틀을 몇 번 재빨리 움직인다. 틀을 들어내 떨어진 푸딩이 접시 위에 놓이게 한다.

글레이즈를 입힌 브레드 푸딩

Glazed Bread Pudding

6~8인분

흰 설탕, 캐러멜용으로 1컵과 푸딩용 ⅓컵

직사각형 내열 금속 케이크 틀 또는 빵틀, 8컵 분량

맛있는 묵은 흰 빵 2½컵, 가장자리를 잘라내고 살짝 구워 잘게 썬다

버터 4큰술

우유 2컵

씨 없는 건포도 ½컵, 가급적 머스캣 종류로 물을 잠기도록 부어 충분히 불린다

다목적용 밀가루

잣 ¼컵

달걀노른자 3개분

달걀흰자 2개분

럼 ¼컵

1. 설탕 1컵과 물 3큰술을 팬에 넣고, 앞의 세몰리나 푸딩 레시피의 1단계를 따라 캐러멜화한다.
2. 오븐을 190°C로 예열한다.

3. 믹싱 볼에 잘게 썬 빵과 버터를 넣는다.
4. 작은 소스팬에 우유를 넣고 중불에 놀린다. 우유 가장자리를 따라 작은 거품이 생기자마자 빵과 버터 위에 붓는다. 젓지 말고 빵에 우유가 스며들도록 그대로 두고 식힌다. 식으면 거품기나 포크로 부드럽고 균일해지도록 풀어준다.
5. 건포도를 건져 천으로 가볍게 두드려 물기를 없앤다. 체에 넣고 흔들면서 건포도 위에 밀가루를 뿌린다. 건포도에 밀가루가 골고루 얇게 입히면, 풀어놓은 빵 덩어리와 섞는다.
6. 설탕 ⅓컵, 잣과 달걀노른자를 볼에 더하고, 다른 재료들과 골고루 섞는다.
7. 다른 볼에서 달걀흰자 거품을 뾰족하게 올라올 때까지 낸 다음, 빵 혼합물과 부드럽게 접어 올리듯 섞는다.
8. 캐러멜이 입혀진 틀에 빵 혼합물을 옮겨 담고 윗면을 고르게 해, 예열한 오븐의 가운데에 넣는다. 1시간 뒤에 온도를 150℃로 낮춰 15분 더 굽는다.
9. 오븐에서 틀을 꺼내자마자 푸딩이 뜨거운 상태에서 포크로 몇 군데를 찌르고, 럼 2큰술을 그 위에 붓는다. 럼이 스며들면 차림용 접시 위에 틀을 뒤집어 올리고, 작업대에 대고 흔들거나 톡톡 쳐서 푸딩이 분리되게 한다. 틀을 들어내고 떨어진 푸딩이 접시 위에 놓이게 해, 몇 군데 구멍을 내고 남은 럼 2큰술을 그 위에 붓는다. 푸딩을 먹기 전 최소 하루 동안 숙성시킨다. 며칠 정도 냉장 보관할 수 있지만, 차려 내기 전에는 상온에 미리 꺼내둔다.

스브리촐로나—페라라의 크럼블 케이크

Sbricciolona—Ferrara's Crumbly Cake

스브리촐로나(sbricciolona), '부서지는 그녀'라는 뜻을 지닌 이 디저트는 마른 비스킷 같은 케이크다. 저녁식사 후에 빈 산토(vin santo, 토스카나에서 주로 생산되는 디저트 와인—옮긴이) 또는 포트와인 한 잔과 곁들이면 맛있고, 끼니 사이에 먹어도 좋은데, 예를 들어 오전 중에 조금 먹거나, 오후의 차나 커피와 함께 한다.

진짜로 불규칙하게 부스러지거나 부서진 조각들이 들어 있는 것이 매력이다. 깔끔하게 웨지 모양으로 잘라 차려 내는 것을 선호한다면, 굳기 전 여전히 따뜻할 때 자른다. 스브리촐로나는 호일에 감싸거나 금속 비스킷 상자에 넣으면 오랜 기간 온전하게 유지된다.

나는 페라라 대학에서 일하던 시절, 그러니까 페라라에 살 때 처음으로 스브리촐로나를 만들었지만, 사실 북이탈리아를 여행하면 어디에서든 스브리촐로나를 만날 수 있다. 특히 만토바, 그리고 와인 생산지인 피에몬테의 랑게에서는 아몬드 대신 헤이즐넛으로 만든다.

6인분

아몬드 115g, 576쪽 설명대로 데치고 껍질을 벗긴다
다목적용 밀가루 1½컵
옥수수가루 ⅔컵
흰 설탕 ⅝컵
레몬필 1개 분량, 흰 속껍질이 들어가지 않도록 간다
달걀노른자 2개분
버터 8큰술, 상온의 말랑한 상태, 여기에 케이크 틀 안에 바를 양을 추가로 준비
원형 케이크 틀, 지름 30cm 크기로 준비

1. 오븐을 190°C로 예열한다.
2. 껍질을 벗긴 아몬드를 푸드프로세서에 넣고, 모터를 껐다 켜기를 반복하며 곱게 간다.
3. 밀가루, 옥수수가루, 흰 설탕, 레몬필 간 것과 아몬드가루를 볼에 넣고 잘 섞는다. 달걀노른자 2개를 더해 작은 알갱이로 부스러질 때까지 손으로 만져준다. 말랑해진 버터를 더해 손가락으로 완전히 섞이도록 치댄다(처음에는 모든 재료가 결코 합쳐질 것 같지 않지만 몇 분간 치대다 보면 재료들이 서로 뭉치면서 건조하고 바스러지는 반죽이 만들어질 것이다).
4. 케이크 틀 바닥에 버터를 문질러 바른다. 예열한 오븐의 위에서 3분의 1 지점에 틀을 넣고 40분간 굽는다. 완전히 차갑고 단단해졌을 때 차려 낸다(앞서 설명한 글을 보라).

달콤한 페이스트리 프리터

Sweet Pastry Fritters

다양한 이름으로 알려진—그중 가장 일반적으로 알려진 것은 '할머니의 사소한 이야기'라는 뜻의 키아키에레 델라 논나(chiacchiere della nonna)와 프라페(frappe)다—이 프리터는 끈처럼 긴 반죽을 나비모양으로 꼬아 튀긴 것이다. 전통적인 방식으로 만든 프리터의 풍미와 섬세하고 바삭한 질감은 반죽과 튀길 때 쓰는 라드에서 나온다. 라드를 대체할 만한 것을 찾아야 한다면, 다음에 표기한 대로 버터와 식물성기름이 대안이 될 수 있다.

4~6인분

다목적용 밀가루 1⅔컵
라드 또는 버터 ¼컵
흰 설탕 1큰술
달걀 1개
달지 않은 화이트 와인 2큰술
소금 ¼작은술
튀김용 라드 또는 식물성기름
슈거파우더

1. 밀가루를 라드 또는 버터 ¼컵, 그리고 슈거파우더, 달걀, 화이트 와인, 소금과 함께 매끄럽고 부드러운 반죽이 되도록 치댄다. 볼에 반죽을 넣고 주방용 랩으로 덮어 최소 15분간 휴지시킨다.
2. 작업대 위에 밀가루를 가볍게 뿌리고 두께가 0.3cm 정도 되도록 반죽을 민 다음, 길이 13cm, 폭 1cm 정도의 끈 모양으로 썬다. 끈을 비틀어서 묶어 간단한 나비매듭을 만든다.
3. 스킬렛에 2.5cm 정도 높이로 라드를 충분히—또는 충분한 양의 식물성기름—넣고 녹인다. 강불로 가열한다. 기름이 아주 뜨거워지면, 나비매듭 페이스트리를 팬 안에 들어차지 않을 정도로 넣는다. 한쪽 면을 짙은 황금색으로 튀긴 뒤, 뒤집어서 다른 쪽도 튀긴다. 식힘망에 옮겨 기름을 뺀다. (라드를 쓴다면 기름이 과열되지 않도록 한다. 타는 냄새가 나는 것 같으면 불을 줄인다.) 남은 나비매듭도 같은 과정을 반복해 완성한다. 슈거파우더를 뿌리고 아주 뜨겁거나 실온 상태에서 차려 낸다. 프리터는 보통 눈 깜짝할 사이에 사라져 좋은 보관법을 고민할 필요가 없을지도 모르지만, 혹시나 남았다면 접시에 쌓아 찬장에 넣어둔다. 며칠은 거뜬히 유지된다.

사과 프리터

Apple Fritters

4~6인분

사과 3개, 단단하고 신맛이 없는 조리용 품종으로 준비
흰 설탕 ¼컵
레몬필 1개 분량, 흰 속껍질이 들어가지 않도록 간다
럼 2큰술
다목적용 밀가루 ⅔컵
식물성기름
슈거파우더

1. 사과의 껍질을 깎고 심을 파내 1cm 정도 두께로 썬다.
2. 흰 설탕, 럼과 레몬필 간 것을 얇게 썬 사과와 함께 볼에 넣는다. 사과를 한두

번 뒤집고 최소 1시간 동안 그대로 절인다.
3. 밀가루와 물을 1컵 정도 써서 536쪽 설명대로 파스텔라 반죽을 만든다.
4. 스킬렛에 1cm 정도 높이로 기름을 충분히 붓고 강불에 올린다.
5. 볼에서 얇게 썬 사과를 꺼내 키친타월로 가볍게 두드려 물기를 제거한다. 기름이 아주 뜨거워지면 사과를 반죽에 담갔다가 스킬렛이 들어차지 않을 양만큼 미끄러트리듯 넣는다. 한쪽 면을 황금빛 갈색이 나도록 튀긴 뒤, 뒤집어서 다른 쪽 면도 튀긴다. 식힘망으로 옮겨 기름을 뺀다. 남은 사과를 전부 튀길 때까지 같은 과정을 반복한다. 슈거파우더를 뿌려 뜨거울 때 차려 낸다.

디플로마티코—럼과 커피를 넣은 초콜릿 디저트

Diplomatico—A Chocolate Dessert with Rum and Coffee

이토록 적은 노력을 들이고도 이토록 큰 만족감을 주는 디플로마티코(diplomatico) 같은 디저트가 또 있을까? 오븐을 켤 필요조차 없다. 만들어진 파운드케이크를 활용하면 되기 때문이다. 얇게 썰어 럼과 커피에 적신 케이크를 녹인 초콜릿과 달걀을 섞어 만든 간단한 무스와 번갈아 쌓는데, 그게 해야 할 전부다. 잘못 만들 수도 없다. 럼을 약간 더 적게 넣고, 초콜릿을 약간 더 많이 추가하며, 달걀 하나를 넣거나 빼더라도 여전히 매우 성공적일 것이다. 6~8인분

케이크를 적실 럼과 커피

럼 5큰술
진한 에스프레소 커피 1¼컵
흰 설탕 5작은술
물 5큰술

참고 어떤 파운드케이크는 다른 것보다 럼과 커피 혼합물을 더 많이 흡수해서, 전부를 적시기에 부족할 수 있다. 필요에 따라 위에서 제시한 비율을 참고해 커피와 럼을 더 많이 추가로 준비한다.

직사각형 케이크 틀, 지름 23cm 크기(넓적하지 않고 두툼하게 만들고 싶다면 좁은 빵틀을 쓴다)
파운드케이크 450g
치즈클로스

초콜릿 필링 재료

달걀 4개

흰 설탕 1작은술

중탕기

세미스위트 초콜릿 170g, 알갱이로
또는 썰거나 판초콜릿을 간다

프로스팅 재료

(초콜릿을 선호한다면)

세미스위트 초콜릿 115g, 알갱이로
또는 썰거나 판초콜릿을 간다

버터 1작은술

생크림 1큰술

(휘핑크림을 선호한다면)

생크림 1컵, 아주 차갑게 준비

흰 설탕 1작은술

차가운 온도를 유지할 구리 또는 다른
믹싱볼

장식용 재료

신선한 베리류 또는 호두, 그리고
초콜릿이나 휘핑크림 프로스팅에
모두 알맞은 과일 조림

1. 케이크를 적실 럼과 커피: 작은 볼에 럼, 에스프레소, 설탕 그리고 물을 넣는다. 파운드케이크를 0.5cm 정도 두께로 얇게 썬다. 물에 적신 치즈클로스를 케이크 틀 안쪽에 까는데, 이후에 케이크를 덮을 수 있도록 틀보다 충분히 더 크게 천을 남겨둔다. 파운드케이크를 한 장씩 럼과 커피에 적신 뒤, 틀의 바닥과 옆면에 붙인다. 틈이 생기지 않도록 조심하고, 틈이 생겼다면 적신 파운드케이크 조각으로 메운다. 얇게 썬 케이크는 안쪽과 바깥쪽을 재빨리 혼합물에 담그는데, 그렇지 않으면 너무 축축해져 다루기 어려워진다. 럼과 커피를 다 쓰면, 조금 더 섞어 만든다.
2. 초콜릿 필링 만들기: 달걀을 분리하고, 노른자에 설탕 1작은술을 넣어 옅은 노란색이 될 때까지 푼다.
3. 중탕기 아래쪽에 물을 넣고 천천히 뭉근하게 끓인 다음, 세미스위트 초콜릿 알갱이 또는 잘게 썰었거나 간 것을 중탕기 위쪽에 넣는다. 초콜릿이 녹으면 한 번에 조금씩 달걀노른자에 부으면서 초콜릿이 전부 완전히 노른자에 녹아들 때까지 재빨리 섞는다.

4. 볼에서 달걀흰자를 뾰족하게 모양이 올라올 때까지 거품을 낸다. 초콜릿과 달걀노른자 섞은 것에 달걀흰자 1큰술을 넣어 섞은 다음, 남은 것을 넣고 거품이 꺼지지 않도록 부드럽게 접어 올리듯 섞는다.
5. 틀 안 럼과 커피로 적신 얇게 썬 케이크 위에 초콜릿 필링을 퍼서 넣는다. 맨 위를 럼과 커피로 적신 얇게 썬 케이크로 덮고, 틀 가장자리에서 빠져나온 적신 치즈클로스를 접어 위에 덮는다. 최소 다음 날까지 냉장고에 넣어둔다.

미리 준비한다면 ⊛ 다음 단계로 들어가기 전 최대 일주일간 디플로마티코를 냉장고에 넣어 둘 수 있다.

6. 냉장고에서 케이크를 꺼내면 윗면을 덮었던 치즈클로스를 들춰낸다. 접시 위에 틀을 뒤집어서 올리고 순간적으로 흔들어 케이크가 그대로 접시에 떨어지게 한다. 감싸져 있던 치즈클로스를 벗긴다.
7. 초콜릿 프로스팅이라면: 중탕기 아래쪽에 물을 뭉근하게 끓인다. 위에 세미스위트 초콜릿 알갱이 또는 잘게 썰었거나 간 것 115g을 버터 1큰술과 함께 중탕기 위쪽에 넣는다. 초콜릿이 녹으면 생크림 1큰술을 넣고 젓는다. 프로스팅을 디플로마티코 윗면과 옆면에 고르게 펴 바른다. 초콜릿이 굳을 때까지 1시간 내외로 냉장고에 넣어둔다.

   휘핑크림 프로스팅이라면: 아주 차가운 생크림 1컵과 설탕 1작은술을 온도가 차갑게 유지되는 볼에 넣는다. 뾰족하게 올라올 때까지 거품기로 젓는다. 케이크의 윗면과 옆면에 바른다.

   호두와 과일 조림 또는 신선한 라즈베리와 블루베리 또는 다른 베리류를 간단히 놓아 케이크를 장식한다.

추코토

Zuccotto

이 돔 형태의 디저트는 확실히 피렌체의 특산물처럼 보인다. 그 명칭이 피렌체의 경관을 지배하는 둥근 지붕에 대한 애정 때문인지, 아니면 테두리 없는 추기경의 베레모가 토스카나 방언으로 추코토(zuccotto)인 점에서 성직자에 대한 조롱을 담고 있는 것인지 합의된 바는 없다. 모자 이름에서 따왔는지는 몰라도, 추코토는 먹기도 쉽고 기꺼이 만들기도 쉬운 정말 맛있는 케이크의 이름이다. 마치 파티시에의 업적 같아 보이지만, 필요한 재료 대부분이 기성 제품들이라는 점이 가장 훌륭하다. 재료 목록으로 기죽게 하지 않는다는 말이다.

6인분

아몬드 60g, 576쪽 설명대로 데치고 껍질을 벗긴다
헤이즐넛 60g, 통으로 껍질을 벗긴다
1.5L 정도 크기의 볼, 가급적 바닥이 완벽하게 둥근 것으로 준비
치즈클로스
파운드케이크 285~340g
코냑 3큰술
마라스키노 리큐어 2큰술(아래 참고)
코엥트로 또는 화이트 퀴라소 리큐어 2큰술
세미스위트 초콜릿 145g, 알갱이 또는 판초콜릿으로 준비
믹싱볼, 냉동고에 넣어둔다
생크림 2컵, 아주 차갑게 준비
슈거파우더 ⅓컵
중탕기

참고 ❁ 마라스키노(maraschino)는 달마티아산 마라스카 체리의 과육과 씨를 으깨어 만든 섬세한 이탈리아 리큐어로, 다른 과실주는 흉내 낼 수 없는 확실히 구분되는 풍미를 갖고 있다. 가장 매력적인 쓰임 중 하나는 신선한 과일을 절이는 것이다. 같은 이름의 체리 리큐어와 혼동해서는 안 된다. 후자는 꽤나 평범한 방식으로 제조되고 인공적인 체리 색을 띤다. 마라스키노를 완벽히 대체할 만한 것은 없지만, 다른 것을 써야만 한다면 너무 달지 않은 체리 리큐어를 구하도록 한다.

1. 오븐을 190°C로 예열한다.
2. 오븐이 맞춰둔 온도가 되면, 껍질을 벗긴 아몬드를 베이킹 시트에 놓고 예열한 오븐 맨 위에 넣어 5분간 굽는다. 아몬드가 타지 않도록 살핀다. (아몬드를 꺼내고 나서 오븐은 끄지 않는다.) 아몬드를 칼로 굵게 다지거나, 푸드프로세서에 넣고 껐다 켜기를 반복해 간다.
3. 껍질을 벗긴 헤이즐넛을 베이킹 시트에 놓고 뜨거운 상태의 오븐에 넣어 5분간 굽는다. 오븐에서 꺼내 거친 마른 천으로 문질러 쉽게 떨어지는 껍질을 가능한 많이 벗긴다. 아몬드처럼 굵게 다진다.

4. 둥근 볼 안쪽에 적신 치즈클로스를 한 겹으로 깐다.
5. 파운드케이크를 1cm 정도 두께로 썬다. 각 조각을 사선으로 반을 잘라, 껍질이 두 개의 변을 이루는 삼각형 조각 두 개가 나오게 한다.
6. 코냑, 마라스키노와 코엥트로를 작은 볼이나 깊은 종지에 넣고 섞는다. 숟가락으로 리큐어 섞은 것을 떠서 각각의 케이크 조각에 뿌리고, 나중에 쓸 양은 조금 남겨둔다. 적신 파운드케이크를 볼 안쪽에 까는데, 케이크 조각의 좁은 끝이 볼 바닥 쪽으로 가게 한다. 삼각형 파운드케이크 조각을 나란히 놓되, 껍질이 붙은 변이 다음 조각의 없는 변과 만나게 한다. 추코토를 볼에서 꺼내면, 얇은 껍질로 된 선이 방사형 패턴으로 나올 것이다. 볼의 안쪽 표면 전체가 케이크로 덮여 있어야 한다. 필요하다면 케이크를 더 썬다. 틈이 있으면 조각이 만들어낼 패턴에 개의치 말고 적신 케이크 작은 조각으로 채운다. 일정하지 않은 형태야말로 직접 만든 디저트의 매력을 확실히 보여주는 것이다.
7. 초콜릿 알갱이를 쓴다면 쪼개고, 판초콜릿을 쓴다면 굵게 다진다.
8. 차게 해둔 믹싱볼을 가져와 생크림과 슈거파우더를 넣고 크림이 뾰족하게 설 때까지 거품기로 휘핑한다. 초콜릿 85g, 그리고 잘게 썬 아몬드와 헤이즐넛을 모두 더해 고루 섞는다. 케이크를 깐 볼 안에 휘핑크림 섞은 것의 절반을 퍼서 넣고 숟가락이나 뒤집개의 뒷면으로 깔아놓은 케이크 안쪽으로 고르게 펴 발라준다. 가운데가 움푹 파인 상태가 되어야 한다.
9. 남은 초콜릿 60g을 584쪽 설명대로 중탕기 위쪽에 넣어 녹인다. 남은 휘핑크림 섞은 것의 절반과 녹인 초콜릿을 접어 올리듯 섞고 케이크 위에 퍼 담아 구멍을 채운다. 볼의 윗면 가장자리 밖으로 튀어나온 케이크 조각을 다듬어낸다. 볼의 윗면을 덮을 만큼 케이크를 얇게 더 썰어 남은 리큐어 섞은 것으로 적시고, 크림 위에 놓는다. 이 케이크의 가장자리가 볼 측면의 케이크와 만나서, 추코토를 둘러싸야 한다. 주방용 랩으로 덮고 밤새 또는 이틀까지 냉장고에 넣어둔다.
10. 냉장고에서 볼을 꺼내 주방용 랩을 벗기고 접시 위에 거꾸로 뒤집어 놓는다. 볼을 들어내고 접시 위에 추코토만 남게 해 치즈클로스를 조심스럽게 벗긴다. 차가운 상태에서 차려 낸다.

아이스크림을 넣은 추코토 만들기

위 기본 레시피의 재료와 도구에서 중탕기와 생크림, 슈거파우더와 차갑게 한 볼을 생략한다. 고급 다크 초콜릿 아이스크림 1컵, 직접 만든 달걀 커스터드 아이스크림 또는 고급 바닐라 아이스크림 1컵을 준비한다.

❁ 초콜릿 알갱이를 쪼개거나 판초콜릿을 굵게 다지는 기본 레시피의 7번 단계 과정까지 따른다. 초콜릿 알갱이나 굵게 다진 판초콜릿을 아몬드와 헤이즐넛과 함께 섞는다. 이것을 정확히 둘로 나눈다.
❁ 초콜릿과 바닐라 아이스크림을 따로 작은 볼이나 종지에 넣고, 펴 바를 수 있는 농도가 되도록 포크로 부드럽게 해주되, 녹게 해서는 안 된다.
❁ 초콜릿 아이스크림을 잘게 썬 견과류 혼합물의 절반에 넣고, 바닐라 또는 달걀 커스터드 아이스크림을 나머지 절반에 넣는다.
❁ 바닐라 또는 달걀 커스터드 아이스크림 혼합물을 케이크를 간 볼에 펴 바르고, 가운데 구멍을 남겨둔다. 그 구멍을 초콜릿 아이스크림으로 채운다.
❁ 기본 레시피의 설명대로 얇게 썬 케이크 조각으로 주코토를 감싸고, 냉동용 포장지로 덮어 최소 3시간 동안 냉동고에 넣어둔다. 차려 내기 30분 전에 냉장고로 옮겨 넣어둔다. 기본 레시피의 설명대로 볼에서 꺼내 바로 차려 낸다.

밤
CHESTNUTS

신선한 밤은 가을이 시작될 때부터 구할 수 있고 겨울까지 쭉 시장에 나온다. 저장식 알밤은 통조림과 병조림 형태로 연중 판매되지만 질 좋은 신선한 밤을 대신할 수는 없다.

고르는 법 ❁ 이탈리아에는 먹을 수 있는 두 종류의 밤을 구분한다. 하나는 작고 납작하며 뾰족한, 밤송이마다 두 개씩 들어 있는, 카스타냐 코무네 또는 보통 밤으로 알려진 것이다. 다른 하나는 더 크고 동글동글한데, 밤송이마다 하나만 들어 있는, 마로네(marone)로 알려진 것이다. 후자를 구해야 하는데, 과실에 훨씬 수분이 많고 달기 때문이다. 정말로 신선할 때는 밤 껍질에서 윤기가 나고 주름이 없으며 손으로 들었을 때 묵직하다.

손질하는 법 ❁ 신선한 밤을 성공적으로 조리하는 비법은 껍질을 자르는 방법을 습득하는 데 달려 있다. 그래야 익히고 나서 겉껍질과 질기고 얇은 속껍질을 쉽게 벗길 수 있다.

❁ 찬물에 밤을 씻은 뒤 미지근한 물에 20분 정도 담가둔다. 이 과정을 통해 껍질이 부드러워져 쉽게 칼집을 낼 수 있게 된다.
❁ 밤을 다 불리고 나서 밤의 중간에 가로로 둥글게 칼집을 낸다. 평평한 면의 한쪽 가장자리에서 시작해 밤의 볼록한 쪽을 둥글게 따라 멈추지 않고 반대편 가장자리까지 긋는다. 평평한 면으로 밤 자체를 자르는 것이 아니라 껍질에만 얕게 칼집을 낸 상태로 밤 과육이 파이지 않게 한다.

몬테 비안코—자그마한 밤 퓌레와 초콜릿 산

Monte Bianco—Puréed Chestnut and Chocolate Mound

밀라노의 회색 공기 장막이 기적처럼 걷히고 도시의 윤곽선 뒤로 지평선에 늘어선 산을 볼 수 있는 그런 날, 시선은 북쪽 하늘에서 얼어붙어 기적처럼 환한 몽블랑의 흰 꼭대기를 끊임없이 따라가지 않을 수 없다. 몬테 비안코(Monte Bianco)는 몽블랑의 이탈리아어 이름으로, 그 모습을 본따 만든 같은 이름을 가진 것이 가을 밀라노의 식탁에 등장한다. 다크 초콜릿과 신선한 밤 퓌레를 피라미드처럼 쌓고, 꼭대기에는 휘핑크림을 정상에 내린 눈처럼 올린다. 신선한 밤에서 우러나는 마음이 따뜻해지는 향과 풍미로 인해—단지 잠시 뿐일지라도—여름이 끝나고 겨울로 들어서고 있다는 것을 깊이 공감할 수 있다. 그리고 이를 가장 촉촉하게 만들어낸 것이 몬테 비안코다.

6인분

밤 450g, 신선한 것을 589쪽 설명대로 불리고 칼집을 낸다
우유
소금
세미스위트 초콜릿 170g, 알갱이 또는 판초콜릿으로 준비
중탕기
럼 ¼컵
믹싱볼, 냉동고에 넣어두기
생크림 2컵, 아주 차갑게 준비
슈거파우더 2작은술

1. 칼집을 낸 밤을 냄비에 넣어 잠길 정도로 물을 충분히 붓고, 냄비 뚜껑을 덮어 물이 끓기 시작할 때부터 25분간 익힌다. 한 번에 몇 개씩 밤을 꺼내 아주 따뜻할 때 껍질을 벗긴다. 겉껍질만이 아니라 안쪽의 주름진 속껍질도 벗기는데, 이후에 퓌레로 만들기 때문에 껍질을 벗기면서 모양이 망가져도 상관없다.

2. 껍질을 벗긴 밤을 소스팬에 넣어 잠길 정도로만 우유를 붓고 소금 한 자밤을 넣는다. 팬의 뚜껑을 덮지 않고 우유를 모두 흡수할 때까지 15분 정도 뭉근하게 익힌다.
3. 584쪽 설명대로 중탕기에서 초콜릿을 녹인다.
4. 푸드밀의 원반을 큰 구멍에 맞추고 밤을 통과시켜 퓌레로 만들어 볼에 담는다. 녹인 초콜릿과 럼을 더해 잘 섞어준다. 주방용 랩을 밀착시켜 덮고 최소 1시간 동안 냉장고에 넣어둔다.

미리 준비한다면 ֍ 밤과 초콜릿을 섞는 이 단계까지 하루 전에 미리 만들어둘 수 있고, 다음 단계를 준비할 때까지 냉장고에 넣어둔다.

5. 같은 크기의 구멍에 맞춘 푸드밀에 밤퓌레와 초콜릿 혼합물을 통과시켜 둥근 차림용 접시에 떨어지게 한다. 처음에는 푸드밀을 접시 가장자리 쪽에 둔다. 혼합물을 통과시키고 쌓여감에 따라 푸드밀을 점점 접시 가운데를 향해 나선형으로 위로 이동시킨다. 결과적으로는 접시에 떨어진 밤과 초콜릿이 고깔 모양 산처럼 쌓여야 한다. 두드리거나 어떤 모양도 잡지 말고 푸드밀에서 떨어진 상태로 보이도록 정확히 그대로 둔다.
6. 냉동고에 넣어두었던 볼에 크림과 설탕을 넣고 뾰족하게 설 때까지 휘핑한다. 휘핑한 크림의 절반을 밤 무더기 위에 덮어 3분의 2정도 흘러내리게 한다. 자연스럽게 '눈이 내린' 것처럼 보여야 하기 때문에 산 아래로 흘러내린 크림이 불규칙적으로 쌓이거나 구멍이 난채로 둔다.

미리 준비한다면 ֍ 몬테 비안코는 차려 내기 4~6시간 전까지 위의 설명대로 완성해둘 수 있다. 냉장고에 넣되, 위를 덮지 않는다. 또한 남은 휘핑크림 절반도 냉장고에 넣어둔다.

7. 받은 사람이 몬테 비안코에 조금 더 '눈을 내리게' 할 수 있도록 한쪽에 남은 휘핑크림을 곁들여 차려 낸다.

로마냐식 레드 와인에 조린 밤

Chestnuts Boiled in Red Wine, Romagna Style

밤을 구할 수 있는 절호의 시기는 낮은 짧고 저녁이 길고 차가울 때다. 난방이 되지 않는 방에서 살던 대학생 시절, 나는 그런 날에 밤을 삶고 있는 냄비, 휴대용 병에 담긴 거칠고 어린 와인을 들고 친구들과 함께 벽난로 옆에 모이려고 겨울을 손꼽아 기다렸었다. 내 아버지는 밤과 와인이 사람을 취하게 한다고 했다. 밤이 와인보다 더 취하게 하는지 증명된 바는 없지만, 하나의 맛이 또 다른 하나를 자꾸만 홀짝거리게 하거나, 그 반대인 것만은 확실하다. 그리고 둘을 번갈아 자꾸만 입에 넣어가며, 그 저녁을 밤 한입으로 끝낼 것인지, 와인 한 모금으로 끝낼 것인지 결정하는 데는 꽤 오랜 시간이 걸릴 것이다.

4인분

밤 450g, 신선한 것을 589쪽 설명대로 불리고 칼집을 낸다

소금

달지 않은 레드 와인 1컵, 가급적 키안티로 준비

월계수잎 2장

1. 칼집을 낸 밤을 레드 와인, 소금 한 자밤, 월계수잎과 함께 냄비에 넣고 잠길 만큼만 물을 붓는다. 냄비 뚜껑을 덮고 중불에 올린다.
2. 밤이 부드러워지면—밤의 신선도에 따라 크게 좌우되는데, 30분에서 1시간 정도 걸린다—냄비 뚜껑을 열고 와인을 1~2큰술만 남기고 전부 졸인다. 바로 식탁에 차려 내는데, 가급적 냄비째 또는 따듯한 볼에 담아낸다. 모두가 각자 껍질을 벗기게 하는 것이 이 요리의 재미 중 하나다.

구운 밤

Roasted Chestnuts

뜨거운 숯 위에서 구운 밤보다 맛있는 냄새를 풍기는 음식은 아마 없을 것이다. 애석하게도 우리가 먹은 대부분의 구운 밤은 길거리 한 구석에서 딱딱하고 말라버린 채 반쯤 익은, 때로는 차갑게 식어버린 구운 밤이었다. 그러나 집에서 오븐으로 쉽게 밤을 구울 수 있고, 풍기는 냄새만큼 맛도 끝내줄 것이다.

4인분

밤 450g, 신선한 것을 589쪽 설명대로
불리고 칼집을 낸다

1. 오븐을 250°C로 예열한다.
2. 베이킹 시트에 칼집을 낸 밤을 펼쳐 놓고 오븐이 예열되면 중간에 넣는다. 이따금 밤을 뒤집어주되 오븐의 열기가 빠져나가지 않도록 너무 자주 열지는 않는다.
3. 밤이 부드러워지면—밤의 신선도에 따라 30~45분 정도 걸린다—베이킹 시트를 꺼내 부엌용 천으로 밤을 단단히 감싼다. 천 속에서 밤이 증기를 뿜으면서 껍질이 훨씬 더 쉽게 떨어지게 된다. 10분 뒤 천을 벗겨내 차려 낸다.

장작불에 구운 밤 *Roasting Chestnuts over a Fire*

밤 굽는 용으로 구멍이 있는 스킬렛이나 비슷한 팬을 가지고 있다면 가스불이나 숯불 위에서 밤을 구울 수 있다. 한 번에 쌓이지 않을 정도의 양만 놓고 굽는다. 가스불 위에서 굽는다면 중불을 쓴다. 숯불 위에서 굽는다면 불이 충분히 아주 뜨겁되 불꽃이 일렁여서는 안 되며, 숯은 40분 정도 지속적으로 열기를 유지할 수 있어야 한다. 너무 뜨겁다면 밤이 겉만 타고 속은 익지 않게 된다. 충분히 뜨겁지 않으면 전부 익지도 않을 것이다. 겉이 타버리지 않도록 밤을 자주 굴려준다.

가운데가 파슬파슬하거나 건조하지 않고 속이 골고루 부드러우면 다 된 것이다. 밤의 신선도와 크기에 따라 30~45분 정도 걸린다. 다 익으면 껍질이 쉽게 떨어지도록 주방용 천으로 10분간 감싸둔다.

아몬드 케이크
Almond Cake

아몬드는 폭넓은 쓰임으로 이탈리아 케이크, 특히 베네토 주에서 가장 선호하는 견과류다. 이탈리아의 아몬드 디저트를 책으로 엮는다면 엄청난 두께가 될 것이다. 이 레시피에는 달걀노른자와 버터를 전혀 넣지 않고 흰자만 사용해 단단하면서도 가벼운 질감을 만들어낸다.

6~8인분

아몬드 285g, 약 2컵, 겉껍질을 까고
속껍질은 까지 않는다
흰 설탕 1⅓컵
밀가루 6큰술
바닥과 옆면이 분리되는 원형 틀, 지름
20~23cm 크기로 준비

레몬필 1개 분량, 흰 속껍질이 들어가지 않도록 간다
달걀흰자 8개분
소금
버터, 틀에 바를 만큼의 양

1. 오븐을 180℃로 예열한다.
2. 아몬드와 설탕을 믹서기 또는 푸드프로세서에 넣고 껐다 켜기를 반복하며 곱게 간다.
3. 달걀흰자에 소금 ½작은술을 넣고 뾰족하게 올라올 때까지 휘젓는다.
4. 달걀흰자에 갈아놓은 아몬드와 레몬필 간 것을 한 번에 조금씩 넣으면서 부드럽게 접어 올리듯 고루 섞는다. 흰자 거품이 조금은 꺼지겠지만 조심스럽게 섞는다면 부피가 그리 많이 줄지는 않을 것이다.
5. 체로 한 번에 조금씩 쳐가며 밀가루를 넣고 다시 부드럽게 섞는다.
6. 틀에 버터를 넉넉히 바른다. 케이크 반죽을 틀에 넣고, 일정한 높이가 되도록 흔들어준다. 예열한 오븐의 가운데에 틀을 넣어 1시간 동안 굽는다. 오븐에서 꺼내기 전에 이쑤시개로 케이크 가운데를 찔러보고 다 구워졌는지 확인한다. 이쑤시개가 깔끔하게 빠져나오면 다 된 것이다. 그렇지 않다면 조금 더 굽는다.
7. 완성되면 틀 옆면의 잠금장치를 풀어 벗겨낸다. 케이크가 어느 정도 식고 미지근한 상태가 되면 바닥에 붙은 틀을 떼어낸다. 완전히 식으면 차려 낸다. 철제로 된 비스킷 통에 넣어 꽤 오랫동안 보관해둘 수 있다.

호두 케이크

Walnut Cake

8인분

호두 225g, 단단한 겉껍질을 벗긴다
흰 설탕 ⅔컵
버터 8큰술, 상온의 말랑한 상태로 준비
달걀 1개
럼 2큰술
레몬필 1개분, 흰 속껍질이 들어가지 않도록 간다
베이킹파우더 1½작은술
밀가루 1컵
바닥과 옆면이 분리되는 원형 틀, 지름 20~23cm 크기로 준비

1. 오븐을 170℃로 예열한다. 설정한 온도가 되면 베이킹 시트에 호두를 펼쳐 놓

고 오븐의 중간에 넣는다. 5분 뒤에 호두를 꺼내고 온도를 180℃로 올린다.

2. 호두가 식으면 푸드프로세서에 설탕 1큰술과 함께 넣고 껐다 켜기를 반복하며 곱게 갈되, 파우더처럼 지나치게 고와지지는 않게 한다. 푸드프로세서에서 덜어 한편에 둔다.
3. 이후에 틀에 바를 버터 1큰술을 따로 덜어둔다. 남은 7큰술을 남은 설탕과 함께 푸드프로세서에 넣고 크림 같은 질감이 되도록 만든다. 달걀, 럼, 레몬필 간 것과 베이킹 파우더를 넣고 모든 재료가 고루 섞일 때까지만 프로세서를 잠시 작동시킨다. 푸드프로세서의 내용물을 믹싱 볼에 옮겨 담는다.
4. 갈아놓은 호두를 볼에 더해 숟가락이나 스패출러로 골고루 섞는다. 밀가루를 체로 쳐서 넣고 다른 재료들과 합쳐 꽤 밀도 있게 고루 섞인 케이크 반죽이 되게 한다.
5. 케이크 틀에 버터 1큰술을 문질러 바르고 밀가루를 얇게 뿌린 뒤 틀을 뒤집어 작업대 위에 대고 가볍게 쳐내 남은 가루는 털어낸다. 반죽을 넣고 스패출러로 윗면을 고른다. 오븐의 위쪽에 틀을 넣는다. 45분 뒤 오븐에서 꺼내기 전에 이쑤시개로 케이크 가운데를 찔러 확인해본다. 이쑤시개가 깨끗하게 나오면 다 구워진 것이다. 그렇지 않다면 10분 내외로 더 굽는다.
6. 완성되면 틀 옆면의 잠금장치를 풀어 벗겨낸다. 케이크가 어느 정도 식고 미지근한 상태가 되면 바닥에 붙은 틀을 떼어낸다. 케이크의 풍미가 완벽하게 살아난 24시간 뒤에 차려 낸다. 철제로 된 비스킷 통에 넣어 꽤 오랫동안 보관해둘 수 있다.

참고 ◉ 이 호두 케이크의 농후한 풍미는 중간 정도 두께로 썰어야 충분히 느낄 수 있다. 아침이나 오후의 차 또는 커피와 완벽하게 어울린다. 저녁식사 후에 먹는다면 신선한 휘핑크림을 올리도록 한다.

농가의 신선한 배 타르트

A Farm Wife's Fresh Pear Tart

이 부드럽고 상큼한 케이크는 만들기가 너무 쉽기 때문에, 적극적으로 노력해야 망칠 수 있다. 타르트는 정말로 간단하지만, 배의 선택이 풍미에 큰 영향을 준다. 바틀릿(Bartlett) 품종으로 만들었을 때는 겨울에 나는 품종인 보스크(Bosc)나 앙주(Anjou)로 만들었을 때만큼 깊은 인상을 주지 못한다. 이탈리아에서는 콘페렌차(Conferenza)로 알려진 길고 얄팍하며 갈색이 도는 노란색 배를 쓰기도 한다.

6인분

달걀 2개
우유 ¼컵
흰 설탕 1컵
소금
밀가루 1½컵
원형 케이크 틀 1개, 지름 23cm 정도 크기로 준비
신선한 배 900g
버터, 팬에 바르고 케이크에 듬성듬성 올릴 만큼의 양
마른 빵가루 ½컵, 양념하지 않은 것으로 준비
선택 사항: 정향 12개

1. 오븐을 190°C로 예열한다.
2. 볼에 달걀과 우유를 함께 푼다. 설탕과 소금 한 자밤을 더해 계속 푼다. 밀가루를 넣고 밀도 있는 케이크 반죽이 되도록 골고루 섞는다.
3. 배를 깎아 세로로 이등분해 씨와 속심을 파낸 뒤 너비 2.5cm 정도로 얇게 썬다. 반죽이 담긴 볼에 넣고 고루 섞는다.
4. 틀에 버터를 넉넉히 문질러 바르고 빵가루를 얇게 뿌린 뒤 틀을 뒤집어 작업대에 대고 빠르게 톡톡 두드려 여분의 빵가루를 털어낸다.
5. 반죽을 틀에 붓고 숟가락 뒷면이나 스패출러로 윗면을 고른다. 손가락 끝으로 위에 구멍을 여러 군데 내고 버터를 조금 넣어 채운다. 선택 사항인 정향을 떨어트려 무작위로 박는다. 예열된 오븐의 위쪽에 넣고 윗면의 색이 살짝 변할 때까지 50분간 굽는다.
6. 미지근한 상태에서 타르트를 스패출러로 들어 올려 틀 바닥에서 조심스럽게 떼어내고, 접시로 옮긴다. 약간 따뜻할 때나 상온 상태일 때 차려 내는 것이 가장 좋다.

건포도, 말린 무화과, 잣을 넣은 폴렌타 쇼트케이크

Polenta Shortcake with Raisins, Dried Figs, and Pine Nuts

오래 전 제임스 비어드(James Beard)가 베네치아에 머물 당시, 그는 베네치아가 동방과 교역하던 시기를 떠오르게 하는 견과류와 말린 과일이 들어간 이 지역 특산물에 매료되어 나에게 레시피를 알려달라고 했다.

제임스는 거기에 고작 달걀이 한 알만 들어감에도 불구하고 5cm 정도 부풀어 오르는, 풍부하고 농후한 디저트가 만들어진다는 점에 놀랐다. 신선한 휘핑크림 1~2덩어리를 곁들여 차려 내면 꽤나 좋을 테다. 그렇지 않겠나?

6~8인분

굵은 옥수수가루 1컵
소금
엑스트라버진 올리브유 1½큰술
흰 설탕 1컵 가득
잣 ⅓컵
씨 없는 건포도 ⅓컵, 가급적 머스캣 품종으로 준비
말린 무화과 1컵, 0.5cm 정도 크기로 썬다
버터 2큰술과 틀 안에 바를 만큼의 양을 추가로 준비
달걀 1개
펜넬 씨 2큰술
다목적용 밀가루 1컵
원형 케이크 틀, 지름 23cm 정도 크기로 준비
곱고 마른 양념하지 않은 빵가루

1. 오븐을 200℃로 예열한다.
2. 중간 크기 소스팬에 물 2컵을 넣고 끓인 뒤, 중불로 조절해 옥수수가루를 가는 줄기로 부어 넣는다. 어느 정도 꽉 쥔 주먹의 손가락 사이로 흘러나오게 한다. 다른 쪽 손으로는 나무 주걱으로 끊임없이 저어준다. 옥수수가루를 전부 넣으면 소금과 올리브유를 더한다. 걸쭉해지면서 저었을 때 팬의 옆면에서 떨어질 때까지 15초 정도 계속 젓는다. 불을 끈다.
3. 옥수수 죽에 설탕, 잣, 건포도, 무화과, 버터, 달걀과 펜넬 씨를 넣고 모든 재료가 고루 합해지도록 완전히 섞어준다. 밀가루를 더해 부드러운 케이크 반죽이 되도록 잘 섞는다.
4. 케이크 틀에 버터를 문질러 바르고 빵가루를 얇게 뿌린 뒤, 틀을 뒤집어 작업대 위에 대고 가볍게 쳐내 남은 빵가루는 털어낸다. 반죽을 넣고 스패출러로 윗면을 고른다. 오븐의 위쪽에 틀을 넣고 45~50분간 굽는다.
5. 케이크가 아직 따뜻할 때 칼을 틀 옆면에 넣어 케이크를 떼어낸다. 틀을 접시

위에 뒤집어서 놓고 살짝 흔들어 케이크가 접시에 떨어지게 한다. 그다음에 케이크를 다시 뒤집어서 차림용 접시에 놓는다. 완전히 차갑게 식으면 차려 낸다.

피시오타 — 올리브유 케이크

Pisciotta — Olive Oil Cake

베로나 북쪽 지역에서 포도와 올리브 생산자들은 석공과 언덕을 나누어 쓴다. 포도와 올리브나무가 자라기에는 너무 높은 지역은 석공들 차지다. 많은 농부들과 석공들은 산 조르조의 고대 도시에 있는 가장 높은 언덕 중 하나의 꼭대기 아래 위치한 트라토리아 달라 로사(Trattoria Dalla Rosa)의 식탁도 서로 나눈다. 여사장 알다 달라 로사(Alda Dalla Rosa)가 주방을 지휘하지만, 베이킹은 제빵사인 그녀의 딸 노리(Nori)가 맡는다. 쇼트닝으로 그 지역에서 생산한 — 아마 이탈리아에서 가장 품질이 좋은 — 올리브유만 사용하는 이 놀라우면서도 감칠맛 나는 케이크는 노리에게서 받은 레시피로, 거의 알려지지 않았다. 가족 중 소수만이 전수받은 기록을 그녀가 되살렸다.

6인분

달걀 2개
흰 설탕 ½컵에 2큰술을 추가로 준비
레몬필 1개 분량, 흰 속껍질이 들어가지 않도록 간다
소금
달지 않은 마르살라 와인 ⅓컵
우유 ⅓컵
엑스트라버진 올리브유 반죽용으로 ¾컵에 틀에 바를 양을 추가로 준비
베이킹파우더 1큰술
다목적용 밀가루 1½컵
튜브형 틀 1개, 2.25L 용량으로 준비

1. 오븐을 200℃로 예열한다.
2. 볼에 달걀을 깨어 넣고 설탕을 전부 넣어 색이 옅어지고 거품처럼 될 때까지 푼다.
3. 레몬필 간 것, 소금, 마르살라, 우유와 올리브유 ¾컵을 더한다.
4. 베이킹파우더와 밀가루를 섞어 다른 재료들에 추가해 골고루 섞는다.
5. 틀 안쪽에 올리브유를 얇게 입히듯 문질러 바르고, 반죽을 부어 오븐 위쪽에 넣고 50분간 굽는다.
6. 케이크를 10분 정도 식히고 칼날로 케이크 틀의 옆면과 튜브에서 떼어낸다. 틀을 뒤집어 케이크를 빼내 식힘망 위에 올려 상온 상태까지 식힌다.

참벨라 — 할머니의 페이스트리 링

Ciambella — Grandmother's Pastry Ring

이탈리아 디저트는 대부분 제과점에서 사 먹지만, 늘 집에서 굽게 되는 것이 있고, 각 지역에는 그곳만의 특별한 가정식 디저트가 한두 개씩은 있게 마련이다. 참벨라(Ciambella)는 내 고향 로마냐의 전통 가정식 케이크로, 가정에서 전해지는 다른 전통과 마찬가지로 집집마다 그들만의 방식이 있다. 어떤 가정은 아니스를 넣기도 하고, 레몬필로 대체하기도 한다. 반죽에 화이트 와인을 넣는 집도 있다. 각 가정의 레시피는 다음 레시피만큼이나 '정통'이다. 아래는 내 할머니 레시피로, 나와 함께 성장해온 모든 맛처럼 내가 가장 좋아하는 바로 그 맛이다.

집에서 하루 중 얇게 썬 참벨라 한 조각을 먹을 시간이 없을 것 같지는 않다. 아흔일곱인 어머니는 아직도 매일 아침 연하게 내린 에스프레소를 뜨거운 우유에 탄 카페라테를 큰 컵에 담아 참벨라와 함께 먹는다. 예전에 농부들은 이 케이크를 식사 마지막에 단맛이 나는 와인 한 잔에 적셔 먹었다. 이탈리아 음식과 음료를 먹는 다른 많은 방법처럼, 이 농부들의 방식은 충분히 따라 해볼 만하다.

8~10인분

버터 8큰술
표백하지 않은 밀가루 4컵
흰 설탕 ¾컵
타르타르 크림 2½작은술, 중타르타르산칼륨으로 약국에서 구할 수 있는 것, 그리고 베이킹소다 1작은술 또는 베이킹파우더 3½작은술
소금
레몬필 1개 분량, 흰 속껍질이 들어가지 않도록 간다
미지근한 우유 ¼컵
달걀 2개
베이킹 시트 1개, 묵직한 것으로 준비
버터와 밀가루, 베이킹 시트에 문질러 바르고 덧뿌릴 양만큼 준비

1. 오븐을 190°C로 예열한다.
2. 소스팬에 버터를 넣고 너무 뜨거워지지 않게 녹인다.
3. 커다란 믹싱 볼에 밀가루를 넣는다. 설탕, 녹인 버터, 타르타르 크림, 베이킹 소다, 소금 한 자밤, 레몬필 간 것과 미지근한 우유를 넣는다. 달걀 하나를 통째로 깨 넣고 두 번째 달걀은 흰자만 넣는다. 이후에 링에 '칠할' 두 번째 달걀의 노른자를 1작은술 조금 안 되게 한편에 덜어둔다. 모든 재료를 골고루 섞은 다음, 작업대 위에 뒤집어 올려놓고 몇 분간 치댄다.
4. 반죽을 5cm 두께의 커다란 소시지처럼 말아 모양을 잡고, 둥근 고리 모양으로 만든다. 끝을 서로 붙여 집어준다. 표면에 한편에 덜어두었던 달걀노른자와 물 1작은술을 함께 붓으로 바르고, 사선으로 몇 군데 칼집을 얕게 낸다.
5. 베이킹 시트에 버터를 바르고, 밀가루를 뿌린 뒤 뒤집어 작업대에 대고 탁탁 쳐서 여분의 가루를 털어낸다. 가운데에 링을 놓고 예열된 오븐의 위쪽에 판을 넣는다. 35분간 굽는다. 원래 크기의 거의 2배로 부풀어야 한다. 식힘망에 옮긴다. 차게 식으면 쿠킹호일로 감싸거나 철제 비스킷 통에 넣되, 냉장 보관해서는 안 된다. 다음 날 먹으면 가장 맛있다.

브루티 마 부오니—피에몬테식 아몬드 쿠키

Brutti Ma Buoni—Piedmontese Almond Cookies

쿠키 55~60개

아몬드 315g, 576쪽 설명대로 데치고 껍질을 벗긴다
흰 설탕 1컵에 3큰술 추가
달걀흰자 4개분
소금
바닐라 에센스 ½작은술
버터, 쿠키 시트에 바를 만큼의 양

1. 구울 준비가 되기 최소 30분 전에 오븐을 150°C로 예열한다.
2. 푸드프로세서를 쓴다면: 프로세서를 껐다 켜기를 반복하며 껍질을 벗긴 아몬드와 설탕을 함께 분쇄한다.
   칼을 쓴다면: 아직 따뜻한 아몬드만 아주 곱게 다진 뒤에 설탕과 합한다.
3. 볼에 달걀흰자를 소금 한 자밤과 함께 뾰족하게 거품이 올라올 때까지 휘핑한다.
4. 달걀흰자를 아몬드와 설탕 섞은 것에 넣고 바닐라 에센스와 함께 접어 올리듯 섞어준다.

5. 베이킹 시트 또는 얇은 팬에 버터를 문질러 바른다. 쿠키 반죽을 숟가락 하나로 뜨고, 다른 숟가락으로 떠낸 반죽을 밀어 베이킹 시트 또는 팬 위에 놓는다. 반죽 사이의 간격은 4cm를 유지한다. 모양이 안 잡힌 것 같아도 걱정할 필요 없다. 이 쿠키의 이탈리아 이름이 '못생겼지만 맛은 좋다'는 뜻이다. 아마 꽤나 제각각일 것이다.
6. 예열된 오븐의 가운데 칸에 넣고 30분간 굽는다. 식힘망에 펼쳐 놓는다. 철제 비스킷통에 넣어두면 아주 오랫동안 보관할 수 있다.

칼라브레지—아몬드 레몬 쿠키

Calabresi—Almond and Lemon Cookies

쿠키 약 48개

아몬드 115g, 576쪽 설명대로 데치고 껍질을 벗긴다
흰 설탕 ½컵
달걀노른자 2개분
표백하지 않은 밀가루 2컵 가득
레몬필 1개 분량, 흰 속껍질이 들어가지 않도록 간다
갓 짜낸 신선한 레몬즙 ¼컵
버터, 쿠키 판이나 팬에 문질러 바를 만큼의 양
달걀 1개, 물 1큰술과 함께 살짝 푼다
소금
제과용 붓

1. 구울 준비가 되기 최소 30분 전에 오븐을 200℃로 예열한다.
2. 푸드프로세서를 쓴다면: 프로세서를 껐다 켜기를 반복하며 껍질을 벗긴 아몬드와 설탕을 함께 분쇄한다.
   칼을 쓴다면: 아직 따뜻한 아몬드만 아주 곱게 다진 뒤에 설탕과 합한다.
3. 푸드프로세서를 쓴다면: 달걀노른자 2개, 밀가루, 소금 한 자밤, 레몬필 간 것과 레몬즙을 추가한다. 반죽이 부드러운 덩어리가 될 때까지 날을 작동시킨다.
   손으로 직접 한다면: 아몬드와 설탕 섞은 것을 볼에 넣고 위의 재료들을 추가한다. 재료들이 부드럽게 섞일 때까지 8~10분 동안 손으로 반죽한다.
4. 쿠키 판 또는 얕은 팬에 버터를 문질러 바른다.
5. 작업대와 밀대, 양손에 밀가루를 살짝 묻힌다. 반죽을 사과 한 알 크기만큼 떼어내 0.5cm 정도 두께로 민다. 5cm 크기의 쿠키 커터 또는 비슷한 지름의 유리잔으로 반죽을 원형으로 찍어내, 가장자리가 서로 겹치지 않게 베이킹 시트나 팬 위에 놓는다. 반죽을 한데 모아 뭉치고 밀어 원형으로 더 찍어낸다.

6. 반죽을 모두 밀고 찍어내면, 붓으로 달걀 푼 것을 위에 전부 발라준다. 예열된 오븐의 가운데에서 10분간 굽는다.
7. 다 되면 식힘망으로 옮긴다. 식으면 비스킷 상자나 쿠키 항아리에 넣어 몇 주간 두어도 괜찮다.

갈레트—소금 후추 비스킷

Gallette — Salt and Pepper Biscuits

식전에 먹기에 아주 훌륭한 쿠키다.

비스킷 약 42개

특란 2개
엑스트라버진 올리브유 ¼컵
표백하지 않은 밀가루 1½컵
소금 1½작은술
검은 후추 ½작은술, 거칠게 간다
베이킹파우더 2½작은술
버터, 팬에 칠할 만큼의 양
제과용 붓

1. 오븐을 190˚C로 예열한다.
2. 달걀을 가볍게 풀어 ½큰술만 남기고—이후에 비스킷에 발라줄 것을 한편에 둔다—볼에 전부 넣는다. 남은 재료를 전부 더해 나무 주걱으로 골고루 섞는다. 밀가루를 살짝 뿌린 작업대 위에 반죽을 뒤집어 올리고, 손에 밀가루를 묻혀 몇 분간 부드러우면서 균일한 덩어리가 되도록 반죽한다. 괜찮다면 이 모든 과정을 푸드프로세서로 해도 된다. 반죽을 주방용 랩이나 쿠킹호일로 단단히 감싸 상온에서 최소 30분간 그대로 둔다.
3. 반죽을 둘로 나눈다. 작업대와 밀대에 덧가루를 뿌리고, 반죽을 한 번에 한 덩이씩 0.5cm보다 얇은 두께로 민다. 5cm 크기의 쿠키 커터 또는 비슷한 지름의 유리잔으로 반죽을 원형으로 찍어낸다. 자투리는 그대로 둔다.
4. 베이킹 시트 또는 얕은 팬에 버터를 문질러 바르고, 원형으로 찍어낸 반죽을 서로 4cm 간격으로 떨어트려 놓는다.
5. 자투리를 공 모양으로 재빨리 반죽해 밀고 원형으로 찍어내 마찬가지로 작업한다.
6. 원형 쿠키 반죽 위에 달걀을 붓으로 바른 뒤, 판이나 팬을 예열한 오븐의 가운데에 넣는다. 12분간 굽는다.
7. 팬에서 비스킷을 떼어내고, 식힘망 위에서 그대로 완전히 식힌다. 하루가 지난 뒤에 먹어야 더 맛이 좋다.

크레마—이탈리아식 커스터드 크림

Crema—Italian Custard Cream

크레마(crema), 혹은 정확한 명칭으로 크레마 파스티체라(crema pasticcera)는 많은 이탈리아 디저트에 필링으로 사용되는 기본 커스터드로, 아마도 가장 잘 알려진 것은 추파 잉글레제(zuppa inglese)에서 일 것이다. 인내심 있는 요리사라면 만들기 어렵지 않을 것이다. 끓여서는 안 되지만, 멍울의 흔적이 남지 않도록 밀가루에 충분한 열과 시간을 들여야 한다. 커스터드가 덩어리지거나 밀가루 반죽 같은 맛이 난다면, 밀가루를 너무 서둘러 익혔거나 충분히 고루 익히지 않았거나, 또는 두 경우 모두에 해당한다.

바닥이 두꺼운 소스팬을 불 위에 놓고 바로 크레마를 만들 수 있지만, 불의 세기를 조절하는 것이 걱정된다면 중탕기를 쓰고, 아래 칸에서 물이 팔팔 끓는 상태로 만든다.

약 2½컵

달걀노른자 4개분
슈거파우더 ¾컵
밀가루 ¼컵
우유 2컵
레몬필 1개 분량, 흰 속껍질이 들어가지 않도록 간다

1. 달걀노른자와 설탕을 바닥이 두꺼운 소스팬이나 중탕기 위쪽 칸에 넣는다. 열을 가하지 않은 상태에서 노른자 색이 옅어지고 크림처럼 부드러워지도록 친다. 밀가루를 한 큰술씩 추가하면서 풀어준다.
2. 다른 소스팬에 우유를 전부 넣고 가장자리에서 작은 거품이 생기기 시작할 때까지만 끓인다.
3. 불을 끄고 뜨거운 우유를 아주 천천히 풀어놓은 달걀노른자에 넣되, 덩어리지지 않도록 넣은 동안 계속 저어준다.
4. 소스팬을 약불에 올리거나 중탕기의 아래쪽 칸에 물을 넣어 끓이는데, 나무주걱으로 꾸준히 저으면서 5분간 가열한다. 크림이 끓어오르지는 않되, 이따금 표면에서 거품이 터지는 정도가 알맞다. 커스터드 크림이 중간 정도 농도가 되어 주걱에 들러붙으면 다 된 것이다.
5. 불에서 내려 얼음물을 담은 볼 위에 크림이 담긴 팬을 놓고 몇 분간 젓는다. 레몬필 간 것을 넣고 섞고, 크림이 차갑게 식을 때까지 젓는다.

미리 준비한다면 ❁ 크림은 1~2일 전에 미리 만들어둘 수 있다. 스테인리스나 유리로 된 통에 옮겨 담아 주방용 랩을 표면에 밀착시켜 냉장 보관한다.

추파 잉글레제

Zuppa Inglese

이 디저트가 영국 또는 영국인을 뜻하는 '잉글레제'(inglese)로 묘사되는 이유에 대한 속 시원한 설명을 찾을 수가 없고, 내가 추적한 바도 없지만, 그것을 '수프'라 부르는 이유는 분명하다. 마치 농가의 수수한 수프에 적셔 먹는 빵처럼 추파 잉글레제는 커스터드에 푹 담근다. 그리고 수프처럼 숟가락으로 떠먹는다.

아래에 소개하는 방법은 에밀리아-로마냐에서 만들던 진한 추파 잉글레제에 바탕을 두고 있다. 스펀지 케이크를 적시는 데 쓰는 코디얼은 알케르메스(alchermes)와 럼을 섞어 만든다. 알케르메스는 꽃향기가 나는 약간 자극적인 리큐어로, 이 술의 붉은색은 말린 연지벌레 몸에서 추출한 것이다. 이제는 더 이상 그런 방식으로 만들지 않는다. 좌우간 이탈리아를 벗어나면 구하기 힘들기 때문에 우리를 만족시킬 만한 대안을 찾아야 한다. 내가 섞어서 만든 코디얼이 아래에 나오는데, 이 디저트에 특징을 주는 핵심 요소인 럼을 생략하지 않는 선에서 당신만의 공식을 개발해도 된다.

하지만 커스터드 크림을 만들기 전에 증류주를 섞어서 준비하고 파운드케이크를 잘라두어, 커스터드가 완성되자마자 바로 사용할 수 있도록 해둔다. 6인분

- 커스터드 크림, 602쪽 레시피대로 만든다
- 파운드케이크 450g, 0.5cm 두께로 얇게 썬다
- 럼 1큰술에 코냑 2큰술, 드람부이 2큰술, 체리 히어링 4큰술을 섞는다
- 세미스위트 판초콜릿 60g, 잘게 썬다
- 중탕기
- 선택 가능한 토핑: 잘게 썬 구운 아몬드 30g
- 제과용 붓

1. 추파를 담아낼 깊이가 있는 접시나 볼을 고른다. 그릇 바닥에 뜨거운 커스터드 크림을 4~5큰술 바른다.
2. 접시 바닥에 얇게 썬 파운드케이크를 한 층으로 빈틈없이 깐다. 제과용 붓을 리큐어 섞은 것에 담갔다가 꺼내 케이크를 흠뻑 적신다. 위에 남은 커스터드 크림의 3분의 1을 올린다. 얇게 썬 케이크를 한 층 더 덮고, 남은 리큐어 섞은 것의 절반을 붓으로 바른다.
3. 중탕기의 아래쪽 칸에 물을 천천히 끓인다. 중탕기의 위쪽에 잘게 썬 초콜릿 60g을 넣는다. 초콜릿이 녹으면, 남은 커스터드 크림을 둘로 나눠 한쪽에 녹인 초콜릿을 섞고 파운드케이크 층 위에 펴 발라준다.

4. 추파에 얇게 썬 케이크를 또 한 층 더 쌓고, 남은 리큐어로 적셔 마지막 커스터드 크림으로 덮는다. 구운 아몬드를 선택적으로 올린다.
5. 주방용 랩으로 덮고 냉장고에 최소 2~3시간, 하루 정도 미리 넣어둔다. 차가운 상태로 차려 낸다.

산드로 피오리티의 방식 *Sandro Fioriti's Variation*

열망에 사로잡혀 이탈리아 가정식의 꾸미지 않은 맛을 좇느라 한동안 방황하던 시기를 극복한 뒤, 방문했던 곳이 바로 뉴욕에 있는 산드로다. 마지막에 커스터드 크림으로 추파를 덮기 전에, 사우어 체리 절임 3큰술을—구할 수 있다면 이탈리아 수입산 아마레네(amarene) 절임, 또는 영국식 모렐로(morello), 또는 다른 사우어 체리—맨 위에 있는 파운드케이크 층 위에 펴 바른 뒤, 커스터드 크림으로 덮어준다. 잘게 썬 아몬드는 생략한다.

자발리오네
Zabaglione

우리가 자발리오네(zabalione)라 부르는 따뜻한, 와인향 입힌 거품은 아마 휘핑한 달걀노른자로 만드는 유일한 요리일 것이다. 다른 방법은 모르겠다. 달걀노른자는 강한 열을 가하면 빨리 굳기 때문에 자발리오네는 아래에 설명한 대로 중탕기 열로 만드는 것이 쉽다. 하지만 중탕기로 열을 조절하는 법을 알고 있다면, 가능한 한 구리로 된 바닥이 둥글고 매끈한 전통 자발리오네 냄비를 써서 화구 위에서 바로 만들어도 된다.

6인분

달걀노른자 4개분	중탕기
흰 설탕 ¼컵	달지 않은 마르살라 와인 ½컵

참고 ❀ 달걀 노른자는 치고 익히는 과정에서 부피가 커진다. 중탕기가 크지 않다면, 물을 끓이는 더 큰 냄비 안에 적당한 크기의 냄비를 대신 놓고 쓰는 게 낫다. 중탕기 안에는 안쪽 냄비를 지지하는 특수 삼발이가 있는데(중탕기만의 유용한 장치인), 같은 역할을 하는 작은 금속 삼발이를 써도 된다.

1. 달걀노른자와 설탕을 중탕기 위쪽이나 위에서 설명한 안쪽 냄비에 넣고, 거품기나 전동믹서로 노른자가 옅은 노란색의 크림처럼 될 때까지 푼다.
2. 중탕기 아래 칸이나 더 큰 냄비에 물을 뭉근하게 끓인다.

3. 중탕기 냄비 두 개를 함께 맞추거나, 노른자가 든 더 작은 냄비를 물이 든 냄비 안쪽에 놓는다. 마르살라를 넣고 계속 친다. 혼합물에서 거품이 생기기 시작하다가 부드럽고 풍성하게 부풀어 오를 것이다. 부드럽게 솟아오른 덩어리가 되는 15분 내외면 자발리오네가 준비된 것이다.

   자발리오네는 보통 따뜻할 때 먹는데, 유리잔에 자발리오네만 퍼 담거나, 복숭아나 망고 같은 잘 익은 과일을 얇게 썰어 그 위에 올리거나, 담백한 케이크에 곁들인다. 598쪽 참벨라와 먹으면 맛있다. 레드 와인을 넣은 차가운 버전의 자발리오네는 아래와 같다.

레드 와인을 곁들인 차가운 자발리오네 *Cold Zabaglione with Red Wine*

앞의 기본 레시피 재료에 마르살라 ½컵 대신 달지 않은 레드 와인 1컵을 쓴다. 바롤로가 가장 이상적이다. 바르바레스코도 거의 이상에 가까울 수 있다. 산지오베제 100퍼센트로 만든 토스카나 와인, 질 좋은 발폴리첼라 또는 캘리포니아 진판델 또는 코트 뒤 론 같은 향이 풍부한 다른 레드 와인으로 대체할 수도 있다.

자발리오네는 앞의 레시피에 따라 만든다. 개별 컵에 퍼서 담고, 4~6시간 동안 냉장고에 넣어두었다가 차려 낸다.

이탈리아식 초콜릿 무스

Italian Chocolate Mousse

6인분

중탕기

세미스위트 초콜릿 170g, 잘게 썬다

달걀 4개(51쪽 살모넬라균에 대한 주의 사항 참고)

흰 설탕 2작은술

진한 에스프레소 커피 ¼컵

다크 럼 2큰술

믹싱볼, 냉동고에 넣어두기

생크림 ⅔컵, 아주 차갑게 준비

1. 중탕기 아래 칸에 물을 넣어 천천히 뭉근하게 끓이고, 위쪽 칸을 놓아 잘게 썬 초콜릿을 넣고 녹인다.
2. 달걀을 분리해 노른자만 설탕과 함께 볼에 넣고 옅은 노란색이 되면서 크림처럼 될 때까지 친다. 녹인 초콜릿, 커피, 럼을 더해 모든 재료가 고루 혼합되도록 스패출러로 섞는다.
3. 냉동고에서 볼을 꺼내 생크림을 넣고 거품기로 뾰족하게 올라올 때까지 친

다음, 초콜릿과 달걀 섞은 것에 넣고 접어 올리듯 섞는다.

4. 볼에 달걀흰자를 넣고 뾰족하게 올라올 때까지 휘핑한 뒤, 초콜릿 섞은 것에 넣고 천천히 골고루 접어 올리듯 섞는다.
5. 개별 컵이나 고블릿(goblet) 6개에 무스를 퍼서 담고 주방용 랩으로 덮은 다음, 밤새 냉장고에 넣어둔다. 사나흘까지 보관할 수 있지만 24시간이 지난 뒤부터는 주름이 생기면서 크림 같은 부드러움이 없어질 수 있다.

리코타 커피 크림

Ricotta and Coffee Cream

리코타, 럼, 그리고 커피라는 이 흥미롭고 맛있는 조합은 내가 만드는 법을 배워 본 것 중 가장 쉬운 디저트인 것 같다. 푸드프로세서에 넣어 모든 과정을 3초 안에 끝내거나, 좀 더 단단한 질감을 원한다면 포크 두 개를 손에 쥐고 혼합물을 친다. 크림은 차려 내기 전에 밤새 냉장고에 넣어 두어야 한다는 것만 기억하길 바란다.

6인분

신선한 리코타 675g
흰 설탕 ⅔컵
다크 럼 5큰술
아주 진한 에스프레소 커피 ½컵에 2큰술을 추가로 준비
장식: 커피콩 36개

1. 리코타, 설탕, 럼과 커피를 푸드프로세서에 넣고 크림 같은 상태로 만든다.
2. 이것을 목이 긴 디저트용 유리잔에 개별로 6개를 담아 냉장고에 밤새 넣어둔다.
3. 차려 내기 직전에 신선하고 바삭한 커피콩을 둥글게, 또는 마음에 드는 다른 무늬로 6개씩 크림 위에 놓는다. 차가운 상태로 차려 낸다.

참고 ❀ 커피콩을 놓은 상태로 냉장고에 넣지 마라. 콩이 눅눅해진다.

크레마 프리타—커스터드 크림 튀김

Crema Fritta—Fried Custard Cream

크레마 프리타(crema fritta)는 식사 마지막에 먹는 달콤한 한 입 거리이긴 하지만, 이탈리아에서는 송아지고기 커틀릿이나 간, 양고기 촙 같은 빵가루를 입힌 고기 요리에 곁들이기도 한다. 볼로냐식 튀김 모둠인 커다란 프리토 미스토의 전통적

인 구성은 몇 가지 빵가루를 입혀 튀긴 고기류뿐만 아니라 채소, 치즈, 과일도 포함된다.

크레마 프리타는 602쪽 크레마 프리타에 들어가는 것보다 더 많은 밀가루를 넣고 만들어야 하는데, 그렇지 않으면 튀기기에 너무 무르기 때문이다. 밀가루를 고루 부드럽게 섞기 위해서는 반드시 완성될 때까지 아주 약한 불에서 꾸준히 저어야 한다. 저녁으로 차려 내는 날보다 더 일찍, 하루 전에 미리 편리하게 준비해둘 수 있다.

6인분

달걀 2개에 크림에 빵가루를 묻히기 용으로 1개를 추가로 준비
중탕기
흰 설탕 ½컵
밀가루 ½컵
우유 2컵
레몬필 작게 2줄, 흰 속껍질이 들어가지 않도록 준비
곱고 마른 양념하지 않은 빵가루, 접시에 펼친다
식물성기름

1. 불을 끈 상태로 중탕기 위쪽 칸에 달걀 2개를 개어 넣고 설탕을 더해 설탕이 완전히 녹으면서 고루 섞일 때까지 풀어준다. 밀가루를 한 번에 1큰술씩 넣으며 전부 달걀에 녹아들도록 섞는다.
2. 작은 소스팬에 우유를 끓이고, 작은 거품 띠가 생기기 시작하자마자 한 번에 ¼컵씩 달걀에 넣고 풀어준다. 우유를 다 넣으면 레몬필을 넣는다.
3. 중탕기 아래 칸에 물을 천천히 뭉근하게 끓인 뒤 그 위에 위쪽 칸을 놓는다. 천천히, 꾸준히 젓기 시작한다. 15분 뒤에 불을 약간 키운다. 크림이 되직해지고 부드러워지며 밀가루 맛이 나지 않을 때까지, 20분 정도 더 가열하며 젓는다. 다 되면 물기가 있는 접시 위에 크림을 붓고 2.5cm 두께로 펼쳐놓는다. 다음 과정을 진행하기 전에 차갑게 식힌다.

미리 준비한다면 ❀ 이 단계까지 준비한 크림을 몇 시간 또는 하루 전에 보관해 둘 수 있다. 주방용 랩으로 덮어 냉장 보관한다.

4. 차가운 크림을 5cm 길이의 마름모 형태 조각으로 썬다. 수프용 그릇에 남은 달걀을 푼다. 크림 조각에 빵가루를 입히고, 풀어놓은 달걀에 담근 뒤 다시 빵가루를 입힌다.
5. 튀김용 냄비에 식물성기름을 2.5cm 높이로 충분히 붓고, 중강불에 올린다. 기름이 아주 뜨거워지면 너무 들어차지 않는 선에서 빵가루를 입힌 크림을 가

능한 한 많이 넣는다. 한쪽 면이 먹음직스러운 황금빛으로 바삭해지면 뒤집어서 다른 쪽도 튀긴다. 식힘망에 옮겨 기름을 뺀다. 남은 조각도 똑같은 과정으로 반복해 튀긴다. 아주 뜨거울 때, 또는 차게 식지 않고 미지근할 때 차려낸다. 디저트로 먹는다면 기호에 따라 슈거파우더를 조금 뿌린다.

리코타 프리터

Ricotta Fritters

이것은 내가 거의 매번 나의 코스 요리에 포함시키는 디저트 중 하나다. 나의 학생들은 프리터를 아주 좋아하기도 하지만, 몇 시간 전에 미리 반죽을 만들어둘 수 있다는 점, 그리고 많은 사람을 위해 2~3배 늘려 쉽고 빠르게 만들 수 있다는 점을 매우 만족스러워한다.

4인분

신선한 리코타 225g
달걀 2개
밀가루 ⅓컵
버터 1½큰술, 상온의 말랑한 상태로 준비
레몬필 1개 분량, 흰 속껍질이 들어가지 않도록 간다
소금
식물성기름
흐르는 정도의 농도를 가진 꿀

1. 볼에 리코타를 넣고, 한 손에 포크 두 개를 쥐고 잘게 부순다.
2. 달걀을 볼에 깨어 넣고 리코타와 섞는다.
3. 밀가루를 한 번에 조금씩 넣어가며, 포크 두 개를 한 손에 쥐고 혹은 스패출러로 리코타와 달걀과 함께 섞는다. 버터, 레몬필, 아주 적은 소금 한 자밤을 더해 프리터 반죽의 모든 재료가 고루 합쳐지도록 둥글게 휘저으며 풀어준다.
4. 반죽을 한편에 두고 최소 2시간, 그러나 3시간 반은 넘지 않게 휴지시킨다.
5. 튀김용 냄비에 1cm 정도 높이로 기름을 충분히 붓고 중강불에 올린다. 기름이 꽤 뜨거워지면—반죽을 한 방울 떨어뜨려 표면에 곧바로 떠오르면 준비가 된 것이다—반죽을 한 번에 1큰술씩 넣는다. 스패출러의 둥근 가장자리로 숟가락으로 뜬 반죽을 밀어낸다. 한 번에 냄비 안이 어느 정도 여유가 있고 꽉 들어차지 않을 만큼만 넣는다.
6. 프리터 한쪽 면이 황금빛 갈색이 되면 뒤집는다. 작은 공처럼 살짝 부풀지 않으면 온도가 너무 높은 것이다. 불을 약간 줄인다. 프리터의 양면이 갈색이 되면 구멍 뚫린 국자나 뒤집개로 식힘망에 옮겨 기름을 뺀다. 남은 반죽을 다

쓸 때까지 같은 과정을 반복한다.

7. 차림용 접시 위에 프리터를 놓고, 꿀을 전체적으로 넉넉히 뿌려 식탁으로 가져간다. 뜨거울 때 먹어야 가장 맛있을 테지만, 미지근할 때나 상온 상태에서 먹어도 아주 맛있다.

아마레티 쿠키를 곁들인 구운 사과

Baked Apples with Amaretti Cookies

쌉쌀한 아몬드, 과실의 씨앗 맛이 나는 이탈리아식 마카롱인 아마레티(Amaretti)는 전통적으로 이탈리아식으로 구운 사과와 함께 먹는다. 쌍으로 포장되어 나오는데, 표준과 아주 작은 것, 두 가지 크기가 있다. 아래 레시피에서는 표준 크기를 사용한다.

4인분

- 사과 4개, 아삭하고 신맛이 있으면서 달콤한 것으로 준비
- 이탈리아산 아마레티 쿠키 9쌍
- 버터 4큰술, 상온에 두어 완전히 부드러워진 것으로 준비
- 흰 설탕 ¼컵
- 물 ½컵에 달지 않은 화이트 와인 ½컵을 섞는다

1. 오븐을 200℃로 예열한다.
2. 사과를 찬물에 씻는다. 애플 코어러 또는 뾰족한 야채 필러 등 적당한 도구를 이용해 꼭지에서 심을 찔러 바닥 쪽에 조금 남겨두고 멈춘다. 가운데 1cm 크기로 구멍을 낸다. 뾰족한 칼날 끝으로 사과 껍질에 2.5cm 내외 간격으로 여러 군데 구멍을 낸다.
3. 유산지 두 겹으로 아마레티 7쌍을 감싸 망치나 고기 망치 같은 무거운 물체로 거친 입자로 부서지도록 두드린다. 가루가 되어서는 안 된다. 아주 부드러워진 버터와 골고루 섞는다. 이것을 4등분해 하나씩 각 사과 구멍에 꽉 채워 넣는다.
4. 사과를 베이킹 시트에 똑바로 놓는다. 각각에 설탕을 1큰술씩 뿌리고 물과 화이트 와인 섞은 것을 부어준다. 예열된 오븐의 가장 위쪽 칸에 넣고 45분간 굽는다.
5. 사과를 금속으로 된 큰 뒤집개로 차림용 접시나 개인 접시에 옮겨 담는다.
6. 베이킹 시트에 즙이 남아 있을 것이다. 남은 아마레티 쿠키 2쌍을 가져와 팬

에 담그되, 너무 눅눅해져 부서질 수 있으므로 오래 둬서는 안 된다. 담궜던 쿠키를 하나씩 각 사과의 구멍 입구에 놓는다.

7. 베이킹 시트가 직화 가능하지 않다면 내용물을 소스팬에 부어 강불에 올린다. 즙이 끓으면서 퓌레 같은 농도가 되면 사과 위에 붓는다. 상온 상태로 차려 낸다.

미리 준비한다면 ❀ 사과는 2~3일 전에 미리 만들어 냉장고에 넣어 둘 수 있는데, 차려 내기 전에 상온 상태로 돌려둔다.

차갑게 식힌 검은 포도 푸딩

Chilled Black Grape Pudding

4인분

신선한 검은 포도 450g
밀가루 2큰술
흰 설탕 2큰술
믹싱볼, 냉동고에 넣어두기
생크림 ½컵, 아주 차갑게 준비

1. 포도알을 줄기에서 떼어내 찬물에 씻는다. 푸드밀의 원판을 가장 작은 구멍에 맞추어 포도를 전부 넣고 퓌레로 만들어 볼에 담는다. 블렌더나 푸드프로세서를 쓰고 싶다면 포도알을 갈라 씨를 먼저 제거한다.
2. 작은 소스팬에 퓌레로 만든 포도 1컵을 넣는다. 밀가루를 체로 쳐서 넣는다. 밀가루가 포도 퓌레와 부드럽게 혼합되도록 골고루 섞는다.
3. 설탕을 남은 포도 퓌레가 담긴 볼에 넣고 완전히 녹을 때까지 젓는다. 볼의 내용물을 천천히 소스팬에 부으면서 붓는 동안 꾸준히 저어준다.
4. 소스팬을 가열하는 불을 약하게 한다. 포도 섞은 것을 5분 정도 뭉근하게, 점성이 생길 때까지 계속 저으면서 끓인다. 상황에 따라 불을 조절해 끓어오르지 않도록 한다.
5. 푸딩을 팬에서 볼로 옮겨 실온에 두고 완전히 식힌다. 4개의 개별 유리 볼에 푸딩을 퍼서 담고 주방용 랩을 씌워 먹기 전 최소 4시간 동안 냉장고에 넣어둔다. 그러나 하룻밤을 넘겨서는 안 된다.
6. 차려 내기 직전에 냉동실에 두었던 볼을 꺼내 생크림을 넣고 뾰족하게 올라오도록 휘핑한 다음, 볼 4개에 나누어 담는다.

얇게 썬 오렌지 절임

Macerated Orange Slices

가두어둔 향을 활용하는 모든 레시피 중에 레몬필, 설탕, 레몬즙에 절인 이 얇게 썬 오렌지보다 상큼한 것은 없다.

4인분

오렌지 6개, 달콤하고 과즙이 많은 것으로 준비	레몬필 1개 분량, 흰 속껍질이 들어가지 않도록 간다
흰 설탕 5큰술	갓 짜낸 신선한 레몬즙 반 개 분량

1. 날카로운 과도로 오렌지 6개 중 4개의 껍질을 벗긴다. 하얀 스펀지 같은 속껍질은 전부 벗기고 안쪽의 얇은 껍질도 최대한 벗긴다.
2. 껍질을 벗긴 오렌지를 0.5cm보다 얇게 썬다. 씨는 전부 들어낸다. 얇게 썬 오렌지를 깊이가 있는 접시나 얕은 서빙볼에 담고 레몬필 간 것을 뿌린다. 설탕을 추가한다. 남은 오렌지 2개에서 즙을 짜내 여기에 더한다. 레몬즙도 넣은 뒤, 조심스럽게 몇 번 버무린다. 뒤집을 때 얇게 썬 오렌지가 부서지지 않도록 주의한다.
3. 주방용 랩으로 덮고 최소 4시간, 하룻밤까지 냉장고에 넣어둔다. 냉장고에서 꺼내 2~3번 오렌지 조각을 뒤적이고 차가운 상태로 차려 낸다.

참고 ❀ 오렌지 자체만으로도 꽤 완벽하지만, 좀 더 인상적이고 강한 맛을 주고 싶다면, 코엥트로, 화이트 퀴라소, 특히 마라스키노(586쪽 참고 사항을 확인할 것) 등의 리큐어 중 하나를 2큰술 넣고 잠깐 버무려 차려 낼 수 있다.

마케도니아—모둠 과일 절임

Macedonia—Macerated Mixed Fresh Fruit

지정학적으로 마케도니아는 남동부 유럽의 유고슬라비아, 그리스, 불가리아 사이에 있었다. 그곳에서 섞여 살아가는 사람들은 이 유명한 과일 요리에 마케도니아라는 이름을 붙였던 것 같다. 사실 이 요리가 성공 여부는 굉장히 다양한 재료를 사용할 수 있는지에 달렸다.

마케도니아에 빠져서는 안 될 과일은 사과, 배, 바나나, 그리고 오렌지와 레몬즙이다. 이것에 대표적인 제철 과일을 원하는 만큼 듬뿍 넣을 수 있다. 다양한 질감, 단단하면서도 균형 잡힌 과즙을 가진 것, 선호하는 익은 정도에 따라 선택하되 무른 과일은 피한다.

8인분 또는 그 이상

갓 짜낸 신선한 오렌지즙 1½컵
레몬필 1개 분량, 흰 속껍질이 들어가지 않도록 간다
갓 짜낸 신선한 레몬즙 2~3큰술 (1큰술은 선택 사항인 리큐어를 쓸 때만 필요)
사과 2개
배 2개
바나나 2개
다른 과일 675g, 체리, 포도, 살구, 자두, 복숭아, 베리류, 망고, 멜론, 과육만 저민 귤을 가능한 다양하게 준비
선택 사항: 마라스키노 리큐어 ½컵(586쪽 참고를 볼 것)
선택 사항: 호두 또는 껍질을 벗긴 아몬드 3큰술, 오븐에 구워 거칠게 다진다

1. 튜린(tureen)이나 펀치볼 또는 커다란 차림용 볼에 오렌지즙, 레몬필 간 것과 레몬즙을 넣는다.
2. 체리, 과육만 저민 귤, 포도와 베리류를 제외하고 모든 과일은 반드시 씻고 껍질을 벗겨 심을 파낸 다음, 1cm 크기로 깍둑썰기한다. 각각의 과일을 준비해 둔 볼에 넣는데, 감귤류의 즙이 변색을 막아줄 것이다.
3. 체리, 포도와 베리류를 씻는다. 체리와 포도, 베리류를 둘로 나눠 체리는 씨를 빼고, 포도도 씨가 있다면 꺼낸다. 블루베리, 라즈베리 또는 커런트 같은 다른 베리류는 온전히 둔다. 블루베리류 또는 커런트를 볼에 담는다. 절임액에 담가두면 뭉그러지는 라즈베리나 딸기 같은 것들은 차려 내기 30분 전에 넣는다. 딸기는 꼭지를 떼어내고 반으로 잘라 마케도니아에 넣는다.
4. 설탕과 선택 사항인 리큐어와 견과류를 넣고, 부서지기 쉬운 과일들이 더 이상 뭉개지지 않도록 골고루 조심스럽게 버무린다. 주방용 랩을 덮고 최소 4시간 동안 냉장고에 넣어두되, 하룻밤을 넘겨서는 안 된다. 차가운 상태로 차려 내고, 그 전에 모든 과일을 2~3번 부드럽게 버무린다.

달콤한 화이트 와인에 담근 망고와 딸기

Mangoes and Strawberries in Sweet White Wine

망고는 이탈리아에서 자생한 것이 아니기에, 이 요리에 적합한 토착 재료로 제안할 수 있는 것은 복숭아다. 잘 익어 즙이 풍부한 복숭아를 구했다면 망고는 잊어라. 나는 8월의 첫째, 둘째 주를 제외하고는 그런 복숭아를 절대 보지 못해서, 연중 남은 기간에는 이국적인 맛과 질감에도 불구하고 망고를 쓰는데, 적당한 선택인 것 같다. 대개 망고는 이미 익어서 막 사용해야 할 때 가장 싸다. 여전히 단단하다면 이틀에서 나흘 정도 상온 상태의 집 안에 두고, 엄지로 눌러 살짝 들어갈 때까지 후숙시킨다.

6인분

잘 익은 망고 작은 것 2개 또는 큰 것으로 1개 또는 복숭아 같은 양
신선한 딸기 1½컵
흰 설탕 2큰술
레몬필 1개 분량, 흰 속껍질이 들어가지 않도록 간다
질 좋고 달콤한 화이트 와인 1컵(아래 참고를 볼 것)

참고 ❀ 차가운 과일 절임에 가장 알맞은 와인은 포도 중에 가장 향기로운 모스카토로 만든 것이다. 이탈리아 반도를 통틀어, 그리고 시칠리아 섬을 넘어서까지 매혹적이게 달콤한 모스카토 와인이 만들어진다. 이 중 하나를 접할 기회가 생긴다면 지나치지 마라. 부득이하게 대신할 것을 골라야 한다면 질 좋은 천연의, 늦게 수확해 만든 독일, 남아프리카 또는 캘리포니아산 달콤한 화이트 와인을 선택한다.

1. 망고(또는 복숭아) 껍질을 벗기고 씨를 피해 과육을 얇게 썬다. 복숭아를 쓴다면 반으로 갈라 씨를 제거한다. 과육을 2.5cm 정도 한 입 크기로 썰어 차림용 볼에 담는다.
2. 딸기를 찬물에 씻고, 꼭지와 잎은 떼어내고 세로로 길게 반으로 썰되, 아주 작다면 썰지 않는다. 볼에 담는다.
3. 설탕, 레몬필과 와인을 볼에 넣고 과일과 골고루 조심스럽게 버무려 물크러지지 않도록 한다. 냉장고에 넣고 1~2시간 동안 그대로 절인다. 차가운 상태로 차려 내고, 식탁으로 가져가기 전에 과일을 한두 번 버무린다.

검은 포도와 백포도 절임

Black and White Macerated Grapes

이것은 과일을 담은 아름다운 볼이다. 보랏빛 구슬 같은 검은 포도를 반으로 갈라 씨를 빼고, 씨가 없는 가늘고 긴 타원형의 백포도알은 그대로 둔다. 오렌지즙과 레몬필에 담가 불리는데, 그 향과 상큼함은 거부할 수가 없다. 6~8인분

씨 없는 백포도 450g
검고 큰 포도 450g, 옅은 보라색 씨 없는 포도는 아님
레몬필 1개 분량, 흰 속껍질이 들어가지 않도록 간다
흰 설탕 3큰술
갓 짜낸 신선한 오렌지즙 3개분

1. 포도알을 전부 줄기에서 떼어내 찬물에 씻는다. 백포도알만 차림용 볼에 담는다.
2. 씨를 빼기 위해 검은 포도를 반으로 자른다. (씨 없는 적포도는 맛이 아주 약하므로 이 요리에서는 권하지 않는다.) 줄기에 달렸던 끝이 위를 향하도록 포도알을 잡는다. 뾰족한 과도 또는 가급적 크기가 작고 톱니가 있는 야채용 칼로 포도알 가운데를 수평으로 쭉 돌려 자르되 완전히 썰어버리지는 않는다. 손가락 끝으로 포도알의 위쪽 절반을 잡고, 다른 손으로 아래쪽 절반을 잡아 비튼다. 드러난 한쪽 절반의 가운데 씨가 튀어나와 있을 것이다. 씨를 뽑고 반으로 가른 포도알을 모두 볼에 넣는다. 검은 포도를 모두 같은 과정으로 반복해 작업한다.

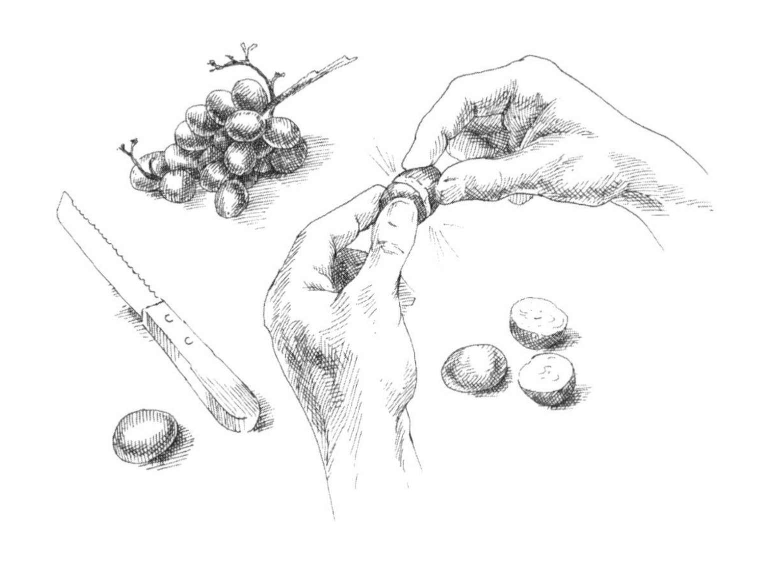

3. 레몬필, 설탕, 오렌지즙을 볼에 넣는다. 즙이 포도가 잠길 정도로 채워지지 않는다면 더 짜서 넣는다. 골고루 버무리고 주방용 랩으로 덮어 차려 내기 전 2~3시간 동안 냉장고에 넣어둔다. 포도가 발효되기 시작하기 때문에 하룻밤을 넘겨서는 안 된다.

프룰라티—신선한 과일 크림

Frullati—Fresh Fruit Whips

프룰라티는 어른의 밀크셰이크다. 그저 리큐어를 넉넉히 더해 신선한 자극을 주면서도 흥미롭기까지하다. 여름에 이탈리아에서는 에스프레소 바에서 프룰라토를 먹을 수 있지만, 집에서 직접 만들지 못할 이유도 없고, 언제든 즐길 수도 있다. 푸드프로세서로 프룰라티를 만들 수 있지만 믹서기가 더 낫다. 2인분

바나나 1개 또는 동량의 신선한 복숭아 또는 딸기나 라즈베리
우유 ⅔컵
설탕 1½작은술
얼음 부순 것 3큰술
마라스키노 리큐어 2큰술(586쪽 참고 사항을 확인할 것)

바나나를 제외한 과일을 전부 찬물에 씻는다. 바나나 또는 복숭아 껍질을 반드시 벗기고, 복숭아는 씨를 빼낸다. 조각으로 썬다. 과일과 다른 재료들을 블렌더나 푸드프로세서에 넣고—블렌더를 쓴다면 고속으로—얼음이 완전히 녹고 과일이 액체가 될 때까지 작동시킨다. 곧바로 차려 낸다.

젤라토

GELATO

아이스크림과 젤라토(gelato)의 차이에 관한 가장 널리 알려진 설명이 있는데, 바로 젤라토가 공기를 적게 머금고 있고, 이로 인해 질감이 더 무겁다는 것이다. 진짜로 공기를 적게 함유하는지 아닌지는 모르겠지만, 어쨌든 이런 설명은 핵심을 비껴가는 것 같다. 나는 걷기 시작하고 콘을 손에 쥘 수 있을 때부터 젤라토를 먹었는데, 내가 알고 내가 느끼는 젤라토의 가장 큰 특징은 질감이 아니라 가볍고 깔끔한 맛이다. 젤라토에는 훨씬 더 적은 지방, 적은 크림, 더 적은 달걀이 들어가고 버터는 쓰지 않는다. 결코 너무 달거나 진하지도 않다. 19세기의 보석 같은 책

인 『소박하고 화려한 아이스크림』(*Ices Plain and Fancy*)에서 마샬 부인(Mrs. Marshall)은 젤라토를 염두에 두지는 않은 것 같지만, 젤라토가 달성해야 하는 바를 완벽하게 묘사하고 있다. "그 한 접시는 가능한 엄청난 즐거움과 맛을 전하고, (…) 결코 음식으로도 그 어떤 덩어리로도 생각되지 않아야 한다."

젤라토 믹스 얼리기 ※ 확실하게 차가운 상태에서 아이스크림 제조기 통에 믹스를 붓고, 사용설명서에 나와 있는 대로 얼린다. 다 되면 젤라토를 바로 먹어도 되지만, 원한다면 나중에 차리거나, 좀 더 단단한 질감을 좋아한다면 밀폐용기에 넣고 꽉 닫아 냉동실에 둔다. 냉동실에 하룻밤 이상 넣어둘 거라면, 먹기 30분 전에 냉장실로 옮겨 젤라토를 살짝 부드럽게 만든다.

딸기 젤라토

Strawberry Gelato

4인분

신선한 딸기 225g
흰 설탕 ¾컵
생크림 ¼컵, 차갑게 준비
아이스크림 제조기

1. 딸기 꼭지와 잎을 떼어내고 반으로 자르는데, 아주 작다면 자를 필요가 없다.
2. 딸기와 설탕을 전부 푸드프로세서에 넣고 잠시 작동시킨 뒤, 물 ¾컵을 추가해 액체가 될 때까지 계속 간다.
3. 크림이 약간 걸쭉해지면서 버터밀크 정도의 농도가 되도록 휘핑한다. 크림과 딸기 퓌레를 볼에 담고 골고루 섞는다.
4. 위에서 설명한 대로 얼린다.

자두 젤라토

Prune Gelato

4인분

말린 자두 큰 것으로 14개 또는 작은 것 18개
흰 설탕 2큰술
생크림 ½컵, 차갑게 준비
아이스크림 제조기

1. 말린 자두, 설탕, 물 1½컵을 소스팬에 넣고 중불에서 뭉근하게 끓인다. 뚜껑을 덮고 자두가 아주 부드러워질 때까지 크기에 따라 10~15분 동안 익힌다.
2. 자두를 소스팬의 물 안에 든 채로 그대로 식힌 뒤, 자두만 건져내 씨를 뺀다. 씨를 뺀 자두를 푸드프로세서에 넣고 한두 번 날을 작동시킨 뒤, 팬의 물을 붓고 자두가 완전히 퓌레가 되도록 간다.
3. 크림이 약간 걸쭉해지면서 버터밀크 정도의 농도가 되도록 휘핑한다. 크림과 자두 퓌레를 볼에 담고 골고루 섞는다.
4. 616쪽에서 설명한 대로 얼린다.

검은 포도 젤라토

Black Grape Gelato

4인분

- 흰 설탕 ⅔컵
- 큰 검은 포도 450g, 옅은 보라색의 씨 없는 포도는 아님
- 생크림 ¼컵, 차갑게 준비
- 아이스크림 제조기

1. 설탕과 물 ½컵을 작은 소스팬에 넣고 중불에 올려 저어가며 설탕을 완전히 녹인다.
2. 포도알을 줄기에서 떼어 찬물에 씻는다. 푸드밀의 원판을 가장 작은 구멍에 맞추고 포도알을 갈아 설탕 시럽과 함께 볼에 담는다. 포도 껍질이 푸드밀을 통과해 조금 들어가는 건 상관없지만, 볼에 씨가 들어가서는 안 된다. 씨에서 떫은맛이 나오기 때문에 씨를 갈아버리는 푸드프로세서는 사용하면 안 된다. 포도 퓌레와 설탕 시럽을 섞고 완전히 식힌다.
3. 크림이 약간 걸쭉해지면서 버터밀크 정도의 농도가 되도록 휘핑한다. 크림과 포도 퓌레를 볼에 담고 골고루 섞는다.
4. 616쪽에서 설명한 대로 얼린다.

바나나 럼 젤라토

Banana and Rum Gelato

럼은 이 젤라토에 슬러시와 소프트아이스크림 사이의 농도를 내는데, 이런 질감이 풍부하고 농후한 바나나의 풍미와 꽤 잘 어울린다.

6인분

바나나 375~450g, 잘 익은 것으로 준비
흰 설탕 ⅔컵
우유 ⅔컵
다크 럼 2큰술
아이스크림 제조기

1. 바나나 껍질을 벗기고 썰어 푸드프로세서에 넣어 퓌레로 만든다.
2. 설탕, 우유와 럼을 프로세서에 넣고 날을 몇 분간 추가로 더 작동시킨다.
3. 616쪽 설명대로 얼린다. 이것은 이미 아주 부드럽기 때문에 냉동고에서 꺼내 따로 부드럽게 하는 과정은 필요 없다.

달걀 커스터드 젤라토

Egg Custard Gelato

이탈리아의 아이스크림 제조에 관해 피상적으로 알고 있는 사람일지라도, 손에 꼽히는 이탈리아의 맛으로 젤라토 디 크레마, 즉 달걀 커스터드 젤라토를 빼놓을 순 없을 것이다. 그리고 나는 볼로냐의 위대한 전통 레스토랑 디아나에서 배워온 이 레시피가 가장 정제되어 있다고 생각한다.

6~8인분

달걀노른자 6개분
흰 설탕 ¾컵
우유 2컵
오렌지 껍질 ½개 분량, 흰 속껍질이 들어가지 않도록 간다
그랑 마르니에(Grand Marnier) 리큐어 1큰술
아이스크림 제조기

1. 달걀노른자와 설탕을 볼에 넣고 옅은 노란색이 되면서 리본 형태가 잡히도록 친다.
2. 우유와 오렌지 껍질을 소스팬에 넣고 중불에 올려 우유를 천천히 뭉근하게 끓이되, 끓어오르지 않도록 주의한다.
3. 뜨거운 우유를 고운 체에 가는 줄기로 부어 걸러 달걀노른자 푼 것에 넣는다. 한 번에 조금씩 추가하다 한 번씩 멈추며 달걀노른자와 풀어준다.
4. 그랑 마르니에를 더해 잘 섞는다.
5. 이 혼합물을 소스팬에 옮겨 담고 중불에 올려 끓어오르지 않게 하며 2분간 꾸준히 풀어준다. 불을 끄고 완전히 식게 둔다.
6. 616쪽에서 설명한 대로 얼린다.

굴뚝 청소부의 젤라토

The Chimney Sweep's Gelato

커스터드 젤라토에 에스프레소 가루를 뿌리고 위스키를 부으면, 그것은 단순히 아이스크림을 꾸미는 색다르고 기발한 방법에 그치지 않는다. 그것은 서로를 촉진시키고 접시 전체를 황홀하게 하는 예상치 못한 질감과 향의 조합을 끌어낸다.

두 번 볶은 에스프레소의 진한 맛이 핵심이다. 깡통에서 꺼내 곧바로 써도 되지만, 믹서기에 넣어 고속으로 갈아 더 고운 가루로 쓰면 더 특별해진다.

너무 바빠서 젤라토를 만들 시간이 없다면, 아주 질 좋고 맛있는 바닐라 아이스크림으로 대신할 수 있다.

8인분

달걀 커스터드 젤라토, 618쪽 레시피대로 만든 것 또는 아주 맛있는 바닐라 아이스크림 8인분

에스프레소 커피 가루 ½컵

스카치 또는 버번, 1인분 당 1큰술 정도

젤라토 또는 바닐라 아이스크림을 볼 8개에 나누어 퍼서 담고, 각각에 에스프레소 커피 가루 1작은술을 뿌린 뒤 위스키를 1큰술 정도 볼 바닥에 고이도록 충분히 붓는다.

스그로피노—스파클링 와인을 곁들인 베네치아식 레몬 딸기 '슬러시'

Sgroppino—Venetian Lemon and Strawberry "Slush" with Sparkling Wine

값비싼 베네치아식 식당이라면, 식사 말미에 웨이터가 스그로피노(sgroppino)를 먹을 건지 물을 것이다. 먹겠다고 답하면, 그는 식탁으로 하나에는 레몬 아이스크림, 다른 하나에는 차가운 딸기 퓌레가 담긴 볼 두 개, 거품기, 스파클링 와인 한 병을 실은 카트를 끌고 올 것이다. 그는 아이스크림, 딸기 퓌레, 와인이 더 맛있어지도록 눈처럼 거품이 생기게 풀 것이다. 스그로피노는 입구가 넓은 고블릿에 부어 디저트 대신 먹거나, 디저트에 추가로 먹는다.

8인분

레몬 아이스크림 재료
(만들어서 최소 2시간 전에 미리 냉동고에 넣어둔다)

레몬필 4개 분량, 꽉 채운 ½컵 정도, 흰 속껍질이 들어가지 않도록 준비
흰 설탕 1컵에 2큰술을 추가로 준비
갓 짜낸 신선한 레몬즙 ⅔컵
생크림 ⅔컵

1. 작은 소스팬에 물 1½컵, 레몬필, 설탕, 레몬즙을 넣고 끓인다. 2분 뒤에 불을 끄고 레몬껍질은 제거하고 시럽은 볼에 붓는다. 완전히 식게 둔다.
2. 생크림을 넣고 레몬 시럽과 고루 합쳐지도록 저은 뒤, 이 혼합물을 아이스크림 제조기에 붓고 소개한 제조법대로 얼린다. 저장통에 넣어 단단히 밀봉해 사용할 때까지 냉동고에 넣어둔다.

딸기 퓌레 재료
(만들어서 최소 2시간 전에 미리 냉장고에 넣어둔다)

딸기 300g, 신선하고 아주 잘 익은 것으로 준비

딸기 꼭지와 잎을 떼어내고 찬물에 씻어 푸드프로세서에 넣고 퓌레로 만든다. 딸기 퓌레가 2컵 정도 나와야 한다. 볼에 담아 사용하기 최소 2시간 전에 냉장고에 넣는다.

스그로피노 만들기

위의 레몬 아이스크림과 차가운 딸기 퓌레
스파클링 와인 1¼컵(아래 참고)

참고 ❁ 스그로피노에 가장 알맞은 와인은 베네치아의 토착 발포와인인 프로세코로, 이탈리아 와인을 파는 가게라면 쉽게 구할 수 있다. 미국에서 그 와인을 구할 수 없다면 샴페인 방식으로 만들지 않은, 캘리포니아나 독일에서 대량 생산된 스파클링 와인이나, 프랑스 크레망 같은 것들 중에서 대안을 찾도록 한다. 진짜 샴페인 방식으로 만든 발포와인은 이 레시피에 적합한 것 이상으로 거품이 더 많고 복잡한 풍미를 갖고 있다.

1. 레몬 아이스크림을 볼에 넣고 숟가락으로 부순다. 딸기 퓌레의 절반을 넣고 거품기로 아이스크림을 친다.

2. 스파클링 와인 절반을 더해 거품기로 잠깐 휘핑한다.
3. 남은 퓌레와 와인을 추가해 부드러운 거품 같은 혼합물이 되도록 친다. 녹아 버리기 때문에 너무 오래 치지는 않는다.
4. 목이 긴 디저트용 유리잔, 디저트용 볼 또는 입구가 넓고 목이 긴 유리잔에 스그로피노를 부어 바로 차려 낸다.

감귤 소르베를 채운 얼린 감귤

Frozen Tangerine Shells Filled with Tangerine Sorbet

6~8인분

감귤 껍질 재료

감귤 큰 것 6개 또는 작은 것 8개, 껍질에 흠집이 없고 온전한 상태의 것으로 준비

1. 감귤을 찬물에 씻는다. 감귤의 윗부분을 깔끔하고 얇게 한 번에 썰어내 과육을 충분히 파내고 나중에 껍질 속을 채울 수 있게 한다. 뚜껑은 한편에 둔다. 약한 감귤껍질이 찢어지지 않도록 조심스럽게 손가락으로 과육을 끄집어낸다. 과육의 일부는 즙을 짜 아이스크림에 넣거나 611쪽의 마케도니아에 넣어도 되고, 아니면 그대로 먹어도 된다.
2. 구멍을 파낸 껍질과 뚜껑을 냉동고에 넣는다. 최소 2시간 동안 얼리거나 사용할 준비가 될 때까지 넣어둔다.

감귤 소르베 재료

오렌지필 ½개 분과 레몬필 ½개 분량, 흰 속껍질이 들어가지 않도록 간다
갓 짜낸 신선한 감귤즙 큰 것으로 2개 또는 작은 것 4개분, 오렌지즙 큰 것 1개 또는 작은 것 2개분, 레몬즙 1개분
흰 설탕 1컵
달걀흰자 1개분
아이스크림 제조기
럼 3큰술

1. 작은 소스팬에 설탕과 물 1컵을 넣고 중불에 올려 이따금 저어가며 설탕을 녹인다. 볼에 시럽을 붓는다.
2. 오렌지와 레몬 필 간 것, 감귤, 오렌지, 레몬즙을 볼에 더하고 시럽과 잘 섞는다. 완전히 식게 둔다.

3. 달걀흰자를 거품이 생길 정도만 가볍게 쳐서 볼에 담긴 혼합물과 섞는다.
4. 이 혼합물을 아이스크림 제조기 통에 담고 소개한 제조법에 따라 얼린다. 다 되면 밀폐용기에 옮겨 담아 럼을 넣고 스며들도록 골고루 섞고 용기를 닫는다. 감귤껍질에 채워 넣어 차려 낼 때까지 냉동실에 1시간 또는 그보다 오래 넣어 둔다.

감귤 껍질 채우기

깨끗하고 변색되지 않은 신선한 민트잎 감귤 1개당 2장씩

1. 얼린 감귤 껍질과 뚜껑을 가져온다.
2. 감귤 소르베를 냉동고에서 꺼내 섞이지 않은 럼을 저어준다. 소르베를 퍼서 껍질 구멍 안에 담는다. 껍질마다 둥근 가장자리 위로 살짝 올라오도록 소르베를 충분히 담는다.
3. 소르베에 민트잎을 2장씩 올리는데, 잎 끝이 얼린 껍질의 가장자리 바깥으로 걸쳐져 나오게 한다. 민트잎과 소르베가 보이도록 껍질에 뚜껑을 살짝 비스듬히 올린다.
4. 채운 감귤 껍질을 냉동실에 다시 넣고 45분 뒤에 차려 낸다.

그라니타—휘핑크림을 올린 커피 아이스크림

Granita—Coffee Ice with Whipped Cream

이탈리아 카페에서 내놓는 그라니타 디 카페 콘 판나(granita di caffè con panna)는 여름을 반기는 가장 산뜻한 신호다.

남쪽 태양이 서서히 지는 오후에, 혀 위에서 그라니타 결정을 녹이며 빈둥빈둥 삶을 바라보는 것은 시간을 보내는 가장 좋은 방법 중 하나다. 한 숟갈 가득, 또 한 숟갈 가득, 입천장이 강렬한 커피향으로 가득 찬 얼음 동굴처럼 느껴질 때까지 말이다. 안타깝게도, 이유를 알 수는 없지만 그라니타는 거의 사라지고 말았다. 하지만 푸드프로세서로 예전보다 훨씬 더 쉽게 집에서 직접 만들 수 있게 되었다.

6~8인분

아주 진한 에스프레소 커피 1½컵, 보통 만들던 것보다 더 진하게 준비
설탕 1큰술 또는 취향에 따라 그 이상, 거기에 2작은술을 추가로 준비
볼, 냉동고에 넣어두기
생크림 1컵, 아주 차갑게 준비

1. 커피를 만들고 뜨거울 때 설탕을 1큰술 또는 그 이상 넣어 녹인다. 커피가 차가워지면 얼음틀에 붓되, 깊이를 1cm 이상 채우지 않는다.
2. 커피가 육면체 모양으로 얼고 차려낼 준비가 되면, 냉동고에 둔 볼을 꺼내 크림과 설탕 2작은술을 넣고 거품기로 뾰족하게 올라오도록 휘핑한다.
3. 커피 얼음을 틀에서 빼내 푸드프로세서에 넣는다. 금속 날을 작동시켜 4~5번 끄고 켜기를 반복하며 얼린 덩어리가 고운 입자인 그라니타가 되도록 간다. 그라니타를 개별 유리볼이나 굽이 있는 잔에 담고 휘핑크림을 올려 바로 차려 낸다.

포카치아, 피자, 빵과 그 외 특별한 반죽

FOCACCIA, PIZZA, BREAD, AND OTHER SPECIAL DOUGHS

포카치아

Focaccia

빵은 오븐이 있기 전부터 있었다. 보통은 난로에 구웠는데, 빵을 납작하게 돌판 위에 펼쳐놓고 뜨거운 재로 덮었다. 이 난로빵, 파니스 포카치우스(panis focacius, 포쿠스[focus]는 라틴어로 난로를 뜻한다)에서 오늘날의 부드러운 발효빵 포카치아(focaccia)가 탄생했다.

포카치아는 항상 올리브유를 넣은 짭짤한 반죽에서 출발한다. 있는 그대로 굽든, 양파나 로즈마리, 세이지, 올리브, 베이컨, 그리고 다른 맛을 더하는 재료를 올리든 시작은 같다. 포카치아는 이탈리아 리구리아주와 제노바와 가장 인연이 깊다. 사실 이 북쪽 지역의 많은 도시에서 이 빵을 포카치아 대신, 제노바식 피자라는 뜻의 피자 제노베제(pizza genovese)라 부른다. 하지만, 볼로냐에서 포카치아를 찾는다면 크레셴티나(crescentina)라는 말을, 피렌체와 로마, 그 외 중부 이탈리아 일부에서는 스키아차타(schiacciata)를 쓰는 게 낫다. 볼로냐나 베네치아에서 포카치아를 달라고 하면, 설탕에 절인 과일과 밀가루가 박혀 있는 아주 달콤한, 케이크처럼 생긴 파네토네(panettone)를 받을 것이다.

제노바식 양파 포카치아

Focaccia with Onions, Genoese Style

이 레시피의 반죽으로는 두툼하고 부드러우며 겉이 바삭한 포카치아를 만들 수 있다. 다음의 설명에 따라 제노바식으로 볶은 양파를 올리거나 제안한 다른 여러 방법 중 하나를 골라서, 아니면 적절한 조합을 찾아서 만든다.

6인분

반죽 재료

액티브 드라이 이스트 1팩(7g—옮긴이)
미지근한 물 2컵
표백하지 않은 밀가루 6½컵
엑스트라버진 올리브유 2큰술
소금 1큰술

포카치아 굽기

튼튼한 사각형 금속 베이킹팬, 가급적 검은색의 가로 46cm, 세로 35cm 정도인 것으로 준비
엑스트라버진 올리브유, 팬에 바를 만큼의 양
베이킹 스톤
엑스트라버진 올리브유 ¼컵, 물 2큰술, 소금 1작은술을 섞는다
제과용 붓

양파 토핑

엑스트라버진 올리브유 2큰술
양파 4컵, 아주 아주 얇게 썬다

1. 이스트를 미지근한 물 ½컵에 풀어서 녹이고 10분 또는 그보다 약간 짧은 시간 그대로 둔다.
2. 이스트 녹인 것과 밀가루 1컵을 볼에 넣고 골고루 섞는다. 그리고 올리브유 2큰술, 소금 1큰술, 물 ¾컵과 남은 밀가루 절반을 더한다. 반죽이 부드러우면서도 뭉쳐지고 더 이상 손에 들어붙지 않을 때까지 골고루 섞는다. 남은 밀가루와 물 ¾컵을 다시 한번 골고루 섞는다. 손으로 다룰 수 있고, 부드러우면서도 너무 들러붙지 않을 정도의 반죽이 되도록 물과 밀가루를 필요한 만큼 넣는다. 예를 들어 아주 습하고 비가 오는 날에는 물을 덜 넣거나 밀가루를 더 넣는다.
3. 볼에서 반죽을 꺼내, 세로로 길게 늘어나도록 아주 세게 몇 번 내리친다. 먼 쪽의 반죽 끝을 잡아 조리하는 사람 쪽으로 접는다. 손목을 젖혀 손바닥 아랫부분으로 반죽을 누르면서 밀고, 반죽을 접고 다시 누르면서 민다. 가로로 늘어지면서 돌돌 말린 반죽이 조리하는 사람 가까이 놓인 모양새가 될 것이다. 한쪽 끝을 잡고 반죽을 들어 작업대 위에 수직으로 세운다. 세로 방향으로 길게 늘어나도록 다시 몇 번 세게 내리친다. 먼 쪽의 반죽 끝을 잡아 손바닥 아랫부분과 손목을 이용해 치대며 반죽을 가까이 가져오는 동작을 반복한다. 이 방법으로 10분간 반죽을 치댄다. 마지막에는 둥글게 모양을 잡는다.

푸드프로세서 쓰기 ❁ 2번 단계부터 푸드프로세서로 옮겨 작업할 수 있다. 좀 덜 힘들지는 몰라도 손으로 하는 반죽만큼 포카치아의 질감이 좋지는 않다.

4. 베이킹 시트 가운데에 올리브유 2큰술을 문질러 바르고 둥글게 모양을 잡은 반죽을 놓는다. 젖은 천으로 덮어 부풀어 오르도록 1시간 30분 정도 둔다.
5. 토핑 만들기: 올리브유 2큰술과 얇게 썬 양파를 소테팬에 넣고 중강불에 올려 자주 저어가며 익힌다. 양파가 살짝 아삭거려야 한다.
6. 4번 단계에서 진행한 첫 번째 발효가 끝나면 베이킹팬 안에서 반죽을 늘려 펼치는데, 팬 전체를 덮으면서 두께는 0.5cm 정도 되게 한다. 젖은 천으로 덮고 45분 동안 그대로 두어 다시 발효시킨다.
7. 굽기 최소 30분 전에 오븐에 베이킹 스톤을 넣고 230°C로 예열한다.
8. 두 번째 발효가 끝나면, 손가락 끝에 힘을 주고 반죽을 전체적으로 찔러, 여러 군데에 작은 구멍을 만든다. 올리브유, 물, 소금을 균일하게 혼합된 액체가 되도록 작은 거품기나 포크로 잠시 섞은 뒤, 반죽 위에 천천히 붓고, 붓으로 팬의 가장자리까지 전체적으로 펴 발라준다. 손가락 끝으로 만든 구멍에 이 액체가 고일 것이다. 익힌 양파를 반죽 위에 펼쳐 올리고, 팬을 예열한 오븐의 중간에 넣는다. 15분 뒤에 포카치아를 확인한다. 한쪽이 다른 쪽보다 빨리 익으면 팬을 적당히 돌려준다. 7~8분 더 굽는다. 뒤집개로 팬에서 포카치아를 들어내 식힘망으로 옮긴다.

   만든 당일, 따뜻할 때나 상온 상태일 때 포카치아를 차려 낸다. 가급적 바로 먹되, 오래 두어야 한다면 냉장 보관하기보다 얼리는 게 낫다. 아주 뜨거운 오븐에서 10~12분 다시 데운다.

소금 포카치아 만들기

624쪽의 양파 포카치아 레시피에서 양파 토핑 재료는 모두 생략하고, 8번 단계의 올리브유와 물을 섞을 때 소금을 넣지 않는다. 이 외의 레시피는 같다. 반죽에 올리브유와 물을 바르고 나서, 천일염 1½작은술을 뿌린다. 기본 레시피를 따라 굽는다.

신선한 로즈마리 포카치아 만들기

624쪽의 양파 포카치아 레시피 재료에서 양파 토핑 재료는 모두 생략하고, 짧은 로즈마리 줄기를 몇 가닥 넣는다. 기본 레시피대로 포카치아를 만든다. 과정 중 오븐에 넣고 15분이 지났을 때 작은 로즈마리 줄기를 뿌리고 마저 굽는다.

신선한 세이지 포카치아 만들기

624쪽의 양파 포카치아 레시피 재료에서 양파 토핑 재료는 모두 생략하고, 신선한 세이지잎 20장을 일부는 잘게 다지고, 몇 장은 통째로 넣는다. 기본 레시피에 따라 두 번째 발효 전 반죽을 팬 안에서 늘릴 때 잘게 다진 세이지잎을 가능한 한 고르게 넣는다. 기본 레시피대로 포카치아를 굽는다. 과정 중 15분이 지나 확인할 때 신선한 세이지잎을 통째로 드문드문 흩뿌리고 마저 굽는다.

검은 그리스 올리브 포카치아 만들기

624쪽의 양파 포카치아 레시피 재료에서 양파 토핑 재료는 모두 생략하고, 8번 단계의 올리브유와 물을 섞을 때 소금을 ½작은술로 줄이고 검은 그리스 올리브 170g을 넣는다. 껍질이 얇고 둥근 품종으로 짙은 갈색에서 검은색이어야 한다. 끝이 뾰족한 자주색 칼라마타 품종은 쓰지 마라. 올리브의 가운데를 썰고, 씨를 꺼내 반으로 나눈다. 기본 레시피에 따라 팬에 담긴 반죽을 찔러 구멍을 낸 다음에, 자른 단면이 위를 향하도록 올리브를 구멍에 박아 반죽 깊숙이 넣은 뒤, 올리브유와 물, 소금 섞은 것을 바른다. 기본 레시피대로 포카치아를 굽는다.

크레센티나—볼로냐식 베이컨 포카치아

Crescentina—Bolognese Focaccia with Bacon

볼로냐에는 거의 100년 가까이 만석을 유지하는 식당, 디아나가 있다. 이 식당의 비법은 전통적인 입맛을 고수하는 볼로냐 사람들을 만족시키는, 고집스럽게 지켜온 전통적인 조리 방식에 있다. 주방을 담당하는 여인은 아직도 긴 볼로냐식 밀대를 사용해 손으로 직접 파스타를 밀어, 어디에도 없는 토르텔리니, 탈리아텔레, 라자냐를 만든다. 토르텔리니를 기다리는 동안, 두껍게 깍둑썰기한 모르타델라와 얇게 썬 파르마 햄, 그리고 아마 모든 포카치아를 통틀어 가장 미묘한 감칠맛을 가진, 베이컨이 들어가 볼로냐의 크레센티나가 나올 것이다. 다음의 레시피는 디아나에서 전수받은 것이다. 이 레시피를 따를 때 나는 푸드프로세서 사용을 선호하는데, 베이컨을 잘게 썰고 반죽을 고르게 퍼지게 하는 데는 푸드프로세서만 한 것이 없기 때문이다.

6~8인분

베이컨 115g, 가급적 질 좋고 두툼한 것으로 준비

엑스트라버진 올리브유, 볼과 팬에 바를 양

드라이 이스트 1¼작은술	베이킹 스톤
미지근한 물 1¼컵	베이킹팬, 가급적 가로 23cm, 세로 33cm 정도의 검은색으로 준비
표백하지 않은 밀가루 3¼컵	제과용 붓
소금 1¼작은술	달걀 1개, 가볍게 푼다
설탕 작게 한 자밤	

1. 지방을 제거하지 않은 베이컨을 잘게 썰어 푸드프로세서에 넣고 아주 곱게 간다. 프로세서 볼에서 꺼내지 않는다.
2. 미지근한 물 ¼컵에 이스트를 10분 정도 녹인다. 이스트 녹인 물을 밀가루 1컵, 미지근한 물 ½컵, 소금, 설탕과 함께 프로세서 볼에 넣는다. 프로세서를 작동시킨다. 날이 돌아가는 동안 남은 밀가루와 물 ½컵을 천천히 추가한다. 반죽이 한데 뭉쳐 덩어리지면 프로세서를 멈춘다.
3. 커다란 볼 안쪽에 올리브유를 1큰술 정도 바른다. 반죽을 볼에 넣고 주방용 랩으로 덮어 따뜻한 곳에 놓는다. 구석에서 2배로 부풀어 오르도록 3시간 또는 조금 더 둔다.
4. 반죽이 2배로 부풀면 베이킹 스톤을 오븐에 넣고 200℃로 예열한다.
5. 베이킹팬 바닥에 얇게 기름칠을 한다. 부푼 반죽을 가운데에 놓고 손가락으로 가장자리를 향해 조심스럽게 펼쳐 팬이 완전히 채워지게 한다. 구워지면서 타지 않도록 얇아진 곳이 없게 주의한다. 주방용 랩으로 팬을 덮고, 반죽이 조금 더 부풀 때까지 30~40분 따뜻한 구석에 둔다.
6. 면도날로 반죽 윗면에 다이아몬드 형태로 교차하는 선들을 넓게 그은 뒤, 달걀 푼 것을 붓으로 바른다. 달걀을 전부 다 바르려고 하지 마라. 예열한 베이킹 스톤 위에 팬을 놓고, 반죽 윗면이 짙은 황금색이 될 때까지 30분간 굽는다. 팬을 꺼내고, 오븐을 끄되 닫아둔다. 긴 금속 뒤집개로 팬에서 포카치아를 떼어내 오븐 안 베이킹 스톤 위로 밀어 넣는다. 5분 뒤에 포카치아를 꺼내 식힘망 위에 올린다. 따뜻할 때나 상온 상태에서 차려 낸다.

피자

Pizza

피자 반죽을 만드는 법은 셀 수 없이 많다. 분명히 더 나은 방법이 있긴 하지만, 의심할 여지없이 궁극적이라고 할 만한 방법은 없을 것이다. 당신이 알고 있는 바가 바로 당신이 얻고자 하는 바다. 나는 너무 잘 부러지거나 얇지 않고 지나치게 두껍고 폭신하지도 않은, 가장자리가 바삭하고 씹는 맛이 있는 쫄깃한 피자를 좋아한다. 나의 기대를 가장 착실하게 충족하는 반죽이 다음의 한 번 발효하는 반죽이다. 피자를 베이킹팬에 구워서 내가 좋아하는 질감을 얻은 적이 단 한 번도 없어서, 내가 먹을 피자를 구울 때는 베이킹 스톤 위에 바로 올려서 굽는 쪽을 택한다.

지름 30cm의 둥근 피자 2판, 두께에 따라 다를 수 있음

드라이 이스트 1½작은술
미지근한 물 1컵
표백하지 않은 밀가루 3¼컵
엑스트라버진 올리브유, 반죽용으로 1큰술, 볼에 바를 1작은술과 피자 마무리에 쓸 정도의 양
소금 ½큰술
베이킹 스톤
베이커스 필(피자 패들)
옥수수가루

1. 미지근한 물 ¼컵을 넣은 커다란 볼에 이스트를 넣고 저어서 완전히 녹인다. 다 녹으면, 밀가루 1컵을 넣고 나무 주걱으로 골고루 섞어준다. 그 뒤에 계속 저으면서 올리브유 1큰술, 소금 ½큰술, 미지근한 물 ¼컵, 밀가루 1컵을 차례로 추가한다. 마지막으로 밀가루와 물을 넣을 때 조금씩 남겨두고, 손으로 다룰 수 있고, 부드러우면서도 너무 들러붙지 않을 정도의 반죽이 되도록 필요한 만큼 추가한다.
2. 볼에서 반죽을 꺼내 길이가 25cm 정도로 늘어나도록 작업대에 대고 몇 번 세게 내리친다. 반죽의 먼 쪽 가장자리를 잡고 조리하는 사람 쪽으로 짧게 접고, 손목을 젖히면서 손바닥 아랫부분으로 밀면서 누르고, 접고, 다시 밀면서 눌러, 점점 말리면서 조리하는 사람 쪽으로 가까워지게 한다. 반죽을 90° 회전시키고, 들어서 세게 내리치고, 앞선 과정 전체를 반복한다. 같은 방향으로 다시 90° 회전시키고 과정을 반복한다. 10분 정도 걸릴 것이다. 치댄 반죽을 두드려 둥글게 모양을 잡는다.

푸드프로세서 쓰기 ❀ 앞선 두 단계에서 푸드프로세서를 쓸 수 있다. 손반죽은 끈기가 필요하지만 더 나은 반죽을 만든다. 푸드프로세서를 쓰고 세척하는 것보다 오래 걸리지도 않고 더 재미있을 수도 있다.

3. 깨끗한 볼 안쪽에 올리브유 1작은술을 바르고, 반죽을 놓고 주방용 랩으로 덮어 따뜻한 구석에 볼을 둔다. 반죽 부피가 2배가 될 때까지 3시간 정도 둔다. 더 오래 걸릴 수도 있다.

4. 굽기 적어도 30분 전에 베이킹 스톤을 넣고 오븐을 230℃로 예열한다.
5. 베이커스 필 위에 옥수수가루를 넉넉히 뿌린다. 볼에서 부푼 반죽을 꺼내 반으로 나눈다. 가지고 있는 필과 베이킹 스톤 둘 다 피자 2판을 한 번에 놓을 수 없다면, 한 덩어리를 미는 동안 두 덩어리 중 하나는 볼에 다시 넣어둔다. 반을 필 위에 놓고, 밀대로 둥글게 모양을 잡아가며 가능한 한 얇고 평평하게 만들되, 마무리 작업은 손가락으로 한다. 가장자리는 나머지 부분보다 높게 남겨둔다.

   얇은 도우를 만드는 최고의 방법은 피자 장인의 기술을 할 수만 있다면 따라 하는 것이다. 처음에 반죽을 두꺼운 원판으로 민다. 다음으로 주먹을 쥐고 반죽을 들어 올려, 이따금 반동을 주며 공중에서 반죽을 회전시키며 늘린다. 원하는 모양이 되었을 때 옥수수가루를 뿌린 필 위에 둥근 도우를 놓는다.
6. 선택한 토핑을 도우 위에 놓고, 순간적으로 도우를 잽싸게 미끄러트려 예열한 베이킹 스톤 위에 올린다. 도우가 밝은 황금빛 갈색이 될 때까지 20분 또는 그보다 약간 오래 굽는다. 다 굽자마자 올리브유를 살짝 흩뿌린다. 첫 번째 피자를 굽는 동안 같은 과정으로 남은 반죽을 얇게 밀어 토핑을 올리고, 첫 번째 피자가 완성되면 오븐 안으로 밀어 넣는다.

전통적인 토핑

Classic Pizza Toppings

피자는 즉석에서 만들어야 하고 토핑에는 어떠한 정석도 없다. 이탈리아와 전 세계에 걸쳐 피자이올로(pizzaiolo)—피자 장인—군단은 버섯, 양파, 매운 고추, 이국적인 채소와 과일, 햄, 소시지, 치즈, 해산물처럼 그들의 권한 내에서라면 무엇이든 징집해 날마다 새로운 조합을 만들어낸다. 하지만 어떤 재료는 다른 재료와 썩 어울리지 않고, 어떤 것은 예를 들어 염소젖 치즈처럼 이탈리아스러운 맛의 범위를 완전히 벗어난 풍미를 내기도 한다.

이탈리아 특유의 방식으로 피자를 만들고 싶다면, 가끔 요리가 탄생한 그곳을 대표하는 재료를 몇 가지 섞어보는 자연스러움을 따르는 것이 아마 도움이 될 것이다. 그것이 최고의 맛을 내는 피자란 무엇인가에 대한 가장 광범위하고도 오래된 합의다.

마르게리타 토핑: 토마토, 모차렐라, 바질 그리고 파르메산 치즈

Margherita Topping: Tomatoes, Mozzarella, Basil, and Parmesan Cheese

몇몇 음식 역사가들은 아니라고 하지만, 모든 토핑 중 가장 대중적인 이 토핑은 19세기 말 마르게리타 왕비가 나폴리를 방문했을 때 그녀를 기쁘게 하려고 만들어진 것이라 전해진다. 토마토의 붉은색, 모차렐라의 하얀색, 바질의 초록색은 분명 애국심이 불타오르는 누군가가 이탈리아 국기에서 따왔으리라. 여담이지만, 마르게리타의 남편 움베르토 1세는 3000년에 가까운 반도의 역사에 존재한 수백 명의 통치자 가운데, 이름 앞에 '선량한'이라는 수식어가 붙는 유일한 사람이었던 것 같다. 그래서 어떤 반발도 없이 그 토핑에 왕비의 이름을 붙일 수 있었다.

629쪽 30cm 크기의 피자 2판을 채우는 토핑

토마토

토마토 675g, 신선하고 잘 익은 단단한 것(아래 참고) 또는 이탈리아산 플럼토마토 통조림 1½컵, 건더기만 썬다

엑스트라버진 올리브유 2큰술

참고 ❁ 나폴리 피자 고유의 풍미는 날것 상태의 토핑 재료인, 아주 잘 익고 단단하며 신선한 산 마르차노 플럼토마토에서 나온다. 유별나게 잘 익고 단단한 토마토를 구할 수 있는 짧은 시기에는 레시피의 1번과 2번 단계에서 설명한 예비 조리 과정을 생략하고 다음과 같이 사용한다:

생토마토를 세로날 필러로 껍질을 벗기고 1cm 폭으로 길게 썰어 씨와 주변의 묽은 부분을 모두 제거하고 피자 도우를 구울 준비가 되면 위에 고루 놓는다.

사용한 토마토가 이와 다르다면, 다음 설명을 따라 짧은 시간 익힌다.

1. 신선한 토마토를 쓴다면 찬물에 씻어 필러로 생것 그대로 껍질을 벗기고 각각 4조각으로 썰어 씨와 묽은 부분을 전부 제거한다. 통조림 토마토를 쓴다면

다음 단계부터 시작한다.

2. 중간 크기의 소테팬에 토마토를 올리브유와 함께 넣고, 냄비 뚜껑을 덮어 중불에 올린다. 2~3분 뒤에 뚜껑을 열고, 토마토에서 나온 수분이 없어질 때까지 자주 저어가며 6~7분 더 익힌다.

모차렐라

모차렐라 225g, 가급적 물소젖으로 만든 수입산으로 준비	선택 사항: 모차렐라에 따라 엑스트라버진 올리브유를 1큰술 준비

속이 아주 크림 같은 물소젖 모차렐라나 질 좋고 수분이 많으며 지역에서 생산한 신선한 모차렐라를 쓴다면 올리브유는 생략하고 가능한 한 얇게 썬다.

질이 보통인 슈퍼마켓에서 파는 모차렐라를 쓴다면, 강판의 큰 구멍에 갈거나 푸드프로세서에 넣고 간다. 볼에 올리브유와 함께 담아 골고루 섞고 토핑으로 쓰기 전에 1시간 동안 재운다.

다른 재료

엑스트라버진 올리브유 3큰술	소금
갓 갈아낸 파르미자노 레자노 치즈 2큰술	신선한 바질잎 14장

1. 토핑 쓰기: 이 토핑을 피자 2판에 쓴다면 모든 재료를 둘로 나누고 다음 설명에 따라 1판에 해당하는 분량의 토핑을 오븐에 넣을 도우에 올린다.
2. 토마토를 윗면에 고루 바르고 소금을 약간 뿌린 뒤, 올리브유를 흩뿌린다. 도우를 오븐에 밀어 넣고 15분간 굽는다.
3. 금속 뒤집개 2개를 한 손에 하나씩 들고 오븐에서 도우를 꺼내 재빨리 모차렐라와 파르메산 간 것을 올린 뒤 다시 오븐에 넣는다.
4. 약 5분이 지나고 치즈가 녹으면 피자를 꺼내 630쪽 기본 피자 레시피 6번 단계 설명대로 올리브유를 살짝 흩뿌리고 그 위에 바질잎을 고루 올린다. 바로 차려 낸다.

오레가노 넣어보기

오레가노는 마르게리타 토핑으로 바질을 대신해 꽤 자주 쓰인다. 자극적이면서도 강한 향이 피자 자체에 개성을 주기 때문이다. 가능하면 신선한 오레가노를 1작은술 쓰고, 말린 것은 ½작은술을 쓴다. 어느 정도 구운 피자에 모차렐라와 간 파르메산을 추가할 때 함께 뿌린다. 바질은 생략한다.

마리나라 토핑: 마늘과 토마토, 올리브유

마리나라(marinara)는 '뱃사람의 방식'을 뜻한다. 먼바다를 항해할 때 쓰던 레시피이기 때문이다. 올리브유와 마늘은 '괜찮고', 치즈는 '안 된다'. 치즈는 바다에서 가장 신선한 상태로 쓸 수 있는 생선과 함께 쓸 수 없기 때문이다. 마리나라는 전통 피자 토핑 가운데 하나로, 토마토가 잘 익고 속이 꽉 찼을 때, 마늘이 신선하고 단맛이 날 때, 올리브유가 농후하고 신선할 때 최고의 맛을 낸다.

629쪽 30cm 크기의 피자 2판을 채우는 토핑

토마토 900g, 신선하고 잘 익은 단단한 것(631쪽 참고) 또는 이탈리아산 플럼토마토 통조림 3컵, 건더기만 썬다
엑스트라버진 올리브유, 토마토용으로 3큰술에 피자용을 추가로 준비
소금
마늘 6쪽, 껍질을 벗기고 아주 얇게 썬다
오레가노, 신선한 것으로는 1작은술, 말린 것으로는 ½작은술

1. 631쪽 마르게리타 토핑 레시피의 설명을 따라 토마토를 준비한다.
2. 이 토핑을 피자 2판에 쓴다면 모든 재료를 똑같이 둘로 나누고 다음 설명에 따라 1판에 해당하는 분량의 토핑을 오븐에 넣을 도우 위에 올린다.
3. 윗면에 토마토를 고루 펴 바르고, 소금을 조금 흩뿌린 뒤, 얇게 썬 마늘을 얹고 올리브유를 넉넉히 뿌린다. 630쪽 설명대로 도우를 오븐 안으로 밀어 넣고 완성될 때까지 굽는다. 피자를 꺼낼 때 올리브유를 약간 뿌리고 그 위에 오레가노를 흩뿌린다. 바로 차려 낸다.

알라 로마나 토핑: 모차렐라와 안초비, 바질

이 방법대로 토마토 없이 토핑을 올리는 피자는 피자 비안카(bianca), 즉 하얀 피자라 불린다. 나폴리에서는 '로마식'이란 뜻의 알라 로마나라고 부르는데, 안초비가 들어가기 때문이다. 반면 로마를 비롯한 이탈리아의 다른 모든 지역에서는 이 피자를 알라 나폴리나타, '나폴리식'이라고 한다. 이탈리아만의 역설이 아닐 수 없다.

629쪽 30cm 크기의 피자 2판을 채우는 토핑

모차렐라 450g, 가급적 물소젖으로 만든 수입산 모차렐라로 준비
엑스트라버진 올리브유, 모차렐라에 따라 2큰술을 선택적으로 준비, 여기에 피자용 2큰술을 추가로 준비
안초비 4조각(19쪽 설명대로 가급적 직접 만든 것으로), 너무 잘지 않게 썬다
신선한 바질잎 ½컵, 2~3조각으로 찢는다
갓 갈아낸 파르미자노 레자노 치즈 2큰술
소금

1. 632쪽 마르게리타 토핑 레시피에서 모차렐라에 대해 설명한 내용을 보고 준비 과정을 따른다. 선택 사항인 올리브유를 적절히 사용한다.
2. 모차렐라를 갈았다면 썰어놓은 안초비와 섞는다. 모차렐라를 얇게 썰었다면 안초비와 따로 둔다. 이 토핑을 피자 2판에 쓴다면 모든 재료를 똑같이 둘로 나누고 다음 설명에 따라 1판 분량의 토핑을 오븐에 넣을 도우 위에 올린다.
3. 피자 1판 분량의 모차렐라와 안초비 가운데 절반만 도우에 올린다. 도우를 오븐에 밀어 넣고 15분간 굽는다.
4. 도우를 오븐에서 꺼내고, 남은 모차렐라와 안초비를 재빨리 올리고, 바질과 간 파르메산, 올리브유 1큰술, 소금 1~2자밤을 더해 다시 오븐에 넣는다.
5. 5분 정도 지나 치즈가 녹으면 피자를 꺼내고, 630쪽 기본 피자 레시피의 6번 단계 설명대로 올리브유를 약간 뿌린 뒤 바로 차려 낸다.

스핀치우니—팔레르모의 속을 채운 피자

Sfinciuni—Palermo's Stuffed Pizza

나폴리와 그 밖의 세계에서 '피자'로 불리는 것을 팔레르모에서는 스핀치우니(sfinciuni)라고 한다. 대강 만든 버전의 스핀치우니는 구운 반죽 위에 토핑이 올려져 있어서 겉으로는 사실상 피자와 구분이 안 된다. 더 섬세하고 매혹적이게 연출된 것은 이름부터 다르다. 스핀치우니 디 산 비토(sfinciuni di San Vito)로 알려져 있으며, 이 요리를 탄생시킨 주역은 바로 수녀들이다. 단단하며 얇고 둥근 2개의 도우 사이에 콘차(conza)라 부르는 속을 채워 가장자리를 봉한다. '산 비토 콘차'에는 고기와 치즈가 들어가지만, 고기 대신 채소로 또 다른 맛있는 속을 만들어도 된다.

얇게 민 25~30cm 크기의 스핀치우니 2장용 반죽

스핀치우니 도우

드라이 이스트 1작은술
미지근한 물 ¾컵
표백하지 않은 밀가루 2컵
설탕 작게 한 자밤
소금 1작은술
엑스트라버진 올리브유, 반죽용으로 1큰술, 볼에 바를 양을 추가로 준비
우유 2큰술

1. 미지근한 물 ¼컵이 담긴 커다란 볼에 이스트를 넣고 저어 완전히 녹인다. 10분 내외로 녹으면, 밀가루 1컵을 넣고 나무 주걱으로 골고루 섞어준다. 다음으로 계속 저으면서 미지근한 물 ¼컵과 설탕 작게 한 자밤, 소금 1작은술, 올리브유 1큰술, 우유 2큰술을 추가한다. 모든 재료가 부드럽게 엉겨 붙으면 미지근한 물 ¼컵과 남은 밀가루 1컵을 추가해 반죽이 부드러우면서도 하나로 뭉치고 더 이상 손에 들러붙지 않을 때까지 다시 한번 골고루 섞는다.
2. 볼에서 반죽을 꺼내, 반죽이 늘어나 길고 좁은 형태가 되도록 작업대에 대고 몇 번 세게 내리친다. 반죽의 먼 쪽 가장자리를 잡고 조리하는 사람 쪽으로 짧게 접고, 손목을 젖히면서 손바닥 아랫부분으로 밀면서 누르고, 접고, 다시 밀면서 눌러, 점점 말리면서 조리하는 사람 쪽으로 가까워지게 한다. 반죽을 90° 회전시키고, 들어서 세게 내리치고, 앞선 과정 전체를 반복한다. 같은 방향으로 다시 90° 회전시키고 과정을 10분 정도 반복한다. 치댄 반죽을 두드려 둥글게 모양을 잡는다.

푸드프로세서 쓰기 ෴ 앞의 두 단계는 푸드프로세서로 할 수 있다.

3. 깨끗한 볼 안쪽에 올리브유 1작은술을 얇게 발라 반죽을 놓고, 주방용 랩으로 덮어 구석지고 따뜻한 곳에 둔다. 반죽이 2배로 부풀 때까지 3시간 정도 둔다. 반죽이 부푸는 동안 콘차를 준비한다.

콘차 디 산 비토—고기와 치즈로 만든 속

엑스트라버진 올리브유 3큰술
양파 ½컵, 아주 얇게 썬다
소고기 간 것 225g, 가급적 목심으로 준비
소금
갓 갈아낸 검은 후추
달지 않은 화이트 와인 ½컵
훈제하지 않고 익힌 햄 ⅓컵, 약간 굵게 썬다
폰티나 치즈 ½컵, 이탈리아산을 아주 작게 깍둑썰기한다
신선한 리코타 치즈 ¼컵

참고 ෴ 속에 들어가는 팔레르모의 프리모 살레(primo sale)와 신선한 카치오카발로(caciocavallo) 치즈는 둘 다 시칠리아 이외 지역에서는 구하기 힘들다. 나는 폰티나와 리코타를 조합해 대신함으로써 톡 쏘는 맛이 있으면서도 부드러운 풍미를 얻으려 했다. 내 생각에는 제대로인 것 같은데, 다른 아이디어가 있다면 시도해봐도 좋겠다.

1. 올리브유와 양파를 소테팬에 넣고 중강불에 올린다. 가끔 저어가며 양파가 짙고 어두운 황금색이 될 때까지 익힌다. 소고기 간 것, 소금과 후추를 약간 갈아 넣는다. 고기를 포크로 잘게 부스러트리고, 날것의 붉은기가 없어질 때까지 자주 저어가며 익힌다.
2. 와인을 넣고 불을 살짝 줄여 수분이 모두 졸아들 때까지 계속 익힌다. 팬 안의 내용물을 볼로 옮겨 한편에 두고 식힌다.
3. 식으면 햄, 폰티나와 리코타를 볼에 넣고 모든 재료가 고루 합쳐지도록 버무린다.

스핀치우니 조립하고 굽기

베이킹 스톤
옥수수가루
베이커스 필(피자 패들)
양념하지 않은 빵가루 2큰술, 살짝 굽는다
엑스트라버진 올리브유 1큰술
제과용 붓

1. 구울 준비를 마치기 적어도 30분 전에—반죽을 발효시킨 지 2시간 30분이 되었을 때—오븐에 베이킹 스톤을 넣고 200℃로 예열한다.
2. 베이커스 필에 옥수수가루를 뿌린다.
3. 반죽이 2배로 부풀면 반으로 나눈다. 반으로 나눈 한 덩이를 주방용 랩으로 감싸두고, 다른 하나는 필 위에 놓는다. 지름이 최소 25cm인 원이 되도록 밀대로 평평하게 민다. 가장자리가 원판의 다른 부분보다 두꺼우면 안 된다.
4. 가장자리를 1cm 정도 남겨두고 도우 위에 빵가루 1큰술과 올리브유 1작은술을 바른다. 다시 가장자리를 조금 남겨두고, 그 위에 고기와 치즈 콘차를 펴 바르고, 그 위에 빵가루 1큰술과 올리브유 2작은술을 바른다.
5. 남은 반죽의 랩을 벗겨 밀가루를 얇게 뿌린 작업대 위에 놓고, 첫 번째 반죽을 덮을 수 있을 정도로 충분히 큰 원판으로 민다. 이것을 속 위에 놓고 2개의 둥근 도우 가장자리를 함께 주름 잡는데, 아래쪽 도우 가장자리를 위쪽 도우의 위로 가져온다.
6. 붓으로 도우의 윗부분에 물을 바른 뒤, 베이커스 필로 스핀치우니를 예열한 베이킹 스톤에 밀어 넣는다. 25분간 굽는다. 오븐에서 꺼낸 뒤에 속재료의 풍미가 어우러지면서 살아나도록 30분간 그대로 둔다. 파이를 자르듯 웨지 모양으로 썰어 차려 낸다.

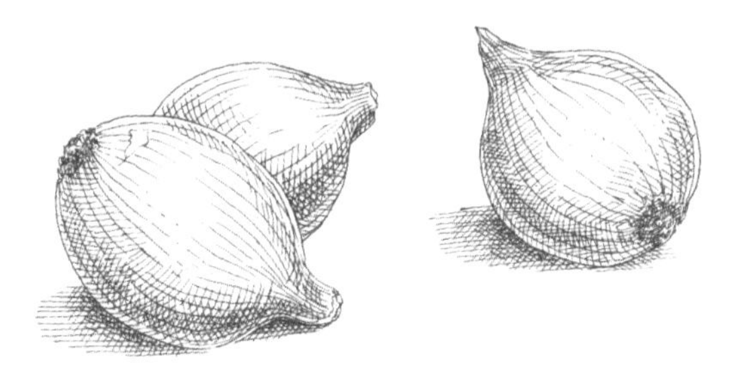

다른 스핀치우니 속재료

OTHER FILLINGS FOR SFINCIUNI

콘차에 채소를 넣은 스핀치우니는 아주 맛있다. 몇 가지 잘 어울리는 조합을 아래에 소개한다. 반죽이 발효되는 시간이 3시간이라는 것을 감안해 모든 채소를 준비하고 미리 조리해두어야 한다.

토마토 안초비 콘차

Tomato and Anchovy Conza

25~30cm 크기의 스핀치우니 1판용 속재료

토마토 450g, 신선하고 잘 익은 단단한 것 또는 이탈리아산 플럼토마토 통조림 1½컵, 건더기만 썬다
양파 2컵, 아주 얇게 썬다
엑스트라버진 올리브유 3큰술
소금
갓 갈아낸 검은 후추
안초비 6조각(19쪽 설명대로 가급적 직접 만든 것으로), 형태가 없을 정도로 다진다
오레가노, 신선한 것으로는 1작은술, 말린 것으로는 ½작은술

나중에, 스핀치우니에
엑스트라버진 올리브유 1큰술
양념하지 않은 빵가루 ¼컵, 살짝 굽는다

그리고
634쪽 레시피대로 만든 반죽

덧붙여
베이킹 스톤
옥수수가루
베이커스 필(피자 패들)
제과용 붓

1. 정말로 잘 익고 달며 과육이 실한 신선한 토마토만 쓴다. 이 조건에 부합하는 것이라면 찬물에 씻어 세로날 필러로 껍질을 벗기고 씨와 묽은 부분을 제거해 1cm 폭의 막대형으로 길게 썰어 한편에 둔다. 통조림 토마토를 쓴다면 다음 단계부터 진행한다.
2. 중간 크기의 소테팬에 양파와 올리브유 3큰술을 넣고 중불에 올려 가끔씩 저어가며 양파가 옅은 황금색이 될 때까지 익힌다. 막대형으로 썬 신선한 토마토 또는 건더기만 썰어놓은 통조림 토마토, 소금, 후추를 2~3번 갈아 넣어 2~3회 재료를 뒤적이고, 중강불로 키운다. 이따금 저어가며 토마토에서 기름이 분리되어 떠오를 때까지 15분 정도 익힌다.
3. 불을 가장 약하게 줄이고, 곱게 다진 안초비를 넣어 1분 또는 그 미만으로 저은 뒤 불을 완전히 끈다. 오레가노를 넣어 저어주고 한편에 두고 식힌다.
4. 구울 준비를 마치기 적어도 30분 전에—반죽을 발효시킨 지 2시간 30분이

되었을 때—오븐에 베이킹 스톤을 넣고 200°C로 예열한다.

5. 베이커스 필에 옥수수가루를 뿌린 뒤, 반죽을 밀고 특별한 속을 만드는 다음의 조언을 따라 637쪽 설명대로 스핀치우니를 조립한다.
   - ❁ 밑에 깔린 둥그런 도우 위에 빵가루 2큰술을 뿌린다.
   - ❁ 구멍 뚫린 국자나 뒤집개로 팬에서 토마토와 안초비 섞을 것을 퍼서 가능한 한 기름을 뺀다.
   - ❁ 도우 위에 토마토와 안초비를 펴 바르면, 그 위에 빵가루 2큰술과 신선한 올리브유 1큰술을 뿌린다.

남은 도우로 속을 덮어 스핀치우니를 봉하고, 위에 놓인 도우에 붓으로 물을 발라 구워 634쪽 기본 레시피대로 차려 낸다.

브로콜리 리코타 콘차

Broccoli and Ricotta Conza

25~30cm 크기의 스핀치우니 1판용 속재료

브로콜리 중간 크기 1송이, 약 450g
소금
마늘 2작은술, 잘게 썬다
엑스트라버진 올리브유 ¼컵

나중에, 스핀치우니에

양념하지 않은 빵가루 2큰술, 살짝 굽는다
신선한 리코타 ¾컵
갓 갈아낸 파르미자노 레자노 치즈 ¼컵
엑스트라버진 올리브유 1큰술

그리고

634쪽 레시피대로 만든 반죽

덧붙여

베이킹 스톤	베이커스 필(피자 패들)
옥수수가루	제과용 붓

1. 브로콜리의 질긴 밑동을 1cm 정도 썰어낸다. 두꺼운 줄기의 질은 초록색 껍질을 칼로 벗긴다.
2. 물을 3L 정도 끓이고 소금을 추가해 브로콜리를 넣는다. 물이 다시 끓어오른 뒤부터 브로콜리의 크기와 신선도에 맞춰 5~7분 익힌다. 이후에 추가로 익히는 과정이 있으므로 이 단계에서는 꽤 단단한 상태여야 한다.
3. 건져서 브로콜리 줄기와 송이를 2.5cm보다 크지 않은 조각으로 잘게 썬다.
4. 중간 크기의 소테팬에 마늘과 올리브유 ¼컵을 넣고 중불에 올려 마늘이 옅은 황금색이 되도록 한두 번 저어가며 익힌다. 썰어놓은 브로콜리를 넣어 소금을 뿌리고, 브로콜리에 기름이 고루 입혀지도록 자주 뒤적이며 5분간 익힌다. 불을 끄고 한편에서 완전히 식힌다.
5. 구울 준비를 마치기 적어도 30분 전에—반죽을 발효시킨 지 2시간 30분이 되었을 때—오븐에 베이킹 스톤을 넣고 200℃로 예열한다.
6. 베이커스 필에 옥수수가루를 뿌린 뒤, 반죽을 밀고 특별한 속을 만드는 다음 조언을 따라 637쪽 설명대로 스핀치우니를 조립한다.
   - 밑에 깔린 둥그런 도우 위에 빵가루 1큰술을 뿌린다.
   - 빵가루 위에 리코타를 펴 바른다.
   - 구멍 뚫린 국자나 뒤집개로 팬에서 브로콜리를 퍼서 가능한 한 기름을 뺀다. 리코타 위에 브로콜리를 펼쳐 놓은 다음, 파르메산 간 것을 뿌린다. 이어서 빵가루 1큰술을 뿌리고, 위에 올리브유 1큰술을 흩뿌린다.

남은 도우로 속을 덮어 스핀치우니를 봉하고, 위에 놓인 도우에 붓으로 물을 발라 구워 634쪽 기본 레시피대로 차려 낸다.

리코타를 뺀 브로콜리 콘차 만들기

앞 레시피의 속보다 브로콜리의 맛을 더 강조하고 싶다면 리코타를 전부 빼고 파르메산 간 것을 ½컵으로 늘린다. 도우 위에 브로콜리를 펼쳐 놓은 뒤 파르메산을 뿌린다.

만토바나 — 올리브유 빵

Mantovana — Olive Oil Bread

이탈리아에서 가장 큰 강인 포강의 동쪽 경계는 왼쪽으로 롬바르디아와 베네토, 오른쪽으로는 에밀리아-로마냐로 북부 이탈리아를 크게 양분하는데, 이 코스를 따라가면 한때 수력으로 운영되던 제분소들이 가득 들어서 있던 이탈리아 최고의 빵을 만드는 지역을 가로질러 여행하게 된다.

이 멋진 빵 덩어리는 섬세하고 바삭하며 맛있는 껍질에 부드러운 빵가루를 자랑해 에밀리아와 롬바르디아 쪽에서 모두 인기가 많다. 이름은 롬바르디아에 있는 오래된 공작 가문의 도시인 만토바에서 따왔다.

만토바나 2덩이

드라이 이스트 2작은술
미지근한 물 2컵
설탕 ¼작은술
표백하지 않은 밀가루 약 5컵
소금 2작은술
엑스트라버진 올리브유 1큰술

베이킹 스톤
베이커스 필(피자 패들), 가로 40cm, 세로 35cm 정도 크기 또는 쿠키 시트나 크고 빳빳한 판지
옥수수가루
제과용 붓

1. 설탕 ¼작은술을 더한 미지근한 물 ¼컵이 담긴 커다란 볼에 이스트를 넣고 저어서 완전히 녹인다. 10분 내외로 녹으면, 밀가루 2컵과 물 ¾컵을 추가해 스패출러로 골고루 섞는다.
2. 손으로 반죽한다면: 밀가루를 얇게 뿌린 작업대 위에 볼의 내용물을 붓고, 10분 동안 꾸준히 치댄다. 손가락을 구부린 채 손바닥 아랫부분으로 반죽을 앞쪽으로 민다. 반죽 덩어리를 반으로 접고 90° 회전시켜 손바닥 아랫부분으로 다시 세게 누르고, 같은 동작은 반복한다. 시계 방향이든 반시계 방향이든 선호하는 방향으로 반죽 덩어리를 항상 동일한 방향으로 회전시켜야 한다. 반죽을 치대면서 필요하면 밀가루를 약간 더 추가하고, 반죽이 너무 들러붙

으면 손에도 덧가루를 묻힌다. 반죽이 더 이상 들러붙지 않되, 부드러우면서도 탄력이 생길 때까지 치댄다. 손가락으로 찌르면 다시 튀어나와야 한다. 공 모양으로 형태를 잡는다.

푸드프로세서를 쓴다면: 푸드프로세서 볼에 밀가루 2컵을 붓고 이스트 녹인 것과 물 ¾컵을 조금씩 부으면서 날을 작동시킨다. 반죽이 엉겨 붙으면서 날에서 한 덩어리가 되면 꺼내어 1~2분 손으로 치대 마무리한다.

3. 넉넉한 볼을 골라 한쪽에 얇게 덧가루를 뿌리고 반죽을 넣는다. 젖은 천을 짜서 두 겹으로 접어 볼 위에 덮는다. 부피가 2배로 부풀 때까지 따뜻하고 외풍이 들지 않는 곳에 3시간 정도 둔다.
4. 손으로 반죽한다면: 남은 밀가루 3컵을 작업대 위에 붓는다. 밀가루 위에 발효시킨 반죽을 놓고, 손으로 세게 내리쳐 펼친다. 남은 미지근한 물 1컵을 위로 붓고 소금과 올리브유를 추가한다. 앞의 설명대로 꾸준히 치댄다.

   푸드프로세서를 쓴다면: 남은 밀가루를 푸드프로세서 볼에 붓는다. 발효시킨 반죽, 그리고 소금을 넣고 날을 작동시키면서 미지근한 물 1컵을 조금씩 추가한 다음, 소금과 올리브유를 넣는다. 날에 한 덩어리로 엉겨 붙으면 반죽을 꺼내 1~2분 손으로 치대 마무리한다.
5. 치댄 반죽을 다시 밀가루를 입힌 볼에 넣고 젖은 천으로 덮어 다시 2배로 부풀 때까지 3시간 정도 더 둔다.
6. 구울 준비를 마치기 30분 또는 그보다 더 전에 베이킹 스톤을 오븐에 넣고 230℃로 예열한다.
7. 반죽이 다시 2배로 부풀면 볼에서 꺼내, 세로로 길게 늘어나도록 아주 세게 몇 번 내리친다. 반죽 가장자리가 길게 늘어나면 조리하는 사람 쪽으로 짧게 접고, 손목을 젖히면서 손바닥 아랫부분으로 밀면서 누르고, 접고, 다시 밀면서 눌러, 점점 말리면서 조리하는 사람 쪽으로 가까워지게 한다. 가늘어지고 말린 모양이 될 것이다. 가늘어진 한쪽 끝을 잡고 반죽을 들어 작업대 위에 수직으로 올려놓고, 세로로 길게 늘어나도록 다시 몇 번 세게 내리친다. 가장자리가 늘어나면, 손바닥 아랫부분과 손목을 이용해 반죽하는 동작을 반복해 다시 한번 조리하는 사람 쪽으로 가깝게 가져온다. 이 방법으로 8분간 반죽한다.
8. 반죽을 반으로 나눠, 각각을 두툼하게 말린 시가처럼 모양을 잡는데, 가운데는 불룩하고 끝은 가늘어지게 한다. 필(또는 앞서 제안한 대체 도구)에 옥수수가루를 전체적으로 골고루 얇게 뿌린다. 모양을 잡은 덩어리 두 개를 모두 필 위에 놓고 젖은 천으로 덮어 그대로 30~40분간 휴지시킨다.

9. 날카로운 칼이나 면도날로 각 덩어리의 윗면에 2.5cm 깊이의 세로로 긴 선 하나를 쭉 긋는다. 제과용 붓을 물에 담갔다가 덩어리 위 표면에 바른다. 덩어리들을 필에서 예열한 오븐 안으로 밀어 넣는다. 12분 구운 뒤 오븐을 190°C로 낮춰 45분 더 굽는다. 다 되면 식힘망에 옮겨 완전히 식힌 뒤 잘라서 차려 낸다.

파네 인테그랄레—통밀빵

Pane Integrale—Whole-Wheat Bread

이탈리아어 형용사로 인테그랄레(integrale)는 영어 integrity와 어원이 같고, 관례상 온전하고 섞이지 않았음을 설명할 때 쓰인다. 빵에서는 통밀빵을 의미하는데, 어쨌거나 여기서는 온전히 통밀로만 만들지 않고, 일부 섞는다.

다음의 밀가루 비율을 제외하고는 641쪽의 올리브유 빵 레시피의 재료를 전부 사용한다.

둥근 이탈리아식 통밀빵 한 덩이

맷돌 방식으로 간 통밀가루 1¾컵, 겨나 덜 갈린 낟알 조각이 없도록 준비

표백하지 않은 밀가루 약 3¼컵

주어진 통밀과 흰 밀가루의 비율로 641쪽의 올리브유 빵 레시피의 과정을 정확히 따른다. 반죽을 두 개의 긴 덩어리로 만드는 대신, 돔형의 둥근 덩어리 하나로 성형한다. 휴지가 끝나면 윗면에 십자로 얕게 칼집을 낸다. 붓으로 물을 발라 기본 레시피의 설명대로 굽는다.

파네 디 그라노 두로—거친 통밀빵

Pane di Grano Duro—Hard-Wheat Bread

노란색 강력분 또는 듀럼밀은 제임스 비어드를 포함한 많은 전문가가 빵에 가장 적합하다고 꼽는데, 글루텐의 비율이 높기 때문이다. 이 밀가루로 비스킷처럼 바

삭하고 아주 기분 좋은 질감을 가진 향기로운 빵을 만들 수 있으며, 심지어 만든 지 하루를 넘겨 다시 데우면 맛이 더 좋아지기도 한다.

641쪽의 올리브유 빵 레시피의 재료를 전부 사용하되, 표백하지 않은 흰 밀가루를 고운 통밀강력분 5컵으로 대체한다.

고리형 거친 통밀빵 1덩이

641쪽의 올리브유 빵 레시피의 과정을 정확히 따른다. 반죽을 2개의 가느다란 덩어리 모양으로 잡는 대신, 도넛처럼 가운데 지름 9cm 정도의 구멍이 있는 커다란 링 형태로 성형한다. 휴지가 끝나면, 링의 윗면을 따라 전체에 작은 마름모 칼집을 낸다. 붓으로 물을 바르고 기본 레시피의 설명대로 굽는다.

풀리아의 올리브 빵

Apulia's Olive Bread

감칠맛이 풍부한 이탈리아의 지역 요리 가운데, 맛 좋고 다양한 시골빵보다 우리의 호기심을 자극하는 것은 없다. 아직 개척해야 할 것이 많은 이 분야에서 독보적인 연구자 마르게리타 '미타' 시밀리(Margherita 'Mita' Simili)는 볼로냐 사람으로, 그의 자매 발레리아(Valeria)와 함께 베이커리를 운영하며 수업도 진행한다. 우리는 함께 피자와 포카치아, 빵을 만들었고, 함께 만들고 연구해 더 나아진 반죽법을 여기에 실었다.

세상에서 가장 훌륭한 제빵용 밀가루 중 일부가 장화처럼 생긴 이탈리아 반도의 튀어나온 굽에 자리한 풀리아주에서 생산된다. 미타와 함께 지낼 때 풀리아 올리브 빵 레시피를 얻었다. 제빵사의 숙련된 기술이 담긴 결과물임을 처음 베어 무는 순간 증명했다. 레시피에서는 비가(biga)라 부르는 반죽 스타터를 만들어 쓴다. 비가는 적은 양의 이스트와 밀가루를 섞어 밤새 발효시켜 만드는데, 이탈리아의 시골 제빵사들이 빵을 만들 때 종종 쓰는 기본 재료다. 반죽에 더해져 느린 천연 이스트와 유사한 역할을 하는데, 완성된 빵에 뛰어난 풍미와 향, 공기층을 만들어낸다.

푸드프로세서 쓰기 ❀ 이 레시피에서 반죽은 모두 손으로 한다. 과정이 전혀 길지 않고, 반죽의 농도 때문에 조금 들러붙긴 해도 푸드프로세서보다 빵의 질감을 더 좋게 만들 수 있다. 꼭 써야겠다면 스타터를 만든 이후의 반죽 과정만을 프로세서로 한다.

둥근 풀리아 올리브 빵 한 덩이

스타터 만들기(밀반죽)

드라이 이스트 ½작은술
미지근한 물 ½컵
표백하지 않은 밀가루 1¼컵
엑스트라버진 올리브유

반죽 만들기

검고 둥근 그리스 올리브 145g, 627쪽 검은 그리스 올리브 포카치아의 설명을 참조
미지근한 물 1½컵
드라이 이스트 1½작은술
표백하지 않은 밀가루 3¾컵
소금 2작은술
엑스트라버진 올리브유 1큰술

덧붙여

베이킹 스톤
베이커스 필(피자 패들)
옥수수가루

1. 스타터 만들기: 미지근한 물 ½컵이 담긴 볼에 이스트 ½작은술을 넣고 저어서 녹인다. 10분 내외로 완전히 녹으면 밀가루 1¼컵을 추가해 나무 주걱으로 골고루 저어 밀가루에 이스트가 고르게 섞이게 한다.
2. 올리브유를 얇게 바른 볼에 반죽을 옮기고, 주방용 랩으로 단단히 덮어 외풍과 열이 없는 곳에 둔다. 부피가 2배 이상 부풀도록 14~18시간 동안 밤새 발효시킨다.
3. 준비가 되면 올리브를 다듬는다. 가운데를 따라 칼집을 내고 씨를 발라내고 반으로 쪼갠다.
4. 커다란 볼에 미지근한 물 ½컵을 넣고 드라이 이스트 1½작은술을 넣고 저어준다. 이스트가 완전히 녹으면, 볼에 스타터(밀반죽)의 절반, 밀가루 1¼컵, 소금 2작은술을 더해 모든 재료가 잘 합쳐지도록 스패출러로 섞는다. 씨를 뺀 올리브를 넣고 반죽을 계속 섞는데, 한 번씩 스패출러로 반죽을 볼 위로 들어 올렸다가 다시 세게 내리친다. 반죽이 볼에서 쉽게 떨어질 때까지 이 방법으로 8분 정도 섞어준다.
5. 작업대에 덧가루를 얇게 뿌리고 볼에서 반죽을 꺼내 위에 놓는다. 스패출러를 볼 가장자리에서 아래로 밀어 넣어 가운데로 접는 동작을 몇 분간 반복한다. 반죽 덩어리를 전체를 돌려서 가장자리 전체를 적어도 한 번 이상 접을 때까지 스패출러로 반죽한다. 작업대에 반죽이 들러붙지 않도록 이따금 밀가루를 작업대에 덧뿌린다.

6. 깨끗한 볼에 올리브유 1큰술을 넣고 반죽을 넣어 모든 방향으로 뒤집어 올리브유를 고루 입힌다. 천을 적셔 물기를 짜, 볼을 덮는다. 반죽이 2배 정도 부풀도록 볼을 따뜻하고 구석진 곳에 3시간 정도 둔다.
7. 작업대에 덧가루를 뿌리고 반죽을 볼에서 꺼낸다. 손에 밀가루를 묻히고 손바닥으로 반죽을 4cm 정도 두께로 편다. 양손으로 반죽 가장자리를 들어 올려 가장 먼 쪽의 가장자리를 조리하는 사람 쪽으로 접는데, 가까운 쪽 가장자리로부터 3분의 1을 남겨둔 지점에서 멈춘다. 엄지손가락으로 눌러 조리하는 사람의 몸과 평행하도록 수평 방향으로 늘리고, 엄지손가락 끝을 서로 모으면서 원래 자리로 반죽을 접고 눌러 민다. 이 동작을 3번 반복한 뒤 반죽을 90° 회전시키고, 이 과정을 3번 더 반복한다. 필요하면 중간중간 작업대와 손에 밀가루를 묻힌다.
8. 반죽을 돌리고 가볍게 두드려 대략 둥근 형태로 만든다. 볼을 반죽 위에 뒤집어 씌워 완전히 덮은 뒤 1시간 동안 발효시킨다. 구울 준비를 마치기 적어도 30분 전에 베이킹 스톤을 오븐에 넣고 220°C로 예열한다.
9. 마지막 발효가 끝나면, 베이커스 필에 옥수수가루를 얇게 뿌려 반죽 덩어리를 얹고, 오븐 안 예열된 스톤 위로 밀어 넣는다. 3분 뒤에 오븐 온도를 200°C로 낮춘다. 20분이 지나면 다시 180°C로 낮춘다. 40분간 더 굽는다. 빵을 사용하기 전 망 위에서 완전히 식힌다. 식었을 때 원한다면 냉동할 수 있다. 이 빵은 냉동고에서 숙성되어 매우 뜨거운 오븐에서 다시 한번 데웠을 때가 어쩌면 막 구웠을 때보다 맛이 더 좋은 것 같다.

피아디나—납작하게 부친 빵

Piadina—Flat Griddle Bread

얇고 납작하게 생긴 피아디나(piadina)는 쫀득하면서 부드럽고 바스러지지 않는 빵이다. 꽤 최근까지 이 빵은 로마냐에서 농부들이 매일 먹는 빵이었는데, 보통은 난로 안의 뜨거운 숯 위에 진흙으로 만든 판을 놓고 거기에 빵을 구웠다. 프로슈토나 시골 햄, 살라미, 팬에 구운 소시지와 잘 어울리지만 이들을 뛰어넘는 최고의 조합은 511쪽의 마늘향을 입혀 볶은 푸른 잎채소다.

로마냐—북아드리아해의 산지와 바다 사이의 좁고 비옥한 평원—에서 농가의 아낙들은 여전히 손수 피아디나를 만든다. 이따금 일요일에는 자신들을 위해 만들기도 하지만, 그보다는 해안 도시인 리미니, 리치오네와 체세나티코를 가득 메운 피서객을 대상으로 빵을 만든다. 이 빵은 이제 로마냐의 전원풍으로 개조한 농가에 사는 이탈리아 가족의 식사에서 향수를 불러일으키는 어떤 것이 되었다. 흔한 메뉴인 가정식 파스타와 로스트 치킨 또는 토끼구이 전에, 손으로 두껍게 썬 살라미나 코파와 함께 웨지 모양으로 잘라 높게 쌓아 올린 피아디나가 먼저 나온다. 내가 이따금 나의 가족과, 편안하고 건강한 음식을 좋아하는 친구들을 위해 차렸던 식사, 그것과 똑같이 말이다.

피아디나를 올려서 구울 것 ❀ 로마냐에서조차도 테스토(testo)라 부르는 깨지기 쉬운 테라코타 위에 굽지 않고, 무겁고 평평한 철로 된 그리들(griddle)에 굽는다. 가정에서는 무거운 검은색 무쇠 스킬렛을 쓸 수 있다. 스킬렛이 아주 뜨거워질 때까지 천천히 달구되, 탈 정도는 아니어야 한다. 피아디나를 재빨리 익힐 수 있을 정도로 충분히 뜨거워야 하는데, 겉만 타고 속은 익지 않을 정도로 뜨거우면 안 된다.

이런 용도라면 금속은 도자기나 돌에 비할 바가 못 된다. 에밀리아-로마냐의 여느 도시에서는 여전히 전통 주방도구 가게에서 테라코타 테스코를 판매할 것이다. 이탈리아에 방문했을 때 구입해두자. 깨지기는 쉽지만 저렴하다. 북미에서는 버몬트 동석 그리들이 테라코타만큼 이 작업에 알맞고 훨씬 견고하다. 줄리아 차일드가 이것을 주문할 수 있는 곳을 알려주었는데, 웨스턴, 버몬트 05161, 버몬트 컨트리 스토어다.

6인분

쇼트닝 ⅓컵, 가급적 라드로 준비하되
　엑스트라버진 올리브유도 괜찮음
표백하지 않은 밀가루 4컵
우유 ⅓컵
소금 2작은술
베이킹소다 ½작은술
미지근한 물 ½컵
지름 25cm 크기의 무쇠 스킬렛 또는
　동석으로 된 그리들(앞의 설명 참고)

1. 라드를 쓴다면 작은 소스팬에 넣고 완전히 녹을 때까지 천천히 가열하되, 끓게 두지는 않는다. 올리브유를 쓴다면 다음 단계부터 시작한다.
2. 작업대 위에 밀가루를 붓고 산처럼 봉긋하게 모양을 만든 뒤, 가운데에 구멍을 내고 다른 모든 재료와 함께 녹인 라드 또는 올리브유를 안에 붓는다. 밀가루 더미의 가장자리를 끌어모아, 손으로 골고루 섞어 641쪽의 올리브유 빵 레시피의 설명대로 10분간 치댄다.
3. 반죽이 더 이상 들러붙지 않고 부드러우면서도 탄력이 생기면, 반죽을 주방용 랩으로 싸두었다가 1~2시간 뒤에 하거나, 아니면 곧바로 다음과 같이 작

업할 수 있다: 반죽을 특란 크기로 자르는데, 이 레시피의 반죽으로는 6~7개 정도 나온다. 각각의 조각을 두께 1.5mm 정도의 아주 얇은 원판으로 민다.

4. 중불 위에 무쇠 스킬렛 또는 동석으로 된 그리들을 올리고, 물을 떨어뜨려 방울이 구를 때까지 충분히 뜨겁게 데운다. 무쇠는 돌만큼 열이 지속적으로 고르게 유지되지 않으므로, 스킬렛을 쓴다면 한 번씩 불의 세기를 조절해줘야 한다. 원판으로 얇게 밀반죽을 올리고 그 자리에서 10초간 구운 뒤, 뒤집개로 뒤집어 다른 쪽 면도 그대로 10초간 더 굽는다. (반죽을 뒤집었을 때 표면에 작고 검은 반점들이 여기저기에 있어야 한다. 검게 탄 부분이 너무 크다면 불을 약간 줄인다.) 피아디나를 한 면당 10초씩 구웠으면, 포크로 여기저기를 찌르고 3~4분 더 굽는다. 눌어붙지 않도록 자주 돌려주고 한 번씩 뒤집어가며 양면을 고루 익힌다. 다 구웠을 때는 흰색 표면이 윤기가 없이 바싹 말라 여기저기 탄 자국이 있어야 한다.
5. 피아디나를 불에서 내려 웨지 모양으로 4등분하고, 가장자리 곡선으로 세워둘 수 있는 곳에 받쳐두고, 다른 피아디나를 굽는 동안 웨지로 자른 조각 주변으로 공기가 통하게 한다. 원판 반죽을 전부 구울 때까지 같은 과정을 반복한다. 가급적 따뜻한 상태에서 최대한 곧바로 차려 낸다. 많이 식었다면 웨지로 자른 피아디나를 뜨거운 오븐에 다시 데워도 된다.

콘숨—속을 채워 부친 빵

Consum—Griddle Dumplings

'있다', '생기다'라는 뜻의 라틴어와 이 만두를 모두 지칭하는 콘숨(Consum)은 로마냐 이외 지역에서는 찾아볼 수 없다. 반죽은 또 다른 로마냐의 특산품인 646쪽의 피아디나와 거의 흡사하고, 평평한 그리들 위에서 익히는 법도 똑같다. 푸성귀를 마늘과 함께 올리브유에 볶아 감칠맛이 강한 속으로 채워 만든다.

6인분, 속을 채운 빵 6~7개

속재료

511쪽 레시피를 따라 마늘과 함께 올리브유와 볶은 푸른 잎채소 모둠을 만들되, 채소 1350g을 다음과 같이 나눈다:

근대, 시금치 또는 사보이 양배추 같은 '단맛이 나는' 푸른 잎채소 900g,

'쓴맛이 나는' 푸른 잎채소 450g, 가급적 브로콜레티 디 라파 또는 라피니로도 알려진 치메 디 라파 또는 카탈루냐 치커리 또는 민들레로 준비

반죽 만들기

646쪽 피아디나 만들기 항목의 모든 재료

굽기

무쇠 스킬렛 또는 동석으로 된 그리들(646쪽 참조)

1. 647쪽 피아디나 레시피의 설명대로 반죽을 준비하고, 지름이 15~18cm인 얇은 원판으로 민다.
2. 각 원판의 절반에 볶아서 기름을 뺀 푸른 잎채소를 1cm 두께로 두툼하게 올린다. 원판의 다른 쪽 절반을 채소 위로 접어 아래에 있는 가장자리와 만나게 해, 커다란 반달형의 만두처럼 만든다. 가장자리를 서로 단단히 붙여 엄지손가락이나 제과용 크림퍼(pastry crimper)로 눌러준다.

참고 ❀ 콘숨용 반죽은 파스타 제면기의 밀대를 1mm보다 두껍지 않게 조정해 얇게 밀어내 만들 수 있다. 이 방법이 더 쉽다면 반죽을 사각형으로 잘라 삼각형이나 직사각형 만두처럼 만들도록 한다. 반죽의 두께는 균일해야 하고 속을 채운 반죽은 크기가 비슷해야 하지만, 모양은 그리 중요하지 않다.

3. 648쪽 피아디나 레시피의 4번 단계 설명대로 스킬렛 또는 그리들을 데운다. 뜨거워지면 속을 채운 반죽 2개, 또는 적당하다면 3개를 놓는다. 자주 뒤집어 가며 4~5분 익히되, 집게로 집어 가장자리를 세워 잠시 익힌다. 윤기가 없고 바싹 말라 여기저기에 탄 자국이 있어 하얗고 얼룩덜룩하면 다 구워진 것이다. 곧바로 차려 낸다.

카소니 만들기

콘숨을 튀기면 카소니(cassoni)가 되는데, 아주 아주 맛있다. 앞의 설명을 정확히 따라 준비하되, 반죽에 라드를 쓴다면 1½큰술로 줄인다. 식물성기름을 선호한다면 여기에 속을 채운 반죽을 튀겨도 되지만, 뜨거운 라드에 튀겼을 때가 가장 맛있고 바삭바삭하다.

포카체테—치즈를 채운 파스타 프리터

Focaccette — Cheese-Filled Pasta Fritters

이탈리아 밖에서 이 포카체테의 속재료로 쓰는 신선하고, 톡 쏘며, 감칠맛 있는 치즈로 딱 들어맞는 것은 없다. 나는 폰티나의 부드럽고 섬세한 맛과, 파르메산의 풍미와 깊은 맛, 리코타의 톡 쏘는 새콤한 맛을 조합해 그 맛에 가까워지려 했다. 부드럽고 풍부한 맛과 톡 쏘는 신선함을 느낄 수 있는 더 매력적인 조합이 있다면 시도해봐도 좋다.

4~5인분

반죽 만들기

밀가루 1컵
엑스트라버진 올리브유 1큰술
소금 ½작은술
따뜻한 물 5큰술

속재료

이탈리아산 폰티나 치즈 3큰술, 잘게 다진다
신선한 리코타 7큰술
갓 갈아낸 파르미자노 레자노 치즈 2큰술
소금
갓 갈아낸 검은 후추

추가

달걀흰자 1개분
식물성기름

1. 반죽 만들기: 작업대 위에 밀가루를 붓고, 산처럼 봉긋하게 모양을 잡은 뒤, 가운데를 움푹하게 판다. 그 구멍 안에 올리브유, 소금, 미지근한 물을 넣고 밀가루 더미의 가장자리를 한데 끌어모아 모든 재료를 손으로 잘 섞는다. 8분간 치댄다. 반죽을 동그랗게 만들어 볼에 넣는다. 접시나 주방용 천으로 볼을 덮

고 2시간 정도 휴지시킨다.

2. 속 만들기: 볼에 3가지 치즈를 넣어 합치고, 소금 한 자밤과 후추를 약간 갈아 넣는다.
3. 반죽을 2시간 동안 휴지시켰으면 밀대로 너무 얇지 않게 민다. 처음에는 다루기 힘들지만 곧 부드러워지면서 펼치기 쉬워진다. 선호한다면 파스타 기계의 밀대로 반죽을 얇게 밀 수도 있는데, 1mm까지만 두께를 조정해 민다.
4. 반죽을 가로 8~10cm, 세로 15~18cm 크기의 직사각형으로 자른다. 각 사각형의 절반에 치즈 섞은 것을 2작은술 가득 떠서 얇게 한 겹으로 펴 바른다. 다른 쪽 절반을 치즈 위로 접어 가장자리끼리 만나게 한다. 가장자리를 함께 꼬집어준 다음, 손가락 끝을 달걀흰자에 담갔다가 단단하게 봉한 가장자리 위에 발라준다.
5. 프리터를 다 빚었으면, 깨끗하고 마른 천을 작업대 위에 펼치고 그 위에 프리터를 놓는다. 바로 튀길 준비가 되지 않았다면 한 번씩 뒤집어 천에 들러붙지 않게 한다. 서로 겹치게 놓거나 쌓으면 안 된다.
6. 튀김용 냄비에 1cm 정도 높이로 기름을 충분히 붓고 강불에 올린다. 기름이 아주 뜨거워지면, 냄비가 가득 차지 않을 정도로 포카체테를 가능한 한 많이 미끄러트리듯 넣는다. 한 면을 황금색이 나도록 튀기고, 뒤집어서 다른 쪽도 튀긴다. 가끔 프리터가 부풀어 기름 위로 튀어나오는 부분이 있을 것이다. 손잡이가 긴 나무 주걱으로 뒤집고 뜨거운 기름 아래로 잠기게 해 가급적 전체적으로 고루 튀겨지게 한다.
7. 구멍 뚫린 국자나 뒤집개로 식힘망에 옮겨 기름을 빼거나 키친타월을 깐 접시 위에 놓는다. 튀겨야 될 포카체테가 남았다면 같은 과정을 반복해 전부 튀긴다. 곧바로 차려 낸다.

참고 처음 깨물 때 조심한다. 녹은 치즈가 갑자기 빠져나와 데일 수 있다.

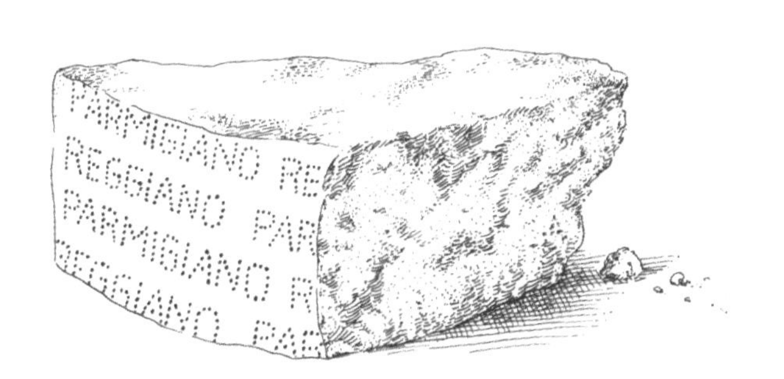

이 리비에니 프리티 — 속을 채워 튀긴 빵

I Ripieni Fritti — Fried Stuffed Dumplings

마치 커다란 삼각형 라비올리 같은 이 만두에는 엄청나게 다양한 감칠맛 나는 속재료를 채울 수 있다. 가장 맛있는 조합 중 하나는 막대형으로 썬 생토마토에 안초비와 케이퍼를 넣은 것이다. 치즈와 잘게 썬 파슬리도 좋다. 기본 방식으로 한 번 만들어 어떤 맛이 나는지 알고 나면, 당신만의 속을 개발할 수 있다. 가는 막대형으로 썬 튀긴 가지와 구운 파프리카를 넣어볼 수도 있을 것이다. 또는 마늘과 함께 올리브유에 볶은 버섯도 좋다. 맛을 보고 상상하며, 쉽게 훨씬 더 많이 그려낼 수 있을 것이다.

20개 분량 토마토 속

토마토 ⅓컵, 신선하고 잘 익은 단단한 것을 생것 그대로 껍질을 벗기고 씨를 제거해 1cm 정도 폭과 4cm 정도 길이의 막대형으로 썬다

안초비 10조각(19쪽 설명대로 가급적 직접 만든 것으로), 둘로 가른다

케이퍼 2큰술, 26쪽 설명대로 소금에 절인 것은 물에 담갔다가 헹구고 식초에 있는 것은 건져서 잘게 썬다, 아주 작은 것은 썰 필요 없다

20개 분량 치즈 속

파슬리 2큰술, 잘게 썬다

부드러운 맛의 치즈 85g과 감칠맛 있는 치즈 60g, 치즈에 따라 아주 가늘게 채썰기하거나 잘게 쪼개거나, 갈거나 부스러트린다

추천하는 치즈 조합

- 모차렐라와 파르메산
- 리코타와 고르곤졸라
- 훈제 모차렐라와 폰티나
- 그뤼예르와 탈레조

참고 ❁ 토마토 또는 치즈를 속재료로 쓸 때 모든 재료를 작은 볼이나 종지에 각각 따로 담아둔다.

20개 분량 반죽

표백하지 않은 밀가루 1½컵
소금 ½작은술
베이킹파우더 ½작은술
엑스트라버진 올리브유 1큰술
미지근한 물 ⅓컵

추가

튀김용 식물성기름

1. 반죽 만들기: 작업대 위에 밀가루를 붓고, 산처럼 봉긋하게 모양을 잡은 뒤, 가운데를 움푹하게 판다. 그 구멍 안에 소금, 베이킹파우더, 올리브유와 미지근한 물을 넣는다. 밀가루 더미의 가장자리를 한데 끌어모아 모든 재료를 손으로 잘 섞는다. 반죽이 들러붙지 않고 부드러우면서도 탄력이 생길 때까지 10분간 치댄다.
2. 반죽을 너무 얇게 않게 밀대로 밀거나, 파스타 기계의 밀대로 반죽을 얇게 밀 수도 있는데, 이 경우 1mm까지만 두께를 조정해 민다. 얇게 민 반죽의 가장자리를 다듬어 적당히 직사각형으로 만든다. 잘라낸 조각들을 모아 대충 뭉치고, 얇게 밀거나 파스타 기계에 넣는다. 동일한 직사각형으로 다듬는다.
3. 반죽을 7.5cm 길이의 정사각형, 또는 가능한 한 근접한 모양으로 자른다. 개별 볼이나 접시에 담긴 섞어놓은 속재료를 조금 가져와 사각형 가운데마다 놓는다. 사각형 위에 얼마큼 놓아야 고르게 속이 채워질지 판단해본다. 정사각형 반죽을 대각선으로 접어 삼각형으로 만든다. 가장자리를 꼼꼼하고 단단히 붙이고, 손가락 끝이나 제과용 클림퍼로 눌러준다. 반죽을 얇게 밀자마자 속을 채우고 붙이는 게 중요한데, 그렇지 않으면 말라버리기 때문이다. 반죽이 마르기 시작해 가장자리를 붙이기 힘들어지면 물을 아주 살짝 발라 촉촉하게 한다.
4. 다 빚었으면, 깨끗하고 마른 천을 작업대 위에 펼치고 그 위에 놓는다. 바로 튀길 준비가 되지 않았다면 한 번씩 뒤집어 천에 들러붙지 않게 한다. 서로 겹치게 놓거나 쌓으면 안 된다.
5. 튀김용 냄비에 1cm 정도 높이로 기름을 충분히 붓고 강불에 올린다. 기름이 아주 뜨거워지면, 냄비 안이 들차지 않을 정도로 빚은 반죽을 가능한 한 많이 미끄러트리듯 넣는다. 한 면을 황금색이 나도록 튀기고, 뒤집어서 다른 쪽도 튀긴다. 가끔 반죽이 부풀어 기름 위로 튀어나오는 부분이 있을 것이다. 손잡이가 긴 나무 주걱으로 뒤집고 뜨거운 기름 아래로 잠기게 해 가급적 전체

적으로 고루 튀겨지게 한다.

6. 구멍 뚫린 국자나 뒤집개로 식힘망에 옮겨 기름을 빼거나 키친타월을 깐 접시 위에 놓는다. 튀겨야 될 반죽이 더 남았다면 같은 과정을 반복해 전부 튀긴다. 뜨겁지만 데이지 않을 정도일 때 차려 낸다.

테이블 구성

식사는 이탈리아의 예술

완벽한 파스타, 흠잡을 데 없는 리소토, 육즙을 가득 머금은 닭고기는 그 자체로도 좋지만, 더 풍요로운 식사가 되려면 무엇이 필요한지 당연히 물을 수 있다. 간단하게 샐러드와 맛있는 빵 한쪽을 곁들여보자. 그리고 잘 익은 과일 한 조각으로 입 안을 달콤하게 마무리하자. 이탈리아 식사는 이렇게 완성된다. 또 뭘 하겠는가.

이탈리아 음식을 먹는다는 건 종종 피자 한 판, 콜드 컷 한 접시, 쌀과 닭고기 샐러드 한 그릇을 먹는 것, 그 이상은 아닐 수 있다. 우리가 꼭 여러 가지를 먹길 원하는 건 아니니까. 그렇지만 음식은 다양한 방식으로 우릴 풍요롭게 하고, 당연히 그것은 포만감을 주는 한 접시 요리보다 잘 짜인 이탈리아 식사에서 더 잘 느낄 수 있다.

이탈리아 식사에는 메인 코스가 없다. 오소부코(고기)와 리소토(쌀)가 한 그릇에 나오는 밀라노식 '오소부코 에 리소토'(ossobuco e risotto)처럼 지배적인 '하나'의 코스가 있는 경우는 매우 드물다. 이때는 식사를 마련하는 사람이 이어지는 작은 코스들이 흥미롭고도 균형이 잡히도록 메뉴를 짠다. 하지만 보통은 이렇지 않다. 이탈리아식 식사에서 중심이 되는 코스는 두 개이며, 이 둘은 절대 동시에 나오지 않는다.

첫 번째 코스는 소스를 입히거나 육수에 담긴 파스타, 아니면 리소토나 수프일 수 있다. 이탈리아어로 수프를 뜻하는 '미네스트라'는 종종 이 첫 번째 코스를 칭하는 이름으로 쓰인다. 파스타든 리소토든 수프 그릇에 담겨 나오기 때문이다. 언제나 고기나 가금류, 생선 코스보다 먼저 나오며, 절대 이것들과 같이 나오지 않는다.

첫 번째 코스를 충분히 즐기면서 먹고 난 뒤, 와인으로 그 맛을 되새기고 입가심을 하면, 두 번째 코스가 나온다. 이탈리아 식당이라면, 게다가 그 식당이 관광객보단 현지인에게 맞춰져 있다면, 두 번째 코스는 첫 번째 코스가 끝나고 선택한다. 코스가 짜여 있지 않아서가 아니다. 코스의 본래 의도와 다음 코스로 넘어가는 순간 손님의 의향이 일치하는지를 확인하는 것이다.

가정에서는 이런 결정을 미리 내리고 전체 코스를 계획한다. 대개 첫 번째 코스에 따라 두 번째의 주제가 결정되지만, 반대로 생각해도 문제없다. 두 번째 코스를 와인에 브레이즈한 소고기 요리로 정했다면, 조개 소스 스파게티나 고기를 겹겹이 쌓은 라자냐를 첫 번째 코스로 낼 수는 없다. 아스파라거스나 주키니 리소토, 아니면 파르메산 치즈만 넣은 리소토가 좋겠다. 초록색 뇨키도 괜찮고, 가벼운 맛의 감자 수프도 적당하다.

직접 만든 면과 미트 소스를 곁들인 탈리아텔레 알라 볼로네제로 시작한다면, 이어서 간단한 송아지고기나 닭고기 로스트를 내놓아 미각을 자극하는 방향이 좋다. 살짝 데친 생선요리처럼 단조로운 맛은 곤란하다. 첫 번째에 버금가는 자극을 줄 수 없기 때문이다.

이탈리아식 식사는 부드러움과 바삭함, 단조로움과 강렬함, 고정적인 것과 가변적인 것, 단순함과 정교함을 교차시켜 감각을 생생하게 배열한다. 식사의 주제가 '생선'이라면, 올리브유와 파슬리, 레몬즙으로 섬세하게 양념한 자그마한 삶은 새우를 식지 않은 상태로 안티파스토로 내 아주 조심스럽게 주제를 알린다. 그 뒤엔 오징어와 조개 리소토를 매콤하게 만들어 내고, 두 번째 코스로 감자와 마늘을 곁들여 구운 근사한 가자미 요리로 주제를 확실히 드러낸다. 살짝 쓴맛이 나는 라디치오와 야생 푸성귀 샐러드로 입 안을 깔끔하게 정리하고, 마무리는 달콤하게 한다.

가끔 두 번째 코스에 한두 가지 채소요리를 곁들이는데, 이 채소요리가 독립된 하나의 코스가 될 때도 있다. 이탈리아 식탁의 기쁨은 채소의 등장으로 가장 충만해진다. 채소요리를 칭하는 콘토르노(contorno)는 '윤곽'이라는 뜻인데, 이 말만큼 식탁에 오른 채소의 역할을 잘 설명해주는 건 없다. 채소의 선택이 이탈리아식 식사를 정의하고, 식사에 형태를 부여하며, 계절의 맛과 질감, 색을 느끼게 하기 때문이다.

실제로 이탈리아식 메뉴 구성에서 채소 선택이 가장 중요할 때도 있다. 채소에 따라 파스타 소스와 리소토 종류가 결정되고, 당연히 두 번째 코스와 채소 콘토르노, 무엇보다 제일 중요한 샐러드 계획에까지 영향을 미친다. 메뉴 구성은 할 수 있는 선에서 요리를 머릿속으로 몇 개 고르는 문제가 아니다. 음식을 만드는 사람이 재료를 하나하나 대면하는 시장에서부터 아주 구체적으로 시작되어야 한다.

샐러드는 언제나 두 번째 코스와 두 번째 콘토르노가 깨끗하게 치워진 다음에 나온다. 산뜻함으로 미각을 부드럽게 회복하는 식사의 마지막 바로 앞 단계로, 디저트를 음미하고 피로감 없이 식사를 마무리하게 돕는다.

가정에서 두세 가지 코스로 식사할 때 구운 종류의 디저트는 잘 내지 않는다. 볼에 과일을 담아서 내는 것이 전통이고 또 합리적인 선택이다. 가끔 얇게 썬 과일 절임으로 대신하기도 한다.

완벽하게 구성된 코스로 차려야 이탈리아식 식사인 것은 아니다. 파스타나 해산물 샐러드를 만들 시간과 여력이 안 된다고 죄책감을 느낄 필요는 전혀 없다. 뭐 하나가 빠졌다고 이탈리아식으로 충분히 못 즐긴다거나 아예 불가능하다고 단정 짓지 말자.

각각의 요리가 맺는 관계를 볼 때, 완전한 이탈리아 식사라 함은 교양있는 삶 그 자체와 닮았다. 양으로든 맛으로든 다른 요리를 압도하는 코스가 없고, 어떤 요리든 시각과 미각에 새로운 자극의 여지를 남기며, 각 요리의 맛과 색, 질감이 선사하는 신선한 감각은 쉬이 사라지지 않고 남아 다음 요리와 절묘하게 어우러진다. 이탈리아 사람들처럼 요리하고 먹는 그 시간은, 삶을 예술로 만드는 이탈리아 사람들의 무한한 재능을 공유하는 시간이다.

이탈리아식 메뉴 짜기: 원칙과 예시

메뉴를 짤 때 따라야 할 기본 지침은 우리의 평범하고 또 좋은 감각을 바탕으로 만들 수 있다. 코스들은 맛이나 농도가 반복되거나 서로 너무 이질적이면 안 된다. 두 번째 코스가 토마토를 바탕으로 한 프리카세나 스튜라면, 뒤따르는 채소 코스에서는 토마토가 큰 존재감을 가지면 안 되며, 그 반대도 마찬가지다. 요리 중 하나가 마늘과 올리브유의 강렬한 풍미로 가득하다면, 크림이나 버터를 바탕으로 하는 섬세한 요리를 내도 될지 한 번 더 고민해봐야 한다. 코스가 모두 묽기만 하거나 빽빽하거나, 끈적끈적하거나, 맵거나, 같은 허브를 써서 강한 맛만 있다면, 주제를 다시 잡아 풀어내지 않는 이상 즐거운 식사는 물 건너갔다고 봐야 한다.

맛과 향이 화려한 코스 다음에는 온화하고 부드럽게 속삭이는 듯한 요리가 뒤따르면 안 된다. 그 섬세한 맛이 느껴질 리 없기 때문이다. 샐러드나 디저트 전에 두 가지 이상 코스가 있을 때는, 혀를 사로잡는 풍미가 두드러지는 감각들, 예컨대 무게감, 풍부함, 강렬함을 향해 산을 오른다고 생각하며 메뉴를 짜야 한다. 와인을 한 종류 이상 낼 때도 같은 원칙을 적용한다.

시간과 공간, 장비를 쓰는 실행의 관점에서 볼 때, 준비 과정이 서로 방해되거나 가장 맛이 좋을 때 각 요리를 식탁에 낼 마지막 몇 분을 챙기는 걸 실패할 가능성이 있는 요리의 조합은 피해야 한다.

메뉴 짜기의 일반 원칙이 분명해지면, 우리 앞에는 기꺼이 실행할 수 있는 무한한 수의 조합을 선택하는 일만 남는다. 이탈리아식 식사 메뉴의 대표적인 조합을 다양한 상황별로 여기에 소개한다. 몇몇을 제외하고는 모두 정통 이탈리아식 코스 순서를 따랐다. 요즘 스타일을 고려한 몇 가지 제안은 조금은 빽빽한 것도 같다. 각 요리의 비중을 작게 유지만 한다면, 처음부터 끝까지 잘 짜인 이탈리아식 식사는 배만 부른 단일 코스가 아니라 실패할 확률은 적으면서 상당히 재미있는 식탁 위 이벤트라는 걸 깨닫게 될 것이다. 무조건 간소하게 하고 싶다면, 언제든 첫 번째나 두 번째 코스를 뺄 수 있다. 또한 메뉴 전체를 새롭게 짜기 어려울 때 다음에 제시한 예시에서 서로 잘 어울리는 요리를 선택해 조합해볼 수 있을 것이다.

빵의 역할 ❀ 식사를 뜻하는 이탈리아 단어 중에 콘파나티코(companatico)라고 있다. 빵과 함께 먹는다는 뜻이다. 이탈리아의 식탁에서 음식과 빵은 떼려야 뗄 수 없는 사이이다. 이탈리아에서는 사람들이 식사 자리에 앉자마자 버터 없이 빵만 야금야금 먹기 시작하는 걸 볼 수 있다. 파스타와 빵을 동시에 먹지는 않지만, 소스가 남은 접시를 깨끗하게 닦아 먹는 데 빵을 쓴다. 두 번째 코스를 먹는 도중에도 간간이 크기가 작은 빵 조각이 끼어드는데, 스튜나 채소 그라탱 국물에 담뿍 담가 먹는다. 빵은 샐러드를 다 먹은 뒤에 식탁에서 치운다. 약간 짭조름하고 식초 맛이 나는, 아주 조금 남은 올리브유—많은 이가 샐러드에서 가장 맛있는 부분이라고 주장한다—를 빵으로 찍어 먹는다.

가정식 파스타가 있는 고급스러운 식사 메뉴

이 메뉴의 처음 세 코스는 이탈리아의 위대한 북부 평야에서 탄생한 버터를 바탕으로 한 맛의 농후함을 맥락으로 이어져 있다.

햄과 치즈로 속을 채워 구운 주키니, 541쪽

❀

페투치네, 140쪽, 크림 버터 소스, 203쪽

가능하다면 흰 송로버섯을 얇게 저며서 올릴 것, 203쪽 참조

세이지와 화이트 와인을 넣어 기름에 볶은 송아지 촙, 382쪽

또는

토마토와 완두콩을 곁들여 볶은 흉선, 447쪽

또는

프로슈토로 감싼 아스파라거스, 474쪽

(식사의 어디에나 채소가 있으므로 생략할 수 있고, 위의 두 번째 코스 중 하나와 함께 간단하고 입맛을 살리는 초록 잎채소 샐러드를 곁들인다. 549쪽 설명대로 마셰와 루콜라를 올리브유와 식초로 드레싱을 입혀 낼 수 있다.)

마케도니아—모둠 과일 절임, 611쪽

볼로냐식 전통 식사 메뉴

버섯, 파르메산 치즈와 흰 송로버섯 샐러드, 70쪽

또는

아주 잘 익은 멜론이나 무화과 위에 올린 얇게 썬 프로슈토

탈리아텔레, 146쪽, 볼로냐식 미트 소스, 213쪽

또는

라자냐 요리 중 하나, 224~230쪽, 페스토가 들어가는 것은 제외

볼로냐식으로 우유에 조린 돼지고기 등심, 423쪽

또는

술 취한 로스트 포크, 425쪽

또는

송아지 갈비 팬 로스트, 361쪽

곁들임

마늘과 함께 올리브유에 볶은 시금치, 532쪽

또는

파르메산 치즈를 올린 근대 줄기 그라탱, 495쪽

또는

빵가루를 입혀 튀긴 피노키오, 510쪽

과

팬에 구운 깍둑썰기한 감자, 526쪽

볼로냐식 쌀 케이크, 577쪽

또는

달걀 커스터드 젤라토, 618쪽

구운 가금류가 있는 휴일 식사 메뉴

카르초피 알라 로마나—로마식 아티초크 요리, 66쪽

포르치니 버섯 리소토, 257쪽

또는

고기와 리코타로 속을 채운 초록색 토르텔리니, 218쪽

또는

스파게티니와 검은 송로버섯 소스, 188쪽

팬에 구운 새끼 비둘기고기, 354쪽

또는

오리고기 로스트, 355쪽

곁들임

포르치니처럼 볶은 표고버섯갓, 518쪽

또는

새콤달콤한 양파, 521쪽

과/또는

선초크 그라탱, 469쪽

추가하기

레몬즙을 곁들인 삶은 주키니 샐러드 알라그로, 568쪽

몬테 비안코 — 자그마한 밤 퓌레와 초콜릿 산, 589쪽

생선 먹는 날

해산물을 호쾌하고 쉽게 다루는 데 있어서는 아마도 이탈리아식을 능가하는 레시피는 없을 것이다. 다음의 메뉴는 이탈리아식(all'italiana)으로 생선을 요리하는 다채로움을 바탕에 두었다.

오렌지 마리네이드한 차가운 송어, 74쪽

또는

감베레티 알올리오 에 리모네 — 올리브유와 레몬즙에 재운 데친 새우, 75쪽

페투치네, 140쪽, 분홍 새우 크림 소스, 201쪽

또는

페투치네, 140쪽, 페스토, 186쪽

또는

생선으로 속을 채운 토르텔리니, 219쪽

화이트 와인과 안초비 소스를 곁들인 광어, 308쪽

또는

아티초크를 곁들인 농어 또는 통생선 구이, 316쪽

뒤이어

오렌지 오이 샐러드, 558쪽

추파 잉글레제, 603쪽

또는

스그로피노, 619쪽

겨울철 식사 메뉴

아쿠아코타 — 양배추와 콩이 들어간 토스카나 시골풍 수프, 114쪽

또는

트렌토식 보리 수프, 124쪽

또는

미네스트로네 알라 로마뇰라 — 로마냐식 채소 수프, 94쪽

또는

쌀을 넣은 시금치 또는 에스카롤 수프, 100쪽

레드 와인과 채소를 넣은 소고기 스튜, 403쪽

또는

세이지와 화이트 와인, 크림을 넣은 송아지고기 스튜, 383쪽,

또는 버섯, 386쪽

또는

코테키노, 438쪽, 우유와 파르메산 치즈를 넣은 볼로냐식 으깬 감자, 523쪽

뒤이어

채썰기한 사보이 양배추 샐러드, 556쪽

또는

고르곤졸라 치즈와 호두를 곁들인 로메인 샐러드, 557쪽

또는

따뜻한 콜리플라워 샐러드, 566쪽

글레이즈를 입힌 브레드 푸딩, 579쪽

또는

농가의 신선한 배 타르트, 595쪽

또는

피시오타 — 올리브유 케이크, 597쪽

소박한 식사 메뉴 I

바냐카우다, 86쪽

적양배추 닭고기 프리카세, 341쪽

또는

폴렌타, 283쪽

과

토마토와 채소를 곁들인 돼지갈비, 443쪽

또는 과

베네치아식 양파와 송아지 간 볶음 , 444쪽

로마냐식 레드 와인에 조린 밤, 591쪽

소박한 식사 메뉴 II

피아디나—납작하게 구운 빵, 646쪽,

마늘과 함께 올리브유에 볶은 푸른 잎채소 모둠, 511쪽

푹 익힌 양파와 토마토를 곁들인 돼지고기 소시지, 435쪽

뒤이어

당근채 샐러드, 555쪽

또는

붉은색 비트 구이, 564쪽

참벨라—할머니의 페이스트리 링

(빈 산토 또는 다른 달콤한 와인과 함께 낼 것), 598쪽

또는

건포도, 말린 무화과, 잣을 넣은 폴렌타 쇼트케이크, 596쪽

여름철 점심 메뉴

여름이라 할지라도 이탈리아식으로 먹는 점심은 잘 갖춰진 여유로운 식사일 수 있지만 무거울 필요는 없다. 이 메뉴처럼 신선하고 생기로운 맛을 내는 요리면 된다.

판자넬라 — 빵 샐러드, 560쪽

붉은색 고추와 토마토를 넣은 가지 소스 스파게티, 170쪽

또는 함께

사르데냐식 보타르가 소스, 193쪽

비텔로 톤나토 — 참치 소스를 곁들인 얇게 썬 차가운 송아지고기, 388쪽

뒤이어

이탈리아식 감자 샐러드, 566쪽(햇감자로 만들 것)

스그로피노 레시피에 나온 레몬 아이스크림, 620쪽

호화로운 여름철 저녁식사 메뉴

테니스 코트나 바닷가에서 시간을 보내며 식욕이 왕성해지는 여름날에 이 메뉴만큼 만족감을 줄 수 있는 식사도 드물다.

크로스티니 비안키 — 리코타 안초비 카나페, 62쪽

또는

삶은 참치시금치롤, 81쪽

넓적한 파파르델레 면, 145쪽,

소시지를 넣은 붉은색 파프리카와 노란색 파프리카 소스, 207쪽

또는

마늘과 바질을 넣은 구운 붉은색 파프리카와

노란색 파프리카 소스 펜네, 175쪽

레몬을 넣은 로스트 치킨, 335쪽

또는

마늘, 로즈마리, 화이트 와인을 넣은 송아지고기 팬 로스트, 358쪽

또는

세이지와 화이트 와인을 넣어 익힌 송아지 촙, 382쪽

뒤이어

그린빈 샐러드, 563쪽

또는

삶은 주키니 샐러드, 568쪽

검은 포도와 백포도 절임, 614쪽

또는

달콤한 화이트 와인에 담근 망고와 딸기, 613쪽

숯 그릴구이를 위한 식사 메뉴

브루스케타

로마냐식 그릴에 구운 생선, 296쪽

또는

로마식 그릴에 구운 닭고기 알라 디아볼라, 344쪽

또는

라 피오렌티나 — 피렌체식으로 그릴에 구운 티본 스테이크, 391쪽

숯불에 구운 채소들, 546쪽

신선한 제철 과일 바구니

또는

신선한 민트와 설탕에 절인 모둠 베리를 먹기 직전에

레몬즙에 버무려서 차려 내기

온 가족이 함께 먹는 파스타와 치킨

양파와 버터를 넣은 토마토 소스 스파게티, 162쪽

로즈마리, 마늘, 화이트 와인을 곁들여 팬에 구운 닭, 337쪽

곁들임

아티초크 감자 조림, 459쪽

또는

바삭하게 튀긴 아티초크 웨지, 462쪽

또는

파르메산 치즈를 더한 당근 조림, 486쪽

뒤이어

라 그란데 인살라타 미스타 — 생으로 먹는 다양한 믹스 샐러드, 552쪽

디플로마티코 — 럼과 커피를 넣은 초콜릿 디저트, 583쪽

또는

신선한 과일 또는 이 책에 나온 젤라티

소고기를 활용한 45분짜리 메뉴

로즈마리 버터 소스, 179쪽에 버무린 스파게티,

또는 톤나렐리, 144쪽, 사전에 미리 만들어서 건조시켜둘 것

또는

파르메산, 모차렐라, 바질을 넣고 삶은 쌀 요리, 268쪽

토마토와 올리브를 곁들여 구운 얇은 소고기 스테이크, 393쪽

또는

레드 와인을 넣은 소고기 안심, 403쪽

뒤이어

피노키오 샐러드, 555쪽

신선한 과일 볼

해산물을 활용한 45분짜리 메뉴

올리브유, 마늘, 매운 고추를 넣은 가리비 소스 스파게티, 195쪽

시칠리아 살모릴리오식 황새치 스테이크, 297쪽

뒤이어

마늘로 향을 낸 토마토 샐러드, 554쪽

굴뚝 청소부의 젤라토, 619쪽

간단한 생선요리 메뉴

조개 소스 스파게티, 붉은 소스 190쪽 또는 하얀 소스 192쪽

또는

조개 리소토, 263쪽

뒤이어

핀치모니오, 558쪽

얇게 썬 오렌지 절임, 611쪽

쉽게 만드는 따뜻한 양고기 스튜가 있는 저녁식사

고기가 든 단일한 코스로 만족하고 싶을 때, 이 메뉴가 충분한 위안이 될 것이다.

식초와 그린빈을 넣은 어린 양고기 스튜, 420쪽

뒤이어

라디키오와 따뜻한 콩 샐러드, 562쪽

또는

구운 라디키오, 531쪽

글레이즈를 입힌 세몰리나 푸딩, 578쪽

채식주의자용 메뉴 I

파프리카와 오이를 곁들인 구운 가지, 65쪽

주키니 리소토, 260쪽 또는 아스파라거스 리소토, 258쪽

(원한다면 익힐 때 육수 대신 물을 써도 된다)

또는

시칠리아식 가지 리코타 소스 푸실리, 167쪽

건포도와 잣을 넣은 근대 파이, 496쪽

리코타 프리터, 608쪽

채식주의자용 메뉴 II

64쪽 설명대로 구운 파프리카(안초비 생략)

'아이오 에 오이오' 스파게티, 180쪽

또는

감자 뇨키, 270쪽과 페스토, 186쪽

파슬리, 마늘, 파르메산을 넣은 가지 패티, 504쪽

버섯 팀발로, 519쪽

또는

파슬리, 마늘, 파르메산을 넣은 가지 패티, 504쪽

또는

가지 파르메산, 500쪽

선초크 시금치 샐러드, 556쪽

딸기 젤라토, 616쪽

차가운 요리가 있는 파티용 뷔페 메뉴

이 뷔페 메뉴를 관통하는 주제는 해산물이다. 차갑게 내놓는 쌀과 닭고기 샐러드에서 잠시 끊어질 때 말고는 말이다. 식탁에 디저트를 제외한 모든 요리를 한 번에 차릴 수 있다.

새우로 속을 채운 토마토, 71쪽

인 카르피오네—튀겨서 양념에 절인 신선한 정어리(또는 다른 생선), 72쪽

삶은 참치감자롤, 80쪽

해산물 샐러드, 571쪽

쌀과 닭고기 샐러드, 573쪽

인살라토네—익힌 채소 믹스 샐러드, 569쪽

추코토, 585쪽

❧

레드 와인을 곁들인 차가운 자발리오네, 604쪽

뜨거운 요리가 있는 파티용 뷔페 메뉴

나는 이탈리아식 뜨거운 요리를 내는 뷔페가 왜 앉아서 식사할 때와 똑같은 순서로 음식을 내지 않는지 그 이유를 모르겠다. 첫 번째 코스는 첫 번째에, 두 번째 코스는 두 번째에 내야 음식이 더 신선하고 맛이 좋을 뿐 아니라, 따로 먹어야 할 음식을 한 접시에 쌓아서 먹는 수모를 겪지 않을 텐데 말이다. 나는 뷔페식으로 차릴 땐 요리 목록을 써서 액자에 넣어 식탁에 올려두어, 어떤 음식이 나올지 손님들에게 미리 알려주고 스스로 먹는 속도를 조절하도록 돕는다.

첫 번째 코스

고기로 속을 채운 카넬로니, 232쪽

❧

시금치와 햄으로 속을 채워 얇게 썬 파스타롤, 234쪽

또는

토마토, 프로슈또, 치즈를 얹어 겹겹이 쌓은 크레스펠레, 280쪽

두 번째 코스와 채소 요리

주니퍼 베리를 곁들여 팬 로스트한 어린 양고기, 417쪽

❧

스틴코—트리에스테식 통째로 찐 송아지 정강이, 366쪽

❧

새로운 닭고기 카차토라, 339쪽

❧

파르메산을 올린 아스파라거스 그라탱, 473쪽

❧

제노바식 그린빈 감자 파이, 479쪽

또는

리구리아식 포르치니와 신선한 재배 버섯을 곁들여 구운 얇게 썬 감자, 528쪽

디저트

리코타 커피 크림, 606쪽

호두 케이크, 593쪽, 휘핑크림 한 덩이 곁들이기

찾아보기

[ㄴ]

[ㄷ]

[ㅂ]

[ㅅ]

[ㅇ]

[ㅈ]

[ㅋ]

[ㅌ]

[ㅍ]

[ㅎ]

옮긴이 후기

이탈리아에 갔을 때 매끼 이탈리아 음식을 먹었다. 솜씨 좋은 셰프들이 다양한 재료를 써서 내놓은 완성도 있는 요리를 접했는데, 이 글을 시작하며 가장 먼저 떠오르는 음식은 한 숙소에서 만났던 평범한 조식이다. 미식의 고장 이탈리아에서 기억에 남는 요리가 숙소의 아침식사라니! 혹자는 부드러운 우유거품이 올려진 카푸치노와 반죽에서 발효까지 시간과 정성을 들여 구워낸 빵, 김이 모락모락 나는 고소한 달걀요리를 떠올릴지도 모르겠다.

하지만 아니다. 내게 떠오른 그 식사는, 졸린 눈을 비비고 나와 어슬렁거리며 빈 접시를 채우려 테이블 앞에 섰을 때 마주친 소박하기 그지없는 메뉴들. 시리얼과 우유, 스크램블 에그, 그리고 접대에 인색하지 않은 주인임을 짐작케 하는 직접 만들어 내온 간단한 음식 몇 가지다. 저렴한 숙소였지만 그래도 이탈리아니까, 넓은 접시에 호방하게 담긴 리코타 덩어리가 눈길을 끌었고 소박한 빵과 두어 가지의 달콤한 케익류가 있었다. 그중에서 잊을 수 없는 인상은 '토마토'였다. 윗면이 드문드문 먹음직스러운 갈색으로 구워진 그 붉은 토마토는 따뜻하고 달콤새콤하며 진한 즙을 머금고 있었다. 반으로 자른 뒤 소금과 올리브유를 뿌려 오븐에 구운 게 다였을 그 토마토는 정말 맛있었다. 그리고 참 이탈리아다웠다.

이 책에 실린 레시피 중에 그때 그 토마토 맛을 떠올리게 하는 것이 있다. 양파, 버터, 토마토, 이 세 가지 재료만으로 만드는 '양파와 버터를 넣은 토마토 소스'다. 이 레시피는 마르첼라 하잔 요리의 특색을 잘 드러내면서도 가장 널리 회자되는 레시피일 것이다. 앞에 얘기한 이 세 가지를 한꺼번에 냄비에 넣고 끓이면 끝. 블렌더로 갈거나 체에 거를 필요도 없다. 반으로 썬 양파를 통째로 넣는다는 대목은 아주 잠시 의문을 가지게 하지만, 육수에 넣었던 양파가 제 역할을 마치고 퇴장하는 것과 같은 원리로 보면 된다. 완성된 소스의 맛만큼은 의심의 여지가 없기 때문에 괜한 걱정이었음을 금세 깨닫게 될 것이다. 양파의 단맛이 버터의 풍미와 어우러져 밑바탕에 깔리면서 주인공인 토마토의 진한 감칠맛을 은은하게 받쳐준다. 알맞게 삶은 파스타에 버무리면, 면의 고소한 맛과 질감이 소스와 부드럽게 어우러진다. 건져낸 양파를 재활용할 수도 있다. 책에는 나와 있지 않지만, 나는 푹 익어 단맛이 가득한 양파를 가늘게 썰어 바삭하게 구운 빵에 올리고, 그 위에 안초비 조각 또는 짭조름한 치즈를 올려 먹는 걸 좋아한다.

이처럼 단순한 레시피로 하잔을 먼저 만났던 이라면 『정통 이탈리아 요리의 정수』를 보고 배신감을 느낄지도 모르겠다. 특히 '요리' 서가에 꽂힌 이 책을 무심코 펼쳐든 사람이라면 더욱 그럴 수 있다. 처음에는 빼곡한 글씨에 놀라고, 아무리 넘겨도 그 글씨의 양이 마지막 장까지 이어진다는 점에 두 번 놀랄 것이다. 무릇 요리책이라 함은 완성된 음식의 먹음직스러운 사진이 실려 있고, 그 이미지를 본 독자가 차원을 뚫고 손가락으로 그 음식을 집어 먹고 싶게끔 만든 다음, 책을 들고 자신의 주방으로 가게 만드는 것이 목적 아니었던가! 하지만 이 책은 통상적인 그 기대를 무심히 저버린다. 과정은커녕, 완성된 접시의 이미지조차 찾을 수 없다. 과정 하나하나를 사진으로 찍어 보여주는 요리책에 익숙한 이라면 글씨 속에 내던져진 기분일지도 모르겠다. 그러나 두려워할 필요없다. 『정통 이탈리아 요리의 정수』는 필요한 부분, 즉 완성된 요리의 모습이 중요하거나 조리 동작을 보충해야 할 곳, 또는 재료의 생김새를 알려줘야 하는 곳에는 꼭 일러스트를 덧붙이기 때문이다. 하잔이 1970년대 미국에 이탈리아 요리를 대중화시킨 장본인이라는 사실을 믿어보자.

1960~70년대 미국에 프랑스 요리를 알린 사람이 줄리아 차일드라면, 이탈리아 요리를 대중화시킨 이는 마르첼라 하잔이었다. 미국 태생이었던 줄리아 차일드가 몇 년간 프랑스에 거주하며 학습했던 경험을 살려 요리사가 된 반면, 하잔은 본디 이탈리아 북부 에밀리아-로마냐 출신이다. 하잔이 처음부터 요리하기를 좋아한 것은 아니었다. 결혼 전에는 함께 살던 가족들이 모두 요리를 맡았기 때문에 관심이 없었다. 남편 빅터는 점심을 먹으면서 저녁 메뉴에 대해 이야기할 만큼 음식을 좋아했지만 요리는 할 줄 몰랐다. 식문화가 척박한 땅 미국으로 이주하면서 하잔은 "비닐포장이라는 관에 들어간 죽은 채소"밖에 없던 슈퍼마켓에서 스스로 먹을 길을 찾을 수밖에 없었다. 자신에게 스며들어 있는 '이탈리아의 방식'을 조건이 다른 땅 미국에서 풀어내야 했던 이와 같은 경험과 과정으로 인해 하잔은 자신만의 레시피를 탄생시킬 수 있었고, 정통 이탈리아 요리를 미국에 알리는 데 앞장서게 되었다.

이 책은 정통 이탈리아 요리로 가는 친절한 안내서다. 여정에 들어서기 전에 그는 먼저 우리의 목적지, '이탈리아 요리'란 무엇인지에 대해 이야기한다. 현재 우리가 알고 있는 이탈리아는 1861년에 통일된 국가로서의 이탈리아지만, 이탈리아 반도에는 그보다 훨씬 더 오랜 역사를 가진 각각의 지역이 있고, 그들은 지리, 문화, 역사적 요인에 따라 자신들만의 "기억된 역사에 걸쳐 있는 요리"를 해왔기 때문이다. 이 책에 수록된 많은 레시피에 지역명이 붙어 있는 이유다.

다음은 "토대"로 나아갈 차례. 레시피가 아니라 하여 이 부분을 허투루 지나치지 않았으면 한다. 맨 앞에 이 작은 백과사전을 실은 이유가 분명하다. 맛은 조리의 기본인 바투토와 소프리토, 인사포리레로부터 나온다. 맛의 바탕이 되는 재료를 잘게 썰고, 기름에 볶아 풍미를 끌어낸 다음, 주재료를 넣고 고루 섞어 맛을 주는 과정이다. 이 과정의 중요성을 알게 된다면 파스타를 만들기 전 올리브유에 마늘을 편으로 썰어 넣는 일은 절대로 하지 않게 될 것이다.

기본기 다음은 재료. 이탈리아 요리에서 빼놓을 수 없는 재료, 그리고 비교적 생소한 재료에 대해 매우 자세히 얘기한다. 알파벳순이므로, 순서와 재료의 중요도는 관련이 없다(번역 역시 원서의 순서를 따랐다). 재료의 성격과 역할, 고르는 법과 보관하는 법, 조리하는 법 등이 자세히 설명되어 있다. 뒤이어 기본이 되는 소스와 레시피를, 다음으로 조리도구에 대해 간략히 안내한다.

이탈리아 요리의 토대를 지나고 나서야 본격적으로 레시피가 등장한다. 전채-수프-파스타-리소토 등으로 이어지는 차례는 크게 보면 이탈리아식 테이블 구성을 바탕으로 한다. 각 장 자체가 요리의 명칭이 되는 수프와 파스타, 리소토, 뇨키, 크레스펠레, 폴렌타, 프리타타, 샐러드의 경우 전반적인 설명으로 먼저 시작한다. 각각의 요리 또한 흥미로운 배경이나 특성을 곁들인다. 레시피는 거의 대부분 4~6인분을 기준으로 하나, 그것은 테이블에 오르는 코스 중 하나임을 인지하자. 레시피에 계량된 재료의 양을 참고해 상황에 맞춰 융통성 있게 조절할 수 있을 것이다. 그림을 그려가듯 이어지는 하잔의 섬세한 설명을 단계별로 찬찬히 따라가고, "참고"와 "미리 준비한다면"에 담긴 친절한 팁도 놓치지 말자.

소설이 그렇듯, 잘 설명된 요리책이라면 반드시 이미지를 필요로 하지 않는다. 마르첼라 하잔은 독자에게 그 어떤 이미지보다 상세한 설명으로 요리를 전한다. 이탈리아의 요리가 기억된 역사이듯, 하잔은 그 기억된 역사에 자신의 역사를 덧붙였다. 요리는 그런 것이다. 이탈리아가 아닌 이곳에서, 정통 이탈리아 요리에 여러분의 역사를 덧붙여보길 바란다.

2020년 5월

서울의 기억을 입히는 옮긴이

마르첼라 하잔(*Marcella Hazan*) 지음
마르첼라 하잔은 이탈리아 에밀리아-로마냐의 체세나티코에서 태어났습니다. 페라라 대학교에서 자연과학과 생물학을 전공했습니다. 1955년 이탈리아계 미국인 빅터 하잔과 결혼해 뉴욕으로 이주했습니다. 뉴욕 아파트 부엌에서 하잔은 고향에서 맛본 기억 속의 맛에 최대한 집중해 이탈리아 요리를 마스터해갔습니다. 요리에 대한 열정을 키워가던 하잔은 중식을 배워보기로 합니다. 그런데 강사가 갑자기 중국으로 돌아가 버리자, 함께 수업을 듣던 사람들은 하잔에게 이탈리아 요리를 가르쳐달라고 청했습니다. 그렇게 1969년 10월, 하잔은 맨해튼의 자기 아파트에서 이탈리아 요리뿐 아니라, 이탈리아 문화와 역사를 아우르는 특별한 쿠킹 클래스를 시작합니다.

하잔의 쿠킹 클래스는 금방 입소문을 타며 명성을 얻었고,《뉴욕 타임스》의 가장 위대한 푸드 에디터 중 한 명인 크레이그 클레이번에게까지 알려집니다. 클레이번은 하잔의 요리와 레시피, 강습법에 빠져들었고, 1970년 하잔의 쿠킹 클래스를《뉴욕 타임스》에 소개합니다. 이때부터 하잔은 주요 일간지에 가정에서 쉽고 간단하게 만들 수 있는 이탈리아 요리 레시피를 기고하면서 대중의 사랑을 받게 됩니다.

1973년 하잔은 첫 책『정통 이탈리아 요리책』(*The Classic Italian Cook Book*)을, 이어 1978년 두 번째 책『더 많은 정통 이탈리아 요리』(*More Classic Italian Cooking*)를 펴냈습니다. 이 두 책은 북미 사람들에게 차원이 다른 이탈리아 요리의 세계를 열어준 것으로 평가받습니다. 1992년에 출간된『정통 이탈리아 요리의 정수』는 이 두 책을 합치고 보완해낸 완결판입니다. 출간 즉시 베스트셀러에 올라 30여 년간 집에서 요리하는 이들을 위한 이탈리아 요리의 바이블로 자리매김했고, 마르첼라 하잔의 이름은 전설의 반열에 오르게 됩니다. 제임스 비어드 어워드, 실버스푼 어워드 등 여러 상을 비롯해, 2003년 이탈리아 훈장과 기사 작위를 받았습니다.

박혜인 옮김
고려대학교 건축학과를 졸업하고 동대학원 박사과정을 수료했다. 음식과 책, 요리하기를 좋아해 현재는 소규모 커뮤니티를 중심으로 한 요리 연구가로 활동 중이다.『걸어다닐 수 있는 도시』를 한국어로 옮겼다.

정통 이탈리아 요리의 정수

마르첼라 하잔 지음

박혜인 옮김

초판 1쇄 인쇄 2020년 6월 5일

초판 1쇄 발행 2020년 6월 15일

ISBN 979-11-86000-05-2 (13590)

발행처	도서출판 마티
출판등록	2005년 4월 13일
등록번호	제2005-22호
발행인	정희경
편집장	박정현
편집	서성진, 조은
마케팅	최정이
디자인	조정은
주소	서울시 마포구 잔다리로 127-1, 8층 (03997)
전화	02. 333. 3110
팩스	02. 333. 3169
이메일	matibook@naver.com
홈페이지	matibooks.com
인스타그램	matibooks
트위터	twitter.com/matibook
페이스북	facebook.com/matibooks

이 도서의 국립중앙도서관 출판예정도서목록(CIP)은

서지정보유통지원시스템 홈페이지(http://seoji.nl.go.kr)와

국가자료종합목록 구축시스템(http://kolis-net.nl.go.kr)에서 이용하실 수 있습니다.

(CIP제어번호 : CIP2020017272)